# Claude Monet *La couleur du temps*

| ORDER NO: P | 50542 |
|---|---|
| DATE: | 8.12.00 |
| SUPPLIER: | CSGRAPHICS |

| | |
|---|---|
| t.p.s: | 300 x 265mm |
| Extent: | 348pp |
| Paper: | 150gsm Leykam matt |
| text: | |
| illustrations: | |
| endpapers: | |
| Binding: | 29 x 12pp sections |
| cloth: | |
| Cover: | 4/0 on 300gsm Invercote G |
| Jacket: | |

# Claude Monet
# *La couleur du temps*

VIRGINIA SPATE

314 illustrations dont 135 en couleurs

*Traduit de l'anglais par*
*Élisabeth Servan-Schreiber et Denis-Armand Canal*

**Thames & Hudson**

Frontispice : *Autoportrait de Claude Monet coiffé d'un béret* (W.1078), 1866, 56 x 46.

Le titre *La Couleur du temps* est tiré de Louis Gillet, « Après l'exposition Claude Monet : le testament de l'impressionnisme » in *La Revue des Deux Mondes*, 1er février 1924.

L'édition originale de cet ouvrage a paru sous le titre
*The Colour of Time – Claude Monet.*
© 1992 Thames and Hudson Ltd, Londres.
© 2001 Thames & Hudson SARL, Paris, pour la présente édition.

Cet ouvrage a été reproduit et achevé d'imprimer en février 2001
par l'imprimerie C.S. Graphics
pour les Éditions Thames & Hudson.

Dépôt légal : 2e trimestre 2001
ISBN : 2-87811-196-6
Imprimé à Singapour

# Sommaire

# *Préface*

Lorsque j'ai commencé ce livre, il y a plus de dix ans, les études sur Monet n'étaient pas encore l'industrie florissante qu'elles sont devenues depuis. Dans les années qui ont suivi le début de mon travail, des livres, des catalogues d'exposition, des articles, des recueils de ses recettes et des souvenirs somptueusement illustrés de son jardin ont débordé des presses. Parallèlement sont apparus une multitude de reproductions de ses œuvres, de cartes postales, de *t-shirts,* de puzzles, de calendriers — et jusqu'à des répliques de son service de table ! La publication la plus ambitieuse est sans aucun doute le monument consacré par Wildenstein à Monet, sous la forme d'un *Catalogue raisonné* en cinq volumes : sans cette précieuse source d'information, mon propre livre ne serait surement pas achevé à ce jour. Ceux qui ont travaillé sur Monet ces dernières années ont établi définitivement qu'il ne pouvait plus être considéré ni comme un formaliste, ni comme un naïf observateur de la nature.

La genèse d'une idée est parfois obscure et il arrive qu'on oublie le détail de rencontres intellectuelles qui ont été déterminantes alors que l'on se souvient de leur aspect stimulant. Néanmoins, ce livre a pour origine les conférences que j'ai données à Cambridge dans les années 70. J'en ai développé les thèmes par la suite, avec Paul Joannidès, qui a précisé mes idées sur la peinture du XIXᵉ siècle, même si nous nous sommes agréablement opposés sur plusieurs de ses aspects. Je dois beaucoup aussi aux discussions avec Richard Brettell, Anthea Callen, T.J. Clark, Carol Duncan, John Golding, Robert L. Herbert, Joel Isaacson, Christopher Lloyd, Linda Nochlin, Robert Ratcliffe, Griselda Pollock, Mary Anne Stevens, Nancy Underhill, Frank Whitford, ainsi qu'à Margaret Walters, qui a lu une première version de l'ouvrage. J'adresse des remerciements tout spéciaux à John House, pour les nombreuses heures que nous avons passées à regarder des tableaux. En France, j'ai une dette de reconnaissance particulière envers Michel Laclotte et Michel Hoog, Claire Joyes et Jean-Marie Toulgouat, Hélène Toussaint et Jacques Villain, pour leur hospitalité et leur aide. Je suis très reconnaissante aussi à David Bromfield, qui a partagé avec moi les résultats de ses recherches sur Monet et l'art japonais, et à Patricia Mainardi, qui m'a hébergée pendant plusieurs semaines, et m'a prodigué ses idées.

Mon livre a été commencé avant que je ne retourne d'Angleterre en Australie, en 1979. Bien que l'étude de l'art français ait été rendue un peu plus difficile par ce déménagement, j'ai bénéficié tout de même de la possibilité d'étudier au *Power Institute of Fine Arts* de l'université de Sydney. L'esprit critique et d'examen de mes collègues ainsi que la perspicacité de mes étudiants, m'ont considérablement aidée à avancer mon travail. Enseigner dans un paysage inconnu à Monet et dans une société très éloignée de la culture française, à tous les sens du terme, a finalement été une stimulation supplémentaire pour tenter de restituer la plénitude de sa signification à une peinture modelée par les paysages, la société et l'histoire de la France. Il me faut remercier l'université de Sydney, qui m'a accordé les congés et les bourses qui m'ont permis de continuer mes recherches à Paris.

Je tiens à remercier également les équipes de nombreux musées et bibliothèques, en particulier celles des musées qui m'ont autorisée à reproduire les œuvres de leurs collections. Chaque fois que cela était possible, j'ai préféré montrer des tableaux qui se trouvent dans les collections publiques : j'espère en effet que les lecteurs de ce livre pourront vérifier mes commentaires en présence de tableaux que l'on peut voir facilement. Cependant je tiens à remercier aussi les collectionneurs privés dont les œuvres ont été reproduites ici. Je suis particulièrement reconnaissante envers la fondation Wildenstein et la galerie Durand-Ruel, pour les photographies et la documentation qu'elles m'ont si gracieusement fournies. Je regrette de n'avoir pu aborder dans ce livre le rôle des amis de Monet dans l'élaboration de son art. L'Impressionnisme a en effet été formé par des amitiés durables.

Mon livre a eu tellement de dactylographes et d'opérateurs de saisie, dans trois pays du monde, que je ne peux pas les remercier tous individuellement, comme j'aurai voulu le faire. J'aimerais cependant exprimer ma gratitude à Myra Katz, pour avoir aplani une multitude de problèmes, ainsi qu'à Jill Beaulieu, Donna Brien, Anita Callaway, Belinda Altmann, Philippa Bateman et Vera Schuster, qui m'ont aidée dans la recherche de documentation.

Outre les historiens d'art nommés plus haut, je voudrais mentionner Lynn Barnett et Penelope Pollitt, qui m'ont soutenue et encouragée pendant toutes ces années. Le rôle d'Irma Pick dans la formation de mes idées ne fera aucun doute pour elle. Je dois aussi remercier ma famille pour son soutien : même si j'ai dû la quitter, ainsi que mes amis, pour le long silence solitaire du bureau ou de la bibliothèque, afin de terminer ce travail, ce livre est aussi le leur.

Pour finir, ma reconnaissance va à mes éditeurs, chez Thames and Hudson, en particulier à Nikos Stangos pour son enthousiasme et sa longue patience. Je ne pourrai jamais assez remercier Catharine Carver, qui a édité le texte avec goût, sensibilité et précision.

Parvenue à la fin de ce long travail, je dois me demander si je suis arrivée à une meilleure compréhension de la peinture de Monet. Si la comparaison n'était pas impertinente, je serais tentée de penser à lui, peignant les reflets dans une eau remuée par d'invisibles courants, ridée par la brise, éclairée par un ciel invisible et changeant. Son tableau est là, à portée de l'œil, de l'esprit et du cœur. Mais, comme j'ai cherché à lui donner ma signification, il change, se dissout et se libère enfin de toute définition qui lui mettrait un point final.

V.S.

Commencé sur les rives de la Seine, achevé sur celles de l'océan Pacifique, avril 1989.

Sauf mention contraire, les légendes d'illustrations renvoient toutes à des œuvres de Monet et à des huiles sur toiles. Les dimensions sont données en centimètres.

# *Introduction*

**M**onet s'est attaché résolument, sa vie durant, à représenter certains aspects du monde visible aussi fidèlement qu'il le pouvait : les implications de cette détermination ont rarement été examinées. Que signifiait vraiment cette restriction radicale de la gamme des expressions picturales à ce qui était sous ses yeux à un moment donné — un moment sans passé ni avenir ? Que voulait dire cette lutte pour voir le monde extérieur « sans savoir » ce qu'il voyait, en refusant de faire des rapprochements ou de montrer une relation qu'il ne pouvait pas distinguer, et en peignant non seulement la nature, mais aussi les êtres humains, comme s'ils n'étaient rien de plus que la source de sensations visuelles ? La beauté des tableaux de Monet recèle une objectivité froide : elle suggère que, lorsqu'il peignait, il se coupait de toute identification émotionnelle avec ce qu'il représentait. Cela explique peut-être son perpétuel retour à certains sujets, comme s'il cherchait à leur arracher leur essence — désir qui, à l'instar de celui de Narcisse, devait être perpétuellement repoussé et perpétuellement déçu. De fait, ce réel détachement pourrait expliquer aussi pourquoi Monet a utilisé le monde extérieur pour créer des images qui, tout en paraissant fidèles aux apparences de ce monde, le transforment en un lieu de plénitude sensuelle, une enceinte idéale et protectrice contre tous les effets du temps.

Aussitôt après la mort de Monet, son ami le plus intime, Georges Clemenceau, rapporta une conversation dans laquelle le peintre avait déclaré, à propos de sa façon de voir :

« C'est la hantise, la joie, le tourment de mes journées. À ce point qu'un jour, me trouvant au chevet d'une morte qui m'avait été et m'était toujours très chère, je me surpris, les yeux fixés sur la tempe tragique, dans l'acte de chercher machinalement la succession, l'appropriation des dégradations de coloris que la mort venait d'imposer à l'immobile visage. […] Voilà où j'en étais venu. Bien naturel le désir de reproduire la dernière image de celle qui allait nous quitter pour toujours. Mais avant même que s'offrît l'idée de fixer des traits auxquels j'étais si profondément attaché, voilà que l'automatisme organique frémit d'abord aux chocs de la couleur, en dépit de moi-même, dans une opération d'inconscience où se reprend le cours quotidien de ma vie. Ainsi de la bête qui tourne sa meule. » [2]

Nul n'a décrit de manière plus poignante à quel point le mode de représentation du peintre dépendait d'un enregistrement mécanique des « chocs » visuels, ce qui exclut toute identification émotionnelle avec l'objet de la vision. Nul autre tableau de Monet que *Camille Monet sur son lit de mort*, n'illustre plus profondément ce désir obsessionnel de saisir une réalité au moment où elle est sur le point de « nous quitter pour toujours ». L'image du visage y est si ténue qu'il est impossible de considérer ce dernier en termes de personnalité, d'histoire vécue, de passé. Il est là, pourtant, au moment où il se dissout dans une confusion de traits de pinceau — il est sur le point de n'être plus là. C'est un tableau personnel, évoquant

un deuil intime. Aujourd'hui, il est accroché dans un musée, comme n'importe quelle autre image, un signe, « la femme de Monet, morte ». Existe-t-il un moyen de retirer à ce tableau cette banale identification ?

Les procédés grâce auxquels Monet a réalisé ses tableaux du monde extérieur sont visibles dans ses peintures, dans les traits du pinceau eux-mêmes, et dans les structures complexes et polyvalentes qu'ils forment : ils portent l'empreinte de cette observation « machinale » et détachée, de cette appréhension du monde extérieur comme une succession de « chocs » colorés momentanés, chacun d'eux étant menacé de disparition par le mouvement inexorable du temps[3].

Monet a conçu ses tableaux comme exprimant sa seule perception : ils devaient être, écrivait-il au début de sa carrière, « l'expression de ce que

1. *Camille Monet sur son lit de mort* (W.543), 1879, 90 x 68

j'aurai ressenti, moi personnellement »[4]. De fait, ils ne furent pas tant les images littérales du monde extérieur que les images traduisant la façon dont il assimilait ce monde. Les années durant lesquelles Monet a pris conscience de celui-ci ont vu, dans les relations sociales et l'environnement, des transformations qui ont bouleversé la France, la faisant passer de l'état de société largement rurale et pré-industrielle au stade du capitalisme et de la libre entreprise. Sa jeunesse et ses premières années de peintre se déroulèrent sous le Second Empire, alors que « l'euphorie des immenses profits » et la politique de grands travaux — transformations de la capitale et expansion des chemins de fer, entre autres — encourageaient une spéculation financière effrénée et fiévreuse, qui faisait rêver les riches. Paris attira alors des milliers d'immigrants des campagnes. Dans cette société de plus en plus mobile, la lutte pour obtenir une position sociale sûre était féroce, et l'étalage des signes de la réussite, crucial. La compréhension intime des amis fut de plus en plus remplacée par l'attention accordée aux signes extérieurs de position sociale, par ces relations mondaines qu'évoquent si bien les images du *Nouveau Paris* de Daumier en 1862[5].

La vie urbaine moderne s'est généralement traduite par une série de disparitions : disparition d'une communauté rêvée au profit d'un individualisme éclaté ; disparition des relations sociales affectives au bénéfice des relations fétichisées du monde des biens matériels ; disparition de toute continuité de conscience sous un bombardement permanent de stimulations mécaniques, en faveur d'une vitesse et d'une intensité toujours accrues. « C'est un *moi* insatiable du *non-moi* », écrivait Baudelaire du peintre de la vie moderne, « qui, à chaque instant, le rend et l'exprime en images plus vivantes que la vie elle-même, toujours instable et fugitive. »[6]

Les contemporains de Monet redoutaient que leur société ne fût menacée d'anéantissement et de désintégration, et que toutes ses valeurs — y compris celles de l'Art — ne fussent transformées en valeurs monétaires, surtout depuis que la spéculation financière avait transformé la richesse, la faisant passer d'une propriété tangible et identifiable à quelque chose d'invisible et de fictif. Pourtant, dans le même temps, cette société promettait la libération de l'esclavage du besoin, et la belle vie pour tout le monde : les contemporains étaient aussi ébahis devant ses possibilités qu'ils en redoutaient les conséquences. Cette ambiguïté est au centre du très célèbre roman de Zola sur les différents milieux financiers du Second Empire, *L'Argent* (1890), qui se termine par ces mots qui en disent long :

« L'argent, jusqu'à ce jour, était le fumier dans lequel poussait l'humanité de demain ; l'argent, empoisonneur et destructeur, devenait le ferment de toute végétation sociale, le terreau nécessaire aux grands travaux qui facilitaient l'existence. [...] au-dessus de tant de boue remuée, au-dessus de tant de victimes écrasées, de toute cette abominable souffrance que coûte à l'humanité chaque pas en avant, n'y a-t-il pas un but obscur et lointain, quelque chose de supérieur, de bon, de juste, de définitif, auquel nous allons sans le savoir et qui nous gonfle le cœur de l'obstiné besoin de vivre et d'espérer ? »[7]

En l'espace de deux décennies, les tableaux de Monet allaient être emportés dans le cycle de la spéculation, ce qui peut avoir influencé l'étrange multiplication des œuvres consacrées à un seul et même sujet.

À la différence de Zola, qui plaçait la réalisation de la vision bourgeoise — c'est-à-dire le progrès inévitable du capitalisme et de la libre entreprise — dans l'harmonie, la justice et la plénitude sociales à venir, Monet situait la belle vie dans le présent de ses tableaux, qui actualisaient le désir. « Le rêve les traverse », notait Armand Silvestre à propos des toiles impressionnistes en 1873, « et, tout imprégné d'elles, s'enfuit vers les paysages aimés qu'elles rappellent d'autant plus sûrement que la réalité des aspects y est plus saisissante. »[8] Le sujet des « paysages aimés » de Monet est intensément et exclusivement celui de l'agrément, du loisir. Généralement situé dans une nature domestiquée, il représente un monde maîtrisé, où l'amabilité des fleurs, du feuillage, de la lumière du soleil et de l'eau, offre une alternative au monde industriel. C'est un monde presque sans travail, où les classes moyennes aisées se divertissent, font du bateau, se promènent le long de la rivière, parcourent les champs en fleurs, s'asseyent sur les plages ensoleillées, dans des jardins fleuris ou dans l'intimité d'intérieurs cossus et douillets, à moins qu'elles ne flânent sur les boulevards des villes modernes. Cette peinture montre aussi les objets délicieux de leur contemplation : la campagne, le bord de mer, les jardins de l'Ile -de-France et de la Normandie — et puis, à partir du début des années 1880, des sites touristiques un peu plus lointains. Tout cela, bien sûr, est vu par l'œil d'un visiteur oisif.

L'art de Monet était centré sur sa propre famille, qui représentait à ses yeux — comme pour tout bourgeois de sexe masculin, en général — le lieu même de l'épanouissement de la réussite individuelle, le refuge à l'écart d'un monde public aliénant. Bien que presque tous les modèles de Monet aient été des femmes, ses tableaux à personnages sont tout sauf érotiques.

2. Honoré Daumier, « Le Nouveau Paris », lithographie in *Le Boulevard*, 6 avril 1862

3. Honoré Daumier, « Peintres paysagistes au travail », lithographie in *Le Boulevard*, 17 août 1862

4. *Le Pont du chemin de fer à Argenteuil* (W.279), vers 1873, 60 x 99

Le désir n'était pas pour lui, comme pour Renoir, synonyme du corps féminin, mais d'une nature bourgeoise domestiquée et "féminisée", où se conservaient des traces de sa propre enfance. Celle-ci était irrémédiablement perdue, mais il cherchait à la retrouver, la transformant en un ensemble de sensations d'un ordre supérieur. Dans l'ensemble de sa peinture, Monet a enfermé sa famille dans des jardins faits de voiles de feuillages et de fleurs, ou dans la campagne de sa jeunesse. La famille a ainsi joué un rôle crucial dans la création de la peinture de paysage moderne.

Monet a presque totalement exclu tous les sujets qui auraient pu mettre en danger sa construction d'un monde idéal et protégé. Pourtant, ce monde fut miné de l'intérieur par la rigueur de sa vision moderne. Zola, le plus perspicace parmi les premiers commentateurs du peintre, soutint en 1868 que ses tableaux de la campagne étaient modelés par son expérience de la ville[9] : cela se voit, je crois, dans la manière dont il a essayé de représenter les personnages et leur environnement comme de purs objets de vision, inaccessibles à d'autres modes d'expérience. Il est parfaitement possible de montrer comment la peinture de Monet a exprimé l'aliénation des relations objectives ; comment elle a exalté le moment de l'accomplissement individuel opposé au partage de l'expérience sociale ; comment elle a été conditionnée par la fragmentation du temps propre au capitalisme et par la pratique de la spéculation financière. Il ne s'agit pas toutefois d'un reflet littéral de ce genre d'expériences : sa peinture montre que la pure "objectivité" n'était ni simple ni totale, singulièrement parce que la peinture ne pouvait pas imposer ces modes d'expérience au spectateur.

Le jeu d'échanges simultanés entre la perte et la réparation peut se voir avec une particulière clarté dans la représentation que Monet avait du temps, qu'il reliait à un concept central du discours du modernisme : celui de la destruction du temps traditionnel par le chronométrage moderne. Daumier a représenté les aspects opposés du temps dans deux lithographies publiées en 1862, « Le Nouveau Paris », et « Peintres paysagistes au travail. » On voit la ville nouvelle modelée par l'obsession moderne de la vitesse, qui absorbe l'individu dans l'anonymat des foules indifférenciées, et va même jusqu'à la menacer même de désintégration physique. L'attention que l'homme d'affaires porte à sa montre suggère qu'elle engendre directement le temps qui dirige la vie dans la ville moderne. Il s'agit d'un temps mécanique : celui qui mesure les moments et suspend les continuités temporelles ; celui qui règle le monde de l'industrie. La lithographie des peintres de plein air illustre en revanche le temps naturel : le temps continuel du soleil et des saisons ; celui qui a modelé le monde pré-industriel du paysan et de l'artisan, et qui devrait continuer à définir le travail du peintre paysagiste. Daumier le définissait en termes de liberté et de plaisir. Alors que les premiers paysages du XIXe siècle étaient empreints de la notion et de l'expérience du temps continu, les tableaux de Monet représentent le conflit entre différents aspects du temps, symbolisés très explicitement par le thème du fleuve et par celui du train : le premier est caractérisé par la continuité de la nature, le second réglé par le temps mécanique. Le train était pourtant le moyen grâce auquel le menu peuple atteignait la liberté rêvée du fleuve, avant d'être ramené à sa vie dans les villes. En outre, les deux thèmes ont été perçus par un œil que conditionnait l'expérience moderne de la ville et qui cherchait à voir « machinalement », par le biais de « chocs de la couleur » dans lesquels le motif se fragmentait. Cette façon de voir avait sans doute quelque chose de "l'instantané" de la vision photographique. Mais, si Monet saisissait peut-être le motif instantanément, la structure de ses tableaux révèle tout de même un processus long et complexe pour trouver les traits de peinture adéquats, avec lesquels il pût construire son image fictive de l'immédiateté.

En un sens, donc, les œuvres du peintre récusent la continuité du temps naturel, comme si elles suspendaient celui-ci à l'instant du « choc » de la perception, détaché à la fois de ceux qui l'ont précédé et de ceux qui lui succèderont : vague écumante juste avant qu'elle ne retombe, ou nuage de vapeur juste avant qu'il ne se dissipe. Ses tableaux représentent des rencontres qui ne peuvent se reproduire : au moment où le bateau va changer de cap, un rayon de lumière frappe les voiles gonflées par le vent, à l'instant même où elles commencent à mollir et où des nuages décomposent cette lumière ; un mouvement entre deux eaux accroche la lumière du soleil, juste avant que la brise ne ride la surface de l'eau et ne la fasse disparaître — à jamais ? La passion que Monet éprouvait à saisir ce qui est sur le point de disparaître l'a conduit, dans les années 1890, à ces séries de tableaux dans lesquels il a essayé d'enregistrer toutes les variations de la lumière sur un même motif : procédé étonnant qui lui faisait donner deux ou trois coups de pinceau sur une toile avant que la lumière ne change, puis courir à une autre toile, déjà commencée, qui ressemblait à ce nouveau "moment" de lumière. Le morcellement de la perception consciente inhérent à ce procédé était étroitement lié, chez Monet, à sa fragmentation du monde objectif en particules de couleurs, comme si son désir d'approcher toujours plus prêt de l'objet débouchait sur la quasi désintégration de ce dernier, selon ce que Gillet écrivait en 1909 : « Il ne reste du monde visible que ce poudroiement impalpable, cette ronde et ce tourbillon de radieux atomes. »[10]

Un tableau de Monet est en fait composé de nappes denses de touches colorées, qui représentent des appréhensions momentanées, temporairement figées en image (image durable), de la rencontre éphémère de perceptions multiples. Un spectateur peut saisir cette peinture pareille à un instant, mais la structure du tableau permet aussi d'expérimenter le processus de la création étalée dans le temps. Jusqu'à ses dernières œuvres, toutefois, la plupart de ses contemporains ont eu tendance à considérer les tableaux de Monet essentiellement comme des esquisses de "moments" de perception. On avait fréquemment tendance à caricaturer cette instantanéité, brocardant la rapidité d'exécution du peintre par une équivoque perfide sur l'expression anglaise : « Time is money »[11] : on insinuait ainsi une préoccupation due à la contamination des pratiques contemporaines du monde des affaires et de la production industrielle, envahissant ce que l'on tenait jusque-là pour le royaume intemporel et sacro-saint de l'Art.

De fait, le travail figure rarement dans le monde créé par Monet : il n'existe que par son corollaire du loisir, qui fait des fins de semaine estivales un paradis éternel. À une seule exception près (*Les Déchargeurs de charbon*, en 1875), les seuls personnages que l'on voit travailler sont les peintres eux-mêmes. Le tableau suggère donc le paradigme du travail comme plaisir et comme liberté — notion affectueusement moquée dans la lithographie de Daumier, *Peintres paysagistes au travail*.

Bien que Monet ait chéri l'idée de fidélité au monde visible, c'est dans des structures qui lui étaient profondément personnelles et que l'on peut voir, sous forme embryonnaire ou partielle, dans ses premières œuvres (tableaux et dessins), qu'il a traduit cette fidélité. Cela permet d'expliquer l'extraordinaire continuité dans le travail du peintre : dès qu'il eut commencé à travailler, il se consacra à l'expérience directe du motif, à la peinture en extérieur, aux effets de lumière. Ses premières œuvres montrent déjà l'eau et les reflets, qu'il continuait de peindre presque soixante-dix ans plus tard.

Monet contribua à forger sa propre légende, avec la complicité de ses amis proches, les critiques Octave Mirbeau et Gustave Geffroy, et de quelques autres journalistes. Il commença dès les années 1860 à bâtir le récit héroïque de l'artiste qui s'est créé lui-même, profitant d'un genre journalistique nouveau — l'entretien avec l'artiste — de 1880 jusqu'à la fin de sa vie. D'une interview à l'autre, on voit ainsi s'édifier une carrière, bâtie selon une évolution dynamique et indépendante. Notre livre a pourtant essayé de s'en tenir à l'écart. La motivation qui a déterminé Monet à construire sa propre histoire est la même que celle qui l'a il a modelé son œuvre comme une exploration individuelle et opiniâtre des « effets de lumière et de couleur » — ce qu'il appelait, comme Cézanne, sa « recherche ».

L'histoire de Monet est aussi exemplaire par le récit qu'il fait des sacrifices consentis pour ne pas trahir son art, de son extrême pauvreté du début, et de la manière dont le ridicule et l'opprobre ont été suivis par le succès, la confusion de ses ennemis et la reconnaissance proclamée de son talent de paysagiste, le plus grand de son temps, et peut-être de tous les temps. Malgré tout, Monet a été reconnu très tôt comme le véritable chef de file de sa génération ; il a gagné un argent considérable dès les années de formation, et il aurait pu vivre très confortablement dans les années 1870, s'il n'avait pas été un peu panier percé.

Malgré cet utilisation précoce de la presse pour promouvoir l'image de l'artiste, malgré l'abondance de la documentation (présentée avec un souci presque fanatique de l'exhaustivité dans la biographie et le catalogue de Wildenstein), malgré la survivance de plus de 2 000 tableaux et 2 500 lettres, malgré la correspondance, les articles et les souvenirs de ses amis, malgré tout ce que l'on sait de Monet — il semble curieusement absent de sa propre histoire. Renoir, gêné d'avoir reçu la Légion d'honneur alors que Monet s'opposait résolument à ce genre de distinctions, écrivit à ce dernier en 1900 :

> « Tu as, toi, une ligne de conduite admirable, moi je n'ai jamais pu arriver à savoir la veille ce que je ferais le lendemain. Tu dois bien me connaître mieux que moi, puisque je te connais mieux que toi très probablement... N'en parlons plus, et vive l'amour. »

Malheureusement, Renoir n'a jamais beaucoup parlé de ses relations avec Monet, disant seulement à son fils Jean que Monet était né « grand seigneur », et reconnaissant qu'il lui redonnait courage chaque fois que lui-même venait à désespérer.[12]

Il reste que, malgré sa ténacité et sa force de caractère, Monet a profondément douté de lui-même, de manière presque névrotique. Il semble qu'il ait eu besoin d'amis solides, comme Mirbeau et Clemenceau (dont il était curieusement dépendant), qui l'ont encouragé avec bon sens et humour (parfois dévastateur) luttant contre la torture du doute sur sa capacité à réaliser ce qu'il cherchait — alors même qu'il aurait sans doute persévéré de toute façon. La curieuse attitude qu'il avait à l'égard de l'argent en est une confirmation supplémentaire : on le surprend si souvent à mendier pitoyablement auprès de ses amis, dans des années où il gagne lui-même bien plus que beaucoup de professionnels, que l'on en vient à se demander pourquoi il s'endettait ainsi. Monet a été obsédé par l'argent, de façon chronique, mais il a dépensé par ailleurs des sommes folles ; même au moment de sa plus grande richesse (il possédait alors deux Rolls-Royce), il redoutait de tout perdre, de manière totalement irrationnelle[13]. Monet avait aussi besoin d'une famille, d'une part comme sujet de ses tableaux, et d'autre part pour qu'elle lui fournît les conditions idéales dans lesquelles il pût travailler. Il lui fallut la doter du confort bourgeois qu'il estimait nécessaire et qui faisait de son art quelque chose de domestique et de familier. Il pourrait sembler qu'il garantît alors son monde contre les menaces auxquelles la vie — sa vie dans cette société en route vers la modernité — était exposée, et contre la désintégration à laquelle son mode de vision le conduisait.

Nous savons également que Monet a participé — au moins comme spectateur — aussi bien à la vie culturelle qu'aux divertissements populaires de l'époque. Même lorsqu'il vivait à Giverny et qu'il fulminait de bon cœur contre Paris, il n'omettait pas de se rendre régulièrement dans la capitale, afin de garder le contact avec ses amis, écrivains et artistes, et d'assister aux expositions, aux pièces de théâtre et même aux matchs de lutte. Ses préférences allaient au canotage sur la Seine ; à partir du tournant du siècle, il s'adonna avec un immense enthousiasme aux joies de l'automobile et assista même aux premières compétitions. Comme on peut s'y attendre de la part de quelqu'un dont les amis les plus proches s'appelaient Mallarmé et Mirbeau, Monet lisait aussi beaucoup : il connaissait les œuvres de Tolstoï, de Baudelaire, de Gautier, de Flaubert, des Goncourt, de Zola, de Huysmans, de Jules Renard et de Maeterlinck. Nous ne savons toutefois presque rien de ses réactions face à ces lectures, sauf pour le *Journal* de son « cher Delacroix », qui était sa lecture favorite[14].

Ce qui nous frappe, dans les 2 685 lettres qu'il nous a laissées, c'est le peu qu'elles nous apprennent sur ses idées. Elles nous révèlent bien l'exactitude fanatique avec laquelle il abordait les effets de lumière, le travail énorme que demandaient ses tableaux, la lutte toujours recommencée contre le temps et ses vicissitudes. On y découvre aussi ses soucis pour sa deuxième femme, Alice Hoschedé, pour ses enfants et pour ceux qu'il avait eus avec Camille, sa première épouse, mêlés aux intrigues pour les expositions et pour la vente de ses tableaux. Rares sont les allusions au pourquoi de sa peinture, à ce qu'il recherchait au-delà de la fidélité à certains effets naturels. Comparées à celles de Pissarro, les lettres de Monet dévoilent une remarquable absence d'idées. Pissarro a commenté les événements sociaux, politiques et artistiques, les livres qu'il lisait et les expositions qu'il avait vues, aussi bien que le rôle de la nature de l'art dans la société capitaliste, et dans la société socialiste à venir. Les lettres de Monet trahissent un égoïsme absolu, ou plutôt un intérêt exclusif pour ses tableaux et pour les conditions dans lesquelles il pouvait les faire évoluer et surtout les vendre.[15]

Le mystère subsiste : pourquoi le plus bourgeois de tous les artistes a-t-il compté au nombre de ses amis des radicaux comme Mirbeau et Geffroy ? Pourquoi a-t-il fait partie du cercle intime des écrivains les plus doués de son époque, de Zola à Mallarmé ? À l'évidence, beaucoup d'intellectuels ont été séduits par l'attrait de son génie. En outre, avec l'aide d'Alice, puis de Blanche Hoschedé-Monet, il arrangea une maison et un jardin qui étaient tout simplement enchanteurs. Monet semble avoir eu un don pour inspirer l'amitié, mais on trouve bien peu de sentiments réels pour les autres dans ses lettres, sauf pour Alice et les enfants de leurs mariages respectifs. L'époux et le père aimant a été un véritable tyran domestique, dont les colères faisaient trembler sa famille, surtout quand sa peinture allait mal. Comme il l'a reconnu lui-même, il a transformé en enfer la vie de sa belle-fille Blanche, qui dut renoncer à sa propre peinture pour s'occuper de lui durant les douze dernières années de son existence, et qu'il laissa sans avoir pourvu à son avenir[16]. L'hôte délicieux et l'ami apprécié était aussi un homme capable de traiter ses amis avec mesquinerie et opportunisme. L'arrivée d'une de ses lettres quémandeuses ou geignardes, toujours mendiantes, doit avoir soulevé le cœur de plus d'un. Mais on lit aussi sous la plume de Maurice Rollinat, ce délicat poète de la mélancolie :

« Ne cherchez pas à médire de vous-même : en même temps que vous réalisez le type absolu de l'artiste sincère, vous êtes le meilleur homme que nous ayons connu, doué toujours, même quand vous êtes le plus triste ou le plus préoccupé, de la parole ultra-sympathique, du bon sourire et du bon regard. »

Et Rodin répondra en ces termes à l'un des soucis Monet : « Votre lettre m'a réjoui, car vous savez que, préoccupés comme nous le sommes tous les deux par notre poursuite de la nature, les manifestations de l'amitié en souffrent, mais le même sentiment de fraternité, le même amour de l'art, nous a fait amis pour toujours. »[17]

Si l'on considère les tableaux à personnages de Monet, ceux de sa famille et de ses amis, par rapport à ceux de Renoir, de Morisot et même de Pissarro, ils n'évoquent aucun sens d'identification avec son sujet. Bigot écrivait en 1877 : « [...] aucun sentiment intime, [...], aucune vision personnelle.[...]. Derrière cet œil et cette main, on cherche en vain une pensée et une âme. » De son côté, Gillet commentait en 1909 : « [...] derrière l'éternel sourire de son œuvre, on ne voit pas assez la vie de son modèle. Il manque de sympathie. »[18] Malgré l'intimité avec ses sujets et malgré les beautés dont il les entoure, ses tableaux suggèrent le détachement avec lequel Degas approche ses personnages, plutôt que le projection du désir de Renoir vers les images des êtres qui lui sont proches.

Monet a eu une vie riche en amitiés et en relations de famille, mais un volume de Baudelaire est resté ouvert près de son lit de mort, à la page de *L'Étranger* :

« Qui aimes-tu le mieux, homme énigmatique, dis ? ton père, ta mère, ta sœur ou to frère ?

— Je n'ai ni père, ni mère, ni sœur, ni frère.

— Tes amis ?

— Vous vous servez là d'une parole dont le sens m'est resté jusqu'à ce jour inconnu.

— Ta patrie ?

— J'ignore sous quelle latitude elle est située.

— La beauté ?

— Je l'aimerais volontiers, déesse et immortelle.

— L'or ?

— Je le hais comme vous haïssez Dieu.

— Eh ! qu'aimes-tu donc, extraordinaire étranger ?

— J'aime les nuages... les nuages qui passent... là-bas... là-bas... les merveilleux nuages ! »[19]

Comme on pouvait s'y attendre d'un admirateur de Manet, Monet s'est intéressé très tôt à l'expérimentation consciente du modernisme. Il a exploré des variations infinies sur la manière de créer des formes avec des touches de couleur, insistant dans sa pratique sur l'abstraction des marques employées pour signifier les aspects du monde visible. Ces pratiques ne doivent pas être considérées comme formalistes, bien qu'elles aient été intégrées au mythe du modernisme en tant qu'évolution vers la forme pure. L'exploration de la forme par Monet a été un moyen d'exprimer sa vision unique et de se procurer les joies de la famille, de l'amitié et de la nature comme éternelles et exclusives. Tout comme ses amis critiques, il croyait que des tableaux étaient beaux parce qu'ils étaient conformes aux lois de la nature : la beauté devenait ainsi un signe de la véracité de son monde figuré en peinture.

Bien que l'œuvre de Monet ait attiré dans les années 1860 et 1870 des groupes de mécènes importants, elle ne réussit pas à trouver une audience qui aurait pu soutenir sa vision nécessairement précaire de la vie désirée. Ceux qui attaquaient sa peinture étaient moins hostiles à son choix de sujets — le bien-être bourgeois avait des chances au moins potentielles de séduire le public — qu'à l'effort de participation active pour déchiffrer les marques qui servaient au peintre à créer ses images du réel et qui caractérisaient son détachement au cœur même des plaisirs dans l'intimité. Ce fut peut-être l'échec des images "modernistes" de Monet à trouver un public qui le soutînt, en créant les conditions pour le développement d'un art moderniste qui aurait pu s'adresser à deux élites, l'avant-garde artistique et les entrepreneurs professionnels, en France et surtout aux États-Unis. Dans les années 1880 et 1890, Monet acquit un degré de sophistication supérieur dans l'expérimentation esthétique et dans ses stratégies d'exposition, et son art devint simultanément plus riche. Ses tableaux étaient moins souvent des représentations d'expériences agréables, que des incarnations d'états élevés de la perception : les contemporains pouvaient alors les célébrer en termes d'expérience poétique ou mystique. La sensualité manifeste des tableaux masque le détachement de Monet par rapport aux *objets* de sa représentation — un détachement qui durait au moins aussi longtemps qu'il les peignait ; il était nécessaire à son atomisation du monde extérieur, et inhérent au modernisme. Considérés essentiellement comme des objets sensuels, les toiles de Monet ont été vues très souvent comme des représentations de charmantes scènes de genre : elles ont été alors immédiatement absorbées dans une spirale où leur consommation comme objets de luxe déterminait leur prix croissant.

L'éducation de Monet dans le réalisme modela son mode de représentation, qui récusait les formes traditionnelles de construction des relations narratives entre personnages, ainsi que le contenu associatif traditionnel dans ses paysages. Son engagement de fidélité au visible — qui dura toute sa vie — ne requérait pas de documentation sur la société contemporaine sous tous ses aspects, comme Zola l'exigeait de l'impressionnisme. En ce sens, celui de Monet fut peut-être la forme extrême du positivisme, car il impliquait que l'on pouvait connaître seulement sa famille et ses amis, ainsi que le coin de nature et les appartements qu'ils habitaient. La fidélité à la réalité visible ne présupposait pas une exactitude littérale. Les couleurs de Monet ne sont pas celles de la nature, et il apportait de fréquentes modifications au motif, en vue de l'harmonie générale de la toile : pour lui, la vérité ne résidait pas dans le détail, mais dans la saisie des relations harmoniques de la nature[20].

Monet a utilisé les signes connotant le processus de fidélité à la nature pour construire un monde fictif de beauté et de facilité sans tache. Il a peint des scènes de bonheur délicieux au bord de l'eau, alors qu'il était lui-même « sans un sou » ; il a représenté sa famille en sécurité dans un intérieur confortablement meublé, alors que sa situation financière était si précaire que cette existence n'était nullement assurée ; il a peint un Argenteuil — en voie d'industrialisation et de pollution — comme un lieu de pures délices, en ignorant ces contradictions que Maupassant explicitait dans ses souvenirs de la vie au bord de la Seine :

> « Ah ! les promenades le long des berges fleuries, mes amies les grenouilles qui rêvaient, le ventre au frais, sur une feuille de nénuphar, et les lis d'eau coquets et frêles, au milieu des grandes herbes fines qui m'ouvraient soudain, derrière un saule, un feuillet d'album japonais quand le martin-pêcheur fuyait devant moi comme une flamme bleue ! [...]
>
> Comme d'autres ont des souvenirs de nuits tendres, j'ai des souvenirs de levers de soleil dans les brumes matinales, flottantes, errantes vapeurs, blanches comme des mortes avant l'aurore, puis, au premier rayon glissant sur les prairies, illuminées de rose à ravir le cœur ; [...]
>
> Et tout cela, symbole de l'éternelle illusion, naissait pour moi sur de l'eau croupie qui charriait vers la mer toutes les ordures de Paris. »[21]

Pour rendre finalement réel son monde de rêve, Monet créa un jardin d'une grande beauté, que sa peinture embellit encore : elle abolit en effet les collines, les clôtures et les voies ferrées que l'on apercevait depuis le jardin réel, à Giverny. Il peignit ces œuvres avec une telle plénitude sensuelle et répéta avec une telle insistance publique qu'elles avaient été peintes sur le motif, que, dès le début des années 1880, elles ont été acceptées — même par les critiques qui lui avaient été le plus hostile — comme des représentations fidèles du monde réel.

Il est aisé d'interpréter les tensions entre cette beauté inflexible et les réalités sociales contemporaines en termes d'idéologie bourgeoise et de « mauvaise conscience », mais cela ne mène pas très loin et condamne à ne lire les tableaux que comme des objets aimables, mais trompeurs. Cela ne permet pas de se demander si ces œuvres peuvent véhiculer des formes de compréhension qui leur soient spécifiques, ou une connaissance que l'on ne possède pas déjà d'après des sources non picturales.

La recherche par Monet d'un état idéal des choses dans sa peinture a été si intense, si obsessionnelle et si opiniâtre, qu'elle suggère en fait non seulement un désir d'échapper au morcellement de la vie moderne, mais un désir plus fondamental de retrouver ce que nous avons tous perdu : l'intégration de l'enfant dans le corps indifférencié de sa mère. Avec le temps, sa peinture mêla de plus en plus la terre, le ciel, la matière et l'eau en un reflet de couleurs qui suggère la « vibration universelle de la lumière » et l'unité mystique de la totalité. Pourtant, Monet continua d'être aussi détaché, condamné à n'être qu'un observateur. Il resta naturellement un adulte, modelé par le monde moderne, et sa recherche des moyens de créer l'unité dans une société moderne et sophistiquée s'incarna dans des structures picturales qui hésitent sans cesse entre la globalité et la désintégration. L'œuvre de sa vie fut ainsi conditionnée par ce que son ami Geffroy appelait « le rêve inquiet du bonheur »[22].

On regarde trop souvent l'impressionnisme de Monet avec la nostalgie d'un passé qui n'a jamais existé, au lieu de le voir comme une forme de peinture dont la structure même comporte la contrainte de ses exclusions. Ce n'est qu'en pénétrant jusqu'aux manques et aux vides cruels qui sont au cœur de ses toiles que l'on peut accéder plus pleinement à ce que ces peintures peuvent promettre : non pas simplement les images d'une maison agréable dans une campagne des faubourgs, ou de jolis paysages, mais la vision séduisante d'une relation harmonieuse entre les êtres humains et une nature transformée, mais non dépouillée. L'expression de l'altérité impénétrable des hommes et des femmes pris individuellement véhicule ainsi sa propre dignité. La peinture de Monet affirme aussi la justification et la raison de la lutte pour donner un sens à un monde en désordre. Mais ces visions aussi vacillent et anticipent les paroles de Walter Benjamin : « Il n'existe aucun témoignage de civilisation qui ne soit pas dans le même temps un témoignage de barbarie. »[23]

Les conditions de vie dont Monet avait besoin pour créer son monde idéal — une société qui lui permettrait de gagner des richesses considérables, mais qui demanderait en échange certains types de peinture pour les riches mécènes, une peinture qui alimenterait la spéculation et les plus-values rapides — étaient aussi celles-là même qui menaçaient de l'intérieur son monde idéal et personnel . En un sens plus large, la commercialisation de sa peinture instruit littéralement le procès d'une société dans laquelle toutes les valeurs sont transformées en valeurs monétaires, tous les objets en objets de consommation — y compris ceux qui sont supposés incarner des valeurs alternatives, c'est-à-dire les œuvres d'art.

Dans ses dernières toiles, les grands Nymphéas de l'Orangerie et du musée Marmottan, Monet a lutté comme jamais auparavant pour trouver une alternative à la fragmentation du temps. Ces immenses surfaces peintes ont été menacées non seulement par sa cécité, mais aussi par la destruction d'une civilisation et de ses paysages, lors de la Grande Guerre, enfin par l'imminence de la mort du vieil artiste. Les *Grandes décorations* ont été "réparatrices" au sens le plus profond : elles ont admis la désintégration et les ravages du temps dans leur structure constamment remodelée. De ces peintures, Monet assurait qu'elles ne seraient jamais vendues : deux immenses cycles, maculés, inachevés, terribles dans leur beauté impersonnelle — mais en même temps si intensément personnelle.

# PREMIÈRE PARTIE

Les Temps modernes

1840-1878

# 1

## Un jeune artiste sous le Second Empire

*« Ne croyez-vous pas qu'à même la nature, seul, on fasse mieux ? ...
On est trop préoccupé de ce que l'on voit et de ce que l'on entend à Paris...
ce que je ferai ici... sera simplement l'expression
de ce que j'aurai ressenti, moi personnellement... »*
MONET, 1868

*« Claude Monet [...] se plaît à retrouver partout la trace de l'homme. [...]
Comme un vrai Parisien, il emmène Paris à la campagne [...] La nature paraît
perdre de son intérêt pour lui, dès qu'elle ne porte pas
l'empreinte de nos mœurs. »*
ZOLA, 1868 [1]

### I

Un visiteur écrivait en 1853, après une visite chez Claude Monet : « Dans la journée, promenades et bains de mer, le soir, concerts et bals improvisés, tout concourait à égayer cette maison dont les hôtes étaient du reste disposés à prendre joyeusement la vie. »[2] Cette évocation plaisante d'une famille bourgeoise heureuse, suffisamment fortunée pour profiter des distractions propres à sa classe, en plein air et dans l'intimité de la maison, Monet a cherché à la recréer dans sa vie comme dans son art, comme on peut le voir dans son tableau *Terrasse à Sainte-Adresse*, de 1867 : on y voit le père de Monet, avec d'autres membres de la famille et quelques amis, sur la terrasse de la villa côtière de sa tante. Cet instantané apparemment fortuit de la vie quotidienne est observé depuis un espace réservé — le jardin clos d'une maison familiale — et peint de manière à ce que chaque élément, humain, naturel ou artificiel reçoive un accent semblable : les navires qui apportent la richesse au Havre (et à sa famille) sont montrés comme un spectacle aussi agréable, mais pas plus significatif, que le fascinant déploiement des fleurs. Les personnages sont figurés avec aussi peu de passion que les objets, comme si Monet n'avait pas accès à leur vie intérieure. À l'instar des fleurs et des bateaux, ils se fragmentent en particules de couleurs brillantes, sous son regard détaché.

Oscar Claude Monet est né à Paris en 1840. Alors qu'il avait cinq ans, sa famille déménagea au Havre, où son père s'associa à l'affaire d'épicerie en gros que tenait son beau-frère. Durant les années 1840, à l'époque où les fondements économiques de la France moderne se mettaient en place, Le Havre devint rapidement l'un des plus grands ports du pays. En 1889, dans un article sur Monet, un journaliste écrivit que, contrairement à « la côte poétique », Le Havre était « une ville nouvelle ; un accident moderne [fait] de fer et d'empilage de pierres grossièrement taillées, la ville américaine sans passé, sans tradition artistique. »[3]

Vécue inconsciemment au long de ses premières années, l'expérience de la ville nouvelle allait déterminer le modernisme de Monet, sa vision d'un monde dépourvu des associations spirituelles que donne la mémoire, un monde qui n'existait que dans le présent : sa stabilité précaire n'était

assurée contre la désintégration que par une création continuelle d'abondance matérielle. Monet avait huit ans lors de la proclamation de la Seconde République, neuf lors des sanglantes émeutes des journées de Juin à Paris. Il en avait onze lorsque la République succomba au coup d'État du prince Louis-Napoléon Bonaparte, en 1851, et son adolescence se déroula durant la « Fête impériale » (les premières années du Second Empire). Le « milieu des affaires » — le terme est de Monet[4] — dans lequel il avait été élevé approuva l'usurpation de Napoléon III, renonçant aux droits politiques pour lesquels il avait lutté auparavant, au bénéfice de l'« ordre » sous la férule duquel il allait être libre de développer sa puissance économique et de consolider sa domination sociale. L'attitude qu'adoptait Napoléon III — celle d'un conciliateur bienveillant, guidant un État socialement harmonieux vers la prospérité qui finirait par apporter la justice sociale à tous — était épaulée par une manipulation massive de l'opinion : l'acquiescement y était modelé non seulement par les moyens habituels de la répression et de la censure directes, mais aussi par ceux d'une propagande active, que traduisait de manière spectaculaire le colossal déploiement de l'architecture, des travaux d'urbanisme et des divertissements publics. Les Expositions universelles de 1855 et 1867 symbolisèrent au plus haut point la magnificence et l'ubiquité des résultats obtenus par le Second Empire. Le régime fut en fait le premier de l'ère moderne à organiser à ce point les apparences et à construire la passivité admirative de l'opinion publique sur une aussi grande échelle. Une expansion économique rapide continua d'orienter la France vers une économie capitaliste dépendant du développement de l'esprit de consommation, cependant que la répression politique et le principe du « laissez-faire » économique créaient une société dans laquelle la sphère de l'activité était individuelle et privée plutôt que collective et publique. Des familles comme celle de Monet avaient toute latitude pour acquérir la richesse et la sécurité matérielles, dans un monde voué ouvertement au bien-être individuel : cette situation représentait évidemment pour elles l'ordre naturel des choses.

Un gouvernement fondé sur l'illégitimité, pleinement conscient de la nécessité de manipuler les apparences, employa tous ses pouvoirs pour faire des arts plastiques les porteurs du message : ces formes sociales étaient universelles, naturelles, transcendantales ; il fallait par conséquent neutraliser toute forme d'art susceptible de suggérer autre chose. Persigny, le ministre de l'Intérieur de Napoléon III, développa cette doctrine peu après le coup d'État, lors de la remise des prix au Salon de 1852 : « Si un gouvernement, dont les origines et l'existence reposent sur le sentiment poétique des masses, devait dédaigner le culte des arts pour celui des biens matériels, ce serait contraire à son principe de base. »[5] La recherche et la consommation de l'art devinrent les passe-temps favoris de la bourgeoisie, et c'est sous cette forme que Monet en fit la rencontre au sein de sa famille. Sa mère était une chanteuse accomplie, qui l'encourageait à dessiner et louait des moulages de plâtre à cette fin. Il étudia aussi le dessin à l'école, sous la direction de Jean-François Ochard, mais ce genre d'apprentissage était considéré simplement comme l'un des éléments d'une bonne éducation. Monet n'en fit jamais mention dans ses récits sur cette période, déclarant par exemple à ce sujet, en 1900 : « J'étais un indiscipliné de naissance, on n'a jamais pu me plier, même dans ma petite enfance, à une règle […]. Le collège m'a toujours fait l'effet d'une prison… » Dès qu'il avait un moment de libre, c'était pour s'échapper vers la mer et les falaises[6]. Monet a toujours exagéré la rébellion de sa jeunesse, mais son art a été conditionné par l'idéologie "XIXe siècle" de la liberté de l'artiste, et par la conviction que les institutions bourgeoises menaçaient l'accomplissement personnel. Il a cherché des alternatives aux structures institutionnelles. Lorsqu'il fut obligé d'entrer dans un atelier traditionnel, il s'isola complètement, n'acceptant les enseignements que de ceux qui, en dehors de l'École, l'encourageaient à exprimer sa propre expérience de la nature.

Monet a construit le récit des premières années de sa vie comme une opposition dramatique entre deux modes de représentation figurative : caricature et peinture de plein air. Il a rappelé qu'il remplissait les marges de ses cahiers d'écolier d'« ornements ultrafantaisistes, et [qu'il y représentait], de la façon la plus irrévérencieuse, en les déformant le plus possible, la face ou le profil de [ses] maîtres. » Il améliora ses talents de caricaturiste en recopiant les dessins satiriques des journaux illustrés contemporains. À une époque où la caricature politique était sévèrement contrôlée, ces publications répondaient à la demande des citadins des nouvelles villes, qui pouvaient espérer s'y retrouver en images, avec leur concitoyens. Les caricaturistes — dont le plus grand, Daumier, était l'idole de Monet — développaient des méthodes de notation pour traduire les formes de conscience engendrées par l'expérience urbaine, d'une manière qui allait revêtir une extrême importance pour la peinture d'avant-garde des années 1860 et 1870[7]. Le talent de Monet pour la caricature le mit en contact avec ce répertoire graphique capital, et influença ses tableaux de la vie moderne. On peut le voir dans *Les Bains de la Grenouillère*, de 1869 : avec l'esprit et l'économie de moyens d'un caricaturiste, il a représenté deux femmes en costume de bain évoquant immanquablement des phoques. Ses premiers dessins étaient plutôt des notations faciles, démonstrations d'habileté d'un jeune homme qui veut affirmer son talent aux dépens de son modèle ; en revanche, les traits de son pinceau indiquent qu'il a cherché à faire ressortir les signes qui montrent les individus comme acteurs de la scène sociale. Entre le tableau et les caricatures se situe l'apprentissage de Monet, selon les nouvelles techniques de vision développées par la jeune génération des réalistes, au début des années 1860.

Les premières étapes de l'apprentissage ont été franchies avec l'aide du paysagiste Eugène Boudin, qu'il rencontra peut-être dès 1856. Lorsque ses œuvres furent présentées, avec d'autres de Millet et de Troyon, dans la vitrine d'un encadreur du Havre, Monet vit ses caricatures exposées au regard d'une foule admirative, et dit : « J'en crevais d'orgueil dans ma peau » ; mais, « imprégné [qu'il était] des principes académiques », il partageait le dégoût du public pour les paysages de Boudin[8]. C'est pourtant ce dernier qui devait provoquer la transformation de l'attitude arrogante de Monet envers le monde extérieur, en persuadant le jeune homme de venir peindre en plein air avec lui. Monet devait rappeler cette expédition, dans les termes que l'on utilise habituellement pour évoquer une conversion religieuse :

> « Je le regarde plus attentivement, et puis, ce fut tout à coup comme un voile qui se déchire : j'avais compris, j'avais saisi ce que pouvait être la peinture. »

Il rapporte aussi qu'il observait Boudin en train de peindre : « Je fus envahi par une profonde émotion….Plus encore, je fus illuminé. » Le mot qu'il utilise — « illuminé » — n'a pas été écrit au hasard. Il avait déjà vu les œuvres de Boudin, c'est face à l'acte de peindre lui-même que se manifesta sa réaction ; c'est ce qui fit naître en lui les émotions les plus intenses dont il était capable. Plus de trente ans plus tard, il écrivait encore à son vieil ami : « Je n'ai pas oublié que c'est vous qui, le premier, m'avez appris à voir

5. « Léon Manchon », une des premières caricatures faites par Monet, vers 1860

et à comprendre. »[9] Pour lui, voir, c'était comprendre, mais cela ne se réalisait vraiment que dans l'acte même de peindre.

Lors de cette première expédition, Monet dut voir comment Boudin commençait à travailler sur une toile vide, cherchant à traduire ce qu'il voyait par de petits traits de brosse, qui brisaient les formes plus grandes en délicates nuances de tons, tout en créant ensemble nouveau. Il est capital, pour Monet, que sa première expérience du miracle de la création des formes ait eu lieu en même temps que sa rencontre avec la peinture de plein air. Il est également essentiel que ses premières leçons de peinture lui aient été données par un artiste qui croyait que les œuvres peintes en plein air, sur le motif, avaient une authenticité qui faisait défaut aux peintures d'atelier : le pleinairisme n'avait pas d'autres règles que celles de la fidélité à l'expérience individuelle, et cela confortait Monet dans son opposition à l'enseignement formel de la tradition.

Les commentaires de la critique sur le nombre toujours plus important de tableaux de plein air aux Salons révèlent une appréciation grandissante de ce genre de peinture comme expression de l'expérience personnelle. Toutefois, ce goût n'avait pas encore évincé la croyance selon laquelle la véritable valeur de la peinture se trouvait dans l'œuvre formelle exécutée en atelier, où le caractère instantané de l'expérience pouvait être

6. Eugène Boudin, *Poirier au bord de la mare,* vers 1853-1856, 44 x 70

généralisé et doté des associations traditionnelles qu'appréciait le public cultivé. À la base de ces pratiques se trouvait la conviction que la nature ne prenait de signification que lorsqu'elle avait été transformée par la pensée et l'émotion humaines. Au milieu du XIXᵉ siècle, la science avait commencé à remettre en cause cette vision anthropocentrique de la nature, que l'on considérait de plus en plus comme indifférente aux valeurs de l'homme, et qui était perçue désormais comme une structure mécanique de forces dynamiques à laquelle l'être humain était soumis en tant qu'être matériel. L'idéologie positiviste — qui soutenait qu'il n'y avait pas de réalité au-delà de ce que les sens pouvaient vérifier — conduisait logiquement à la conclusion que rien n'était sûr à moins d'avoir été expérimenté personnellement. L'interprétation du monde matériel devenait ainsi un acte *individuel* perpétuellement renouvelé, qui ne cessait de remettre en cause l'autorité du passé, en faveur de l'expérience isolée du moment présent. La nouvelle attitude envers la nature était intimement liée à l'individualisme bourgeois et à la redéfinition du temps dans la société urbaine industrielle. Pour les peintres de la nature, on ne pouvait accorder de crédit à aucune expérience antérieure, qu'elle fût personnelle ou vécue par d'autres artistes ou la leur propre : elle pouvait au mieux fournir seulement une hypothèse de travail, un guide provisoire. Cette idéologie donna un caractère inéluctable à la peinture de plein air, puisque cette dernière requérait une confrontation directe avec un fragment de la nature, tandis que l'œuvre d'atelier impliquait la référence à des concepts hérités, à la mémoire, à des équivalents précédemment appris entre nature et peinture.

Bien sûr, Monet ne changea pas du jour au lendemain, après sa rencontre avec Boudin : ses carnets d'esquisse conservés montrent qu'il continua ses caricatures, à côté des dessins de paysage. Ces derniers possèdent déjà certaines caractéristiques du style de la maturité de Monet, et il garda toute sa vie l'habitude de procéder ainsi pour explorer un paysage. Il disait, à plus de quatre-vingts ans : « Je n'ai jamais aimé isoler le dessin de la couleur. C'est ma façon de voir à moi, ce n'est pas une théorie. »[10] Son étude d'arbres (ill. 7) montre par exemple comment, au lieu de représenter de façon l'écorce des troncs d'arbres, il a audacieusement marqué au couteau le contraste entre le clair et l'obscur, par des traits séparés qui sont caractéristiques du travail à la brosse de plusieurs de ses œuvres plus tardives. Les lignes tordues forment des silhouettes dramatiques sur fond de paysage, exactement comme les rochers composés de lignes colorées se dresseront devant la mer dans les tableaux de Belle-Ile, peints quelque trente

ans plus tard. Même dans un dessin plus conventionnel exécuté en 1856, Monet a aplati l'architecture de la composition, en accentuant les horizontales et en adoucissant les diagonales, créant du même coup une tension entre le schéma linéaire de la surface, sa forme tridimensionnelle, et l'espace qui animera plus tard ses tableaux de maturité, même lorsque le coloris sera le plus exubérant. Monet allait chercher la vérité d'une scène naturelle comme si elle était séparée de lui-même, mais il devait la trouver au moment où il serait en état de découvrir dans le motif les structures formelles pour lesquelles il était prédisposé — sans que l'on sache pourquoi.

Ces structures sont perceptibles dans le premier tableau connu de Monet, *Vue prise à Rouelles* (ill. 9), de 1858. A l'époque, Monet peignait depuis très peu de temps, poutant c'est une œuvre extrêmement achevée, qui révèle déjà une grande intelligence de la lumière, quoique la précision des détails et le degré de finition suggèrent une exécution en atelier. Le traitement délicat des tons dégradés, à l'intérieur de grands contrastes de clairs et d'obscurs, suggère l'influence non seulement de Boudin, mais aussi de Daubigny, peintre de Barbizon et ami de Boudin, qui était venu travailler dans la région du Havre. Le tableau de Monet est cependant plus conventionnel que les leurs, aussi bien dans sa structure tonale que dans la vision très aiguë avec laquelle le détail des plantes du premier plan est exécuté. La simplicité affirmée et confiante de la palette — bleu, vert et jaune — et

7. *Arbres,* étude, vers 1857, dessin au crayon, 30 x 23

8. *Au bord du fleuve*, août 1856, dessin au crayon, 39 x 29

respectable. Elle-même peignait, sans doute de la manière dont les dames de la bonne société recherchant l'épanouissement personnel, mais elle possédait quand même un petit Daubigny — qu'elle donna plus tard à son neveu — et son amitié avec le peintre réaliste Amand Gautier suggère qu'elle avait au moins quelques connaissances de l'évolution de la peinture. Gautier, ami intime de Courbet, républicain convaincu et membre de la bohème parisienne, allait devenir le premier ami radical de Monet. Le personnage étrange qu'il semble dessiner dans une famille apparemment conformiste suggère qu'il ne faut peut-être pas considérer de façon trop simpliste l'attitude du père et de la tante de Monet. Ce dernier a toujours souligné leur opposition à sa vocation de peintre, mais ils étaient prêts à lui payer ses années d'apprentissage. Peut-être s'attendaient-ils alors à ce que Claude, manifestement doué, suivît une formation académiquement reconnue et finît par avoir une carrière respectable, conformes aux critères de la bourgeoisie cultivée. Malheureusement, il s'était déjà engagé dans la voie plus héroïque de l'avant-garde artistique : celle-ci voulait que l'artiste qui persistait à exprimer une expérience personnelle opposée aux valeurs traditionnelles dût attendre longtemps la reconnaissance du public ; mais une vie entièrement consacrée à l'art et au talent devait recevoir finalement sa justification. En ce sens, l'artiste — c'est-à-dire quelqu'un dont la vision est nécessairement en avance sur son temps — pouvait mettre en pratique les idéaux de liberté, de progrès et d'accomplissement personnel sur lesquels vivait en fin de compte la société libérale bourgeoise.

Monet ne réussit pas à obtenir une bourse de la ville du Havre pour étudier à Paris, mais il avait amassé la somme considérable de 2 000 francs-or en vendant ses caricatures. Cette somme, bien supérieure au salaire annuel d'un ouvrier lui permettait de vivre indépendant quelque temps. En mai 1859, il quitta Le Havre afin d'assister au Salon.

Lorsque Monet arriva à Paris, véritable Mecque de tous les aspirants-artistes et écrivains qui avaient — légitimement, peut-être — l'impression de « respirer à l'étroit » dans les villes de province, la capitale était en pleine transformation. À la fin des années 1840, en raison d'un accroissement brutal de sa population, Paris, selon les mots de Maxime Du Camp, « allait devenir inhabitable ». Napoléon III avait décidé de remédier à cette situation tout en glorifiant son régime et en assurant le contrôle policier et militaire de la capitale : il avait nommé le baron Haussmann préfet de la Seine, avec pouvoirs extraordinaires, pour restructurer Paris et en faire une grande ville moderne[11]. Des quartiers entiers furent détruits et rebâtis ; des boulevards éventrèrent le fouillis des ruelles, dont les façades noircies par le

l'habileté avec laquelle les multiples nuances de vert sont animées par des touches de jaune, annoncent déjà le coloriste que Monet allait devenir : ce tableau illustre de manière frappante la continuité dans l'œuvre de Monet. Des arbres calmes dans des prairies bien arrosées étaient des lieux communs dans la peinture de paysage au XIXe siècle, mais les alignements de peupliers frissonnants de lumière, et les reflets de leurs troncs formant un quadrillage dans l'eau au bas du tableau, constituent un thème que le peintre devait explorer toute sa vie.

La mère de Monet mourut en janvier 1857, peu de temps après le dix-septième anniversaire du jeune homme, quelques mois peut-être après la révélation de l'art de Boudin. La juxtaposition de la découverte de la peinture et de la mort de sa mère (c'est-à-dire de celle qui avait encouragé sa vocation artistique), suivie par la désintégration de sa famille, a peut-être déterminé chez Monet le désir profond de recréer cette famille perdue, à la fois comme contexte et comme sujet de sa peinture.

Le rôle d'encouragement de Mme Monet fut repris auprès de Claude par sa tante, Marie-Jeanne Lecadre, qui subvint aux besoins de son neveu jusqu'à fin 1860, bien qu'elle semble avoir joué de cette dépendance financière pour essayer de lui faire adopter une carrière convenable et une vie

9. *Vue prise à Rouelles* (W.1), 1858, 46 x 65

10. *Coin de ferme en Normandie* (W.16), 1863, 65 × 80

temps cachaient souvent des cours lépreuses. Les rues étaient parfois si étroites que les véhicules pouvaient à peine passer sans écraser les piétons contre les murs éraillés, en les éclaboussant de la boue répugnante des caniveaux et autres égouts à ciel ouvert. Zola, arrivé à Paris un an avant Monet, décrit bien les rues du Paris d'avant Haussmann dans *L'Œuvre*, roman sur la vie d'artiste écrit quelque vingt ans plus tard, et qui s'inspire de la vie des amis qu'il fréquentait dans les années 1860. Son héros, le peintre Claude Lantier, réunit en sa personne des traits empruntés à Monet, à Cézanne et à Zola lui-même. L'auteur oppose, par exemple, l'intérêt romantique de Lantier pour l'obscurité pittoresque des vieilles rues, et la promenade triomphale du jeune artiste à travers un Paris dans lequel les nouveaux boulevards ouvrent la ville à la lumière et font des artistes les conquérants du nouveau réalisme[12].

Tout au long de 1860, alors que Monet passait la majeure partie de son temps à Paris, des armées de terrassiers continuaient de pulvériser les anciens quartiers, pour construire les maisons et les bâtiments financiers, commerciaux et administratifs nécessaires à l'accueil d'une population toujours croissante, ainsi que de nouveaux hôpitaux, des gares, des marchés, des grands magasins, des théâtres et des lieux de loisir de masse. De profondes ambiguïtés présidaient à ces transformations, que cherchaient à masquer les discours alambiqués sur le nouveau et l'ancien, l'obscurité et la lumière, le caché et le visible, la réalité et l'illusion. La destruction de l'ancien tissu urbain — exprimée de manière poignante et dérisoire par ces bourgeois de Daumier qui déplorent que les ouvriers de la démolition ne respectent rien et n'aient pas le culte du souvenir, dans un dessin intitulé « Regardez notre chambre nuptiale » (ill.11) — signifiait que la tradition et la mémoire d'une communauté ne constituaient plus des guides appropriés pour comprendre les relations sociales dans la ville nouvelle. Un écrivain de 1861 exprime bien cela : « Nous sommes un peu dans le Paris nouveau comme des étrangers dans une ville d'eaux : nous aspirons à pleins poumons le grand air qu'on nous donne ; nous regardons d'un œil curieux et satisfait les rues nouvelles, les maisons qu'on bâtit […]. En un mot, nous jouissons de tout sans nous attacher à rien, absolument comme si cette ville n'était pas la nôtre… »

Les Goncourt ont exprimé aussi leur sentiment de devenir étrangers dans leur propre ville, où les nouveaux boulevards ne leur rappelaient plus le monde de leur enfance — le Paris de Balzac — mais Londres ou « quelque Babylone de l'avenir. Il est bête », écrivaient-ils, « de venir ainsi dans un temps de construction. »[13] Un jeune provincial comme Monet ne pouvait pas éprouver de nostalgie pour un passé qu'il n'avait pas connu : il ressentit plus vraisemblablement l'excitation d'être dans une cité qui offrait aux yeux une fête permanente et qui promettait d'être au cœur du monde de la création. Pour Monet comme pour des milliers d'autres, le fait d'être en vue avait plus de prix que l'expérience accumulée pour gagner l'accès à cette nouvelle existence sociale, un fait exprimé par l'insatiable demande en images de cette société, et leur prolifération spectaculaire sur les photographies, dans les revues illustrées et sur les murs du Salon[14].

Presque tous les tableaux parisiens de Monet allaient contenir des foules de personnages indifférenciés : il est probable que pour lui, comme pour ses contemporains, cette foule constituait l'aspect le plus frappant de la cité moderne, un « immense réservoir d'électricité », aussi terrifiant qu'excitant pour Baudelaire. Dépendant du soutien de ces masses, le nouveau régime craignait et souhaitait à la fois leur présence et cherchait de nouvelles manières de les contrôler visiblement. Compartimentée selon ses classes, la nouvelle cité exposait ses habitants à la vue de tous pour les compter et les classer. Les nouvelles rues et avenues, agencées de façon géométrique, régulièrement ponctuées d'arbres et de réverbères, offraient leurs alignements d'immeubles standardisés et numérotés. Ce processus a été évoqué par un Renoir septuagénaire, présentant le réaménagement du quartier de son enfance comme un acte de despotisme, et rappelant comment la population bigarrée d'une rue marchande « fut dispersée, classée, cataloguée dans l'organisation des nouvelles Halles », changements qu'il

11. Honoré Daumier, « *Regardez notre chambre nuptiale* » lithographie in *Charivari*, 13 décembre 1853

avait approuvés pourtant dans sa jeunesse parce qu'il était « pour le progrès »[15]. La consolidation du régime de Napoléon III s'accomplit partiellement grâce aux nouveaux contrôles systématiques nécessaires pour améliorer la santé et l'hygiène. Ils se développèrent en même temps que le nouvel instrument d'identification et de classification, la chambre noire, avec son œil mécanique et impersonnel[16].

Bien que les nouvelles techniques de construction à armature métallique fussent employées dans beaucoup de nouveaux bâtiments, elles étaient rarement apparentes, sauf dans les gares, les grands magasins et les halles d'exposition : partout, on les avait revêtues de pierre et ornées de sculptures opulentes, produites en série. La ville constituait un décor prestigieux pour l'exhibition des nouveaux riches (financiers, spéculateurs, industriels, hommes d'affaires, et autres personnes proches du pouvoir), cependant que les anciens quartiers ouvriers étaient réduits, repoussés à la périphérie de Paris, cachés derrière de nouvelles façades, contrôlés par de nouvelles avenues dont la rectitude et la largeur étaient destinées à rendre toute guérilla urbaine impossible. Les contemporains décrivaient ce processus comme un « embellissement stratégique », phrase qui révèle de manière saisissante la signification idéologique d'une manipulation des apparences, dans laquelle les conflits fondamentaux de la vie urbaine moderne avaient été transformés en spectacle. On relève une préfiguration frappante de cette attitude dans le commentaire des Goncourt sur le coup d'État :

> « Je suis sûr que les coups d'État se passeraient encore mieux s'il y avait des places, des loges, des stalles, pour les bien voir et n'en rien perdre. Mais ce coup d'État-ci faillit manquer ; il osa blesser Paris dans un de ses grands goûts : il mécontenta les badauds. »[17]

C'est à partir de cette période que Paris fut présentée comme « la Ville-Lumière » : une ville d'agrément avec ses parcs et ses boulevards nouveaux, une ville d'abondance avec son continuel spectacle de nouveaux théâtres, de concerts de plein air et de parades, de vitrines étincelantes, de grands magasins regorgeant de marchandises de luxe (souvent produites au milieu de conditions effroyables, dans les ateliers les plus sombres de Paris)[18]. Ville de consommation ostentatoire, dont les bâtiments débordaient de cornes d'abondance et de guirlandes sculptées, tout comme les Halles nouvelles débordaient de ces victuailles si fabuleusement décrites par Zola dans *Le Ventre de Paris* (1873). Ces spectacles culminèrent dans les grandes Expositions universelles de 1855 et 1867, avec leur présentation de milliers d'objets (y compris des œuvres d'art) et leurs millions de visiteurs venus du monde entier.

La spéculation immobilière fébrile engendrée par la démolition de quartiers entiers est évoquée de façon frappante dans un autre roman de Zola, *La Curée* (1871), avec l'image d'un Paris livré comme une proie vivante aux spéculateurs qui se la partagent, et submergé par un flot d'or[19]. Par sa mise en scène de la corruption financière et morale du Second Empire, Zola révéla que ce n'était pas la richesse réelle, mais l'apparence de la richesse qui comptait dans cet édifice chatoyant : le spéculateur Saccard, par exemple, construit un somptueux hôtel privé équipé de manière extravagante et dépense des millions pour couvrir sa femme de parures et de bijoux, afin d'entretenir l'illusion qu'il a des réserves d'argent dissimulées, ce qui lui permet de continuer à créer de la richesse fictive. Pour les opposants au régime, Paris était « une immense hypocrisie, un mensonge d'un jésuitisme colossal », car il fournissait le cadre d'une société qui se définissait elle-même en termes d'apparence : comme ses habitants pouvaient s'en rendre compte, les apparences étaient fort souvent cruellement et fatalement illusoires[20]. On pouvait les manipuler pour créer le pouvoir, pour contrôler l'opinion, pour conférer un statut précaire. D'un autre côté, elles fournissaient aussi à l'occasion un espace caché pour le libre jeu de l'imagination, dans une société autoritaire. Les tensions et les oppositions entre le réel et ses masques fascinaient les artistes et les écrivains : ce fut le thème central de plusieurs romans réalistes. On le retrouve également dans l'exaltation baudelairienne du dandy et de la courtisane, du pouvoir de métamorphose des vêtements et des cosmétiques ; on le voit encore dans les tableaux de Manet, avec ces personnages en costumes de fantaisie qu'il oppose en un violent contraste à l'idéal même du réalisme — la vérité nue[21].

Au cœur de cette nouvelle société de spectacle, au centre même de cette imitation vulgaire des fastes impériaux, se trouvait Napoléon III — « l'énigme », « le sphinx », comme l'appelait Zola. L'opposition plus ou moins conspiratrice se drapait dans les allures romantiques de la vie de bohême, milieu amateur de mystère et d'ombre, en contraste flagrant avec la lumière du nouveau Paris. C'est ce milieu que Monet approcha. Amand Gautier — auprès duquel Boudin (et peut-être sa propre tante) l'avai(en)t introduit — l'emmena sans doute à la brasserie des Martyrs, connue comme le quartier général des réalistes et de la bohême radicale, décrit par le biographe et ami de Monet, Gustave Geoffroy, comme un « antre mystérieux et tumultueux […] où l'art, la philosophie, voire la politique, avaient un asile sous le Second Empire. »[22]

Comme tout jeune provincial fraîchement débarqué, Monet explora les merveilles modernes de « cet étourdissant Paris », comme il l'appelait[23]. Il alla directement au Salon de peinture, puis au palais de l'Industrie, sur les Champs-Élysées. Vers la fin des années 1850, le gouvernement impérial avait réussi à imposer son idéologie artistique en contrôlant étroitement les jurys qui choisissaient les œuvres à exposer et à récompenser, aussi bien qu'en manipulant la presse. En accord avec la théorie selon laquelle il tirait sa légitimité de toutes les couches de la société, sa politique artistique se voulait et se prétendait éclectique : tous les styles étaient recevables et l'on ne jugeait des œuvres que selon leur qualités formelles intrinsèques. On vidait ainsi les tendances dominantes — classicisme et réalisme — de toute signification idéologique, en les réduisant à de simples catégories esthétiques. Le soutien officiel au concept doucereux de juste milieu débouchait sur une neutralisation de même nature, sorte de voie moyenne entre le réel et l'idéal, le matériel et le spirituel. Reconnaissant la valeur du réel qui rehaussait l'image qu'il donnait de lui-même, le gouvernement encourageait les tendances réalistes et récompensait les créateurs d'images de la vie contemporaine, lorsqu'elles confirmaient ses conceptions d'une société harmonieuse, dans laquelle chaque personne occupait clairement une position bien définie. Ce progressivisme était si persuasif, au moment où Monet arriva à Paris, que le régime avait réussi à influencer fortement l'art de ceux qui avaient créé un réalisme radical sous la Deuxième République : Millet, Breton, et même Courbet[24].

Les commentaires de la critique montrent que le public des Salons préférait les images réalistes de la société contemporaine, mais cela n'était vrai que si ces images confirmaient les valeurs sociales dominantes, et aussi longtemps que ces images ne les confrontaient pas aux aspects de leur société qu'ils ne voulaient pas voir. On exigeait des peintures de la vie contemporaine qu'elles fussent de fidèles imitations des apparences, mais tout tableau qui montrait trop clairement ses procédés de visualisation — et révélait du même coup la relativité de ces mêmes apparences — pouvait être aussi dangereux qu'un tableau qui présentait une réalité désagréable et inadmissible. Le Buveur d'absinthe de Manet (Ny Carlsberg Glyptotek, Copenhague), refusé au Salon de 1859, mais présenté dans l'atelier de l'artiste, accomplissait par exemple cette double transgression.

Le discours antithétique du clair et de l'obscur, de la vérité et de la fausseté, fonctionnait aussi pour le Salon, où l'art officiellement reconnu s'était approprié le langage de la vérité propre au réalisme. Paradoxalement, la théorie réaliste invoquait la métaphore de la lumière pour cette vérité, et Théophile Thoré avait écrit, par exemple, que les réalistes peignaient ces

12. Constant Troyon, *Retour à la ferme*, vers 1855, 99 x 131

« classes qui n'eurent guère jamais le privilège d'être étudiées et mises en lumière par la peinture »[25] ; mais, dans le même temps, les travaux de la première génération de réalistes possédaient généralement des tonalités assourdies et des couleurs plus sobres que les tableaux d'artistes hautement considérés, comme Meissonnier et Gérôme. Chez ces derniers, la lumière illumine chaque détail et ne laisse rien à l'imagination du spectateur. Les éclairages étaient encore plus brillants dans le classicisme décoratif d'un Cabanel ou d'un Bouguereau : comme la majeure partie de l'art à la mode sous le Second Empire, cet art était caractérisé par son abondance et son opulence — ainsi que par une sensualité artificielle, en dépit de la justification idéologique proclamée en termes d'« idéal ». La jeune génération des réalistes — les futurs impressionnistes — allait peindre l'éclat de la lumière avec quelque chose de la prodigalité sensuelle de cette période, mais elle révélait en même temps les moyens grâce auxquels elle créait ces œuvres, avec une franchise qui proclamait plutôt leur opposition aux apparences illusoires de l'art à la mode, officiellement patronné.

Le Salon, avec ses quatre mille tableaux, sculptures, dessins, estampes et projets architecturaux, aurait pu paraître passablement confus à Monet, qui n'avait vu jusque-là que peu de peintures. Mais ses lettres enthousiastes à Boudin montrent qu'il jugeait tout ce qu'il voyait avec une remarquable assurance, en fonction de la sincérité et de l'habileté avec lesquelles la nature était représentée, rejetant tout ce qui suggérait la facilité conventionnelle ou le « chic ». Il ne s'intéressa qu'aux réalistes et aux peintres de plein air, admirant les tableaux de genre de Gautier et de Leleux, et la « lumière chaude » des « tableaux d'Orient qui sont magnifiques » de Théodore Frère. Mais il était charmé de voir que les « paysagistes étaient en majorité », et enthousiasmé par les paysages lumineux de l'école de Barbizon. Les paysages de Corot étaient de « simples merveilles », Les Graves de Villerville (Marseille), de Daubigny, « sublimes ». il exultait en regardant le « vent dans les nuages », dans le « ciel magnifique, [le] ciel d'orage » de Troyon (Retour à la ferme ; ill. 12), ou devant la brume lumineuse du lever de soleil, chez le même peintre (Départ pour le marché )[26].

Daubigny et Troyon étaient alors les paysagistes les plus en faveur auprès de l'administration : Monet interrogea Troyon sur ses possibilités de carrière. Ce dernier insista sur la nécessité d'apprendre intensivement le dessin, parce que, même s'il avait un don pour la couleur « comme presque tous ceux de sa génération », là était sa faiblesse. Il devait donc entrer dans un atelier reconnu, comme celui de Couture, pour apprendre à dessiner les personnages : on estimait à l'époque que c'était le fondement de tout art sérieux. Troyon conseilla également à Monet de ne pas négliger la peinture, d'aller faire des copies au Louvre, et de passer du temps à la campagne pour y faire quelques études développées avant de revenir à Paris, en hiver, afin de commencer sérieusement ses études. C'était là des avis raisonnables pour une carrière normale : la famille de Monet les approuva et le jeune homme sembla d'abord disposé à les suivre. Mais il préféra entrer dans une « académie libre », l'Académie Suisse : il écrivit neuf mois plus tard à Boudin : « je me trouve joliment bien ici ; je dessine ferme des figures ». Il n'y avait, écrivait-il en outre, « que des paysagistes » dans l'atelier : l'un d'eux était Camille Pissarro, qui suivait alors l'exemple de Corot avec un enthousiasme que Monet partageait[27].

L'Académie Suisse ne dispensait pas de cours formels : elle fournissait simplement aux débutants comme aux peintres établis la possibilité de dessiner des nus. Cette liberté contrastait fortement avec les parcours plus codifiés des ateliers académiques. On y enseignait la maîtrise progressive d'une série de techniques — dessin d'après des estampes et des moulages, puis d'après des modèles vivants, et ensuite seulement, passage à la peinture — afin d'inculquer à l'étudiant le respect des autorités institutionnelles et l'appui sur la tradition : c'étaient là les seuls guides sûrs pour produire des œuvres qui devaient contribuer à l'élévation morale, non seulement par le choix de sujets significatifs, dans lesquels des personnages idéalisés accomplissaient des actions exemplaires, mais aussi par l'association du style à des valeurs éternelles. L'administration des Beaux-Arts et la majorité des critiques approuvaient officiellement ces doctrines, mais adoptaient dans la pratique une approche plus éclectique ; la clientèle bourgeoise préférait des sujets plus attrayants et des styles plus descriptifs. L'académisme avait donc desserré un peu le carcan de son enseignement, intégrant même l'étude de plein air dans le *curriculum studiorum*[28]. Pourtant, le plus libéral des ateliers académiques ne pouvait tolérer un étudiant qui aurait voulu apprendre les moyens techniques uniquement pour exprimer ses propres expériences. Ce fut la raison essentielle pour laquelle Monet choisit un atelier « libre », dans lequel il pût développer ses tendances personnelles, et apprendre non pas dans la tradition, mais d'après sa propre observation, éclairée à la fois par l'étude de la peinture contemporaine, par des discussions avec ses amis étudiants et par les avis des peintres qu'il respectait.

Son refus des ateliers académiques a peut-être été renforcé par les opinions qu'il entendait dans la brasserie des Martyrs. Monet raconta plus tard — une fois qu'il eut atteint la respectabilité bourgeoise — que la brasserie lui « fit perdre beaucoup de temps et [lui] fit le plus grand mal », mais elle l'aida probablement à se définir lui-même comme réaliste, formé sous le Second Empire, au contraire de ceux qui étaient parvenus à la maturité artistique dans les années 1840 et sous la Deuxième République, et qui avaient été épouvantés par le coup d'État[29]. La brasserie était intensément politisée et ses plus notables habitués étaient ceux qui ne pouvaient se résigner à supporter l'autoritarisme impérial ni les cruautés d'une société fondée sur une lutte sans merci pour l'argent, ni l'hypocrisie sociale et artistique qui masquaient la stupidité, les souffrances et l'injustice inhérentes au système. Ils cherchaient dans la vie de bohème — et ils étaient contraints de chercher — une alternative aux modes de vie bourgeois. Frais émoulu de sa province, Monet a peut-être été attiré par la gaieté doucement mélancolique de cette existence, telle que Mürger l'avait peinte dans ses *Scènes de la vie de bohème* (1851). Mais en bourgeois profondément conscient de son identité, il repoussait sans doute tout aussi violemment la réalité de cette vie, telle que Vallès l'a décrite dans *Les Réfractaires* (1865), compte rendu impitoyable et férocement humoristique des misères et des humiliations

— mais aussi du courage — de ceux qui avaient choisi ce mode de vie, ou qui y avaient été contraints[30].

La lutte pathétique des acteurs de la vie de bohème, pour construire une alternative à la vie aliénée et impersonnelle que le capitalisme imposait au citadin, modela la nouvelle avant-garde, même lorsqu'elle cherchait à embrasser la vie bourgeoise, en partie parce que ces luttes influencèrent fortement l'idée que la clientèle bourgeoise se faisait de l'artiste. La vie de bohème était le fait de petits groupes informels, se soutenant mutuellement contre une société hostile dont le philistinisme était leur principale cause de rejet et de souci. Ils acceptaient de tirer le diable par la queue en vivant du journalisme ou de cours particuliers : cela interdisait toute vie régulière, toute distinction nette entre travail et loisir, entre vie privée et vie publique et réglementée — qui caractérisaient le travail industriel, commercial ou administratif dans la cité moderne. Dans son *Dictionnaire des idées reçues*, Flaubert résume ainsi la vision que les bourgeois ont des artistes : « Ce qu'ils font ne peut pas être appelé du travail ». Daumier la caricature aimablement dans ses *Paysagistes au travail*. Les réfractaires critiquaient l'hypocrisie du mariage bourgeois, le caractère sacro-saint de la famille ; ils avaient volontiers des liaisons amoureuses libres. La vie de bohème possédait ainsi une fonction symbolique, en ce sens qu'elle réalisait des formes de liberté inaccessibles à la plupart des membres de la société. Pour des enfants de la bourgeoisie comme Monet, elle tendait à être un rite de passage, une phase de la vie d'étudiant par laquelle il fallait passer avant de s'établir dans la carrière et le mariage. Pour d'autres, c'était plus sérieusement, une question de vie ou de mort : dans *Les Derniers Bohèmes* (1874), Firmin Maillard devait donner une liste sinistre des artistes suicidés ou devenus fous, tandis que d'autres (comme Vallès ou Andrieu), après des années de haine impuissante contre l'autorité, allaient trouver leur moment d'épanouissement dans l'utopie tragique de la Commune.

La brasserie des Martyrs attirait des artistes de toutes les écoles, et par dessus tout des réalistes, dont le plus célèbre était Courbet, avec sa confiance enthousiasmante dans la peinture de l'actualité, et son mépris flamboyant pour l'art idéaliste, pour les institutions et pour l'autorité sous toutes ses formes. On y voyait aussi les écrivains radicaux — Gustave Matthieu, Pierre Dupont et Jules Vallès — et les champions du réalisme : Champfleury, Duranty et Castagnary. Il y avait aussi là l'énigmatique Baudelaire, en train d'écrire *Le Peintre de la vie moderne*. Cet essai devait être la contribution théorique la plus importante au réalisme des années 1860, celui de Manet et de Degas, de Monet et de Pissarro, de Bazille et de Renoir.

Monet n'était pas simplement un spectateur. Il lia de nombreuses amitiés dans les milieux réformateurs et participa à cette occasion aux débats contemporains sur le réalisme, en particulier avec les écrivains Jules-Antoine Castagnary et Théodore Pelloquet, qui défendait la nouvelle peinture dans le journal *Le Siècle*. Par l'intermédiaire de Castagnary, Monet comprit peut-être que le réalisme, en s'intéressant à l'injustice sociale, ouvrait la voie à une implication plus étroite avec la vie bourgeoise contemporaine[31].

Monet voyait Courbet à la brasserie, mais il n'entra pas immédiatement en relation avec lui. Il dut probablement l'écouter parler et fut mis au courant des idées de Baudelaire et de Courbet pendant ce pemier séjour à Paris par des conversations d'atelier et par des amis communs comme Amand Gautier et Boudin, qui avait passé quelque temps avec les deux hommes en Normandie cet été-là. Courbet n'avait eu aucune formation artistique : c'était un partisan absolument convaincu de l'autoéducation. En accédant, à la fin de 1861, à la requête des étudiants de l'école des Beaux-Arts qui lui demandaient d'ouvrir un atelier où il pourrait dispenser son savoir, il leur répondit : « Je ne peux pas enseigner mon art, ni l'art d'aucune école, car [...] je considère que l'art est totalement personnel et se résume pour chaque artiste au talent qui procède de sa propre inspiration et de ses propres études de la tradition. »[32]

13. Charles Daubigny, *Les Bords de la Seine près de Mantes*, vers 1856, 48 x 75

14. Eugène Boudin, *Scène de plage à Trouville*, 1860, 70 x 106

Monet partageait un certain nombre de ces idées, même si son étude de la tradition devait être beaucoup plus restreinte que celle de Courbet : à cette date, ou au début de la décennie 1860, il copia le *Bœuf écorché* de Rembrandt, et un détail du cycle de Marie de Médicis, de Rubens, mais n'exécuta par ailleurs que peu de copies dans le cadre de ses études[33]. Il n'examina en fait avec soin, à ce moment de sa formation, que les travaux des artistes qui étaient arrivés à maturité dans les quarante ans précédents — les artistes de « l'École de 1830 » : Delacroix, Millet, Rousseau, Corot, Daubigny, Daumier et Courbet. Il s'intéressa aussi aux travaux de Troyon, de Boudin et de Jongkind, puis, après son retour à Paris fin 1862, à une nouvelle génération de réalistes, dont principalement Manet. Pour Monet, véritable moderne, la tradition englobait la génération de ses parents

Monet parle de « l'École de 1830 » dans une lettre de 1860 à Boudin, à propos d'une grande exposition de la peinture française contemporaine. Celle-ci lui avait fait comprendre que « nous ne sommes pas tant en décadence qu'on le dit ». Ses jugements se révèlent aussi péremptoires qu'en 1859 : les Delacroix sont jugés « splendides » ; Couture « a totalement abandonné la peinture » ; Troyon n'est plus au-dessus des autres paysagistes ; Monet apprécie maintenant Courbet et Millet à l'égal de Corot. Il dit à Boudin que « le seul bon peintre de marines que nous ayons, Jongkind, est mort pour l'art », de sorte que son ami aurait là « une belle place à prendre ». Cette capacité à saisir les principales directions de l'art contemporain, comme à envisager les stratégies de succès les mieux appropriées, se mesure également dans un commentaire de Monet : l'exposition révèle, selon lui, que le paysage est en train de devenir le genre dominant, comme le confirme aussi le public de l'Académie Suisse, où il déclare être « entouré d'une petite bande de jeunes peintres paysagistes. »[34]

Les paysages de « l'École de 1830 » offraient une vision de la permanence : ceux de Corot, de Millet, de Daubigny et de Troyon étaient peuplés de paysans ou d'autres personnages intemporels, accordés au rythme lent de la campagne. Courbet préférait souvent peindre des lieux déserts, une mer vide, et s'intéressait aux forces naturelles qui avaient formé les rochers, les plaines ou les falaises, davantage qu'aux paysages modelés par la présence humaine. On ne relevait que quelques signes avant-coureurs de ce genre plus dynamique que Monet allait développer : vers la fin des années 1850, Daubigny peignit une bourgeoise sur les bords de la Seine, à la place de ses lavandières habituelles ; en 1860, tout en continuant à peindre des

paysages traditionnels avec des paysans et des pêcheurs, Boudin exécuta la première représentation — nerveuse et rapide, presque une étude — des gens à la mode sur la plage de Trouville, avec un effet qui suggère que le paysage n'est pas éternel, mais saisi sur le vif[35].

Les paysages que Monet peignit au printemps 1860, sur les bords de la Marne, l'un des lieux favoris de Daubigny, et une toile consacrée à des usines (W.5), ont été perdus. Le principal tableau qui subsiste de cette période est le *Coin d'atelier* (ill.17), dans lequel une palette, de vieux livres, un paysage non encadré et une table sont brossés avec une vigueur qui n'a pas de précédent à l'époque, et qui suggère la détermination du jeune peintre à s'affirmer comme *le* réaliste parmi les réalistes. La verve et la force avec lesquelles la couleur a été appliquée montrent que Monet avait déjà un fort sens de l'abstraction de la substance matérielle, et de sa capacité à suggérer la forme plutôt qu'à la décrire, trait qu'il a peut-être hérité de la prolongation de son travail de caricaturiste. Cette matérialité robuste contraste avec les rythmes décoratifs de la tapisserie et du tapis, qui sont presque entièrement séparés de la structure tonale du reste du tableau. Le dynamisme coloré qui se développa à partir d'une expérience aussi précoce allait devenir le principal agent structurant de la peinture de maturité de Monet.

Les dix-huit mois passés à Paris, en 1859-1860, furent pour lui d'une importance capitale pour Monet : l'expérience de la brasserie des Martyrs le guérit probablement de toute tentation bohème et romanesque, et l'encouragea à se définir lui-même, moins comme un rebelle aux valeurs de sa classe que comme un individu cherchant à développer son art dans le contexte même de ces valeurs. Monet n'a jamais vécu volontairement la vie de bohème : il a tiré le diable par la queue lorsqu'il y a été contraint, mais dès qu'il en a eu les moyens (et même quand il ne les avait pas pleinement), il a vécu la vie d'un bon bourgeois. Son enfance passée dans la moyenne bourgeoisie l'avait habitué à considérer cette vie comme normale. Néanmoins, à Paris, il entra en contact avec les tendances les plus progressistes de l'art contemporain, et cette influence et cette fréquentation allaient rendre les tableaux qu'il créait si dangereux pour la société qu'il en serait exclu pour plusieurs années.

En 1861, Monet tira un « mauvais numéro » à la loterie pour le service militaire. Bien que son père et sa tante eussent pu lui payer un remplaçant pour accomplir à sa place le service de sept ans (pratique commune pour les gens aisés), ils ne le firent point parce qu'ils avaient l'impression que Monet ne manifestait aucun sérieux dans sa recherche d'une carrière. Le jeune homme semble également avoir été attiré par l'aventure que cela représentait : en juin, il rejoignit un régiment de cavalerie en Algérie, où il resta plus d'un an avant d'être renvoyé chez lui en août 1862, pour une convalescence consécutive à une maladie assez sérieuse. Les premiers temps du service militaire n'avaient pourtant pas été trop durs : il avait pu peindre et il devait dire plus tard que cette expérience de la brillante lumière d'Afrique du Nord avait été capitale pour son œuvre. Durant sa convalescence, il décida de se consacrer sérieusement à ses études de peinture. Une fois encore, la rencontre avec un peintre de plein air fut décisive : en peignant sur la côte normande, Monet rencontra Johan Barthold Jongkind, qui eut sur lui presque autant d'influence que Boudin, à l'en croire. La famille du jeune peintre accepta enfin de « le racheter » pour 3 000 francs, c'est-à-dire de lui payer un remplaçant, et demanda à Auguste Toulmouche — un peintre à la mode, parent par alliance — de surveiller ses études.

À la fin de l'automne 1862, Monet revint à Paris et s'inscrivit à l'atelier de Charles Gleyre, spécialiste des tableaux lumineux et parfaitement finis consacrés à des sujets rêveurs et poétiques. Bien que Monet — qui a beaucoup réécrit son passé — ait prétendu n'avoir passé que « quelques semaines » avec Gleyre, il semble plutôt qu'il y soit resté environ dix-huit mois, jusqu'à la fermeture de l'atelier, vers le milieu de 1864. Peut-être son assiduité fut-elle intermittente[36]. Durant cette période, il fit une série d'expériences qui lui permirent de passer progressivement d'un pleinairisme assez sommaire à des styles plus complexes, avec des modes d'expression convenant mieux à la représentation de la vie et de la perception modernes.

Dans l'atelier de Gleyre, il rencontra des étudiants de son âge — Auguste Renoir, Frédéric Bazille et Alfred Sisley — qui formèrent le noyau initial d'un groupe destiné à soutenir ces peintres dans leurs années de découverte et de marginalisation. Ils venaient d'origines très diverses : Bazille appartenait à la grande bourgeoisie fortunée ; Monet et Sisley à la nouvelle bourgeoisie, relativement riche ; Renoir, issu de la classe des artisans de province installés à Paris, gagnait sa vie comme peintre sur porcelaine depuis l'âge de treize ans. Leurs tempéraments, leurs visions et leurs relations sociales étaient différentes, mais ils partageaient les mêmes ateliers, allaient ensemble peindre en plein air, et se retrouvaient dans les cafés de Paris ou les auberges de campagne pour présenter ce qu'ils avaient fait, discuter de ce qu'ils avaient vu et des moyens qu'ils avaient trouvés pour le représenter. À ce moment de leur parcours, ils aimaient se retrouver — avec d'autres peintres encore, dont Pissarro — dans un café de plein air, la Closerie des Lilas, fort différent de la brasserie des Martyrs : au lieu de se considérer comme des victimes de la société du Second Empire, ils acceptaient ce que cette société pouvait leur offrir et ils en profitaient sans arrière-pensées.

Renoir rappelait que les étudiants de l'atelier de Gleyre appelaient Monet « le dandy », parce que, quoiqu'il n'eût pas un sou vaillant, il portait des chemises avec des poignets de dentelle et affectait une sorte d'arrogance aristocratique. Il avait « le meilleur tailleur de Paris », dont il ne payait jamais les factures, écartant ses demandes d'un seigneurial : « Monsieur, si vous insistez, je vous retire ma clientèle. »[37] Ces souvenirs — qui sont corroborés par ce que l'on sait de l'attitude de Monet vis-à-vis de ses dettes — suggèrent qu'il s'inspirait du dandy baudelairien et qu'il cherchait à imposer le personnage que l'artiste devait selon lui figurer dans le monde moderne. Ce genre d'attitude contraste curieusement avec l'image du peintre de plein air, amoureux sincère de la vérité de la nature : on a suggéré que, comme le langage de la vérité avait été détourné afin d'exprimer l'idéologie officielle du Second Empire, son utilisation était devenue quelque peu problématique. Sur un plan plus immédiat, Monet fut probablement influencé par Bazille, son ami le plus intime, qui donne dans les lettres écrites à sa famille une image colorée de la vie d'un étudiant d'art :

malgré une pension des plus confortables, il accumulait les dettes, s'habillait à la dernière mode, et profitait de la vie boulevardière, des concerts, de l'opéra, des théâtres, des courses et des salons artistiques et littéraires de Paris. Ami d'un autre étudiant d'art, le vicomte Lepic (fils de l'aide de camp de l'Empereur), Bazille avait accès à la cour de l'Impératrice, au spectacle des équipages somptueux du bois de Boulogne, et réagissait passionnément aux répressions policières et aux censures qui suivaient les manifestations sporadiques contre l'Empereur[38]. La situation sociale et financière de Monet ne lui permettait pas d'avoir accès à la société élégante du Second Empire, mais il partageait avec Bazille l'idée que l'artiste avait droit à cette existence, dont il allait faire le sujet visible de son art.

Avec Gleyre, Monet trouva peut-être le seul maître reconnu qu'il ait jamais pu supporter. Ceux que l'on appelait les « néo-Grecs » — dont Gleyre était le chef de file — peignaient la vie quotidienne des Anciens comme s'ils avaient été des hommes et des femmes du Second Empire. Certains de leurs disciples s'étaient consacrés à la représentation de scènes similaires dans la vie contemporaine : ils exécutaient de petites représentations précieuses et délicatement peintes de la grande bourgeoisie, qui avaient les faveurs des marchands d'art, de la critique et du public en général. Dans sa critique du Salon de 1861, Merson faisait remarquer que le style néo-grec servait d'antidote au réalisme radical, empêchant par exemple un Toulmouche de succomber aux « pressions du monde moderne »[39]. Républicain convaincu, Gleyre refusa d'exposer durant tout le Second Empire, mais il jouissait d'une grande réputation. Il était apprécié de ses étudiants, car il ne faisait payer que les salaires des modèles et mettait en valeur la personnalité de ceux qui étaient avec lui, employant des mots qu'un Courbet n'aurait pas désavoués : « Ne cherchez pas d'autres ressources qu'en vous-mêmes ». Il les encourageait aussi à peindre en plein air chaque fois que les loisirs le leur permettaient. Dans le même temps,

15. Charles Gleyre, *Paradis terrestre*, vers 1870, 24 cm de diamètre

comme tout traditionaliste, il insistait sur la maîtrise du dessin, fondement indispensable de la peinture. Bazille écrivit à ses parents, après avoir passé plusieurs mois chez Gleyre et dessiné jusqu'à six heures par jour, six jours par semaine : « J'ai encore énormément à faire pour dessiner convenablement, et je n'ai pas encore touché à la couleur. » Renoir reconnut plus tard que « le fait de devoir copier dix fois le même écorché est excellent » et que c'était avec Gleyre qu'il avait appris « le métier de peintre[40]. »

La situation de Monet n'était pas si facile. Il avait déjà travaillé très longtemps avec un peintre reconnu, connaissait de l'intérieur la pratique contemporaine du réalisme, avait déjà exécuté des œuvres puissantes dans cet esprit et s'était en somme voué au pleinairisme. Il dessinait évidemment depuis de longues années, mais les lignes synthétiques de ses caricatures, tout comme les lignes exploratoires de ses paysages, allaient à l'encontre du genre de maîtrise que Gleyre demandait. Monet raconta plus tard comment le maître avait critiqué l'une de ses études de personnage : « Rappelez-vous donc, jeune homme, que, quand on exécute une figure, on doit toujours penser à l'antique. La nature, mon ami, c'est très bien comme élément d'étude, mais ça n'offre pas d'intérêt. Le style, voyez-vous, il n'y a que ça. » Le récit est postérieur de quarante ans à l'événement et il est typique des nombreuses histoires de conflit entre les maîtres académiques et les étudiants rebelles, mais il résume bien les différences entre Gleyre et Monet, pour qui le dessin devait déjà être une manière d'explorer l'apparence visible du modèle. Quelque chose du choc intellectuel de leur rencontre se reflète dans ces paroles de Monet : « J'étais fixé. La vérité, la vie, la nature, tout ce qui provoquait en moi l'émotion, tout ce qui constituait à mes yeux l'essence même, la raison d'être unique de l'art, n'existait pas pour cet homme. ». « Pour ne pas exaspérer » sa famille, il continua à « faire acte de présence, juste le temps d'exécuter d'après le modèle une pochade, d'assister à la correction… » : comme l'atelier n'ouvrait que deux fois par semaine, cela lui laissait beaucoup de temps pour travailler dans son propre atelier. Son rejet le plus manifeste de l'enseignement académique se manifesta par son refus constant de peindre le nu, sauf à titre d'exercice, dans l'atelier de Gleyre ou dans celui qu'il partageait avec Bazille[41].

Malgré l'opposition de Monet à l'enseignement académique, il est possible que l'insistance de Gleyre l'ait forcé à considérer l'aspect artificiel de la peinture plus directement qu'il ne l'avait fait auparavant. Il était revenu à Paris à une époque cruciale : plusieurs critiques commençaient d'affirmer le déclin du réalisme tel que Courbet l'incarnait, mais une nouvelle génération de peintres, représentée surtout par Manet, arrivait à la maturité. Ces peintres s'intéressaient particulièrement au style et aux moyens stylistiques susceptibles de représenter la vie contemporaine, alors que les anciennes générations de réalistes tendaient à prôner une équivalence assez directe entre les structures de la nature et celles de la peinture. Courbet suggérait par exemple que son mode de création reproduisait en quelque façon celui de la nature, mais les artistes plus jeunes étaient davantage conscients du caractère artificiel des moyens utilisés pour créer une image du monde extérieur[42]. Dans *Le Peintre de la vie moderne*, Baudelaire, proche ami de Manet, soulevait des questions importantes sur le rôle de l'abstraction picturale dans la représentation du monde objectif : il expliquait comment l'artiste pouvait utiliser des signes — une ligne ou une tache de couleur — pour stimuler l'imagination du spectateur de telle manière qu'il pût recréer l'image de l'objet. L'essai de Baudelaire fut publié en 1863 dans *Le Boulevard*, de Carjat, mais Monet — photographié par le même Carjat — peut avoir trouvé les mêmes idées auprès de Bazille, régulièrement invité chez les parents (le commandant et Mme Lejosne) que fréquentaient également Manet et Baudelaire, Whistler et Fantin-Latour, Nadar, Champfleury et Duranty. Bazille rendait aussi visite à Manet, au moment où le peintre travaillait au *Déjeuner sur l'herbe* et à la *Musique aux Tuileries*.[43]

16. Honoré Daumier, « Nadar élevant la photographie au rang de l'art », lithographie in *Le Boulevard*, 25 mai 1862

Le réalisme était contraint de se définir en relation avec deux formes de technologie moderne qui permettaient la production des images en série : la photographie et la lithographie. Pour Baudelaire, la nature mécanique de la photographie était l'antithèse de l'artifice que représentait l'art, mais il soutenait par ailleurs que la rapidité d'exécution de la lithographie, qui exigeait des manières abstraites et synthétiques pour évoquer la réalité, la rendait idéalement propre à la représentation de la vie moderne. Daumier, ami de Baudelaire et héros de Monet, était entré dans le débat avec son « Nadar élèvant la photographie au rang de l'art » (ill.16), dessin publié dans *Le Boulevard* de 1862, comme l'avaient été en leur temps *Le nouveau Paris* et *Paysagistes au travail*. La gravure semble célébrer l'attrait qu'exerce la photographie sur les masses, et la vision nouvelle que donne son regard mécanique, mais la lithographie seule permettait le saut dans l'imaginaire, en saisissant non seulement l'instabilité dynamique de l'action, mais aussi le mouvement de la vue progressant à travers les plans multiples de l'espace. Comme plusieurs des images de Daumier, elle s'intéresse aux procédés mêmes de la vision, exprimés dans la notation rapide et abstraite évoquée par Baudelaire. Dans le contexte de ces idées et de ces images, Monet comprit peut-être une phrase mystérieuse qu'il avait pu lire, alors qu'il était apprenti-paysagiste, dans le *Salon de 1859* de Baudelaire (où Boudin était hautement apprécié) : « … la plupart de nos paysagistes sont des menteurs, justement parce qu'ils ont négligé de mentir. »[44]

17. *Coin d'atelier*
(W.6), 1861, 182 x 127

De retour à Paris, fin 1862, il était désormais impossible à Monet de croire que le paysage de plein air constituait l'avant-garde du réalisme exploratoire, comme il l'avait fait lors de sa précédente visite, parce que cette position était occupée dorénavant par les peintres de la vie urbaine contemporaine, frais émoulus de leurs ateliers de formation : Manet, Fantin-Latour, Whistler et Tissot. Les critiques et le public rattachaient ces artistes à « l'école de Courbet ». Ils appartenaient à un mouvement que Castagnary définissait ainsi en 1864 :

> « Ainsi, notre peintre sera de notre époque, il vivra de notre vie, de nos mœurs, de nos idées. Les sentiments que nous, la société et le spectacle des choses lui donneront, il nous les rendra en images, où nous nous retrouverons nous-mêmes et ce qui nous entoure. Car, il ne faut pas le perdre de vue, nous sommes à la fois le sujet et l'objet de l'art… »[45]

Bien que Courbet fût attiré par la belle vie du Second Empire et par l'accent mis sur l'autogratification individualiste, il eut à l'occasion quelques

18. Édouard Manet, *Le Déjeuner sur l'herbe*, 1863, 208 x 264

19. Édouard Manet, *La Musique aux Tuileries*, 1862, 76 x 118

attitudes d'opposition, gestes dont la sincérité devait être prouvée par son adhésion enthousiaste à la Commune de 1871[46]. Au contraire, les peintures que Manet donnait des plaisirs domestiques et sociaux étaient les tableaux de quelqu'un qui connaissait cette société de l'intérieur. Appartenant à la bourgeoisie parisienne établie, libérale et républicaine, sceptique et détachée des débordements moraux et financiers de la « Fête impériale », il y participait cependant, en boulevardier profondément marqué par la transformation de la vie bourgeoise du nouveau Paris sous Napoléon III. Les premières grandes toiles de Manet consacrées à la vie moderne (publique et privée) aussi bien que le premier grand essai sur l'art urbain moderne (*Le Peintre de la vie moderne*, de Baudelaire) naquirent au début de la décennie 1860, alors que la première phase des travaux de transformation menés par Haussmann venait de s'achever. On avait compris que les structures et les techniques de la peinture traditionnelle étaient désormais incapables de rendre l'expérience essentielle des citadins modernes : cette immersion dans la foule innombrable, au hasard des rencontres éphémères et des « chocs physiques ». Les tableaux et l'essai correspondaient à cette appréhension nouvelle. Les notations synthétiques développées par les illustrateurs de la vie parisienne suggéraient les moyens par lesquels les peintres pouvaient développer un langage de signes picturaux qui permettraient au spectateur de saisir l'image avec le même caractère instantané que les rencontres que l'on faisait dans la ville[47].

Monet vit probablement les premiers tableaux de Manet au cours du printemps 1863, à la galerie Martinet, sur le boulevard des Italiens, ainsi qu'au Salon des Refusés, que le palais de l'Industrie abritait à côté du Salon officiel : il serait impensable qu'il ne fût pas allé voir les œuvres qui, au nom du réalisme, avaient provoqué un tel scandale, et qui servaient de points de ralliement pour la nouvelle génération artistique. Lancé comme un geste de libéralisme de la part de l'Empereur, le Salon des Refusés permettait de présenter ouvertement l'opposition entre la notion officielle d'un réalisme acceptable et le nouveau réalisme, provocant parce qu'il représentait les sujets contemporains sans leur donner de significations facilement déchiffrables. Dans son rapport officiel sur le Salon, le comte de Nieuwerkerke, directeur général des Musées impériaux, adressait des menaces à peine voilées contre les « déviations du goût », « l'excentricité » et confirmait sa reconnaissance du principe de « totale liberté » pour l'art, tout en avertissant qu'« en échange de cette liberté dont nous reconnaissons bien volontiers la légitimité, nous exigeons [...] un travail obstiné, patient, engagé. Refusez le "assez bon". »[48]

Il est probable que *Le Déjeuner sur l'herbe* de Manet, présenté au Salon des Refusés, ainsi que sa *Musique aux Tuileries*, exposé à la galerie Martinet, furent un choc pour le jeune peintre de plein air qu'était Claude Monet : les deux toiles présentaient des discours élaborés sur les artifices sociaux et artistiques, totalement différents du naturel des paysages que Monet avait le plus admirés. Plus tard dans sa vie, Monet reprit un commentaire qu'il avait fait juste avant la mort de Manet, en 1883, selon lequel sa rencontre avec son aîné en peinture, en 1863, avait été pour lui son véritable « chemin de Damas », une vraie « révélation ». Baudelaire, qui accompagnait Manet lorsque ce dernier faisait ses études sur la foule fréquentant l'orchestre des Tuileries, à proximité du Palais impérial, parlait du processus selon lequel les petites filles imitaient les rituels sociaux de leurs aînées[49]. Non seulement Manet peignait des petites filles apprenant les artifices grâce auxquels les gens à la mode se transformaient eux-mêmes en spectacle, mais il représentait aussi les divers créateurs du Second Empire : Baudelaire, le compositeur Offenbach, l'écrivain Théophile Gautier, porte-parole de la culture officielle de la cour — et lui-même. Manet transformait ainsi le groupe social, ses amis et lui-même, en objets de peinture dont la seule existence était du domaine du visible. Son style était aussi artificiel que son sujet : la scène est figurée par un éparpillement kaléidoscopique de taches de couleurs plates, individualisées par des signes graphiques apparemment fortuits. Ces taches de couleurs demeurent en surface et il n'y a aucune continuité d'espace, à l'intérieur du tableau, où les personnages puissent se déplacer. Rompant avec les relations conventionnelles entre la peinture et la scène représentée, le tableau force le spectateur à prendre conscience des moyens utilisés pour créer l'image.

Le pleinairisme de l'époque ne contenait rien d'aussi volontairement conscient que cela, aussi bien pour le sujet que pour la technique de représentation ; fort peu de paysagistes de l'époque, à l'exception de Jongkind, étaient d'ailleurs exclus du Salon. Dans son *Salon de 1859*, Castagnary avait fondé son appréciation enthousiaste de l'importance de l'école naturaliste sur les réalisations des peintres de la « vie aux champs », proclamant que la « vie urbaine » se devait néanmoins d'être représentée de façon convenable. Castagnary réaffirmait la doctrine réaliste, selon laquelle « chaque époque ne se connaît que par les faits qu'elle agit : faits politiques, faits littéraires, faits scientifiques, faits industriels, faits artistiques, qui sont tous marqués au coin de génie propre, portent l'empreinte de son caractère particulier. »[50] La plupart des paysagistes, cependant, peignaient des aspects immuables de la vie rurale, ignorant délibérément la mécanisation croissante de l'agriculture dans de nombreux secteurs, aussi bien que les changements apportés dans les campagnes par l'expansion des villes, des voies ferrées, des usines et des loisirs urbains.

Monet a sans doute eu connaissance des quelques tentatives faites pour développer une iconographie du paysage moderne : album d'eaux-fortes de Daubigny, publié en 1862, et représentant un voyage en bateau sur la Seine, où l'on voit le fleuve animé par les navires à vapeur et le paysage fracturé par le passage d'un train ; paysages de Boudin évoquant les loisirs des classes moyennes sur les plages de Normandie. Ces dernières, devenues accessibles par les chemins de fer, avaient été promues par les spéculateurs ; elles rencontraient un franc succès auprès des classes moyennes, et la cour impériale venait même de les mettre à la mode de la capitale. Les personnages de la *gentry* sont représentés dans la claire lumière de la côte, se baignant, bavardant ou se promenant sur la plage ; on voit des femmes en crinolines avec leurs ombrelles, leurs bonnets, leurs rubans et leurs châles soulevés par la brise, contrastant avec la sobriété sombre des costumes des hommes. Ces scènes de réunions sociales artificielles étaient, pour le bord de mer, l'équivalent de *La Musique aux Tuileries* de Manet ; il est possible que Baudelaire en ait vu les premiers exemples (comme cette *Cérémonie dans le port de Honfleur*, de 1858), lors de son séjour sur la côte normande en 1859. Les petites toiles de Boudin différaient de celles de Manet en ceci que leurs harmonies tonales et leurs sujets lointains restaient fidèles à la convention du plein air, comme si les élégants à la mode s'étaient simplement substitués aux pêcheurs habituels. Mais il y avait toutefois une différence entre la rapidité nerveuse caractérisant le dessin des groupes de visiteurs venus en villégiature sur la côte, et le rythme plus lent qui animait les représentations des populations locales.

Aucun des paysagistes n'atteignait le caractère radicalement artificiel des œuvres de Manet, car ils préféraient créer un équivalent à la continuité inhérente à la substance de la nature. Même dans des tableaux de plein air comme *La Route de Sèvres (Vue de Paris)* (ill.20) de Corot, ils avaient tendance à travailler à partir d'une construction unifiée, de tonalité moyenne, utilisant une multitude de petits traits de brosse fondus de manière à ce que la substance même de la peinture suggérât l'équivalence avec la continuité de la scène naturelle. Ce genre de construction est en contraste marqué avec la surface brisée de *La Musique aux Tuileries*, dont les petites plages de couleur « fébriles » agaçaient tellement les contemporains de Manet. La plupart des paysages étaient représentés éloignés de l'artiste, dans un espace architecturé par les techniques traditionnelles de la perspective, de manière à ce que l'on pût imaginer une continuité entre l'espace du tableau

20. Camille Corot, *La Route de Sèvres (Vue de Paris)*, vers 1855-1865, 34 x 49

et celui dans lequel se trouvait le spectateur. Manet refusait brutalement cette illusion en apportant la scène à la surface même de la toile. Corot distanciait ses paysages, de façon que les taches de couleur détachées de la forme fussent ressenties comme indistinctes à cause de leur éloignement du spectateur, et n'attirassent pas l'attention sur elles-mêmes en tant que peinture. Au début des années 1860, les procédés assez relâchés des peintres de Barbizon, si violemment critiqués lors des décennies précédentes, avaient fini par être considérés comme des équivalents du motif, et si naturels qu'ils requéraient à peine l'attention. Castagnary écrivait par exemple que, dans les tableaux de Jongkind (ill.22), « tout gît dans l'impression », de sorte que l'exécution « disparaît » et « préoccupe » le spectateur aussi peu que le peintre lui-même[51]. C'était le contexte dans lequel Baudelaire avait pu écrire que « la plupart de nos paysagistes sont des menteurs, justement parce qu'ils ont négligé de mentir. » C'est précisément dans l'espace laissé entre l'artifice requis pour évoquer l'expression de la modernité urbaine et le naturel du pleinairisme traditionnel que Monet développa une forme de peinture de paysage liée aux nouveaux modes d'expression urbaine.

En 1863 et 1864, Monet passa le temps libre que lui laissait l'atelier de Gleyre en forêt de Fontainebleau ou sur la côte normande, expliquant à ceux qui surveillaient ses progrès qu'il n'avait pas abandonné l'atelier, même s'il « [avait] trouvé ici [dans la forêt] mille charmes auxquels [il n'avait] pu résister »[52](ill.10). Beaucoup de ses premiers paysages sont perdus, mais ceux qui restent suggèrent qu'il a déjà tiré parti des "mensonges" de Manet : sa *Coin de ferme en Normandie* est un sujet de plein air conventionnel directement lié aux œuvres de Boudin et de Daubigny (ill.10), mais sa structure curieusement morcelée la rapproche plus des procédés de Manet que de la continuité des tableaux de plein air de Boudin[53]. Le recul linéaire créé par les bandes et les ombres sur les étables, et par les auvents et le bord du bassin, est bloqué et resserré dans un espace étroit par le reflet de l'étable : bien qu'il y manque les bandes, il fait l'effet d'un à-plat si lumineux qu'il tient difficilement en place. La ligne qui le parcourt verticalement a pour écho les arbres de l'arrière-plan, que l'on voit par des reflets sur la surface. Le premier plan ouvert et sans ombre, que le regard doit traverser, est caractéristique des paysages de Monet dans ces années 1860 : dans la plupart des œuvres de plein air, au contraire, le premier plan tend à être ombré et structuré de manière à ce que l'espace intérieur du tableau soit cadré et maintenu à distance. On voit certaines de ces caractéristiques dans les premiers dessins de Monet, ainsi que dans *Vue prise à Rouelles*, mais la peinture colle ici aux formes pour créer une continuité délicate. Dans la *Cour de ferme*, la peinture est épaisse et pâteuse ; elle se détache parfois de l'objet, tandis que le lien entre les formes détruit la perspective et crée un espace à plusieurs points de fuite, lequel exige plus d'attention de la part du spectateur que les œuvres plus conventionnelles de la peinture de plein air de modèle courant.

Monet attira pour la première fois l'attention du public en soumettant au jury du Salon de 1865 deux grandes marines, *L'embouchure de la Seine à Honfleur* (W.51) et *La Pointe de la Hève à marée basse* (ill.23). Il était manifestement résolu à faire une impression décisive dans le seul format qui pouvait faire la réputation et la carrière d'un artiste, car l'échelle et la hardiesse de ces tableaux assuraient qu'ils seraient visibles parmi des milliers d'autres. Ils avouaient leurs relations avec les tendances récentes — que décriaient les traditionalistes, comme attaquant les fondements mêmes de

21. Etude pour *Chevaux à la Pointe de la Hève* (W.40), 1864, 51,5 x 73

22. Johan Barthold Jongkind, *La Plage de Saint-Adresse*, 1862, 33,5 x 46

l'art, mais que les jeunes générations considéraient comme l'annonce du futur — tout en conservant une certaine modération. Monet avait alors probablement décidé de se faire un nom comme peintre de la côte normande, avec des toiles qui proclameraient son allégeance à « l'école du plein air » et aux peintres qui l'avaient précédé en Normandie : Courbet, Daubigny, Jongkind et Boudin. Tous avaient trouvé la faveur de l'administration impériale des Beaux-Arts ou celle des collectionneurs, et quelquefois les deux[54]. Il manifestait en même temps sa personnalité dans la densité proprement physique et la spécificité de son réalisme, ainsi que dans la combinaison d'un sujet traditionnel (*La Pointe de la Hève à marée basse*) avec une toile qui mêlait navires modernes et navires traditionnels (*L'embouchure de la Seine à Honfleur*).

Suivant l'usage courant, Monet peignit des études pour sa soumission au Salon. Après la fermeture de l'atelier de Gleyre, il passa l'été et le début de l'automne de 1864 à Honfleur, avec Bazille (travaillant alors de 5 heures du matin à 8 heures du soir), ou avec Boudin et Jongkind, dans la compagnie desquels, selon ses propres mots, « il y a bien à apprendre »[55]. Les lettres de Monet à Bazille expriment une confiance exubérante, combinée avec un intérêt plus réfléchi, parfois même inquiet, pour les modes de représentation de la nature. Dans une lettre qui inaugure les thèmes que l'on retrouvera durant toute sa vie, il explique que la peinture ne consiste pas simplement pour lui à enregistrer ce qu'il voit, mais demande aussi de la « réflexion » :

« Je découvre tous les jours des choses toujours plus belles. C'est à en devenir fou, tellement j'ai envie de tout faire, la tête m'en pète.[…] Je suis assez content de mon séjour ici, quoique mes études soient assez loin de ce que je voudrais. C'est décidément très difficile de faire une chose complète sous tous les rapports […]. Eh bien, mon cher, je veux lutter, gratter, recommencer, car on peut faire ce que l'on voit et que l'on comprend, et il me semble, quand je vois la nature, que je vais tout faire, tout écrire, et puis va te faire…quand on est à l'ouvrage…

Tout cela prouve qu'il ne faut penser qu'à cela. C'est à force d'observation, de réflexion que l'on trouve. Ainsi piochons et piochons continuellement. […] Il vaudrait mieux être tout seul, et cependant, tout seul il y a bien des choses que l'on ne peut deviner. Enfin tout cela est terrible, et c'est une rude tâche. »[56]

Monet racontera plus tard à son biographe, Alexandre, que Boudin, Jongkind et lui avaient coutume de discuter jusqu'à quel point un paysage devait être composé, problème crucial pour des artistes qui s'intéressaient à la vérité, surtout au moment du débat parisien sur la nécessité de l'artificiel[57]. Dans sa *Plage de Sainte-Adresse* (ill.22), de 1862 (la même que celle de *La Pointe de la Hève à marée basse*), on peut voir comment Jongkind a appliqué son principe de composition à partir de ce que l'on pouvait voir dans le motif, soulignant les verticales des maisons de manière à créer un réseau intérieur d'accents verticaux, qui rythme une structure par ailleurs assez relâchée. Les premiers dessins de Monet montrent ses aptitudes à voir les formes structurellement signifiantes dans un paysage, mais c'est probablement la pratique de Jongkind qui l'a encouragé à utiliser cette habileté comme un moyen d'approfondir sa compréhension du paysage. Dans l'étude pour le tableau du Salon, les éléments structuraux ont été incorporés au paysage et ne se révèlent que graduellement, tandis que dans le tableau achevé, Monet les a transférés dans une série de configurations géométriques plutôt évidentes : remarquons-les, par exemple, dans la manière dont les brise-lames forment un triangle avec le bateau échoué, la bande de sable, le sommet de la falaise et la ligne d'horizon. Ce genre de configurations devait aider le public du Salon à explorer l'espace du tableau et apprécier l'habileté du peintre, mais elles ne révèlent pas son expérience du motif autant que les tableaux dans lesquels la découverte de la structure fait partie du processus même de la vision.

23. *La Pointe de la Hève à marée basse* (W.52), 1865, 90 x 150

Monet prit grand soin que ses premières œuvres exposées ne fussent point trop radicales : *La Pointe de la Hève à marée basse*, en particulier, était traditionnelle dans sa présentation, une vue lointaine qui s'éloigne doucement du spectateur, et dans son usage de coups de pinceaux descriptifs qui imitent les effets de nature. Un reflet plat de peinture rend la fine pellicule d'eau qui se retire sur le sable ; des lignes épaisses de blanc, de vert et de gris peignent les remous de la surface de l'eau qui se retire ; des empâtements plus marqués traduisent les vagues successives qui arrivent du large.

*L'Embouchure de la Seine à Honfleur* et *La Pointe de la Hève à marée basse* furent acceptées par le jury du Salon et bien accueillies dans l'ensemble, comme témoignage d'un jeune talent prometteur. Mantz évoqua dans la prestigieuse *Gazette des Beaux-Arts* « une manière hardie de voir les choses et de s'imposer à l'attention du spectateur », alliée à un « goût des colorations harmonieuses dans le jeu des tons analogues, le sentiment des valeurs »[58]. La peinture de Monet fut immédiatement mise en relation avec celle de Manet. La similitude des noms et la relation entre *L'Embouchure de la Seine à Honfleur* et *Le Combat du Keasarge et de l'Alabama* de Manet, exposée chez le marchand Cadart, en juillct 1864, sont peut-être à l'origine de la confusion. Toujours est-il que Manet fut assez irrité : sa propre marine avait été tournée en dérision, et ses tableaux du Salon — *Olympia* et *Jésus insulté par les soldats* — étaient impitoyablement critiqués[59]. Les toiles de

Monet étaient manifestement plus acceptables, par leur représentation assez conventionnelle de la substance de la nature, très différentes de l'espace morcelé, de la peinture abstraite et des simplifications brutales de la marine de Manet. Dans les œuvres qui suivirent, Monet brisa la relation illusionniste entre la toile et le motif, d'une manière qui montrait beaucoup plus clairement sa dette à l'égard de Manet.

La matérialité croissante de la peinture de Monet — à l'opposé des surfaces fines et constamment grattées de Manet — doit peut-être quelque chose à son étude de Courbet, dont le « renom et [les] œuvres exerçaient une fascination sur les jeunes peintres », comme Monet le souligna plus tard. Bazille rencontra probablement le Franc-Comtois dès l'automne 1863, alors que Monet ne le fit pas avant la fin de 1865. On peut voir l'influence de Courbet dans *Le Pavé de Chailly* (ill.24), où Monet a pourtant accentué les caractéristiques personnelles de sa peinture, comme pour souligner qu'il apprenait « sans copier qui que ce soit »[60]. Ce fut la première d'une longue série d'œuvres dans lesquelles Monet - à l'instar de Pissarro et de Sisley — a peint une vue diagonale d'une route qui s'éloigne et se rapproche en même temps du spectateur, exprimant quelque chose de l'ambiguïté des relations entre ce dernier et le cadre de la scène naturelle. L'œuvre a été réalisée dans une simplification tonale si hardie que les lumières et les ombres des arbres à gauche se détachent presque d'eux. Le premier plan

24. *Le Pavé de Chailly* (W.19), vers 1865, 98 x 130

25. Ryuryukyo Shinsai, *Susaki*, gravure sur bois, 23 x 34

est d'une force égale : il se projette en avant vers le peintre ou le spectateur, cependant que les ornières s'allongent comme des rubans de peinture sur la surface de la toile. Il n'y a aucun précédent pour une telle vigueur de traitement dans toute l'École de Barbizon, ni même dans les paysages de Courbet, où la continuité de l'espace est suggérée par la continuité implicite de tonalité entre le paysage et la position du spectateur par rapport à lui. Par ailleurs, dans le tableau de Monet, le premier plan est si abruptement, si immédiatement devant le spectateur que la peinture ne peut pas disparaître dans l'illusion. Même les violents contrastes de tons dans la bataille navale de Manet ont été adoucis par la distance et ne brisent point l'espace dans une série de "positions", comme Monet l'a fait.

Il est possible que Monet ait étudié ce genre d'effets dans les estampes japonaises influencées par la perspective à l'occidentale. Il a prétendu plus tard que ses premières trouvailles en ce domaine avaient été faites chez un brocanteur du Havre, dans les années 1850. Bien qu'une date aussi précoce paraisse invraisemblable, le grand port de mer était bien le lieu pour découvrir de telles pièces, à l'occasion de visites dans sa famille[61]. Il est possible aussi qu'il ait observé le premier plan flou qui s'avance sans obstacle vers le spectateur dans les tableaux de Jongkind, mais la différence d'échelle entre les petits formats du Néerlandais et les grandes toiles de Monet rend la substance des premiers plans plus immédiatement apparente chez celui-ci que chez celui-là. L'utilisation par Jongkind de ce genre d'espace se trouve dans des œuvres qui précèdent l'arrivée des estampes japonaises en Europe ; elle suggère un phénomène général des décennies 1850 et 1860. L'attaque des règles de la perspective linéaire et la rupture de l'espace continu sont particulièrement caractéristiques des avant-gardes les plus radicales, mais on les relève également dans une partie de l'art académique. La conscience de ce genre de changements a été amenée non seulement par l'expérience urbaine moderne, mais aussi par des manières extérieures à la tradition, telles que celles des estampes japonaises, et par la présence constante d'images photographiques qui battaient en brèche la construction unitaire de l'espace : on le voit bien dans telle photographie d'un chemin forestier à Fontainebleau, très semblable au *Pavé de Chailly* de Monet.

# II

Monet prenait donc soin de se situer comme artiste avec ces pièces relativement conservatrices pour le Salon. C'était là un mouvement sensible au début d'une carrière qui devait dépendre entièrement de ses propres efforts. Ses ambitions étaient cependant immenses. Pour le Salon de 1866, il décida d'abandonner le personnage du jeune peintre prometteur de sujets traditionnels, pour se mesurer au problème essentiel de l'avant-garde : la représentation de la vie contemporaine dans un style qui enregistrerait les modes de conscience de l'époque. Bazille et Monet avaient déjà peint tous les deux des « études grandeur nature » dans l'atelier de ce dernier, et peut-être aussi des « modèles au soleil » dans un jardin public. Monet avait également exécuté de petits portraits, mais son tableau pour le Salon devait être une œuvre énorme : même s'il entendait répondre aux appels lancés par Baudelaire et par Castagnary pour un peintre de la vie sociale moderne, rien ne pouvait laisser prévoir qu'il répliquerait par une œuvre de 4,60 mètres de longueur sur au moins 6 mètres de hauteur. Cette échelle était traditionnellement réservée pour représenter des sujets importants, non quelque chose d'aussi vulgaire qu'un pique-nique en forêt, sujet souvent représenté dans les journaux illustrés[62]. Malheureusement, Monet fut incapable de le terminer à temps et le laissa inachevé. Quelque dix ans plus tard, le tableau — qu'il avait dû laisser en gage pour payer des dettes — était si endommagé qu'il en découpa et détruisit les parties gâtées. Il en reste aujourd'hui quelques esquisses au crayon, une grande étude au fusain, deux études à l'huile sur une paire de personnages et sur l'ensemble de la composition, et deux grands fragments terminés de ce qui aurait du être le tableau du Salon.

Inachevé, jamais exposé, *Le Déjeuner sur l'herbe* (ills.26;29) fut un tableau sans public, à l'exception du petit groupe des amis du peintre, et des artistes — y compris Courbet — qui vinrent l'admirer en cours de réalisation[63]. En ce sens, ce tableau n'eut pas d'histoire, privé du jeu de significations que créent les interactions entre une œuvre et son public. Cette remarque vaut pour les autres toiles des années 1860. Après 1865, trois œuvres seulement furent acceptées au Salon : le portrait de *Camille* ou *La Femme à la robe verte* (ill.31), présenté avec *Le Pavé de Chailly* au Salon de 1866, et l'une de ses marines modernes, *Navires quittant les jetées du Havre* (perdu), au Salon de 1868.

L'ambition de Monet — se faire un nom comme peintre — a été ainsi frustrée par des jurys qui étaient pour une part nommés par le gouvernement, et pour l'autre, élus par ceux qui avaient reçu des prix et qui pouvaient y figurer. Certaines de ses œuvres furent présentées dans les vitrines des galeries d'art et lui permirent d'affirmer sa présence, mais non d'établir une relation avec le public plus large des Salons. Il acquit une réputation "invisible" grâce aux commentaires des critiques qui lui étaient favorables, spécialement après que Zola lui eut consacré un long article en 1868[64].

Les tableaux que Monet concevait pour s'adresser à un vaste public bourgeois durent rester dans l'intimité, avec pour tout public un petit groupe d'amis et de peintres, quelques critiques et quelques collectionneurs. Chaque année, un jury obstinément hostile refusait de les présenter au grand public. Cela était vrai pour beaucoup d'œuvres de ses amis (Bazille, Renoir, Sisley et Pissarro), mais aucun d'eux ne fut aussi impitoyablement écarté que lui. Au cours de la seconde moitié des années 1860, le public ne pouvait donc se faire qu'une idée très incomplète de ce que les critiques définissaient comme une nouvelle école de peinture consacrée à la vie moderne : même si les jurys ne pouvaient pas exclure entièrement cette nouvelle peinture, ils la privaient, à l'évidence, de toute cohérence en tant que mouvement artistique.

Les dimensions du *Déjeuner sur l'herbe* de Monet aurait dû lui permettre de figurer dans une suite de grandes œuvres réalisées par les héros de la peinture moderne au début de leur carrière : le tableau aurait dû être l'équivalent du *Serment des Horace* (Salon de 1784), du *Radeau de la Méduse* (Salon de 1819) ou de *L'Enterrement à Ornans* (Salon de 1850-1851). L'œuvre aurait établi Monet comme chef de file de la troisième génération de réalistes, en lançant le manifeste d'un réalisme susceptible de se comparer à celui du *Déjeuner sur l'herbe* de Manet. Il se serait rattaché de lui-même, par sa taille et par son refus de toute signification autre que l'existence du peuple ordinaire, à *L'Enterrement à Ornans* de Courbet, qui avait été perçu comme le premier manifeste du mouvement réaliste lorsqu'il avait été présenté au Salon seize ans auparavant.

Le sujet du tableau de Monet était directement lié à celui de Manet, mais Claude voulait faire une déclaration plus directe de réalisme moderne : sa toile devait être à la fois un hommage à Manet et une proclamation d'indépendance vis-à-vis de ce dernier. Son échelle aurait fait paraître l'œuvre de ce dernier petite, et sa hardiesse d'exécution timide. Sa modernité résolue aurait accentué l'ambiguïté de la relation de Manet au présent. Enfin, par-dessus tout, son naturel se serait opposé au caractère artificiel et dérangeant du monde de Manet. Le cadre choisi par Monet n'était pas le décor de scène ambigu du *Déjeuner sur l'herbe* de Manet, mais une clairière de la forêt de Fontainebleau : ce n'était pas une nature artificielle, pas même "naturelle", mais une nature de loisirs. Le tableau n'était pas un jeu sophistiqué sur le thème Renaissance des personnages nus dans un paysage (cf. Giorgone et quelques autres), mais une simple évocation des plaisirs de gens ordinaires. La signification du tableau de Manet, aux yeux du groupe de Monet, est bien illustrée par le commentaire de Bazille, pour qui il était le Cimabue et le Giotto de leur « nouvelle Renaissance ». En d'autres termes, il était le « primitif » qui jetait les fondements d'une nouvelle conquête de la réalité, perçue sans ambiguïtés, pleine de lumière et de couleurs, informelle, instantanée et — par-dessus tout — agréable[65]. Ils ne semblent pas avoir apprécié la signification sociale de l'artificialité de Manet, et paraissent n'avoir eu d'intérêt que pour la manière dont il attirait l'attention sur l'artifice même de la peinture, en créant un équivalent du monde extérieur.

En cherchant un modèle pour une peinture de personnages plus naturelle, Monet regardait — au-delà de Manet — du côté de Courbet, qui n'avait rien du détachement baudelairien vis-à-vis de la nature "naturelle". À la fin des années 1850, l'art de Courbet paraissait exprimer la plus totale acceptation du matérialisme et de la sensualité du Second Empire, même s'il devait encore peindre quelques-unes de ces œuvres où l'hypocrisie d'une époque vole en éclats : les licencieuses *Demoiselles du bord de Seine* (Salon de 1857) ou l'anticlérical *Retour de la conférence*, rejeté même du Salon des Refusés en 1863. Le *Déjeuner sur l'herbe* de Monet devait être toutefois une célébration sans arrière-pensées de ce que la Fête impériale pouvait offrir aux gens de toute condition. Ce n'était pas l'expression d'une ambivalence du statut bourgeois, qui avait passablement troublé les spectateurs de *L'Enterrement à Ornans,* ni de l'ambiguïté sexuelle et sociale de la société

moderne, qui avait si fort outragé le public de Manet[66]. Monet représentait simplement les membres de sa propre classe sociale — les gens qu'il connaissait et fréquentait — établis dans l'ordre des choses, profitant des bonnes occasions de la vie : il ne suggérait pas d'autre signification au-delà du fait même de leur existence à ce moment précis, sans passé, ni futur, ni histoire. Malgré le programme conscient de ce tableau-manifeste, il est émouvant dans son exubérance même. Tout se passe comme si Monet avait enfin trouvé son sujet, et que son réalisme auparavant si vigoureux et plutôt sombre eût été oublié dans cette explosion de lumière brillante, qui s'épanche à travers les feuilles frémissantes, pour étinceler sur les magnifiques atours des femmes et sur la nappe mise.

Achevé, le tableau n'aurait évoqué la tradition que par ses dimensions : non seulement il serait allé contre le goût bourgeois contemporain pour les petites œuvres intimes, mais il aurait demandé un processus de préparation très élaboré allant à l'encontre du propre besoin de Monet pour l'expérience directe du motif. Suivant en ceci les procédures qu'il avait dû apprendre dans l'atelier de Gleyre, le peintre a peut-être emprunté son "idée d'esquisse" à une source historique : *Halte de chasse*, de Carle Van Loo, daté de 1737 (au Louvre). Il a développé ensuite sa composition par

Ci-contre :

26. Étude pour le *Déjeuner sur l'herbe* (W.62), 1866, 130 x 181

27. « Personnages au grand air », 1865, dessin au crayon, 31 x 47

28. *Déjeuner sur l'herbe* (fragment du tableau endommagé) (W.63a), 1865-1866, 418 x 150

29. *Déjeuner sur l'herbe* (fragment du tableau endommagé) (W.63b), 1865-1866, 248 x 217

30. Gustave Courbet, *Les Demoiselles du bord de Seine*, 1856, 174 x 200

des dessins et par des études à l'huile pour les personnages et pour le groupe[67]. Mais Monet procéda ensuite en sapant les fondements des procédés académiques et en utilisant des techniques d'improvisation pour sa toile définitive. Il ne régla pas au carré son étude à l'huile, de manière à la transférer commodément sur la grande toile, mais dessina directement sur celle-ci, improvisant la peinture d'une manière qui ressemblait plus à la pratique de la lithographie qu'à l'élaboration des structures d'une toile académique. Peut-être avait-il en tête un passage de Baudelaire : « Pour le croquis de mœurs, la représentation de la vie bourgeoise et les spectacles de la mode, le moyen le plus expéditif et le moins coûteux est évidemment le meilleur. Plus l'artiste y mettra de beauté, plus l'œuvre sera précieuse ; mais il y a dans la vie triviale, dans la métamorphose journalière des choses extérieures, un mouvement rapide qui commande à l'artiste une égale vélocité d'exécution. »[68]

Il devait toutefois s'avérer impossible de concilier cette rapidité avec les exigences d'une "machine" pour le Salon. Monet passa presque un an à travailler sur ce tableau, allant à Chailly, en forêt de Fontainebleau, avant l'ouverture du Salon de 1865 et passant presque trois mois à faire des études de forêt : on y voit s'affirmer une appréciation de plus en plus maîtrisée des effets de lumière filtrant à travers le feuillage. Il fut probablement rejoint par Camille Doncieux, qui posa pour l'une des femmes (avant de devenir sa maîtresse, puis son épouse), et par Bazille, qui posa pour au moins deux personnages, sinon plus. Monet utilisait ainsi les processus élaborés du grand art pour créer l'image d'une réunion informelle d'amis, groupés dans les poses abandonnées du « déshabillé de leurs consciences », pour reprendre la phrase de Proudhon. Cette vision allait à l'encontre de l'objectif principal de la peinture officielle de personnages : l'exposition en forme d'un contenu important et significatif[69].

Chaque aspect du tableau montre que Monet était conscient du débat sur la modernité qui se déroulait à ce moment-là. Les fragments de l'œuvre destinée au Salon de 1866, ainsi que l'étude de la composition, révèlent qu'elle était soigneusement structurée pour exprimer justement le non-structuré, aspect essentiel de la vie moderne selon les contemporains.

Baudelaire avait ajouté à son affirmation, « la modernité, c'est le transitoire, le fugitif, le contingent », l'exigence d'une fusion avec cet autre élément essentiel de l'art : l'éternel. Mais Monet était prêt à se débarrasser de cet éternel : comme Courbet dans *L'Enterrement à Ornans*, il a représenté des personnages qui se déplacent autour d'un vide central avant de se mettre en position. (Il est symptomatique que ce vide soit celui d'une fête et non d'un enterrement.) Le groupement n'a pas de hiérarchie formelle pour diriger et ordonner ses mouvements de hasard : tous les personnages, tous les gestes de hasard, toutes les postures ont reçu le même accent. Dans sa revue critique du Salon de 1863, Castagnary avait écrit que la « révolution » qui « se manifeste en tous lieux » dans la peinture

« est issue des profondeurs même du rationalisme moderne. Elle jaillit de notre philosophie qui, en remplaçant l'homme dans la société d'où les psychologues l'avaient tiré, a fait de la vie sociale l'objet de nos recherches désormais. […] Elle jaillit de notre politique qui, en posant comme principe l'égalité des individus et comme desideratum l'équation des conditions, a fait disparaître de l'esprit les fausses hiérarchies et des distinctions menteuses. »[70]

Parler de « l'égalité des individus » et de « l'équation des conditions » dans l'Empire libéral de Napoléon III était naturellement une fiction, mais une fiction puissante pour ceux qui croyaient au progrès, comme pour ceux qui sapaient la hiérarchie traditionnelle des arts, non seulement en peignant des sujets égalitaires - il faut entendre, bourgeois - mais aussi en utilisant des techniques empruntées à la fabrication des images de masse (illustrations des journaux, photographies et affiches commerciales). En outre, des tableaux sans structures hiérarchisées, qui n'accordaient aucune signification spéciale à un secteur particulier du champ de vision, reflétaient ce qui était ressenti comme une caractéristique de l'expérience urbaine moderne.

Une femme lève son bras pour ôter son chapeau, un homme indique une place avec une ombrelle, une autre femme se penche pour offrir un plat, un autre homme change de place — chacun des personnages est suspendu dans une parcelle de temps, détachée de la continuité comme le temps de la chambre noire, mais également sans fin, puisqu'il est impossible de savoir quelle phase du mouvement se trouve ici représentée. La chaîne des personnages assis et debout doit peut-être quelque chose à la continuité du mouvement de *L'Embarquement pour Cythère* (dont Monet devait dire plus tard qu'il était son tableau favori au Louvre[71] - ill. 272), mais l'artiste a brisé cette continuité de manière caractéristique en la privant de tout contenu narratif, de sorte que les personnages n'existent que dans ce moment où on les voit. Ce procédé pourrait être comparé à la construction du récit dans *Les Demoiselles du bord de Seine*, de Courbet, avec ce bateau à rames et ce chapeau haut-de-forme dont on se demande : comment sont-ils arrivés ici ? où sont leur propriétaire ? Ces questions suggèrent un avant et un après... Dans la toile de Monet, il n'existe rien qui puisse compenser l'instant. Bien qu'il ait connu intimement plusieurs des acteurs de la scène, il les a représentés comme s'ils étaient vus par un passant : ils ont assurément leur vie et leur histoire, mais tout cela reste parfaitement opaque pour le spectateur.

La rigidité croissante des horaires de travail, dans le commerce et dans l'industrie modernes, déterminera les moments de loisir : la « journée à la campagne » devint rapidement le rêve hebdomadaire du citadin, rêve que beaucoup purent réaliser lorsque les trains permirent d'accéder, rapidement et à un moindre coup, à la campagne environnante. Dans *Aux champs* (1878), Zola explore la structure de classe de cette journée hebdomadaire. Le récit s'ouvre ainsi : « Les Parisiens montrent aujourd'hui un goût immodéré pour la campagne. […] Cette promenade aux fortifications est la promenade classique du peuple ouvrier et des petits bourgeois. ». Une fois arrivé là, on a devant soi la zone militaire et celle des usines, derrière soi les fumées de Paris ; « […] les petits employés, même les ouvriers à leur aise, poussent leurs promenades plus loin. Ceux-là vont jusqu'aux premiers bois de la banlieue. Ils gagnent même la vraie campagne, grâce aux moyens de locomotion dont ils disposent aujourd'hui. [...] Outre les chemins de fer, il y a les bateaux à vapeur de la Seine, les omnibus, les tramways, sans compter les fiacres. Le dimanche, c'est un écrasement ; par certains dimanches de soleil, on a calculé que près d'un quart de la population, cinq cent mille personnes, prenaient d'assaut les voitures et les wagons, et se répandaient dans la campagne. Des ménages emportent leur dîner et mangent sur l'herbe. On rencontre des bandes joyeuses, des couples d'amoureux qui se cachent, des promeneurs isolés, flânant, une baguette à la main. »[72] Pour le visiteur, qui venait passer là quelques heures avant de retourner au travail, ce n'était pas un lieu de méditation sur les valeurs éternelles de la nature — comme dans les tableaux de l'école de Barbizon — mais bien plutôt un lieu de plaisir immédiat, où l'on pouvait jouir du soleil et de la fraîcheur de l'air.

Dans une bonne partie de la littérature contemporaine, comme dans les illustrations des journaux, la campagne des faubourgs représentait aussi le lieu où l'on échappait aux contraintes morales, le terrain d'élection des amours illicites. Le surpeuplement des logements et le regard omniprésent des voisins dans certains quartiers rendaient presque nécessaire cette échappatoire, et pourtant perçue comme répréhensible lorsqu'elle était exposée aux yeux du public, dans les tableaux du Salon. Au Salon de 1857, *Les Demoiselles du bord de Seine*, de Courbet, avaient assombri l'âge d'or de l'harmonie entre la sexualité humaine et la nature, en montrant que la sexualité impliquait aussi la prostitution et la transaction financière. *Le Déjeuner sur l'herbe* de Manet suggérait, lui, la liberté de mœurs de la vie de bohème[73]. Monet a probablement conçu son tableau dans le même esprit, mais il n'a fait aucune allusion à la sexualité ; même s'il a bien en tête l'île d'amour de Watteau, *Le Déjeuner sur l'herbe* ne propose explicitement rien d'autre qu'une aimable compagnie.

Ces indications si âprement débattues et examinées à une époque où l'identité sociale était si instable font que celle des pique-niqueurs de Monet est tout à fait spécifique. Suivant peut-être en cela les recommandations de Baudelaire, selon qui le peintre désireux de pénétrer l'essence de la modernité devait étudier les publications de mode, Monet a même suivi les modes qui avaient changé au cours de la longue genèse de son tableau. Il l'a fait sans la passion philosophique de Baudelaire pour l'artificiel, mais l'étude de la mode dut influencer la manière dont il représentait le corps comme objet. Sa peinture a peut-être été voulue comme un complément champêtre aux rituels artificiels de la grande bourgeoisie urbaine, tels que Manet les avait représentés dans *La Musique aux Tuileries* (ill.19) : notre attention doit être attirée par le formalisme des personnages. Leurs attitudes se rattachent aux caractérisations de ce que les Goncourt appelaient le « corps moderne », dont « le crayon de Gavarni a saisi au vol les allures [...], dans la mélancolie, la fatigue, l'étrangeté, le sans-façon, le nonchaloir et le débraillement de son repos et de son mouvement. »[74] Les personnages de Monet suggèrent, eux, à première vue un état de plénitude sensuelle et d'épanouissement, et pourtant la langueur de leurs mouvements, le sérieux de leurs divertissements et leur solitude "en compagnie" démontrent plutôt la justesse des mots des Goncourt.

Aucun geste, aucune pose, aucune expression équivoque ne lient les personnages entre eux ou au spectateur, comme dans *Le Déjeuner sur l'herbe* de Manet ou *Les Demoiselles du bord de Seine* de Courbet : pas de désordre vestimentaire, encore moins de nudité ; pas de veste ou de béret de velours, comme on les portait dans la bohème artistique. On relève pourtant certains signes de libération des contraintes : les pique-niqueurs de Monet sont étendus sur l'herbe, dans un lieu de divertissement populaire, et les jeunes femmes n'ont pas de chaperon. Ce ne sont pas des filles de la bourgeoisie mais, par comparaison avec les *Demoiselles* de Courbet, aux dentelles trop

voyantes, leurs habits sont portés pour le plaisir des yeux, non dans un esprit de provocation. Ce genre d'habits à la mode, sans être nécessairement de grand luxe, était devenu accessible bien au-delà des classes moyennes aisées, grâce au prêt-à-porter des nouveaux grands magasins, aux tissus bon marché, aux journaux de mode et aux patrons de papier qui permettaient aux femmes de modeste condition de les fabriquer elles-mêmes. Le père de Renoir — tailleur de son état — regrettait cet état de choses, qui gommait les marques traditionnelles de la distinction[75]. Pour ce premier tableau sur la vie moderne, les modèles de Monet étaient — comme ils allaient toujours l'être désormais — ses amis et sa compagne. Il peignait un état qui représentait une réalité pour lui et ses amis : à l'aise dans leurs costumes élégants, ils étaient des fils de la bourgeoisie, aux yeux desquels une liaison avec une fille de la classe ouvrière était considérée comme une chose acceptable, avant un mariage sérieux avec quelqu'un de leur classe. Monet, à l'instar de Sisley et de Cézanne, devait épouser celle qui avait d'abord été son modèle, puis sa maîtresse : Camille Doncieux. Cela montre la manière dont il utilisait sa vie privée comme matériau pour sa peinture. En ce sens, celle-ci est autobiographique, mais Monet n'a pas regardé vers l'intérieur, tournant plutôt sa personnalité vers l'objet de la vision.

« C'est un moi insatiable du non-moi, qui, à chaque instant, le rend et l'exprime en images plus vivantes que la vie elle-même, toujours instable et fugitive. » Les remarques de Baudelaire sur Constantin Guys s'appliquent encore mieux au tableau de Monet : les plaisirs d'une journée à la campagne, de l'amitié, des liaisons passagères, du bien manger, du soleil dansant à travers les feuilles et éclaboussant de lumière les jolis atours, étaient vraiment ressentis par Monet, mais ils ont été peints avec une concentration sensuelle telle, qu'ils transcendent le moment fortuit. Le personnage du serviteur qui déballe les victuailles, sur la droite, indique que Monet a représenté un niveau de vie qu'il connaissait, mais dont il ne profitait pas lui-même. Sur ses esquisses, il a situé la scène à côté d'une route forestière, avant de l'enfermer finalement sous des feuillages baignés de soleil, de manière à suggérer que le moment fortuit est un état suspendu, sans contradiction, de plénitude physique. La tension entre le moment — le choc unique de la sensation — et son désir de le fixer sur la toile est probablement l'une des raisons pour lesquelles Monet n'a jamais achevé sa peinture : la tentative de saisir le moment où une femme commence à ôter son chapeau, ou simplement la mode de l'été 1865, était incompatible avec les mois de travail nécessaires pour créer une toile aussi grande, avec des personnages. Le *Déjeuner sur l'herbe* était l'image de quelque chose d'intensément désiré, mais c'était en même temps l'image de quelque chose qui existait, même sous forme de moment éphémère et créé ; c'était enfin quelque chose que Monet devait toujours rêver de re-créer. La tension entre le désir et le réel allait caractériser tous les tableaux du peintre, une fois qu'il eut accepté le défi de la modernité.

La grande esquisse à l'huile et les fragments conservés montrent toutefois une extraordinaire maîtrise, particulièrement impressionnante si l'on songe que le jeune peintre de vingt-cinq ans n'avait alors peint aucun groupe de personnages. Son ambition a peut-être été stimulée par les fresques de Delacroix à Saint-Sulpice, près de l'atelier qu'il partageait avec Bazille, devenues depuis leur achèvement en 1861, un but de pèlerinage pour les jeunes peintres. La représentation de *La lutte de Jacob avec l'ange*, dans la lumière diaprée du soleil, sous d'immenses chênes semblables à ceux de la forêt de Fontainebleau, a peut-être été ressentie comme un défi par Monet. Pourtant, même à cette échelle, l'utilisation que fait Delacroix des couleurs divisées et la continuité de ses dégradés de lumière paraissent subtils en comparaison avec les violents contrastes de lumière et d'ombre chez Monet[76]. Il est possible aussi qu'il ait étudié la manière dont Courbet avait représenté la lumière à travers les feuilles dans *Les Demoiselles du bord de Seine*, une lumière traitée en larges contrastes de jaune et de vert-jaune. Mais les

31. Camille, (*La Femme à la robe verte*)
(W.65), 1866, 231 x 151

contrastes de Courbet, comme ceux de Delacroix, fonctionnent à l'intérieur d'une échelle continue de verts, dont les feuilles émergent distinctement, alors que Monet a supprimé le dégradé et juxtaposé hardiment des traits contrastés de bleu vif, de vert sombre et de jaunes à peine teintés de vert. Courbet utilisait des traits séparés de couleur claire pour représenter la luminosité des tissus, dont les surfaces continues se recourbent dans l'espace, tandis que Monet — comme on le voit dans la robe jaune de l'esquisse ou la grise du tableau définitif — a utilisé des tons contrastés de la même couleur, isolés l'un de l'autre sur un fond pâle. Ces contrastes sont si nets que ceux qui représentent l'arrivée du soleil sur le personnage se détachent presque de lui. Monet a peut-être trouvé un précédent dans *La Musique aux Tuileries* (ill.19), de Manet, avec ses miroitements de taches colorées (qu'un critique hostile décrivait comme un « pêle-mêle de rouge, jaune, bleu, noir»[77]), ses frises de personnages, ses extraits compartimentés dans un espace de tapisserie, rythmés par les troncs des arbres traités en à-plat. De telles simplifications doivent assurément quelque chose aux estampes japonaises, dont on a déjà suggéré l'influence sur la manière dont Monet dépeint l'espace dans ses paysages. Les signes graphiques abrégés utilisés par les Japonais ont été adaptés par plusieurs peintres de la vie contemporaine, afin d'incarner leurs perceptions dynamiques de la vie urbaine, sans s'embarrasser de l'illusionnisme laborieux de la peinture académique. Les premières estampes japonaises arrivées en France représentaient des Européens à Kyoto et Yokohama ; elles ont peut-être été aussi les premières collectionnées par Monet[78]. Il a probablement trouvé amusante et instructive leur vision perplexe de la mode européenne, car il pouvait saisir la manière dont ils s'ingéniaient à voir l'inhabituel — tout comme lui, Monet, luttait pour trouver les moyens de représenter une vie contemporaine, qui n'aurait jamais été vue auparavant.

32. Utagawa Sadahide, *Comptoir des commerçants étrangers établis à Yokohama*, 1861, gravure sur bois, 34 x 70

Ni les estampes japonaises ni le tableau de Manet n'utilisaient les contrastes de tons avec l'ampleur de Monet. Sans doute a-t-il été sensible aussi à cette nouvelle forme du grand art qu'étaient, à l'époque, les affiches publicitaires. Vingt ans après, dans *L'Œuvre*, Zola rappelait la « bande » de jeunes réalistes marchant à travers Paris et franchissant « la Seine au pont des Arts pour insulter l'Institut » et passant « par la rue de Seine où une affiche tirée en trois couleurs, la réclame violemment enluminée d'un cirque forain, les fit crier d'admiration. ». Il s'est peut-être souvenu des premières grandes affiches imprimées par Rouchon, dont certains personnages, de couleurs contrastées, étaient grandeur nature[79]. Étroitement liées au développement des grands magasins et à la diffusion de la mode dans la petite bourgeoisie, ces affiches intéressaient sans doute plus Monet que les planches de mode descriptives et compassées, parce qu'elles suggéraient une autre manière pour subvertir les discours sur le grand art (le cœur et les initiales grossièrement taillés, représentés dans le *Déjeuner sur l'herbe*, en sont un exemple). Le changement de structure décisif tient à l'adaptation de signes graphiques à la peinture, comme on peut le voir dans certaines parties inachevées du *Déjeuner sur l'herbe*. Monet semble avoir conçu son tableau comme un immense dessin sur fond clair, une structure dynamique composée de signes plus ou moins discontinus. Son tableau introduisait donc une rupture radicale avec la construction traditionnelle des volumes émergeant d'un continuum matériel, tel qu'on le voyait dans *Les Demoiselles du bord de Seine* de Courbet.

Monet dut faire l'expérience de la force de ces contradictions entre différents modes de visualisation, lorsqu'il essaya de compléter Le *Déjeuner sur l'herbe* : il doit bien y avoir une raison pour qu'il n'ait pas terminé de tableau pour le Salon de 1867, puisqu'il n'avait pas pu le faire pour celui de 1866. Ses succès de 1866-67 rendaient l'entreprise financièrement possible. Fut-ce en raison de sa déception ? (N'avait-il pas écrit à Bazille : « ... je ne pense qu'à mon tableau, et, si je savais le manquer, je crois que j'en

33. Jean-Alexis Rouchon, affiche pour « Au paradis des dames », 1856, 145 x 103

34. Camille Pissarro, *Bords de la Marne en hiver*, Salon de 1866, 92 x 150

deviendrais fou » ?) Découvrit-il que les procédés de l'art académique étaient incompatibles avec la représentation du "moment" ? Ou bien décida-t-il que ses "signes" — la silhouette plate de la main de Bazille, la tache d'un bleu éclatant faite par le soleil sur son épaule, son bras et sa main, les taches d'ombre et de lumière qui se "déchiffrent" comme une tête — ne pouvaient être conciliés avec la continuité d'un espace rempli de lumière tel qu'il était aussi en train d'en créer un ?

Selon Monet, Courbet lui conseilla de ne pas donner au jury un prétexte pour exclure du Salon le *Déjeuner sur l'herbe* inachevé , mais de le compléter pour 1867 ; en attendant, il n'avait qu'à peindre une œuvre plus modeste « vite et bien, d'un seul coup »[80]. Monet peignit *Camille* (vite surnommée *La Femme à la robe verte*). Sous la pression de la nécessité d'obtenir à tout prix un succès au Salon, Monet revint à une forme d'illusionnisme et à un sujet que Mantz avait appelé de ses vœux dans son « Salon de 1865 » (la *Gazette des Beaux-Arts*) en faisant l'éloge du portrait de *Mme la Vicomtesse de Ganay*, par Cabanel, exemple « de cette grâce moderne qui attend encore son historien ou son poète » — ceux qui s'intéresseraient à « l'étrange séduction » de la mode contemporaine ainsi qu'au « costume », à la « coiffure », et la « beauté » des Parisiennes. « Et c'est précisément parce que ces jolies choses passent vite », écrivait Mantz, « qu'il faudrait [...] en fixer sur la toile le fuyant souvenir » et il encourageait les artistes à faire « en sorte qu'on sache demain et dans cent ans ce qu'étaient celles que nous avons aimées. »[81]. Monet a peut-être été influencé aussi par des œuvres populaires dans le grand public, comme *Le Fruit défendu*, de Toulmouche, présenté au Salon de 1865, bien que l'anecdote coquine souligne par contraste la gravité qui caractérise les tableaux de Monet sur les femmes de son époque.

*Camille* et *Le Pavé de Chailly* furent acceptés par le jury du Salon, en dépit de sa sévérité de cette année-là (où "seules" 1 998 toiles furent acceptées). On murmura même que cette sévérité avait acculé au suicide un artiste accepté les années précédentes ; d'autres artistes manifestèrent et demandèrent l'organisation d'un Salon des Refusés. *La Femme au perroquet*

(Metropolitan Museum of Art, New York) et *Le Couvert du chevreuil* (musée d'Orsay), de Courbet, recueillirent tous les suffrages. *Camille* donna peut-être l'impression que la jeune génération des réalistes se rangeait[82]. Le jury fut pourtant étonnamment arbitraire dans son choix d'œuvres réalistes : les tableaux de Manet furent refusés, comme la *Jeune fille au piano* de Bazille ; en revanche *Steeplechase, la chute du jockey*, de Degas (National Gallery, Washington), œuvre nerveuse, délibérément asymétrique, fut acceptée, peut-être grâce aux relations mondaines de l'artiste. *Les Rives de la Marne en hiver*, de Pissarro, furent également acceptées — grâce au soutien de Daubigny qui faisait partie du jury — de même que la *Rue de village à Marlotte*, de Sisley (Albright-Knox Art Gallery, Buffalo). Ces deux toiles étaient traitées aussi largement que *Le Pavé de Chailly*, de Monet. Le jury avait peut-être été troublé par les recommandations de l'administration des Beaux-Arts, qui insistait sur l'égalité des styles en tant que créations d'individus isolés, en leur refusant le caractère de mouvement idéologique. Il n'avait pas été assez vigilant : Thoré put affirmer que le Salon mettait Courbet à sa juste place, celle de l'artiste le plus important de sa période, que cela faisait progresser dans son ensemble la « jeune école », et grandir la sympathie pour les artistes qui se consacraient à la nature. Zola déclencha une controverse par un attaque violente contre le jury et contre ces réalistes qui, selon lui, s'étaient vendus aux critères officiels et au goût populaire : Courbet, Millet et Rousseau. Il prenait en même temps la défense vigoureuse de la nouvelle génération de réalistes représentée par Manet, Monet et Pissarro. De son côté le critique de *L'Illustration*, hebdomadaire à grande diffusion, identifiait bien le groupe comme un véritable groupe, en soutenant que les visiteurs du Salon avaient été « offensés par la rudesse, la grossièreté, la sauvagerie de l'exécution, l'imprécision des improvisateurs loués. »[83]

Monet a représenté Camille comme une figure achevée, émergeant d'un espace sombre ; au lieu de souligner la texture de la peinture, comme dans le *Déjeuner sur l'herbe*, il désarma et séduisit la critique par un rendu virtuose de la soie, de la fourrure et du velours. Selon Bazille, le tableau eut « un succès fou » et reçut même l'hommage d'un poème, célébrant l'image de la « Parisienne, ô reine, ô femme triomphante ». Thoré fit un récit romanesque de la genèse du tableau :

> « Je veux bien révéler au jury que cette opulente peinture a été faite en quatre jours. On est jeune, on avait cueilli des lilas, au lieu de rester enfermé dans l'atelier. L'heure du Salon arrivait. Camille était là, revenant de la cueille des violettes [...]. Désormais Camille est immortelle et se nomme *La Femme à la robe verte*. »

Charles Blanc voyait, au contraire, la jeune femme comme une femme des boulevards, une de celles qui, « déjà peintes à plusieurs couches avec du blanc de perle et du carmin, passent fièrement, parées de leurs vices et de leur élégance, imposant leurs modes à la vertu, leur esprit aux chroniqueurs et leurs néologismes à la langue verte. » Cette réaction était typique des critiques conservateurs, qui considéraient presque automatiquement toute œuvre réaliste d'avant-garde comme immorale, et symptomatique d'une tendance qu'avaient les citadins du XIXᵉ siècle à tenter de deviner derrière les personnages les secrets d'une vie inconnue. Le visage de Camille paraît dur et ce détail, ajouté à la richesse de sa parure, pouvait facilement inciter à de telles associations, d'autant plus que le tableau était présenté sous son prénom, *Camille*, comme on le ferait pour une femme au statut équivoque[84]. Pourtant *Camille* n'apparu pas scandaleuse, sans doute parce que la jeune femme ne provoquait pas le spectateur avec toute l'épaisseur de son être individuel, comme l'avait fait l'*Olympia* de Manet, en 1865, dont le regard renvoyait impitoyablement le spectateur à lui-même. Malgré sa grande taille et son absence résolue de coquetterie, qui la différenciait des « toulmoucheries » appréciées par le public du Salon, *Camille* continua de plaire. Zola — dont les *Confessions de Claude* avaient été poursuivies par la police pour immoralité lors de leur publication en 1865 — écrit à propos de Monet : « Eh oui ! voilà un tempérament, voilà un homme dans la foule de ces eunuques. »[85] Lorsqu'on débattait du réalisme, la sexualité n'était jamais très loin.

André Gill fit une caricature de *Camille*, avec cette légende : « Monet ou Manet ? Monet — mais c'est à Manet que nous devons ce Monet ; bravo ! Monet ; merci ! Manet ! »[86] Mais cette fois, Manet n'eut pa envie de refuser son patronage au jeune peintre. Monet et ses amis furent accueillis dans le groupe d'avant-garde des artistes et écrivains réalistes qui se réunissaient régulièrement au café Guerbois, dans le quartier récemment construit des Batignolles, à quelques pas de ce Pigalle où Monet vécut les premiers mois de l'année 1866. Dans ce quartier général des débats sur la modernité, Monet, Renoir, Bazille, Pissarro et Sisley rejoignirent Degas, Fantin-Latour et Bracquemond, ainsi que les écrivains Astruc, Duret, Duranty, Castagnary et Zola. À l'exception de Pissarro et de Zola, et à la différence de la première génération des réalistes, tous acceptaient comme une évidence la normalité de la société bourgeoise. Les difficultés financières de Monet et ses longues périodes de travail en dehors de Paris l'éloignèrent peut-être de la société cultivée et raffinée dans laquelle Manet, Degas et Bazille étaient à leur aise, mais il reconnut plus tard :

> « Rien de plus intéressant que ces causeries, avec leur choc d'opinions perpétuel. On s'y tenait l'esprit en haleine, on s'y encourageait à la recherche désintéressée et sincère, on y faisait des provisions d'enthousiasme qui, pendant des semaines et des semaines, vous soutenaient jusqu'à la mise en forme définitive de l'idée. On en sortait toujours mieux trempé, la volonté plus ferme, la pensée plus nette et plus claire. »[87]

Ce fut dans ce groupe de bourgeois libéraux et progressistes que le concept de peinture proclamée comme « recherche » et expérimentation ouverte évolua. Le soutien du groupe devint vital, parce que l'exploration

et l'expérience de la nature ainsi conçues ne pouvaient guère être comprises du public, lors des rares occasions où le jury du Salon laissait passer quelques-unes de ces œuvres.

Monet bénéficia matériellement de son succès au Salon : le marchand d'art Cadart lui commanda une réplique de sa *Camille*, pour l'expédier sur le marché américain, et la tante de Claude, charmée de recevoir plusieurs copies de l'article de Zola vantant l'œuvre de son neveu, rétablit la pension qu'elle avait apparemment suspendue. La réaction immédiate de Monet à ce répit financier temporaire fut de revenir à ce que Zola nommait « le rêve que font tous les peintres, mettre des figures de grandeur naturelle dans un paysage ». Il se mit donc à ses *Femmes au jardin* (ill.36) pour les présenter au Salon de 1867[88]. Monet entendait bien remplacer le *Déjeuner sur l'herbe* et faire de ce tableau un manifeste de la nouvelle peinture, une célébration pleinairiste des plaisirs de la vie bourgeoise contemporaine, avec ces femmes élégamment vêtues qui cueillent des fleurs, dans les taches de lumière et l'ombre lumineuse d'un aimable jardin. Le tableau devant être peint en plein air, Monet choisit un sujet plus simple et une taille plus commode que celle du *Déjeuner sur l'herbe* : le tableau mesure cependant 2,56 x 2,08 m, ce qui explique qu'il dut creuser une tranchée pour pouvoir peindre selon son idée les parties supérieures. Ce procédé apparemment excentrique démontre en fait l'influence durable de l'idée de Boudin : « Tout ce qui est peint directement et sur place a toujours une force, une puissance, une vivacité de touche que l'on ne retrouve plus dans l'atelier. » Cette théorie n'avait été vérifiée jusque-là qu'avec de petits formats : Monet cherchait à présent à l'éprouver à l'échelle d'une « machine » pour le Salon[89]. Zola écrivait en 1868 que la sensibilité de Monet était celle d'un citadin :

> « Il aime les horizons de nos villes [...] ; il aime, dans les rues, les gens qui courent, affairés, en paletot ; [...] il aime nos femmes, leur ombrelle, leurs gants, leurs chiffons, jusqu'à leurs faux cheveux et leur poudre de riz, tout ce qui les rend filles de notre civilisation.
>
> Dans les champs, Claude Monet préférera un parc anglais à un coin de forêt. Il se plaît à retrouver partout la trace de l'homme [...]. Comme un vrai Parisien, il emmène Paris à la campagne, il ne peut peindre un paysage sans y mettre des messieurs et des dames en toilette. La nature paraît perdre de son intérêt pour lui, dès qu'elle ne porte pas l'empreinte de nos mœurs. »[90]

Peint à Ville-d'Avray, village tout proche de Paris, le jardin privé du tableau de Monet était le complément des blocs de maison et des rues géométriques du Paris transformé par Haussmann, de la même façon que l'élégance des vêtements dépendait du développement de l'industrie de la mode sous le Second Empire. Vitale pour une économie de consommation, la mode repose sur une vision de l'homme en tant qu'objet, et sur le changement incessant par lequel chaque courant de mode remplace constamment celui qui le précède. Elle était donc intimement liée à une nouvelle esthétique fondée sur la visibilité pure et sur la saisie d'un seul moment non renouvelable[91]. Les *Femmes au jardin* représentent une image véridique du regard spécifique induit par la mode, car — à la différence du *Déjeuner sur l'herbe*, où les personnages réagissent comme les membres d'un groupe réunis pour une occasion sociale — il n'existe ici aucun sens de la communion entre les personnages. Ce n'est pas seulement parce que Monet a utilisé un seul modèle — Camille — pour les trois femmes de gauche, mais parce que les femmes prennent des poses à la mode que montraient les planches de présentation des vêtements : elles sont représentées simplement comme des objets aimables et au goût du jour.

En représentant des personnages en plein air Monet pouvait aborder un sujet à la mode : peindre les beautés Second Empire, coqueluches des artistes établis. Peut-être le tableau allait-il pouvoir être considéré comme un équivalent — bourgeois et d'avant-garde — de l'immense toile de Winterhalter alors exposée à Fontainebleau : *L'Impératrice entourée de ses dames d'honneur* (1855) (ill.35) ? La composition très calculée des visages et des profils chez Winterhalter rappelle en effet les variations de Monet sur le visage de Camille. Dans les deux œuvres, les immenses robes sont étalées comme des corolles de fleur, dans une nature artificielle et luxuriante. Mais le tableau de Winterhalter est hiérarchique et sa disposition évoque un parc aristocratique du XVIIIᵉ siècle plutôt qu'un jardin bourgeois. Même si les deux œuvres montrent l'opulence décorative propre au Second Empire, le tableau de Monet a l'air presque naïf en comparaison de la virtuosité illusionniste de l'œuvre de Winterhalter.

Manet, Degas, Bazille et Morisot peignaient aussi avec une simplicité qui rejetait cette peinture d'illusion, mais leurs œuvres avaient une sobriété et une retenue qui les distinguaient du caractère cérémonieux de *Femmes au jardin*, et qui reflétaient probablement les efforts de la grande bourgeoisie à l'ancienne pour se distinguer des nouveaux riches du Second Empire (comme Zola l'a bien montré dans *La Curée* ). Il reste que, si Monet manifestait un goût évident pour ce que la prospérité avait donné à la nouvelle bourgeoisie, le réalisme qu'il avait développé par l'intermédiaire de la peinture de plein air, le mettait à l'abri de l'esthétique du Second Empire — celle des apparences pompeuses. On pourrait penser que l'accent mis par les premiers Réalistes sur la fidélité aux apparences pouvait aisément être détourné par les manipulations de cette société, comme moyen d'affirmer, ou parfois d'atteindre l'identité bourgeoise. Les contemporains ne s'y trompèrent pourtant pas et se sentirent repoussés, voire menacés par la franchise avec laquelle Manet et ses successeurs révélaient leurs procédés de représentation.

Monet a dessiné ses personnages directement sur la toile légèrement préparée (on peut le voir sur un probable essai préliminaire, une toile réutilisée ensuite par Bazille[92]), créant ainsi une composition décorative d'après les courbes des habits, du sentier, du gazon, de la lumière du soleil et des

35. Francis-Xavier Winterhalter, *L'Impératrice entourée de ses dames d'honneur*, 1855, 300 x 420

Ci-contre :

36. *Femmes au jardin* (W.67), 1866-1867, 256 x 208

ombres, chaque espace étant occupé par une couleur dominante. À l'intérieur de chaque zone colorée, Monet modula les tonalités, pour pouvoir suggérer la continuité des formes dans une lumière si brillante qu'elle irradie même les ombres, évitant ainsi de fragmenter les personnages comme il l'avait fait dans le *Déjeuner sur l'herbe*. Monet excelle surtout à capter les effets observés : on peut le constater dans les grandes touches de blanc, de rose et de mauve purs sur les ombres bleutées de la mousseline, ou de blanc crème sur la robe rayée vert et blanc. Ces effets suggèrent la tombée de la lumière à travers les feuilles sur le tissu blanc. On le voit encore dans les larges à-plats de rose, qui évoquent la lumière chaude filtrant à travers l'ombrelle sur le visage, ou sur l'éclat de la peau touchée par la lumière à travers un voile de mousseline. Il donna une ferme structure linéaire à ces bonheurs, liant ensemble les grands plans colorés au moyen de lignes vertes, ocres et noires qui se déploient sur l'épanouissement des robes : elles relient entre eux les bouquets et le buisson de roses ; le ruban à l'ombrelle et à la branche ; la robe au bord de l'ombre à une autre robe plus éloignée ; les feuilles illuminées dans l'ombre à celles qui se découpent sur le ciel.

Bien que le sujet fut aimable, le jury refusa la toile, ainsi que l'immense *Port de Honfleur* (ill.51), peint de manière presque brutale. Le tableau de Bazille *La Terrasse de Méric* (musée du Petit-Palais, Genève), qui montrait des personnages en plein air, la *Diane chasseresse* de Renoir (National Gallery, Washington), nu classique peint comme s'il était en plein air, et des œuvres de Pissarro et de Sisley, subirent le même sort. Le jury — présidé par Rousseau et comprenant Meissonier, Breton, Gérôme et Couture, mais non Daubigny — excluait en bloc les jeunes réalistes, plus efficacement qu'il ne l'avait fait en 1866, sans doute parce qu'ils rejetaient ce que les réalistes admis par l'administration regardaient comme essentiel : attitude de respect vis-à-vis de la nature et effort manifeste pour représenter le contemporain comme harmonieux et — paradoxalement — intemporel. Bien des années plus tard, Monet prétendit que Jules Breton avait insisté pour que sa toile fût refusée, pour la raison simple qu'elle manifestait un « progrès » et qu'il était nécessaire de dissuader les jeunes artistes de continuer « dans cette voie détestable ». Nieuwerkerke a expliqué cette fonction du jury : « Un refus constitue un avertissement salutaire qu'un artiste, jeune et intelligent, devrait comprendre. » L'œuvre personnelle de Breton, couverte d'honneurs par l'administration impériale, exprimait dans les sujets *et* dans l'exécution sa foi profonde : « Le travail est une prière. » Il peignait la dureté des travaux agricoles, ordonnés, calmes et récompensant le paysan, investis de l'importance et de la signification que leur donnait la continuité des siècles. L'exclusion de Monet du Salon prouve qu'on s'appliquait à contrôler sa production artistique[93]. C'était même la tâche la plus urgente, puisque le Salon devait coïncider avec une immense présentation de l'art du XIXᵉ siècle, organisée à l'occasion de l'Exposition universelle : la vitrine de l'art français ne devait pas être entachée d'une présence controversée susceptible d'entamer son prestige.

Dans ses *Femmes au jardin*, toile absolument contemporaine, Monet peignait la belle vie des bourgeois sans aucune des techniques que les peintres à la mode utilisaient pour maintenir leurs distances vis-à-vis de ce genre de sujets (comme on le voit dans *Le Jardin de la marraine*, de Firmin-Girard, par exemple). En outre, à l'immédiateté de la scène d'intimité s'ajoutait une vision dépersonnalisée des personnages, pris comme des objets dépourvus de sentiments : les tensions engendrées par ces contradictions contribuèrent peut-être à déranger le jury (comparer *La Partie de cache-cache* de James Tissot (ill.126) et *La Promenade* d'Adrien Moreau (ill.129).

Lorsque Baudelaire écrivait que « la plupart de nos paysagistes sont des menteurs, justement parce qu'ils ont négligé de mentir », il exprimait en fait sa préférence pour les tableaux des dioramas ou des mises en scène, peintures « dont la magie brutale et énorme [savait lui] imposer une utile illusion ». « Ces choses, parce qu'elles sont fausses, sont infiniment plus

près du vrai. »[94] On aurait pu dire la même chose des affiches colorées, comme celles que Rouchon éditait dans le même temps pour les compagnies de transport ou pour le "Paradis des Dames", dans lesquelles on ne cherche pas à masquer les encres plates et opaques qui font l'image. Il y a quelque chose de cette qualité dans *Le Port d'Honfleur*, qui fait paraître élégantes, par comparaison, les marines contemporaines de Manet. Mais dans *Femmes au jardin*, les techniques destinées à créer l'illusion à distance sont utilisées pour peindre des personnages qui sont près de nous, et les faire paraître encore plus proches que ceux du *Déjeuner sur l'herbe*, en imaginant un chemin qui vient droit dans "notre" espace comme si nous marchions dessus. Le premier plan se lit aussi comme une forme plate à la surface du tableau. Ce genre d'ambiguïté, intensification d'un procédé que nous avions déjà noté dans *Le Pavé de Chailly*, rend le spectateur plus conscient de l'abstraction de la peinture qui ne saurait s'effacer avec la distance : le plan coloré hésite alors entre les deux définitions. Ces ruptures morcèlent le tableau en une série d'instantanés qui ne peuvent être compris dans une continuité, mais comme une coïncidence d'identifications temporaires. La nature de la solution trouvée par Monet au problème de l'illusion spatiale peut être appréciée par comparaison avec un autre "sujet clos", *Les Demoiselles du bord de Seine*, de Courbet : l'espace y est ininterrompu, même s'il est construit comme si l'artiste s'était tenu au premier plan, regardant de haut les femmes, puis l'eau au-delà. Les traits de brosse adhèrent aux différentes substances qu'ils représentent, de sorte qu'ils peuvent se fondre dans l'illusion. Monet a probablement pris conscience des discontinuités spatiales en regardant les toiles de Manet et les estampes japonaises, mais il a été le premier à les introduire dans la représentation de la vie quotidienne de la bourgeoise. Comme le suggère son exclusion du Salon, ces solutions de continuité semblent avoir eu le même effet que les sujets scandaleux de Manet.

Les toiles de Monet remettaient en cause un discours complexe qui constituait les spectateurs en consommateurs d'art. Il utilisait une technique qui, dans le même temps, tenait le spectateur à distance et le conduisait dans l'intimité : le premier but était atteint en soulignant "l'objectivisation" des personnages, même s'ils étaient physiquement proches du spectateur, et le second en montrant comment l'image était réalisée, invitant ainsi le spectateur à participer au processus de création. Les qualités communes à l'immense variété des tableaux de personnages, que recherchaient les marchands, les collectionneurs, l'administration des Beaux-Arts (et le public qui achetait les reproductions de ces tableaux), montrent que l'on préférait la jouissance immédiate de l'image à l'expérience active de participation. Dans les toiles néoclassiques représentant la vie domestique des Anciens, les personnages tendaient à être proches du spectateur et immédiatement accessibles, grâce à la pratique d'une technique méticuleuse et "transparente", mais ils étaient tenus à distance par l'éloignement historique des sujets. Les peintres de la vie bourgeoise du Second Empire, à la mode— Stevens, Tissot et Toulmouche — utilisaient des techniques similaires, qui figeaient le spectateur dans le rôle d'un consommateur, d'un admirateur de savoir-faire inaccessibles. Les sujets anecdotiques donnaient à ce même spectateur l'accès immédiat à la peinture, mais n'exigeaient de lui aucun travail supplémentaire d'imagination, une fois que la toile avait été examinée et l'émotion requise éprouvée. Ainsi, lorsque la signification un peu osée du *Fruit défendu* de Toulmouche a été désamorcée, par l'identification facile de la plaisanterie, le spectateur n'a plus rien à faire qu'à examiner les détails timidement suggestifs et admirer l'habileté avec laquelle ils sont représentés (ou voir *La Promenade* d'Adrien Moreau (ill.129).

Manet a remis en cause cette distanciation en plaçant ses personnages très près du premier plan, et en leur prêtant un regard dérangeant, dirigé vers le spectateur, qui défie de les considérer comme de simples objets de vision. Par contre, dans la peinture de Monet, le regard des personnages

est maintenu à l'intérieur de la scène représentée (dans *Femmes au jardin*, le regard de Camille, dirigé vers l'extérieur, est quelque peu masqué par l'énorme bouquet de fleurs). Ainsi, la retenue imposée par Monet à ses personnages était plus proche de celle des peintres à la mode que de Manet, ce qui n'empêcha pas le jury de ne pas exposer ces œuvres. La combinaison de techniques impliquant la distance, tout en invitant à la participation, suggère quelque tentative désespérée pour atteindre une vision intime de l'être, d'autant plus poignante que Monet a presque toujours peint des amis ou des membres de la famille. Ces contradictions donnent aux plus charmantes de ses toiles de femmes contemporaines un sérieux que l'on ne saurait trouver dans les sujets semblables de Toulmouche ou de Tissot. Peut-être les tableaux de Monet étaient-ils arrivés trop près d'une vision de l'aliénation des villes pour être encouragés par ceux qui contrôlaient ce que le public pouvait voir. La justesse de leur appréciation est prouvée par le fait que le désir de Monet — saisir la réalité du personnage — conduisit rapidement à son atomisation.

Le refus du jury fut assurément un coup très dur pour Monet, car son œuvre était à ses yeux une célébration des valeurs de ceux qui avaient accès aux beaux-arts. Au lieu d'enseigner aux nouveaux réalistes à amender leurs méthodes, l'exclusion renforça le groupe en le contraignant à envisager l'organisation d'une exposition privée (réalisée finalement sept ans plus tard, avec la première exposition impressionniste), mieux accordée au diapason de l'idéologie bourgeoise que ne l'était le Salon lui-même[95]. Ils n'en eurent pas les moyens matériels. La famille de Monet suspendit de nouveau ses subsides — non pas, comme son père le souligna, à cause de son échec au Salon, mais pour le forcer à abandonner Camille Doncieux, qui était enceinte. Bazille vint à son secours en achetant *Femmes au jardin* pour la coquette somme de 2 500 francs-or, payables en versements mensuels de 50 francs. Vers la fin de l'année 1860, ces 50 francs constituèrent souvent la principale ressource de Monet. Commencent à cette époque, pour le peintre, vingt ans ou presque de lettres désespérées aux amis, aux marchands et aux collectionneurs, pour mendier des secours financiers. Monet vendit peu dans ces années, et généralement à bas prix[96]. *La Femme à la robe verte* montre qu'il aurait pu obtenir un succès facile et durable, mais les modes d'expression auxquels il se consacrait désormais le conduisirent d'abord à l'isolement, à la misère et aux privations — au cœur d'une société qu'il cherchait pourtant à célébrer.

Dans cette société mouvante, l'échec pouvait signifier, au mieux la perte des plaisirs que le statut et la richesse pouvaient offrir, au pire une effroyable misère : la nouvelle bourgeoisie faisait tous ses efforts pour rendre visibles les signes qui la distinguaient de la classe ouvrière. Vallès décrit avec une ironie féroce comment son éducation supérieure le vouait non seulement à une profession respectable, mais le contraignait aussi à endosser la redingote « d'uniforme » et non la blouse du travailleur à laquelle il avait aspiré dans l'innocence de sa jeunesse. Il a raconté les expédients désespérés auxquels il lui fallait recourir lorsqu'il ne pouvait se payer cette redingote. Un artiste de la classe bourgeoise avait besoin de revenus fixes : sans cela, il était condamné à s'endetter pour pouvoir arborer les signes du succès qui garantissaient la qualité de son œuvre aux acheteurs potentiels. Les revenus de Monet furent fluctuants et il ne sut jamais bien ce qu'il allait gagner d'un mois sur l'autre. Un revenu stable permettait d'avoir une ardoise ; le drame de Monet fut de voir son crédit coupé chez ses fournisseurs de couleurs. Cela impliquait aussi que l'on trouvait plus facilement à se loger : un autre drame pour le peintre, fut la suite d'expulsions et d'impossibilités temporaires de relouer un logis, par manque d'argent, interruption du travail et saisie de tableaux. Lorsqu'il gagnait de l'argent, Monet vivait assurément très bien (trop bien, peut-être), quoiqu'une bonne partie de ce qu'il gagnait dût combler les dettes les plus anciennes et les plus criantes. Si son niveau de vie était bourgeois, son mode de vie était plus proche de ce que la bourgeoisie considérait comme caractéristique de la classe ouvrière. Selon la description de Le Play, « l'ouvrier, entièrement dépourvu de prévoyance, […] ne fait jamais d'épargne : il dépense, jour par jour, tout ce qu'il gagne. »[97]

Monet partageait probablement le mépris des avant-gardes pour le philistinisme bourgeois, mais il ne renia jamais sa classe. Tout au long de sa vie, il eut beaucoup d'amis intimes parmi les radicaux, mais il ne se sentit jamais attiré par le militantisme, et s'accommoda d'un système fondé sur l'idéologie du mieux-être individuel par le travail, l'initiative et le pouvoir. Mais si ses grands tableaux de la vie bourgeoise peuvent être vus comme une confirmation de son système de références, les réalités de sa situation financière le remirent sans doute en question plus d'une fois. La contradiction entre la sécurité supposée de la peinture de personnages et son mode d'exécution, entre les sujets à la mode et les techniques qui dérangeaient ceux dont on représentait les vies (ou les femmes), eut des conséquences fatales : lorsqu'il perdit les subsides de sa famille, il n'eut plus les moyens nécessaires de peindre ses grands tableaux de la vie contemporaine[98]. Il continua à y rêver, cependant, et regretta jusqu'à ses quatre-vingts ans d'avoir été contraint de les abandonner pour se consacrer à des toiles plus petites, plus appropriées aux appartements bourgeois et plus facilement vendables que les grandes « machines » pour le Salon — celles qui procuraient la gloire.

En 1920, Monet déclara qu'il était passé de la peinture de personnages « à d'autres exercices qui [l]'ont mené plus loin qu'[il] ne pensait. [Il s'est] épris du rayon et du reflet » ; peut-être trouva-t-il les problèmes de la peinture en plein air si complexes qu'il ne put les traiter qu'à une échelle réduite[99]. Cette prise de conscience dut se faire lorsqu'il finissait *Femmes au jardin*, cette immense toile remplie de soleil, au moment où il exécutait par ailleurs des effets de neige sur le motif, près de Honfleur. Durant l'année 1867, Monet peignit souvent un sujet — ou des sujets très voisins — sous différents effets de lumière : route sous la neige, lumière claire et brumeuse d'une plage, rues de ville dans la lumière diffuse de midi. Certaines de ces toiles sont faites aussi bien pour les diverses manières de voir et pour les diverses façons de représenter cette vision, que pour le simple plaisir d'être assis sur une plage ou de regarder le spectacle de la rue. Loin de matérialiser des réactions instinctives devant la nature, ces tableaux étaient conformes à l'ambition de Monet de renouveler le genre du paysage. Il était parfaitement au courant des débats théoriques de Paris, et son approche exploratoire de la nature était déterminée par un intérêt très explicitement moderne pour les processus de fabrication de l'image.

La nouveauté véritable des codes de représentation des estampes japonaises joua un rôle dans les discussions des avant-gardes parisiennes sur les artifices indispensables au réalisme[100]. L'emploi de ces artifices est perceptible dans le tableau intitulé *La Charrette, route sous la neige à Honfleur* (ill.38), même si le désir de l'expérience immédiate l'a conduit à peindre le sujet sur le terrain, un jour où il faisait « un froid à fendre les cailloux », comme le rapporte le chroniqueur havrais Léon Billot, qui continue ainsi : « Nous apercevons une chaufferette, puis un chevalet, puis un monsieur, emmailloté dans trois paletots, les mains gantées, la figure à moitié gelée : c'était Monet étudiant un effet de neige. »[101] Les artistes japonais évoquaient le sol et les arbres couverts de neige par une combinaison de plages délicatement teintées et quelques signes graphiques : on peut voir leur influence dans la façon dont Monet a représenté un premier plan ouvert et sans ombres, par des zones ininterrompues d'épaisse peinture blanche, subtilement nuancées de gris teintés de bleu et de violet, qui suggèrent des formes voilées par la neige. Des vapeurs d'un blanc presque pur suggèrent la neige sur le squelette des arbres, et la luminosité du ciel derrière eux ; quelques traits noirs révèlent un buisson partiellement recouvert. Libéré de la

37. Utagawa Hiroshige, *Ochanomizu*, estampe de la suite *Endroits célèbres d'Edo*, 1853, gravure sur bois 22 x 34

nécessité de décrire, Monet pouvait se concentrer sur le rendu de l'ensemble de la scène vue d'un coup d'œil, en trouvant des équivalences pour cette impression de luminosité brillante que renvoie la neige, même par un jour gris et froid.

Monet utilisa également des pratiques dérivées de son étude des estampes japonaises pour peindre trois scènes parisiennes vues du balcon du Louvre, au printemps de la même saison 1866-1867. Le contraste entre les personnages européens et japonais dans les estampes représentant des scènes de rue à Yokohama et Kyoto — que Monet commença de collectionner probablement dans les années 1860 — confirmait de manière frappante la conception réaliste : chaque époque et chaque société avait ses propres apparences, que traduisaient non seulement des détails et des vêtements différents, mais aussi des différences dans les attitudes, les façons de marcher et même les manières de regarder autour de soi. L'étude intensive de ces images d'une culture inconnue, qu'il voyait nécessairement de l'extérieur, renforça probablement sa tendance à voir la vie humaine comme une chose impénétrable, opaque, à laquelle seul le regard pouvait accéder.

L'Exposition universelle de 1867, apogée de la fête impériale et « festival pour le plaisir de l'univers », renforça encore cette prise de conscience. L'Exposition attira plus de dix millions de visiteurs venus du monde entier, non seulement pour admirer les merveilles de la production moderne, mais aussi pour visiter Paris, la ville-lumière, désormais transformée. L'immense bâtiment elliptique de l'exposition, en fer et acier, avec ses sept galeries concentriques, était dédié à « L'Histoire du travail et de ses fruits ». Les premières galeries étaient consacrées aux produits et aux processus de fabrication de tous les pays, des temps anciens aux temps modernes ; la dernière galerie abritait la plus grande exposition d'art contemporain jamais vue. Toute la vie humaine — ou ce que les autorités estimaient pouvoir en montrer — était assimilée à un spectacle dont le symbolisme était évident : la transformation de la matière par le travail de l'homme à travers les âges aboutissait à son apogée dans le Paris rénové de Napoléon III. Dans l'immense parc entourant le bâtiment de l'exposition, « le délire de la spéculation » (selon les mots d'un visiteur) eut libre cours pour créer une confusion de bâtiments et de styles de toutes les époques et de tous les pays. Les Japonais, par exemple, avaient monté un authentique pavillon dans un jardin japonais et proposaient des démonstrations de leur art et de leur artisanat. C'était, disait le même visiteur, « un spectacle sans fin », exprimant

38. *La Charrette, route sous la neige à Honfleur* (W.50), 1865, 65 x 92

39. *Saint-Germain-l'Auxerrois* (W.84), 1867, 79 x 98

40. *Le Jardin de l'Infante*
(W.85), 1867, 91 x 62

41. Utagawa Hiroshige II, *La Délégation anglaise à Yokohama*, gravure sur bois, 34 x 71

À gauche :

42. La rue de Rivoli, photographie des années 1860

Ci-contre :

43. *La Plage de Sainte-Adresse* (W.92), 1867, 75 x 101

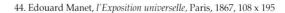

44. Edouard Manet, *l'Exposition universelle*, Paris, 1867, 108 x 195

« la fièvre et la prodigieuse activité de ce siècle, qui a vu : l'électricité et la vapeur donner des ailes aux hommes, un quart d'heure à la bourse faire et défaire des millions, la Prusse changer en huit jours le destin de l'Europe et Monsieur le préfet de la Seine [transformer] en dix ans la face d'une ville laborieusement mise sur pied par soixante dix rois. »

L'idéologie du progrès était criante, et ses produits servaient et stimulaient une consommation visuelle jamais assouvie. Selon le même visiteur, l'effet de cette surabondance « éblouit les yeux plutôt qu'il ne parle à l'esprit. Il laisse le cœur froid, et dérangent les sens. »[102] ; on éprouvait la même sensation dans les grands magasins et au Salon.

Les arts étaient placés au centre de cet étourdissant spectacle de tout ce qu'avait permis de créer la vie nouvelle, mais les œuvres de la dernière génération des réalistes — en particulier *Femmes au jardin* — étaient exclues. Manet et Courbet aménagèrent leurs propres pavillons pour montrer leurs travaux, mais comme ils n'avaient pas le sceau officiel du jury du

Salon, ils ne furent que peu visités[103]. Manet a peint une vue de l'Exposition, avec des juxtapositions abruptes de différents types de spectateurs, à la manière des estampes japonaises, et d'une sobriété laconique en comparaison de l'hyperbole ampoulée des manifestations officielles.

Les œuvres de Monet, Bazille, Renoir, Pissarro et Sisley étaient invisibles au milieu des illuminations triomphantes et des célébrations officielles de l'Empire bourgeois. Ce n'est pas un hasard si Monet et Renoir peignirent leurs premières vues de Paris au printemps, au moment de l'ouverture de l'Exposition. Les plus conventionnelles de ces toiles — comme *Saint-Germain-l'Auxerrois* (ill.39), de Monet — se rattachent au genre bien connu des *vedute* topographiques, qui représentent les rues d'une ville vues d'un point surélevé. C'était aussi le point de vue des photographes de l'époque, qui devaient faire face à une demande incessantes d'images représentant les nouvelles perspectives ouvertes par Haussmann. La place devant l'église venait d'être transformée par la démolition d'un groupe de maisons, pour faire place à une mairie de style Renaissance et à un beffroi

de style gothique. Monet ignorait ces ajouts et ces pastiches, et prit dans ce nouveau Paris l'élément le plus signifiant qu'il pouvait lui offrir : un espace plein de lumière. Il utilisa pour ce faire de petits traits de couleurs étroitement apparentées, afin de suggérer la manière dont la lumière accroche les innombrables plans de la maçonnerie usée de l'église, de sorte que l'espace situé devant paraît rempli de l'éclat de la lumière printanière. C'est bien la lumière blanche de l'Ile-de-France qui se brise en étincelles multiformes sur les piquants des marrons, dans les ombres tachetées et sur la foule kaléidoscopique. Comme dans tous les tableaux de Monet consacrés à la ville, la scène est prise de haut et traitée pour le plaisir de l'œil, mais sans plus. Elle n'exprime aucune nostalgie pour le passé révolu et détruit, mais ne s'engage pas non plus dans la rhétorique de la nouveauté.

Les ruptures du *Jardin de l'Infante* (ill.40), suggèrent également l'influence de la photographie et des estampes japonaises sur la tradition topographique. Comme s'il concevait le rectangle de la toile à l'image du viseur de la chambre noire, le peintre a mis au point sur la zone centrale

représentée par son *Quai du Louvre* (La Haye, Gemeentemuseum) et matérialisé l'action de l'œil comme s'il se déplaçait dans une série d'instantanés : le gazon juste en dessous de lui, la rue animée, l'île de la Cité et le Panthéon au loin. Le *Quai du Louvre* fut acheté par le marchand Latouche et présenté dans sa vitrine en janvier 1869 (où Daumier le vit et le critiqua, semble-t-il) ; *Saint-Germain-l'Auxerrois* fut acheté par Astruc, sans doute avant l'été de 1870[104].

## III

Bien que le père et la tante de Monet lui eussent supprimé sa pension, on lui proposa le vivre et le couvert dans la villa de sa tante à Sainte-Adresse — s'il consentait à abandonner Camille enceinte. Il décida de feindre l'obéissance, et laissa Camille à Paris, tout en lui fournissant secrètement de l'argent, généralement par l'intermédiaire de

45. *Terrasse à Sainte-Adresse* (W.95), 1867, 98 x 130

Bazille[105]. Cette situation peu commune charge de non-dit le sens de ses tableaux à personnages, qui comportent généralement des membres de sa famille figurés sur la plage ou la terrasse de Sainte-Adresse.

Les premiers peintres pleinairistes évitaient les scènes qui suggéraient les changements dans la campagne, mais Monet et ses amis peignaient dans des zones qui changeaient rapidement. Dans son enfance, Monet avait vécu la rapide croissance du Havre et observé la fièvre de construction qui avait bientôt relié la ville aux villages de pêcheurs voisins, comme Sainte-Adresse, où étaient bâties les résidences des riches Havrais (dont celle de sa tante), ainsi que des hôtels et des villas pour les vacanciers. Les activités traditionnelles de pêche s'y mêlaient aux loisirs et à la navigation de plaisance. Tous ces éléments apparaissent dans les tableaux de la plage de Sainte-Adresse, cette même plage qu'il avait peinte naguère, en 1864-1865, intacte de tout modernisme. Monet s'est peut-être inspiré des illustrations des journaux, aussi bien que des tableaux de Boudin, qui avait connu un grand succès en représentant les résidences à la mode sur la côte normande, avec leur

population de gens riches et d'élégants. Mais tandis que Boudin avait peint ses personnages bavardant ou se promenant (ill.14), Monet peignait les résidents de l'été, sur des plages moins chic, des couples isolés, plus spectateurs qu'acteurs sociaux. Dans *La Plage de Sainte-Adresse* (ill.43), les pêcheurs paressent près de leurs bateaux, tandis qu'un couple un peu éloigné regarde les yachts avec une longue-vue. C'est l'un des nombreux tableaux où Monet a peint l'acte même de la vision comme un processus physique, à l'instar de ce que représentaient aussi Degas, Renoir, Manet et Cassatt, avec leurs personnages aux jumelles de théâtre, etc. Une "coupure" spatiale se crée ainsi entre le regard du spectateur du tableau et celui du spectateur représenté dans le tableau. La *Terrasse à Sainte-Adresse* (ill.45) contient un effet voisin, mais la vue du spectateur du tableau y est plus étroitement liée à celle des spectateurs qui figurent sur celui-ci. Monet décrivait cette dernière toile comme son « tableau chinois où il y a des drapeaux » (les termes « chinois » et « japonais » étaient alors pratiquement interchangeables dans l'usage courant). Parmi ses premières œuvres, c'est celle qui montre la plus forte influence des techniques de représentation et de l'iconographie japonaises[106]. Monet y a adapté l'un des principaux thèmes de l'*uki-oye* (« la vie agréable ») : il transforme une image banale de personnages en un emplacement spécialement conçu pour admirer les beautés de la nature, dans le cadre d'un jardin bourgeois aménagé à cet effet. Il y a représenté ses parents admirant les yachts de plaisance, les bateaux de pêche, les fleurs éclatantes et les vapeurs qui apportaient au Havre sa richesse — celle-là même qui lui permettait, indirectement et temporairement, de peindre.

Les plans de couleurs presque brutes étaient sans précédent dans la peinture française. Dans sa brochure de 1878 sur l'impressionnisme, Duret écrivit qu'avant l'arrivée des estampes japonaises en France, il était impossible de voir chez les peintres français un toit rouge, des murs blancs, un peuplier vert, une route jaune ou une rivière bleue[107]. C'est assurément grâce à l'étude de ces estampes (et peut-être aussi des affiches contemporaines) que Monet a développé l'usage de plans de couleurs simplifiés, comme signes d'un processus complexe de perception visuelle. Il a juxtaposé ces grands à-plat avec de petites touches de pigment éclatantes, sur

46. Katsushika Hokusai, *Le pavillon Sazai du temple des Cinq Cents Rakan*, estampe de la suite *Les Trente-six vues du Mont Fuji*, 1829-33, gravure sur bois, 24 x 34

les feuilles et les fleurs, de manière à ce que leurs vibrations fassent ressentir l'éclat du soleil d'été avec une intensité presque douloureuse. Le choc de couleur contre couleur détruit la réalité tangible des objets et brise la continuité spatiale caractéristique des premiers peintres de plein air. La cassure de cette continuité est accentuée par l'inclinaison du premier plan, sa séparation complète d'avec le grand plan bleu de la mer, et l'abaissement de la perspective de la clôture brun-rouge. La scène est donc fragmentée en une série de plans légèrement inclinés, sur chacun desquels l'œil doit s'arrêter, au lieu de suivre un mouvement ininterrompu vers le lointain, comme dans la peinture de plein air traditionnelle. Ces ruptures spatiales sont simplement maintenues ensemble par une grille d'horizontales et de verticales, caractéristique de Monet, et par le mouvement en spirale des sièges, des massifs de fleurs et des ombrelles.

Monet a utilisé ce qu'il avait pu tirer des estampes japonaises pour l'aider à matérialiser *son* expérience visuelle ; malgré l'abstraction proclamée de la peinture, elle réussit à transmettre de manière très vivante le

caractère concret de son expérience — comme on le voit bien par les contrastes entre la transparence des feuilles de capucines et l'opacité des géraniums ; entre la manière dont la lumière pénètre la fine texture des fleurs de glaïeuls et le reflet sur la surface aveuglante de la mer.

Le morcellement de l'espace était une transposition de la vision urbaine, remplaçant la lente expérience de l'espace par la succession rapprochée des reconnaissances matérielles selon laquelle Monet avait construit son *Jardin de l'Infante*. La *Terrasse à Sainte-Adresse* est l'antithèse des scènes naturelles qui avaient absorbé les peintres de Barbizon : elle représente l'appropriation de la nature par la vie urbaine, avec ce jardin bourgeois qui impose sa présence réglée sur les collines que *La Pointe de la Hève à marée basse* montre dans leur état naturel. Ses allées sablées, ses parterres géométriques aux fleurs éclatantes, ses flâneurs en « déshabillé élégant » illustrent les propos de Zola rapportant que Monet aimait par dessus tout une « nature que l'on a vêtue de costumes modernes ». Encadré par les mâts portant leurs flammes, l'intérieur du tableau transforme la vie industrieuse du port de mer en un spectacle contemplé depuis l'espace privé du jardin de famille.

Aussi charmant que soit ce tableau, il n'est pas dépourvu d'un certain mystère, qui vient de l'ambiguïté de la relation entre les spectateurs et ceux représentés dans le tableau. Monet, qui ne voulait figurer que ce qu'il voyait, ne pouvait arranger ses personnages pour leur faire signifier quelque chose : ils sont donc muets et ambigus, et la reconnaissance immédiate et superficielle que les peintures anecdotiques de la vie moderne requièrent, ne suffit plus. Néanmoins, les désaccords inattendus, le quadrillage contrôlé de la construction visuelle et la mise en valeur des relations, des manques et des absences suggèrent par leur interaction quelques-unes des significations que le tableau implique. Deux des personnages au moins — le père de Monet au premier plan et une cousine dans le fond — sont des membres de sa famille, alors que le tableau n'a aucune dimension d'intimité. Le regard du père, renforcé par son ombre et celle du mât, est bien dirigé vers la femme, mais se contente de souligner la distance qui les sépare. Caractéristique des tableaux de Monet sur ce thème, la famille est vue au milieu des fleurs, dans un lieu clos qu'entourent des barrières, de sorte que la seule relation avec la liberté suggérée du paysage marin est visuelle. Une importance particulière a été accordée aux deux chaises vides. Elles appartiennent probablement au couple éloigné, mais il y avait d'autres absents à cette sortie familiale : Claude lui-même, observateur et créateur de ce monde clos (il a laissé, sur d'autres tableaux, une place vide qui est la sienne à la table familiale), et Camille Doncieux, restée à Paris, enceinte.

Monet écrivit à Bazille depuis Sainte-Adresse, disant qu'il était en famille depuis quinze jours « aussi heureux, aussi bien que possible » : il travaillait et se réconciliait avec sa famille, qui admirait « chaque coup de brosse » qu'il donnait. Mais il se faisait du souci pour Camille, laissée seule à Paris, et parfois « sans un sou ». Sa grossesse était un désastre, car Monet n'avait pas de quoi se mettre en ménage : il avait bien des difficultés à subvenir à ses propres besoins, d'autant plus qu'il ne pouvait plus compter sur l'aide de sa famille, qui espérait probablement lui voir faire un mariage respectable, avec une femme qui apporterait une dot assez substantielle pour entretenir sa carrière incertaine — ce que Camille ne pouvait absolument pas faire. Monet n'exprime guère de paroles positives à son sujet, sinon qu'elle est « gentille, très bon enfant », mais fait des difficultés pour admettre qu'il serait « bien mal d'enlever ainsi un enfant à sa mère. »[108] La seule ambition de Monet était de peindre — et de le faire d'une manière qui persistait à ne pas plaire au public. Il se trouvait cependant devant un cruel dilemme qui pouvait le conduire à abandonner Camille et leur enfant[109]. Il emprunta pourtant de l'argent à Bazille et s'arrangea pour venir brièvement à Paris en août pour la naissance de Jean, « gros et beau garçon », découvrant que « malgré tout », il aimait cet enfant. Il retourna pourtant à Sainte-Adresse, pour maintenir la fiction de la séparation d'avec

47. *La Jetée du Havre* (W.109), 1868, 147 x 226

Camille et il renouvela ses appels à Bazille, se lamentant que la mère de son enfant n'eût souvent pas de quoi manger. À la fin de l'année, cependant, il était revenu à Paris et vivait avec Camille et Jean dans une pièce, aux Batignolles. Au Jour de l'An 1868, nous le voyons reprocher à Bazille de ne pas avoir envoyé son paiement mensuel pour *Femmes au jardin* : « [...] je suis sans un sou, j'ai passé aujourd'hui la journée presque sans feu et l'enfant est très enrhumé; ma position ici est très difficile, j'ai beaucoup à payer demain et après. Il faut donc que vous arriviez à me donner une somme d'argent. »[110].

Lors de son séjour à Sainte-Adresse, Monet travailla aux tableaux qu'il comptait présenter au Salon : *Navires sortant des jetées du Havre* et *La Jetée du Havre* (ill.47). Cette dernière œuvre était une nouvelle toile consacrée au thème du spectateur, cher à Boudin, qui présenta des tableaux sur le même sujet aux Salons de 1867 et 1868[111]. *Navires sortant des jetées du Havre* n'est connu que par deux caricatures (ill.48 et 49), qui suggèrent de fortes similitudes avec *Le Port de Honfleur*, rejeté par le jury du Salon de 1867. Le tableau fut accepté cette fois, après une lutte acharnée de Daubigny, mais *La Jetée du Havre* fut refusée, quoique Monet eût cherché à produire un tableau relativement sûr, avec quelques merveilleux effets de vagues : Nieuwerkerke, devenu surintendant impérial des Beaux-Arts, avait dit que

c'en était « assez de ce genre de peinture ». Bien que le mode d'élection du jury reflétât la libéralisation — tardive — du régime (tout artiste qui avait déjà exposé au Salon était éligible pour deux tiers du jury, le tiers restant étant toujours nommé par l'administration), sa composition n'avait pas substantiellement changé. Le jury sentit néanmoins l'impossibilité d'exclure la totalité de la nouvelle génération des réalistes, et Castagnary put proclamer que ce Salon voyait le triomphe des jeunes artistes inspirés par « la vie environnante ». Il attribuait la domination de la « peinture libre » à Daubigny, chef de file de ceux qui remettaient publiquement en question le contrôle du gouvernement. Le jury se vengea pourtant en accrochant ces grands tableaux de la vie contemporaine de manière à ce qu'on ne puisse pas les voir correctement : « Hé bien ! parce que *Lise* [de Renoir] avait du succès, regardée qu'elle était et discutée par quelques connaisseurs, à la révision on l'a portée au dépotoir, dans les combles, à côté de *La Famille* de Bazille, non loin des grands *Navires*, de Monet ! »[112] Le tableau de Monet a été perdu, mais il est intéressant de relever les réactions qu'il a suscitées à ce moment, car ce sont les seuls commentaires qui ont été faits sur les œuvres exposées dans les années 1860, sauf quelques brèves remarques sur les marines conventionnelles de 1865, et sur *Le Pavé de Chailly* et *Camille* en 1866.

Dans une étude sur la peinture de Monet, incluant des œuvres qui n'avaient jamais été présentées et qu'il avait dû voir dans l'atelier du peintre,

Zola écrivit qu'il était impressionné par « la franchise, la rudesse même de la touche » de *Navires sortant des jetées du Havre*. Astruc n'était pas d'accord : Monet, dans ses premières œuvres, « faisait espérer un maître. Il a l'amour des eaux, la science des navires ; tout enfant, il a joué sur les plages. Son esprit s'est familiarisé avec les phénomènes de la mer. Il est original et trouve l'accent propre aux choses. » ; mais il sentait à présent que Monet avait « un peu déconcerté ceux qui le suivent d'un regard ami, en nous envoyant un tableau brossé à la hâte […]. » Ce point fut aussi souligné par un caricaturiste qui légenda ainsi son croquis : « Il était un…très-gros navire, /Très-bien peint par M. Monnet (sic) / Qui file vite et semble dire :/ "Go head ! Time is money !" »[113]. Les critiques d'avant-garde revendiquaient une relation de cause à effet entre la « vélocité d'exécution » et la vie moderne, et justifiaient également l'exécution visible comme un signe de sincérité et de véracité de l'artiste. De leur côté, l'administration impériale des Beaux-Arts, le jury et les critiques proches du pouvoir prétendaient vénérer les grandes abstractions de la tradition académique et déploraient le goût dominant pour l'exécution, « misérablement adroite », selon le mot de Zola, et tout juste bonne pour les étiquettes des boîtes à gants. Mais, tout comme la majorité des marchands, des collectionneurs et du public des Salons qui achetait des reproductions photographiques des œuvres exposées, ils recherchaient avant tout la finition laborieuse, dans laquelle le coup de pinceau disparaît pour créer l'illusion. La "finition" était aussi une question d'accoutumance, chaque génération ayant sur ce point ses propre idées ; mais l'on demandait essentiellement une forme de peinture qui cachât la fabrication de l'illusion, tout en exigeant paradoxalement l'habileté du travail professionnel comme preuve visible de ce travail[114].

Malgré tout, les textes des critiques, qu'ils fussent conservateurs ou progressistes, reflètent un malaise à propos du statut ambigu des œuvres d'art, produits ou créations détachées des valeurs commerciales. En 1859, un auteur critiquait, dans *L'Illustration*, la situation du Salon dans le palais de l'industrie, parce que le nom même « suggère trop directement les pensées de *producteurs* et de *consommateurs* ». Castagnary, de son côté, proclamait que le Salon était un « simple étalage » de « marchandises spéciales », qui n'intéressait pas pour sa valeur monétaire, mais pour la « renommée » et la « gloire » qu'il apportait à ses créateurs[115]. Une telle ambivalence était caractéristique de l'attitude générale de la bourgeoisie à l'égard du travail : on attribuait une valeur transcendantale au « travail intensif », mais, malgré la fascination que suscitaient les procédés de fabrication mécanique, il existait de puissantes motivations pour cacher les processus de production qui dégageaient les surplus de richesse. Marx a très justement fait remarquer que la bourgeoisie avait « d'excellentes raisons pour attribuer au travail cette surnaturelle puissance de création »[116]. En utilisant de manière malicieuse la formule anglaise « Time is money », le caricaturiste associait le travail de Monet à des procédés de fabrication bon marché. Les méthodes de travail du peintre étaient elles-mêmes ambiguës. Les deux toiles étaient si grandes (*La Jetée du Havre* a plus de 2 mètres de

**MONET. — La sortie du port.**

Il était un… très-gros navire,
Très-bien peint par M. Monnet,
Qui file vite et semble dire :
*Go head ! time is money !*

M.

48. Bertall, « Le Navire de l'Estaminet hollandais (Palais Royal) », caricature de *Navires sortant des jetées du Havre*, (W.89), 1867-68, in *Le Journal amusant*, 6 juin 1868

49. « La Sortie du port », caricature de *Navires sortant des jetées du Havre*, (W.89), 1867-68, in *Tintamarre-Salon*, 1868

long et Monet lui-même parlait d'un « énorme navire à vapeur » à propos de *Navires sortant des jetées du Havre*) qu'il avait probablement fallu plusieurs mois de travail à partir de croquis pris sur le vif ; mais elles étaient exécutées avec une rapidité apparente, comme des esquisses représentant des vues éloignées que l'on examine de trop près[117]. (De manière similaire, Manet aurait gratté la toile jusqu'à obtenir l'effet exactement souhaité, pour peindre finalement avec la fraîcheur et l'immédiateté d'une grande esquisse.) Une bonne partie de l'ambiguïté entre esquisses et œuvres finies dérive de ces pratiques : même dans les œuvres qu'il destinait aux Salons, Monet a effacé les signes traditionnels de différence entre les deux catégories, conservant l'échelle, mais non les techniques illusionnistes d'une "machine" de Salon. Ainsi, dans l'immense *Jetée du Havre* (en particulier dans les simplifications grossières de la maçonnerie), le spectateur discerne la manière dont les coups de pinceau structurent l'image. La plupart des spectateurs en éprouve un certain malaise. Le jury ne put empêcher que ces œuvres fussent vues, mais ils les maintint à distance en les accrochant « au ciel » ce qu'aurait fait d'instinct les premiers défenseurs de l'impressionnisme dans les années 1870, qui soutenaient que les touches de pinceau ne prenaient leur sens que si l'on se plaçait assez loin de la peinture.

Un autre caricaturiste, Bertall, exprimait en ces termes la grossièreté qu'il percevait dans la toile de Monet :

« Voici au moins un art vraiment naïf et sincère. M. Monet avait quatre ans et demi lorsqu'il a fait ce tableau [...]. On dit que la montre marche merveilleusement les dimanches et jours fériés [...]. Acquis chez l'horloger du passage Vivienne. »

Cette association entre « naïveté » et « sincérité », art enfantin et imagerie populaire, traduisait des problèmes qui touchèrent longtemps le réalisme d'avant-garde. La caricature de Bertall, avec ses navires et ses vagues schématiques, et sa représentation enfantine des personnages, n'est que l'un des nombreux exemples dans la série de caricatures des œuvres de Courbet, de Manet et d'autres réalistes[118]. Bertall prétendait ironiquement que la toile avait été achetée par un artisan, probablement comme enseigne de magasin : cela nous indique que, selon les critères du grand art traditionnel, les toiles de Monet étaient aussi grossières que les affiches contemporaines. Il est un fait que l'expression apparemment enfantine des réalistes dérivait d'un processus délibéré d'enlever le savoir-faire excessif aux techniques du grand art, selon un processus qui s'appuyait sur l'étude des systèmes alternatifs de représentation. Peut-être ont-ils perçu, en outre, les éléments enfantins dans les estampes japonaises qui représentaient les

Européens. Il existe des convergences remarquables entre *Le Commerce à Yokohama ; les Européens transportant des marchandises* (ill.50), de Sadahidé, les publicités pour les compagnies de messagerie maritime (ill.53) et l'usage que Monet fait des formes simplifiées et des taches plates de couleurs non modulées.

Ces conventions graphiques permettaient à Monet de se dispenser d'un illusionnisme surdéterminé, qui aurait pu encombrer le moment et l'immobiliser dans la continuité du temps. Ce mode de représentation dépendait de la détermination de Monet à voir le monde extérieur comme pour la première fois : la pré-connaissance dépendait tellement des modes de représentation consacrés qu'elle l'aurait empêché de voir l'objet comme un système de signes. Cela requérait aussi la participation du spectateur dans l'interprétation. En cela, Monet surestimait le public et le jury du Salon, qui virent simplement dans ces œuvres de grossières simplifications, peintes de façon puérile. L'œuvre présentée fut tournée en ridicule, et un acheteur potentiel refusa la toile qui n'avait pas été acceptée par le jury[119].

Tout ce que Monet gagna au Salon fut l'estime de ses collègues et de ceux qui s'étaient déjà engagés dans la modernité ; estime exprimée par Zola qui le consacrait premier des « actualistes », ceux dont les œuvres étaient aussi fraîches que les nouvelles du jour. Puisque tel était le résultat d'une année de travail, Monet emmena sa maîtresse et son enfant à Gloton, près de Bennecourt, sur la Seine, où la vie était moins chère qu'à Paris. C'est là qu'il peignit *Au bord de l'eau, Bennecourt* (ill.64), autre toile dans laquelle la présence d'un personnage spectateur crée une rupture dans l'expérience du spectateur réel, rendue d'autant plus complexe par son intégration à un motif qui allait devenir l'obsession de Monet : les reflets sur une eau tranquille. Un tel motif était idéal pour un peintre fasciné par la nature, mais qui avait perdu, en tant que moderniste, la croyance presque religieuse des peintres de Barbizon en la stabilité fondamentale de ses formes : le jeu des reflets remettait en question la perception conventionnelle de l'espace et du matériel, et bouleversait le concept de la peinture de paysage comme reflet direct de la nature. D'ores et déjà, dans sa première toile sur ce motif, la tension entre le regard du spectateur réel et celui du spectateur peint, jointe à l'ambiguïté de la relation entre le "réel" et le monde reflété, crée la complexité du discours sur la représentation du visible.

Monet a représenté Camille sur la rive qui surmonte abruptement le fleuve, comme si elle prenait en quelque sorte le relais du spectateur du tableau, et l'on ne comprend que progressivement qu'elle peut voir des choses invisibles au spectateur : le feuillage étincelant cache les maisons de la rive

50. Utagawa Sadahide, *Le Commerce à Yokohama ; les Européens transportant des marchandises*, 1861, gravure sur bois, 34 x 120

51. *Le Port de Honfleur* (W. 77), 1866, 148 x 226

opposée, et l'on ne voit de la grande maison que le reflet. L'effet obtenu est de briser la scène en mouvements visuels divergents et en instantanés, ce qui force à regarder plus intensément les moyens par lesquels cette expérience visuelle est créée : à voir, par exemple, comment des touches épaisses suggèrent une lumière presque palpable tombant à travers les feuilles ; comment les textures et les tonalités différentes de bleu étendues sur des à-plats bleu-gris signalent la différence entre l'eau troublée et l'eau lisse, entre l'eau pénétrée par la lumière et l'eau qui reflète la lumière ; comment la grande tache de bleu sur le bleu-gris, à la base de la rive, enregistre le ciel qui se trouve au-dessus du spectateur. Le tableau est exécuté aussi rapidement qu'une esquisse, mais il est visuellement si complexe qu'il ne saurait être catalogué comme tel. Le réduire à cela serait déformer gravement la nature dynamique et exploratoire de la peinture de Monet.

Lorsque le peintre ne peut pas "voir" des formes autrement que comme des sensations de couleur, il se contente de poser des touches de couleur qui ne se stabilisent que partiellement en images : une vache buvant, des personnages dans un bateau ou sur la rive. Son refus de modeler des sensations indifférenciées est très remarquable, compte tenu de sa relation personnelle au personnage et au paysage : Camille et lui étaient alors

installés à l'auberge de Gloton — la grande maison dont on ne voit que le reflet. Dans *L'Œuvre*, Zola a situé à Bennecourt la phase heureuse de la liaison entre Claude Lantier et sa maîtresse, Christine : bien que le personnage de Lantier soit un mélange de Manet, de Cézanne, de Monet et de Zola lui-même, et quoique Zola et Cézanne aient passé quelque temps à Gloton avec leurs amies personnelles dans les années 1860, l'idylle de Bennecourt semble bien évoquer celle de Claude et de Camille[120]. À la fin de cette décennie, l'image d'une femme en vêtements contemporains, d'un fleuve, d'un bateau, était devenue l'un des clichés obligés — picturaux, graphiques ou littéraires — des escapades amoureuses, mais on n'a aucune suggestion de ce genre dans le tableau de Monet : ce mépris de l'association séculaire entre les relations amoureuses et les eaux — remises au goût du jour par Courbet et Manet — jette un éclairage particulier sur sa tentative de créer une peinture de paysage moderne. Monet devait être le seul peintre d'avant-garde à ne jamais représenter le thème du nu dans le paysage, cher à l'époque, et cela montre bien avec quelle résolution il entendait couper la peinture de son passé. Les souvenirs culturels associés au nu étaient inadéquats au paysage moderne, où l'idéal d'un âge d'or entre l'homme et la nature est irrémédiablement entaché par les facteurs temporels que sont les horaires des trains, les heures de bureau et la mode. Pour un réaliste, la nudité était presque inconcevable dans la campagne des faubourgs ; à l'exception de tableaux à scandale comme les *Baigneuses* de Courbet ou de Renoir, ou le *Déjeuner sur l'herbe*, de Manet (musée d'Orsay), la nudité dans la nature ne pouvait se trouver que dans le cadre des fictions de l'art académique (comme *Le Paradis terrestre* de Gleyre ; ill.15).

Sur les tableaux de Monet figuraient, exclusivement, sa famille et ses amis, non seulement parce que les modèles professionnels étaient coûteux, mais aussi et surtout parce que le monde privé des amis et de la famille était un lieu primordial de l'expérience contemporaine : là aussi, la représentation de la nudité et l'expression de tout désir amoureux étaient proprement impensables[121].Dans son tableau, Monet a représenté Camille assise sur la rive du fleuve, en habits de ville. Le bateau avec lequel ils ont traversé le fleuve est simplement là et n'attire en rien l'attention, comme le fait de manière si péremptoire celui de Courbet dans *Les Demoiselles du bord de Seine*. Les premiers peintres de plein air ont généralement représenté les gens qui vivaient sur place : Monet, lui, a peint Camille admirant tout simplement le paysage. Elle n'a aucune relation — même fictive — avec le spectateur, comme les femmes dans les tableau de Courbet ou de Manet, encore moins comme celles de Toulmouche : la coupure de cette relation contribue à préserver l'intimité du personnage.

Si *L'Œuvre* de Zola évoque bien quelque chose du séjour de Claude et de Camille à Bennecourt, celui-ci fut très heureux — mais très court. Monet écrivit peu de temps après à Bazille : « Je viens d'être mis à la porte de l'auberge où j'étais, et cela nu comme un ver […]. J'étais si bouleversé hier que j'ai fait la boulette de me jeter à l'eau […] ». Il était trop bon nageur, toutefois, pour que cela pût être sérieux. Il obtint des commandes de portraits de la part d'un industriel havrais, Louis-Joachim Gaudibert, qui l'hébergea dans un château près du Havre. Mais rien ne semble pouvoir restaurer « cette ancienne ardeur » ; il poursuit ainsi : « Tout m'ennuie dès que je veux travailler ; je vois tout en noir. » Tout est changé à la fin de 1868 : Monet a remporté une médaille à l'Exposition maritime internationale du Havre et, bien que les tableaux exposés aient été saisis pour dette, *La Femme à la robe verte* a été achetée 800 francs-or par Arsène Houssaye, l'influent éditeur de *L'Artiste*, qui promettait à Monet de le « lancer ». Houssaye avait fait fortune en spéculations immobilières lors de la transformation de Paris et écrivait des romans légers sur les aventures érotiques des boulevards. L'intérêt pour lui était de percer le mystère du caractère des femmes rencontrées dans les rues[122].

Au mois de décembre 1868, Monet écrivit à Bazille une très longue lettre depuis Étretat et s'exprime en ces termes :

52. Édouard Manet, *Le Combat du Kerseage et de l'Alabama*, 1864, 139-130

53. Jean-Alexis Rouchon, affiche pour la *Société industrielle des Moyabambines*, 1859, 170 x 150

54. *Grosse mer à Étretat* (W.127), 1868-1869, 66 x 131

« … je suis très content, très enchanté […] entouré de tout ce que j'aime. Je passe mon temps en plein air sur le galet […], et naturellement je travaille pendant tout ce temps, et je crois que cette année je vais faire des choses sérieuses. Et puis le soir, mon cher ami, je trouve dans ma petite maisonnette un bon feu et une bonne petite famille. […] Mon cher, c'est ravissant de voir pousser ce petit être, et, ma foi, je suis bien heureux de l'avoir. »

Il parle d'un tableau représentant « un intérieur avec bébé et deux femmes » pour le Salon, et continue :

« Grâce à ce monsieur du Havre [Gaudibert] qui me vient en aide, je jouis de la plus parfaite tranquillité puisque débarrassé de tracas, aussi mon désir serait de rester toujours ainsi, dans un coin de nature bien tranquille comme ici. Je vous assure que je ne vous envie pas d'être à Paris, et les réunions [du café Guerbois] ne me manquent guère, quoique cependant j'aurais du plaisir à voir quelques-uns des habitués, mais franchement je crois bien mauvais [ce] que l'on ne peut bien faire dans un pareil milieu : ne croyez-vous pas qu'à même la nature seul on fasse mieux ? Moi, j'en suis sûr. Du reste, j'ai toujours pensé ainsi, et ce que j'ai fini dans ces conditions a toujours été mieux.

On est trop préoccupé de ce que l'on voit et de ce que l'on entend à Paris, si fort que l'on soit, et ce que je ferai ici a au moins le mérite de ne ressembler à personne, du moins je le crois, parce que ce sera simplement l'expression de ce que j'aurai ressenti, moi personnellement. Plus je vais, plus je regrette le peu que je sais, c'est cela qui gêne le plus, c'est certain. Plus je vais, plus je m'aperçois que jamais on n'ose exprimer franchement ce que l'on éprouve. C'est drôle. »[123]

Bien que Monet insiste sur la nécessité d'être seul avec la nature, il n'y a rien chez lui de l'humilité des peintres de Barbizon. Cela ne signifie pas qu'il cherche à être purement objectif, car les mots qu'il utilise pour traduire l'expérience qu'il essayait d'exprimer suggèrent que la peinture de ce qu'il voyait était un processus actif qui impliquait l'esprit et la pensée de manière spécifique, avec ses propres sources d'émotion. Ainsi, s'il réagissait aux chocs bruts de l'expérience moderne, il faisait aussi appel au sentiment personnel, d'une manière peut-être particulière et détachée.

Monet a toujours souligné le besoin de communion avec la nature, mais il reconnaissait que sa représentation dépendait aussi du partage de l'expérience. Il avait écrit en 1864 à Bazille : « Il vaudrait mieux être tout seul, et cependant, tout seul il y a bien des choses que l'on ne peut deviner. »[124] Il avait commencé sa carrière de peintre en regardant travailler Boudin et, depuis ce temps, il avait peint presque chaque année en compagnie de ses amis. Cette pratique le confrontait très directement avec la subjectivité de la perception et du processus de la création : même lorsqu'ils peignaient côte à côte, cherchant à représenter ce qui se trouvait sous leurs yeux, chacun d'eux avait sa propre manière d'appliquer la peinture, une prédilection pour certaines couleurs et tonalités, et pour certaines manières de structurer une toile. Chacun voyait la scène différemment, se concentrait sur des éléments différents, avait une appréhension différente de l'espace. Par exemple, lorsque Monet et Renoir peignirent ensemble à La Grenouillère, en 1869, les touches plates et détachées de peinture opaque, de même que les contrastes abrupts utilisés par Monet, constituaient la micro-structure de la composition : sa géométrie rigide et ses points de vue morcelés étaient tout à fait différents de la composition plus unifiée qui se dégageait des petites touches légères et courbes de Renoir (ill.55 et 63).

La cohésion et le soutien du groupe d'artistes et de peintres devint probablement de plus en plus nécessaire à Monet, puisque sa tentative de

55. Pierre-Auguste Renoir, *La Grenouillère*, 1869, 66 x 86 ; voir ill. 63

créer une peinture moderne par la technique et par les sujets se trouvait privée de toute audience publique, par suite des refus répétés du jury du Salon. « Exposer, écrivait Manet en 1867, consiste à trouver des amis et des alliés dans la bataille. » Privé de ce soutien, Monet ne pouvait s'appuyer que sur le cercle des intimes pour confirmer ce qu'il essayait de réaliser. C'était une sorte de cercle vicieux, car le groupe engendrait ainsi les conditions de sa propre marginalisation et l'aggravation de celle-ci. Étant lui-même le premier — et presque le seul — public de ce nouvel idiome de la peinture, il était tenté de reculer les limites de ce langage, renforçant du même coup l'incompréhension et l'hostilité du plus grand nombre. Monet lui-même a exprimé ce que pouvait signifier une telle marginalisation, lorsque Bazille acheta ses *Femmes au jardin*, que le jury avait refusé : « Il est une chose pénible, c'est d'être seul satisfait de ce que l'on a fait. »[125]

Les premiers peintres pleinairistes avaient été, eux aussi, constamment écartés du Salon, et ils avaient formé de petits groupes qui se défendaient eux-mêmes ; mais, aussi longtemps qu'ils avaient maintenu la distinction traditionnelle entre les études directes d'un "fragment" de nature et les paysages finis qui matérialisaient l'héritage des valeurs associatives et des significations humanistes, ils n'avaient pas été complètement seuls avec la nature, pour ainsi dire. Monet, lui, rejeta cet héritage et tenta de créer une peinture de paysage moderne qui refusait la mémoire, détruisait les associations et n'existait vraiment que dans le moment de l'appréhension sensuelle. En ce sens, il ne s'appuyait que sur une relation fragile avec la nature — relation qu'il devait constamment renouveler — et le soutien de ceux qui partageaient ses idées. Dans son article sur « Les réalistes du Salon », de 1866, Zola insistait sur l'absolue « liberté de création humaine » et sur la primauté « de la vérité […] de la vie, mais surtout des chairs et des cœurs différents interprétant différemment la nature. »[126] Sans une forme quelconque de collectivité, la logique du pleinairisme pouvait impliquer une perspective effrayante dans la mesure où les fragments de nature pouvaient être interprétés séparément et risquaient de n'avoir aucune signification autre qu'intrinsèque. Est-ce une expérience de ce type qui est à l'origine de ces mots de Monet : « Plus je vais, plus je m'aperçois que jamais l'on n'ose exprimer franchement ce que l'on éprouve » ?

À l'instar du groupe, la famille constituait une protection pour Monet. Elle fut pour lui ce qu'elle était généralement au XIXᵉ siècle : un moyen essentiel de survie, dans une société de plus en plus individualiste. Malgré son statut de marginal et des conditions matérielles précaires (et peut-être à cause de tout cela), il commença dès lors à lutter, dans sa vie comme dans sa peinture, pour re-créer sa famille telle qu'elle avait été avant la mort de sa mère et avant qu'il ne débute sa carrière de peintre. Sa propre « petite famille » allait être organisée autour de son travail ; elle lui fournit ses premiers modèles, toujours représentés comme une sécurité matérielle et financière très réconfortante.

Les résultats du séjour de Monet sur la côte furent limités : il fut incapable de terminer, dans sa « petite maisonnette » (ill.61), le grand tableau de Jean et des deux femmes, qu'il projetait pour le Salon de 1869. Son rêve de sécurité financière allait vite se terminer : son marchand de peinture arrêta tout crédit et il en fut réduit à peindre sur d'anciennes œuvres plus ou moins grattées. Il revint à Paris « très affamé, l'oreille basse »[127]. Un nouveau coup lui fut infligé avec le refus par le jury de ses *Bateaux de pêche en mer* (W.126) et de *La Pie* (ill.62) — un merveilleux paysage de neige. Pourtant, comme Boudin le fit remarquer, pour une étude réalisée à Sainte-Adresse et présentée par le marchand Latouche, « il y a eu foule devant les vitrines tout le temps de l'exposition, et pour les jeunes, l'imprévu de cette peinture violente a fait fanatisme. »[128] Bazille a qui Stevens annonçait : « Monet (pas Manet bien sûr) est complètement refusé », écrivit à son père :

> « Le jury a fait un grand carnage parmi les toiles des quatre ou cinq peintres avec lesquels nous nous entendons bien. […] À l'exception de Manet qu'il n'ose plus rejeter, je suis encore le moins mal traité. C'est monsieur Gérome qui a fait tout le mal, il nous a traités de bandes de fous. »[129]

Bazille bénéficiait probablement de ses relations sociales, car le jury accepta sa *Vue de village* (musée Fabre, Montpellier), portrait de femme en plein soleil, inspiré des *Femmes au jardin* de Monet — naguère refusé par le même jury. Son admission avait été soutenue non seulement par Alfred Stevens, portraitiste achevé de la société élégante, mais aussi par Cabanel, l'un des artistes les plus en faveur à la cour impériale et dans l'administration des Beaux-Arts, archétype parfait de tout ce que les jeunes peintres détestaient.

Mais Bazille était en mesure de participer à la vie parisienne des classes supérieures, ce qui était radicalement impossible à Monet. Ce dernier avait été contraint de quitter à nouveau Paris, cette fois pour Bougival, petite localité située à quelques kilomètres sur les rives de la Seine, transformée alors en lieu de villégiature pour les citadins en quête d'air frais et de détente. Houssaye avisa bien Monet qu'il pourrait profiter de ses talents s'il s'installait dans la capitale, mais Monet répondit que cela était impossible : « Ce fatal refus me retire presque le pain de la bouche et malgré mes prix bien peu élevés, marchands et amateurs me tournent le dos. […] je ferais n'importe quoi et à n'importe quel prix pour sortir d'une pareille situation et pour pouvoir travailler dès maintenant à mon Salon prochain, pour que pareille chose ne se renouvelle plus. » Gaudibert aida la famille à s'installer à Bougival, mais on vivait dans la misère, manquant parfois de nourriture et de feu. Monet écrivait à Bazille : « Nous mourons de faim, et c'est à la lettre. » Renoir leur apportait du pain et racontait à leur ami commun : « Je suis chez mes parents et je suis presque toujours chez Monet […]. On ne bouffe pas tous les jours. Seulement, je suis tout de même content, parce que, pour la peinture, Monet est une bonne société. »[130]

Ils peignirent ensemble à La Grenouillère, lieu de divertissements populaires, au bord de la Seine, où les Parisiens pouvaient nager et louer des canots, ou manger, boire et danser dans un restaurant sur l'eau. La

Grenouillère figurait dans tous les guides touristiques du Second Empire. Le lieu était célèbre depuis que le couple impérial y était descendu au cours d'un voyage sur la Seine, quelques semaines avant que les deux amis ne s'y fussent installés pour peindre[131]. Monet parla à Bazille de ses espoirs déçus, parce qu'il ne pourrait pas exécuter un grand tableau de la vie moderne pour le Salon :

> « Mais, comme toujours, me voilà arrêté, faute de couleurs. […] Moi seul cette année n'aurai rien fait. Cela me rend furieux contre tous, je suis jaloux, méchant, j'enrage ; si je pouvais travailler, tout irait bien. […] Voilà l'hiver qui vient, saison peu agréable aux malheureux. Ensuite va venir le Salon. Hélas ! je n'y figurerait encore pas, puisque je n'aurai rien fait. J'ai bien un rêve, un tableau, les bains de La Grenouillère, pour lequel j'ai fait quelques mauvaises pochades, mais c'est un rêve. »[132]

Bazille, de son côté, fut en mesure de compléter un grand tableau de jeunes gens au bain, dans une rivière de Provence — la *Scène d'été* (Fogg Art Museum) —, pour le Salon de 1870.

Le souhait de Monet — peindre une toile pour le Salon à La Grenouillère — montre une nouvelle fois avec quelle obstination il cherchait à situer son art dans la société du Second Empire, choisissant cette fois de peindre un lieu qui fût « dans les journaux ». L'endroit était assez interlope : les diverses classes de la société s'y mêlaient de manière fascinante et grisante pour certains. Un journaliste avait commenté en ces termes la visite impériale :

> « Tous les vrais Parisiens connaissent cet endroit charmant où l'on trouve […] les élégants de la haute société, les bourgeois, et surtout, le demi-monde. […] L'aristocratie de Bougival et Croissy vient là pour se baigner et regarder les gambades des baigneurs. »[133]

Quant à Maupassant, il évoque « des rires [qui] allaient sur l'eau d'une barque à l'autre, des appels, des interpellations ou des engueulades » ; le cortège haut en couleur « des ouvrières avec leurs amants qui allaient en manches de chemise, la redingote sur le bras, le haut chapeau en arrière, d'un air pochard et fatigué, des bourgeois avec leur famille » ; le mélange de buveurs, de danseurs, de nageurs et de canotiers à La Grenouillère ellemême et, au milieu de tout cela, « de grandes filles en cheveux roux, étalant, par-devant et par-derrière, la double provocation de leur gorge et de leur croupe, [qui] circulaient, l'œil accrochant, la lèvre rouge, aux trois quarts grises, des mots obscènes à la bouche. » La mère de Berthe Morisot, si raffinée, rapportait de Bougival, située à proximité, où son fils Tiburce était allé nager : « On dit que c'est un petit rendez-vous […], si l'on y va seul, on revient au moins deux. […] Les hommes sont mieux partagés et se font la vie facile… »[134] La lithographie de Morlon, plus tardive, a été faite pour un public bourgeois, apparemment très friand d'images montrant le laxisme des mœurs des classes inférieures. La cohue des personnages au premier plan souligne l'excitation de l'eau, les corps voluptueux des femmes dans leurs maillots de bain moulants, et le comportement abandonné des couples aux atours bon marché.

Il était inhabituel que Monet choisît de peindre ce genre d'endroit, et plus encore qu'il ait évoqué le relâchement des mœurs dans *L'Embarcation* (W. 138), le seul de ses tableaux de La Grenouillère dans lequel les personnages sont si près du spectateur — et l'une de ses très rares œuvres où est figurée la possibilité de contacts entre les personnages. La petite esquisse rappelle *Les Demoiselles du bord de Seine*, de Courbet, dans la juxtaposition des personnages et la présence imposante du bateau vide, et *Le Déjeuner sur l'herbe*, de Manet, dans le rapport entre l'homme assis et la femme ; un certain malaise relie aussi ce tableau aux étranges représentations de piquenique de Cézanne. Les autres toiles de Monet à La Grenouillère ne s'attardent ni sur l'érotisme diffus des situations, ni sur le mélange des classes so-

ciales : elles représentent simplement des personnages vus à mi-distance, sans aucun des comportements douteux décrits par Maupassant ou représentés par Morlon. Ils bavardent paisiblement sur la petite île (mentionnée dans l'article sur la visite impériale comme « le point le plus fréquenté de l'endroit »), hésitent sur les étroites passerelles, ou nagent paisiblement dans l'eau étincelante.

Il aurait été néanmoins exceptionnel de concevoir une grande toile pour le Salon représentant un endroit aisément accessible, où l'on savait que la séparation entre les classes et les codes rigides du comportement amoureux étaient relâchés. Ce genre de représentations était réservé au domaine privé des possesseurs de lithographies et de petites toiles. À l'échelle d'un grand tableau, des détails comme les deux femmes en costume de bain parlant avec un homme, représentés avec des techniques qui suggéraient

56. Antony Morlon, « La Grenouillère », lithographie du XIXe siècle

57. Ferdinand Heilbuth, *Au bord de l'eau*, in *Chefs-d'œuvres de l'art contemporain. Le Salon de 1870*, 1870

58. *Les Bains de La Grenouillère* (W 135), 1869, 73 x 92

la libération de tout contrôle, auraient été impensables au Salon : le dévêtu ou le sous-vêtu devaient être distanciés par le temps, la technique de représentation ou la méditation anecdotique sur l'expérience humaine. L'un des tableaux de Monet (W.136, perdu) fut sans doute refusé au Salon de 1870 ; en revanche, *Au bord de l'eau*, de Heilbuth (accepté et photographié par Goupil, pour la vente de reproductions au public), montre comment on peut rendre le sujet respectable.

C'était un sujet évidemment moderne, mais — comme Gambetta semble l'avoir remarqué en s'exclamant : « C'est Cythère et Watteau à Bougival ! » — les hommes et les femmes élégamment vêtus semblent avoir été transportés dans quelque fête galante du XVIIIᵉ siècle, sans aucun des détails qui dénotent es lieux de plaisir populaires. Paradoxalement, les évocations de *L'Embarquement pour Cythère* de Watteau (ill.272) qui colorent les tableaux exécutés par Monet à La Grenouillère ne font rien pour affaiblir leur modernité sans compromis[135].

Monet espérait de nouveau créer une « machine » pour le Salon avec un sujet dont les journaux à grande diffusion avaient prouvé la popularité dans les classes moyennes, et en adaptant des techniques que ces journaux avaient rendues familières. Il persistait à voir son champ d'action au Salon : son intérêt pour les supports graphiques liés à la diffusion commerciale fut probablement engendré par l'ambition qu'avait la jeune génération de réalistes de revivifier le grand art, plutôt que par une quelconque intention de développer une alternative populiste qui était très loin de sa pensée. Quoi qu'il en fût, ce désir de créer une grande toile pour le Salon devait rester un « rêve », en grande partie à cause de sa situation financière. Il est possible aussi qu'il n'ait pas réussi à le faire à cause de sa maladresse à peindre des personnages, en dehors du cercle de ses intimes et familiers. Son étrange gaucherie dans l'*Embarquement* le laisse en tout cas supposer, tout comme la distanciation qu'il s'impose vis-à-vis des figures de ses autres tableaux, et naturellement la façon dont il s'est attaché à représenter sa perception de la scène, plutôt que le détail de son contenu humain particulier, accentuant ses coups de pinceau non pas sur les personnages, mais sur les vagues du premier plan, ou même sur la lumière changeante des eaux lointaines.

Une année est passée depuis que Monet a peint la surface de l'eau, à l'immédiat premier plan de *Au bord de l'eau, Bennecourt*. Entretemps, les paysages neigeux lui ont fourni l'occasion d'étudier d'autres effets de lumière. La *Terrasse à Sainte-Adresse*, *La Pie* et *Les Bains de la Grenouillère* montrent qu'il a développé une structure picturale qui n'est plus fondée sur des formes solides, mais sur la tension entre un espace atmosphérique fluide créé par la vibration de la couleur, et une grille linéaire déployée en profondeur et en surface. Le conflit entre la grille de surface, les diagonales qui créent l'espace et la structure des couleurs dans la *Terrasse* a été résolu dans *La Pie* par une sorte de va-et-vient entre la couleur ambiante et la structuration linéaire en surface et en profondeur. Dans les œuvres antérieures, telles que la *Coin de ferme en Normandie*, la ligne définit les bords et l'articulation intérieure des volumes, qui reçoivent en outre des couleurs fortes et des textures spécifiques. Par contre, dans *La Pie*, la neige teintée de bleu et de mauve, de même que les roses et les mauves délicats de la maison, réduisent la matérialité des objets, de sorte qu'ils se fondent littéralement dans la structure linéaire. Il y a peut-être un excès de calcul dans la manière dont la porte, le toit, les arbres et même les nuages sont « rangés » dans une grille orthogonale, avec cette soudaine rupture en diagonale qui agit comme une charnière s'ouvrant dans l'espace : ce n'est qu'avec l'étude intensive de l'eau et de ses reflets que Monet trouva enfin une structure à la fois ferme et "naturelle". Les reflets morcèlent les formes solides en particules colorées et permettent au peintre d'exprimer par des pigments denses et opaques la manière dont les innombrables plans perpétuellement mouvants de la surface de l'eau absorbent, reflètent et matérialisent la lumière en absorbant, en reflétant et en dématérialisant le monde solide. Ce faisant, il unifiait le dessin et la couleur.

Un examen attentif de *La Grenouillère* révèle un peu des procédés très imbriqués grâce auxquels Monet voyait et représentait la nature. Il a probablement commencé par un dessin à la peinture donnant au tableau une structure linéaire maintenue tout au long du processus pictural ; à partir de là, il a développé la structure colorée de manière improvisée, ce qui lui a permis de trouver de nouvelles relations. L'espace est suggéré par la diminution des figures et par les diagonales aiguës des bateaux, des restaurants et de la passerelle, fixés à la surface par un les verticales en échafaudage de l'arbre central et de son reflet, des pilotis des passerelles et du restaurant, et ceux des personnages qui se répondent en écho jusqu'à l'infini (comme ces deux silhouettes filiformes, dans le bateau éloigné). Ces verticales sont complétées par les horizontales de la passerelle centrale, des ondulations en écho, de la plage de sable brillante et des bandes de bleu et de vert jaune à la surface de l'eau. La discontinuité entre la profondeur et les codes de surface fragmente l'exploration du spectateur de la scène peinte en une série de "moments" de perception séparés, de telle sorte que l'unité du tableau n'est pas un acquis, mais est créé par une addition de moments, dont chacun est perdu, en un sens, au moment même où l'on passe au suivant. Cette forme d'unité dans la discontinuité peut être observée dans les œuvres antérieures, mais Monet l'exécute ici avec une parfaite assurance. *Les Bains de la Grenouillère* sont un tableau si complexe et si complet qu'il est peu vraisemblable que Monet l'ait conçu uniquement comme une étude préparatoire pour un tableau à réaliser en atelier. Il semble même qu'il ait trouvé la séparation traditionnelle entre étude préparatoire et tableau fini de moins en moins satisfaisante, parce qu'elle impliquait une séparation entre processus de vision du paysage et processus de création d'une structure picturale pour le représenter. Il est évident qu'il n'a pas pu séparer l'un de l'autre[136]. Il a continué de peindre ou bien de compléter des tableaux dans l'atelier, mais le plus grand nombre de ses œuvres devait être désormais peint en plein air, avec les diverses phases de saisie visuelle reportées sur une seule et même toile, peinte généralement en plusieurs séances : rien à voir avec un travail d'esquisses préparatoires, reportées ensuite sur le tableau final. Le travail en atelier tendait en effet à redonner une continuité artificielle à ces moments discontinus, si caractéristiques de la vision moderne. Placé devant le motif, Monet put développer des structures qui accueillaient la discontinuité, comme dans *La Grenouillère*, où ses touches improvisées semblent enregistrer l'addition des divers moments de la vie complexe de la surface des eaux, avec un courant central constamment lisse, étincelant au soleil, qui se ride et se brise en un clapotis presque audible en s'approchant de la rive.

Les tableaux si ensoleillés de La Grenouillère ne laissent rien transparaître de la misère matérielle de Monet. Pourtant, c'est peut-être l'impossibilité constatée de créer un marché pour ses œuvres expérimentales qui lui dicta le retour à des modes de composition plus traditionnels de la peinture en plein air, pour une série de toiles exécutées au cours de l'hiver et du printemps 1869-1870. Dans *Le Pont de Bougival* (ill.65), Monet a utilisé la convention du premier plan dans l'ombre, avec une route en diagonale et des personnages qui s'éloignent, créant ainsi un espace continu rempli d'une étincelante lumière de printemps. Même dans ce tableau, on relève des ruptures caractéristiques dans l'illusion : par exemple, la peinture qui figure le soleil tombant sur la route semble se détacher de la surface, ou bien encore les lignes qui décrivent les ornières, le caniveau et les ombres "deviennent" de la peinture sous vos yeux. En fait, le problème — représenter ce qu'il voyait — a peut-être été plus intense pour Monet dans des œuvres qui étaient plus proches des codes illusionnistes traditionnels de la peinture à l'huile que dans des toiles comme *Terrasse à Sainte-Adresse*. De telles toiles soulignent, une fois de plus, que, loin d'enregistrer innocemment « ce qu'il voyait », Monet était hautement conscient du caractère codé des signes visuels et attirait l'attention sur eux avec insistance, de tableau en tableau, ou bien — comme dans *Le Pont de Bougival* — en incluant différents codes dans un seul et même tableau.

Monet vendit cette toile relativement conventionnelle à un marchand surnommé le père Martin, pour 50 francs plus un petit Cézanne. Ce fut l'une des rares ventes de Monet dans les années 1860, bien dérisoire cependant si l'on compare ce prix aux 8 000 francs payés par l'État pour une toile de Chenut, *Les Retardataires ; effet de neige*, présentée au Salon de 1870, œuvre brossée très sommairement et d'une composition peu conventionnelle, acceptée par l'État en raison de son utilisation d'un sujet tout à fait anecdotique[137].

À la fin de mars 1870, Monet dut être violemment choqué d'apprendre le rejet de son *Déjeuner* (ill.61) et peut-être de *La Grenouillère*. Boudin écrivit au père Martin : « Vous savez qu'ils ont refusé Monet impitoyablement, on se demande de quel droit. » Ce refus dut être encore plus difficile à comprendre que les précédents, car le jury — dont Daubigny démissionna en signe de protestation — avait été plutôt généreux par ailleurs : presque 3 000 toiles, y compris des paysages de Pissarro, des vues de ville de Sisley, la *Scène d'été* de Bazille et la *Les Baigneuse*s de Renoir (Museu de Arte Moderna, Sao Paulo), exemples significatifs du nu moderne dans un paysage, probablement acceptés parce qu'ils faisaient référence à la tradition[138]. Pour les connaisseurs, Monet brillait par son absence, mais sa position dans le mouvement réaliste fut confirmée par Fantin-Latour dans son *Atelier des Batignolles* (ill.59), où on le voit dans l'atelier de Manet, un peu dans l'ombre, à côté d'écrivains et d'autres artistes — dont Astruc, Zola, Renoir et Bazille — amis et admirateurs de Manet. Son nom fut lancé à un public — qui pouvait difficilement avoir connu ses œuvres — par Castagnary et Arsène Houssaye. Ce dernier déclarait dans *L'Artiste*, le journal conservateur et influent, que « Les deux vrais maîtres de cette école, qui, au lieu de dire l'art

59. Henri Fantin-Latour, *L'Atelier des Batignolles*, 1870, 204 x 273

60. Édouard Manet, *Le Déjeuner dans l'atelier*, 1868, 118 x 153

pour l'art, dit la nature pour la nature, sont MM. Monet (ne pas confondre avec Manet) et Renoir, deux vrais maîtres, comme le Courbet d'Ornans, par la franchise brutale de leur pinceau. »[139]

Dans son *Déjeuner*, Monet semble s'être un instant écarté de son chemin pour peindre une œuvre irréprochable, en contraste avec le caractère étrangement artificiel du *Déjeuner dans l'atelier* (ill.60), de Manet, présenté au Salon de 1869. La toile de Monet est descriptive par son style, relativement achevée dans sa technique ; elle insiste sur les valeurs bourgeoises de la sainteté et de l'intimité de la famille. Monet s'est attaché avec tendresse

à peindre le charme de l'enfant et il a souligné l'intégrité de la famille en se réservant la place du père à table où une chaise, un œuf et un journal plié l'attendent. L'intimité est soulignée par un espace étroit, les murs se refermant sur la petite famille. Monet a complété cette atmosphère en utilisant Camille comme modèle pour la visiteuse et pour la mère, de sorte que les deux profils se répondent en regardant dans la direction de l'enfant. Le *Déjeuner* est l'une des rares toiles dans lesquelles Monet suggère une relation entre les personnages, mais elle reste très réservée au regards des critères de l'époque. Son intimité est du reste brisée par le personnage de la servante, placée entre les deux femmes, en arrière-plan. Signe du statut bourgeois de la famille, ce personnage n'en rompt pas moins physiquement l'intimité du cercle familial[140].

Monet a vécu cette idylle domestique en 1868, mais dans l'intervalle qui sépara la conception du tableau et son refus au Salon, il dut souvent la considérer comme la reconstitution d'un moment illusoire de sécurité, alors que le statut bourgeois suggéré par la servante, la pièce, le mobilier, la table mise, les livres et la nourriture constituait une fiction désespérée.

Les menaces contre la sécurité bourgeoise n'étaient pas uniquement d'ordre individuel. La récente libéralisation du régime impérial avait stimulé l'opposition au lieu de la calmer : la levée de la censure de la presse en 1869 avait déchaîné une opposition virulente ; une série de grandes grèves avaient été sévèrement réprimées ; les quartiers étudiants et ouvriers de Paris bruissaient de rumeurs de conspiration. En janvier 1870, les funérailles d'un journaliste de l'opposition, Victor Noir, tué en duel par un cousin de l'Empereur, s'étaient transformées en une gigantesque manifestation contre le régime en place. Bazille ne put aller aux funérailles, « en raison de la pluie torrentielle » et parce qu'il posait alors pour Fantin-Latour, mais il écrivit :

« Il ne restait pas un seul ouvrier à Paris. Sans Rochefort, on aurait tiré sur ces hommes (200 000 au moins). Vous verrez que tout cela finira mal [...]. Il existe un malaise général qui conduira à sortir les fusils au moindre prétexte, qui ne tardera pas à venir. »[141]

Pour un temps, l'art et la vie privée maintinrent leur primauté apparente. Avec le refus du *Déjeuner* au Salon, l'expression publique du bonheur familial rêvé par Monet ne put s'exprimer qu'en privé, lorsqu'il épousa enfin Camille Doncieux, le 28 juin 1870. Courbet fut l'un des témoins, mais la famille de Monet ignora l'affaire et la famille Doncieux ne put donner à Camille qu'une très modeste dot, qui ne fut en définitive jamais payée dans son intégralité[142].

Pour la saison d'été, Monet emmena sa famille à Trouville. Il projetait peut-être quelque grande toile sur les loisirs contemporains, espérant profiter de la popularité des toiles de Boudin qui peignaient la vie des élites dans cette station à la mode ? Boudin disposait généralement ses personnages sur fond de mer : Monet les peignit dans leur nouveau cadre architectural, représentant la profusion de tours, de toits pointus, de pavillons, de balcons, de cheminées, de moulures et de sculptures des hôtels de luxe récemment construits pour la clientèle de marque. Il les figurait avec une économie de moyens d'esprit satirique : quelques traits de pinceau seulement pour le rituel des salutations sur la terrasse de l'hôtel des Roches Noires, par exemple.

La saison à Trouville battait son plein lorsque Napoléon III déclara la guerre à la Prusse, le 19 juillet, et elle continua même après les premières défaites, de même que Monet continua de peindre les riches Parisiens jouissant tranquillement de leur villégiature. À la différence de Bazille et de Renoir, Monet n'avait aucune envie de s'impliquer dans cette affaire, même après que l'on eut proclamé la République le 4 septembre et décidé de continuer à lutter contre la Prusse. Il continua de peindre à Trouville jusqu'à l'automne, puis partit pour Londres, bientôt suivi par Camille et par Jean.

61. *Déjeuner* (W.132), 1868-1870, 230 x 150

Il obéissait en partant à un principe qu'il suivra sa vie durant et selon lequel rien ne devait interférer avec sa peinture[143].

Il est compréhensible que les six ou sept mois du séjour londonien n'aient guère été productifs : Monet ne peignit que six œuvres connues, toutes de petit format. En France, quelles qu'aient été ses difficultés, la conviction intime qu'il était *le* peintre de la vie contemporaine lui avait donné, chaque année, la force de surmonter l'humiliation du refus et de se relancer dans la lutte pour réaliser une autre toile sur un sujet contemporain. Même lorsqu'il était exclu par la société qu'il essayait de représenter, il pouvait être sûr qu'il finirait par être accepté. Par contre, il ne pouvait guère avoir confiance en son avenir de peintre de la vie moderne dans une société à laquelle il n'avait pas accès, au moment où le sort de la société dont il avait fait partie paraissait emblématique. L'effondrement brutal et définitif de l'Empire fut en effet suivi, à une cadence accélérée, par le siège de Paris par les Prussiens, le défi de la Commune, le siège de celle-ci par les troupes du gouvernement provisoire replié à Versailles, avant la victoire des troupes et son cortège de massacres et de revanches sur les Communards.

Comme la plupart de ses amis, Monet accueillit favorablement la République. Ayant entendu dire que le Communard Courbet avait été fusillé sans jugement, il écrivit à Pissarro : « Quelle ignoble conduite que celle de Versailles, tout cela est affreux et rend malade. Je n'ai cœur à rien. Tout cela est navrant. »[144] En Angleterre, Monet fit partie d'un petit groupe d'exilés où l'on retrouvait Pissarro, peut-être Sisley, Daubigny et le marchand d'art Paul Durand-Ruel. Jusqu'à sa mort, en 1922, ce dernier fut le soutien financier le plus fidèle de Monet, et joua du même coup un rôle décisif dans l'évolution de la peinture de paysage moderne. « Sans Durand, dit Monet dans les années 1920, nous serions morts de faim, nous tous les impressionnistes. Nous lui devons tout. »[145] L'aide de Durand-Ruel fut immmédiate : il acheta des œuvres au peintre durant son exil anglais. C'était plus que jamais nécessaire, car Monet ne pouvait plus rien espérer du côté de sa famille : sa tante était morte une semaine après son mariage, et son père avait épousé sa maîtresse et reconnu une fille qu'il avait eu avec elle, peu avant sa propre mort en janvier 1971. Monet avait dû aussi apprendre la mort inutile de Frédéric Bazille, tué dans un combat de retraite à Beaune-la-Rolande.

Le peintre visita les musées londoniens avec Pissarro et « tous deux, lors d'une visite à la National Gallery, furent vivement frappés par les œuvres de Turner ». Le biographe de Monet, Alexandre, rapporte également que ce séjour à Londres conduit Monet à « faire un retour sur lui-même » et à rechercher des sujets différents de ceux qui l'avaient jusque-là mobilisé. Les tableaux de Turner déterminèrent peut-être une crise

63. *La Grenouillère* (W.134), 1869, 75 x 100

Ci-contre :

62. *La Pie* (W.133), vers 1869, 89 x 130

64. *Au bord de l'eau, Bennecourt* (W.110), 1868, 81 x 100

65. *Le Pont de Bougival* (W.152), 1869-1870, 63 x 91

d'inspiration, à un moment où sa confiance en lui était déjà minée par l'angoisse de l'exil[146]. Les tableaux de Turner sur la tempête — comme *La Jetée de Calais* de 1803 — étaient si puissants et si fidèlement observés qu'ils ont pu faire douter Monet de ses œuvres personnelles sur le même sujet : il n'y revint pas avant le début des années 1880, et uniquement pour des vues fragmentaires de format modeste. Plus impressionnante encore dut être pour lui la manière dont Turner dissolvait les formes solides en voiles frémissant de couleurs vibrantes, suspendues dans le brouillard, la vapeur ou les reflets de l'eau. Ses tableaux visionnaires de bateaux à vapeur ou de trains, transmués en accumulation de particules irradiées de lumière, durent faire revenir Monet sur la naïveté de ses propres évocations de la force de la vapeur[147].

Toutefois, leur art était si différent qu'à ce stade de son évolution, Monet ne savait pas bien comment utiliser ce que Turner avait découvert. Les visions aériennes de Turner étaient celles de motifs lointains, alors que Monet s'était intéressé aux vues de près ; il avait toujours eu besoin du sens de la pesanteur, de la base terrestre, de la tension horizontale de l'eau. Plus fondamentalement, son détachement du monde observé s'exprimait en sensations visuelles fragmentées et selon des structures discontinues qui étaient aux antipodes des œuvres de Turner, dans lesquelles la lumière et la matière se fondaient dans l'espace : leur continuité sans failles était obtenue au moyen d'une saisie d'ensemble de la scène, à la fois intuitive et synthétique.

Les tableaux de Turner durent cependant hanter l'esprit de Monet, car ils semblent avoir exercé une influence sous-jacente sur ses propres œuvres, une fois qu'il fut revenu en France. Dans les années 1870, cette influence est peut-être perceptible dans la façon dont Monet s'éloigne du « motif rapproché ». Il traite également de manière plus poétique certains sujets modernes : la relation entre *Effet d'automne à Argenteuil* (ill.92), de Monet et *Le Canal de Chichester* (ill.93), de Turner, suggère que l'exemple de

66. *L'Hôtel des Roches Noires, à Trouville*
(W.155), 1870, 80 x 55

ce dernier a aidé Monet à se servir de reflets pour structurer la profondeur de l'espace. L'*Impression, soleil levant* (ill.73) ou le *Soleil couchant sur la Seine, effet d'hiver* (ill.155) montrent que les peintures de l'Anglais ont pu indiquer à Monet comment suspendre la lumière du soleil dans le brouillard.

Il est possible que l'art de Whistler ait également influencé la subtilité croissante de la relation entre les couleurs et les tonalités que l'on rencontre chez Monet, après la décennie 1860. Les deux artistes s'étaient probablement rencontrés au café Guerbois, lors d'un des fréquents passages de Whistler à Paris ; Monet avait probablement étudié l'emploi par l'Américain de l'art japonais, et le raffinement de ses couleurs abstraites dans les œuvres présentées au Salon : sa propre *Pie* est peut-être un exercice de composition en camaïeu de blancs, inspiré des *Symphonies en blanc* de Whistler. Celui-ci influença aussi probablement les petites toiles de Monet sur les parcs londoniens, qui trahissent une sorte de détachement mélan-colique, assez inhabituel. La monotone abstraction des camaïeux de gris, et l'exacte disposition des accents de tonalité dans les tableaux consacrés par Whistler à la Tamise ont peut être contribué à déterminer la composition délicate des tours, des arches et des remorqueurs lointains, dans *La Tamise et le Parlement* (ill.68), sujet peint par Daubigny cinq ans plus tôt.

Monet a passablement oblitéré l'élégance aérienne de ces « harmonies en bleu et gris », en y insérant de façon très abrupte des éléments qui étaient plus proches de sa propre expression : le quadrillage marqué de la jetée, le quai rapidement peint qui avance dans l'espace du spectateur, et le bois flottant dans une position si étrange. Il s'est contenté de juxtaposer tout simplement deux modes de structuration, le mode tonal et le mode linéaire, comme s'il était trop impatient pour intégrer les deux, et comme pour attirer l'attention des spectateurs sur la nature artificiellement codée de ce genre de structuration.

*67. Train dans la campagne* (W.153), vers 1870, 50 x 65

La famille de Monet quitta l'Angleterre à la fin de mai 1871, probablement dès que l'on apprit la chute de la Commune. Monet retarda son retour en France de quatre mois, qu'il alla passer à Zaandam, près d'Amsterdam. À l'inverse du séjour londonien, ce fut une période d'activité intense : il exécuta vingt-quatre œuvres connues en quatre mois[148]. Zaandam était entourée d'eau et traversée de canaux, ce qui lui fournit exactement le genre de motifs qu'il cherchait : des surfaces plates et réfléchissantes, et la géométrie humaine « des moulins par centaines », des pilotis, des mâts, des ponts, qui formaient la configuration linéaire nécessaire pour structurer la luminosité du ciel et la tranquillité des eaux.

68. La Tamise et le Parlement (W.166), 1871, 43 x 73

Il peignit les moulins à vent se détachant fortement sur le ciel et se reflétant sur l'eau. Il peignit encore les reflets des arbres et des maisons, vus à mi-distance, au-delà d'une vaste étendue d'eau miroitante ou ridée, ou le long de canaux plus étroits dans lesquels ces reflets occupent la majeure partie de la surface de l'eau et dissolvent les formes solides en éclats et fragments innombrables. Ce sont les premières toiles de Monet qui dépeignent des régions densément peuplées, mais dans lesquelles la présence humaine est purement accidentelle : de petites taches et touches de brosse indiquent sommairement des personnages dans un bateau, franchissant un pont, marchant le long de la rive ou pêchant — mais leur présence n'envahit pas la scène, comme elle l'avait fait dans les tableaux sur Paris, Sainte-Adresse, La Grenouillère et Trouville.

69. William *Turner, Pluie, vapeur et vitesse*, 1844, 91 x 122

Malgré la présence perceptible d'activités humaines, les paysages hollandais de Monet ont l'air désert. Zaandam était alors une ville en pleine industrialisation, mais Monet tourna résolument le dos à la modernité et ne peignit que les sujets qui évoquaient les stéréotypes classiques du

70. *Zaandam* (W.183), 1871, 47 x 73

paysage hollandais. Il écrivit à Pissarro que Zaandam avait « tout ce que l'on peut trouver de plus amusant »[149]. Monet se comportait comme le touriste qui prend quelques clichés du lieu qu'il visite, dès qu'il ne connaissait pas intimement un endroit (c'est-à-dire en dehors de la côte normande et de la vallée de la Seine).

Au début de novembre 1871, Monet revint dans un Paris qui avait terriblement souffert. On s'y occupait toujours frénétiquement d'affaires et de plaisirs, mais le souvenir des souffrances, des humiliations et des atrocités vécues s'effaçait difficilement. L'aspect général de la « Ville lumière » n'avait pas changé, mais elle gardait le souvenir du sang qui y avait été versé et les façades de beaucoup de ses bâtiments étaient bien noircies. Le grand projet de Monet — créer une peinture des plaisirs de la vie contemporaine à une grande échelle — pouvait paraître à présent aussi éphémère que le régime sous lequel il avait été conçu.

# 2

## Le fleuve et la banlieue
## Argenteuil et Paris, 1871-1878

*« Par le soleil d'été, aux reflets du feuillage vert, la peau et les vêtements prennent une teinte violette, l'Impressionniste peint des personnages sous bois violets. Alors le public se déchaîne absolument, les critiques montrent le poing, traitent le peintre de "communard" et de scélérat. »*
DURET, 1878

*« Mais c'est un art très étudié, basé sur l'observation, et d'un sentiment tout nouveau, c'est la poésie par l'harmonie des couleurs vraies, Monet est un adorateur de la nature vraie. »*
PISSARRO, 1873

*« Leurs toiles peu chargées et de dimensions médiocres ouvrent, dans les panneaux qu'elles décorent, des fenêtres sur la campagne joyeuse, sur le fleuve chargé de barques fuyantes, sur le ciel que rayent des vapeurs légères, sur la vie du dehors épanouie et charmante. Le rêve les traverse et, tout imprégné d'elles, s'enfuit vers les paysages aimés qu'elles rappellent d'autant plus sûrement que la réalité des aspects y est plus saisissante. »*
SILVESTRE, 1873[1]

Argenteuil… Est-il, dans la France du XIXe siècle, un lieu que nous ayons l'impression de mieux connaître que ce ruban de fleuve ? Monet l'a peint étincelant de soleil, sillonné de bateaux de plaisance, bordé de sentiers tranquilles où les promeneurs flânent, dans l'ombre criblée de soleil des peupliers ; même les cheminées des usines lointaines sont métamorphosées par la vibration de la lumière. Le peintre semble y avoir révélé si clairement le processus de vision qui crée ces tableaux — et ils s'accordent si parfaitement avec nos rêves d'une journée à la campagne — que nous sommes amenés à les considérer comme des représentations exactes de la « réalité » d'Argenteuil. Monet représentait effectivement ce qu'il voyait, mais son mode de représentation a été déterminé autant par ses besoins, ses craintes et ses désirs personnels que par le réel, et ce sont eux qui l'ont finalement conduit à créer un monde de beauté idéale. Pourtant, lorsque ces œuvres ont été exposées pour la première fois, les critiques ont utilisé le vocabulaire du radicalisme politique pour les discréditer. Quel était donc à l'époque, dans cette peinture impressionniste qui paraît aujourd'hui conforter si clairement les valeurs de la bourgeoisie, l'élément qui provoquait un tel soupçon de menace contre la société ? À une époque où l'on craignait encore pour la stabilité politique et sociale de la France, voyait-on un lien entre les critiques des impressionnistes contre les institutions artistiques et les procédés picturaux déterminés par le « travail des siècles », et les attaques de la Commune contre la société et ses institutions, que la bourgeoisie considérait aussi comme le résultat d'un processus séculaire[2] ? L'attachement passionné des impressionnistes à la vie agréable — vie qui restait relativement modeste et accessible — paraissait-il aller trop loin, alors qu'on demandait aux arts de s'épurer un peu pour aider à

régénérer la France ? Ou bien la menace résidait-elle, de quelque façon, dans la substance même de la peinture ?

Argenteuil fut l'endroit où Monet put continuer à créer la peinture de paysage moderne, comme si rien ne s'était passé entre ses nouvelles toiles et celles qu'il avait exécutées à Sainte-Adresse et à La Grenouillère. Pourtant, ses œuvres nouvelles allaient être subtilement différentes, en cela que leurs sujets étaient plus exclusivement modernes et davantage liés à la vie privée. Dans les années 1860, il avait réalisé (ou essayé de réaliser) chaque année pour le Salon, une grande toile sur la vie contemporaine, et en comparaison, ses petites toiles tenaient une place relativement secondaire dans l'élaboration de ces grands projets. Les tableaux des années 1870 furent moins source de conflits que les grandes œuvres des années 1860. Celles-ci associaient de surprenantes vues rapprochées à des techniques qui marquaient la distance, et Monet se mit à peindre des petits formats sur des sujets assez proches, mais avec une attention plus délicate aux effets particuliers de lumière. Ces nouvelles œuvres représentent l'exploration approfondie d'une région géographique bien définie, marquée encore plus profondément qu'auparavant par la tension entre une méditation continuelle sur le paysage et le choc instantané de la perception, qui détache le « moment » du tableau de toute continuité avec le passé, tout en restant ancré dans la permanence d'une beauté incontestée. Les premiers efforts que fit Monet pour créer des images destinées à rendre supportables les dégradations, conséquences de l'expérience urbaine moderne, ont peut-être été intensifiés par les catastrophes de 1871 : celles-ci menacèrent profondément la société qui avait nourri cette forme de l'art et coïncidèrent pour le peintre avec la mort de son père et celle de son ami le plus intime, Bazille.

Dans son ouvrage *Monet at Argenteuil,* Tucker a bien montré que la ville subissait alors les nuisances dues à sa transformation en banlieue de Paris, liée à la capitale par des relations de service, à la fois ville-dortoir, zone d'expansion industrielle et site touristique[3]. Cela convenait particulièrement bien à l'idée que se faisait le peintre d'une nature vivifiée par la modernité, et d'une modernité rendue vivable et agréable par la nature. Il réussit même à transformer les aspects les moins séduisants de cette modernisation : une navette de banlieue dans la neige devient un spectacle fantastique ; les maisons des banlieusards scintillent au milieu des champs fleuris ; les fumées des usines prêtent au ciel des teintes magiques ; le fleuve pollué brillent de mille nuances de couleurs ; les lignes puissantes d'un boulevard frémissent des tons délicats de la lumière argentée. À Argenteuil, la famille, protégée par l'enclos du jardin, devint l'un des principaux sujets de tableaux, comme pour une expérience réparatrice ; elle donne à cette campagne de la banlieue tout entière le caractère d'un jardin domestique, renforçant l'image de la belle vie sans nuage.

Il s'agit pour Monet, non pas de fuir la réalité, mais, comme le laisse comprendre ses toiles, de panser les blessures de la vie et, en particulier, de récupérer, grâce à la peinture, ces valeurs perdues dans la société urbaine moderne. Les sujets et la technique de ces tableaux laisse deviner un travail libre et agréable, et les joies sans contraintes du corps, au milieu d'une nature libérée de la servitude par la technique moderne.

71. *La Liseuse* (W.205), 1872, 50 x 65

72. *Le Déjeuner* (W.285), 1873, 162 x 203

73. *Impression, soleil levant* (W.263), 1873, 48 x 63

La remarque de Zola (« Comme un vrai Parisien, il emmène Paris à la campagne »[4]) continue d'être vraie dans les années 1870, non seulement pour les sujets abordés par le peintre, mais aussi pour les structures et les techniques qui se révèlent sensibles aux aspects de l'expérience urbaine— temps mécanisé et fragmentation de la perception — et qui unifient sa re-présentation de la ville, de la banlieue et de la campagne. À partir du mi-lieu de l'année 1876, Monet se mit à peindre, soit des paysages sans personnages ou dépourvus de détails modernes, soit les plus affirmées des constructions modernes, dans la série consacrée à la *Gare Saint-Lazare*. Néanmoins, quel que fût le sujet choisi, la technique et la structure de ses toiles continuèrent d'exprimer la modernité.

Monet et ses collègues peignaient certains aspects de la vie contem-poraine dont la popularité était attestée par les nombreuses œuvres repro-duites dans les journaux illustrés et par les choix des photographies des œuvres exposées dans les Salons. Mais la manière dont ils les représen-taient n'était appréciée que par une élite ; c'est la raison pour laquelle ils organisèrent des expositions particulières qui prirent, à tous égards, le contrepied de la structure et de l'idéologie du Salon officiel. Monet gagna d'importantes sommes d'argent dans ces années 1870 et s'attacha une clien-tèle fidèle de collectionneurs, mais ces expositions n'élargirent pas son au-dience de façon substantielle : dans la récession générale de ces mêmes an-nées, la vente de ses tableaux ne lui fournit pas les fonds nécessaires pour soutenir le niveau de vie dont dépendait, selon lui, son art. Au fur et à me-sure des expositions, Monet affirma clairement la modernité consciente de sa peinture, en révélant la manière dont cette conscience s'impliquait dans le monde extérieur, et les moyens grâce auxquels il matérialisait ses images : ces révélations semblent avoir fait fuir le public potentiel. Au cours des an-nées 1870, Monet projeta ainsi une vision utopique dans le cadre de scènes tout à fait réelles, et par-là même son monde apparaissait réel. Pourtant les véritables circonstances dans lesquelles il concevait ce monde le rendaient impossible à atteindre — sauf précisément par la peinture.

Les toiles des impressionnistes suscitèrent de plus en plus d'hostilité au fur et à mesure que les années passaient. Sans doute y avait-il incompatibilité entre leur représentation de la belle vie bourgeoise et l'accent mis par les gouvernements réactionnaires qui suivirent la Commune sur la nécessité d'un art moralement édifiant. En outre, la terrible guerre civile avait si profondément ébranlé la société bourgeoise que la transgression par les peintres des modes conventionnelles entraînait automatiquement le soupçon de subversion politique. La bourgeoisie — sujet et public (espéré) des toiles de Monet — n'avait jamais été autant menacée que durant les dix semaines de la Commune de Paris, en 1871. Seule cette peur peut expliquer son acquiescement à l'exécution de 20 000 à 35 000 Parisiens, non seulement dans la frénésie meurtrière de la « Semaine sanglante », mais aussi à la suite des multiples procès expéditifs devant les tribunaux militaires, qui durèrent jusqu'au début de 1875 : 400 000 dénonciations sont là pour attester de la participation active de la bourgeoisie parisienne à la répression ! La presse conservatrice — tout comme la littérature bien pensante quelque temps après — vomit des torrents d'ignominies contre les Communards, représentés comme des sous-hommes, fondamentalement mauvais, abrutis par l'alcool et les fièvres insanes, avides de détruire une ville entière pour satisfaire la bestialité de leurs bas instincts. En fait, un rapport administratif d'octobre 1871 constate que les 100 000 travailleurs (y compris des femmes) « tués, emprisonnés ou en fuite, qui manquent aujourd'hui dans Paris » comptaient l'élite des ouvriers, des artisans et des artistes, ceux-là mêmes qui avaient donné à Paris son image de capitale des arts et de la mode[5].

La scène sur laquelle l'impressionnisme se développait était celle d'une crise politique et idéologique : le désir assez répandu de régénération morale, engendré par les humiliations et la terreur de « l'année terrible », se manifesta dans la réaffirmation des valeurs traditionnelles plutôt que dans le réformisme social. Ce désir prit souvent la forme d'actes de piété collectifs, de prophéties, de « missions » et de pèlerinages, encouragés par l'Église conservatrice ; de leur côté, les milieux légitimistes travaillaient activement à la restauration d'une monarchie chrétienne. L'heure était au moralisme et à la répression. Jusqu'au milieu de l'année 1873, on a craint de voir l'Assemblée nationale réactionnaire voter la restauration des Bourbons — mais l'on se heurta heureusement à l'entêtement du comte de Chambord, qui refusait de transiger sur le rétablissement du drapeau blanc de l'Ancien Régime. Une fois terminé cet intermède, la lutte pour le pouvoir continua entre les Orléanistes et les Bonapartistes, à droite, et les Républicains, eux-mêmes répartis entre un centre droit, un centre gauche autour de Gambetta et une extrême gauche baptisée les « intransigeants ». Ce fut précisément l'un des surnoms que l'on donna aux peintres impressionnistes ! En 1875 seulement, l'Assemblée nationale décida par un vote que la France resterait une république. Il fallut attendre 1876 pour que l'on commençât de projeter une Exposition universelle qui devait se tenir en 1878. Le gouvernement ne revint de Versailles à Paris qu'en 1879 et attendit encore 1880 pour refaire de l'anniversaire de la prise de la Bastille le jour de la Fête nationale, et pour accorder l'amnistie aux Communards. En 1881 enfin, la censure fut levée et des lois furent votées assurant la liberté de la presse.

Malgré la disparition de dizaines de milliers de travailleurs dans les massacres, les exécutions, les emprisonnements, les déportations et l'exil, beaucoup de textes contemporains — presse et œuvres littéraires confondues — révèlent une peur véritablement obsessionnelle d'une insurrection de la classe ouvrière. Peu d'écrivains cherchèrent à comprendre la Commune et la plupart d'entre eux n'y virent qu'une aberration monstrueuse qu'il avait fallu conjurer et réduire par l'application d'une force brutale et d'une répression sans nuances. Certains se replièrent dans le monde de l'art plus qu'ils ne l'avaient fait durant le Second Empire ; d'autres mirent leurs espérances de restauration de l'ordre dans une division manichéenne entre, d'un côté les possédants, les instruits et les travailleurs, et de l'autre le reste de la société. Dumas fils affirma sans sourciller que, s'il était du devoir des possédants d'aider les pauvres, il fallait aussi que « ceux qui travaillent fassent travailler ceux qui ne travaillent pas ou les exterminent impitoyablement s'ils s'y refusent ». Si les pauvres, les paresseux et les ignorants pouvaient être éliminés, rien ne pourrait plus contrarier l'idéal de progrès ; celui-ci apporterait enfin la belle vie à ces « individus » supérieurs qui avaient la volonté, consciente et la capacité de travailler dur[6].

Zola lui-même justifia la répression sauvage de l'insurrection, écrivant quelques jours après la « Semaine sanglante » : « Le bain de sang qu'il [le peuple de Paris] vient de prendre était peut-être d'une horrible nécessité pour calmer certaines de ses fièvres. Vous le verrez maintenant grandir en sagesse et en splendeur. »[7] Un mois plus tard, il écrivait encore à Cézanne :

« Aujourd'hui je me retrouve tranquillement aux Batignolles, comme au sortir d'un mauvais rêve. Mon pavillon est le même, mon jardin n'a pas bougé, pas un meuble, pas une plante n'a souffert, et je puis croire que ces deux sièges sont de vilaines farces, inventées pour effrayer les enfants.

Ce qui rend plus fuyants pour moi ces mauvais souvenirs, c'est que je n'ai pas un instant cessé de travailler. [...] Jamais je n'ai eu plus d'espérance ni plus d'envie de travailler. Paris renaît. C'est, comme je te l'ai souvent répété, notre règne qui arrive. »[8]

La gauche comme la droite croyaient que l'art devait jouer un rôle dans la régénération morale, devenue essentielle pour la reconstruction de la nation après la défaite militaire et la guerre civile. L'art de la nouvelle France purifiée et ennoblie par les souffrances, devait non seulement compenser la décadence du Second Empire et la barbarie de la Prusse, mais aussi établir un fossé radical entre elle et l'esprit de la Commune. Les Communards étaient uniformément présentés comme des vandales fondamentalement hostiles aux arts. Théophile Gautier écrit ainsi en 1872 : « L'aristocratie du chef-d'œuvre n'est-elle pas celle qui choque le plus l'envieuse médiocrité ? Naturellement, le laid a l'horreur du beau. »[9] Pour ceux qui partageaient ces idées, l'un des plus affreux criminels était Courbet, qui avait comparu devant le tribunal militaire et échappé de peu à la mort, pour complot contre l'État et pour complicité dans la destruction de la colonne Vendôme (il avait en fait déployé tous ses efforts pour protéger les trésors artistiques de la nation, s'était constamment opposé aux extrémistes et n'était plus au Comité de la Commune lorsque la destruction de la colonne avait été décidée, en tant que « monument dédié à la barbarie »). Lorsque Monet revint en France, Courbet purgeait une peine de prison portée à six mois. Parmi les rares artistes à le soutenir dans l'épreuve, Boudin, Amand Gautier et Monet furent les plus fidèles. Il lui écrivirent une lettre chaleureuse et cherchèrent à lui rendre visite dans la clinique où il avait été emprisonné sur parole. Manet resta dans le camp de la bourgeoisie, soulignant avec une certaine cruauté que, puisque Courbet avait montré sa couardise lors de son procès, il n'était « digne maintenant d'aucun intérêt[10]. »

Les ignominies écrites à propos de Courbet témoignent de l'indignation des honnêtes gens contre un artiste qui avait transgressé les frontières séparant le monde sacré de l'art et l'action politique. Dans *Le Figaro*, Alexandre Dumas fils, jamais à court d'insultes, écrivit en juin 1871 — tout en proclamant son républicanisme — que la République « ...a des générations spontanées [...]. De quel accouplement fabuleux d'une limace et d'un paon, de quelle antithèse génésiaque, de quel suintement sébacé peut avoir été généré, par exemple, cette chose qu'on appelle M. Gustave Courbet ? Sous quelle cloche, à l'aide de quel fumier, par suite de quelle mixture de vin, de bière, de mucus corrosif et d'œdème flatulent a pu pousser cette

74. Édouard Manet, *La Barricade*, 1871 (?), encre, lavis, gouache, 46 x 32

75. Anonyme, « Modes de 1871 — Saison d'hiver », in *L'Illustration de la mode*, 1871

courge sonore, cette incarnation du Moi imbécile et impuissant ? » Et Leconte de Lisle note dans une lettre que « l'infect barbouilleur Courbet [...] mériterait non seulement d'être fusillé [...], mais qu'on détruisît les sales peintures qu'il a vendues dans le temps à l'État. »[11]

Monet ne pouvait approuver les menaces des radicaux de la Commune contre la société bourgeoise, mais il savait pertinemment que ses adhérents n'étaient pas tous « d'horribles monstres » : il était l'ami de Courbet et d'Amand Gautier, et il devait beaucoup de son art au premier. Il avait également connu Andrieu et Vallès, ainsi que de nombreux artistes qui, sous la présidence de Courbet, avaient constitué la Fédération des Artistes de la Commune. Durant sa brève existence, cet organisme avait tenté de libérer l'art des contraintes institutionnelles qui pesaient sur l'enseignement et les expositions, d'une manière que Monet aurait assurément approuvée[12].

De nombreux Réalistes d'avant-garde partageaient les sentiments de Monet à l'égard de la Commune, et beaucoup de ceux qui avaient eu des idées anti-autoritaires et anti-bourgeoises durant l'Empire reprenaient maintenant à leur compte le besoin d'ordre et de valeurs bourgeoises[13]. Malgré leurs sympathies personnelles et quel que fût leur degré de compréhension, la Commune avait menacé trop sérieusement leur monde, leur art et leur public pour qu'ils eussent envie d'y regarder de plus près. Leur réaction fut d'exprimer un ordre social harmonieux et dépourvu de contradictions, de manière plus intense et plus exclusive qu'auparavant, comme s'il s'agissait de démontrer que les événements de 1870-1871 n'avaient été, pour reprendre les mots de Zola, qu' « un mauvais rêve ». Pourtant, les critiques, eux, allaient voir une connexion directe entre le radicalisme politique et la peinture impressionniste, comme pour justifier l'affirmation de Feydeau :

« Désormais toute opinion avancée, en politique, en économie politique, même en philosophie, sera suspecte : le spectre de la démagogie, horrible, répugnant, ivre de sang et de vin, laissant briller l'or volé entre ses sales doigts, se dressera toujours par-derrière. »[14]

Les œuvres que Monet peignit dans les premiers mois qui suivirent son retour en France montrent avec quelle rapidité il développa une forme de peinture réparatrice par le style et par les sujets choisis. Un seul tableau exprime quelque chose de l'angoisse de cette période, mais d'une manière indirecte et révélatrice. Il s'agit de son *Pont-Neuf*, triste, lavé par la pluie, peint au cœur d'un Paris dévasté, sans doute avant que le peintre ne gagne Argenteuil[15]. En dehors du champ, tout près, se dressait le palais de Justice, incendié, et les volutes de fumée qui sortent de dessous le pont évoquent sans aucun doute les incendies qui rongeaient encore les bords de Seine à l'aube du 29 mai 1871, tandis que les exécutions sommaires des suspects se poursuivaient sans relâche. Les premières peintures que Monet avait faites de la vie urbaine, à Paris ou au Havre, suggéraient des rapports entre les personnages du tableau ; ici, chacun d'eux est séparé des autres et la discontinuité de la représentation est rendue plus étrange par les différences d'échelle. Le tableau renferme un peu de l'émotion d'un poème écrit par J.-B. Clément aussitôt après la « Semaine sanglante » (le poète avait été associé à Courbet dans le Comité pour l'éducation et il avait participé à l'affaire de la colonne Vendôme) :

Sauf les mouchards et les gendarmes,
On ne voit plus, par les chemins,
Que des vieillards tristes aux larmes,
Des veuves et des orphelins.[16]

Monet avait juste entendu parler des horreurs de la répression, et cette petite toile est peut-être un essai pour éprouver quelque chose de ce qui s'était passé dans cette ville où s'était formé son art. Mais la nature même de celui-ci lui interdisait de participer à toute recréation d'une époque révolue.

76. *Le Pont-Neuf à Paris* (W.193), 1871, 53 x 73

En l'espace de quelques semaines, Monet s'installa à Argenteuil, fortement ravagé par les Prussiens et par la guerre civile. Peu de temps après son arrivée, il y peignit deux autres tableaux de pont, l'un des points de passages routiers qui venaient d'être reconstruits après sa destruction partielle. Le sujet l'avait peut-être attiré en raison du contraste entre l'échafaudage de bois, le nuage de vapeur et leurs reflets dans l'eau paisible. La vapeur — exaltée par la rhétorique du progrès comme le miracle qui allait transformer le labeur pénible des hommes, vaincre les frontières, rassembler l'humanité et distribuer les matières premières et les produits finis tout autour du globe — est représentée ici comme une simple chose vue[17]. Une lithographie anonyme montre une présentation de même nature dans le contexte de la reconstruction d'après-guerre, dont les slogans étaient « paix, travail, ordre »[18]. Intitulée *Les Splendeurs de la République,* elle dépeint « tous les peuples de la terre », y compris ceux de l'Alsace, de Paris et des provinces, se joignant à Thiers — qui venait d'être confirmé comme président d'une République encore provisoire — pour souscrire à l'emprunt national de 1872. C'était le second de deux emprunts destinés à payer l'énorme indemnité de guerre exigée par la Prusse victorieuse pour quitter le sol français : les souscriptions dépassèrent largement le montant demandé.

La reconstruction était prônée non seulement comme une nécessité économique, mais aussi comme un devoir patriotique : le *boom* économique de 1871 (engendré partiellement par un programme intensif de reconstruction de ponts, de routes, de voies ferrées et d'usines) fut imprégné de ferveur morale. Il y avait eu changement de régime et non de société : le capitalisme de la libre entreprise était de nouveau aux affaires, avec une classe ouvrière décimée et matée, contrôlée par une législation répressive. La lithographie présente une image lénifiante d'harmonie sociale, dans laquelle les gens de toutes classes s'unissent autour d'une cause commune, inspirée par les promesses du progrès : l'ancien et le nouvel état des choses juxtaposés en vignettes montrent, par exemple, les travaux des champs traditionnels à côté d'usines fumantes, ou bien un train franchissant un fleuve sur un pont sous lequel passe un remorqueur à vapeur, non loin d'un bateau à voiles à l'ancienne mode, etc. C'est au fond l'imagerie même de Monet. Pourtant, bien que son *Pont en réparation* puisse être associé à une rhétorique du progrès et de la reconstruction dans la France de l'après-guerre, le tableau lui-même est dépourvu de rhétorique dans son détachement.

En mai 1872, de Pontmartin, critique à *L'Univers illustré,* proposa que Couture peignît une nouvelle version de ses *Romains de la décadence* de 1847

77. *Argenteuil, le pont en réparation*
(W.194), 1872, 60 × 80

78. Le pont du chemin de fer à Argenteuil en ruine,
photographie, vers 1871

(musée d'Orsay), présentant cette fois tous les membres de la société unis dans la tâche commune de la reconstruction et de la revanche : les poètes déploreraient le sort de la Patrie, les peintres consoleraient ses douleurs ; le paysan contribuerait au paiement de l'indemnité prussienne ; l'ouvrier préparerait les instruments de la revanche. Il n'y aurait :

«...plus de femmes légères, mais des femmes de piété et de devoir, plus de courtisanes couronnées de fleurs, mais des infirmières pour nos ambulances ; de généreuses inspiratrices qui conduiront au travail, à la réparation , au salut, des femmes sublimes qui tendront leurs mains blanches pour obtenir de nous, le petit quelque chose qui sèche les larmes, nourrit les orphelins, redresse et fertilise les ruines...» [19]

Le tableau de Monet était lui aussi réparateur, mais de manière indirecte et presque privée. Ses toiles d'Argenteuil allaient exprimer une vision optimiste, non comme les programmes sociaux moralisants le faisaient, mais grâce à la représentation du bonheur domestique et du renouveau de la nature. On le voit dans un petit groupe de tableaux illustrant le fleuve, les vergers et les jardins, au printemps de 1872. Parmi eux se trouvent les tableaux figurant Camille avec des amis, sous les lilas, et Camille seule dans une robe blanche, teintée de rose et de vert, toute pailletée de lumière (ill.71). C'est le printemps à Argenteuil, un an après *Le Temps des cerises* et les chansons de la Commune ; à vingt-sept kilomètres de là, les cours martiales de Versailles continuent d'envoyer des fournées de condamnés au peloton d'exécution, ou bien en Guyane et en Nouvelle-Calédonie. Monet peint sa femme, dans l'enclos protégé d'un jardin privé, tranquille, dans le feuillage baigné de soleil.

Plusieurs semaines après, dans son compte rendu du Salon, Zola exprimait son étonnement : l'art que l'on y voyait n'avait pas changé depuis 1870, en dépit des terribles événements qui s'étaient déroulés depuis : « Au loin, dans l'effacement de la pluie, j'ai aperçu les fenêtres béantes des Tuileries, ouvertes sur le jaune sale du ciel. Eh quoi ! deux années ! eh quoi !

tant de secousses ! et toujours, dans les mêmes salles, les mêmes bonshommes de pain d'épice et les mêmes bonnes femmes de sucre candi ! »[20]

Théophile Gautier écrivit dans *L'Artiste*  que le public estimait, lui aussi, que le Salon aurait dû évoquer les tragédies récentes, mais il ajoutait qu'il avait plaisir à constater l'absence d'allusions au passé le plus immédiat : « Malgré tout, la pensée revient toujours aux thèmes éternels de la vie. » Dans le même journal, Paul de Saint-Victor proclamait que l'art était tout ce qui restait à la France : « Elle se rattache au génie des arts comme à la seule colonne restée debout sur ses ruines. Elle sent qu'avec ce point d'appui la patrie peut se reconstruire sur un plan nouveau. » Pontmartin, dans *L'Univers illustré,* saluait « tout ce qui prouve la vitalité... ». Évoquant les prix énormes récemment atteints par les peintres de l'école française moderne, les deux écrivains critiquaient la frivolité d'une bonne partie de l'art récent, « petit art joli et sensuel, précieux et léché [...], [qui] n'est plus en rapport avec le deuil sanglant de nos effroyables malheurs ». Saint-Victor admettait qu'une régénération immédiate ne paraissait pas possible, mais il remarquait « une certaine élévation, sinon du style, du moins des sujets » dans le Salon[21].Ceux qui avaient été dans l'opposition libérale sous l'Empire exprimaient des vues semblables, notamment Castagnary :

« Tandis que la France entière sent le besoin de se renouveler, de s'élever, de monter son âme et de la façonner aux devoirs sévères, continueront-ils tranquillement leurs paysages, leurs intérieurs, leurs natures mortes, leurs exhumations du moyen-âge et de l'antiquité ? Ne comprendront-ils pas qu'ils ont un plus haut langage à parler à leurs contemporains que ces muettes ou frivoles images ? Ne sentiront-ils pas que, l'art faisant partie de l'éducation publique, tout artiste est coupable qui, par la dignité de sa personne, aussi bien que par l'élévation de sa pensée, reste au-dessous du rôle que la société lui assigne ? »[22]

Comme Castagnary poursuivait en défendant les tableaux de Courbet, ses paroles purent paraître suspectes, d'autant plus qu'il attaquait aussi l'autoritarisme des règlements du nouveau Salon, qui allaient à l'encontre de la libéralisation de la fin des années 1860, en restreignant le choix du jury aux artistes qui avaient remporté une médaille ou un prix de Rome. Ce jury avait réduit le nombre des œuvres présentées au tiers de celui de 1870 et il s'était assuré, selon le mot de Castagnary, que « l'on se promène [dans le Salon] sans savoir dans quel pays, ou à quelle époque on se trouve […]. On se croirait loin de la Seine, loin de Paris ». Usant d'un langage provocateur, compte tenu du lieu et du moment, il appelait de ses vœux la liberté, la confiance en « l'opinion publique » et « la glorification de l'humanité ».

Cham publia la caricature d'un couple, les cheveux dressés sur la tête à la lecture du livret du Salon, avec cette légende : « Les sujets sur la Commune terrifiant les malheureux bourgeois qui visitent l'Exposition »[23]. Il n'y avait qu'un tout petit nombre d'œuvres de ce genre, essentiellement des gravures et des aquarelles de bâtiments incendiés durant la Semaine sanglante. Il apparaît clair qu'alors, toute référence directe à la Commune dans les arts plastiques était taboue. Répondant à ce même désir d'occulter le passé immédiat Meissonier fit exclure à jamais du Salon les œuvres de Courbet. Celles-ci furent alors exposées chez Durand-Ruel, catholique dévot et légitimiste, tandis que la décision d'exclusion du jury était critiquée par les écrivains de la presse républicaine de gauche, ceux-là mêmes qui allaient soutenir les impressionnistes. Manet et Zola semblent toutefois avoir plus ou moins clairement approuvé cette exclusion[24].

Le Salon exposait des représentations de la guerre, du siège de Paris, des souffrances de l'Alsace-Lorraine ; quelques tableaux — comme l'*Espoir* de Puvis de Chavannes (au musée du Louvre) et le *Printemps de 1872*, de Feyen-Perrin — contenaient des allusions à la situation de l'après-guerre. Se référant probablement à l'exclusion — par le gouvernement — de deux œuvres sur l'invasion prussienne (qui avaient d'abord été accrochées à des places d'honneur), Zola écrivit : « Le gouvernement, en étouffant le cri de vengeance contre la Prusse, n'a laissé que les balbutiements de nos douleurs[25] ». On attendait visiblement beaucoup de l'art. Zola pensait que le temps du réalisme était venu. Cette conviction reposait sur l'idée suivante :

« ...après toute catastrophe sociale apparaît [...] le désir de retrouver la vérité [...] et j'espère [...] que, lorsque la République aura pacifié la France, de tout ce sang et de toute cette bêtise émergera un grand courant. Ce seront les parias d'hier [...], les naturalistes, qui continueront le mouvement scientifique du siècle. »[26]

Néanmoins, la possession de la vérité incarnée dans la transposition de la lumière continua d'être discutée dans ces années 1870, en relation conflictuelle avec l'usage qu'en faisaient les impressionnistes.

On peut observer une des fonctions de la métaphore dans une série d'articles publiés en été et automne 1871 dans *L'Illustration* et consacrés aux « bas-fonds parisiens ». Ces textes étaient accompagnés d'images en pleine page représentant — avec force détails sordides — des endroits louches, comme un cabaret de chiffonniers, etc. En réponse à la question que « tout le monde se posait » sur la réalité de ce qui se trouvait « au fond de ces abîmes des grandes villes », l'auteur proposait une descente dans « les profondeurs inférieures » :

« ...là où les vices, l'ignorance, la misère, la paresse et l'ivresse mènent leur danse macabre...

Et pour qu'enfin la lumière pénètre dans ces trous, poursuit-il, nous apprendrons à les connaître car le remède suit toujours la connaissance du mal »[27]

Les illustrations ignoraient délibérément les principaux participants à la Commune — ouvriers et artisans qualifiés, travailleurs intellectuels, etc. — pour établir un précipice infranchissable entre le lecteur bourgeois qui appartenait au monde des lumières, et un prolétariat à peine humain, confiné dans les profondeurs ténébreuses d'un autre monde.

La vision que l'on donnait du réel était sélective : elle ne laissait apparaître que rarement ces profondeurs fantasmagoriques, préférant concentrer ses feux sur les situations sociales dans lesquelles chacun connaissait sa place, comme dans ces multiples tableaux — achetés parfois par l'État ou vendus en reproductions photographiques — consacrés à la charité des bourgeois envers les pauvres méritants (presque toujours des femmes et des enfants). Après mai 1871, la lutte de la bourgeoisie pour affirmer son identité de classe était devenue plus insistante dans les arts plastiques. C'est en ce sens qu'il faut comprendre l'analyse de Duranty, selon laquelle les peintres modernes devaient dépeindre les personnages dans leur environnement spécifique, entourés par les objets « qui sont l'expression de leur richesse, de leur classe, de leur profession »[28].

Tandis que les critiques du Salon appelaient de leurs vœux un art fait « d'abnégation, de vigueur, de vertu, indispensables à un peuple menacé dans son existence et son honneur »[29], Monet peignait de son côté des tableaux charmants consacrés à sa femme et à ses amis, sous les lilas du jardin ; la lumière y semble ne pas venir du ciel, mais être matérialisée comme la richesse propre des occupants privilégiés de ce sanctuaire. Le portrait de Camille dans *La Liseuse* (ill.71) est plus intime que ceux de *Femmes au jardin* (1866), non seulement en raison de son échelle beaucoup plus réduite, mais aussi parce que l'artiste a choisi un point de vue plongeant sur son modèle, pour représenter sa femme dans la fusion sensuelle d'une lumière solaire tremblée et d'une « nuance verte », à l'intérieur d'un monde entièrement clos ; dans *Femmes au jardin*, au contraire, le sentier suggérait un monde existant au-delà du cadre du tableau. Camille est représentée complètement absorbée dans sa lecture, comme si elle ne se souciait pas du spectateur, alors que les personnes du premier tableau étaient tournées vers le spectateur inconnu du Salon. Dans le tableau de 1872, rien ne suggère que le personnage a une autre existence en dehors du moment et du lieu spécifiques où il est figuré. En un sens, cela fonde son identité et son inaccessibilité pour l'observateur accidentel ; dans un autre sens, cela accentue sa soumission à l'artiste dans le monde de sa création. Au Salon, Feyen-Perrin présentait un tableau intitulé *Le Printemps de 1872*, qui montrait une « pauvre fille pâle, une paysanne aux vêtements déchirés, [qui] traverse un champ désert où quelque éclat d'obus se mêle aux herbes nouvelles ». La notice du catalogue contenait un petit poème d'Armand Silvestre :

« Tout renaît. Sur nos morts, longtemps sans sépulture,
Le linceul odorant des fleurs s'est refermé,

79. Anonyme, « Les Prisonniers à Versailles — Les Pétroleuses », in *L'Illustration*, 24 juin 1871

80. Émile Bayard, *1870*, in *L'Illustration*, 16 décembre 1871

81. Émile Bayard, *1871*, in *L'Illustration*, 16 décembre 1871

Et le printemps revient, doux, charmant, embaumé :
Tous nos deuils sont légers à ton âme, ô Nature ! »[30]

Les tableaux de Monet et de Feyen-Perrin doivent être vus dans le contexte du retour à la normalité célébré, par exemple, dans *L'Illustration* : fin 1871, le journal relatait les courses à Longchamp et décrivait les « trois rangs d'équipage » dans le bois de Boulogne ; il décrivait aussi les loisirs et les modes de l'hiver, à côté d'illustrations détaillées sur les procès militaires de Versailles (ill.79). En décembre 1871, le journal reproduisit deux œuvres d'Émile Bayard, intitulées *1870* et *1871* : la première montrait un couple de jeunes bourgeois heureux, avec leurs enfants, cueillant des fleurs près du fleuve, avant la guerre ; la seconde représentait une veuve en grand deuil se promenant avec ses enfants dans la campagne dévastée « sur les collines de Buzenval où, au mois de janvier, tant de nos pères ont trouvé la mort ». Claretie écrivait qu'on ne pouvait ajouter qu'un seul mot à ces images : « Souviens-toi ! »[31]

Monet peignit aussi la vie familiale dans la campagne fleurie de la banlieue parisienne, mais ses toiles ne renvoyaient à aucun souvenir : elles représentaient l'instant de telle manière que tous les moments antérieurs étaient effacés ; le caractère réparateur de son art en était plus ambigu et plus fragile. À la différence des images choisies pour la campagne de reconstruction, l'art de Monet resta à l'écart des valeurs de « l'ordre moral ». Il affirmait les joies de la vie avec une intensité qui suggéraient plutôt que les promesses utopiques de vie heureuse étaient devenues des réalités.

# I

Argenteuil était l'endroit idéal pour que Monet pût continuer à faire évoluer la peinture de paysage, moderne à la fois par le sujet et par l'expression. La ville sur le fleuve était assez proche de la capitale pour participer de son dynamisme, de son intensité et de sa vitalité, tout en restant assez près de la campagne pour partager son pouvoir de régénération : on pouvait ainsi y bénéficier des bienfaits de la modernité sans pâtir de l'aliénation de la cité moderne. L'échelle du nouveau Paris ne permettait qu'une représentation de la ville, fragmentaire ou à distance ; Argenteuil dans sa modernité, était au contraire assez petit pour être représenté dans son ensemble. Ces éléments permirent à Monet d'introduire l'artifice du modernisme dans la tradition du paysage "naturel".

Ce fut à Argenteuil que Monet trouva les moyens nécessaires pour établir ces continuités dont il éprouvait la nécessité, comme beaucoup de ses compatriotes, après les traumatismes de 1870-1871. Dès son arrivée, il avait trouvé les conditions idéales qu'il avait naguère décrites à Bazille : la sécurité matérielle, pour travailler tous les jours, sa « petite maisonnette » avec sa « bonne petite famille »[32]. Pour créer la continuité il lui fallait aménager, dans la vie et sur les tableaux, un jardin aussi charmant que celui qu'il avait peint dans la maison de sa tante à Sainte-Adresse. Avec la mort de son père, Monet était devenu lui-même chef de famille et Argenteuil avait remplacé Sainte-Adresse, où il avait exécuté ses premiers petits tableaux des paysages que les citadins, avides de plaisirs campagnards, transformaient petit à petit. La ville sur le fleuve avait remplacé la station de bord de mer, perdue à la suite de la mort de sa tante et de son père. L'atmosphère de mélancolie qui se dégage d'un petit tableau (W.266) de la plage de Sainte-Adresse, peint en 1873, fait état de ce changement : la plage est déserte et le brise-lames est en ruine.

Les achats de Durand-Ruel durant le *boom* économique de l'après-guerre, à un moment où la demande en œuvres d'art contemporaines faisait monter les prix, donnèrent à Monet les revenus d'un homme riche : 12 100 francs en 1872, 24 800 en 1873 (dont respectivement 9 800 et 19 100

82. *Camille au jardin, avec Jean et sa bonne*
(W.280), 1873, 59 x 79

pour le seul Durand-Ruel). Un médecin pouvait vivre confortablement à Paris, avec sa famille, pour 7 000 à 9 000 francs par an (en tenant compte des dépenses professionnelles et du coût élevé de la vie dans la capitale). Monet fut donc en mesure de recréer à Argenteuil le style de vie agréable auquel il avait été habitué dans son enfance[33]. *Camille au jardin, avec Jean et sa bonne*, n'était pas une œuvre d'imagination : le peintre pouvait se permettre de louer une maison spacieuse avec un grand jardin, d'employer des serviteurs et d'acheter à Camille le loisir et les vêtements élégants qui marquaient son statut de dame. La continuité de la vie domestique s'affirme aussi dans les deux grands tableaux sur le thème du *Déjeuner* (1868-1870, ill.61 et 1873, ill.72), qui représentent Jean, sa femme et une amie ; l'artiste s'étant réservé une place à table. La première de ces scènes est située dans le cadre d'un intérieur un peu étriqué, avec un mobilier, des accessoires et des vêtements qui suggèrent un confort bourgeois que Monet ne s'était pas encore assuré ; le deuxième tableau, en revanche, dans la lumière dorée d'un après-midi d'été à Argenteuil, est plus cossu, plus sensuel et plus expansif. Monet s'attarde avec amour sur les pêches et les prunes, les petits pains, la cafetière en argent, les tasses en porcelaine, le fond de vin dans les verres en cristal, l'unique rose coupée, et la nappe neigeuse dans l'ombre baignée de soleil. Le tableau remplissait le programme de Duranty : il représentait le cadre de vie d'un personnage, en exprimant sa richesse, sa classe, sa profession, mais cette personne, toute à la fois absente et présente, créait elle-même le cadre et pouvait y exprimer son propre idéal en toute sécurité.

Entouré de maisons, de feuilles et de fleurs, le jardin du *Déjeuner* de 1873 paraît plus intime que l'intérieur figuré dans l'œuvre précédente, où la fenêtre et ses rideaux tout comme la visiteuse gantée avec sa voilette, signalent qu'il existe un monde extérieur. Les personnages apparaissent aux yeux d'un public imaginaire comme un groupe social, alors que le tableau de 1873 dépeint le moment qui suit l'événement social, lorsque les assistants se sont séparés et que chacun d'eux a replongé dans sa propre vie,

renforçant du même coup l'intimité de la peinture. La comparaison avec le *Jardin de la marraine,* de Firmin-Girard (Salon de 1875), souligne l'effet des vides spaciaux dans le tableau de Monet : l'image de Firmin-Girard est celle d'une unité familiale traditionnelle, qui réunit la mère, la fille et la marraine dans un jardin bourgeois, leurs relations idéalisées étant déterminées par le mâle créateur — absent. Monet suggère également sa présence, mais refuse de construire ce type de relations (*cf.* aussi *1870* de Bayard)

La peinture de Monet semble suggérer que rien ne s'est passé dans les années écoulées entre les deux tableaux : simplement, sa famille est devenue plus riche — alors que « l'année terrible » avait pu paraître menacer les fondements mêmes de la structure familiale de la société, avec la mort de dizaines de milliers d'hommes dans la guerre étrangère et dans la guerre civile. *Le départ* de Dubois (ill.83), présenté au Salon de 1873, qui montre une dame élégante regardant, de son jardin bien protégé, le départ des soldats, indique comment le genre intime pouvait aussi promouvoir l'idée du sacrifice pour la patrie et suggérer « la revanche ». La bourgeoisie avait cru aussi que la Commune menaçait la vie de famille plus fondamentalement encore que ne l'avait fait la mort au combat. Les écrivains « anti-Communards » (ils le furent presque tous) n'avaient pas eu de mots assez durs pour peindre leur répugnance à l'égard des « femelles » de la Commune qui avaient outrepassé le rôle traditionnel que la société avait assigné aux femmes : les malheureuses étaient représentées comme des furies obscènes, et lubriques, qui déchiraient les cadavres, partageant « les restes qu'elles avaient flairés comme de véritables bêtes sauvages ». Quelques lignes effarantes de Du Camp montrent avec quelle rapidité de prétendues « descriptions » s'étaient transformées en délires fantasmatiques :

« Du haut de la chaire des églises converties en clubs, elles se dévoilèrent, de leur voix glapissante […] elles demandèrent *leur place au soleil,* leurs droits de cité, l'égalité qu'on leur refuse » et autres revendications indécises qui cachent peut-être le rêve secret qu'elles mettaient volontiers en pratique : la pluralité des hommes. »[34]

83. Hippolyte Dubois, *Le Départ*, Salon de 1873

Les peurs et les hantises sexuelles transparaissent aussi dans le langage des enquêtes parlementaires sur « le rôle des femmes pendant la lutte de la Commune » : on y établissait froidement que les femmes avaient été attirées dans l'activité révolutionnaire par « la paresse, l'envie, la soif de jouissances inconnues et ardemment désirées ». On estimait que la Commune avait voulu remplacer la famille par la sexualité libre et l'éducation collective des enfants, outrageant ainsi les sentiments les plus sacrés de la famille et de l'homme. Le jour qui suivit la défaite finale des insurgés, l'éditorialiste de *La Cloche* proclamait :

« Reconstruisons nos demeures que ces misérables ont cherché à infecter avec leur fausse moralité, avant de les brûler avec leur essence ! Renforçons ces chers et saints lieux communs que sont la famille, la loi, le devoir civique ! »

Dans l'arsenal des arguments anti-Commune prévalait l'idée qu'une politique dévoyée avait conduit les Communards à détruire le rêve bourgeois de bonheur familial, dans « une petite maison », avec « un petit jardin », en banlieue[35]. Dans le tableau de Monet, ce rêve était gardé intact.

Au cours des années 1870, Paris et Le Havre constituèrent les deux pôles de l'axe est-ouest de la vallée de la Seine et — à de rares exceptions près — les limites de l'activité artistique de Monet. Paris, Argenteuil et Le Havre étaient reliés par voie ferrée et par voie d'eau : ces deux moyens de transport marquèrent les tableaux du peintre. Il a représenté le train passant à toute vapeur devant les usines fumantes de la vallée de Déville, les voies ferrées partant de la gare Saint-Lazare, traversant la vallée de la Seine vers Le Havre ou Argenteuil. Il a peint le train franchissant la Seine au pont de fer d'Argenteuil, ou arrêté dans la gare. Le grand fleuve est encore évoqué dans *Le Pont-Neuf,* représenté dans sa traversée d'Argenteuil et de Rouen, jusqu'au grand port du Havre, là où il rejoint la mer. Monet a figuré la rencontre de l'ancien et du nouveau, les bateaux de pêche, les bateaux à voile, les remorqueurs à vapeur, et le soleil montant à travers le brouillard et les fumées lorsqu'on regarde vers l'est, dans la direction de Paris.

Cette exploration de la vallée de la Seine était peut-être déterminée par les guides touristiques. Un très grand nombre de sujets des toiles des années 1870 étaient par exemple illustrés dans le *Voyage de Paris à la mer*, de Jules Janin (1847), dont les matériaux avaient été repris dans *La Normandie*, du même auteur (troisième édition en 1862). Dans les deux livres, des bois gravés de Daubigny et de Morel-Fatio représentent la première gare Saint-Lazare ; des trains et leurs panaches de fumée sur les ponts franchissant le fleuves sur lequel naviguent les bateaux à vapeur (ill.89) ; des usines fumantes sur les berges ; des bateaux à voile ancrés à Rouen ; différentes vues du port du Havre. Le récit de Janin retraçant le voyage en train de Paris à Rouen, puis en bateau à vapeur de Rouen au Havre, célèbre les merveilles du modernisme ; les illustrations, comme les tableaux de Monet, soulignent la pénétration de la technique moderne dans les paysages traditionnels. Les livres contiennent aussi des images de l'embouchure de la Seine et du port du Havre, se rattachant ainsi aux tableaux de Monet dans les années 1860, ce qui confirme la formation de sa vision par l'imagerie de tourisme. Deux dessins de Daubigny montrent un petit personnage d'artiste en train de dessiner un train sur un grand viaduc : il est possible qu'ils aient donné des idées à un artiste jeune et ambitieux. Mais il fallut attendre les années 1870 pour que l'œuvre de Monet acquît le sens de la continuité tel qu'il se trouvait exprimé dans les livres de Janin — une continuité constamment fractionnée par les ruptures de la vision moderne[36].

Les seules images liées aux tableaux de Monet et qui manquent aux livres de Janin sont celles d'Argenteuil proprement dit. Argenteuil mobilisa progressivement toute l'attention de Monet : entre 1874 et le début de l'été 1876, il ne peignit nulle part ailleurs. Entre la fin de 1871 et janvier 1878, date de son déménagement, Monet exécuta en tout 181 œuvres connues à Argenteuil et 61 ailleurs. Le nombre relativement élevé de toiles réalisées au cours de brèves "tournées" picturales s'explique par le fait qu'elles étaient moins travaillées, moins pensées que les toiles d'Argenteuil ; elles sont proches des instantanés touristiques, sortes de vues d'ensemble saisies au passage. L'évolution du style de Monet dans les années 1870 dépendit du travail d'approfondissement accompli dans un seul et même lieu. Cette évolution ne fut pas linéaire : Monet continua de changer de style d'une œuvre à l'autre, revenant parfois à d'anciens modes d'expression pour reprendre ensuite sa recherche de nouveauté, mais il développa graduellement une micro-structure à base de petites touches de couleur, qui devint caractéristique après dix-huit mois de travail continu à Argenteuil. Le traitement et le coloris devinrent parallèlement bien moins descriptifs. Les petites touches de pinceau régulières, en tons voisins, donnaient une

84. *Le Convoi de chemin de fer* (W.213), 1872, 48 x 76

85. *Le Train dans la neige, la locomotive* (W.356), 1875, 59 x 78

86. *Le Ruisseau de Robec* (W.206), 1872, 60 x 65

surface subtilement modulée, susceptible de suggérer la continuité de l'espace et des formes colorées incluses dans cet espace. La précision de cette technique permettait de créer des structures linéaires solides sans utiliser de lignes qui auraient isolé la forme, de modeler des volumes nuancés sans employer d'ombres profondes qui auraient créé des trous dans la surface colorée. Le tableau constituait ainsi une matière lumineuse et fluctuante qui pouvait suggérer la vibration de la lumière naturelle. La concentration intense de Monet sur la variété infinie des effets et des motifs dans un secteur déterminé indique aussi qu'il cherchait à représenter son expérience prolongée d'Argenteuil comme un tout — entreprise condamnée par la fragmentation croissante de son mode de perception.

En emménageant à Argenteuil, à quinze minutes de train de Paris, Monet participa à un mouvement de population qui accompagnait l'urbanisation moderne : l'expansion de la cité sur la campagne environnante[37]. Le développement de moyens de transport rapides, l'établissement d'horaires de travail fixes, l'accumulation de richesses, permettaient aux classes moyennes de trouver dans une résidence banlieusarde une alternative à l'appartement en ville. L'histoire d'Argenteuil était désormais coupée en deux : sa fondation religieuse survivait pour le tourisme, avec la sécularisation et la promotion croissantes de ses fêtes religieuses ; à l'agriculture s'étaient substituées de grandes industries bien avant le Second Empire. Une fois que le chemin de fer eut achevé la liaison ferroviaire avec Paris, en 1863, de nouvelles usines furent installées et les anciennes développées. La spéculation foncière s'accéléra, à mesure que les Parisiens venaient y acheter des résidences de vacances, ou des maisons de banlieue ; les lotissements grignotèrent peu à peu les champs et les vignes. La tranquillité de la vieille ville fut bientôt remplacée par le fracas des machines, les sifflements de la vapeur, le roulement des trains, les sirènes des bateaux. La fumée, la vapeur, les émanations parfois toxiques et corrosives des usines décolorèrent le ciel ; la pollution envahit le fleuve. Pour attirer de nouvelles industries et de nouveaux résidents, le conseil municipal procéda à des aménagements semblables à ceux du nouveau Paris : de nouvelles artères furent percées à travers un tissu urbain qui s'était développé de façon anarchique au cours des siècles ; d'anciennes rues furent refaites et renforcées avec des trottoirs macadamisés et furent bordées d'arbres et de réverbères. On organisa des divertissements, entre autres des régates. Malgré les transformations industrielles et leur cortège de nuisances, Argenteuil restait « la campagne » par rapport à Paris, dont tous les commentateurs reconnaissaient déjà qu'il était étouffant, bruyant et surpeuplé. Argenteuil était le lieu de divertissement favori des Parisiens, qui pouvaient flâner le long de ses promenades ombreuses ou dans les champs des alentours, gravir les collines, se promener dans ses vieilles rues, visiter ses monuments religieux, ou faire du canotage. Sport moderne à la mode, le canotage était accessible à tous sauf aux pauvres dont les sorties, raconte Zola, s'arrêtaient aux fortifications. À tous ceux que le travail quotidien enchaînait au bureau ou à l'usine, ce sport apportait un sentiment de liberté si bien symbolisé par la continuité fluide de l'eau, antithèse parfaite de l'organisation horaire au travail. Comme pour préserver l'intégrité de ce rêve, Monet ne représenta jamais de gens au travail à Argenteuil si ce n'est des artistes, et lorsqu'il aborda le thème du travail, ce fut toujours en dehors d'Argenteuil.

Au début de 1872, quelques mois après son retour en France, Monet visita Rouen et y exécuta deux tableaux représentant des usines dans le faubourg industriel de Déville, où vivait son frère. L'un (ill.84) montre une colline couverte d'usines fumantes, l'immense panache de fumée d'un train de marchandises, et un petit groupe de personnages exprimant son étonnement devant cette industrialisation galopante. Ce sont des personnages classiques empruntés aux guides et aux illustrations de journaux qui promeuvent la technique moderne ; ils réapparaissent dans *Le Pont du chemin de fer* à Argenteuil de 1873 (ill.4), où deux hommes observent un train franchissant le pont récemment restauré, ou encore, dans un contexte différent, dans *Le Boulevard des Capucines* (ill.94) ). La fonction de ces observateurs — déjà présents dans la *Terrasse à Sainte-Adresse* ou dans *Au bord de l'eau, Bennecourt* — est de souligner la nature du motif comme spectacle. Ils éloignent le spectateur réel du sujet du tableau, dont l'expérience devient indirecte, et intensifient simultanément la conscience de l'acte même de la contemplation. Monet a rarement repris ce procédé après 1873, les coups de pinceau, bien visibles, étant désormais chargés de remplir cette fonction. Dans *Le convoi de chemin de fer*, Monet n'a pas représenté ceux qui travaillent et qui créent le spectacle, pas plus que dans *Le Ruisseau de Robec*, toile énigmatique représentant des ateliers situés juste aux portes de Rouen. Le réalisme de ses coloris et sa grille linéaire traduisent un curieux retour aux œuvres du début des années 1860, comme la *Cour de ferme en Normandie*. Les personnages sont réduits à des accents linéaires qui répondent simplement à d'autres accents linéaires et n'apportent aucune justification réelle à la présence humaine. Ici comme ailleurs, en dépit de la rhétorique officielle sur la nécessité du travail pour la régénération de la France, les travailleurs — spectres dans la fête de la prospérité retrouvée — sont absents[38]. Lorsque Monet revint chez lui, il commença sa première enquête approfondie sur Argenteuil, en s'attachant exclusivement aux promenades du bord de l'eau et aux plaisirs des divertissements, sans un regard pour les paysages industrialisés qu'il avait peints à Rouen.

Au cours de sa première année à Argenteuil, Monet peignit presque tous les sujets qu'il allait approfondir au cours des années à venir, répétant certains thèmes, découvrant la ville, rétablissant la continuité avec ce qu'il avait fait dans les années 1860 et passant en revue les diverses possibilités de la peinture française de paysages à l'époque moderne. Certaines de ses œuvres se rattachent à ses premiers paysages et à l'École de Barbizon, à la manière de Corot ou de Millet. Mais il préférait généralement les paysages transformés par la modernité : un nouveau boulevard, le fleuve et son mélange d'activités et de loisirs (promenades, canots et régates), sa femme et leurs amis dans leur jardin paradisiaque.

*Le Pont de bois* (ill.88) de Monet montre que sa représentation d'Argenteuil n'était pas un simple processus d'enregistrement. Manet acheta le tableau en 1872, peut-être parce qu'il appréciait que l'auteur y joue avec les artifices de la représentation comme il le faisait lui-même. C'est une image presque trop structurée du fleuve moderne, dans laquelle l'ancien et le nouveau sont puissamment juxtaposés, mais qui n'informe pas tant le spectateur sur cette scène particulière qu'elle ne démontre le pouvoir de l'artiste de créer une réalité nouvelle. C'est aussi un résumé de plusieurs des motifs qui vont occuper Monet dans les cinq années à venir, ce qui nous indique qu'il a essayé ses nouvelles possibilités dès son arrivée dans un nouvel environnement. La signification de cette lutte pour représenter une utopie moderne ne réside pas seulement dans le choix du sujet, dans son pouvoir de « recréer la nature touche après touche »[39] (pour reprendre les mots de Mallarmé). En ce sens, Monet était aussi « moderniste » que Manet. Son modernisme a pris la forme d'un processus continu pour acquérir la maîtrise *artistique* d'un environnement complexe et fréquemment intraitable. Pour obtenir cette maîtrise, la vision de Monet devait être très sélective, mais il lutta pour qu'elle apparût fidèle à ses perceptions du monde.

Monet a si bien tourné la silhouette du pont de bois qu'elle se lit comme un motif absolument plat : le reflet est à peine moins précis que le pont lui-même et il est parfois difficile de distinguer entre l'image réelle et l'image reflétée. Le pont et son reflet encadrent une représentation du fleuve : la villa avec la tour, les cheminées d'usine, les navires de plaisance et les remorqueurs, la baraque flottante de location de canots - et les reflets de ces différents éléments. Les traces sur la toile permettent des lectures variées : par exemple, à partir du vide central on hésite à considérer les reflets comme formes sur un plan d'eau horizontal ou comme parties d'un motif sur la

87. James Abbott MacNeill Whistler, *Nocturne en bleu et or
— Le Vieux Pont de Battersea*, 1872-1875, 67 x 50

88. *Le Pont de bois* (W.195), 1872, 54 x 73

Ci-dessous :

89. Antonie-Léon Morel-Fatio, *Oissel*, gravure sur bois, in *Voyage de Paris à la mer*, Jules Janin, 1847

90. Johan Barthold Jongkind, *L'Estacade*, 1853, 43 x 72

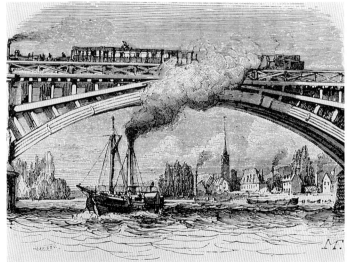

surface du tableau. Tout se passe comme si Monet testait les relations entre les éléments descriptifs et les éléments structuraux en les forçant à se disjoindre, et en forçant l'attention sur la manière dont une matière abstraite peut signifier la réalité extérieure. Il se peut également que ce tableau ait été un moyen de définir son mode d'expression propre, par confrontation avec diverses représentations de motifs similaires. Tucker suggère ici comme références : l'une des *Trente-six vues du Mont Fuji*, de Hokusai ; les illustrations réalistes des guides touristiques de l'époque ; le tableau de Whistler intitulé *Nocturne en bleu et or — Le Vieux Pont de Battersea* , 1860-1875[40]. Le pont de Whistler est comme un rêve immatériel, alors que Monet, à l'instar de Jongkind dans son *Estacade,* a accentué la nature spécifique des matériaux bruts et intraitables : les formes lourdes et grossières du pont et de la péniche, l'échafaudage disgracieux. Il a accentué du même coup les processus qui lui permettaient de transformer le monde extérieur en un monde qui lui fût personnel. C'était, comme Pissarro le proclamait, « un art très étudié »[41].

Les œuvres que Monet peignit en été et en automne 1873 étaient plus résolument modernes, mais leur progressisme n'allait pas dans le sens d'un régime politique de plus en plus répressif. Le calme relatif de 1872 avait paru confirmer la stabilité du gouvernement conservateur de Thiers mais l'élection d'un radical comme député de la Seine, en avril 1873, ainsi que des demandes pressantes pour une amnistie, donnèrent au duc de Broglie un prétexte pour dénoncer les radicaux comme les « nouveaux barbares » revenant à Paris « aux acclamations d'amnistiés de la Commune ». Thiers fut bientôt remplacé par le réactionnaire maréchal Mac-Mahon. Le nouveau Président proclama promptement l'avènement de « l'ordre moral » et chercha à rétablir une société hiérarchique gouvernée par les « notables », en restaurant par ailleurs les valeurs morales « traditionnelles ».

91. *Maisons d'Argenteuil*
(W.277), 1873, 54 x 73

La censure et la législation sociale, déjà très répressives, furent renforcées[42]. L'Assemblée nationale en profita pour émettre un vote scandaleux qui rendait Courbet pécuniairement responsable de la restauration de la colonne Vendôme, bien qu'on lui eut ôté toute culpabilité dans cette destruction. L'artiste vieillissant dut s'enfuir en Suisse, où il mourut quatre ans plus tard. La droite catholique réussit à faire passer une loi consacrant l'édification de la basilique du Sacré-Cœur à Montmartre, symbole visible du repentir pour les péchés qui avaient conduit à la défaite devant l'ennemi et à la guerre civile. Pendant l'été des rumeurs sur l'imminente restauration du comte de Chambord, sous le nom de « Henri V » se répandirent partout.

Monet n'était nullement réceptif à cette recrudescence du conservatisme ; il peignait de moins en moins d'aspects traditionnels d'Argenteuil et de paysages dans le style de Barbizon, pour se tourner plus résolument vers la modernité : le pont de chemin de fer venu remplacer celui qui avait été détruit pendant la guerre ; les nouveaux lotissements lancés à l'assaut des champs environnants ; trois représentations de femmes et d'enfants dans les champs de coquelicots ; sept tableaux consacrés à Camille, Jean et leurs amis, dans le jardin de leur maison. Ces œuvres sont plus radicales dans leur structure et leur technique que celles de la première année exploratoire à Argenteuil ; elles sont peintes avec plus de densité, laissent entendre davantage de recherches sur le terrain, devant le motif. À la première Exposition impressionniste de 1874, Monet présenta *Impression, soleil levant, Coquelicots à Argenteuil, Effet d'automne à Argenteuil* et *Le Boulevard des Capucines*, avec le *Déjeuner* de 1868-1870. Cet ensemble de toiles montre son évolution et son passage d'une structure tonale à une structure construite par petites touches de couleur.

Certaines toiles anciennes représentant les aspects les plus modernes d'Argenteuil ont été exécutées avec une crudité réaliste qui montre que

Monet avait besoin d'expérimenter la réalité de ce qu'il voulait assimiler à son monde personnel. En 1873, par exemple, dans *Le Pont du chemin de fer à Argenteuil* (ill.4), il a découpé rudement les formes industrielles en blocs massifs et nus, alors qu'en 1874, il les a adoucies avec des arbres, des reflets et de longues herbes. D'après ces œuvres, la modernité était représentée comme un spectacle agréable et stimulant, dans lequel le progrès prodigue l'abondance de ses bienfaits et n'a pas d'effet néfaste. Le monde du travail n'apparaît que comme un spectacle distant ou, plus souvent, par des effets miraculeusement engendrés : les usines sont indiquées par des cheminées aussi élancées que les mâts des navires de plaisance, perçant l'horizon comme les clochers des églises dans les paysages de l'École de Barbizon ; leurs fumées transfigurent la lumière en l'absorbant et teintent délicatement le ciel ; le travail est implicite dans le passage régulier du train sur le grand pont de fer d'Argenteuil. Les loisirs, engendrés par la division artificielle du temps dans la production capitaliste, et par l'accumulation de biens, sont également implicites dans les tableaux. Ils servent de fond aux toiles consacrées aux nouvelles maisons des banlieusards, aux jardins d'agrément qui se multiplient. Comme Duret l'écrivait en 1878, Monet ne peignait pas une « nature rustique », mais une « nature embellie »[43]. Dans les années 1860, ses peintures de lieux en voie de modernisation alternaient avec des toiles représentant une nature rurale plus ou moins intacte et immuable ; après sa première année à Argenteuil, il se concentra en revanche sur des paysages pénétrés de modernité, et selon une technique déterminée par l'expérience moderne. Les paysages hollandais, modelés par les hommes, l'aidèrent probablement à explorer les interactions entre les forces de la nature et les réalisations humaines. Il donna en effet une forme au vent, à l'eau et à la lumière, par leurs effets directs sur l'environnement : le cours du fleuve est ponctué de peupliers en rang régulier, de ponts et de

92. *Effet d'automne à Argenteuil* (W.290), 1873, 56 x 75

93. Joseph Mallord William Turner, *Le Canal de Chichester*, vers 1828, 65 x 135

leurs reflets, de cheminées d'usine, d'enfilades de navires amarrés, attendant sagement la venue des citadins ; l'intensité du soleil et des nuages se lit sur tous ces éléments qui se répètent ; le vent est traduit par la manière dont il gonfle les voiles des navires, oriente la fumée des cheminées ou des remorqueurs ; le boulevard est rempli d'une lumière froide et brumeuse.

En dépit du sujet qui n'aborde en rien la modernité, *Effet d'automne à Argenteuil*, est une expression plus claire de la conscience moderne que *Le Pont de bois*, peint environ dix-huit mois auparavant. Il sépare en effet le "choc" instantané du passé beaucoup plus radicalement que ne l'avait fait *Le Pont de bois*, qui suggère que le progrès résulte du passage du passé au présent. Quelle que soit la spontanéité de sa facture, Monet réfléchissait profondément à la structure des lignes et des couleurs de ses tableaux avant de commencer à peindre. Les quelques dessins qui subsistent des années 1870, comme la plupart des dessins de Monet, ne sont pas tant des études pour des œuvres particulières que des recherches sur des possibilités de motifs : ils montrent que Monet "voyait" d'abord le motif comme contour. Le dessin est sommaire, les ombres sont rares et ne sont indiquées que par un épaississement ou une multiplication des lignes. Cette technique privilégiait les motifs à géométrie linéaire utilisés pour raidir les fluidités de l'eau, de la neige ou du brouillard, et que Monet retrouvait dans les estampes japonaises. Il utilisa dorénavant une gamme de couleurs dominante pour chaque sujet. Cette pratique s'apparentait probablement à celle de Whistler, mais les échelles de couleurs pures de Monet étaient déterminées plus directement par l'observation du motif. Elles lui permettaient d'assimiler sa structure linéaire à une structure dynamique de la couleur, ce qu'il avait été incapable de faire dans ses tableaux des années 1860, comme *Terrasse à Sainte-Adresse*.

Quel qu'ait été le programme élaboré au préalable, l'intuition prenait le dessus dès que Monet commençait à peindre, et le tableau évoluait à mesure que s'approfondissait la connaissance du sujet. Une analyse précise de l'*Effet d'automne* révèle que chaque coup de pinceau du peintre acquiert un sens dans cette perspective de la connaissance du motif, et contribue à la construction de l'unité du tableau. Comme dans les tableaux de Londres et de Zaandam, une vue d'arbres et de bâtiments au-dessus d'un plan d'eau, à mi-distance et en arrière-plan, crée la distance avec le spectateur. Monet a fréquemment utilisé cette perspective après les années 1860, sans doute parce qu'elle convenait particulièrement à la représentation d'un espace rempli de lumière, tel qu'il avait pu en voir dans les tableaux de Turner comme *Le Canal de Chichester*. À la différence des paysagistes de Barbizon qui utilisèrent la même perspective, Monet gardait le premier plan libre et sans ombres (ou avec des ombres transparentes), de sorte que ces tableaux

s'annoncent ouverts et accessibles. Cette accessibilité réelle souligne la séparation entre le monde de la nature et celui de la peinture. De plus, alors que la peinture de Turner disparaît sous des voiles de couleurs, celle de Monet forme une surface à couverture épaisse, ce qui accentue le fait que la peinture crée un équivalent, plutôt qu'une illusion de la lumière naturelle. Dans un article écrit en 1873, Silvestre exposa l'influence des estampes japonaises sur les tableaux de Monet, Sisley et Pissarro : de fait, l'*Effet d'automne* a une relation évidente avec les compositions fortement simplifiées et les à-plats de couleur de nombreuses estampes japonaises qui se trouvent dans la collection personnelle du peintre[44].

Utilisant des couleurs analogues à celles du prisme, avec de généreux mélanges de blanc, appliquées en petites touches sur un fond légèrement teinté, Monet a réussi à suggérer la luminosité continue d'un paysage d'eau dans lequel la lumière filtre à travers les feuilles sur l'eau ombragée, et où la surface de l'eau reflète, absorbe et réfléchit tout à la fois la lumière vers les parties des arbres qui sont à l'ombre. Il a créé des équivalences pour les brillances de cette surface en construisant l'*Effet d'automne* à partir de dégradés de jaunes chauds et de bleus froids, en les animant de petites touches de tons contrastés et relatifs (par exemple, la vibration des parties ombrées des arbres rouge et or, sur la droite, est obtenue par de petites touches de bleu et de violet). Le voile des feuilles dorées est à ce point pénétré de lumière que l'on ne peut dire qu'il est à l'ombre, mais plutôt que sa luminosité est imperceptiblement diminuée. Comme dans *Le Canal de Chichester* de Turner, les arbres et leurs reflets constituent une forme lumineuse dans

94. *Le Boulevard des Capucines*
(W.292), 1873, 61 x 80

95. Utagawa Hiroshige, *Pique-nique au temple Kaian à Shinagawa pour admirer les érables rouges*, estampe de la suite *Endroits célèbres d'Edo*, 1853, gravure sur bois, 14 x 20

96. Katsushika Hokusai, *L'Ile de Tsukuda, dans la province de Musashi (Edo)*, estampe de la suite *Les Trente-six vues du Mont Fuji*, 1829-1833, gravure sur bois, 25 x 37

laquelle le solide et le liquide sont à peine différenciés ; l'eau sur la rive est ombrée de manière presque imperceptible tant elle reflète la brillance du ciel. Ainsi, ce qui apparaît à première vue comme une masse confuse d'or rougeoyant se révèle progressivement comme l'enregistrement infiniment subtil d'une expérience de perception très complexe.

Cette micro-structure a permis à Monet de représenter la scène sous forme de sensations de couleurs, plutôt que sous forme d'objets connus — ce qu'il avait essayé de faire dans des œuvres antérieures comme *Au bord de l'eau, Bennecourt*. Dans la plage colorée qui est sous la rive, par exemple, où il ne voit pas de variations de couleur, il ne fait à présent aucune différence entre l'arbre et son reflet.

Rien de tout cela n'était une réponse passive à la scène, car Monet tentait de trouver et de restituer un genre de la totalité qui lui fût personnel : ses choix techniques étaient donc à la fois picturaux et iconographiques, à la fois subjectifs et objectifs. Quelle pensée a déterminé les grattages résolus qui aèrent les arbres sur la droite ? ou la ligne de bleu foncé éclatant devant la ville scintillante, ajoutée à la fin du tableau, en même temps que les longues traînées de bleu et de blanc qui indiquent les rides à la surface de l'eau ? Cette ligne de bleu rattache en fait la perspective à l'ensemble, en la reliant à l'assombrissement presque imperceptible qui sépare les arbres de leurs reflets (ce que l'on ne saurait percevoir sans ce lien). Cette touche ultime et décisive crée une unité rattachée au monde physique, mais qui proclame aussi son altérité en tant que monde propre à Monet.

Le peintre a utilisé cette micro-structure pour bâtir son image de la cité moderne, dans deux tableaux du boulevard des Capucines, peints depuis les ateliers du photographe Nadar, situés à un étage élevé. C'est dans ce même endroit que la première exposition impressionniste devait avoir lieu quelques mois plus tard. Dans ces années 1870, Monet consacre ses tableaux au nouveau Paris, à l'exception de trois toiles : *Le Pont-Neuf, La Rue Saint-Denis* et *La Rue Montorgueil* (ill.143). Tous les tableaux parisiens montrent le spectacle dynamique et stimulant de la capitale, sauf le mélancolique *Pont-Neuf*, qui fut peint aussitôt après la Commune .

Les personnages isolés, dans les tableaux parisiens de 1867, indiquent que les groupes sont composés d'individus qui n'ont perdu que temporairement leur individualité. Dans *Le Pont-Neuf*, chaque personnage est isolé dans l'espace qui l'environne, mais dans *Le Boulevard des Capucines*, les petites taches colorées fusionnent avec les personnages et les immeubles, arbres et réverbères des rues, en un *continuum* indivisible. La lumière hivernale est une présence aussi active que la foule : elle rayonne dans l'ombre,

brille froidement dans le gouffre de la rue, s'accroche aux branches dénudées, scintille comme du givre sur la foule distante et effleure doucement les bâtiments éloignés. La fragmentation de l'humain transmué en matière pure est soulignée par la représentation de deux hommes en haut de forme, sur un balcon, à droite. Ils contemplent le même spectacle que l'observateur extérieur, mais ils font partie intégrante de ce spectacle ; ils sont plus individualisés que la foule kaléidoscopique, mais leur être propre est nié de par leur fragmentation. Pourtant, leur identité, même parcellaire, attire l'attention et établit un curieux détournement visuel, qui disloque et distancie la scène entière. Degas et Caillebotte ont peint l'aliénation de l'individu dans les villes, mais, dans les toiles de Monet, c'est le spectateur réel qui se retrouve étranger au cœur d'un spectacle par ailleurs agréable.

Le cadrage tranché de la scène évoque un instantané photographique et donne l'impression d'une vue prise au mauvais moment. À la différence des premiers tableaux parisiens, tout est neuf : le boulevard et sa chaussée géométrique, les arbres récemment plantés, les réverbères et les blocs d'immeubles. Bien que cette micro-structure complexe ait dû exiger un long travail de peinture, bien qu'elle demande un long moment de contemplation pour que ses subtilités d'observation apparaissent, elle n'a pas plus de passé que la photographie dont elle emprunte le mode de construction, pas d'autre continuité que la continuité spatiale de ce moment structuré par la vision.

Selon Walter Benjamin, la rue du XIXᵉ siècle était une extension de l'intérieur bourgeois, un espace public que l'on ressentait comme privé[45]. De la même façon, la banlieue de Monet est une extension du jardin privé, comme on peut le percevoir dans la continuité qui existe entre les femmes qui se promènent dans le jardin clos du *Déjeuner*, celles qui marchent dans les buissons de fleurs du même jardin, et celles qui déambulent au milieu des champs de coquelicots ou le long du fleuve. Le temps des paysages banlieusards est différent de celui des paysages urbains : à l'inverse des personnages du *Boulevard des Capucines*, les fragments épars du dynamisme de la cité, rapidement évoqués (comme dans *Le Bassin d'Argenteuil*, ill.100), ont une présence individuelle qui échappe d'une certaine manière à leur anéantissement par l'instant et possèdent une certaine continuité. Celle-ci, ambiguë, est plus forte dans les tableaux où Camille et Jean se promènent à travers le paysage, jouant dans la création du peintre un rôle tout différent de celui que l'on peut reconstruire à partir des sensations fragmentées de l'animation de la rue. Dans *Les Coquelicots à Argenteuil* (ill.99), la seconde mère et son enfant sont comme des échos du premier couple, et suggèrent que le paysage se révèle à mesure que les personnages le traversent. Leur mouvement est cependant saisi à un moment qui semble être continu, mais qui malgré tout n'en demeure pas moins figé.

La distinction est plus claire dans le contraste entre *Le Pont du chemin de fer à Argenteuil* (ill.4), de Monet, et *Le Pont de Mantes* (ill.110), de Corot, peint trois ans auparavant. Monet a représenté la rencontre momentanée de plusieurs mouvements — le train franchissant le pont fonctionnel, le lent glissement des bateaux de plaisance — qui se croisent sous les regards des hommes qui ont interrompu leur promenade et sous les yeux du spectateur du tableau. Une seconde plus tôt ou plus tard, ces connexions n'auraient pas existé, et la scène n'aurait pas eu lieu. À la différence des juxtapositions puissantes de Monet, les tons voisins de gris et de vert utilisés par Corot établissent une continuité entre tous les éléments de composition, qui ne renferme aucune allusion à l'actualité (aucune référence n'est faite, par exemple, au pont du chemin de fer qui se trouvait derrière le pont de pierre). L'imagerie de Monet est celle d'un guide touristique mis à jour, le tableau de Corot suggère une continuité ininterrompue avec le passé, un paysage hors du temps.

# II

La continuité de l'exploration de Monet à Argenteuil fut troublée par les luttes qu'il dut mener en compagnie de ses amis, afin d'acquérir un public pour les petites expositions du groupe. Dès avril 1873, un projet d'exposition fut envisagé[46]. En 1872-1873, Durand-Ruel ne fut pas le seul à acheter des œuvres, mais il fut le plus important, aussi bien pour le nombre des acquisitions que pour le prix payé à des peintres peu connus du public. Maintenant qu'il était devenu totalement inutile de soumettre des œuvres au jury du Salon, Monet dépendait directement du marchand d'art pour assurer la continuité de sa vie idéale, mais il devait bien sentir toute la précarité de cette situation, car Durand-Ruel vendait très peu de toiles impressionnistes. De plus, il limitait ses achats aux tableaux charmants de jardins ou d'arbres en fleurs, ou encore à ceux qui se rapprochaient de l'École de Barbizon : c'est en effet grâce à ces derniers qu'il avait pu faire les profits qui lui permettaient maintenant de spéculer sur les tableaux nouveaux. La toile la plus moderne qu'il ait achetée est *Le Convoi de chemin de fer*, sommairement peinte et assez petite pour être vendue comme étude. Il n'acheta par ailleurs que deux petits tableaux représentant Argenteuil sous ses dehors de villégiature moderne : les *Bateaux de plaisance* (W.229) et *Argenteuil, fin d'après-midi* (W.224), l'une des quatre études de promenade sur les berges du fleuve qui pouvaient passer pour des versions modernes des travaux de Daubigny. Monet pressentit sans doute que son mécène le plus important n'appréciait pas ses œuvres plus radicales. Au reste, la dépression économique affecta bientôt si sévèrement la galerie Durand-Ruel — qui avait pris trop d'ampleur et perdu la confiance de beaucoup de clients par suite de ses investissements massifs dans l'art "nouveau" — qu'elle dut renoncer à en acheter à la fin de 1873.

Le Salon de cette même année confirma le conservatisme de la nouvelle administration des Beaux-Arts et du jury. Monet, Pissarro et Sisley n'envoyèrent rien ; Morisot fut acceptée ; Renoir fut refusé et ne put montrer sa grande toile *Promenade du matin au bois de Boulogne* (Kunsthalle, Hambourg) que dans un nouveau Salon des Refusés. L'immense succès de Manet avec *Le Bon Bock* (Museum of Art, Philadelphie) indiquait à ses amis que la seule manière de réussir au Salon était d'accepter un compromis.

Les reproductions des œuvres que les éditeurs jugeaient populaires indiquent que le public appréciait les tableaux représentant les faits d'armes de la dernière guerre, les héros qui avaient tout sacrifié pour leur pays, et les femmes qui participaient aux actes patriotiques : mère priant pour son fils soldat, ou dame élégante regardant avec émotion des soldats qui sont sur le départ (ill.83). Le public aimait aussi les représentations de mendiants pittoresques, de femmes à la mode, ou de jeunes couples d'amoureux flânant dans les champs[47]. Monet et Renoir peignaient bien, eux aussi, de jolies femmes dans des jardins et dans des prairies, mais sans les détails ni les finitions qui attiraient les chalands et les bons prix.

À l'ouverture du Salon, Paul Alexis publia dans *L'Avenir national*, journal de la gauche radicale, un article sur l'organisation du travail dans l'art contemporain, en utilisant le langage politique qui avait été employé lors des débats sur l'art durant la Commune. Les nouveaux règlements du Salon, affirmait-il, faisaient que « les artistes républicains [accusaient] le gouvernement de discréditer la République. Est-ce que d'autres [...] n'allaient pas regretter l'Empire et M. de Nieuwerkerke ? » Il conseillait aux artistes de former une association « pour libérer ses adhérents de l'exploitation des marchands et de la tutelle de l'Etat ». Les artistes, écrivait Alexis, étaient des « ouvriers » ou des « producteurs » ; de même que les ouvriers s'étaient organisés contre les forces capitalistes dans les « grands mouvements de syndicats », il était juste pour les artistes d'en faire autant, afin d'empêcher que l'État ou les marchands n'exploitent leur unique « capital », qui était le travail. Si près des événements de la Commune, ces mots étaient incendiaires, d'autant plus que les syndicats étaient interdits. Alexis affirmait avoir entendu de nombreux artistes parler d'une « association » : son invitation à discuter de ces problèmes dans les colonnes de *L'Avenir national* fut effectivement saisie par Monet, qui annonça qu'un groupe d'artistes allait former une société semblable aux « coopératives » proposées par Alexis. Le journaliste promit de les soutenir dans leur « légitime ambition de rendre la nature et la vie dans leur immense réalité » et dans leur prétention à « se gouverner eux-mêmes », comme un réel exemple de « démocratie dans l'art ». L'instauration du gouvernement de l'ordre moral, peu de temps après, dut rendre ce langage éminemment suspect[48].

L'idée d'un Salon de remplacement fut probablement encouragée par quelques signes de succès : lors de la vente aux enchères de la collection d'Ernest Hoschedé, riche propriétaire d'un grand magasin de Paris, des toiles de Monet, Pissarro et Sisley atteignirent des prix élevés ; les œuvres de ces peintres furent reproduites dans le catalogue en trois volumes de la

97. Pierre-Auguste Renoir, *Monet peignant dans son jardin à Argenteuil*, 1873, 46 x 60

98. *Le Jardin de Monet à Argenteuil (Les Dahlias)* (W.286), 1873, 61 x 82

99. *Les Coquelicots à Argenteuil* (W.274), 1873, 50 x 65

collection Durand-Ruel, à côté d'artistes reconnus comme Corot, Delacroix, Millet et Courbet, comme si l'on eût voulu suggérer qu'ils étaient bien les héritiers de la tradition française. La préface d'Armand Silvestre pour ce catalogue ne fut pas seulement la première, mais aussi l'une des plus pénétrantes analyses des premiers paysages impressionnistes. Le commentateur remarquait finement que l'harmonie « caressante » des œuvres de Monet, Pissarro et Sisley était obtenue grâce à « une observation très fine et très exacte des relations des tons entre eux », et liée au « diapason » musical des différentes parties identifiables. Il perçut également la relation entre les sujets de Monet et ses structures formelles particulières :

> « Il aime sur une eau légèrement remuée, à juxtaposer les reflets multicolores du soleil couchant, des bateaux bariolés, de la nue changeante. Des tons métalliques dus au poli du flot qui clapote par petites surfaces unies miroitent sur ses toiles, et l'image de la rive y tremble, les maisons s'y découpant comme dans ce jeu d'enfants où les objets se reconstituent par morceaux. Cet effet, d'une vérité absolue et qui a pu être [emprunté] aux images japonaises, charme si fort la jeune école qu'elle y revient à tout propos. »

Il annonçait que ces tableaux connaîtraient bientôt le succès car ils exprimaient le bonheur pur :

> « Une lumière blonde les inonde, et tout y est gaieté, clarté, fête printanière, soirs d'or ou pommiers en fleurs. — Encore une inspiration du Japon. — Leurs toiles peu chargées et de dimensions médiocres ouvrent, dans les panneaux qu'elles décorent, des fenêtres sur la campagne joyeuse, sur le fleuve chargé de barques fuyantes, sur le ciel que rayent des vapeurs légères, sur la vie du dehors épanouie et charmante. Le rêve les traverse et, tout imprégné d'elles, s'enfuit vers les paysages aimés qu'elles rappellent d'autant plus sûrement que la réalité des aspects y est plus saisissante. »

Silvestre était extraordinairement perspicace en comprenant que l'impressionnisme, « travail d'analyse » en quelque sorte, n'était pourtant pas un enregistrement mécanique des *stimuli* sensoriels, et qu'il exprimait le rêve d'une vie accomplie au sein de la nature moderne, le désir de « paysages aimés »[49].

On a toujours dit que l'exposition de la « Société anonyme des Artistes peintres, sculpteurs, graveurs, etc. », qui ouvrit le 15 avril 1874 dans les ateliers que Nadar venait juste de libérer, boulevard des Capucines, avait été accueillie avec une hostilité écrasante. C'est l'un des mythes persistants de l'histoire de l'art moderne : la plupart des critiques étaient en fait bien disposés, en particulier envers l'idée d'un Salon de remplacement. Ils louèrent plusieurs des tableaux exposés, même s'ils le firent parfois avec réserve et en manifestant leur colère. Néanmoins, s'il est vrai que le mythe est un moyen symbolique de signifier une vérité profondément ressentie, il convient de se demander pourquoi l'exposition a laissé le souvenir d'un véritable choc. De toute évidence, les réactions furent autant verbales qu'écrites et il est possible qu'elles aient suggéré au modéré Pissarro le sentiment que les critiques étaient hostiles : « Notre exposition va bien », écrivit-il à Duret ; « C'est un succès. La critique nous abîme et nous accuse de ne pas étudier. »[50] Il est facile de juger sévèrement les écrivains qui critiquèrent les tableaux impressionnistes et le public qui les tourna en dérision, mais si l'on considère simplement ces accusations de radicalisme politique, de folie et de charlatanisme comme l'expression d'une incompréhension profonde et perverse, on risque de perdre de vue la gravité des attaques des impressionnistes contre les modes reçus de représentation, d'exposition et de vente des tableaux. Pour comprendre les réactions de la critique, il faut considérer l'effet d'ensemble produit par la défiance de ces peintres envers l'autorité du Salon, la crudité de leurs couleurs, leur technique relativement sommaire, leur fragmentation des personnages, leur rejet de toute tradition en matière d'énoncé, de didactique

ou de morale pour représenter la vie contemporaine, leur exigence de voir le spectateur participer au processus même de la création.

Ces éléments avaient des implications spécifiques au début de 1874, alors que les horreurs d'un passé récent et la peur du futur immédiat obnubilaient les esprits. *L'Année terrible* de Victor Hugo, publiée quatre jours avant l'ouverture de l'exposition, fut vendue à 80 000 exemplaires en une semaine ; une exposition d'œuvres de collections privées fut organisée dans le même temps pour venir en aide aux réfugiés des « provinces perdues » ; les travaux pour les fondations du Sacré-Cœur commencèrent début mai. Alors que l'Assemblée nationale travaillait aux lois constitutionnelles, le comte de Chambord arriva secrètement à Versailles dans l'espoir que MacMahon et l'Assemblée allaient le proclamer roi. Les rumeurs concernant sa présence furent rapportées dans les mêmes journaux que les comptes rendus sur l'exposition de la Société anonyme. Le 7 mai, l'éditorialiste de *Paris-Journal*, de tendance conservatrice, soulignait que le drapeau blanc des royalistes « agissait sur les masses ignorantes comme un chiffon rouge sur un taureau », permettant aux radicaux de se poser en gardiens de la paix publique ; il ajoutait que si l'on ne parvenait pas à s'unir autour d'un gouvernement et d'un drapeau, les Français pourraient bien s'entretuer à nouveau « et la patrie mourrait ». Dans le même numéro, Chesneau constatait que les impressionnistes avaient été surnommés les « intransigeants » — c'est-à-dire de dangereux radicaux, de la même espèce que ceux que redoutait l'éditorialiste[51].

Dans son compte rendu du Salon, Pontmartin disait que grâce à « l'heureuse diversion » créée par les artistes, il pouvait ne pas penser à la situation présente ; mais ses propres écrits montrent que cela était impossible. Commentant *L'Arrestation des vagabonds nocturnes* de Munkaczy (Galerie nationale, Budapest), il spéculait sur les « trésors de haine » accumulés par les déshérités, et sur la « rancœur du prolétaire, voire du hors-la-loi, contre la vie régulière, la servitude sociale et les privilégiés ». Il revenait au tableau avec une sensation de « malaise indéfinissable », tourmenté par le fait que les Réalistes ne puissent pas peindre de manière à inspirer « une idée de réconciliation »[52]. Comme beaucoup d'autres commentateurs, Pontmartin affirmait la nécessité d'un art qui élèverait, consolerait et guérirait — sans faire oublier. Les républicains convaincus attendaient plus de la vitalité de l'art que de tout message moral spécifique qu'il pouvait contenir : Castagnary considérait comme un devoir patriotique de s'enquérir de l'état de « cette source jaillissante, qui depuis la Révolution sort des entrailles de notre peuple », cependant que Blémont relevait l'intention de la *Renaissance littéraire et artistique* de devenir « le porte-parole de la génération dont l'ambition est d'élever l'esprit et le cœur de la France, et d'offrir à la patrie les plus belles consolations possibles, après tant de désatres », et ceci grâce à l'art et la littérature[53].

La plupart des articles sur la Société anonyme essayaient d'être équitables et de tenir le juste milieu entre l'autoritarisme et l'anarchie. D'autres vues campaient sur leurs positions rationalistes ; leurs points de vue s'attachaient surtout à des anecdotes concernant les effets défavorables de l'exposition sur les visiteurs. Il existait des différences sensibles entre les articles de la presse conservatrice et ceux de la presse progressiste, mais aussi entre les journaux bonapartistes, républicains du centre gauche et de la gauche radicale, entre les revues à grande diffusion et les revues spécialisées[54]. Naturellement, ces différences n'étaient pas absolues, ne fût-ce que parce que la plupart des critiques n'avaient écrit que sous le Second Empire et qu'il leur fallait s'ajuster au nouveau régime. En outre, étant donné la situation difficile du journalisme indépendant à l'époque, on ne pouvait pas établir de rapport direct entre la politique d'une publication et celle d'un journaliste, pas plus qu'entre la peinture d'avant-garde et la politique progressiste. Le jeune Georges Rivière le soulignait dans un essai de 1877, « Aux femmes », publié dans son journal éphémère intitulé *L'Impressionniste* :

« Votre mari, qui est peut-être républicain, entre en fureur contre un révolutionnaire qui sème la discorde dans le camp artistique […] Il crie contre la routine politique, contre la routine administrative […] mais il regarde la peinture à travers les vieux tableaux…. »[55]

Les principaux soutiens des impressionnistes allaient venir de ces secteurs de la bourgeoisie —industriels et financiers — qui étaient partisans d'une république modérée et moderniste. L'exception la plus remarquable était Durand-Ruel, que Renoir décrivait comme un « bourgeois rangé, bon époux, bon père, monarchiste fidèle, chrétien pratiquant, […]joueur » (c'est-à-dire quelqu'un qui spéculait sur la valeur des tableaux). L'article que ce monarchiste avait demandé à Silvestre fut partiellement repris dans le compte rendu de l'exposition de 1874 de la Société anonyme, pour le journal de centre gauche L'Opinion nationale ; il y renouvelait son appréciation de l'expression impressionniste des plaisirs modestes de la bourgeoisie au sein d'une campagne « joyeuse » et des charmes de la vie au grand air[56].

Mis à part l'article facétieux de Leroy dans Le Charivari, journal satirique républicain à grand tirage, ce furent les journaux de droite ou du centre droit qui soulignèrent l'absence de compréhension de la part du public face à cette exposition. Dans un article intitulé « L'Exposition des révoltés », publié dans La Presse, Cardon affirmait sans ambages que c'était « une mystification inconvenante pour le public, ou le résultat d'une aliénation mentale ». Un chroniqueur de La Patrie établissait le même constat : « Il y a l'exposition des Intransigeants au boulevard des Capucines, on pourrait dire des fous. » Dans Paris-Journal, Chesneau suggérait que l'exposition aurait dû être encore plus restreinte, parce que les seules œuvres dignes d'étude — les tableaux impressionnistes — étaient aussi celles « dont le sens curieux échappe à la très grande majorité des visiteurs ». Chesneau avait été étroitement mêlé à l'administration impériale des Beaux-Arts et sa "pointe" élitiste était caractéristique de ces milieux[57].

Tous les journalistes louaient l'exposition comme une initiative offrant une alternative au protectionnisme gouvernemental : dans la République française de Gambetta, Philippe Burty approuvait l'idée d'un appel direct au public dans un contexte qui lui permettait de se faire sa propre opinion ; dans Le Rappel de Victor Hugo, de tendance radicale, d'Hervilly caractérisait l'exposition comme « la manifestation libre des tendances et des données personnelles d'un certain nombre d'esprits originaux et indépendants qui rejettent absolument le jury et la tutelle administrative »[58]. L'accent mis par les radicaux sur la liberté et sur le droit du public à juger par lui-même était subtilement différent des commentaires émanant des critiques du centre gauche comme Silvestre, qui attiraient l'attention sur la brutalité des exclusions du Salon, capables de ruiner en quelques minutes le travail d'une année : c'était selon lui la raison pour laquelle les peintres « empruntaient de plus en plus les voies ouvertes par l'initiative privée »[59].

Cardon pensait que la création d'un grand nombre de sociétés d'art, « ayant chacune leur public », profiterait à l'art grâce au « développement de la liberté intellectuelle », et qu'elles seraient bienvenues auprès de l'administration qui proposait de remettre la direction du Salon aux artistes à partir de 1875. Il ajoutait que « bien des gens » considéraient au contraire « avec terreur » la perspective de voir les artistes s'organiser eux-mêmes. La proposition du directeur des Beaux-Arts, Chennevières, n'était libérale qu'à première vue, car la prise en charge de l'organisation des Salons devait être réservée aux membres de l'Institut et aux artistes récompensés par des médailles ou des décorations. Chennevières écrivit du reste plus tard : « La démocratie m'a toujours fait horreur. […] J'entendais fonder une corporation aristocratique, basée sur l'élite […], sur l'élection des meilleurs par les meilleurs… »[60]

Le soupçon qui pesait sur l'impressionnisme d'être d'une manière ou d'une autre associé au radicalisme politique ne fut jamais exprimé explicitement par les critiques conservateurs ou hostiles, mais il transparaissait à travers les commentaires de ceux qui les connaissaient ou qui étaient proches d'eux, généralement sous forme d'apartés ironiques ou à travers les dénégations des républicains radicaux ou de centre gauche. Ce soupçon fut de plus en plus exprimé au cours de l'exposition, comme si les journalistes profitaient d'un sujet alors très débattu. Dans La République française, Burty parlait simplement d'un « groupe de camarades militants et convaincus » ; quinze jours plus tard, dans La Presse, organe conservateur, Cardon intitulait son compte rendu « L'Exposition des révoltés », tandis que Castagnary écrivait sarcastiquement dans Le Siècle, organe républicain libéral : « Voyons donc un peu ce que nous annoncent de si monstrueux, de si subversif de l'ordre social, ces terribles révolutionnaires » ; il concluait que ce n'était pas une révolution, ni même une école, mais « une manière et rien de plus ». Dans L'Artiste, journal élitiste dominé par les écrivains qui avaient été étroitement liés à l'establishment artistique du Second Empire, Marc de Montifaud laissait entendre que l'exposition était un "coup" publicitaire : une fois que le public avait reconnu qu'il était en présence d'un « clan de révoltés », il consentait à « mettre ses préjugés au vestiaire et à parcourir tranquillement les salles de l'Exposition ». Finalement, dans Paris-Journal, Chesneau exposait que cette « école du plein air » a été « baptisée d'une façon assez drôle du nom de groupe des Intransigeants »[61]. Le terme était utilisé dans le vocabulaire politique pour désigner les républicains de l'extrême-gauche, suspectés de s'identifier aux idéaux de la Commune (bien qu'ils eussent rarement sympathisé avec ses objectifs révolutionnaires), et qui critiquaient la sauvagerie de la répression en demandant une amnistie. En 1874, le scepticisme de Castagnary sur le caractère subversif de l'impressionnisme avait probablement moins d'importance que la défense acharnée de Courbet, qu'il menait dans les colonnes du Siècle, principale voix de l'opposition sous l'Empire, rangée depuis sous la bannière de la gauche modérée. Le journal avait été stigmatisé deux ans plus tôt par Feydeau, dans sa protestation contre le fait de donner

« …les mêmes droits politiques aux hommes les plus intelligents, les plus instruits d'une nation, et aux brutes qui ne sont bonnes qu'à se saoûler, en même temps, avec le vin frelaté des cabarets et les doctrines du journal Le Siècle. »[62]

Les impressionnistes étaient généralement considérés comme les successeurs immédiats de Courbet et de Manet, désormais assimilés à de dangereux radicaux, malgré le succès populaire du Bon bock de Manet en 1873. On fut surpris que Manet n'exposât point avec la Société anonyme. Courbet avait été exilé en Suisse pour dix mois, et son jugement pour la destruction de la colonne Vendôme était imminent en 1874. Pontmartin appelait Manet « ce Marat d'une révolution picturale dont Courbet a été le Danton ». Dans le même temps, Aubert, furieux de la Gare Saint-Lazare de Manet exposée au Salon, avertissait le peintre de « penser au désordre moral [auquel] le désordre esthétique avait conduit […] le frénétique Courbet ». Beaucoup devaient se rappeler que Courbet avait refusé, avec éclat, la Légion d'honneur, en 1870, et se souvenir de ses déclarations fracassantes dans Le Siècle :

« L'État est incompétent en matière d'art. Quand il se charge d'accorder des prix, il usurpe la fonction du goût populaire […]. J'ai toujours vécu en homme libre ; laissez-moi finir ma vie, libre ; quand je serai mort je voudrais que l'on dise de moi : il n'appartenait à aucune école, à aucune église, aucune institution, aucune académie, à aucunrégime si ce n'est celui de la liberté. »

À quelques minutes à pied de l'exposition de la Société anonyme, l'échafaudage autour de la colonne Vendôme, ostensiblement reconstruite aux frais de Courbet, devait être un avertissement tragique pour ses amis, confirmant les soupçons de ses ennemis sur les dangers d'un art libre qui va à l'encontre de l'ordre hiérarchique[63].

100. *Le Bassin d'Argenteuil* (W.225), 1872, 60 x 80

L'un des problèmes essentiels que posait l'exposition de la Société anonyme était celui de la participation du public : elle était implicite dans l'administration et dans la présentation, comme dans les sujets et les techniques des impressionnistes. Alexis l'avait explicitée en souhaitant la bienvenue au projet de « démocratie dans l'art ». La participation n'était cependant proposée qu'à une audience restreinte, car les membres de la Société ne pouvaient guère espérer voir venir les foules à leur exposition, comme au Salon : ils voyaient probablement leur audience dans cette élite de l'éducation et de la fortune qui avait commencé à acheter leurs œuvres, tout en espérant que les réactions critiques informelles et l'approbation plus large du public stimuleraient la demande. Dans les faits, la publicité attira 3 500 visiteurs, chiffre considérable pour une petite exposition privée, même comparé aux 400 000 visiteurs du Salon officiel. Les contradictions inhérentes aux choix avant-gardistes sur des sujets et des techniques qui impliquaient la notion de participation démocratique apparaissent aussi dans les deux articles de Mallarmé sur Manet et les impressionnistes, écrits avec l'hermétisme qui lui était propre, et publiés dans des journaux spécialisés. Alors que les critiques acceptaient volontiers l'idée d'une alternative au Salon,

bien peu répondirent à l'invitation qui leur était faite d'exercer indépendamment leurs capacités d'interprétation et de jugement : la plupart sympathisaient avec la détermination de Pontmartin de ne jamais « prêcher le dédain pour les autorités ; les supprimer de la société reviendrait à créer le chaos ; dans l'art, cela découragerait les aspirations élevées... »[64].

La structure hiérarchique des arts avait été ouvertement défiée par la Fédération des Artistes de la Commune. Sous la présidence de Courbet, celle-ci définit son objectif : le « gouvernement du monde de l'art par les artistes » et le « libre développement de l'art détaché de la tutelle et des privilèges du gouvernement ». L'égalité et l'indépendance de tous les artistes seraient garanties par un comité élu « au suffrage universel des artistes » ; les expositions seraient organisées par les artistes eux-mêmes ; l'instruction artistique serait gratuite. La Fédération encouragerait « l'expression libre et originale de la pensée » et le public serait invité à donner son point de vue sur « toutes les initiatives visant au progrès »[65]. Le gouvernement Thiers prit naturellement le contrepied de ces propositions en promulguant des règlements encore plus restrictifs que ceux des dernières années de l'Empire. Plusieurs des objectifs de la Fédération étaient proches de ceux de la Société anonyme, mais il existait aussi des différences fondamentales : la première cherchait à unir les artistes aux artisans pour saper la hiérarchie traditionnelle des arts, alors que la Société s'intéressait exclusivement aux Beaux-Arts ; son invitation à participer se limitait à l'élite qui visitait les galeries privées. Néanmoins, bien que la Société anonyme fût une S.A.R.L., structure type de l'entreprise privée, on pouvait penser que ses aspects de coopérative avaient été influencés par les modèles institutionnels de la Commune. Le soupçon avait pu naître également des déclarations d'Alexis à propos des associations artistiques fondées sur les modèles des syndicats alors interdits, dans un journal qui publiait la lettre de Monet sur l'exposition projetée par le groupe ; cette suspicion avait été confirmée par les propos de Duranty — partisan du réalisme d'avant-garde — sur les discours prononcés à la remise des prix du Salon de 1872. « Eh bien ! franchement, écrivait-il, j'aimais mieux la Commune artistique, elle avait plus d'idées et de fouet que tous ceux-ci qui se sont confits dans la rengaine… »[66]

L'exposition de la Société anonyme allait à l'encontre de l'idéologie du Salon sur presque tous les points : alors que la structure administrative de celui-ci était autoritaire, celle de la Société était collégiale, avec des décisions prises en commun, sans jury, et qu'elle partageait les frais et les profits (s'il y en avait) ; le Salon proposait au public un art dont la qualité était en quelque sorte garantie par le système même de jury, la Société ne décernait aucune marque de distinction, demandant aux critiques et au public de se faire une idée personnelle ; l'accrochage au Salon favorisait certaines œuvres au détriment de certaines autres, la Société disposait les œuvres selon un ordre alphabétique, par groupes de même taille, et ne les accrochait que sur deux niveaux. Le Salon présentait des milliers d'œuvres ; la Société regroupait 29 artistes présentant 165 œuvres, dans un éclairage intime proche de celui d'un appartement, ce qui permettait cette observation proche et approfondie que les œuvres impressionnistes requéraient.

Naturellement l'exposition de la Société anonyme était aussi destinée à vendre des tableaux. En 1880, Monet décrivait le Salon comme un « bazar officiel »[67], et c'était effectivement un grand déploiement de biens culturels variés. Mais il différait des bazars ou des grands magasins en ceci que la plupart de ses marchandises resteraient probablement invendues, ce qui indique que le Salon avait d'autres fonctions idéologiques. L'une d'entre elles — particulièrement forte après 1870-1871 — était de préserver la notion d'art qui devait être témoin de la culture de la nation, et refuge des valeurs éternelles, à l'écart des considérations d'argent. La grande majorité des œuvres du Salon n'étaient pas représentatives de ces idées élevées, et la profusion de sujets superficiels, aux formes et techniques indistinctes, créaient une telle cacophonie de sensations visuelles qu'il était impossible de s'y retrouver. Burty était d'accord avec les exposants de la Société anonyme :

« …les expositions officielles modernes sont, par le nombre et la disposition forcée des œuvres, la négation du jugement et du plaisir ; […] il est impossible d'en sortir avec une idée nette sur un artiste, sur une œuvre, sur une tentative sortant des voies tracées et acceptées. »[68]

101. *Les Barques, régates à Argenteuil* (W.339), 1874, 60 x 100

Il fallait donc chercher la raison d'être du Salon au milieu d'une sur-abondance stupéfiante, proche de la "fantasmagorie" des marchandises présentées aux Expositions universelles, et du spectacle fantastique des grands magasins évoqués dans le *Bonheur des dames* de Zola (1884)[69]. Les critères non écrits du Salon favorisaient les œuvres qui tenaient le specta-teur à distance par le style ou le sujet, le fini, les attitudes supérieures et les anecdotes sentimentales visant à susciter une réponse immédiate, sans au-cune implication profonde. Le spectateur — c'est-à-dire l'un des 400 000 visiteurs du Salon — était ainsi maintenu dans son rôle de spectateur, ob-servateur médusé d'un défilé d'œuvres, et consommateur de pensées toutes faites, bien plus que participant actif au processus de création.

La Société anonyme fut également développée comme une alternative au système des marchands d'art qui rivalisait avec le Salon. Au début des années 1870, plusieurs articles témoignent de la conscience croissante de ce que Pontmartin appelait « la prodigieuse expansion des marchands d'art durant ces dernières années » ; un si grand nombre d'entre eux était installé dans le quartier de la rue Laffitte que l'on ne pouvait pas y éviter « les ta-bleaux, encore des tableaux, toujours plus de tableaux ». Le système des marchands d'art encourageait la même surabondance que celui des Salons. Pontmartin considérait que les marchands faisaient du tort à l'art en assi-gnant une valeur monétaire à chaque aspect de la peinture et en imposant à l'artiste « les volontés de Sa Majesté le public » ; ces idées étaient très lar-gement partagées. Il avertissait les artistes de ne pas se laisser dominer par l'argent, qui pouvait les détourner du « culte de l'idéal, de la poursuite de la beauté, de l'élévation morale » et leur conseillait d'accueillir avec le sou-rire « les austères leçons de l'adversité ». Monet et ses amis n'avaient guère besoin de ces leçons hypocrites ; ils étaient plus sensibles aux avertissements d'un pamphlet anonyme intitulé *Aux artistes-peintres* sur la manière dont un marchand pouvait contrôler l'audience d'un artiste auprès du public, ac-quérant du pouvoir en accordant des avances pour des œuvres non encore livrées, et imposant du même coup le « goût de sa clientèle »[70].

Les impressionnistes présentaient relativement peu d'œuvres, dans un cadre presque domestique. Ils montraient des images de la vie contem-poraine sans contenu narratif explicatif et employaient des techniques qui permettaient de voir comment l'image avait été créée : ils développaient ainsi de nouvelles relations entre le tableau et son spectateur. Les exposi-tions des années 1870 et du début des années 1880 pouvaient être considé-rées comme des tentatives pour prévenir l'intervention de l'État ou des marchands dans cette relation : on cherchait une alternative à ces deux types d'intermédiaire, mais la puissance croissante du système de marché libre de l'art mit un terme à ces aspirations.

L'impression donnée par cette première exposition fut probablement assez floue : pour écarter l'idée qu'il s'agissait d'une sorte de Salon des re-fusés, Degas insista pour y inclure autant d'artistes réputés que possible. Ainsi, à côté de Monet, Renoir, Pissarro, Morisot, Sisley, Cézanne et Guillaumin, on relevait vingt et un autres artistes, dont la plupart étaient des réalistes, mais qui avaient fort peu de points communs avec ceux qui allaient être appelés « impressionnistes ». La plupart des journalistes, ce-pendant, s'arrêtèrent infailliblement sur les œuvres de ces derniers, ce-pendant que Chesneau parlait de « faute capitale de logique et de tactique », pour avoir inclus non seulement des artistes de talent qui différaient d'eux (Cals, de Nittis, Boudin et Bracquemond), mais aussi des peintres « qui se traînent à l'extrême queue des dernières banalités des Salons officiels »[71]. En outre, chaque impressionniste présentait des œuvres très différentes les unes des autres : la contribution de Monet incluait le grand *Déjeuner*, d'es-prit réaliste, refusé au Salon de 1870, quelques esquisses, et quatre toiles impressionnistes : *Bateaux de pêche sortant du port* (W.296), de 1874 (souve-nir des dernières œuvres que le grand public avait pu voir) ; *Les Navires quittant les jetées du Havre*, présentés au Salon de 1868 ; trois œuvres dont

la nouveauté pouvait être perçue comme agressive, *Impression, soleil levant, Les Coquelicots à Argenteuil* et *Le Boulevard des Capucines*.

Ce groupe de toiles représentait la gamme complète de ses sujets fa-voris : la famille, le monde du travail transformé en spectacle dans un port industrialisé moderne ; le monde du loisir dans un paysage ressemblant à un jardin ; la cité moderne avec une grande avenue commerçante, comme une féérie brillante. Pourtant, comme les œuvres de Monet avaient long-temps été invisibles sauf pour les amis et les collectionneurs, ces tableaux ne pouvaient pas rendre compte correctement de la cohérence qui prési-dait à son exploration de la modernité. De plus, tous les témoignages sug-gèrent que c'est sa technique qui troubla et opposa son public. Peut-être avait-il choisi d'exposer ces œuvres pour inciter les spectateurs à les exa-miner de près, mais il y avait de tels contrastes entre le caractère descrip-tif du *Déjeuner* et le caractère allusif d'*Impression, soleil levant*, entre l'allure d'esquisse de cette toile et les structures complexes des *Coquelicots à Argenteuil* et du *Boulevard des Capucines*, que plusieurs critiques (tout comme le visiteur néophyte) furent contraints de s'arrêter au traitement pictural et ne virent rien d'autre sur la toile que des points et des taches. Montifaud, qui admirait le *Déjeuner*, eut un haut-le-corps devant les paysages et dé-clara qu'*Impression, soleil levant* ressemblait à un tableau fait par « la main enfantine d'un écolier qui étale pour la première fois des couleurs sur une surface quelconque ». Le contraste saisissant entre le *Déjeuner* et les autres œuvres justifiait les déclarations des critiques : les tableaux impression-nistes étaient, au mieux, des « esquisses »[72].

Bien que les peintres du groupe aient continué à faire la distinction entre esquisses, études et tableaux achevés, ces distinctions tendaient à s'es-tomper, parce qu'ils faisaient souvent l'étude du sujet directement sur la toile, pour développer ensuite le tableau définitif à partir de celle-ci. Avec le recul donné par un siècle de peinture directe, il est aisé de voir aujourd'hui la différence entre les toiles achevées de Monet (*Les Coquelicots à Argenteuil*, par exemple) et les esquisses à l'huile de Corot (*Marcoussis. Un verger, matin*). Le travail de Corot, si subtil et suggestif qu'il soit, est traité en général et il est difficile d'imaginer qu'il ait pu y ajouter quelque chose pour le rendre plus spécifique. Plus on le regarde, plus on prend conscience des délica-tesses de la peinture, mais on ne voit rien de plus du sujet ; chez Monet, au contraire, plus on regarde le tableau, plus on aperçoit la complexité de ce qu'il a vu. Il n'a pas simplement représenté ce que Corot appelait « l'effet », mais matérialisé ce qui était pour lui deux processus inséparables : la vi-sion du sujet et la création d'une entité picturale. Cela apparaît bien aussi lorsque l'on compare ses toiles avec la structure préparée de la toile de Daubigny (deux mètres de longueur !) intitulée *Champs de Coquelicots* et présentée au Salon de 1874. Dans les « Coquelicots » de Monet, on peut apercevoir le fond de gris chaud sur lequel sont peints les principaux élé-ments, dans des tonalités contrastées et avec des traits de peinture épais qui épousent leur forme. C'était l'étude préliminaire, mais elle n'a pas dis-paru dans l'élaboration du tableau : elle a été intégrée peu à peu dans la structure de la peinture définitive, au fur et à mesure que le peintre préci-sait son impression générale. Monet a recouvert les mauves roses et les verts grisâtres des collines herbeuses, peintes à larges traits, de petites touches ou de larges taches de couleurs relatives, qui suggèrent des creux et des bosses, des chemins invisibles dans le fouillis des herbes. La conscience suraiguë de la spécificité du sujet se mesure à la manière dont le peintre a enfoui certains coquelicots dans l'herbe, tandis que d'autres semblent flot-ter au-dessus : il a peint certaines taches de rouge alors que le vert était en-core humide, de sorte qu'elles se fondent partiellement avec lui, alors que d'autres ont été posées sur une couleur déjà sèche, de sorte que les rouges gardent leur vivacité et irradient de manière presque étourdissante. Pour finir, Monet a renforcé la cohérence interne du tableau en ajoutant de pe-tits accents de couleurs plus claires — bleu sur l'ombrelle, rouge sur le

102. Camille Corot, *Marcoussis. Un Verger, matin, vers* 1865, 24 x 34

103. Charles Daubigny, *Champs de coquelicots,* Salon de 1874, 127 x 220

ruban, crème sur le chapeau — et en reprenant ces couleurs en écho dans la maison éloignée, de manière à élargir l'espace à travers lequel les personnages semblent se mouvoir sans fin. La structure du tableau montre ainsi que le peintre avait une idée générale de sa toile lorsqu'il l'a commencée, mais qu'il a trouvé ses relations internes en la peignant.

Comme Monet et ses amis rendaient visibles les procédés par lesquels ils créaient leurs images et qu'ils les exposaient de telle sorte que l'on pouvait les examiner de près, ils entendaient manifestement que ces procédés fussent *vus.* La critique faite par Mallarmé du genre de peinture qui cache « l'origine de cet art fait d'onguents et de couleurs » confirme la modernité de l'intérêt pour la fidélité à la matérialité propre à chaque art. L'écrivain poursuit : « Quant au public, arrêté, lui, devant la reproduction immédiate de sa personnalité multiple, va-t-il ne plus jamais détourner les yeux de ce miroir pervers ? »[73] En 1874, bien peu de gens souhaitaient se plier à ce genre de procédé et bien peu étaient en mesure d'accepter "l'invitation à voir" que proposaient les toiles impressionnistes.

Burty dit qu'au premier coup d'œil, « tout le monde — il n'est question que de ceux qui sont loyaux et fiers — » est impressionné par « la clarté de la couleur, la franchise des masses, la qualité des impressions », mais qu'un second examen « ne laisse pas de heurter les idées reçues sur le degré du fini, sur le clair-obscur, sur l'amabilité des sites ». Beaucoup de critiques étaient du même avis, mais les réserves les plus fortes sur le caractère d'esquisse de cette technique étaient exprimées dans les journaux conservateurs comme *La Presse,* où Cardon écrivait par exemple : « Salissez de blanc et de noir les trois quarts d'une toile, frottez le reste de jaune, piquez au hasard des taches rouges et bleues, vous aurez une *impression* du printemps devant laquelle les adeptes tomberont en extase. »[74] On n'a aucune difficulté aujourd'hui à "lire" les petites taches et plages de gris et d'orange, teintées de bleu lilas et de rose, qui parsèment *Impression, soleil levant,* mais il ne faut pas pour autant sous-estimer le refus des critiques de Monet d'interpréter les signes picturaux. Comme les "Impressions" avaient été acceptées depuis des années dans les Salons et appréciées comme notations rapides d'effets ephémères, Monet devait espérer que son utilisation du mot « impression » dans le titre de son tableau engagerait les critiques à voir son œuvre dans cette perspective. Mais Castagnary fut le seul à répondre à cette attente :

« Si l'on tient à les caractériser d'un mot qui les explique, il faudra forger le terme nouveau d'*impressionniste*. Ils sont *impressionnistes* en ce sens qu'ils rendent non le paysage,

mais la sensation produite par le paysage. Le mot même est passé dans leur langue : ce n'est pas *paysage,* c'est *impression* que s'appelle au catalogue le *Soleil levant* de M. Monet .»

Toujours selon Castagnary, ce n'est pas leur choix du « non fini » qui est nouveau (il caractérisait les travaux de Corot, de Daubigny et de Courbet), mais plutôt le fait qu'ils « le vantent, [...] l'exaltent, [...] l'érigent en système », de sorte qu'il devient une « manière ». Il déplore, en ce sens, de voir qu'ils « sortent de la réalité et entrent en plein idéalisme. »[75] Castagnary refusait lui aussi d'examiner les œuvres de près et il était incapable de suivre jusqu'au bout les implications de ce que lui-même avait compris : l'intégration systématique du « non fini » au processus qui matérialisait « la sensation produite par un paysage » signifiait en effet une relation au motif qui se développait avec le temps. Profondément engagé dans la défense de Courbet, Castagnary devait trouver ces qualités bien superficielles, en comparaison de la gravité et de la densité des toiles de son ami exilé.

Certains critiques abordèrent le problème des traits de pinceau visibles en recommandant au spectateur de regarder le tableau à distance ou de cligner des yeux, pour que le tableau prît du relief et un sens clair : Castagnary écrivit de manière assez caustique qu'il fallait « traverser la rue » pour regarder de manière appropriée *Le Boulevard des Capucines.* De fait, c'est bien ce tableau — un sujet moderne, que l'on pouvait voir par les fenêtres de la galerie — qui provoqua les plus grandes divergences d'opinion. Dans *Le Rappel,* d'Hervilly louait Monet d'avoir représenté « la trépidation et la *kaléidoscopie* de la vie parisienne », et Chesneau poétisait en ces termes :

« Jamais l'animation prodigieuse de la voie publique, le fourmillement de la foule sur l'asphalte et des voitures sur la chaussée, l'agitation des arbres du boulevard dans la poussière et la lumière ; jamais l'insaisissable, le fugitif, l'instantané du mouvement n'a été saisi et fixé dans sa prodigieuse fluidité, comme il l'est dans cette extraordinaire, dans cette merveilleuse ébauche [...]. À distance, dans ce ruissellement de vie, dans ce frémissement de grandes ombres et de grandes lumières pailletées d'ombres plus fortes et de lumières plus vives, on salue un chef-d'œuvre. Vous approchez, tout s'évanouit ; il reste un chaos de râclures de palette indéchiffrable. »[76]

Mais l'usage de la touche brisée pour les personnages dérangeait profondément les critiques conservateurs : le peintre imaginé par Leroy dans son article sur l'exposition impressionniste s'exclamait, à la vue de « ces innombrables lichettes noires dans le bas du tableau » : « Alors je ressemble

104. E. G. Grandjean, *Le Boulevard des Italiens,* Salon de 1876

à ça quand je me promène sur le boulevard des Capucines ?... Sang et tonnerre ! Vous moquez-vous de moi, à la fin ? » Cardon, sarcastique mais
calme devant les paysages, explosait :

> « Quand il s'agit d'une figure humaine, c'est bien autre chose ; le but n'est pas d'en
> rendre la forme, le modelé, l'expression, il suffit de rendre l'impression sans ligne arrêtée,
> sans couleur, sans ombre ni lumière ; pour réaliser une théorie aussi extravagante, on tombe
> dans un gâchis insensé, fou, grotesque, sans précédents heureusement dans l'art, car c'est
> tout simplement la négation des règles les plus élémentaires du dessin et de la peinture. Les
> charbonnages d'un enfant ont une naïveté, une sincérité qui font sourire, les débauches de
> cette école écœurent ou révoltent. »[77]

Acceptant le mode de vision impersonnel imposé par la cité moderne,
Monet utilisait, pour indiquer les personnages, les mêmes traits de pinceau
clairement visibles que pour les arbres, les immeubles et les pavés : la toile
signifiait ainsi que les êtres humains n'étaient pas plus importants que les
autres éléments du monde matériel et qu'ils étaient également soumis au
dynamisme de la nature urbaine. Le tableau illustre la déshumanisation et
la relativité de la vision qui caractérisaient plusieurs aspects de la culture
de l'époque : la science avait chassé les hommes du centre de l'univers, en
les soumettant aux jeu de forces purement physiques et en les réduisant à
une collection d'atomes, comme n'importe quel autre conglomérat de matière. Les romans réalistes d'avant-garde racontaient des vies soumises à
des forces impersonnelles qui détruisaient toute notion de libre vouloir :
l'exemple le plus frappant en est le grand cycle romanesque de Zola, qui
retrace l'histoire d'une famille rongée par les « lois de l'hérédité » et par les
forces sociales inexorables.

L'art académique et le réalisme du juste milieu reposaient sur des
conventions héritées, qui établissaient fermement les hommes au centre
d'un monde conçu comme une structure stable composée d'objets finis, différenciés dans l'espace et dont l'entité était confirmée plutôt que désinté-
grée par la lumière : on le voit bien dans la géométrie rigide et la définition
claire du *Boulevard des Italiens* par Grandjean, au Salon de 1876. L'humanité ne constituait pas le centre inégalé du monde des impressionnistes :
non seulement celui-ci changeait constamment, mais il était modifié par le
point de vue et les perceptions individuelles du spectateur. Leur mode de
peinture, à la différence de l'académisme, impliquait un monde à propos
duquel on ne pouvait établir aucun constat définitif.

Ainsi, quoique les impressionnistes aient montré des images de ce
que la bourgeoisie appréciait (une vie agréable au milieu des charmes de
la campagne, des agréments des faubourgs et des spectacles de la cité moderne), ces images adoptaient un style "relativisant" qui en dérangeait plus
d'un. Le principe même de relativité de la vision pouvait apparaître comme
menaçant, à une époque où la majeure partie des classes moyennes avait
une immense soif d'absolu et trouvait des explications morales simplistes
à la défaite et à la guerre civile : la décadence de l'Empire et la bestialité de
la classe ouvrière. Elles cherchaient la rédemption dans le labeur acharné
et dans la discipline de l'ordre moral et souscrivaient avec empressement
à la construction de la basilique néo-byzantine du Sacré-Cœur, symbole du
repentir national. Ces bons bourgeois devaient apprécier l'opinion du critique de *L'Univers illustré,* qui écrivait, aussitôt après la fermeture de l'exposition de la Société anonyme, que le *Gloria victis !* de Mercié, exposé au
Salon, pouvait réconcilier les partis en guerre qui déchiraient la nation :

> « Parmi tous nos malheurs il est une consolation de rêver à ces œuvres d'art qui [...]
> entretiendront la flamme du patriotisme et s'élèveront contre la proscription et l'oubli. Non,
> ce n'est pas ainsi qu'un peuple déchu et frivole agit, alors même qu'il est déterminé à en
> finir avec tout ce qui lui rappelle l'humiliation qu'il a subie [...] la revanche possible, la né-
> cessaire réhabilitation, l'implacable haine. »[78]

Les impressionnistes se rangeaient dans le camp de ceux qui souhaitaient que l'on oubliât et que l'on pardonnât, sans ruminer de manière obsessionnelle et répétitive « l'Année terrible », la décadence et la revanche.
Ce fut probablement pour cette raison que leur exposition trouva un accueil favorable auprès des écrivains proches du républicanisme progressiste ou radical, qui croyaient à la modernisation et au futur plutôt qu'au
passé. Les membres de la Société anonyme auraient pu être satisfaits de
leur exposition : les critiques avaient reconnu qu'elle offrait une alternative
satisfaisante au Salon, ils avaient apprécié autant que critiqué les tableaux.
Les impressionnistes avaient acquis une identité publique. Néanmoins, les
mêmes critiques considéraient le mouvement comme une phase transitoire
et partageaient l'opinion de Castagnary, selon qui les jeunes peintres devaient grandir et montrer véritablement leurs talents en peignant des œuvres
finies. Chesneau terminait son article par cet avertissement :

> « Mais que la "Société anonyme" — puisqu'il y a société anonyme et même coopéra-
> tive — y songe. Son organisation actuelle ouvre la porte à tous les incapables, à tous les traî-
> nards des expositions officielles, souscripteurs d'une action. C'est un germe de mort. Si la
> Société ne réforme pas ses statuts, n'affirme pas un principe commun, elle ne vivra pas comme
> société d'art. Qu'elle vive par là comme société commerciale, cela ne m'intéresse point. »

Malheureusement, bien que Burty prétendît que les impressionnistes
avaient « déjà conquis [...] ceux qui aiment la peinture pour elle-même »,
peu d'œuvres avaient été vendues. Aucune des toiles importantes de Monet
n'avait été achetée, même si Hoschedé acquit *Impression, soleil levant* pour
800 francs, immédiatement après la fermeture. Comme la Société anonyme
avait tout juste couvert les frais d'organisation de son exposition, elle fut
dissoute par ses membres en décembre 1874, sans avoir pu organiser une
seconde exposition à l'automne, comme cela avait été annoncé[79].

# III

A une seule exception près, Monet ne peignit qu'à Argenteuil durant
les deux années qui séparent les deux premières expositions impressionnistes. Suivant l'exemple de Daubigny, il avait transformé
une barque en atelier, pour pouvoir peindre sur le fleuve lui-même. Manet

l'a représenté dans son bateau-atelier, plein d'assurance, peignant cette partie du fleuve où se retrouvaient les bateaux de plaisance; au loin, on apperçoit des cheminées d'usine et la tourelle d'une villa que Monet a souvent représentée. Manet a montré son ami au moment où il sélectionnait dans le chaos environnant, les éléments d'un monde qui lui fût propre, tout en restant dans une atmosphère quasi familiale, puisque Camille l'accompagne dans la barque.

En contemplant aujourd'hui l'eau lumineuse de ces tableaux, il ne viendrait à l'idée de personne que la Seine était alors polluée par les milliers de litres d'eaux usées que l'on y rejetait à peu de distance en amont. On trouvera, dans l'ouvrage de Tucker, les rapports officiels et les articles de journaux qui se plaignent de la vase et de la puanteur provenant de « l'accumulation des immondices, des chiens et des chats en décomposition ». En 1874, *annus mirabilis* de ces délicieux tableaux, le maire d'Argenteuil écrivait : « Avant longtemps, dans quelques jours peut-être, la chaleur va faire baisser le niveau de l'eau et exposer des étendues d'ordures aux odeurs délétères » ; en 1878, quelques mois après que Monet eut quitté la ville, le maire annonçait : « La pollution du fleuve est complète[80] ». L'expérience de Maupassant — une Seine « charmante, calme, variée, puante, pleine de mirages et d'immondices » — était celle des premiers admirateurs des tableaux de Monet, qui préféraient très naturellement l'image du rêve sans défaut, le mirage des souvenirs d'un été parfait. Les photographies du bassin d'Argenteuil à l'époque montrent que Monet a complètement transformé l'aspect cahotique et désorganisé d'un fleuve en cours de modernisation, en un modèle de plénitude sensuelle et intime. Son attachement à rendre le moindre incident lumineux révélé par chaque ride, par chaque changement de couleur, lui a permis de construire un monde qui lui appartenait en propre, un monde "réel" mais qui excluait délibérément toute référence aux réalités qui auraient pu le menacer.

Le bateau-atelier permettait à Monet de passer aisément d'un motif à un autre et de garder son intimité au milieu de la foule des estivants ; cela facilita la multiplication d'études sur les motifs simples, vus sous une multitude d'angles différents. Ses représentations du pont routier impliquent des déplacements autour de cette structure, vue tantôt de loin, tantôt de tout près, de face, de biais ou de trois-quarts, dans une lumière grise ou — plus fréquemment — dans la lumière brillante d'un jour d'été. Ces expériences se matérialisaient en différentes structures de couleurs et selon différentes techniques, allant de l'esquisse rapide à la superposition subtile de coloris. Dans les années 1860, les "campagnes" de peinture de Monet avaient été subordonnées à la production de grandes œuvres en vue du Salon ; dans les années 1870, son œuvre picturale représenta plutôt un engagement continu face à un monde extérieur complexe, en perpétuel changement. Dès 1864, il avait commencé à peindre des tableaux par deux, sur le même sujet mais sous des conditions d'éclairage légèrement différentes (W.29 et 30). Il avait récemment fait deux toiles des coquelicots d'Argenteuil (W.274 et 275) et quatre de la promenade (W.221-224 ; ill.114 et 124) ; quand il s'établit vraiment pour peindre Argenteuil, s'aventurant rarement audelà des rives du fleuve dans la ville ou ne s'en éloignant pas de plus de deux kilomètres, les liens entre les différents groupes d'œuvres commencèrent à se développer. La signification et l'importance de cette continuité furent d'abord privées, puisque Monet n'exposa pas d'œuvres ainsi liées avant la deuxième Exposition impressionniste de 1876 ; celles-ci ne furent vues que par des amis peintres, son marchand, et peut-être certains critiques et collectionneurs venus lui rendre visite à Argenteuil. Personne n'acheta ce genre d'œuvres avant la fin de la décennie[81]. Monet lui-même semble n'avoir compris que progressivement la séduction que ce type de travail pouvait avoir sur les mécènes et commanditaires potentiels.

Ainsi présentées, les toiles se révèlent comme les éléments d'un processus continu de création d'un monde cohérent à partir des matériaux bruts de la vie moderne ; elles suggèrent, une fois de plus, que la fragmentation du mode de perception de Monet a rendu nécessaire une quête compensatrice de continuités, elles-mêmes remises en cause par ses scrupules à l'égard de la véracité de l'expérience. Ces contradictions étaient augmentées du fait que, quoique la vie moderne poussât Monet à peindre l'instant, la réalité même de cet instant était déjà si complexe qu'il fallait longtemps pour le peindre. De tout petits détails, comme le dessous de la première arche du *Pont routier, Argenteuil*, révèlent des échanges infiniment subtils entre la lumière directe, la lumière diffuse et la lumière réfléchie par l'eau. Monet ne pouvait pas "connaître" ce qu'il avait vu au moment de la perception. Une autre œuvre, moins achevée, représentant une seule pile du pont, doit être considérée moins comme une étude préliminaire que comme une autre façon de saisir l'instant. Le désir de Monet — bâtir une continuité à l'intérieur de la modernité à laquelle il se trouvait confronté — était aussi celui de sa classe sociale, tout spécialement après les traumatismes de 1870-1871. Cette continuité était réalisée à partir des moments du présent moderne, et se trouvait ainsi fragmentée de l'intérieur.

105. Édouard Manet, *Claude Monet peignant dans son bateau-atelier*, 1874, 80 x 98

106. Le bassin à Argenteuil, vers 1875

107. *Barques au repos, au Petit-Gennevilliers* (W.227), 1874, 54 x 65

Ci-contre :

108. *Le Pont routier, Argenteuil* (W.312), 1874, 60 x 80

109. *Le Pont routier d'Argenteuil* (W.314), 1874, 54 x 73

Par ailleurs, il fallait vendre. Les toiles relativement petites, témoignages de son travail intensif autour d'Argenteuil, furent achetées par un petit groupe de collectionneurs, qui comprenait — à côté des amis artistes et écrivains, du chanteur d'opéra Jean-Baptiste Faure et du médecin roumain Georges de Bellio — des représentants de la finance et de l'industrie modernes, dont certains avaient occupé des positions influentes sous le Second Empire. On y relevait les banquiers Albert (ou Henri) Hecht, et Ernest May, l'agent de change Clapisson, le propriétaire de grand magasin Ernest Hoschedé, l'homme d'affaires Fromenthal, les industriels Jean Dollfuss et Henri Rouart (ce dernier peignait aussi et avait déjà présenté des œuvres lors des expositions impressionnistes), le propriétaire de journaux François-Henri Débrousse, l'éditeur Georges Charpentier, et peut-être V.E. Dalloz, journaliste, député sous le Second Empire et administrateur. Ces banquiers, industriels et autres entrepreneurs, ainsi que des représentants de la « bourgeoisie plus moyenne » (comme disait Gambetta) — boutiquiers, petits entrepreneurs — animés par leur croyance au progrès, allaient être les principaux soutiens de la nouvelle République. En 1877, Gambetta devait célébrer leur adhésion comme une preuve « pour la France et pour l'Europe, qu'il n'y a plus de divisions dans notre pays » et « que la fusion s'est faite entre la bourgeoisie et les ouvriers, entre le capital et le travail, qui se fécondent l'un par l'autre »[82]. Ces hommes d'affaires

appréciaient les tableaux que Monet faisait de la vie moderne, même si leurs achats montrent qu'ils ne s'intéressaient guère à la continuité des recherches du peintre à Argenteuil, mais plutôt à l'enregistrement de moments uniques de sensibilité individuelle. En outre, peu après 1873, Durand-Ruel connut des difficultés financières et ne put continuer à acheter avec la prodigalité qu'il avait montrée depuis 1871. En 1874, les revenus de Monet tombèrent à 10 555 F (dont 4 200 F de Faure et 4 800 F de Hoschedé, pour cinq toiles), soit moins de la moitié de ce qu'il avait gagné en 1873 avec les tableaux vendus à Durand-Ruel. Ces revenus restaient substantiels pour l'époque, mais on voit Monet écrire à Manet pour lui demander un prêt en vue de son prochain terme de loyer. Sans les achats de Hoschedé et de Faure (et, à un degré moindre, de Bellio), Monet aurait été dans des difficultés bien plus graves entre 1874 et 1878 : la plupart des autres collectionneurs tendaient en effet à n'acheter que des petites œuvres rapides comme des esquisses, ou à acheter moins cher lors de ventes publiques[83].

À Argenteuil, les contradictions inhérentes à l'œuvre de Monet — entre le momentané et le continu, entre le temps moderne mesuré mécaniquement et le temps naturel — se trouvèrent matérialisées dans deux de ses plus importants sujets des années 1870 : le train et le fleuve. Ce n'était pas uniquement des sujets de tableaux, mais aussi les moyens grâce auxquels il avait exploré la vallée de la Seine depuis sa première visite à Paris,

en 1859. Le temps du fleuve est ininterrompu : chaque moment s'écoule sans rupture dans le suivant ; le fleuve change constamment, mais il reste en apparence le même, en dépit d'Héraclite. Le temps du chemin de fer, lui, est fragmenté en mesures mécaniques et standardisées, par des tables horaires que dicte le monde du travail ; il est renforcé par le commandement inexorable du signal. Les deux sujets se recoupent dans un groupe de toiles de 1873-1874, qui dépeignent le temps continu du fleuve, ponctué par les arrivées et les départs réguliers du train de Paris sur le pont de fer. Deux de ces toiles ont été peintes à partir du même point de vue, avec des effets de lumière différents qui modifient complètement leur structure. Le tableau dont la lumière est grise (ill.121) ne contient que de brefs reflets et le fleuve y franchit les grandes piles de pierre, ridé en surface, à contre-courant, par le même vent qui souffle la fumée de la locomotive devant lui. Dans l'autre tableau (ill.112), très ensoleillé, les reflets bien marqués des piles franchissent l'eau comme s'ils suspendaient un temps le cours du fleuve, de sorte que seul le mouvement implicite du bateau à voile glissant vers le pont indique le croisement du temps naturel et du temps mécanique. Dans *Au pont d'Argenteuil* (ill.113), le pont coupe littéralement en deux le paysage et sépare la flèche de l'église, expression graphique saisissante du présent qui remplace le passé ; seule la promenade de Camille et de Jean assure quelque continuité au paysage.

110. Camille Corot, *Le Pont de Mantes*, vers 1868-1870, 39 x 55

Monet a structuré avec soin ces temps contrastés, utilisant peut-être ce qu'il avait expérimenté dans le mouvement rapide du train pour exprimer le "choc" de l'instant, tout comme il avait utilisé les structures révélées par le déclic de l'appareil photographique ou des techniques graphiques modernes. Les anciens paysagistes se déplaçaient lentement dans un paysage qui se révélait de lui-même comme une continuité ; en revanche, depuis un train — comme Daumier l'a suggéré dans son *Wagon de troisième classe* — un paysage est saisi en fragments rapidement superposés, coups d'œil attrapés au vol et juxtapositions saccadées. Dans les deux tableaux consacrés au chemin de fer, Monet a représenté les luisances mécaniques du pont émergeant soudain des buissons vaporeux ; à son extrémité, une rupture isole ce pont — une ombre dans le tableau ensoleillé, une tache de couleur dans celui exécuté par temps couvert — et fait de lui un étrange fragment de lourde superstructure, suspendu dans un paysage par ailleurs empreint de douceur. Cette puissante juxtaposition du bucolique et du technique montre la relation symbolique du pont du chemin de fer avec la campagne, plutôt que ses relations fonctionnelles avec les usines et les quais de débarquement de la ville industrielle (comme Jongkind l'avait représentée dans son *Estacade*, vers 1853 ; ill.90). Une représentation plus réaliste aurait détourné de la cohérence de la construction par laquelle Monet représente la modernité comme un spectacle agréable[84]. Dans les illustrations des journaux de l'époque sur ce sujet, l'idée de progrès est exprimée plus littéralement : on présente des aspects du passé remplacés par ceux du présent. Dans les tableaux de Monet, cette idée est matérialisée de manière à ce que l'appréhension du moment présent efface les pertes du passé, comme pour maintenir le caractère de pure jouissance du présent.

Durant tout l'été de 1874, Monet peignit la vie heureuse du fleuve, que les citadins rejoignaient facilement par le train ; il représenta les voiliers en régate, avec leurs voiles gonflées par le vent, passant le long des frondaisons des rives, ou bien ancrés dans l'attente des visiteurs du week-end, leurs mâts dénudés traçant la plus délicate des géométries. Les multiples images donnent une impression de moments légers, fugitifs, glissant avec la même rapidité que l'eau, aussi inconstants qu'elle. Malgré l'activité déployée sur le fleuve, on voit peu de personnages : seuls les dessins du public des régates ou des équipages des voiliers indiquent un intérêt quelconque de Monet pour la pratique de ces activités sportives, comme il l'avait fait dans les années 1860 avec ses grands tableaux consacrés aux plaisirs de

la vie moderne[85]. Les toiles consacrées aux bateaux de plaisance suggèrent un monde de liberté idéale, des heures de plaisir physique gagnées sur les horaires inexorables de la cité moderne. Maupassant a évoqué dans *Mouche* cet amour pour le fleuve, son « absorbante passion, pendant dix ans [...]. Ai-je aimé tout cela, d'un amour instinctif des yeux qui se répandait dans tout mon corps en une joie naturelle et profonde. » Dans les tableaux de Monet, l'expérience visuelle devient aussi totale et exclusive, et ne requiert pas de figure humaine pour s'y identifier[86].

À l'intérieur de ce groupe, on voit émerger de manière récurrente un motif mineur : une villa à toits pointus et tourelle de style Louis XIII, au bout de la promenade. Monet l'a représentée dans trente tableaux au moins. L'utilisation de ce motif peut avoir été influencée par l'image récurrente du Fuji-Yama dans les estampes japonaises : Monet possédait neuf des *Trente-six vues du Mont Fuji* d'Hokusai, deux estampes de la série d'Hiroshige, et cinq autres œuvres de ce dernier dans lesquelles le triangle pointu de la montagne est représenté sous différents angles, apparaissant à l'improviste derrière d'autres motifs, tantôt sujet manifeste de l'image, tantôt presque invisible (ill.46 et 96)[87]. Monet n'a certainement pas conçu ces œuvres comme des éléments d'une série (les tableaux furent vendus séparément et Monet n'a laissé aucune indication qui pût suggérer une connexion entre eux), mais la présence constante de ce motif, depuis les premières toiles d'Argenteuil, au début de 1872, jusqu'aux dernières en 1877, révèle une recherche pour saisir la réalité de la Seine en ce lieu, par un mouvement continu — mais fragmenté — autour d'elle. La plupart des séries d'estampes japonaises étaient conçues comme des voyages — bien différents de ceux que l'on trouvait dans les guides de chemin de fer, naturellement. Cela était vrai des *Cinquante-trois relais du Tokaido*, dont Monet possédait trois estampes. La continuité inquiète du voyage caractérise aussi la relation de Monet avec Argenteuil.

Dans la toile où la villa apparaît pour la première fois, elle est située au milieu d'un encadrement intérieur créé par le pont routier, sorte de fléau de balance entre le voilier sur la gauche et le bateau à vapeur sur la droite. Dans les derniers tableaux d'Argenteuil, elle surgit comme un château imaginaire derrière un premier plan flamboyant de fleurs. Entre les deux, Monet l'a représentée à toutes les saisons, sous le soleil, la pluie et la neige, du

111. Honoré Daumier, *Un Wagon de troisième classe*, vers 1865, 23 x 33

112. *Le Pont du chemin de fer, Argenteuil*
(W.318), 1874, 54 x 73

113. *Au Pont d'Argenteuil*
(W.321), 1874, 54 x 72

petit matin au coucher du soleil en passant par le plein midi, sous différents axes le long de la promenade : depuis le "petit bras" et sa paix cam-
pagnarde ; depuis le bassin du fleuve avec son enchevêtrement de navires,
à travers les arches du pont routier, plantée derrière la baraque de location
des canots, dissimulée derrière les mâts et les voiles ; depuis l'autre rive du
fleuve, avec le développement anarchique d'une banlieue nauséabonde,
ou comme une apparition féérique, derrière des roseaux peints avec une
délicatesse toute orientale. Les changements des relations du peintre avec
le fleuve se retrouvent avec les autres motifs (ponts, rives, promenades,
arbres, cheminées, péniches), qui jalonnent son évolution et qui enregistrent l'interpénétration du temps contrôlé par la cité avec le temps continu
du fleuve. Lorsqu'on les regarde l'une après l'autre, ces images ont une in-
constance marquée, qui ébranle les affirmations conventionnelles sur la stabilité de la réalité et confirment la justesse du commentaire de Mallarmé :
« Le sujet représenté, étant composé d'une harmonie de lumières réfléchies
et toujours changeantes, ne peut avoir toujours la même apparence ; il pal-
pite avec le mouvement, la lumière et la vie. »[88]

   Traité d'autant de manières différentes que l'étaient les tableaux eux-
mêmes, le motif de la villa enregistre l'exploration par Monet des diverses
manières dont les touches colorées peuvent matérialiser ses perceptions du
fleuve. Mallarmé a écrit avec une grande justesse que la peinture impressionniste n'imitait pas « la partie matérielle » de la nature, mais donnait à l'artiste le sentiment délicieux « d'avoir recréé la nature touche après touche ».
On le voit parfaitement dans les quatre tableaux de la villa au bout de la
promenade, peints au cours de l'été 1872 (W.221-224). Chacun d'entre eux
a une structure différente dans les coups de pinceau et dans la gamme des
coloris (ill.114). *La Promenade d'Argenteuil* (ill.124), représente le calme du
fleuve dans la chaude lumière d'une soirée d'été : la structure colorée et le
travail de la brosse y sont plus denses et plus déliés que le traitement vigoureux de la même scène sous un ciel couvert chargé de nuages défilant
à toute vitesse. Dans le premier tableau, Monet a peint une eau d'un bleu
saturé, sur laquelle, une fois la couleur sèche, il a tiré des traits de bleu, de
bleu-vert et de mauve pâle, ainsi l'eau semble si calme que les reflets à sa
surface sont à peine troublés. Il a entremêlé un dégradé de verts, un dégradé plus chaud de tons rosâtres, et un autre de bleus-violets qui va du
presque blanc (dans le ciel et l'eau la plus brillante) au mauve profond sur
le toit de la villa. L'ensemble est animé de notes de couleurs plus claires -
le rose vif d'un toit, le violet des collines, le blanc des habits et des voiles,
le vert vif de l'herbe qui s'étend au loin. L'unité du tableau est réalisée par
un tissu de correspondances subtiles entre les lignes et les couleurs, dont

Ci-contre :

114. *Les Bords de la Seine à Argenteuil* (W.221), 1872, 53 x 71

115. *Le Boulevard de Pontoise à Argenteuil, neige* (W.359), 1875, 60 x 81

116. *Effet de neige, soleil couchant* (W.362), 1875, 53 x 64

certaines sont délicates au point d'en être presque imperceptibles, comme par exemple l'ombre des arbres, sur l'île. Les piliers du pont sont représentés par des touches de lumière qui se "lisent" verticalement et qui s'unissent à l'horizontale filiforme du pont, pour constituer une micro-structure ; celle-ci permet d'apprécier les diagonales qui servent de guide de perspective vers la profondeur du tableau et qui divergent si délicatement de l'horizontale qu'elles ne brisent en rien la tranquillité de la surface. L'exquise subtilité de ces relations n'a d'égale que celle des couleurs : par exemple, celles qui figurent la lumière du soir filtrant à travers les arbres — de fines touches de vert-jaune sur l'herbe, de jaune-orange sur le sentier mauve, bleu et violet — se retrouvent dans les teintes pastel plus claires des bâtiments, et, de façon presque invisible à nouveau, derrière le pont.

Monet revint à ce motif au cours de l'hiver 1874-1875, en exécutant plusieurs tableaux d'Argenteuil sous la neige, ce qui lui permit de présenter sous un jour embelli certains aspects d'une ville traditionnelle saisie par la modernisation[89]. Il n'a pas représenté directement les principales manifestations du changement (les usines, les nouvelles rues, le développement de l'habitat), mais il les a suggérées en en montrant les traces dans le ciel rempli de fumées, ou dans les transformations du manteau de neige. On le voit par exemple dans *Effet de neige, soleil couchant* (ill.116), avec les bosses inégales de la couverture neigeuse, qui suggèrent un terrain vague déformé par les pavements et les caniveaux d'un boulevard moderne tel qu'il en a peint dans *Le Boulevard de Pontoise à Argenteuil, neige* (ill.115), sous une lumière gris d'acier. Ces tableaux, pris en groupe, donnent l'idée des bouleversements hasardeux et anarchiques qui surviennent dans une conurbation lorsque la modernisation vient éventrer son ancien tissu ; ils indiquent que Monet concevait la modernité comme une série de forces interactives qui doivent être saisies sur le vif, plutôt que sur le mode de l'énumération descriptive des composantes du changement.

Lorsque Monet peignait la modernité, il n'en montrait que les aspects agréables, en s'arrangeant pour masquer ceux qui ne l'étaient pas, sous la forme de silhouettes ou de traces estompées que l'on peut considérer d'un point de vue esthétique. Dans *Effet de neige, soleil couchant*, la lourde fumée et la masse grise, dans le ciel d'un jaune sale, indiquent la présence des immenses fonderies Joly, qui employaient des centaines d'ouvriers et fournissaient ponts et poutrelles métalliques à la France et l'Europe. Monet n'a jamais été plus loin dans son approche du monde des usines qui envahissaient les abords des villes, au grand dam de leurs habitants, importunés par le fracas, les puanteurs et les rejets malsains, voire corrosifs. Bien qu'il fût concerné au premier chef par ces changements, jamais il n'en a évoqué en peinture les causes, à savoir : le travail industriel, les activités commerciales et la spéculation financière.

Bon nombre de commentateurs modernes semblent partager la désillusion éprouvée par Zola envers les impressionnistes, devant leur refus de rivaliser avec la manière discursive du roman qui devait traiter, selon lui, tous les aspects de la vie contemporaine, quelle que fût leur complexité. Ces commentateurs n'ont pas vu que les toiles de Monet, Degas et Manet exprimaient la conception bourgeoise du monde avec autant de précision que les épopées commerciales et financières de Zola, justement parce qu'elles se limitaient à ce que l'on pouvait voir dans l'instant[90].

Le seul tableau de Monet consacré au travail, *Les Déchargeurs de charbon*, montre des travailleurs réduits à l'état de machine, inexorablement enchaînés à la fragmentation répétitive des mêmes mouvements[91]. Le tableau n'invite pas le spectateur à considérer la signification humaine de ce travail, probablement parce que les personnages sont traités presque de façon décorative, comme des notes musicales sur une portée, sans existence individuelle. Monet a peint cette œuvre à Asnières, banlieue industrielle de Paris, loin de son "Utopia" semi-urbaine d'Argenteuil. Le fait que cette œuvre ne fasse partie d'aucune tournée de travail dans cette zone industrielle suggère

que la scène a retenu l'attention de Monet au passage, en tant que motif intéressant. Il y a là quelque chose de la vérité des rapports de classe, comme on la trouve dans le tableau de Courbet qui représente des casseurs de cailloux : le peintre les avait aperçus sur la route alors qu'il passait en voiture et il les a fait poser dans son atelier de manière à ce qu'ils gardent l'anonymat des travailleurs vus en passant. La disposition des bras et des outils des ouvriers sur toute la surface du tableau enferme ces personnages dans un processus mécanique interminable, mais l'intensité de l'observation de Courbet laisse transparaître quelque chose de la vie du vieil homme et du jeune garçon, parcequ'il a su figurer la force physique dans tout ce qu'elle a de plus fort, ce qu'il pouvait constater, mais non connaître. Par opposition, l'attention de Monet a peut-être été attirée par ce motif à cause d'une ressemblance avec une estampe de sa collection, signée Hiroshige, *La Côte de Kujukuri, dans la province de Kazusa*, ce qui laisse entendre que l'attitude de Monet face à son sujet était déterminée par un élément pictural et dans ce cas particulier par une image exotique et pré-industrielle[92]. Les ouvriers sont alors tenus à distance par le regard de Monet, regard de classe d'un bourgeois beaucoup mieux assimilé chez Courbet.

Mallarmé décrit l'impressionniste comme « le travailleur énergique moderne »[93]. Dans le monde de Monet, les seuls qui travaillent sont les peintres : durant l'été 1874, il a peint Manet travaillant (W. 342) ; Renoir l'a représenté peignant dans son jardin (ill.97) et Manet dans son bateau-atelier, sur la rivière baignée de soleil, créant le monde qu'il voulait voir (ill.105). Détaché des exigences inflexibles du temps mécanique qui régit le travail des ouvriers déchargeant le charbon, le labeur du peintre est représenté comme source de liberté et d'agrément. L'œuvre de Monet qui représente des ouvriers s'intègre donc parfaitement à un regard de classe : loin de vouloir connaître la vérité des conditions de travail, elle s'applique au contraire à les cacher. La tentative faite par la Commune d'assurer aux ouvriers une juste rémunération de leur travail avait profondément menacé le système de la libre entreprise, qui avait entraîné la prospérité de la bourgeoisie française. Le soutien matériel apporté à Monet par Durand-Ruel entre 1870 et 1873 avait dû aussi lui faire comprendre que son existence de peintre de la vie moderne, et le maintien d'une condition bourgeoise dont dépendait cette identité, étaient eux-mêmes étroitement liés à la spéculation des marchands sur son œuvre peint. Sa peinture était donc bien un aspect du miracle de la reconstruction de la France d'après la Commune ; simplement, au lieu de peindre les processus de la reconstruction, il les transposait dans les processus de créations artistiques.

*Les Déchargeurs de charbon* furent acquis par l'un des deux banquiers Hecht lors d'une vente aux enchères tenue à l'hôtel Drouot, en avril 1875 ; il y avait là 74 œuvres de Monet, Morisot, Renoir et Sisley. Elles auraient assurément composé une exposition beaucoup plus homogène que celle de la Société anonyme et c'est probablement ce qui provoqua une violente opposition entre partisans et adversaires de l'impressionnisme. La presse conservatrice et la presse radicale prirent des positions résolument antagonistes. Un journaliste qui avait approuvé l'exposition écrivait dans *L'Écho universel* : « Aux plus beaux jours des grandes luttes du romantisme contre l'académie, on n'a certainement pas entendu plus de malédiction et aussi plus d'expressions enthousiastes que cet après-midi devant les tableaux de Mlle Morisot et MM. Claude Monet, A. Renoir et Sisley. » Le chroniqueur des ventes de *L'Art*, une revue conservatrice, rapporta que l'hôtel Drouot était « littéralement plein, et que les enchères étaient dérangées par de regrettables apartés, d'un goût douteux », alors que des « critiques sérieux » soutenaient quand même le droit des artistes à soumettre leurs œuvres au « jugement raisonné du public ». Il poursuivait en ces termes :

« ... on ne pouvait voir sans sourire quelques braves gens bien forts en matière de denrées coloniales, de calicot ou de flanelle, se pâmer pour poser en connaisseurs devant

117. Utagawa Hiroshige, *La Côte de Kujukuri dans la province de Kazusa*, estampe de la suite *Endroits célèbres des soixante et autres provinces*, 1853-1856, gravure sur bois, 37 x 22

118. *Les Déchargeurs de charbon* (W.364), 1875, 55 x 66

les plus informes barbouillages ; nous avons entendu l'un d'eux parler du génie de M. Claude Monet et prononcer à propos des ignorantes aberrations de ce peintre, le grand nom de Turner… »

Abandonnant ensuite son détachement, le chroniqueur proclamait que « ces prétendus collectionneurs » n'étaient « rien d'autre que de vulgaires spéculateurs ». Albert Wolff soulevait le même problème dans *Le Figaro* : « il y a peut-être là une bonne affaire pour ceux qui spéculent sur l'art de l'avenir », disait-il, à partir de tableaux qui auraient pu être l'œuvre d'« un singe qui se serait emparé d'une boîte de couleurs ». Burty, qui avait écrit la préface du catalogue de la vente, affirmait, dans *La République française* : « Des amateurs quinteux et désœuvrés qui avaient pris le mot d'ordre d'ateliers bien connus ont essayé d'interrompre des enchères qu'un groupe d'amateurs sérieux soutenait très bravement. » Le journaliste de l'organe radical *Le Rappel* — sans doute d'Hervilly — se faisait l'écho de Burty en louant les tableaux, « petits fragments du miroir de la vie universelle » et il écrivait d'un ton provocquant, au lendemain de la vente : « Je ne cacherai pas aux ennemis des impressionnistes — dans la mesure où ils sont impressionnistes — que j'ai acheté un de ces tableaux et que mon collaborateur Émile Blémont en a acheté deux. »[94]

L'établissement de la République, deux mois seulement avant la vente aux enchères, n'avait pas entraîné une diminution de la tension politique, car Mac-Mahon était résolu à maintenir un gouvernement conservateur et répressif. Les républicains modérés toléraient les lois constitutionnelles nouvelles, mais beaucoup d' « intransigeants » y étaient opposés, car ils pensaient — non sans quelque raison — que ce genre de lois préservait essentiellement le pouvoir des classes dirigeantes traditionnelles. Les principes de « l'ordre moral » furent appliqués avec une rigueur croissante. Les défenseurs d'un art moralement édifiant trouvèrent une réponse dans l'immense allégorie de Baader intitulée *Remords* (musée d'Orsay), présentée au Salon quelques semaines après la vente impressionniste. Mais *Le Triomphe de l'ordre* (ou *Le Mur des Fédérés*, œuvre perdue) de E. Pichio qui représentait le mur

contre lequel les derniers résistants Communards avaient été fusillés, fut banni du Salon par le directeur des Beaux-Arts, Chennevières, sous prétexte que « de tels souvenirs empreints de deuil ne doivent pas être évoqués à un niveau national ; ils sont […] d'une nature qui éveillent les passions politiques auxquelles l'art doit rester étranger. »[95] : le tableau représentait le mur du cimetière du Père-Lachaise, à Paris, contre lequel les derniers Communards résistants avaient été fusillés, le 27 mai 1871.

L'auteur de la « Chronique de l'hôtel Drouot », dans *L'Art*, ajoutait que la vente de mars 1875 avait été la première de ces manifestations à avoir ressenti « l'influence désastreuse des incertitudes politiques ». Ce fut sans doute la raison (outre les soupçons de radicalisme politique) des prix très bas obtenus par les impressionnistes pour leurs œuvres. Monet reçut 2 825 francs pour les 20 œuvres qu'il présentait (y compris celles qu'il racheta lui-même avec le soutien financier de Durand-Ruel, parce qu'elles étaient tombées trop bas). *Prairie à Bezonsa* (ill.122) pour 190 F, *Les Déchargeurs de charbon*, pour 225 F et *Un coin d'appartement* (ill.127), pour 324 F, furent les meilleures ventes.

La vente servit aussi de prétexte pour afficher publiquement ses allégeances politiques. Les partisans des impressionnistes montrèrent — non sans ambiguïtés — la modernité de leurs conceptions : en achetant *Les Déchargeurs de charbon*, le banquier Hecht pouvait, à moindre frais, prouver son indépendance par rapport aux forces économiques conservatrices de la République naissante. Il acquérait ainsi une toile avancée d'un point de vue stylistique — mais qui transformait le travail urbain en spectacle esthétique. Par ailleurs, les conservateurs saisissaient avec empressement l'occasion de dénoncer la collusion entre la nouvelle peinture et les « spéculateurs vulgaires », en brocardant l'ignorance et en discréditant le statut de ceux qui achetaient ces œuvres et qui appartenaient au monde moderne de l'industrie et de la finance.

Bien que les œuvres de Monet aient attiré quelques nouveaux acheteurs en 1875, la vente aux enchères marqua le début d'une période de huit ans de difficultés financières chroniques, au cours de laquelle ses rêves de créer une peinture de paysage moderne, à la fois par la technique et par les sujets, finirent par s'écrouler. Au cours de l'été, il revint aux tableaux du fleuve. On voit, sur un de ces tableaux représentant la villa vue au loin de l'autre côté de la rive, que Monet utilise toujours de petits coups de pinceaux qui dissolvent les formes en vibrations colorées, mais ils les fait plus larges, de sorte que le coloris s'intensifie et que la structure du tableau s'affirme davantage que dans les toiles antérieures peintes sur le même motif, mais de manière plus serrée.

Vers la même époque, Monet écrivit à Manet : « Depuis avant-hier, plus un sou et plus de crédit ni chez le boucher, ni chez le boulanger. Quoique j'aie foi en l'avenir, vous voyez que le présent est bien pénible » ; dix jours plus tard, nouvel appel, alors qu'il est « entre les pattes d'un huissier ». C'est peut-être à cette époque qu'il avoua au même Manet : « Ma boîte à couleurs sera longtemps fermée à présent [...]. Comme je vous l'ai dit, c'est fini. »[96] Pourtant, il était en train de peindre quelques-unes des toiles les plus exquises de sa carrière, montrant Camille, Jean, et leurs amis dans des champs de coquelicots et dans le jardin d'une nouvelle maison, où la famille s'était installée à l'automne de 1874. La femme et le fils de Monet apparaissent dans un si grand nombre de paysages d'Argenteuil que l'on réalise avec émotion le rôle immense qu'ils ont joué dans l'assimilation du lieu et dans sa transformation en un monde qui lui appartenait en propre. Le sens d'une progression à travers le paysage, que donnent ces deux personnages, peut avoir été influencé par les estampes japonaises représentant des voyages, et par celles qui montrent des personnages visitant la campagne en admirant les beautés de la nature. L'une des estampes d'Hiroshige que possédait Monet, *Pique-nique au temple de Kaian, pour admirer les érables rouges à Shinagawa*(ill.95), figure ainsi deux couples de personnages — femme et enfant — déambulant à travers un paysage pittoresque, comme le font les personnages dans *Les Coquelicots à Argenteuil*.

Tucker a bien montré  que les quatre tableaux de Camille et de Jean dans les champs de la plaine de Gennevilliers, de l'autre côté du fleuve par rapport à Argenteuil (W.377 à 380), ont été peints dans une zone qui avait été arrosée et fertilisée grâce aux rejets non traités provenant des égouts de Paris. En 1875, on proposa d'étendre la zone ainsi aménagée , ce qui entraîna des réactions comme celle de cet opposant au programme, qui écrivait en 1876 :

> « ...les routes et les chemins sont bordés d'un conduit à ciel ouvert dans lequel s'écoule des immondices noires et infectieuses [...]. Pendant les périodes de grand chaud l'été [...], une odeur infecte et fétide s'élève des champs. Nos campagnes à l'aspect si rayonnant, doivent-elles être la victime de cette trasnformation, dont elles tirent si peu d'avantage ? »[97]

Comme dans les tableaux montrant le fleuve pollué, Monet conjure la vision néfaste en transformant la réalité putride en une campagne rayonnante où l'on peut savourer dans leur plénitude les joies des loisirs, et où les caractéristiques du jardin domestique sont transposées et élargies aux dimensions de toute la campagne environnante, pour exorciser les effets négatifs de la modernisation. Le jardin particulier en banlieue, rêve de tant de citadins, étaient, avec les promenades en habits de ville, deux formes différentes de cette colonisation de la campagne par les villes, que résume assez bien le commentaire de Zola sur Monet : « Comme un vrai Parisien, il emmène Paris à la campagne, il ne peut peindre un paysage sans y mettre des messieurs et des dames en toilette. » Prouvaire avait fait des remarques similaires à propos des toiles de Morisot dans l'exposition de 1874 : « Elle confronte l'artifice charmant de la Parisienne au charme de la nature. C'est une des tendances de l'école qui naît, de mêler Worth au bon Dieu... »[98] La promenade nonchalante des femmes dans le monde clos du *Déjeuner* et dans le jardin plus ouvert des *Dahlias* (ill.98) se retrouve dans *Les Coquelicots à Argenteuil* ; l'élégance citadine de Camille dans son costume, dans la *Prairie*

*à Bezons* (ill.122), indique qu'elle se trouve là tout aussi bien protégée que dans le jardin clos et rassurant de la maison familiale.

Monet a été toute sa vie un amateur de jardins, et cette passion a fait partie intégrante de sa peinture. Dans sa première maison d'Argenteuil, il garnit de fleurs les vases d'Orient (qui ne quittèrent d'ailleurs jamais la famille) et fut sans doute l'auteur des massifs aux teintes soigneusement choisies. Dans la plupart des tableaux de ce premier jardin, Monet calcule son point de vue de manière à exclure les maisons environnantes ; lorsqu'elles apparaissent, il accentue le rempart formel des clôtures et des barrières du jardin. Il souligne aussi fortement la pose de Camille en bourgeoise oisive, comme le montre par exemple la toile intitulée *Camille au jardin, avec Jean et sa bonne*, à laquelle s'ajoute une hiérarchie sociale fortement marquée. Dans d'autres tableaux de ce jardin, comme le *Déjeuner,* les massifs de fleurs englobent et occultent les limites formelles pour créer un monde tourné vers ses habitants. C'est dans cet espace que Monet a peint Camille se levant brusquement et arrangeant ses cheveux, tandis que Jean est couché dans un heureux abandon, au milieu des fleurs baignées de soleil[99]. La maison dans laquelle les Monet vécurent après 1874 — le « pavillon rose avec des grilles vertes », comme le décrivit Monet en invitant Victor Choquet et Cézanne à déjeuner, en 1876 — était l'un de ceux qui avaient été construits pour héberger les Parisiens désireux de s'installer dans la banlieue[100]. Monet ajouta un jardinier à temps partiel au personnel qu'il employait déjà, et créa un jardin où se mêlaient de manière caractéristique les plantations ordonnées et informelles, avec de grandes masses colorées.

Les jardins de Monet concentraient les beautés de la nature, de sorte qu'il pouvait les peindre en les observant avec une attention scrupuleuse, et en exprimant du même coup la réalité de l'harmonie protectrice tant désirée. Et pourtant, les tableaux laisse entrevoir une tension interne : par exemple, dans *Le Banc*, l'expression de Camille est mélancolique, et l'on sent une certaine méfiance envers l'homme qui se trouve à côté. L'isolement des personnages entre eux et par rapport à l'artiste a été interprétée comme le signe de l'éloignement du peintre vis-à-vis de son épouse, mais cette interprétation néglige une volonté manifeste d'échapper à la construction narrative[101]. Jusqu'au début des années 1880, la vie personnelle de Claude Monet nous est inaccessible. Ses tableaux nous montrent seulement que Camille l'a constamment accompagné dans son travail, non seulement comme modèle, mais aussi, comme le laisse entendre un tableau de Manet où le couple est représenté dans le bateau-atelier, en tant que compagne. L'évidence de leur intimité constitue l'un des éléments majeurs de la peinture de Monet.

La représentation de personnages apparemment étrangers les uns aux autres — ou, plus exactement, présentés comme s'il n'existait entre eux aucun lien affectif — était caractéristique de l'avant-garde du Réalisme : elle réifiait le monde extérieur, y compris ses éléments humains. Manet, Monet et Degas, en particulier, représentaient les personnages comme des objets, refusant d'inventer entre eux des relations lorsqu'elles n'étaient pas immédiates et visibles ; leur vision était à ce point intransigeante qu'elle en arrivait à briser les personnages en particules de couleur, voire, chez Degas, à disjoindre les membres du corps. Les tableaux de Monet avaient cela d'inhabituel qu'ils situaient ce type d'objectivisation au sein même de la famille, où l'on estimait généralement que l'intimité devait être visible — là où Morisot, par exemple, tout aussi intransigeante sur la fidélité à la perception, était capable de *voir* (donc de suggérer) des relations affectives. Tout un vocabulaire hérité de postures et de gestes permettait au peintre de Salon de construire des images dans lesquelles les relations entre les personnages étaient énoncées grâce à un réseau visible de pensées discursives ; mais l'artiste formé au réalisme d'avant-garde s'interdisait d'avoir recours à des constructions narratives pour recouvrir l'incomplétude du moment observé. (On peut comparer à ce propos *La Partie de cache-cache*, de Tissot,

119. *Peupliers, près d'Argenteuil* (W.378), 1875, 54 x 65

120. *Le Banc* (W.281), 1873, 60 x 80

121. *Le Pont du chemin de fer, Argenteuil* (W.319), 1874, 55 x 72

122. *Prairie à Bezons* (W.341), 1874, 57 x 80

123. *La Seine à Argenteuil* (W.373), 1875, 60 x 81

124. *La Promenade d'Argenteuil* (W.223), 1872, 50 x 65

125. *Camille et Jean Monet au jardin d'Argenteuil*
(W.282), vers 1873, 131 x 97

avec *Un coin d'appartement*, tableau représentant Camille et Jean en intérieur.) Néanmoins, comme on le voit dans *Le Banc*, l'approche réaliste pouvait donner au personnage une matérialité irréductible qui lui conférait
une vie individuelle, même si — ou plutôt parce que — sa vie intérieure
restait cachée à la vue d'autrui. Dans *Camille et Jean Monet au jardin
d'Argenteuil*, le mouvement de Camille reste mystérieux, mais il se fixe
dans la mémoire, précisément parce qu'on ne peut absolument pas l'expliquer en termes narratifs.

Le même phénomène se produit dans *La Promenade* de 1875, tableau
dans lequel Monet a représenté Jean et Camille à un moment où cette dernière se serait tournée vers lui, alors que le vent agite son voile et sa robe,
et souffle sur les herbes ondulantes et les nuages d'été. La seule relation exprimée se lit dans les regards de la femme et de l'enfant, qui se croisent
avec celui de l'artiste : ils le considèrent de haut avec la gravité et l'inté-
riorité inhérentes à toute personne humaine, et que ce type de peinture permet de matérialiser. L'intimité peut être suggérée du même coup, prolongée par cet événement, mais rendue ambiguë du fait de l'intensité du regard
dépassionné de Monet.

*La Promenade* d'Adrien Moreau, présentée au Salon de 1874, au moment où Monet exposait *Les Coquelicots à Argenteuil* à la toute première

exposition impressionniste, est un exemple de construction narrative populaire, prévu pour l'un des cahiers de photographies illustrant les œuvres
du Salon. Prouvaire, écrivait dans *Le Rappel*, organe radical, que la peinture de Monet « mêle heureusement les chapeaux fleuris des femmes aux
coquelicots rouges des blés »[102]. Les deux tableaux représentent des femmes
élégamment vêtues dans la campagne en banlieue, mais Moreau développe
à l'égard des femmes une attitude représentative de l'art du Salon, qui sup-
pose chez ces femmes un intérêt équivoque, comme celui que Monet n'a
suggéré qu'une seule fois[103]. Par cette allusion, le tableau de Moreau se rattache à la longue tradition qui associe l'eau des fleuves et des rivières à
l'érotisme. L'art du Salon donnait souvent une allure légèrement osée à
cette association, mais les femmes sont ici protégées de cette nature éroti-
sée par les défenses que constitue leur harnachement vestimentaire. Dans
la peinture de Monet, les femmes sont évidemment des dames comme il
faut (Prouvaire le reconnaissait), mais il ne manifeste à leur égard aucune
condescendance amusée et ne suggère aucune anecdote douteuse pour expliquer leurs promenades répétées à travers les champs. Le tableau indique
plutôt une manière de liberté idéalisée, où la sécurité est assurée non par
des écrans et des barrières, mais bien par la peinture elle-même.

Moreau rend exactement compte de la matière des robes, de l'herbe,
de l'écran et du mur, et masque entièrement la matière avec laquelle il travaille. Les traits du pinceau de Monet, bien visibles, attirent au contraire
l'attention sur la matière grâce à laquelle il représente ce qu'il voit, offrant
la possibilité de choisir une vision et une représentation de la réalité qui
diffèrent de celles des autres peintres. La liberté que ce choix semble promettre est toutefois maintenue dans l'ambiguïté par la nécessité conjointe
de construire un monde qui ne contienne pas de contradictions apparentes.
Le revers de cette liberté est indiqué par la superposition des formes matérielles dans *Un Coin d'appartement*, tableau qui représente Camille et Jean
dans la maison et pour lequel Monet a inversé le déplacement, en faisant
littéralement rentrer le jardin dans la maison (fleurs et plantes en pots, rideaux à motif floral). Néanmoins, comme on le verra par comparaison avec
*La Partie de cache-cache* de James Tissot (vers 1877), le refus d'indiquer les
liens narratifs permet aussi au peintre de suggérer que les deux personnages ont probablement une existence propre au-delà de celle du tableau.

Tout en peignant ces tableaux idylliques, Monet devait également
penser à la prochaine Exposition impressionniste — qui allait se tenir en
1876 — ainsi qu'à la nécessité urgente de trouver des acheteurs. Ses tableaux
de femmes et d'enfants, au milieu des fleurs, des champs et des jardins, se
vendaient assez bien : Faure a peut-être acheté, à lui seul, *Camille au jardin
avec Jean et sa bonne*, en 1874 ; *Au jardin* (W.386), en 1875 ; *Les Coquelicots à
Argenteuil*, entre 1874 et 1877. Mais les prix restaient bas, et il est possible
qu'il y ait eu un rapport entre la sensualité grandissante de ces tableaux et
les menaces que l'impécuniosité faisait peser sur ce monde utopique que
le jardin symbolisait[104]. *Au jardin* — qui représente la femme et le fils de l'artiste entourés de fleurs éclatantes, de feuillages lumineux et d'une barrière
d'arbre — a été peint alors que sa situation financière était sur le point de
le contraindre à renoncer à la peinture, faute de crédit chez le marchand de
couleurs. Si de telles œuvres étaient bien le moyen d'établir la continuité
au milieu de la fragmentation de la vie moderne, en assurant l'image de la
famille dans son environnement, cette continuité idéale était sérieusement
menacée par l'échec de ces mêmes œuvres, incapables de procurer l'argent
nécessaire à la préserver.

La seconde Exposition impressionniste (qui ne fut pas appelée ainsi) présenta 252 œuvres de vingt artistes dans les locaux de la galerie Durand-
Ruel, rue Le Peletier, en avril 1876. Les travaux de chaque artiste étaient
groupés, de sorte que chacun d'eux avait sa propre exposition dans le cadre
de l'ensemble. Monet sélectionna dix-huit tableaux qui représentaient les

126. James Tissot,
*La Partie de cache-cache*,
vers 1877, 73 x 54

À droite :

127. *Un Coin d'appartement*
(W.365), 1875, 80 x 60

À gauche :

128. *La Promenade. La Femme à
l'ombrelle* (W.381),
1875, 100 x 81

129. Adrien Moreau, *La
Promenade,* Salon de 1874

130. *La Japonaise* (W.387),
1875-1876, 231 x 142

aspects variés de sa peinture de paysage moderne : huit œuvres étaient présentées dans le catalogue comme ayant été peintes à Argenteuil, cinq autres figuraient Camille et Jean dans le jardin familial ou dans les champs : *La Liseuse*, *Prairie à Bezons*, *La Promenade*, *Les Dahlias* et le *Déjeuner* (de 1873). Argenteuil était montré sous les aspects changeants des quatre saisons, dans des œuvres qui tournaient autour des multiples activités du fleuve ; quatre des huit tableaux contenaient le motif de la villa. L'exposition devait démontrer la continuité des recherches conduites par l'artiste entre 1872 et 1875, sur un lieu bien connu du public, accentuant à la fois l'instabilité des apparences et les différentes manières dont on pouvait traiter un motif. Argenteuil était présenté comme un lieu de loisir et de plaisir, juxtaposant le spectacle de la vie moderne et les joies du fleuve, les beautés du jardin familial et qu'égalaient celles des prairies familières. Monet avait ajouté deux tableaux des années 1860 sur le thème des plaisirs de l'eau, *La Plage à Sainte-Adresse* et *Les Bains de La Grenouillère* (W.136, aujourd'hui perdu), qui révélaient, s'il en était besoin, la continuité de ce thème dans son œuvre. Le *Déjeuner* de 1873 (appelé *Panneau décoratif* dans le catalogue) était venu remplacer celui de 1868-1870 de la première exposition.

La surprise était, dans ce contexte, une toile intitulée *La Japonaise* (ill.130), la seule œuvre de même format que le *Déjeuner* qui représente Camille. Elle y est vêtue d'un costume de théâtre japonais, dans une pose inspirée par les estampes figurant les courtisanes ou les acteurs. C'est un cas unique dans les tableaux de Monet, car on y voit Camille flirtant avec le spectateur, dans un style plus proche de celui des toiles du Salon que de celles de l'avant-garde, à l'opposé de la retenue de *La Promenade*. L'auteur y a sans doute joué sur l'idée que les Européens se faisaient d'une *geisha*, tout en soulignant la mascarade par la perruque blonde dont il affuble le modèle, en accentuant son caractère européen[105]. Le jeu sur les allusions érotiques caractérisait une partie de l'art du Salon et il est possible, vu l'état désespéré des finances de l'artiste, qu'il ait cherché à renouveler le succès qu'avait connu sa *Camille* au Salon de 1866 : un critique au moins fit le rapprochement. Beaucoup avaient pensé naguère que le tableau figurait une prostituée, mais peu de critiques firent l'association avec *La Japonaise*, peut-être parce que le symbolisme sexuel du coup d'épée était trop criant pour que l'on pût en parler ouvertement. Le critique de *La Gazette de France*, journal légitimiste, fut le seul à suggérer le contenu aussi implicite qu'inadmissible : « *La Chinoise* [sic] a deux têtes : une de demi-mondaine sur les épaules, une autre de monstre placée — nous n'osons dire où... » Monet devait lui-même appeler plus tard ce tableau « une obscénité », mais ce commentaire lui était sans doute suggéré plus par rapport à l'introduction de l'érotisme dans son univers familial, que par rapport au sujet proprement dit[106]. Monet fut stimulé par la peinture de la robe et, comme certains critiques le remarquèrent, l'image du guerrier brodé semble plus vivante que celle de la femme réelle[107]. Malgré tout, le regard de coquetterie lancé par le modèle au spectateur devait permettre aux critiques de reconnaître la conformité du tableau aux principes acquis de représentation d'une femme contemporaine.

L'exposition de 1876 attira une attention plus soutenue que celle de 1874, mais l'hostilité n'en fut que plus marquée. Plusieurs critiques soulignèrent qu'ils avaient réservé leur opinion à la première exposition, pour voir comment les choses allaient évoluer ; il devenait clair à présent que cette tentative n'avait pas été une simple protestation contre le Salon, à la recherche de publicité, mais une véritable alternative, et que les impressionnistes, loin d'avoir écouté les requêtes des critiques, étaient déterminés à poursuivre comme ils avaient commencé. Les peintres étaient moins nombreux qu'en 1874, de sorte que l'exposition de 1876 était plus unifiée d'un point de vue stylistique et se posait plus nettement en rivale de l'art officiel. Même les critiques des revues d'art spécialisées consacrèrent leur attention à cet événement. Dans sa *Chronique des arts et de la décoration*,

Lostalot écrivit que les œuvres présentées n'attiraient plus le rire ou l'indignation, que certains des exposants révélaient un réel talent et se montraient désormais plus enclins « à renforcer grâce à l'effort intellectuel, l'impression sensorielle qu'ils recherchaient ». Cette réflexion lui était peut-être inspiré par la présence des grands tableaux à personnages de Caillebotte, Monet et Degas. Le critique maintenait néanmoins que «...cette école [montrait] un profond dédain pour les méthodes que l'on enseigne » et qu'elle aspirait à tout prix à subordonner la pratique du matériau à l'effet. Dax était aussi inconsistant dans *L'Artiste* : il proclamait que « les intransigeants » voulaient provoquer une révolution « plus violente et plus générale que celle de 1830 » ; qu'ils faisaient preuve d'« un individualisme profond, que l'on ne pouvait pas retrouver au Salon », mais que leur point de départ était absolument faux. Dans *L'Art*, Mancino répandait quantité d'encre pour affirmer qu'il n'avait nullement l'intention de « ...faire cause commune avec ces camarades qui s'oubliaient en brûlant un encens sophistiqué en l'honneur du peuple auquel il ne revenait même pas le mérite d'une folie sincère... ». Cette « bande d'égoïstes fous , écrivait-il, spéculaient audacieusement sur la stupidité humaine »[108].

La plupart des tableaux de Monet, Renoir et Sisley avaient été prêtés (neuf des dix-huit toiles de Monet étaient en possession de Faure), de sorte que l'expression de Mancino révèle que les conservateurs sentaient à présent la nécessité de combattre un mouvement qui gagnait des adhérents. Ils rejoignaient toutefois les critiques modérés et radicaux en indiquant que les impressionnistes pouvaient avoir un effet réformateur sur l'art français : Bigot reconnaissait, par exemple, que « la vigueur, la franchise, la brutalité même de l'esquisse » pouvaient être profitables à « la mièvrerie de l'école française contemporaine ». Castagnary, de son côté, affirmait qu'ils ne devaient pas être exclus du Salon de 1876 — le premier de la République nouvelle — parce qu'ils avaient joué un rôle dans l'évolution de la peinture « vers la lumière et la vérité », loin de « ce qui rappelle le convenu, le faux, l'artificiel »[109].

La division entre presse conservatrice d'une part, presse libérale et radicale de l'autre, était plus prononcée qu'en 1874 : Berthe Morisot écrivit à une de ses tantes que le groupe n'avait pas trouvé grâce auprès du *Figaro*, « si aimé du bon public [...]. En revanche, poursuit-il, nous avons des éloges dans les feuilles radicales ; [...] Enfin, on s'occupe de nous et nous avons tant d'amour propre que nous sommes tous très contents. »[110] Le langage des critiques était celui des éditorialistes dans leurs commentaires sur la crise politique qui continuait : c'était un curieux mélange où passaient pêle-mêle l'accusation de folie, les insinuations de maladie mentale et les soupçons de radicalisme politique de la pire espèce. On pouvait lire quand même, de temps en temps, des jugements esthétiques plus pondérés. L'article auquel Morisot faisait référence était celui d'Albert Wolff, qui écrivait :

> « Cinq ou six aliénés, dont une femme, un groupe de malheureux atteints de la folie de l'ambition...Ces soit-disant artistes s'intitulent les intransigeants, les impressionnistes ; ils prennent des toiles, de la couleur et des brosses, jettent au hasard quelques tons et signent le tout. C'est ainsi qu'à la Ville-Évrard des esprits égarés ramassent les cailloux sur leur chemin et se figurent qu'ils ont trouvé des diamants. »[111]

D'autres parlaient de « folie », des « brutalités de pinceau, des démences d'exécution et des insanités de conception [...] absolument révoltantes» ; les chroniqueurs comparaient les peintres aux patients de la clinique du Dr Blanche, ou proclamaient qu'il n'était « pas sain » de regarder leurs toiles, avec leurs « arbres en rouge ou en jaune, les maisons en indigo, les eaux en carmin ou en ponceau » et leurs personnages qui « ressemblent à des pensionnaires de la Morgue ». Les plaisanteries allaient bon train : un homme avait eu une crise d'épilepsie à l'exposition, un autre avait mordu les passants dans la rue Le Peletier en sortant de la visite[112]. Dans *Le Soir*, conservateur, Bertall trouvait une transition facile de la folie au politique :

« C'est, disent-ils [...], l'art de l'avenir. À peuple nouveau, art nouveau. » Dans le journal bonapartiste *Le Pays,* Maillard constatait que les impressionnistes étaient « ...des mécontents, des radicaux de la peinture, qui, ne pouvant pas trouver de place dans les rangs des peintres réguliers, se sont constitués en société, ont arboré une bannière révolutionnaire quelconque… ». Dans la *Revue politique et littéraire*, Bigot opposait l'exposition des impressionnistes à une autre montrant des peintures très achevées de la vie moderne, par de Nittis, Firmin-Girard, Berne-Bellecourt, et autres artistes du même genre. Il soulignait que les collectionneurs payaient de très hauts prix pour ces œuvres-là, mais qu'à l'exception de « quelques rares fanatiques » comme Faure, le public n'avait aucune envie d'acheter des tableaux impressionnistes. Bigot appelait les premiers « l'école officielle », et les impressionnistes « l'école révolutionnaire ». Il affirmait ensuite : « ...la France, qu'on accuse bien à tort d'aimer les révolutionnaires, me semble les aimer aujourd'hui moins que jamais en art comme en politique. »[113]

Les craintes de la droite avaient été exacerbées par le grand nombre de candidats de centre gauche élus en janvier à la Chambre des députés, au cours des premières élections organisées selon les nouvelles lois constitutionnelles. Veuillot, l'ultra-conservateur, appelaient ces élections « la continuation du massacre des otages » par la Commune et la droite exerçait des pressions de plus en plus fortes sur Mac-Mahon pour qu'il résistât à toute libéralisation. À gauche, on réitérait les demandes d'amnistie pour les Communards ; de son exil suisse, Courbet avait envoyé une lettre ouverte aux députés nouvellement élus, faisant appel de sa condamnation à 300 000 francs d'amende pour la destruction de la colonne Vendôme. Cette lettre resta sans réponse, mais les critiques des impressionnistes l'avaient probablement en tête[114].

Deux jours après l'article de Bigot, Louis Enault fit dans *Le Constitutionnel* le rapprochement le plus net entre la nouvelle peinture et la politique radicale. Le radicalisme, écrivait-il, « s'affirme partout » et « la peinture a aujourd'hui ses intransigeants tout comme la politique », bien qu'elle dût « habiter les hauteurs de l'idéal ». Les intransigeants en politique, proclamait-il, ne voyaient « aucune justification à essayer de réparer l'édifice social, ils en veulent un tout neuf [...]. Les fondations sur lesquels ils veulent élever leur monument doivent être une *tabula rasa*. » Puis, dans une transition étonnante, il mettait en garde contre le danger d'aller à la galerie Durand-Ruel, car on y serait heurté par « des lignes tracées au hasard ou à l'aveuglette et par une couleur qui n'est rien d'autre que la débauche de toutes les couleurs de l'arc-en-ciel ». Ce « petit groupe hardi écrivait-il, plante sa bannière en plein Paris » et ses doctrines étaient « singulièrement dangereuses »[115]. Dans le même numéro du *Constitutionnel*, l'éditorialiste constatait que Gambetta réformait son parti pour obtenir le progrès « non plus par la lutte, mais par l'étude et le travail » ; il concluait que les ennemis étaient les « intransigeants » plus que la majorité conservatrice, puisqu'ils s'opposaient à Gambetta, cherchaient à obtenir une amnistie et « voulaient faire de la République un instrument de destruction plutôt que de progrès et de civilisation ». Une quinzaine de jours plus tôt, *Le Rappel* avait publié un discours de Victor Hugo au Sénat, dans lequel il demandait avec fermeté une amnistie générale, comme « la réparation due au peuple de Paris »[116].

L'opposition était claire : d'un côté, l'ordre symbolique défini par « l'étude » et « le travail », « le progrès mesuré et la civilisation prudente » ; en art, la correction et la pureté de la ligne, l'harmonie des couleurs et le respect des traditions. De l'autre, l'instinctif et l'improvisé, le hasard des lignes et l'orgie des couleurs, la destruction du passé pour nettoyer le terrain afin d'y construire un ordre nouveau. Bigot affirmait que les peintres s'appelaient eux-mêmes « les *intransigeants*, c'est-à-dire quelque chose en art comme le radicalisme Naquet en politique » et que « la nouvelle école supprime tout ce qui avait été lentement conquis par le travail des siècles »[117].

En fait, aucun des écrivains politiques des journaux radicaux ne se faisait l'avocat de la *tabula rasa* en politique, et aucun des critiques d'art de ces mêmes journaux n'avait jamais suggéré que les impressionnistes fussent en quête d'une destruction révolutionnaire. Dans *Le Rappel*, Blémont (qui avait acheté deux tableaux impressionnistes en 1875) caressait l'espoir que des « fruits mûrs » naîtraient de la « liberté nouvelle » des impressionnistes :

« ...ils n'ont d'autre loi que celle de la relation nécessaire entre les choses ; [...]. Et comme il n'y a peut-être pas deux hommes sur terre qui perçoivent exactement les mêmes rapports dans un même objet, ils ne voient pas la nécessité de modifier suivant telle ou telle convention leur sensation personnelle et directe. »[118]

Cette vision contrastait avec le principe de base de l'esthétique conservatrice : qu'il n'y avait qu'une seule façon de percevoir le monde extérieur et une seule façon de le représenter. Blémont continuait en disant que s'il était d'accord en théorie avec leurs principes, il trouvait en pratique que les impressionnistes « ne lisent pas toujours couramment dans le grand livre de la nature », indiquant ainsi sa propre croyance sous-jacente en une vision unitaire. Néanmoins, cette condition était probablement moins apparente aux critiques hostiles que sa première assertion sur la relativité de la vision, et eut finalement moins d'importance que le fait suivant : son article parut dans *Le Rappel* le même jour qu'un rapport de la commission sur l'amnistie des condamnés. Dans un numéro qui flétrissait les « élucubrations malsaines » des impressionnistes, l'éditorialiste du journal orléaniste *Le Soleil* avait déjà exprimé sans détour la crainte que la presse radicale pût « souffler l'esprit de l'agitation et de la révolution dans toute la France ». Deux jours après l'article de Blémont, un autre journal orléaniste, *Le Moniteur universel*, avertissait :

« Profitons de cette situation pour informer les "Impressionnistes" qu'ils ont trouvé un juge complaisant au *Rappel*. Il est bien naturel que les Intransigeants en art donnent un coup de main au Intransigeants en politique. »

La phrase ne suggère pas simplement qu'ils partageaient les mêmes vues, mais aussi que les artistes aidaient en quelque sorte les politiciens radicaux dans leur travail[119]. On déplorait surtout que les impressionnistes fissent profession de mépriser le travail nécessaire pour transformer l'ébauche en tableau, alors que cette notion de travail, invoquée comme condition préalable de toute « civilisation » et de tout « progrès », servait aux modérés à se distinguer de la gauche radicale. Selon eux, le rejet par les impressionnistes de tout ce que la tradition pouvait enseigner, afin de créer la "table rase", pouvait évoquer la destruction de Paris par les Communards. Le terme de Mancino décrivant les impressionnistes comme des « vandales » était précisément celui qui avait servi contre ces mêmes Communards. Ce fut à ce moment-là que les partisans de l'amnistie évoquèrent le spectre des milliers de condamnés massés aux frontières ou attendant leur libération de prison et leur retour à Paris[120].

L'hostilité était également dirigée contre les coloris des impressionnistes, jugés excentriques. Dans *Le Soleil*, Porcheron décrivait *Le Pont du chemin de fer à Argenteuil* — dans la collection de Faure — comme « le dernier mot de l'impressionnisme : bateau bleu, arbres verts, violets, roses et jaunes » ; dans le même temps, un critique non identifié (cité par Geffroy) commentait :

« M. Monet exhibe une collection de paysages éclairés par des feux de Bengale. Il y en a de tout bleus, il y en a de tout jaunes, il y en a de tout roses, beaucoup de roses. C'est une vraie féerie ! [...]

Et pourtant M. Monet sait fort bien, quand il veut, se faire comprendre du public : il lui suffit de renoncer à parler le japonais ou le bengali, et de s'exprimer en bon français comme il l'a fait en peignant *Le Pont du chemin de fer à Argenteuil*, la *Prairie* et *La Plage de Sainte-Adresse*. Ces trois morceaux feraient très bonne figure au Salon officiel… »

Reconnaissant que Monet avait bien « l'œil d'un véritable paysagiste », Bigot lui aussi louait la *Prairie à Bezons*, mais déplorait « un malheureux goût pour les bleus et les roses », et des paysages « criards, papillotants »[121].

Les critiques étaient également rebutés par les traits de pinceau très visibles, en couleurs brisées, qui aboutissaient, selon les mots de Bigot, à « un chaos luisant de coups de pinceau brutaux ». Blémont ajoutait, de son côté, que Monet « poussait trop loin la décomposition des rayons de soleil, le scintillement des couleurs et l'iridescence de la lumière ». C'était toutefois une critique fondée sur la connaissance de la peinture et il est remarquable que comme beaucoup de critiques qui s'adressaient à leurs lecteurs comme s'ils partageaient le langage des spécialistes, avec qui il était possible de discuter de l'impressionnisme, il écrivait dans la presse radicale ou de centre gauche. Dans *L'Opinion nationale*, Silvestre affirmait :

« [L'école] procède d'un principe de simplification vraiment nouveau et auquel on ne saurait contester sa raison d'être. Uniquement préoccupée de la justesse, elle procède par harmonies élémentaires ; peu soucieuse de la forme, elle est exclusivement décorative et coloriste. Son idéal est, à notre humble avis, absolument incomplet, mais ses travaux auront assurément une place dans la légende de l'art contemporain. [...]

Elle a porté le plein air à des hauteurs jamais atteintes. Elle a mis au goût du jour une gamme de couleur claire et charmante ; elle a recherché les liens nouveaux. À la place d'une vision des choses si raffinée qu'elle déroute et qu'elle pâtit de trop de conventions, elle a substitué une sorte d'impression analytique très sommaire et très claire. »

Les journaux se définissant comme progressistes (selon un éventail qui allait du bonapartisme libéral au républicanisme radical, en passant par le centre gauche), soulignaient la nature proprement scientifique et exploratoire de l'impressionnisme, et parfois même son application des principes de la libre entreprise. Silvestre citait les « recherches picturales » des impressionnistes ; Blavet expliquait dans *Le Gaulois*, organe bonapartiste, que leur séparation d'avec l'École des Beaux-Arts ne venait pas d'un « dédain », mais de leur « besoin d'une plus grande liberté d'expérience », comme dans leur « laboratoire privé ». D'un autre côté, les commentaires de Blémont sur la « décomposition de la lumière du soleil » par Monet étaient critiqués par Enault, qui écrivait dans *Le Constitutionnel* que la « table rase » des impressionnistes n'était « rien d'autre que la débauche de toutes les couleurs de l'arc-en-ciel émergeant du prisme »[122]. Les notions de vision relative et d'analyse scientifique des couleurs étaient exposées plus systématiquement par Duranty dans *La Nouvelle Peinture*, première analyse nourrie du mouvement, parue au moment de l'exposition. Duranty écrivait :

« D'intuition en intuition, ils en sont arrivés peu à peu à décomposer la lueur solaire en ses rayons, en ses éléments, et à recomposer son unité par l'harmonie générale des irisations qu'ils répandent sur leur toile. [...] Le plus savant physicien ne pourrait rien reprocher à leurs analyses de la lumière. »[123]

Cette explication scientifique allait dominer l'interprétation de l'impressionnisme jusqu'à une date récente, bien que les peintres — qui devaient être parfaitement conscients de la différence entre couleurs du prisme et couleurs matérielles — utilisaient probablement ce genre de concepts d'une manière plus métaphorique que littérale.

Dans l'exposition, le regroupement des œuvres par artistes non seulement accentuait l'unité de chaque groupe d'œuvres, en tant que création d'un seul individu, mais attirait aussi l'attention sur les moyens différents utilisés par chacun pour construire sa représentation du « réel ». Presque tous les critiques commentèrent ces différences : certains sous-entendaient

que les œuvres les plus extrêmes étaient délibérément provocatrices, mais seul Blémont cherchait une explication en termes de relativité de vision. Bigot touchait sans y prendre garde un point crucial lorsqu'il affirmait que la peinture impressionniste :

« … ne procède que par teintes plates juxtaposées les unes contre les autres. Elle veut que l'on puisse compter les touches du pinceau ou, mieux encore, du couteau à palette, car le pinceau est lui-même un instrument trop doux, trop délicat, trop mou pour arriver à rendre la réalité brutale. Exprimer les objets tels qu'ils apparaissent à distance, en exprimer seulement la note essentielle, caractéristique, tel est le programme de nos nouveaux réalistes. »

Il relevait ainsi l'ambiguïté de la combinaison entre les techniques qui marquent la distance et celles qui impliquent la proximité : elles caractérisaient l'œuvre de Monet depuis les années 1860[124]. L'accrochage de l'exposition, les gammes de couleurs abstraites et la technique très visible invitaient les critiques et le public à participer à la construction de la réalité de la peinture, mais ceux-ci répondirent fort peu à l'invitation. L'imbrication bizarre des techniques relevée par Bigot contribua certainement à éloigner les spectateurs des sujets agréablement bourgeois, cependant que la continuelle suspicion de radicalisme politique pouvait faire paraître subversive l'invitation à la participation, dans un contexte permissif.

Dans son article intitulé « Les impressionnistes et Édouard Manet », Mallarmé affirmait que la relativité de la vision du peintre moderne était liée à la situation contemporaine, dans laquelle « la foule demande à voir avec ses propres yeux »[125]. S'il est vrai que cette demande ait existé, on était loin du compte : la censure de la presse était toujours sévère ; la législation répressive interdisait toute organisation importante de la classe ouvrière. Un régime parlementaire avait bien été instauré, mais le peuple était loin d'être « souverain » et la « République des ducs », conservatrice, cherchait à maintenir le pouvoir des élites traditionnelles. Mallarmé pensait que l'art nouveau était profondément lié aux valeurs de la bourgeoisie libérale avancée et il écrivait, dans l'esprit des idées de Gambetta, que la réconciliation entre les classes était le fondement indispensable de la République modérée. L'impressionnisme, ajoutait-il, était l'art représentatif d'une période « …qui ne peut s'isoler de la politique et de l'industrie, tout aussi caractéristiques ». Ce pouvait être aussi un moyen de réconciliation sociale, d'éduquer « l'œil du public » :

« Le public consentira alors à voir les vraies beautés du peuple, saines et solides comme elles sont, les grâces qui existent au sein de la bourgeoisie seront alors reconnues et prises comme modèle en art. Alors viendra une ère de paix. »

L'optimisme de Mallarmé, partagé par la plupart des partisans de l'impressionnisme, était en harmonie avec celui des républicains progressistes comme Gambetta, qui opposait sa vision d'une France *joyeuse* et régénérée à l'emphase conservatrice d'une France morose, entre un passé perdu et un avenir à redouter ; de la même façon, le bonheur de la peinture impressionniste s'opposait à l'art austère requis par « l'ordre moral ». Renoir connaissait Gambetta par l'intermédiaire de son mécène Charpentier (à qui Monet cherchait à vendre son *Train dans la neige*) ; il avait obtenu le soutien de son journal, *La République française*, lors de leurs expositions[126].

Monet ne vendit aucune œuvre à l'exposition de 1876, mais *La Japonaise* fut acquise pour 2 010 francs lors d'une vente aux enchères, en avril ; le *Déjeuner* fut acheté par le riche Gustave Caillebotte qui, en qualité de peintre, de constructeur de bateaux de plaisance et de jardinier émérite, était fort sympathique à Monet. Il devait par la suite devenir l'un des soutiens les plus importants du groupe. D'autres collectionneurs apparurent en 1876 : Victor

Chocquet, qui n'était pourtant pas en mesure, avec son modeste salaire de fonctionnaire des Douanes, de satisfaire les exigences de Monet, ainsi que Georges de Bellio, médecin roumain fortuné. Dans les années 1880, ce dernier possédait une trentaine d'œuvres de Monet ; ses avances, prêts et des cadeaux constituèrent une aide appréciable pour l'artiste, lorsque les choses allaient vraiment très mal. En dépit de ses revers de fortune, Hoschedé continuait d'être un mécène précieux. Mais les prix obtenus par Monet demeuraient peu élevés, de sorte que malgré l'importance de ses revenus (12 313 francs en 1876, par exemple), les difficultés pécuniaires s'aggravèrent sous l'effet de l'accumulation des dépenses courantes, des impôts et des dettes contractés : les expédients auxquels il recourait périodiquement ne firent que reculer l'échéance fatale. Les membres du groupe introduisirent leurs amis auprès d'éventuels mécènes potentiels, et les plus aisés vinrent en aide aux plus démunis. Toutefois, même ceux qui bénéficiaient d'une certaine indépendance financière ne furent pas épargnés : Eugène Manet écrivait par exemple à sa femme Berthe Morisot : « Tout le clan des peintres est dans la détresse ; les marchands sont encombrés […]. Espérons que les acheteurs reviendront. »[127]

Cet état de fait fut probablement à l'origine du tournant décisif qui marqua la peinture de paysage de Monet. Les premiers signes de ce changement se manifestèrent au moment de l'exposition de 1876, sous la forme d'une rupture qui se fit ensuite de plus en plus nette entre les tableaux de nature et les toiles consacrées à la vie moderne. Il n'exécuta plus ces dernières dans le décor des banlieues champêtres et transféra ces sujets à Paris, où ils atteignirent leur apogée avec la série des douze toiles consacrées à la gare Saint-Lazare. À Argenteuil, il se consacra à une contemplation méditative des effets du temps sur la nature, loin des contraintes horaires imposées par la ville, des trains ou des bateaux. Ses seuls tableaux de la vie moderne en plein air eurent pour cadre les parcs publics ou les jardins privés.

Au printemps de 1876, Monet peignit quatre vues du *Jardin des Tuileries* (W.401 à 404), depuis l'appartement de Chocquet, rue de Rivoli, mettant ainsi un terme à deux années de travail exclusivement consacrées à Argenteuil et ses environs. Comme autrefois pour ses représentations urbaines, il adopta un point de vue surélevé par rapport au motif, marquant ainsi un certain détachement vis-à-vis de son sujet. La perspective de plain-pied qu'il utilisait à Argenteuil, n'apparaît que dans un groupe composé de trois tableaux du parc Monceau (W.398 à 400), alors très en vogue. Mais ces derniers ne témoignent pas de l'intensité d'observation que l'engagement émotionnel de l'artiste avait conféré aux peintures de paysages humanisés. Quant aux toiles des Tuileries elles apparaissent comme de brefs instants, des moments saisis dans une continuité plus importante. Dans le tableau le plus achevé de ce groupe, le pavillon de Flore et le bassin sont coupés par les bords de la toile, comme ils le seraient sur un cliché bien cadré. On retrouve l'esprit de la photographie dans le refus de bâtir une signification : le palais des Tuileries était l'une des ruines les plus spectaculaires laissées par la Commune, mais Monet n'a représenté qu'un fragment de la façade nord du pavillon, seul vestige d'un passé récent[128].

Le changement affectant les tableaux consacrés aux paysages de banlieue est perceptible dans un groupe de quatre toiles réalisées à partir de son bateau-atelier, au cours d'une de ses odyssées paisibles parmi les saules vert argenté bordant les rives du « petit bras » (W.390 à 393). Le tableau de Manet représentant Monet dans sa atelier sur l'eau, en 1874, l'avait montré au cœur des activités du fleuve, travaillant à trancrire la modernité sur sa toile ; en 1876, la seule allusion au fleuve de naguère que contiennent ces œuvres se trouve dans un tableau (W.392), où Argenteuil surgit comme un mirage, plutôt que comme un lieu réel. Dans les autres tableaux, le bateau est perdu dans une végétation luxuriante qui prend les allures d'une jungle mesurée. Les quatre œuvres suggèrent le déplacement incessant au sein du paysage d'eau, puisque chacune d'elles le montre à une distance différente,

Ci-contre, de haut en bas :

131. *Dans la prairie* (W.405), 1876, 60 x 82

132. *Les Glaïeuls* (W.414), 1876, 60 x 81

133. *L'Étang à Montgeron* (W.420), 1876, 172 x 193

134. *Coin de jardin à Montgeron* (W.418), 1876, 172 x 193

comme s'il s'éloignait peu à peu du spectateur. Cette continuité dans le mouvement est semblable à celle qui est évoquée par le passage de Camille et de Jean à travers la campagne ; la présence de Camille dans le tableau du bateau amarré confirme le rôle qu'elle joue dans l'appropriation par le peintre du paysage d'Argenteuil. Ce monde centré autour de la rivière se referme sur lui-même, plus complètement encore que celui du jardin, car le miroir de l'eau reflète les saules, le bateau rustique et ses occupants perdus dans leurs pensées, comme pour suggérer qu'il est lui-même un reflet du monde des reflets.

Les fleurs sauvages qui entourent Camille dans *Les Coquelicots* — la plus lyrique des œuvres dans lesquelles le peintre a transformé les champs d'Argenteuil en jardin protecteur — sont transposées en fleurs sophistiquées dans *Les Glaïeuls*. Le jardin est irradié de lumière ; la toile aux tons chauds resplendit de ses particules de couleurs vibrantes, tandis que de petits traits de peinture blanche semblent flotter à la surface et se révèlent être un nuage de papillons. Dans ce groupe de dix toiles (W.406 à 415), Monet a enregistré ses déplacements successifs tout autour du jardin, en fonction de la « maison rose aux volets verts » ou, du treillis de la clôture, tandis qu'en 1875, il avait noyé le jardin dans d'épais fouillis de feuillages et de fleurs baignées de lumière. La continuité temporelle se perçoit également dans les six images de Camille marchant le long des sentiers, à des distances variables du spectateur. Dans certaines de ces toiles, son personnage donne une impression d'accablement et de lassitude, qui trahit peut-être les premiers signes de la maladie dont elle devait mourir en 1879. Cet état

d'esprit avait-il gagné le peintre, pour qu'il montrât tant de froideur dans l'observation de sa compagne ? La question demeure sans réponse[129].

Le repli de Monet sur l'espace protégé que constitue le jardin peut avoir été influencé par une autre menace, à propos de laquelle il écrivit en ces termes au Dr de Bellio :

« Je ne puis me tirer d'affaire, les créanciers se montrent intraitables et, à moins d'une apparition subite de riches amateurs, nous allons être expulsés de cette gentille petite maison où je pouvais vivre modestement et où je pouvais si bien travailler. Je ne sais ce qui va nous arriver [...]. J'étais pourtant plein d'ardeur et j'avais bien des projets… »[130]

Ernest Hoschedé répondit probablement de manière inespérée à ce souhait de voir surgir un « riche amateur » lorsqu'il invita Monet en son château de Rottenbourg, à Montgeron, de l'autre côté de Paris, afin d'y réaliser quatre grands panneaux décoratifs pour sa salle à manger. Monet passa plusieurs mois à y travailler tout en se consacrant à d'autres œuvres ; il exécuta sans doute des études pour les panneaux — chacun d'eux avait presque deux mètres de hauteur ou de largeur — avant de poursuivre son ouvrage en atelier, à Montgeron, puis chez lui. En dépit de ce travail d'élaboration préalable, chaque toile est de facture très libre, comparable en cela à une œuvre peinte sur le motif, en plein air. Ces compositions révèlent l'esprit d'invention dont Monet pouvait faire preuve lorsqu'il travaillait sur une grande échelle. Dans le *Coin de jardin à Montgeron* (ill.134), il a réuni ses sujets favoris — les fleurs et l'eau — pour la première fois, mais *L'Étang à*

*Montgeron* offre un renversement encore plus saisissant des perspectives conventionnelles : le bassin d'eau dormante occupe plus des deux tiers de la toile et porte l'image inversée des arbres et du ciel — que l'on ne voit pas directement. L'œil se déplace librement, comme s'il pénétrait les profondeurs du bassin ou parcourait sa surface jusqu'aux arbres rayonnants, et l'on n'aperçoit que progressivement la présence du reflet d'une femme coiffée d'un chapeau à la mode, à la fois présente et absente, pêchant de l'autre côté du bassin, à côté d'un personnage à peine esquissé. Une image de femme se trouve également dans le *Coin de jardin à Montgeron,* mais on ne décèle présence que lorsque l'on remarque les couleurs brisées qui s'attachent à son reflet. Il est possible qu'il s'agisse dans les deux cas d'Alice Hoschedé, épouse riche et cultivée du mécène, qui allait devenir plus tard la compagne, puis la seconde épouse de Monet. Il est impossible de savoir si leur liaison intime commença dès le séjour du peintre à Montgeron, mais leurs vies allaient se lier dans les quatre années qui suivirent[131].

Le séjour à Montgeron, chez ce mécène des temps nouveaux, fit peut-être renaître chez Monet des ambitions de peintre de la vie moderne :

lorsqu'il revint à Argenteuil, vers la fin de l'année, il commença ses préparatifs pour le plus grand projet qu'il ait jamais exécuté, les douze toiles consacrées à la gare Saint-Lazare, peintes entre la mi-janvier et le début d'avril 1877. Au XIXe siècle, le train était le symbole du progrès qui devait apporter la prospérité et la justice sociale à tous ; les grande gares étaient célébrées comme les temples ou les cathédrales de la nouvelle civilisation. C'est une part de cette exaltation qui s'exprime dans l'accent mis par Monet sur la puissance des machines, la massivité de la gare et du pont de fer, la fuite des rails vers l'ouest, dans le gouffre creusé entre les nouveaux blocs d'immeubles, la densité des immenses nuages de vapeur. La technique qu'il emploie pour représenter les changements de lumière ou de point de vue devint très explicite avec la série des *Gare Saint-Lazare.* La géométrie rigide de la grande verrière, avec ses articulations linéaires régulières, constituait un cadre idéal pour enregistrer ce type de modifications, puisque la structure elle-même semblait changer selon la couleur et la densité de l'atmosphère environnante : on peut le voir dans la différence entre le tableau peint sous le plein soleil de midi filtrant à travers les marquises, et un autre

135. *Les Tuileries* (W.401), 1876, 54 x 73

136. *Le Bateau-atelier* (W.390), 1876, 72 x 60

137. *Le Bateau-atelier* (W.391), 1876, 80 x 100

peint plus tôt dans la matinée, dans une lumière plus froide, lorsque l'intérieur de la gare est envahi par l'ombre. Tout était nouveau dans ces tableaux : presque rien n'existait de ce décor lorsque Monet arriva pour la première fois du Havre, en 1859, puisque la gare fut entièrement reconstruite au début des années 1860, au moment où l'on édifia aussi le quartier alentour. La scène n'avait donc pour ainsi dire pas de passé et Monet l'a fragmentée en une série de séquences, soumises au morcellement par les horaires et les signaux ferroviaires[132].

Il obtint de l'administration la permission de peindre dans la gare ; pour placer ses toiles le plus judicieusement possible, il fit d'abord un repérage soigneux des lieux, en exécutant plusieurs dessins. Caillebotte l'aida ensuite à louer un petit appartement à proximité, afin qu'il pût y travailler. Il a représenté les locomotives des grandes lignes vers la Normandie aussi bien que celles des lignes de banlieue, qui conduisaient les trains vers la plupart des lieux qu'il avait peints ; à l'extérieur de la gare, il prit comme motif l'enchevêtrement des rails et le pont de l'Europe, avec ses structures de fer. Manet a reproduit les alentours de la gare dans une toile exposée au Salon en 1874 et intitulée *Pont de l'Europe* (aujourd'hui à la National Gallery of Art de Washington), mais il en a fait l'arrière-plan moderne d'une étude de personnages ; Caillebotte adopta un point de vue similaire en 1876. Monet ne s'intéressait pas aux aspects humains de la scène : il a peint les machines, pas les wagons ; quelques personnages fugitifs, pas les foules de voyageurs ni les employés des chemins de fer. Aucune présence humaine ne vient distraire le regard qui s'attache à l'immense verrière et aux façades scintillantes des immeubles, pareilles à des falaises. Dans *La Gare Saint-Lazare, arrivée d'un train,* un personnage se trouve au tout premier plan, mais il est brossé d'un trait si sommaire que l'œil glisse sans le remarquer, et se fixe sur la silhouette massive de la locomotive. La confrontation ne se fait pas ici avec le regard, comme dans la toile de Manet, mais avec les créations techniques de la modernité. Ce déplacement du centre de gravité se

manifeste avec plus de forces encore dans *Gare Saint-Lazare, le signal*, où Monet a dressé à la place traditionnellement dévolue au(x) personnage(s), un simple signal ferroviaire. Le critique de *L'Artiste* souligna : « Un disque sinistre et menaçant domine le premier plan. »[133]

# IV

En demandant le prêt de sa *Cabine de plage à Sainte-Adresse* (W.94) pour la troisième exposition impressionniste (1877), Monet écrivit à Duret qu'il aurait avantage à « se montrer sous différents aspects »[134]. Il ne présenta que deux tableaux illustrant les plaisirs du fleuve près de Paris, et deux autres consacrés à l'image du bonheur familial : *Camille et Jean Monet dans la maison d'Argenteuil*, (ou *Un Coin d'appartement*), montrant le luxe de la seconde maison d'Argenteuil et *Dans la prairie*. La première de ces œuvres avait été prêtée par Caillebotte, et la deuxième par Duret. Plus de la moitié des trente tableaux qu'il présentait avaient pour sujet la ville moderne, allant du *Grand Quai du Havre* de 1874 (W.295) aux tableaux plus récents des sites de loisir contemporain, *Le Parc Monceau* (W.398) et les *Tuileries* ; de manière plus significative encore, il exposait aussi huit des toiles de la série des *Gare Saint-Lazare* — la plus grande présentation qu'il eût jamais faite d'œuvres consacrées à un seul sujet et l'expression publique la plus claire de la relativité de la vision.

Si les impressionnistes avaient espéré que l'opposition à leur travail allait s'estomper grâce à une familiarité plus grande, ils durent vite déchanter : dès l'ouverture rue Le Peletier, le 5 avril 1877, de cette troisième exposition, les critiques se firent plus dures encore que précédemment. Davantage de journaux sérieux s'y intéressèrent , mais le nombre des revues hostiles dépassa largement celui des favorables. Zola put toutefois écrire : « Même si l'on rit, le public court à l'exposition. On a dénombré plus

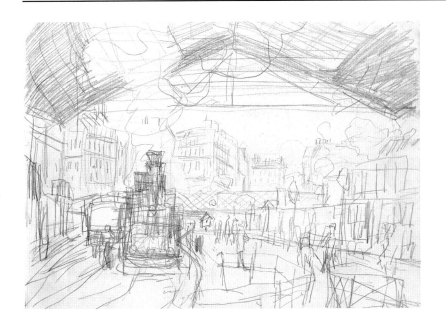

de 500 visiteurs par jour. » Georges Rivière affirma dans son petit journal *L'Impressionniste,* apparu durant l'exposition, que l'opposition était orchestrée par la presse ; mais le public, disait-il aussi, examinait les tableaux de plus près que lors de la première exposition, parce qu'il avait été convaincu du sérieux mis par les impressionnistes à « [...] poursuivre leurs recherches ». Un rédacteur de *L'Homme libre,* organe radical, suggérait également qu'une bonne partie du public exprimait son dégoût uniquement parce que la presse lui disait dit le faire. « Tout ce que Paris compte de curieux et d'oisifs » était passé à l'exposition de 1876, selon Bigot, qui prétendait que les impressionnistes souhaitaient avoir des foules « pour entendre hurler les philistins », mais que l'avis du public n'avait guère d'importance étant donné la médiocrité de son éducation artistique. Les connaisseurs en fait d'art n'avaient pas été scandalisés dès l'abord, affirmait-il, parce qu'ils croyaient à la « liberté pour tous » et qu'ils avaient eu une « curiosité sympathique » sur l'avenir du mouvement. Mais cette sympathie s'était singulièrement refroidie devant l'exposition de 1876, ils étaient devenus plus critiques en 1877, parce que les impressionnistes n'avaient fait aucun progrès ; ils avaient au contraire, dit Bigot, aggravé leurs défauts

Ci-contre :

138. *La Gare-Saint-Lazare*, 1877, dessin (carnets de croquis, MM. 5128, 23 verso)

139. *La Gare Saint-Lazare, arrivée d'un train* (W.439), 1877, 82 x 101

140. *La Gare Saint-Lazare, à l'extérieur (Le Signal)* (W.448), 1877, 65 x 81

141. *Le Pont de l'Europe, gare Saint-Lazare* (W.442), 1877, 64 x 81

et ils ne présentaient encore que de grossières « ébauches »[135]. Cette impression de dégradation de la peinture impressionniste fut peut-être provoquée par la modernité plus affirmée de « l'exposition dans l'exposition » que constituaient les œuvres de Monet, ainsi que par les œuvres de Cézanne, toujours considérées comme outrageusement provocatrices. Les impressionnistes déployèrent aussi une publicité sans précédent — moyen que les traditionalistes pensaient contraire à l'Art — par le biais du journal *L'Impressionniste* et par des affiches placardées un peu partout dans Paris, sur lesquelles ils affichaient crânement le surnom qui leur avait été donné par dérision. Pire encore, ils avaient des admirateurs et des partisans[136]. L'exposition ouvrit durant une crise politique qui devait culminer, peu après sa fermeture, avec le coup d'État semi-constitutionnel du Seize mai, par lequel Mac-Mahon remplaça le cabinet de centre gauche par une équipe réactionnaire guidée par l'idéologie de l'ordre moral. Cette crise politique grave jeta peut-être une ombre sur l'exposition : on peut l'inférer des commentaires de Bigot disant que « les récents événements politiques » avaient quand même amené les peintres à adopter le nom d' « impressionnistes », à la place de celui d' « intransigeants » que « le public » leur avait donné.

L'opposition au groupe devint presque officielle avec l'article hostile de Roger Ballu, inspecteur des Beaux-Arts, dans la conservatrice *Chronique des arts et de la curiosité*. Ballu trouvait les œuvres de Monet et de Cézanne particulièrement choquantes : « Des enfants jouant avec du papier et des couleurs font mieux. » D'autres journaux conservateurs reprenaient le refrain désormais familier : seule une « curiosité malsaine » pouvait attirer les gens dans « ce musée des horreurs » (*Le Figaro*) ; « démence, choix délibéré de l'horrible et de l'exécrable » (*Le Pays*). *Le Charivari* publiait une caricature sur laquelle on voyait un policier conseillant à une femme enceinte de ne pas entrer à l'exposition[137]. Néanmoins, même les critiques hostiles éprouvaient le besoin de chercher des explications à ces œuvres. Dans *L'Artiste*, Chevalier dénonçait l'impressionnisme comme

> « …un tumulte de coloris, une fantasmagorie d'effets, une bacchanale de lignes, une furie de coups de pinceau, une orgie de pâtes, une explosion de lumières, de compositions audacieuses, de dissonances sans précédent et d'hamonies insolentes [...]. Un art sauvage, irrévérent, désordonné et hérétique… »

Il essayait toutefois d'établir une corrélation entre « nos coutumes et la révolution entreprise par les nouveaux apôtres » :

> « Leur traitement brutal, la banalité de leurs sujets préférés, l'apparence de la spontanéité [...] l'incohérence déterminée, la hardiesse de leurs couleurs, le mépris de la forme, les naïvetés puériles dont ils parsèment des harmonies exquises, ce mélange bizarre de qualités et de défauts n'est pas sans analogie avec le chaos des forces contradictoires qui secoue notre époque. »

Les intransigeants, concluait-il, ne méritaient pas d'être condamnés, mais devaient être jugés à leur exacte valeur, même si l'éducation du public n'était pas suffisamment avancée pour le permettre[138]. Bigot cherchait aussi une explication dans la vie contemporaine :

> « [ce n'est] pas la véritable nature [...] qu'ils s'efforcent de rendre, c'est surtout la nature telle qu'on l'entrevoit par échappées dans la grande ville ou dans ses environs, là où les notes criardes des maisons, des murailles blanches rouges ou jaunes, avec leurs volets verts, viennent se mêler à la végétation des arbres et former avec elle des contrastes violents. »

Bigot concluait en regrettant la poésie et la « vérité de la nature » de Corot, Rousseau, Daubigny et les paysagistes hollandais. Paul Mantz énonçait des remarques semblables dans un long article du journal républicain conservateur *Le Temps*. Il contestait aux impressionnistes le droit à ce titre, parce que les vrais « impressionnistes » savaient représenter le déplacement d'un nuage rapide : « Trois ou quatre traits de pinceau devraient suffire à fixer l'image mouvante. » Il y avait eu des impressionnistes hollandais et anglais, mais, par dessus tout, « la charmante révolte ! l'insurrection bénie ! » de 1830. Corot était « le premier impressionniste du monde » et sa perception du motif et des effets de lumière étaient si exacte qu'il était « facile pour le spectateur de reconstituer ou d'imaginer le détail manquant ». Avec les impressionnistes d'aujourd'hui, disait Mantz, il fallait « faire de longs efforts et être terriblement subtil pour comprendre leur naïveté ». Bigot reprenait cette notion de naïveté, affirmant que : « Revenir à l'enfance de l'art, c'est simplement s'exposer à retourner à l'art de l'enfance. »[139]

Les critiques conservateurs cherchaient à dévaloriser les impressionnistes en prouvant la supériorité de la tradition ancienne : non seulement, celle-ci était compréhensible et fondée sur une « observation consciencieuse de la nature », mais elle avait de la poésie, ou « de l'âme ». Burty lui-même, longtemps en sympathie avec le mouvement, finit par dire, dans *La République française*, que l'impressionnisme n'était qu'un « développement excentrique » des recherches de Corot ; il se montrait particulièrement critique envers les paysagistes. Marc de Montifaud reprenait les commentaires de Mantz sur Corot, pour critiquer le manque de fini des impressionnistes, et affirmait que ces « agresseurs de la palette » attaquaient en

fait la bourgeoisie ; leur vocabulaire évoquait celui de *L'Assommoir*. Zola était alors violemment attaqué par les conservateurs, les radicaux et même les modérés pour son roman sur « le monde ouvrier [...], la décadence de l'ouvrier parisien par suite de la déplorable influence de l'environnement des barrières et des cabarets » ; de Montifaud s'en prenait particulièrement à l'usage du parler populaire qui donnait à *L'Assommoir* une force interdisant de le ranger commodément parmi les récits moralisants sur les dangers de la boisson. La « grossièreté » de la technique picturale des impressionnistes menaçait d'avoir sur les tableaux consacrés à la vie moderne des villes l'influence néfaste du roman de Zola[140].

La plupart des commentaires critiques sur Monet portaient sur sa technique sommaire et rudimentaire, sur ses couleurs invraisemblables, et sur son dédain apparent de la forme. Mantz affirmait : « Il se soucie si peu d'être compris qu'il ne daigne même pas essayer de transformer son bégayement en langage », tandis que Bigot assurait que Monet était « incontestablement un décorateur », mais que « sitôt que l'on est seulement à quelques pas, tout ce qu'il a essayé de produire disparaît : on ne voit plus qu'un ensemble informe et une série de taches grossières, des bleus, des roses, des ocres déplaisants ». Il était possible d'admettre une certaine qualité dans l'esquisse dans les œuvres décoratives qui doivent être vues à distance ; mais aucun critique, semblait-il, ne pouvait considérer le trait de pinceau visible comme l'enregistrement du processus de création de l'image, ou dépasser ses propres difficultés d'interprétation et le sentiment d'artificialité dans les couleurs — critiques jadis adressées aux peintres de Barbizon — pour admettre, comme Mallarmé l'avait suggéré, que les moyens à la disposition des peintres étaient de pure convention. Même les critiques sympathisants séparaient les fonctions de décor et les fonctions de représentation dans les coloris des impressionnistes. L'argument scientifique de Duranty sur la réalité de leurs couleurs commençait à être entendu, mais d'autres critiques commencèrent à déclarer qu'ils étaient abstraits et esthétisants : Rivière, par exemple, en parlant d'une « gaieté inexprimable et quasi musicale », affirmait que les impressionnistes traitaient « un sujet pour les tons et non pour le sujet lui-même ». Mallarmé était peut-être le seul à apprécier leur usage de la couleur comme moyen d'exploration, cette recherche simultanée de leur propre perception de l'objet et cette matérialisation de l'expérience comme processus de création artistique débouchant sur un ensemble décoratif[141].

Monet semble avoir essayé d'attirer l'attention sur cet aspect de son travail, en présentant des toiles à différents degrés d'achèvement. Même si les tableaux achevés de la gare Saint-Lazare étaient peints plus rapidement que les critiques ne l'auraient souhaité, la comparaison avec des œuvres plus esquissées aurait dû révéler la somme de travail qui y avait été consacrée, mais on n'a pas gardé trace de ce genre de comparaisons. Les toiles étaient structurées pour apparaître comme des instantanés saisis au vol, mais la densité même de leur peinture indique qu'il en va tout autrement. Monet a exécuté plusieurs dessins explorant différents motifs, traçant par exemple les éléments principaux de *La Gare Saint-Lazare, à l'extérieur (Le Signal)* avec de simples lignes sans ombres, pour les transposer ensuite sur la toile en pigments fins et fluides, rendant les nuages de fumée sous les aspects d'une audacieuse calligraphie. En revanche, *La Gare Saint-Lazare, arrivée d'un train*, est travaillé en densité à l'aide de couches de peinture granuleuse, de fines arabesques et de glacis (que l'on trouve, par exemple, sur les immeubles aperçus, à travers la fumée qui se dissipe) ; la calligraphie qui saisit le mouvement des nuages de fumée est atténuée par de multiples voiles de couleurs délicates. Il est peu vraisemblable que le peintre ait élaboré une composition si complexe dans le tohu-bohu d'une gare, et dut donc y travailler dans l'appartement qu'il avait loué à proximité, retournant dans la gare pour vérifier les effets. En revanche, il est possible que *Le Signal* ait été exécuté sur place en une séance de travail.

La structure sous-jacente de *La Gare saint-Lazare, arrivée d'un train*, est visible sous les couches de pigments successives. Elle est proche en cela des structures architecturales modernes admirées par l'avant-garde : dans *L'Impressionniste*, Renoir affirmait ainsi que les Halles, très proches de la structure en fer des nouvelles gares, étaient « les seuls bâtiments ayant un caractère vraiment original et une allure appropriée à leur destination »[142]. Au lieu de peindre un édifice comme l'Opéra de Paris, récemment achevé, dont la structure moderne était lourdement masquée par la maçonnerie et une décoration surabondante, Monet choisit une construction dont la structure est entièrement révélée par une lumière qui articule sans obstruer. Dans la peinture académique, la substructure est masquée, mais la peinture de Monet, toute de coups de pinceau discrets, révèle comment l'image a été construite « touche après touche ». Cela pouvait être apprécié par les artistes et les écrivains d'avant-garde, ainsi que par un groupe de connaisseurs progressistes, mais dérangeait les traditionalistes. Par exemple, Banville (qui signait « Baron Schop ») doutait que le monde extérieur ne fût qu'une « accumulation de taches multicolores » et non « un ensemble de formes et de couleurs, comme nous l'avons imaginé pendant des siècles »[143].

Les tableaux de Monet sur la gare Saint-Lazare attirèrent plus l'attention que ses autres œuvres et les critiques, qu'ils fussent ou non hostiles, reconnurent leur importance. Seul Zola trouva nécessaire de commenter la modernité de leur sujet. De tels sujets semblaient aller de soi dans cette exposition alors qu'un grand nombre d'œuvres du Salon de 1877 — dont plusieurs photographiées pour la diffusion commerciale — étaient acceptées comme représentations non ambiguës de la vie moderne : la seule chose qui faisait problème désormais était la manière de représenter les sujets modernes[144]. Le critique hostile du *Figaro* écrivit, de son côté : « Monet nous montre la gare de l'ouest sous tous ses aspects [...] il a essayé [...] de nous faire ressentir la désagréable impression produite par plusieurs trains sifflant en même temps. » D'autres critiques commentèrent les sensations auditives provoquées par ces œuvres : Rivière évoquait « les appels des ouvriers, les sifflements aigus , le vacarme métallique et le terrible halètement de la vapeur » ; le chroniqueur de *L'Homme libre* affirmait : « C'est incroyable, mais cette gare retentit de bruits, de cris perçants, de sifflets [...]. C'est une symphonie picturale. » Zola assurait :

« On y entend le grondement des trains qui s'engouffrent, on y voit des débordements de fumée qui roulent sous les vastes hangars. Là est aujourd'hui la peinture, dans ces cadres modernes d'une si belle largeur. Nos artistes doivent trouver la poésie des gares, comme leurs pères ont trouvé celle des forêts et des fleuves. »

Malgré « la monotonie et l'aridité du sujet », Rivière pressentait que la variété de ces toiles démontrait la maîtrise de la composition acquise par Monet. Il attira aussi l'attention sur la relativité des apparences révélées dans deux versions d'une même scène :

« Le train vient juste d'arriver et la machine va repartir [...] elle secoue sa crinière de fumée qui rebondit sur le toit de verre [...] près de cette toile, une autre, de la même dimension, représente l'arrivée d'un train [...] la fumée ondoie au loin et s'échappe vers le ciel, les rayons de soleil à travers les panneaux de verre dorent le sable des voies et les locomotives. »[145]

Comme Rivière le faisait remarquer, les tableaux de voiliers présentés dans l'exposition de 1876 traduisaient l'impression d'une continuité fragile à partir d'une série de moments isolés, alors que l'irruption des machines dans les tableaux de la gare Saint-Lazare brise toute continuité en "chocs" de reconnaissance isolés. Le rapprochement que faisait Chevalier entre la peinture impressionniste et « le chaos des forces antagonistes qui troublent notre époque » s'applique particulièrement à ces représentations

industrielles de la ville : ils matérialisent le conflit tranché entre le temps continu et le temps fractionné des mécaniques. Baignières a imaginé une analogie encore plus révélatrice entre les procédés impressionnistes et la technologie contemporaine :

« Voici donc l'art du peintre réduit à une sorte de mécanisme télégraphique, dont le premier appareil est l'œil, le second la main et le troisième la toile, où viennent se fixer les impressions comme les caractères d'une dépêche sur papier azuré. »

Bien que fondée sur une idée fausse (l'impressionnisme serait un simple enregistrement des données visuelles), l'usage par le critique de cette analogie mécanique traduit un peu de la conscience moderne qui fragmente le monde extérieur en une série de moments. Bigot exprimait cette conscience en termes de perte pure :

« Avec cela, aucun sentiment intime, aucune délicatesse d'impression, aucune vision personnelle, aucun choix des motifs qui vous montre quelque chose de l'homme et quelque chose de l'artiste. Derrière cet œil et cette main, on cherche en vain une pensée et une âme. »[146]

La série des *Gare Saint-Lazare* se vendit bien aux mécènes habituels de Monet, qui achetèrent ainsi pour la première fois des groupes d'œuvres sur un même thème ; malgré sa faillite imminente, Hoschedé en acheta trois, comme Bellio, et Caillebotte fit de même en 1878. Le sujet était alors dans l'air du temps, et le nouveau gouvernement de centre gauche s'engageait dans un programme majeur d'extension et de modernisation des chemins de fer, composante essentielle de la République progressiste et positiviste[147].

Après avoir terminé cette série, Monet ne passa plus que huit ou neuf mois à Argenteuil, avant de quitter définitivement la ville en janvier 1878. Durant ce laps de temps, il semble qu'il n'ait peint que quatre œuvres reprenant la scène qu'il avait peinte quatre fois déjà en 1872, surplombant le fleuve, en vue de la villa, avec les cheminées d'usine en arrière-plan. Comme il songeait probablement déjà à quitter Argenteuil, ces œuvres peuvent être considérées comme une dernière réflexion sur cet endroit qui avait tellement compté pour l'évolution de son art. Deux de ces tableaux sont des sortes d'inventaires de ses motifs favoris — la cabine de bain, un jardin récemment planté, des voiliers, des canots, la promenade avec ses ormes, la villa au loin. Dans *Argenteuil, berge en fleurs* (ill.142), plus poétique, Monet a juxtaposé l'espace privé du jardin, sensuel et clos, et l'espace public de la promenade, au loin. Plus clairement que jamais, la "dématérialisation" du motif extérieur et la matérialité intense du monde peint montrent que, dans la campagne du peintre, espace public et espace privé ne font qu'un : ils sont tous les deux sa création, son monde, son rêve.

Monet s'approcha de la villa davantage qu'en 1872, tout en la représentant plus éloignée, silhouette gris-rose frémissant dans un espace où vibre la lumière colorée du soleil. Les cheminées d'usine et les fleurs, les remorqueurs à vapeur et les barques sont transfigurés en un monde enchanté par les ors et les roses de cette lumière. *Argenteuil, berge en fleurs* (W.450) est plus paisible ; l'eau est calme, les fleurs flamboyantes assez lointaines ; il n'y a ni remorqueur ni fumée d'usine. Le tableau est comme un écho à *L'Embarquement pour Cythère* (ill.272), de Watteau. La composition — deux personnages sur la rive observant deux autres personnages dans un bateau tout proche et un autre, plus lointain — évoque un peu la continuité du mouvement des personnages de Watteau, depuis la résistance symbolique jusqu'au départ final pour l'île de l'Amour. La promenade et la pêche ont simplement pris la place de l'amour idéal dans le paysage moderne[148]. En outre, conformément aux caractéristiques du modernisme, le tableau n'a aucune continuité narrative : les personnages sont isolés les uns des autres, et deux par deux. Néanmoins, la peinture conduit l'œil, des premiers personnages sur la rive jusqu'aux autres, puis vers l'ouest, devant

142. *Argenteuil, la berge en fleurs* (W.453), 1877, 54 x 65

un château de conte de fées, loin d'Argenteuil et de sa banlieue, loin de la cité moderne, vers des lointains remplis de lumière.

Les difficultés matérielles de Monet n'étaient pas si aisément esquivables ; comme il l'écrivait quelques mois plus tard : « Les besoins journaliers […] me rappellent à la réalité. »[149] Le fait qu'il peignît si peu malgré des besoins d'argent urgents paraît indiquer une sorte de crise, probablement provoquée par la menace continuelle pesant sur tout ce qui était essentiel pour son art : sa famille, une maison sûre et confortable, et un environnement agréable. Camille était enceinte, et si gravement malade que le médecin conseillait une opération ; la famille était menacée d'expulsion. Monet écrivit à Bellio que son mobilier allait être vendu et que « une fois à la rue », il devrait accepter tout emploi qui se présenterait. Sa dernière chance était que Bellio pût lui acheter 25 œuvres pour la somme globale de 500 francs. En juin 1877, le médecin acheta 10 œuvres à 100 francs pièce et avança 500 francs au peintre. Ce dernier mendia aussi l'assistance de Manet et écrivit à Zola son désespoir d'avoir à dire « la réalité à sa pauvre femme » ; il lui demandait 200 francs pour éviter l'expulsion. Monet gagna 15 197 francs cette année-là, plus que ce qu'il avait gagné depuis 1873, mais ces gains furent immédiatement engloutis dans le remboursement de ses dettes accumulées. En mai 1877, par exemple, il paya une dette de 1 350 francs à son fournisseur de couleurs avec seize toiles, ce qui lui laissa 50 francs en

poche. De surcroît, plus de la moitié de ses gains venaient de Hoschedé, qui fut déclaré en faillite au mois d'août. Monet ne pouvait plus guère espérer la poursuite de l'aide venant de ce côté[150].

La politique répressive du gouvernement d'ordre moral renforcé et la crainte d'un coup d'État de droite contre la République déjà affaiblie par la crise économique, durent contribuer à rendre impossible le rêve utopique de Monet : une vie dans laquelle les beautés de la nature seraient harmonieusement mêlées aux plaisirs de la vie moderne. Il avait été en mesure de construire un monde social idéal à partir des matériaux bruts que lui fournissaient la petite ville industrielle d'Argenteuil et son fleuve affreusement pollué, mais il ne pouvait continuer à le faire que si ce monde idéal avait une apparence de fondement dans la réalité de sa vie privée. Or, les menaces contre sa famille, sa maison et son mode de vie avaient rendu cette réalité extrêmement précaire. Tel est le contexte de *Argenteuil, la rive fleurie* : la vision d'une beauté idéale est séparée de l'artiste par une barrière qui traverse le premier plan du tableau, assimilant le jardin à une vision lointaine, et non à un rempart protecteur.

Monet et sa famille quittèrent leur demeure de sept années en janvier 1878, dans une atmosphère de crise : ils avaient dû mendier des secours pour éviter la saisie mobilière et pour payer les frais du déménagement. L'installation dans la capitale, plus chère, n'arrangea naturellement rien. La maladie prolongée de Camille et la naissance de leur deuxième fils, Michel, en mars, ajouta à leurs dépenses. Le peintre dut multiplier les démarches à essayer de vendre ses œuvres, mais à des prix de plus en plus bas : la vente Hoschedé, en juin, confirma cette tendance à la baisse[151]. La crise économique exacerbait les divisions et les tensions dans le groupe impressionniste, et contribua à faire échouer les plans d'une nouvelle exposition pour cette année-là. Renoir et Sisley exposèrent au Salon et on leur interdit en conséquence de prendre part à toute nouvelle exposition du groupe. Pissarro craignit un moment l'éclatement définitif de celui-ci, écrivant par exemple à Caillebotte : « [Monet] craint d'exposer [...et] croit que cela nous empêche de vendre, j'entends tous les artistes se plaindre, donc ce n'est pas là la cause. »[152]

Monet, Sisley, Morisot, Pissarro et Renoir auraient pu être encouragés par le sérieux avec lequel Duret les présentait comme *les* impressionnistes dans sa brochure, *Les Peintres impressionnistes*, publiée en mai 1878. Affirmant que, malgré une critique continue, ils avaient attiré l'attention du grand public en 1877, et qu'ils avaient gagné le soutien d'un groupe important de collectionneurs, Duret établissait leur généalogie spirituelle : ils avaient développé leurs « sensations personnelles » à partir des œuvres de leurs « pères », Corot, Courbet et Manet, sans oublier le pleinairisme et l'art japonais. Il déclarait Monet l'impressionniste par excellence et établissait dans un long passage les éléments essentiels qui allaient prévaloir pour longtemps dans l'appréciation critique de celui-ci :

> « Claude Monet a réussi à fixer des impressions fugitives que les peintres, ses devanciers, avaient négligées ou considérées comme impossibles à rendre par le pinceau. Les mille nuances que prend l'eau de la mer et des rivières, les jeux de la lumière dans les nuages, le coloris vibrant des fleurs et les reflets diaprés du feuillage aux rayons d'un soleil ardent, ont été saisis par lui dans toute leur vérité. Peignant le paysage non plus seulement dans ce qu'il a d'immobile et de permanent, mais encore sous les aspects fugitifs que les accidents de l'atmosphère lui donnent, Monet transmet de la scène vue une sensation singulièrement vive et saisissante. »

Dans son compte rendu sur cette brochure, Ephrussi accueillait avec une certaine ironie l'enthousiasme de Duret, mais défendait le mouvement, qui était pour lui à l'image de son époque :

> « L'art ne doit-il pas se transformer selon les us et les coutumes de chaque époque, suivre les mouvements de pensée [...] dégager de toute chose l'impression psychologique, fût-elle fugitive ? »[153]

Encouragé peut-être par ces considérations et par la vente de ses *Gare Saint-Lazare* et de ses *Tuileries*, Monet ne produisit durant son bref séjour à Paris, que des tableaux consacrés à la vie moderne : parcs urbains, mélanges d'usines et de frondaisons sur l'île de la Grande Jatte (en bordure de Paris), et deux rues vibrantes de drapeaux pour célébrer la « Fête du 30 juin », ouverture de l'Exposition universelle et première fête nationale depuis 1869. L'Exposition universelle était censée célébrer et mettre en vedette la régénération de la France — et surtout de Paris — après les désastres de 1870-1871. Elle devait également démontrer la confiance de la nouvelle République, sortie renforcée de sa première crise constitutionnelle et généralement considérée comme la meilleure forme de gouvernement pour une France moderne. À la veille des célébrations, *Le Figaro* écrivait, menaçant : « Profite du moment présent, bourgeois de Paris, Dieu seul sait ce que demain te réserve », mais concluait que les habitants des anciens quartiers ouvriers allaient « envahir les rues, cette fois sans piques ni carmagnoles. Tout ne sera que joie et espérance. » Immédiatement après la célébration, on pouvait lire la description euphorique de l'unanimité avec la

quelle tous les citoyens — sans distinction de classe, de fortune ni d'opinion — décoraient et pavoisaient leurs demeures. C'était là des « conquêtes pacifiques » et, sauf à tenir compte des ruines des Tuileries et de la statue de Strasbourg voilée de deuil, on pouvait croire que la France était « intacte et unie ». Il était donc approprié de peindre, dans *La Rue Saint-Denis* (W.470) un immense drapeau portant les mots « VIVE LA FRANCE ! », claquant au rythme des autres drapeaux tricolores joyeusement déployés. Il n'avait jamais peint auparavant dans ces anciennes rues, d'où les insurrections de la classe ouvrière étaient toujours parties et que Napoléon III et Haussmann avaient tenté d'isoler et de contrôler. Elles avaient été au cœur de la résistance de la Commune et le déploiement de drapeaux y fut particulièrement impressionnant le 30 juin, comme la presse ne manqua pas de le noter[154].

Peu de temps avant l'Exposition et alors qu'il écrivait une histoire de la Commune, Duret commentait dans *Les Peintres impressionnistes* :

143. *La Rue Montorgueil, fête du 30 juin 1878* (W.469), 1878, 80 x 48

« Par le soleil d'été, aux reflets du feuillage vert, la peau et les vêtements prennent une teinte violette, l'impressionniste peint des personnages sous bois violets. Alors le publis se déchaîne absolument, les critiques montrent le poing, traitent le peintre de "communard" et de scélérat. »[155]

Puisque le problème de l'amnistie n'avait pas été résolu, la Commune ne pouvait pas être rejetée dans le passé, mais les craintes qu'elle avait suscitées paraissaient s'estomper dans l'euphorie générale provoquée par l'Exposition, et le commentaire de Duret reste obscurément allusif : quel était donc le lien entre les teintes violettes des carnations impressionnistes et le Communard ? Ce mot était-il simplement devenu un terme générique pour désigner un abus, ou avait-il gardé quelque pouvoir d'évoquer les peurs indicibles d'une explosion sociale ? On avait beaucoup hésité avant d'organiser l'Exposition universelle, parce que l'on craignait les grands rassemblements de foule. Un rapport officiel publié en 1878 mentionnait que beaucoup s'étaient interrogés : « Après les cruels événements de 1870-1871 » et « l'inévitable rigueur des mesures de répression prises contre les révoltés », était-il vraiment temps « de soulever ce voile [de douleur et de deuil] » pour inviter d'autres peuples à des célébrations publiques, en leur donnant « le spectacle de nos monuments encore en ruine » ? Le Rappel, toutefois, soutenait l'idée de l'Exposition comme « une revanche, une bataille pacifique » ; il attirait aussi l'attention sur le nombre d'ouvriers perdus en 1871 et sur le besoin d'une amnistie[156]. L'Exposition montrerait aux yeux de tous ce que « la démocratie des actionnaires » avait réalisé grâce à la maîtrise de la science, de la technique et de l'industrie modernes ; elle serait une profession de foi dans le système de la libre entreprise, où le travail acharné et l'initiative individuelle allaient apporter la justice et le bonheur à tous. Pourtant, comme Halévy l'indique, le succès spectaculaire de l'exposition changea son atmosphère : « L'apothéose du Travail fut oubliée, et Paris devint, comme en 1867, le théâtre de ce qu'Albert Wolff, le chroniqueur du Figaro, appelle "un mardi gras permanent". »[157]

Il faut comparer les étourdissantes toiles de Monet sur le Paris du 30 juin 1878 avec le petit tableau du Pont-Neuf, de fin 1871, à l'atmosphère sombre et désolée, aux personnages voûtés : ce sont de bons exemples du désir de réparation qui avait déterminé son œuvre depuis cette époque. En raison de l'insistance des impressionnistes sur le "moment", ce désir devait être construit sur le mode de l'oubli, du déplacement du passé. Ces nouvelles œuvres étaient peintes sept ans après les destructions des bombardements prussiens, puis versaillais, après les incendies et les horreurs du siège et de la répression de la Commune ; n'étaient les ruines des Tuileries et d'autres édifices, toujours visibles dans le centre de la capitale (à défaut d'être sur les tableaux de Monet), ces événements auraient pu paraître un « mauvais rêve » à plus juste titre qu'ils ne l'étaient apparus à Zola en 1872. « Ce n'est pas la Seine qui coule à Paris, écrivait un contemporain, c'est le Léthé », le fleuve infernal de l'oubli[158]. Dans La Rue Montorgueil, la perte d'identité des personnages en contexte urbain est poussée encore plus loin que dans les œuvres antérieures telles que Le Boulevard des Capucines : les confettis de couleurs évoquant la foule se fondent dans des taches plus grandes d'ombre et de lumière ; les personnages sont totalement subordonnés au dynamisme imprimé par les drapeaux, qui bouleversent le gouffre étroit de la rue en un mouvement fragmentaire incessant, activé surtout par les rouges, qui bondissent littéralement sur la surface de la toile. L'expérience physique de la perte de la conscience individuelle, au bénéfice d'un dynamisme collectif, est ici peinte avec une force qui ne sera égalée que quarante ans plus tard par les futuristes.

De manière significative, Monet et ses amis furent exclus des célébrations : leurs œuvres ne furent présentées nulle part et leurs difficultés financières persistantes durent leur faire sentir que les promesses de progrès évoquées à l'Exposition n'étaient pas pour eux. Le jury de la section artistique fut si sévère qu'il exclut même des membres essentiels de « l'école de 1830 » : Delacroix, Millet, Rousseau et Troyon. Durand-Ruel organisa une exposition de leurs œuvres (prêtées) en août. Dans ces circonstances, les impressionnistes jugèrent que l'organisation d'une autre exposition dans sa galerie serait, selon l'expression de Pissarro, « un four »[159]. Paul Mantz déclarait que l'exposition officielle de l'art moderne français révélait quelque chose qui n'apparaissait pas dans les Salons annuels, « la trace d'une certaine tristesse » :

« …on se croit en présence d'une école à laquelle manqueraient la gaieté, l'élan victorieux, la jeunesse ardente et folle. Comme nous sommes devenus raisonnables, grands dieux ! et comme nous peignons noir ! Il semble que nous insistions lourdement sur la toile avec un pinceau chargé d'ombre, que nous voulions à toute force paraître sérieux et convaincus, et que nous nous plaisions à souligner nos moindres paroles. Considérée dans l'ensemble, l'école moderne a l'air de croire que le passant n'a pas l'intelligence prompte, qu'on ne serait pas entendu si l'on parlait à demi-mot et qu'il faut appuyer pour être compris. »[160]

L'image de modernité projetée par l'Exposition dans son ensemble était contredite par le caractère régressif des expositions d'art officiel, alors que la peinture impressionniste, qui partageait sur plus d'un point les valeurs de l'Exposition et qui était en harmonie profonde avec la vraie modernité, était totalement exclue de toute présentation. Elle avait la « gaieté, l'élan victorieux, la jeunesse ardente et folle » dont Mantz déplorait l'absence dans l'art officiel et dont Paris avait pris l'apparence dans « le mardi gras permanent » de 1878. Un an plus tôt, Rivière avait commenté en ces termes La Balançoire de Renoir : « On sent ici l'absence de toute passion ; ces jeunes gens profitent de la vie, du beau temps, du soleil du matin filtrant au travers du feuillage ; que leur importe le reste de l'humanité ! Ils sont heureux… »[161]

Ses mots auraient pu s'appliquer aussi bien aux personnages de Monet et de Morisot. Pourtant, il pouvait sembler pénible aux impressionnistes qu'après plus d'une décennie de travail ininterrompu, ils ne trouvent qu'une poignée d'écrivains, de collectionneurs et d'amis pour apprécier leur art. À propos de « la complète indifférence » du public à l'exposition d'une ancienne avant-garde (celle de « l'école de 1830 ») chez Durand-Ruel, Pissarro disait que le public « …en a assez de cet art morose, de cette peinture exigeante, stupide, qui demande de l'attention, de la réflexion — c'est trop sérieux tout cela. Avec le progrès on doit voir et sentir sans effort, et surtout s'amuser. Et du reste qu'a-t-on besoin d'art, cela se mange-t-il ? Non. Eh bien ! »[162]

La plupart des œuvres officiellement couronnées lors de l'Exposition étaient immédiatement appréciées, comme le soulignait Mantz, parce que leurs significations étaient clairement « énoncées » par le sujet, la composition, la précision du traitement et la transcription littérale des détails. Mais selon Pissarro, cette gratification instantanée n'était pas fournie par les œuvres présentées chez Durand-Ruel, qui requéraient une connaissance sérieuse du langage de la peinture. Dans leurs propres expositions, Monet et ses amis avaient offert l'accès à l'intimité de ce langage, par leur choix de sujets contemporains que le public des classes moyennes connaissait bien dans sa vie même, dans les illustrations et dans l'art officiellement couronné ; mais ils le faisaient selon des modes de représentation qui exigeaient un effort « pour voir et sentir » et qui défiaient les codes contemporains de représentation. L'échec des impressionnistes à se faire accepter par la classe dont ils incarnaient les valeurs, joint aux épreuves engendrées par la dépression économique, ébranlèrent évidemment la confiance de Monet dans la représentation de la vie moderne et dans l'intérêt des expositions de groupe. Malgré leur enracinement dans l'expérience de la perception, les toiles des vingt premières années de Monet étaient utopiques : leurs beautés infinies étaient engendrées par une soif de plénitude sensuelle idéale. Fort de cette expérience, il allait désormais situer ses « paysages aimés » (selon l'expression de Silvestre[163]) loin de la cité moderne.

# DEUXIÈME PARTIE

Le Temps du défi

Vétheuil et Giverny 1878-1904

144. *Vétheuil dans le brouillard* (W.518), 1879, 60 x 71

145. *Vétheuil l'hiver* (W.507), 1879, 69 x 90

146. *L'église de Vétheuil (Hiver)* (W.505), 1879, 65 x 50

147. *Le Givre* (W.555), 1880, 61 x 100

148. *Vétheuil vu de Lavacourt* (W.528), 1879, 60 x 81

# 3

## Vétheuil et la côte normande
## 1878-1883

*« Vous avez sans doute des nouvelles de Paris par d'autres que moi ; du reste, de plus en plus paysan, je ne sais guère rien de nouveau. »*
MONET À DURET, 1880

*« Je fais quant à moi fort peu de cas de l'opinion des journaux, mais il faut reconnaître qu'à notre époque, on ne fait rien sans la presse. »*
MONET À DURAND-RUEL, 1883

*« Je sais ma valeur, et suis plus difficile pour moi que n'importe qui. Mais c'est au point de vue commercial qu'il faut voir les choses. »*
MONET À DURAND-RUEL, 1883[1]

Les quatre années que Monet passa à Vétheuil, village des bords de la Seine, avant de s'installer définitivement encore plus loin de Paris, sur la même rive, à Giverny, ont été cruciales : elles ont déterminé la forme que devait prendre son art dans la seconde moitié de sa vie. Elles ont notamment confirmé sa prédilection pour le paysage. À Vétheuil, préservé de toute intrusion du monde moderne, il pouvait se concentrer avec une intensité sans précédent sur ses perceptions d'un espace naturel en réduction. Duret avait remarqué, peu de temps auparavant, que Monet peignait la nature « embellie » plutôt que « réelle » ; désormais Monet allait non seulement se détourner du paysage contemporain industrialisé, mais représenter la région de Vétheuil, si peuplée, avec ses cultures si denses, comme s'il s'agissait de « nature naturelle ». En dehors de sa famille, qui apparaît dans les années 1880, dans le jardin ou les champs de Vétheuil et de Giverny, ou sur la plage et les falaises de Pourville, Monet cessera dorénavant de dépeindre la vie moderne. Ses tableaux de la *Fête nationale* de 1878 sont les derniers à évoquer la vie des hommes dans la cité, car lorsqu'il va peindre Rouen, Londres et Venise dans les années 1890 et 1900, il représentera leurs immenses monuments comme des émanations de la nature. Néanmoins ses paysages de la campagne du cœur de la France reflètent les notations visuelles qu'il a élaborées au temps de son combat conscient en faveur du modernisme : la continuité du temps s'y fragmente en unités de plus en plus précises ; les valeurs traditionnelles qui avaient imprégné le paysage français et le paysage agricole qui s'était formé au cours des siècles s'est progressivement transmué en une vision pure, une re-création. Ainsi en va-t-il, par exemple, du contraste entre *Argenteuil, la berge en fleurs* peinture des berges du fleuve aux abords d'une banlieue moderne et *La Berge à Lavacourt*, plus proche du paysage de campagne traditionnel en France : Monet a représenté le paysage humain comme un élément "naturel", mais la touche déploie une virtuosité si éblouissante dans l'abstraction que le tableau traduit une intervention véritablement moderne dans ce paysage, un acte délibéré du langage pictural.

En 1880, dans un discours à la Chambre des Députés, plaidant pour une amnistie définitive des Communards, Gambetta s'était écrié : « …il faut que vous refermiez le livre de ces dix années, […] et que vous disiez à tous […] qu'il n'y a qu'une France et qu'une République. »[2] Le retour du gouvernement républicain de Versailles à Paris, l'amnistie partielle de 1879, le rétablissement du 14 Juillet comme fête nationale et l'amnistie totale déclarée en 1880 furent les dernières mesures destinées à établir fermement la Troisième République, en dépit du manque de confiance engendré par la dépression économique qui minait le pays. Les deux tableaux où Monet montre un Paris constellé de drapeaux témoignent à l'évidence du désir profond d'oublier le passé et de jouir du temps présent, mais il ne peindra plus jamais d'images aussi directes de la République et de sa foi dans le progrès ; à la vérité, ses œuvres de Vétheuil évoquent parfois le credo anti-moderniste des paysagistes de l'école de Barbizon. Il abandonne l'environnement urbain pour se retirer en pleine nature, au moment où le marasme économique coïncide avec les désillusions universelles suscitées par le nouveau gouvernement réformiste et conservateur, qualifié par dérision de « République des opportunistes ». Monet partit pour Vétheuil afin d'y peindre pendant l'été, mais il y resta pour des raisons personnelles et financières, et finalement se consacra avec tant d'ardeur à peindre la région qu'il la quittait à contrecœur pour se rendre, même pour de courts séjours, à Paris où il avait conservé un pied-à-terre pour pouvoir mieux se livrer à « la chasse à l'amateur »[3]. À la même époque, tout en soulignant dans ses lettres, non sans une certaine satisfaction, à quel point il était devenu « campagnard », il était parfaitement au courant de ce qui se passait à Paris et adopta une nouvelle stratégie pour tenter de rallier le public à sa peinture.

Cette période a été décrite comme la « crise de l'impressionnisme » : c'est le moment où les peintres impressionnistes commencent à remettre en question leur engagement, non seulement vis-à-vis de sujets empruntés à la vie contemporaine, mais également sur la peinture de plein air, libérée de tout académisme, et sur les expositions de groupe[4]. La dépression économique contraignit Monet à une pauvreté affreuse tout au long de ces années et lui enleva probablement tout espoir de créer une iconographie moderne, susceptible de plaire à un public assez large pour lui permettre de subsister. Son combat pour continuer à peindre, alors qu'il devait affronter une succession de crises financières, détériora ses rapports avec ses amis impressionnistes, et bien qu'il ait été sauvé grâce à Durand-Ruel, qui se manifesta à nouveau dans sa vie en 1881, sa propre facture ne se ressentit plus jamais de ce climat collectif. En fait, ces relations se dégradèrent au moment de la mort de Camille, alors que sa famille risquait de se désintégrer. Si l'on excepte un portrait de 1879, qui pourrait être celui de Michel Monet, et celui d'un autre enfant dans un verger avec sa gouvernante (W.521), Monet n'a peint aucun membre de sa famille dans ce paysage entre l'été de 1878 et le printemps de 1880, et après la période d'Argenteuil, Camille Monet n'apparaît dans l'œuvre de son mari que sur son lit de mort[5].

Lorsque Monet planta sa « tente aux bords de la Seine à Vétheuil, dans un endroit ravissant »[6], il y fut rejoint par Ernest Hoschedé, qui venait de faire faillite et, en partie pour des raisons d'économie, les deux familles prirent la décision de vivre sous le même toit. Leur petite maison abritait les quatre Monet (dont un bébé) et les huit Hoschedé (dont un autre bébé),

149. *La Berge à Lavacourt* (W.495), 1878, 65 x 80

sans oublier leur cuisinière, leur nourrice et leur gouvernante. (Ces deux dernières, n'étant pas payées, n'y demeurèrent pas longtemps.) Les tensions dues à une telle situation furent exacerbées par la pauvreté croissante, et la fatale maladie de Camille. Il est possible que son mari ait déjà été attiré par Alice Hoschedé, fort cultivée, mais l'on ne sait quand se nouèrent les liens entre ces deux personnalités si émotives. Les absences de plus en plus prolongées d'Ernest Hoschedé ne pouvaient manquer de les rapprocher l'un de l'autre, et dans l'année qui suivit la disparition de Camille, en 1879, ils ont sans aucun doute envisagé les moyens et la possibilité de passer leur vie ensemble. Monet était profondément affecté par la mort de sa femme, et bien qu'il ait trouvé une certaine consolation en recréant une nouvelle famille, avec Alice et les enfants de leurs mariages respectifs, ce fut à coup sûr une période d'angoisse, peut-être même de culpabilité, ce

qui pourrait expliquer ses explorations en solitaire des paysages de Vétheuil.[7] Elles étaient d'ailleurs singulièrement circonscrites : durant les deux premières années de son séjour, Monet ne peignit quasiment aucun motif au-delà d'un demi-cercle d'un rayon de deux kilomètres autour de sa maison ; il exécuta au moins cent soixante-dix huit tableaux dans ce périmètre avant de se rendre sur la côte normande à la fin de 1880.

Vétheuil est perché sur une corniche dominant la Seine, renfermé sur lui-même ; ses chemins étroits cernés de murets de pierre, entrecoupés de marches, descendent en pente raide jusqu'à une langue de terre en friche qui longe le fleuve. Des collines boisées et des vergers s'étagent aux confins du village, tandis que sur l'autre rive de la Seine s'étend une plaine sans relief, bordée par les maisons éparses du hameau de Lavacourt. De là, Vétheuil forme un triangle assez plat dont le clocher de l'église constitue le sommet. La maison louée par les deux familles se trouvait à la sortie du village, à l'angle gauche de ce triangle, sur la route de La Roche-Guyon. De l'autre côté de la route, leur jardin, orné d'arbres fruitiers, descendait jusqu'à la Seine où s'amarraient tous leurs bateaux, y compris le bateau-atelier de Monet. Il allait s'absorber dans cet univers clos, analysant les contrastes des vues que lui offraient le village blotti sur lui-même, la plaine ouverte, le large fleuve avec ses îles et ses bras étroits entourés d'arbres.

Vétheuil était un village rural, à douze kilomètres de Mantes, la gare de chemin de fer la plus proche ; ni l'urbanisme moderne, ni l'industrialisation ne l'avaient atteint. Il était relié au monde extérieur non par le train, mais par des voitures à cheval et un bac qui conduisait les ouvriers agricoles jusqu'aux champs situés sur l'autre rive de la Seine. Monet le montre généralement en arrière-plan, établissant à peine la différence entre le village et le paysage qui l'entoure, de sorte qu'il semble avoir jailli tout naturellement de ce paysage, plutôt que d'avoir été créé par l'homme. Ses vues d'Argenteuil avaient enregistré l'impact du modernisme, mais il représenta presque toujours la seule construction moderne de Vétheuil, une villa bourgeoise d'un style bâtard, flanquée d'une tour ostentatoire, comme une émanation du tissu permanent de la nature.

Rares sont les vues de Vétheuil où Monet fait allusion à l'aspect humain et fonctionnel de la Seine — on y voit de temps à autres le bac — et seules sept toiles suggèrent le rôle commercial qu'y jouaient pourtant les péniches et les remorqueurs. Les bateaux servaient à animer la surface du fleuve plutôt qu'à témoigner de son utilité. Et même dans les quelques tableaux où apparaissent les membres de sa famille en bateau, ils y figurent grâce à des taches juxtaposées ou des touches indistinctes, comme dans la *Vue de Vétheuil* (W.609), (Nationalgalerie, Berlin). En général, d'ailleurs, Vétheuil et ses alentours sont vides, comme abandonnés à la nature.En représentant un paysage épargné par le modernisme, Monet évoque l'œuvre de ses prédécesseurs immédiats, Corot et Daubigny, où le lien permanent entre le paysage et les hommes qui l'ont habité et modelé au cours des siècles est sous-jacent. Corot et Daubigny étaient parvenus à ce mode d'expression dans la France d'avant l'ère industrielle, et il existait indéniablement un accord entre leurs sujets et le rythme lent, l'espace ininterrompu, l'étroite parenté des tonalités de leurs tableaux aux coloris sobres et assombris. Qui·plus est, en reconnaissant la valeur primordiale de la peinture d'atelier, ils affirmaient implicitement la fidélité de leur œuvre aux formes héritées du passé, de préférence à la recherche de l'instant présent, et finalement·leurs paysages avaient été considérés comme l'incarnation de l'essence même de la tradition française. L'intérêt renouvelé de Monet

150. Charles Daubigny, *Le Bac à Bonnières*, 1861, 57 x 93

pour les paysages sans personnages laisse supposer l'influence de théories conservatrices selon lesquelles la vérité se découvre dans la communion solitaire avec la nature plutôt qu'au contact de la société, mais les expériences modernistes faites par Monet dans les années 1860 et 1870 avaient miné de l'intérieur la notion de l'essentiel.

Vétheuil permit à Monet de s'absorber dans le temps rythmé par la nature, dans les variations continuelles de la lumière au cours de la journée, le passage des saisons et l'incessant mouvement du grand fleuve ; cependant, et précisément parce qu'il n'était distrait ni par les yachts, ni par les trains ou les promeneurs, il était confronté plus vigoureusement qu'auparavant à la relativité de ce qu'il voyait. Il prit l'habitude de travailler avec un nombre restreint de motifs identifiables immédiatement — le plus souvent le clocher de l'église ou la tour de la villa moderne qui apparaissent à maintes et maintes reprises, observés de différents points de vue — tels des jalons marquant son exploration continuelle du paysage. Et dans le même temps, au demeurant, sa focalisation sur ces motifs aboutit à une image éclatée du paysage, qui va se fracturer, se disloquer et se décomposer en une multitude de perceptions isolées. Monet passa des heures sur ces motifs et des années à explorer la région de Vétheuil, mais "son" Vétheuil se ressent encore de la vision de la vie urbaine à son époque, qui se nourrissait de ce qu'elle appréhendait sur le moment et fragmentait le monde visible en instantanés, en signes de reconnaissance — dont le nombre est théoriquement infini — et dont aucun n'est plus essentiel que d'autres à la compréhension de la réalité de ce monde. Les effets de cette fragmentation s'intensifièrent du fait de la situation économique : la chute des prix obligea Monet à produire davantage de tableaux et à les exécuter encore plus rapidement. Peut-être est-ce pour réagir à cette pression qu'il élabora une méthode de travail qui amortit en partie le « choc » de cette rupture du temps : il se consacra à des sujets comme le fleuve ou la mer, dont la permanence lui permettait de ne pas souffrir de temps morts ; il recréa une famille idéale, en sécurité dans le jardin ou le paysage domestiqué, et commença à mettre au point un procédé de travail en séries, donnant au motif une stabilité ambiguë en le maintenant au long d'une séquence de moments lumineux, et travailla de plus en plus dans son atelier, ce qui lui permettait de prolonger ces moments. Dès que les difficultés familiales et financières s'estompèrent, sa peinture acquit une densité croissante, une structure plus durable, plus proche de l'esquisse. Cependant son désir d'aller à la rencontre de la nature et des variations incessantes de ses effets créera toujours une certaine rupture au cœur de la continuité souhaitée. L'isolement de Monet à Vétheuil intensifia l'individualisme qui caractérisait ses rapports avec la nature, d'une manière qui devait s'accorder avec l'individualisme raffiné cultivé par l'avant-garde parisienne dans les années 1880.

# I

**M**onet passa les premiers mois de son séjour à Vétheuil de la même façon qu'à Argenteuil : il parcourut toute la région et peignit la plupart des motifs qu'il devait reprendre les trois années suivantes. Il ne négligea pas pour autant le dessin, et les carnets de croquis que l'on a conservés contiennent plusieurs motifs du village, exécutés à longs traits, ou en hachures assez maigres, qu'il assombrit ou multiplie pour indiquer les ombres, sans jamais les projeter en blocs compacts pour isoler les formes pleines. Dans ces croquis, Monet a quelquefois repris les contours ou les traits intérieurs si souvent que la lecture en est difficile, bien qu'elle laisse entrevoir qu'il tentait de traduire les rapports existant entre les formes tout autant que les formes elles-mêmes.[8]

À l'exception de deux peintures dont le sujet se situe à l'intérieur de Vétheuil (il s'agit de l'église, ancienne collégiale gothique), Monet observa

151. *L'Église de Vétheuil, neige* (W.506), 1879, 53 x 71

le village à distance, choisissant des motifs incarnant la pérennité du paysage, comme les petites maisons de Lavacourt au bord du chemin de halage (W.495-501). Dans l'une des œuvres qui le représente, Monet a mis l'accent sur la rusticité des bâtiments et le chemin de terre battue, y faisant figurer des oies, des poules et leurs gardiens. Seules deux de ces toiles montrent un remorqueur, exemple unique de ceux qui passaient cependant régulièrement à Lavacourt. Quand il peignait les cours d'eau d'Ile-de-France, Daubigny était friand de ce genre de compositions, où la berge en pente s'étend amplement, donnant du recul aux maisons, et conduit doucement le regard jusqu'aux profondeurs du tableau, lui laissant lentement apprécier l'équilibre calme régnant entre les arbres, les maisons, l'eau et les reliefs de l'arrière-plan.

Monet se rapproche bien davantage du motif, de sorte que l'œil est contraint de se mouvoir dans un espace abrupt, pour essayer de s'adapter aux diagonales qui avancent vers le spectateur avec autant de force qu'elles convergent sur les figures les plus éloignées. Selon les éléments du paysage, Daubigny recourt à diverses textures, alors que Monet emploie les même touches hachurées pour l'ensemble de la composition. En allégeant le trait, en renonçant aux empâtements, Monet va créer une structure dont l'unité ne se révèle que très progressivement au spectateur.

Monet a peint ce même motif à quatre reprises, avec d'infimes modifications, utilisant le même procédé qu'à Argenteuil dans les versions prises du bateau-atelier en 1877. Mais l'effet n'est pas le même. Là, les variations délicates répondent à des différences significatives de lumière et de formes, tandis qu'ici la répétitivité est systématique. Elle marque peut-être le souci d'établir un rapport autre avec le motif, ou le désir de découvrir l'essence de cette singularité intraduisible. Ce pourrait être la raison qui incita Monet à revenir à la tradition du paysage meublé de personnages, mais sa méthode de transcription visuelle allait inévitablement rompre la continuité de ce motif. Des impératifs du même type transparaissent dans d'autres groupes de toiles, comme les trois vues du village et de l'église peintes depuis la rive opposée, à coups de pinceau rugueux et linéaires qui attirent l'attention sur leur rôle dans la construction de l'image. La plus grande, une vue panoramique de *Vétheuil l'hiver* (ill.145), est traitée avec une telle ampleur que dans certaines parties — comme au tout premier plan, ou dans les touches de la berge, en amont — la couleur ne se résout pas en formes reconnaissables. Ainsi le village, construit visiblement avec la même matière que les collines et le fleuve, semble, malgré la présence des personnages sur la barque, une excroissance naturelle au sein d'un paysage totalement désert où l'homme n'a laissé aucune trace.

Dans *L'Église de Vétheuil, neige* (ill.151), Monet se rapproche de la berge et les touches vigoureuses, déterminent un réseau d'accentuations verticales et horizontales qui imprègne ce tableau d'un sentiment de plénitude. Il s'en approche davantage encore dans *L'Église de Vétheuil, (hiver)* (ill.146), où il accentue les différences de tonalité traduisant les variations de lumière et de texture entre les maisons, les arbres et les clôtures, d'une part, et les plages de blanc irisé qui représentent la neige sans intention de description explicite d'autre part. Comme on le voit à la charnière des blancs du plan horizontal de l'eau et de ceux des verticales de la berge, Monet paraît s'être livré à une véritable joute entre ces deux techniques de représentation contrastantes. Dans toutes ces toiles, la répétition du motif souligne, avec encore plus de force que dans ses œuvres précédentes, la variété des procédés à l'aide desquels les touches de couleur créent l'image, ébranlant ainsi la conscience de la réalité immuable du monde extérieur, indépendamment de la façon dont les individus le perçoivent. En ce sens, *Vétheuil dans le brouillard* (ill.144), n'est pas seulement une extraordinaire transcription de la matérialisation de la lumière dans les brouillards de l'aube, mais suggère que le village n'a aucune réalité en dehors de celle que révèle l'image.

Malgré la maladie de Camille, Monet décida de rester à Vétheuil, parce qu'il pouvait vendre des tableaux de la région et parce que la vie n'y était pas chère ; néanmoins ses ressources diminuèrent considérablement : en janvier 1879 il gagna 1 070 francs, 200 en février et mars. Il allait avoir quarante ans et avait l'impression d'avoir lutté toute sa vie en vain :

« Je suis absolument écœuré et démoralisé de cette existence que je mène depuis si longtemps. Quand on est là à mon âge, il n'y a plus rien à espérer. Malheureux nous sommes, malheureux nous resterons. Chaque jour amène ses peines et chaque jour surgissent des difficultés dont nous ne sortirons jamais. [...] je ne me sens plus la force de travailler dans de telles conditions. J'apprends que mes amis font une nouvelle exposition cette année, je dois renoncer à y prendre part, n'ayant rien fait qui vaille la peine d'être exposé. »[9]

Ce sentiment était partagé par d'autres impressionnistes. Pissarro, dont la situation était encore pire que la sienne, écrivait :

« Ce que j'ai souffert est inouï [...], ce que je souffre actuellement est terrible, encore bien plus qu'étant jeune, plein d'enthousiasme et d'ardeur, convaincu que je suis d'être perdu comme avenir. Cependant il me semble que je n'hésiterais pas, s'il fallait recommencer, à suivre la même voie. »

Alors que Renoir et Sisley avaient décidé d'exposer au Salon, Pissarro, toujours favorable à l'action collective, avait dit à Caillebotte que Monet estimait en définitive que les expositions de groupe « nous empêchent de vendre ». En fait Monet n'accepta de se joindre à l'exposition des impressionnistes de 1879 que pour éviter d'être considéré comme « un lâcheur » par ses amis s'il s'y refusait. Caillebotte, qui avait hérité d'une grosse fortune, reprenant le rôle de soutien moral et financier que Bazille avait joué auprès de Monet, et payant d'ailleurs le loyer de son pied-à-terre parisien, était fermement décidé à ce que l'exposition ait lieu et à ce que Monet y participe. « Je vous réponds de tout. Envoyez-moi un catalogue immédiatement [...]. Mettez le plus de toiles que vous pourrez. Je parie que vous aurez une exposition superbe. Vous êtes toujours le même. Vous vous découragez d'une manière effrayante. »

Caillebotte lui avança 2 500 francs, obtint de différents collectionneurs le prêt de vingt-neuf de ses œuvres, dix-sept des années 1860 et 1870, et douze de Vétheuil, organisant ainsi une petite rétrospective de son ami. On mesurera à quel point Monet était détaché de ses camarades parisiens au fait qu'il ne prit aucune part à la préparation de l'exposition, à laquelle il ne se rendit même pas[10]. Cette exposition de 1879 souleva moins de passions que les précédentes, et bien qu'il n'y ait pas eu d'importants articles

de fond, les critiques hostiles furent plus ou moins contrebalancées par les compte rendus favorables. Cette réaction plutôt modérée était probablement due à l'absence de Berthe Morisot, de Renoir et de Sisley ; et la présence des protégés de Degas atténuait le caractère polémique de l'exposition, considérée comme une manifestation d'intransigeants. Lafenestre, dans la très conservatrice *Revue des Deux Mondes*, prédisait que « la petite troupe des indépendants [qui] n'est qu'un dernier débris du groupe des impressionnistes » ne ferait pas long feu, car « tous ceux qui ont pu troquer leur indépendance contre une place, contre la plus humble place au Salon officiel », étaient en train de l'abandonner. D'après lui, seuls Degas et Mary Cassatt étaient dignes de considération[11].

Bertall, qui leur avait auparavant asséné de virulentes critiques, assurait que les artistes ne témoignaient plus que « d'une douce folie ». Silvestre déclarait que le public s'était accoutumé à « cette traduction sommaire des choses extérieures ». Duranty, dans un article rassurant de la *Chronique des Arts et de la Curiosité*, assez conservatrice, écrivait que ceux qui n'avaient jamais vu d'artistes peindre, qui ne connaissaient pas ceux qui recherchent une nouvelle expression dans l'art, et ne souhaitent en visitant des expositions qu'un plaisir immédiat, seraient tentés de ridiculiser « de laborieux essais ressemblant aux expériences des chimistes ou des physiciens » dans leur « décomposition » de la lumière. Dans *L'Art*, Tardieu attirait l'attention sur les effets de la diffusion de la culture : « Jamais, disait-il, il n'y a eu un tel intérêt pour les arts, jamais il n'y a eu moins de passion pour eux » ; Manet était admis au Salon, où l'œuvre de Renoir était accrochée en bonne place. Dans le même temps, les « artistes indépendants » gagnaient 700 francs par jour (grâce aux billets d'entrée), « sans discussion, sans polémique, sans publicité ».

« La passion des premières années a cédé la place à une curiosité d'ensemble qui n'éprouve ni mépris, ni dédain, qui s'intéresse à tout, mais dont rien ne peut troubler le scepticisme calme, imperturbable et quelque peu bien-pensant. »[12]

Faisant sans doute allusion à la peinture de Caillebotte et de Monet, Lafenestre observait que les paysagistes qui les avaient précédés, tels Troyon, Rousseau et Millet :

« ...prêchaient à leurs adeptes l'horreur des villes empestées et l'amour des campagnes salubres [...]. Si [les impressionnistes] vont aux champs, c'est le dimanche, avec la cohue des citadins, poussant jusqu'à Asnières et Bougival, tout au plus jusqu'à Fontainebleau, pour y retrouver ce qu'il y a de moins champêtre au monde, les guinguettes peinturlurées, les canotiers en déshabillés prétentieux et les canotières en falbalas de pacotille. »

Bien que les tableaux de Monet aient représenté Vétheuil, la « campagne salubre », ils demeuraient, aux yeux de Lafenestre, corrompus par le monde moderne. D'un autre côté, les critiques de la presse républicaine, plus modérés, chantaient avec une telle unanimité les louanges des deux toiles de Monet avec leurs rues constellées de drapeaux en juillet 1878, qu'ils semblaient exprimer leur soulagement en voyant cet intransigeant participer au « mouvement de réconciliation ». Ernest d'Hervilly exultait devant « l'immense et joyeuse palpitation des drapeaux tricolores se répétant à l'infini, les remous et l'agitation d'un peuple en liesse » ; Burty et Silvestre transformaient le spectacle de la ville en phénomène naturel, le premier évoquant le « feuillage tricolore des drapeaux », le second proclamant avec force que :

« Monet a recouvré toute sa verve et toute son audace dans deux toiles représentant la fête des drapeaux. Regardez cette foule qui se presse sous les bannières que le vent fait claquer dans la lumière. On dirait une tempête avec des vagues battant les flancs d'un navire aux voiles tricolores. »[13]

À l'exception de ces deux œuvres, les critiques préféraient généralement les tableaux datant des années 1860, sans doute parce qu'ils s'étaient
accoutumés à leur langage ; ainsi Sébillot aimait les marines de ses débuts,
mais « avait quelque peine à saisir un certain nombre de ses toiles les plus
récentes dans lesquelles le peintre a juxtaposé toutes les couleurs de l'arc-
en-ciel. » La plupart d'entre eux insistaient sur ce qu'ils considéraient comme
une exécution trop hâtive. Affirmant que Monet avait exposé « trente œuvres
dont on dirait qu'elles ont été exécutées en un après-midi », Wolff ajoutait
qu'il avait jadis pensé que « l'auteur de ces esquisses, de ces effets de nature superficiels mais vrais, allait devenir quelqu'un, et le voici encore dans
une boue dont il ne s'échappera jamais ». On pouvait certes s'attendre à un
article hostile sous la plume du critique du *Figaro*, mais il avait une influence
considérable sur l'opinion et l'on ne pouvait ignorer son rejet intégral de
« la petite secte [...] dépourvue de toute étude, de toute science, de toute
vérité, et du sens commun. »[14]

En vérité, malgré une presse relativement favorable, et malgré la présence de plus de quinze mille visiteurs à l'exposition, Monet avait quelque
raison d'être troublé en s'entendant éternellement reprocher avec force de
présenter des tableaux inachevés. Peut-être avait-il eu connaissance d'une
remarque faite par Zola dans un article, publié en russe à Saint-Pétersbourg
(et partiellement reproduit en français, à Paris, en juillet 1879), disant : « À
un moment donné, on mettait tous les espoirs en Monet, mais apparemment il s'éteindra sur ses œuvres hâtives et se contentera d'une communi-
cation approximative, faute d'étudier la nature avec la passion des vrais
créateurs. » Ce reproche persistant aurait pu être d'autant plus inquiétant
que Duranty et Duret avaient tous deux fourni des explications au manque
apparent de fini de ses peintures. Les théories de Duranty sur la « décomposition de la lumière » des impressionnistes étaient assez proches des observations de Duret sur la façon dont Monet rendait les « impressions fugitives que les peintres, ses devanciers, avaient négligées ou considérées
comme impossibles à rendre par le pinceau », telles que les « mille nuances
que prend l'eau de la mer et des rivières, les jeux de la lumière dans les
nuages, le coloris vibrant des fleurs et les reflets diaprés du feuillage aux
rayons d'un soleil ardent ». L'interprétation de ces deux critiques ne tarda
pas à obtenir gain de cause, malgré quelques contestations. Évoquant la
brochure de Duret, Ephrussi avait écrit : « Il me semble que pour rendre
ces impressions fugitives de façon adéquate, [...] il faudrait une technique
moins sommaire, une main plus sûre, une exécution plus consciente et plus
de sérieux dans le travail. » Il fallut un certain temps pour faire admettre à
tous la nécessité d'un rapport entre l'emploi d'une touche superficielle et
la transcription des variations rapides des effets de lumière. Ce genre de
critiques affectait visiblement Monet, qui écrivit en mai à Hoschedé : « Moi
seul peux savoir mes inquiétudes et le mal que je me donne pour finir des
toiles qui ne me satisfont pas moi-même et qui plaisent à si peu de monde. »[15]

Les difficultés financières de Monet l'obligèrent à vendre certaines
œuvres qu'il ne considérait pas comme achevées ; il dut même se résoudre
à les proposer parfois en vrac, laissant les acheteurs en fixer eux-mêmes le
prix[16], au moment où il évoluait vers une technique d'un style nouveau, où
le jeu du pinceau, de plus en plus détaché de la forme, crée ce que l'on pourrait appeler une dynamique de la durée, qui se développe avec le temps.
Duret prêta à l'exposition de 1879 *Vétheuil vu de Lavacourt* (ill.148), illustration de cette tendance. Comme la plupart des peintures exécutées au
cours de cette période à Vétheuil et sur la côte normande, la grande diversité des touches donne à la pâte une épaisseur, une sécheresse presque
crayeuse, qui attire l'attention et la retient plus encore que dans les tableaux
d'Argenteuil. Les œuvres de cette période étaient davantage sensibles à la
forme du paysage, alors que plus tard Monet utilisera cette matière dense
pour traduire les forces linéaires inscrites à l'intérieur de ces formes. La mobilité du pinceau intègre le découpage linéaire de la surface, caractéristique

des œuvres précédentes, dans la continuité de l'espace et des couleurs de
la lumière. Dans cette vue de Vétheuil, la toile est divisée uniquement par
l'horizontale de la rive et la verticale des arbres les plus sombres et de leur
reflet ; mais les horizontales s'infléchissent subtilement en courbes convexes
grâce aux taches représentant les rides projetées sur l'eau au pied des buissons. Dans ses œuvres précédentes, où Monet décrit la Seine s'étirant vers
le lointain — comme dans *Effet d'automne à Argenteuil* — il s'est servi de
touches horizontales pour définir le plan d'eau, tandis que dans *Vétheuil
vu de Lavacourt*, il semble avoir tenté de capter les effets complexes d'une
vision convergente et périphérique. C'est ainsi que les incidents visuels,
apparaissant à la base et sur les côtés du tableau, semblent s'éloigner du
spectateur en courbes indistinctes.

Ces incurvations, ces virgules ne traduisent pas seulement une vision
dynamique, elles permettent également au spectateur de participer, par
l'imagination, à la création d'une forme picturale. Le travail du pinceau est
si flagrant — ce qui troublait tant ses contemporains — qu'il démontre comment Monet s'en servait pour créer une impression d'ensemble, unissant
dans une même dynamique linéaire les courbes de la colline aux ondulations de l'eau. Le tableau acquiert ainsi une forme de stabilité née de rapports changeants et de touches fluctuantes. Cette stabilité est si évanescente
qu'elle peut traduire le miroitement de la lumière après la pluie, quand elle
se brise en une myriade d'éclats de couleur à la surface mouvante de l'eau.

Dans sa lettre de mai, Monet disait à Hoschedé qu'il lui était impossible de faire face à ses dépenses s'ils devaient continuer à faire maison
commune et qu'il serait préférable qu'il la quitte, ainsi que sa famille. Mais
il n'en fut rien, peut-être parce qu'il comptait sur Alice Hoschedé pour soi-
gner sa femme. Au cours de ce même mois, Hoschedé écrivait : « L'agonie
lente [de Camille Monet] est bien triste », ajoutant qu'elle n'avait plus que
quelques jours à vivre ; mais à la mi-août, Monet demanda conseil au docteur de Bellio, car sa femme non seulement n'avait « plus la force de se tenir
debout ni de faire un pas, mais elle ne [pouvait] plus supporter la moindre
nourriture, tout en ayant de l'appétit. Il [fallait] être continuellement à son
chevet à épier ses moindres désirs. »[17] Dans la même lettre, il implorait de
Bellio de lui acheter quelques toiles « pour ce que vous pourrez, deux ou
trois cents francs », afin de pouvoir acheter de quoi travailler. Est-ce parce
qu'il avait si souvent été sollicité ? Sans faire allusion à la maladie de Camille,
de Bellio répondit brutalement à son mari :

« Je dois vous dire, avec toute la franchise que vous me connaissez, qu'il est vraiment
impossible de songer à faire de l'argent avec des toiles si peu avancées. Vous êtes, mon cher
ami, enterré dans un cercle terrible dont je ne sais comment vous sortirez. Pour avoir de l'argent, il faut avoir des toiles, et pour avoir des toiles, il faut avoir de l'argent. »[18]

Camille Monet mourut le 5 septembre 1879 après avoir, selon les mots
de Monet, « horriblement souffert ». Quarante ans après, il se voyait encore assis au chevet de la femme qui avait été au centre de sa vie de peintre
et qui, comme il le disait, « m'avait été et m'était toujours très chère », et il
se souvenait du choc éprouvé en découvrant à quel point il était peintre,
quand il s'était surpris en train de noter les « dégradations de coloris que
la mort venait d'imposer à l'immobile visage »[19]. Il fixa alors sur la toile la
dernière image, saisissante, où des touches immatérielles, flottant en rubans mauves, bleus, roses et blancs, laissent entrevoir une part du mystère
d'un corps d'où la vie s'est enfuie (ill.306). Ce tableau n'est pas seulement
un souvenir, une évocation d'une morte. Sans se laisser aller aux réactions
émotionnelles normales, Monet avait observé le visage aimé comme un
objet, cherchant à capter le moment même de l'altération. Sa façon de
peindre, où se mêlaient inextricablement vision, sensation et forme, n'aboutit pas à décrire un instant du passé, mais à recréer, à redonner vie à ce qui
est mort, si bien que ce moment s'inscrit dans la pérennité.

La lettre de Monet à de Bellio, passant sans transition de l'agonie de Camille à son besoin de toiles et de couleurs, révèle combien ses craintes de voir sa famille se désintégrer étaient inséparables de celles que lui inspirait son avenir de peintre. La cruauté du truisme de Bellio, subordonnant l'argent au fini du travail et inversement, mettait bien l'accent sur les contradictions inhérentes à la situation de Monet, car ses œuvres nouvelles, plus dynamiques que les précédentes, montraient qu'il était de plus en plus conscient de la mobilité du temps, juste à l'époque où il était contraint à le figer en moments suffisamment achevés pour pouvoir se vendre.

Il semble bien que Monet ait senti un rapport intime entre la présence de Camille et sa peinture de paysages, car il n'en exécuta aucun dans les trois mois qui suivirent sa mort, se concentrant sur des compositions de fruits, de fleurs ou de gibier. Ces natures mortes étaient peut-être aussi une nécessité, car elles se vendaient mieux que ses paysages, d'autant plus que les créanciers menaçaient d'expulser les deux familles de leur maison et de saisir leurs biens. Alice Hoschedé, qui avait reçu cent mille francs en dot, qui avait hérité d'un château et s'habillait chez Worth, écrivait à son mari : « Je me suis tuée de fatigue, faisant une besogne au-dessus de mes forces, jusqu'à scier du bois. » Elle ne tarda pas à se plaindre de ce que Monet soit obligé de subvenir aux besoins de ses propres enfants[20]. Cependant, même si Monet était forcé de peindre des natures mortes, elles reflétaient indirectement sa situation personnelle : *Faisans et vanneaux*, avec leurs deux paires d'oiseaux, curieusement juxtaposés dans l'inertie manifeste de la mort, ne suggèrent-ils pas la destruction de la famille de Monet, vivante unité de deux adultes et de deux enfants ? Ils évoquent aussi le rapport entre cette destruction et l'obligation pour Monet de peindre des natures mortes[21].

Monet revint aux paysages pour peindre une Seine apparemment privée de vie au cours de l'hiver 1879-80, le plus rigoureux qu'elle ait jamais subi : elle gela en décembre, une débâcle terrible se produisit au début de janvier et elle fut reprise par les glaces jusqu'au milieu de février. Monet peignit son fleuve bien-aimé prisonnier des glaçons amoncelés sur les berges, puis dérivant au fil du courant et finalement le froid soleil d'hiver se couchant sur les eaux enfin libérées[22] (ill.154). Certains ont insinué que les tableaux du fleuve gelé exprimaient la culpabilité et le désespoir de Monet à la mort de sa femme, en raison des liens qu'il aurait noués avec Mme Hoschedé, ce qui n'a jamais été établi. Mais bien qu'il soit tentant de rapprocher la représentation du gel et de la renaissance de la Seine du drame humain de mort et de renaissance vécu par Claude, Camille et Alice, Monet ne s'est jamais servi de la nature pour refléter ses sentiments au premier degré. On ne peut manifestement établir aucun parallèle littéral entre un effet naturel, une relation humaine, et le contenu émotionnel de ces peintures. C'est au moment où la Seine était prise par les glaces, où Alice Hoschedé écrivait presque tous les jours à son mari pour lui reprocher son absence et où leurs difficultés financières étaient les plus douloureuses, que Monet peignit quelques-unes de ses toiles les plus captivantes, où la beauté du soleil hivernal se traduit en une symphonie délicate de blancs nuancés de mauve, de rose et de bleu. Et, après avoir été réconforté par la vente de plusieurs tableaux de ce qu'il appelait « une débâcle terrible » à Georges Petit, le marchand qui lui avait conseillé de demander des prix plus élevés, il transmit cette nouvelle au docteur de Bellio, en l'avertissant triomphalement qu'il devrait dorénavant s'attendre à lui verser des sommes plus substantielles en échange de ses œuvres. Monet y représente les glaçons dérivant sur les eaux engourdies, sombres et presque menaçants — à l'aide de bleus acides, de roses, de mauves froids et de pourpres glacés — dans une gamme de tons livides, immobilisant le mouvement potentiel du fleuve en un réseau rigide d'horizontales et de verticales[23].

Lorsque Monet confesse la façon dont il a observé Camille sur son lit de mort, réagissant automatiquement en coloriste, il démontre qu'il pouvait s'abstraire des rapports affectifs qui le liaient à ce qu'il avait sous les yeux, si bien que l'objet de sa peinture conservait son identité propre. Pour lui, le mécanisme compensatoire, sinon expiatoire de l'art ne consistait pas à projeter ses émotions sur ce que l'on voit, mais à créer, grâce à de multiples notations, une sorte d'ensemble cohérent. Et c'est précisément parce qu'il parvenait à refuser cette interaction que d'autres associations pouvaient surgir. Dans quatre des tableaux de la Seine prise par les glaces (W.553-556), la luminosité de la neige est comme balafrée par les tons crus d'une barque immobilisée par le gel (ill.147), dans une position presque identique à celle d'une autre barque dans *Au bord de l'eau*. Monet, qui refusait d'utiliser le paysage à des fins symboliques, et qui jugeait significative l'indifférence de la nature envers l'humanité, a certainement associé ici, inconsciemment la mort de la femme aimée au gel de la grande rivière. Et ceci, selon une symbolique qu'il connaissait bien qu'il n'y ait pas eu recours explicitement, qui voit dans la représentation d'une rivière et d'un bateau vide, l'expression de la sexualité féminine.

À la différence des œuvres exécutées avec des petits coups de pinceau secs, pendant l'hiver 1878-79, celles de l'année 80 étaient faites de touches de peinture claires et harmonieuses, plus fluides et plus longues. Le lumineux *Lavacourt, soleil et neige* est un bel exemple de l'utilisation de cette technique. Au premier plan, l'ombre est figurée par des zones de couleur contrastées, et les collines réchauffées par la douce lumière du petit matin sont formées par de longs coups de brosse de bleu et de violet, de rose et d'orange soutenu[24]. Le calme de la pente neigeuse est intensifié plutôt que dérangé, par les lignes tortueuses du toit et des fenêtres, enfin les hachures des maisons vertes témoignent d'une énergie que Van Gogh devait reconnaître. L'influence de l'art japonais est manifeste, non seulement dans l'asymétrie audacieuse de l'équilibre de la composition et l'emploi des nuances transparentes de la gravure sur bois, mais dans le développement d'une technique plus proche de la calligraphie, sans doute influencée par les estampes que Monet avait probablement vues dans les collections de ses amis et connaissances, comme Gonse, Bing, Duret et Burty. Des artistes japonais avaient fait des démonstrations de leur peinture à l'Exposition universelle de 1878, ainsi que dans les salons des Charpentier et de Burty, tandis qu'Edmond de Goncourt décrivait par le menu dans son *Journal* la façon dont Watanabe peignait « un véritable kakemono »[25].

La peinture japonaise soulignait les beautés et les plaisirs austères d'une nature plus solitaire que celle qui apparaît dans les estampes et cela correspond au changement qui s'opère dans le travail de Monet au début des années 1880. Entre ses œuvres et les thèmes traités par les hommes de lettres japonais : paysages enneigés aux nuances délicates, cascades, cabanes dissimulées aux flancs escarpés des montagnes, ou suspendues au dessus de l'abîme, les affinités allaient croître. Leur calligraphie hardie, expression des forces latentes à l'intérieur des rocs, des falaises et de l'eau intéressaient probablement Monet, mais sa propre calligraphie incluait la couleur, et non la monochromie linéaire du lavis japonais, ce qui l'autorisait, par exemple, à utiliser des traits d'un bleu violacé, pour souligner des bleus et des violets d'une intensité telle qu'ils semblent presque blancs. Quand il décrit Watanebe en train de peindre, Goncourt insiste sur son emploi du trait pour parachever l'articulation de son œuvre, or Monet, lui aussi, cernait ainsi les formes qu'il représentait, afin de dynamiser sa composition.

La peinture japonaise a peut-être contribué à aider Monet à utiliser davantage d'abréviations, comme en témoignent, dans *Lavacourt, soleil et neige* (ill.156), la vivacité des paraphes orangés sur la rive, dans le lointain. Ils sont totalement indépendants des formes qu'ils enveloppent, ils n'ont rien de descriptif, mais jouent un rôle convaincant dans la définition des arbres de l'arrière-plan, encore indistincts dans la lumière de l'aube. Les traits d'un violet plus sombre, en contrebas sur la gauche, ont une fonction similaire : ils appartiennent à un système de signes, décrivant les courbes du terrain, les ombres, ou le filet d'eau glacée ; marquant l'évolution et la

152. *Faisans et vanneaux* (W.550), 1879, 68 x 90

connexité des éléments du paysage, plutôt qu'une transcription littérale qui figerait les formes. L'on voit d'ailleurs que les critiques de l'époque connaissaient ce mode d'expression graphique : ainsi, commentant l'œuvre de Degas à l'exposition de 1879, Silvestre écrit qu'il s'agit de :

« ...la plus éloquente des protestations qui s'élèvent contre la confusion des tonalités et la complication des effets dont la peinture contemporaine est en train de mourir. C'est comme un alphabet simple, juste et clair, dans l'atelier de calligraphes dont les arabesques ont rendu la lecture insupportable. »[26]

Le désir de créer des œuvres mieux finies, ou de rivaliser avec Renoir, favorablement accueilli au Salon de 1879, est peut-être à l'origine de la décision prise par Monet de ne plus exposer en compagnie de ses amis et de présenter des toiles au Salon — ce qu'il faisait depuis dix ans — mais de peindre en atelier des paysages de vastes dimensions, d'après des études faites en plein air. Il écrivait à Duret en mars 1880 :

« Je travaille à force à deux grandes toiles pour le Salon, car l'une des trois est trop de mon goût à moi pour l'envoyer et elle serait refusée, et j'ai du en place faire une chose plus sage, plus bourgeoise. C'est une grosse partie que je vais jouer, sans compter que me voilà du coup traité de lâcheur par toute la bande, mais je crois qu'il était de mon intérêt de prendre ce parti, étant à peu près sûr de faire certaines affaires, notamment avec Petit, une fois que j'aurai forcé la porte du Salon ; mais ce n'est pas par goût que je fais cela, et il est bien malheureux que la presse et le public aient pris si peu au sérieux nos petites expositions, bien préférables à ce bazar officiel. Enfin, puisqu'il faut en passer par là, allons-y. »

Ces trois peintures étaient *Les Glaçons*, *Lavacourt* et *Soleil couchant sur la Seine, effet d'hiver* (ill.155). Le jury refusa la première et accepta la deuxième ; la troisième étant celle que Monet souhaitait conserver[27]. *Les Glaçons* furent peut-être rejetés en raison de leur composition fort peu conventionnelle, mais plus vraisemblablement parce que cette image lugubre d'une nature indifférente, insensible, était étrangère au goût prédominant pour des paysages plus humanisés, ou plus nettement sauvages.

153. *Lavacourt* (W.578), 1880,
100 x 150

Monet semble avoir tenté de reconstituer son expérience visuelle de cette scène, en y incorporant les effets de sa vision périphérique, de sorte que les glaçons, maintenus en place uniquement par les reflets verticaux et la rive du premier plan, paraissent s'avancer vers le spectateur, comme prêts à ruisseler en sortant du tableau.

*Lavacourt*, toile admise par le jury du Salon, représente pour Monet un compromis, un retour en arrière significatif, puisqu'il va utiliser des œuvres exécutées dix-huit mois auparavant (W.538-541) pour créer une image impersonnelle d'un paysage particulier. Si, d'après les critères du Salon, la composition était hardie (on y retrouve peut-être une analogie avec les peintures japonaises où le motif s'avance vers le spectateur, au centre de la toile, pour s'en éloigner sur les côtés), la touche, plutôt mécanique, ne paraissait pas traduire le résultat d'une expérience vécue sur le motif[28]. Ainsi la scène est-elle immédiatement appréhendée, et ne sollicite en rien les facultés d'adaptation du spectateur. Étant donné que Monet avait délibérément choisi d'exécuter une œuvre en accord avec le goût bourgeois, il semblerait, à en juger par *Lavacourt*, qu'il ait estimé que la bourgeoisie ne pouvait apprécier que le déjà vu, le conformisme et le fini en peinture. Malgré tout, le tableau fut accroché au dernier rang, et ne put par conséquent pas être vu convenablement. Comme on pouvait s'y attendre de la part d'un ancien directeur des Beaux-Arts, le marquis de Chennevières affirma que la toile n'aurait pas gagné à « être vue de plus près », tout en admettant que son « atmosphère lumineuse et claire fait paraître noirs tous les paysages voisins dans la même galerie. »[29]

Zola — qui n'avait sans doute pas oublié que, lors de sa dernière participation au Salon, en 1868, il avait également été accroché "au plafond" — déclara que, si Monet avait continué à se battre dans ce cadre officiel, il aurait présentement gagné sa place légitime dans l'art français ; tandis que dans *La République Française*, Burty soutenait que Monet avait eu le plus

grand tort de renoncer aux expositions indépendantes alors que le succès était en vue. Une fois encore, Zola critiqua la production trop hâtive de Monet, ajoutant quelques allusions malveillantes à sa vie privée :

« Bien des ébauches sont sorties de son atelier, dans des heures difficiles, et cela ne vaut rien, cela pousse un peintre sur la pente de la pacotille. Quand on se satisfait trop aisément, quand on livre une esquisse à peine sèche, on perd le goût des morceaux longuement étudiés ; c'est l'étude qui fait les œuvres solides. M. Monet porte aujourd'hui la peine de sa hâte, de son besoin de vendre. »

Tout en gardant le silence sur « des considérations d'un ordre personnel », Zola conseillait à Monet de se vouer « à des toiles importantes, étudiées pendant des saisons », sans se soucier « de la question des expositions »[30]. Monet ne participa plus jamais au Salon, et poursuivit une politique d'expositions particulières, ou en groupe réduit. Il avait été invité, en avril 1880, à suivre l'exemple de Renoir qui avait exposé seul, dans une galerie appartenant à l'hebdomadaire artistique *La Vie Moderne*. L'éditeur Georges Charpentier, protecteur de Renoir, était administrateur de ce journal et le salon des Charpentier était fréquenté par des écrivains (y compris Duret et Zola, dont il publiait les œuvres), des hommes politiques, des banquiers, des financiers, des industriels et des journalistes, dont beaucoup étaient liés à Gambetta. Ces hommes cultivés, membres des professions libérales, proches du pouvoir grâce à leurs relations politiques ou mondaines, et susceptibles d'influencer l'opinion par leurs écrits et leurs articles, étaient partisans d'une république moderne et laïque, le type même des futurs admirateurs des tableaux de Monet voués à la "nature naturelle". Ils avaient approuvé l'œuvre de réconciliation majeure du gouvernement, l'amnistie définitive pour les événements de 1870-71, qui avait pris effet à la veille de la fête nationale, fixée à nouveau au 14 juillet, et qui démontrait que l'anxiété

154. *Les Glaçons* (W.568),
1880, 97 x 150

suscitée par la perspective du retour en France de Jules Vallès ou Louise Michel, et de milliers d'autres, n'était qu'une péripétie temporaire dans le courant de la politique républicaine, fondée chaque jour davantage sur ce qui, aux yeux des contemporains, relevait plus du pragmatisme que des grands principes[31].Duret aida Monet à organiser son exposition, qui s'ouvrit le 7 juin, à la même date que le Salon où était accroché son *Lavacourt*. Les dix-huit toiles qu'il y montrait représentaient les différents aspects et les diverses phases de son art : une marine et une scène d'intérieur des années 1860, trois peintures de la vie urbaine des années 1870, et quinze œuvres exécutées à Vétheuil, dont deux natures mortes récentes, *Les Glaçons*, refusés par le jury du Salon, deux vues de la Seine prise par le gel peintes en plein air, l'une au soleil, l'autre sous une lumière grise, et sans doute *Soleil couchant sur la Seine, effet d'hiver*, peinte en atelier[32].

Monet recherche donc le succès, avec son envoi au Salon et son exposition particulière, accompagnée d'un catalogue et d'un article de Taboureux dans *La Vie Moderne*, suivi d'une critique enthousiaste dans ce même journal, ce que Degas fustige comme une « réclame effrénée ». Il est certain que cette interview était étrangement moderne, donnant à Monet la possibilité de préciser son parcours et de construire sa propre image en tant qu'artiste, et permettant à Taboureux de le dépeindre dans le décor de sa propre maison et de son jardin[33]. Monet utilisait tous les moyens possibles, non seulement pour échapper à une situation financière qui lui interdisait quasiment de continuer à peindre selon ses désirs, mais également pour contrôler la façon dont son œuvre allait être interprétée. Comme Monet y juxtaposait un intérieur familial de 1868, une nature morte aux faisans de 1879 et l'une des premières toiles montrant sa nouvelle famille reconstituée dans un champ près de Vétheuil en 1880, cette exposition, à cette date, avait peut-être sur le plan personnel une signification symbolique, concrétisant sa lutte pour créer le contexte familial qu'il estimait primordial pour sa

peinture. Sa situation personnelle — Zola y avait fait allusion — commençait à faire jaser, ce qui n'était évidemment pas souhaitable.

Dans sa préface du catalogue, Duret analysait la hardiesse du peintre, allant aussi loin que les Japonais dans l'élaboration « d'un système de coloration absolument nouveau » dans lequel la nature apparaissait « colorée et pleine de clarté » et soutenait que Monet parachevait la révolution initiée par Corot et Courbet — qui avaient réduit la distance entre les études en plein air et la finition de l'œuvre en atelier — en exécutant successivement des opérations *simultanées*, dans des toiles entièrement réalisées en plein air. Il décrivait ainsi sa façon de peindre :

« Il commence brusquement à couvrir [une toile blanche] de plaques de couleur qui correspondent aux taches colorées que lui donne la scène naturelle entrevue. Souvent, pendant la première séance, il n'a pu obtenir qu'une ébauche. Le lendemain, revenu sur les lieux, il ajoute à la première esquisse, et les détails s'accentuent, les contours se précisent. Il procède ainsi plus ou moins longtemps jusqu'à ce que le tableau le satisfasse. »

Cela signifiait que c'était uniquement en plein air que Monet pouvait saisir « l'effet le plus éphémère et le plus délicat », « les jeux de la lumière et les moindres reflets de l'air ambiant ». Il est hors de doute que Duret écrivit cette préface après en avoir discuté avec Monet et l'avoir observé à l'œuvre, cependant il n'évoqua pas son travail en atelier, bien que la lettre de Monet au sujet de ses envois au Salon ait dû clarifier ce point. Les déclarations faites par Monet à Taboureux étaient encore plus emphatiques : « Je n'ai jamais eu d'atelier, soutenait-il, et je ne comprends pas comment on peut s'enfermer dans une pièce. Pour dessiner, oui ; pour peindre, non. » Puis, avec un geste qui embrassait tout Vétheuil : « Voilà mon atelier ! »[34]

Dans toutes les interviews publiées jusqu'au début des années 1900, Monet continua à accréditer l'idée — ou à ne pas la contredire — que toutes

155. *Soleil couchant sur la Seine, effet d'hiver* (W.576), 1880, 100 x 152

ses œuvres avaient été peintes en plein air, mais dans les conversations privées, il laissa clairement entendre, dès les années 1880, qu'il prenait des « notes » qu'il développait chez lui, et qu'il passait beaucoup de temps à finir ses toiles dans son atelier. Cependant, dans les années 1870 et durant une bonne partie des années 1880, Monet n'eut pas d'atelier au sens strict du terme : dans sa maison de Vétheuil, il peignait dans sa chambre du grenier ou dans une cour couverte, et pendant plusieurs années, il peignit à Giverny dans un vaste salon, à une extrémité du rez-de-chaussée, comme s'il désirait que sa peinture et sa vie de famille soient liées[35]. Il apparaît, à la lumière de plusieurs de ses toiles de plein air des années 1880, qu'il aimait travailler en compagnie de membres de sa famille, comme il l'avait fait dans les années 1870, si bien que l'antagonisme à l'égard d'un atelier, à cette époque, avait peut-être un rapport avec son envie de situer son art à l'intérieur de l'espace familial et de son intimité, comme avec le souhait de souligner la pureté de l'expérience pleinairiste. En 1880, quiconque aurait eu la moindre connaissance de la peinture contemporaine aurait compris que des œuvres aussi soigneusement construites que *Soleil couchant sur la Seine, effet d'hiver* et *Les Glaçons* avaient forcément été exécutées en atelier. Pourquoi donc Monet entretenait-il si assidûment la fiction du pleinairisme ? Le travail en atelier était le moyen traditionnel de généraliser l'expérience individuelle acquise sur le motif, en accord avec les notions

classiques de la beauté, mais pour Monet, le grand impératif, c'était d'exprimer la fragmentation du temps en moments spécifiques, pour tenter d'appréhender le monde. La grande majorité de ses toiles ont été peintes presque entièrement devant le motif, car c'est son expérience première de la nature qui donne à son œuvre la puissance créatrice qui lui est essentielle. Néanmoins, le fait de trouver « à son goût » une peinture d'atelier (*Soleil couchant sur la Seine, effet d'hiver*) suggère qu'en essayant de s'orienter vers ce procédé, il n'était pas seulement animé par le besoin de se faire accepter par le public, mais par le désir de trouver une manière de peindre plus libre, plus affranchie du « choc » de l'instantanéité. Les émotions complexes suscitées par la mort de Camille, la réaction inconsciente qui l'avait poussé à peindre ce corps sans vie, avaient peut-être renforcé sa quête d'une stabilité délivrée de la fuite implacable du temps.

Ce *Soleil couchant sur la Seine, effet d'hiver*, est l'une de ces toiles hallucinatoires où le soleil, se levant ou se couchant dans les brouillards de l'aube ou du crépuscule, ont inspiré au peintre des effets d'une extraordinaire virtuosité visuelle. L'intensité de ces œuvres découlait sans doute de l'émotion ressentie par Monet au moment où la lumière commence à révéler les formes surgissant d'une matière inorganisée ou, quand elle décline, à l'instant où les formes vont se dissoudre dans l'imprécision. C'est dans le temps où la lumière se libère de ses contraintes que son travail de peintre se manifeste. La partie centrale de *Soleil couchant sur la Seine, effet d'hiver*, avec ses personnages sur la barque et le disque rougeoyant aux reflets brisés, est si intimement lié à *Impression, soleil levant*, qu'elle laisse entendre que Monet l'a conçue comme une sorte de manifeste de la nouvelle orientation de son art, dans le rejet de l'iconographie moderne et la recherche d'une expression différant du pleinairisme, qui fige la durée.

À l'inverse des toiles de petit format, exécutées en plein air, sur le motif, à coups de pinceau nerveux, la peinture d'atelier était construite à partir de larges plages de couleurs claires, fluides, aux nuances merveilleusement modulées (un vert presque éclatant dans le ciel, au-dessus des maisons d'un bleu turquoise et de leurs reflets, tandis que le rose orangé du fleuve fait écho aux roses plus éteints auréolant le soleil), sur lesquelles Monet a superposé de longues traînées de couleur représentant non seulement les rides fugitives et les reflets sur l'eau, mais aussi les petites îles, compactes, ainsi inondées de vibrations lumineuses. La peinture en atelier réactivant peut-être la mémoire, en incorporant les souvenirs d'autres peintures dans le processus de création, Monet aurait pu — presque inconsciemment — s'inspirer des œuvres de Turner où le soleil, à l'aube ou au crépuscule, domine les eaux transparentes, aux couleurs vives, et dont les rives sont, elles aussi, inondées de lumière ; ou encore des estampes japonaises où les rochers et les îles, flottant dans la brume ou au milieu des eaux, créent un espace qui les entoure sans recourir à la rigidité de la perspective linéaire. La peinture d'atelier pouvait ouvrir à Monet un champ d'expériences mentales différent de celui que suscitait en lui la peinture à l'air libre, enrichissant ainsi sa gamme de réactions devant le motif.

Malgré la publicité qui lui fut faite, le grand nombre de visiteurs et le catalogue préfacé si finement par Duret, l'exposition de 1880 n'attira guère l'attention de critiques sérieux. La plupart des articles soutenaient que Monet n'avait pas tenu les promesses de ses débuts, que son œuvre était inachevée et incomplète, et Burty lui-même décrivit les toiles qu'il préférait comme des « fragments d'une indéniable puissance ». Ni la toile destinée au Salon, *Les Glaçons*, à la composition si resserrée, ni les efforts éloquents de Duret pour persuader le public que plein air n'était pas synonyme d'exécution hâtive ou bâclée en une seule séance de pose, ni la présentation d'œuvres montrant divers degrés de fini, ne parvinrent à ébranler ce préjugé si opiniâtre. Peut-être Monet lui-même avait-il contribué à le renforcer aux yeux de ceux pour qui impressionnisme équivalait à inachèvement, en déclarant fièrement à Taboureux : « Je suis et souhaite toujours être un impressionniste ». Son exposition particulière était destinée à confirmer les principes les plus purs de l'impressionnisme pour protester, disait-il, contre la façon dont cette « petite chapelle » était devenue « une école banale ouvrant sa porte au premier gribouilleur venu »[36]. Les expositions des années 1870 avaient pu convaincre Monet que seules quelques rares personnes étaient à même de comprendre l'abstraction indispensable à la transcription de ses sensations et qu'il ne pouvait rien faire d'autre que d'insister sur l'intégrité de son expérience de la nature en plein air, et ce en termes simplifiés susceptibles de plaire à une partie du public ainsi qu'à quelques journalistes et critiques d'avant-garde.

L'exposition accrut apparemment la demande pour ses œuvres et lui permit de réaliser une vente très importante : celle des *Glaçons* à Mme Charpentier, qui les offrit à son mari. Elle les obtint à prix réduit (mille cinq cent francs au lieu de deux mille), mais Monet n'avait pas reçu pareille somme depuis longtemps et son tableau allait être accroché à un endroit où les maîtres à penser de la République pourraient le voir. C'est peut-être pour ces raisons qu'au début de juillet, Monet put écrire avec entrain qu'il se sentait « dans une bonne veine de travail »[37]. Les tableaux représentent des jardins en pleine floraison, des champs de blé parsemés de coquelicots et les berges fleuries de la Seine, exécutés au printemps et à l'été de 1880,

témoignent d'une sensualité qui ne s'était pas manifestée depuis le séjour à Argenteuil et il recommença à y faire figurer des membres de sa famille — à laquelle s'étaient joints Mme Hoschedé et ses enfants — dans le jardin et dans les prés. Il reprit ce thème au début de l'été, dans deux toiles où l'on voit les enfants les plus jeunes ainsi que deux femmes sur l'une des îles, où Vétheuil se devine à travers les arbres[38] (ill.163). L'image se compose de voiles entremêlés, formés de minuscules touches de couleurs dans une gamme délicate de verts, de jaunes citron, de turquoise, de bleus et de roses. On y décèle différentes tonalités de rose en taches sombres, qui se révèlent être des toits, d'autres taches plus pâles et des hachures sur la colline du fond dessinent des champs et une route ; elles reparaissent, presque invisibles, sur le clocher de l'église, et, plus nettement, sur les visages des enfants, avant de se fondre, en irisations ténues, parmi les herbes, à la base du tableau. Des gammes analogues structurent et imprègnent la composition toute entière et permettent au spectateur d'appréhender l'espace et de créer un ensemble en identifiant les multiples échos d'une couleur, qui peut être aussi bien l'écorce d'un arbre, un angle du clocher, l'extrémité d'un mur, un écran de feuillage, une tache sur un parasol, un tablier ou un chapeau, une ombre au milieu des blés, ou même des vibrations lumineuses volant en éclats à travers les arbres. À mesure que l'œil prend conscience de ces rapports, les multiples couches d'herbes embrumées se font plus distinctes et donnent de la campagne une image toute tissée de douceur : celle d'un univers clos, d'un refuge.

Ce tableau s'apparente à ceux peints aux environs d'Argenteuil, auxquels les figures de Camille et de Jean impriment un cachet intimiste, demandant une attention différente des œuvres précédemment exécutées à Vétheuil, où les personnages, négligemment esquissés, ne contredisent pas l'impression d'une campagne quasi déserte. Les premiers temps, Camille Monet s'était jointe aux deux familles, dans leurs longues promenades autour de Vétheuil, jusqu'à ce que la maladie l'empêche de sortir, mais elle n'occupera plus jamais le paysage pictural comme à l'époque d'Argenteuil[39]. Dans ce domaine-là, en tous cas, Alice Hoschedé ne prit jamais sa place et dans les rares toiles où elle apparaît, ou semble apparaître, sa figure manque en général de la présence physique qui caractérisait Camille Monet, si bien que son identité ne résulte que de déductions. Tel est le cas dans une série de peintures des années 1880, reprenant les anciennes évocations des plaisirs de l'été, où l'on peut voir Mme Hoschedé dans le lointain, en barque, ou assise au bord de l'eau (W.607-609). Même lorsqu'elle est au premier plan, sous les saules (ill.164), elle est représentée par de longues touches incurvées, bleues, vertes et blanches, dans la même pâte que celle utilisée pour les herbes, suggérant une présence presque immatérielle, un ruissellement de blancs dans l'ombre transparente, plutôt qu'une femme particulière. Alice, qui était pieuse, était déterminée à faire son devoir, non seulement envers ses six enfants, mais aussi envers les deux fils de Monet. Or, du point de vue mondain, elle courait de grands risques en continuant à habiter sous le même toit que Monet, devenu veuf, en l'absence de son mari. Il n'était pas question de lui attribuer le rôle bohème de maîtresse et modèle, joué par Camille avant son mariage, ni par conséquent de la laisser s'exposer aux regards aussi librement[40].

## II

Après avoir passé deux ans à peindre à moins de deux kilomètres de sa maison, Monet quitta le doux univers de Vétheuil pour un bref séjour sur la côte normande, en septembre 1880, puis y retourna plus longuement en mars 1881 et à nouveau pour une courte période un peu plus tard cette même année. Ses voyages étaient sans doute provoqués par l'amélioration de ses affaires : il gagna près de quatorze mille francs en 1880 et plus de vingt mille en 1881. Et pourtant, bien qu'il ait envisagé de se rendre à Londres pour y « faire quelques aspects de la Tamise », il ne semble pas avoir souhaité revenir à la peinture du monde moderne. Il se définissait comme « de plus en plus paysan », alors qu'il était parfaitement informé de la vie artistique de la capitale[41].

Ses vues de la côte normande à cette époque, tout comme ses premiers paysages de Vétheuil, sont rarement animées par des personnages, même lorsqu'il retourne à Sainte-Adresse et à Trouville, dont il avait autrefois peint les plages si appréciées de ses contemporains. Seule une toile de la fin de 1881, *Les Falaises des Petites-Dalles* (ill.158), renferme des figures humaines, qui s'apparentent aux spectateurs des années 1880, mais que Monet situe alors sur un monticule isolé, contemplant le tumulte de la mer et la course des nuages, plutôt que le spectacle de la vie moderne. Dans d'autres œuvres, ses bords de mer sont aussi déserts que ceux qu'avait peints Millet, dix ans auparavant, aux endroits les plus reculés de la côte normande (ill.160 et 162). Peut-être Monet voyait-il une certaine similitude entre Vétheuil et les côtes de la Manche, qui lui étaient familières depuis son enfance, où la plaine crayeuse que la Seine traverse pour se jeter dans la mer vient se briser en hautes falaises abruptes, servant de rempart aux molles campagnes à l'intérieur des terres. À Vétheuil, où l'on descend par d'insensibles transitions des collines jusqu'à la plaine, il pouvait continuer à utiliser le schéma, relativement classique, du paysage du XIXe siècle, mais sur la côte, où l'échelle des couleurs est si contrastée, où d'infimes changements d'emplacement peuvent transformer radicalement une scène, l'audace de son invention va éclater dans les formes et la composition. Il s'est peut-être souvenu de la façon dont Millet a tiré parti des estampes japonaises pour représenter le vaste espace entre le sommet de la falaise et la mer en juxtaposant des formes nerveuses et simplifiées, mais distantes les unes des autres, comme dans celle d'Hiroshige, *La Passe de Satta à Yui*, qu'il avait peut-être déjà acquise (ill.160).

Si les tableaux de Millet ont influencé les compositions vues du haut des falaises, ceux de Courbet, exécutés à Étretat à la fin des années 1860, ont pu jouer un rôle dans le rendu des bords de mer. Cependant, alors que la matière de Courbet est d'une extrême densité, Monet utilise de longues touches linéaires pour traduire non seulement les assauts de la mer et du vent, mais les effets de leur érosion sur les falaises. Ces œuvres, tout comme ses descriptions de la débâcle et des inondations de la Seine, attestent le renouveau d'intérêt qu'il porte aux modifications que les forces de la nature, et non la main de l'homme, font subir au paysage — et dont il avait déjà évoqué les effets sur les stations balnéaires dans les années 1860 ainsi qu'à Argenteuil. Il aurait pu, là aussi, être influencé par les estampes ou les calligraphies japonaises, où les vagues se brisent contre des rochers aux formes tourmentées, mouvantes comme celles de la mer. Les exemples les plus frappants de cette nouvelle dynamique apparaissent dans deux toiles peintes par Monet lors de son troisième séjour sur la côte, *La Mer à Fécamp* (W. 659-660), où les falaises rongées par les intempéries sont vues sous un angle si rapproché qu'elles semblent presque floues et prêtes à s'effondrer sous le choc des vagues et des myriades d'embruns martelant les rochers. Cette image rappelle d'autres calligraphies décrivant un pan de falaise totalement isolé du reste de la composition, où les lignes de force que constituent les strates géologiques sont traduites avec une audace de pinceau à laquelle font écho des lavis plus légers ; ou peut-être d'autres estampes où le dynamisme des vagues, des chutes d'eau ou des vents est suggéré par de rapides notations linéaires. Dans l'œuvre de Monet, toutefois, les falaises et l'eau sont représentées par des lignes torturées de peinture épaisse, collante, adhérant les unes aux autres jusqu'à former une surface uniformément empâtée, dont la matière dense est fort éloignée de celle des artistes japonais, où l'encre est absorbée par le papier et où les parties non peintes

jouent un rôle réel dans la composition. Malgré de profondes différences entre ces deux façons de peindre, les Japonais ont sans doute aidé Monet à traduire la substance et les forces de la nature en notations abstraites, qui exigent du spectateur un effort croissant d'interprétation.

C'est grâce à Durand-Ruel que Monet put entreprendre cette expédition artistique à Fécamp. Le marchand avait fait sa réapparition dans sa vie en février 1881, en lui achetant quinze toiles pour quatre mille cinq cents francs au cours d'une visite dans son pied-à-terre parisien. Cela signifiait que Monet n'était plus obligé d'exposer en compagnie des impressionnistes et qu'il pouvait se concentrer plus exclusivement sur sa peinture. Bien que la plupart des achats de Durand-Ruel aient été financés par des prêts de l'Union Générale, banque qui devait faire faillite moins d'un an plus tard, en janvier 1882, il devait rester le principal soutien financier de Monet jusqu'en 1884, où il se vit contraint de réduire ses frais. C'est à l'époque de son séjour à Fécamp, semble t-il, que se nouèrent les modalités de leur accord, comme en témoigne la lettre où le peintre demande une large avance à son marchand, afin de pouvoir demeurer plus longtemps sur la côte, pour « pousser certaines études commencées ». Étant donné que Durand-Ruel lui avançait des fonds à valoir sur des achats ultérieurs, Monet pouvait espérer une certaine stabilité financière ; en contrepartie, le marchand avait, le premier, le choix parmi les œuvres nouvelles et lorsqu'il revint de Normandie, Durand-Ruel lui acheta vingt-deux toiles, dont seize exécutées à Fécamp, au prix de trois cents francs l'une. Monet put alors déclarer qu'il ne pouvait vendre à des prix inférieurs à ceux consentis à son marchand[42]. Ainsi les nouvelles relations de Monet avec Durand-Ruel marquent le début de l'entrée de son œuvre dans le cycle de la spéculation.

Comme celles de 1880, les toiles de l'été 1881 sont extrêmement travaillées, d'une facture sensuelle, d'un coloris éclatant. Au lieu de peindre les membres de sa famille dans les champs, Monet va les représenter dans son jardin de Vétheuil, qu'il montre pour la première fois, bien que Taboureux, venu lui rendre visite en 1880, l'ait déjà trouvé si remarquable qu'il avait fait allusion à la disposition des masses « de fleurs naturelles ». Le journaliste, évoquant avec ironie « ces bêtes sauvages de l'art appelés impressionnistes », note que Monet habite « une maison charmante, absolument moderne, où vous et moi, mon cher rédacteur en chef, vivrions sans le moindre frisson, comme les bons bourgeois que nous sommes ». Ce n'est peut-être pas une coïncidence si Monet commença à peindre le jardin familial à l'époque où il envisageait de quitter Vétheuil, car tout déménagement aurait soulevé l'éventualité d'une séparation entre les deux familles[43]. Au cours de l'été, Monet peignit deux portraits d'une dame (W.680-681) en train de lire dans le jardin (ill.165) ; il s'agit probablement d'Alice. Lorsqu'il représente son jardin, il s'arrête avec insistance sur la clôture, dont la géométrie bien visible marque la limite entre l'univers familial et le monde extérieur alors que, dans la plupart des toiles précédentes traitant du même sujet, la présence féminine s'inscrivait au cœur du feuillage et les frontières prosaïques du jardin n'apparaissaient que rarement. *Terrasse à Sainte-Adresse* était une exception, en ce sens que les personnages sont dans un enclos fleuri, dans un espace rassurant d'où ils peuvent observer leur univers, tandis qu'Alice Hoschedé est représentée à l'intérieur du jardin qui l'absorbe entièrement. Plus tard, au cours de ce même été 1881, Monet peignit quatre vues (W.682-685 ; ill.166) du jardin resplendissant avec ses tournesols dorés, ses roses trémières et ses capucines, dans deux desquelles figurent Michel Monet, Jean-Pierre Hoschedé et une femme — qui est peut-être Alice — descendant l'escalier qui mène au chemin sablé bordé par les vases bleus que Monet possédait déjà à Argenteuil (par exemple W.264). Aucune allusion n'est faite au monde situé au-delà du jardin ; rien n'indique que la maison en soit séparée par la route conduisant à Vétheuil et malgré l'exubérance sensuelle des fleurs, chacune des formes est maintenue en place par les axes

156. *Lavacourt, soleil et neige* (W.511),
1879, 59 x 81

157. *Coucher de soleil sur la Seine, l'hiver* (W.574),
1880, 60 x 80

158. *Les Falaises des Petites-Dalles* (W.621), 1880, 59 x 75

159. *À Grainval près de Fécamp* (W.653), 1881, 61 x 80

Ci-contre, en bas, de gauche à droite :

160. Utagawa Hiroshige, *La Passe de Satta à Yui*, estampe de la suite *Les Cinquante-trois vues du Tokaïdo*, 1833-1834, gravure sur bois, 23 x 35

161. Jean-François Millet, *Le Castel Vendon*, 1871, 60 x 74

162. *Temps calme, Fécamp* (W.650), 1881, 60 x 73

163. *La Prairie* (W.535), 1880, 79 x 98

verticaux de la maison, de l'escalier, et du chemin menant à l'endroit où doit se tenir le peintre. La toile est construite de telle sorte que le regard du peintre semble répondre à celui des enfants, créant ainsi un univers à jamais refermé sur lui-même, où les fleurs éclatantes forment une voûte au-dessus des marches, occultant presque la silhouette évanescente vêtue de reflets blancs. Une fois encore, Monet a utilisé un décor visible pour donner l'image d'un monde passionnément désiré. Ces deux toiles sont sans doute contemporaines de celle où l'on aperçoit la Seine au travers d'un nuage de capucines du jardin[44]. Monet avait illustré son départ d'Argenteuil de la même façon, amalgamant le monde du fleuve et celui du jardin, comme pour s'assurer de leur présence au moment où son avenir était assombri par l'angoisse. En décembre 1881 Monet, ses deux fils, Mme Hoschedé et ses six enfants quittèrent Vétheuil pour Poissy, petite ville des bords de la Seine, à vingt kilomètres de Paris. Ce déménagement fut un tournant décisif, car les relations entre Monet et Alice Hoschedé ne pouvaient plus être

considérées comme la continuation d'un *statu quo* dû en partie à son mari. Grâce surtout à Durand-Ruel, Monet avait gagné 20 400 francs en 1881 et, à ce moment, précis Ernest Hoschedé lui devait les sept dixièmes des frais de la maisonnée. Peut-être accepta-t-il alors la nouvelle situation, mais avec la possibilité de faire prévaloir à tout instant ses droits conjugaux, tandis que sa femme, préoccupée par les conséquences de sa liaison sur ses filles, menaçait à l'occasion de la rompre[45].

Monet passa la majeure partie de 1882 à Pourville, sur la côte normande, pour y travailler. Il y passa d'abord deux mois, de la mi-février à la mi-avril, décidé à peindre « une grande toile »[46], mais il fut interrompu par les préparatifs, plutôt agités, de la septième exposition impressionniste ; il ne s'y rendit d'ailleurs que pour une brève visite, lors de son inauguration. Monet était assez réticent à l'idée d'exposer en compagnie des amis et disciples mineurs de Degas : Rafaelli, Forain et Zandomeneghi, ainsi qu'avec

les quelques protégés de Pissarro, à savoir Gauguin, Guillaumin et Vignon. Il écrivit à Durand-Ruel :

« Au point où nous en sommes, il faut qu'une exposition soit très bien faite ou n'en pas faire, et il est de toute nécessité que nous soyons entre nous, et il ne faut pas qu'une seule tache vienne compromettre notre succès. »[47]

Il avait commencé par refuser d'y participer, à cause de la présence de « certaines personnes ». Durand-Ruel, pendant ce temps, se débattait au milieu de sérieuses difficultés financières, à la suite de la faillite de la banque de l'Union Générale, en janvier. Il avait désespérément besoin d'une exposition réussie pour pouvoir vendre une partie de sa collection considérable de tableaux impressionnistes. Étant donné les sommes importantes qu'il avait avancées à Monet, celui-ci était forcé d'accéder à sa demande, d'autant plus que le marchand possédait alors suffisamment de toiles pour justifier une exposition particulière. Degas et ses amis se retirèrent finalement et il ne resta plus que neuf peintres : Monet, Berthe Morisot, Sisley, Pissarro, Caillebotte, Renoir ainsi que Gauguin, Guillaumin et Vignon, pour présenter ce qui fut, de l'avis des critiques, la plus homogène de toutes les expositions de peintures impressionnistes jamais vues. Certains estimèrent toutefois que l'absence de peintres réalistes et la prépondérance des paysages par rapport à la représentation de la vie contemporaine était une faiblesse. Eugène Manet écrivit à sa femme, Berthe Morisot, qu'« un journal gambettiste idiot » avait déclaré que l'exposition était « décapitée » du fait de la « retraite » de Degas et de Mary Cassat[48]. La « Septième Exposition

164. *Femme assise sous les saules* (W.613), 1880, 81 x 60

165. *Alice Hoschedé au jardin* (W.680), 1881, 81 x 65

À droite :

166. *Le Jardin de Monet à Vétheuil* (W.685), 1881, 150 x 120

des Artistes Indépendants » s'ouvrit le 1er mars, dans un immeuble où se tenait également un panorama de ce que Burty appelait « l'une des journées les plus amères de notre défaite de 1870 », la bataille de Reischoffen. Cette incongruité — dénoncée par Burty et Claretie — était peut-être plus apparente que réelle, étant donné que l'exposition comprenait le *Déjeuner des canotiers à Bougival*, de Renoir, de paisibles scènes paysannes de Pissarro, *Le Jardin de Monet à Vétheuil* (ill.165) de Monet, des paysages d'Ile-de-France de Sisley, et *À la campagne*, de Berthe Morisot, illustrant à la perfection l'utopie bourgeoise que la République souhaitait instaurer dix ans après « l'année terrible »[49]. D'autres rapprochements, assez embarrassants, étaient évoqués, plus ou moins consciemment, ainsi qu'en témoigne la bouffée de colère de Renoir, dans un brouillon de lettre adressée à Durand-Ruel :

« Exposer avec Pissarro, Gauguin et Guillaumin, c'est comme si j'exposais avec une sociale quelconque. Un peu plus, Pissarro inviterait le Russe Lavrof ou autre révolutionnaire. Le public n'aime pas ce qui sent la politique […]. Débarrassez-vous de ces gens-là et présentez-moi des artistes tels que Monet, Sisley, Morisot, etc., et je suis à vous, car ce n'est plus de la politique, c'est de l'art pur. »

Renoir s'inquiétait sans doute de ce que ses amis et protecteurs modérés, chefs de file de l'opinion républicaine, pourraient penser de son association avec de prétendus extrémistes et Monet, quant à lui, souhaitait peut-être éviter vis-à-vis de collectionneurs éventuels, d'être ainsi contaminé. Quoi qu'il en soit, les œuvres présentées à cette exposition n'offrant, en l'absence de Raffaelli, aucune description réaliste des exclus de la société vivant dans les affreux faubourgs de Paris, répondaient parfaitement à la définition de Renoir : il s'agissait « d'art pur ». Ce qui pourrait expliquer les réactions plus mesurées des critiques, qui semblent avoir accepté le fait que l'impressionnisme était un mouvement artistique à présent entré dans les mœurs et qu'on ne pouvait l'évaluer sans tenir compte, peu ou prou, de sa philosophie. Cette attitude compréhensive fut sans doute facilitée par l'évolution des peintres qui avaient exposé ensemble depuis 1874 : Monet, Berthe Morisot, Pissarro, Renoir et Sisley, parvenus à développer chacun un style personnel et approfondi, basé sur une technique et une manière de voir communes. De surcroît, étant donné que sur les deux cent trois œuvres présentées, plus des trois quarts étaient des paysages, les critiques pouvaient plus aisément faire la distinction entre les différents artistes, et entre les multiples facettes de leur personnalité propre. Ils reconnaissaient l'homogénéité du groupe, Bigot déclarant que l'exposition était « véritablement celle d'une école », tandis que Wolff, plus péremptoire, affirmait : « Quand on a vu un tableau d'un indépendant, on les a vus tous ; ces œuvres sont signées de noms différents, mais elles semblent venir de la même fabrique. »[51]

Lorsque Monet, cédant aux instances de Durand-Ruel, accepta finalement de se joindre a l'exposition, il lui fit clairement comprendre que sa participation devait être « la plus complète que possible », et devrait surtout mettre l'accent sur les œuvres exécutées les deux années précédentes à Vétheuil et à Fécamp, « des effets de glace, les coquelicots, des champs de blé, quelques natures mortes, [...] Surtout, ne mettez pas le grand *Lavacourt* qui a été au Salon, mais bien le grand *Paysage d'hiver, soleil couchant* [*Soleil couchant sur la Seine, effet d'hiver*] ». Il demanda au marchand d'emprunter *Les Glaçons* à Mme Charpentier : « …c'est une de mes bonnes choses, et comme vous n'avez rien d'un peu grand, cela ferait bien… »[52]. Ainsi, parmi d'autres œuvres de petit format, parfois intimistes, et des compositions d'une asymétrie audacieuse, aux touches appuyées et très hautes en couleur, Monet présenta *Les Glaçons*, où règne un équilibre savamment calculé entre la tension de la perspective, fuyant vers l'intérieur de la toile, et la courbe de l'eau refluant vers le spectateur, dans une gamme merveilleusement dégradée de roses, d'ors et de mauves.

Les réactions des critiques furent, dans l'ensemble, favorables aux œuvres de Monet. Tout en continuant à affirmer avec force que cette nouvelle peinture, manquant de fini, ne servait pas l'art, Silvestre l'estimait capable de réformer « des méthodes qui ont perdu de leur force ». Mais, évoquant les toiles de Monet, il laissait éclater son enthousiasme :

« Pour moi, M.Monet n'est pas seulement le plus exquis des peintres impressionnistes, il est aussi le véritable poète moderne des choses de la nature ; il ne se contente pas de la peindre, il la chante ; on dirait qu'une lyre se dissimule derrière sa palette. Regardez avec attention particulière ce paysage délicieux, *Les Saules* […] qui semblent être un décor apprêté pour accueillir quelque idylle. Comme le feuillage frissonne ! Quelle caresse dans le ciel, prête à envelopper un amant parti à la recherche du printemps… »[53]

La vision poétisée de Silvestre allait fournir la base de la nouvelle interprétation de l'œuvre de Monet, lorsqu'il eut renoncé aux sujets tirés de la vie contemporaine. Ce type de commentaires, souvent assortis d'une explication "scientifique" de la « décomposition » de la lumière à laquelle il se livrait, allait permettre à son public d'intégrer ses toiles dans la lignée du paysage français classique, en passant sous silence sa rupture radicale avec la tradition. Si les critiques admiraient *Les Glaçons*, sa peinture la plus "sage", ce sont ses marines qui attiraient surtout l'attention. Huysmans s'exclamait : « … ses études de mer avec des lames qui se brisent sur les falaises sont les marines les plus vraies que je connaisse. » Silvestre s'émerveillait devant : « …cette mer à Grainval,… avec ses immenses ombres violettes qui tombent du haut des falaises et palpitent au vent comme l'étoffe d'une robe », tandis que Chesneau écrivait :

« Pour la première fois, on voit s'animer sur la toile les palpitations, les senteurs et les longs soupirs de la mer […] les courants des vagues qui se retirent de la plage, la teinte vert foncé des eaux du large et les tons violets de celles, moins profondes, qui s'étirent sur leur lit de sable, toute cette fête éphémère de couleurs, tous ces enchantements de lumière changeante. »

Les tableaux de l'exposition étaient accrochés sur trois rangées, les uns au-dessus des autres. Comme un critique s'était plaint qu'une toile aux falaises roses ait été placée juste au-dessus d'une mer verte, il est possible que les tableaux de Monet aient été groupés par thèmes, afin d'attirer l'attention sur l'extraordinaire invention de leur composition, de leur gamme de coloris, et de leurs « effets de perspective absolument remarquables »[54].

L'attitude de Huysmans, passant du mépris à l'admiration sincère était symptomatique d'un changement plus général dans la critique, marqué par l'acceptation de la spécificité du langage impressionniste et accompagné parfois de réels efforts pour le comprendre. En 1880, Huysmans avait proclamé que Monet souffrait d'« indigomanie » et se satisfaisait à bon compte d'une « peinture brouillonne et hâtive », « demeurée à l'état de confus rudiment, de vague ébauche » ; mais en 1882 il écrivit : « Il paraît s'être décidé à ne plus peinturlurer, au petit bonheur, des tas de toiles. » Le peintre qui avait souffert d'une « maladie de la rétine », selon ses déclarations de 1880, était devenu « un grand paysagiste dont l'œil, maintenant guéri, saisit avec une surprenante fidélité tous les phénomènes de la lumière. » Les appréciations de plus en plus élogieuses des critiques ne devraient pas faire oublier le fait que les œuvres les plus récentes de Monet étaient beaucoup plus hardies dans la forme que les précédentes. Ses bords de mer, fragments arrachés à la continuité du paysage, présentent des dominantes de couleurs fortes, des traits d'une calligraphie plus affirmée, et une notation graphique plus concise que les paysages antérieurs. Les pétales et les fleurs du *Bouquet de soleils* se contractent avec le dynamisme linéaire que l'on retrouve dans *La Mer à Fécamp* (ill.168) ; et dans *Soleil couchant sur la Seine, effet d'hiver*, Monet accentue la rapidité, la rugosité, l'ampleur d'exécution, la brusquerie de la composition, la simplification des dominantes — toutes synonymes pour la critique d'imperfection et de manque de fini. À entendre leurs considérations sur le caractère plus "léché" de son œuvre, Monet aurait eu raison de penser que c'étaient les yeux des critiques, et non les siens, qui avaient soudain été « guéris ». Wolff lui reprochait encore sa « production hâtive », mais plusieurs critiques réfléchissaient aux rapports entre la technique apparemment superficielle des impressionnistes et les effets qu'ils recherchaient, ainsi, selon Chesneau, bien que « leur formule — rude, sommaire, nécessairement rapide — donne l'impression d'être inachevée, mais c'est … tout le contraire, puisque leur but est atteint dès lors que la sensation du mouvement est parvenue au spectateur », tandis que Hepp, notait qu' « ils dissimulent leur souci du détail et du dessin sous l'apparence d'une improvisation rudimentaire. »[55]

En vérité, la calligraphie apparemment si rapide de *Soleil couchant sur la Seine, effet d'hiver*, évoque la notation presque instantanée d'un moment fugitif — lorsque le soleil hivernal est sur le point de disparaître. Et pourtant, nous le savons, cette œuvre est une composition très élaborée, exécutée en atelier après plusieurs études en plein air. Pour l'un des critiques, le disque du soleil était « une tranche de tomate collée sur le ciel », alors que Huysmans se sentait capable de voir « comme dans ses toiles le petit souffle froid de l'eau monte dans les feuillages et passe dans les pointes d'herbes. » Certains critiques purent alors lire dans ses masses brisées ou ses larges coups de pinceau la transcription d'une vision instantanée et la preuve de son habileté à « saisir » les changements des effets de la lumière « durant leurs brefs instants de vie. »[56] Hennequin expliquait que les impressionnistes utilisaient la couleur en fonction des nuances dominantes présentes dans tout spectacle naturel, en les transposant en dominantes picturales pour donner une unité aux différentes tonalités d'une œuvre. D'autres critiques, moins bien disposés, estimaient que la notion de couleur dominante était tout à fait arbitraire. Le journaliste du *Réveil* écrivait : « Monet… a peint un certain nombre de falaises qui semblent faites de glace à la framboise et à la groseille… Accrochée au-dessous, une autre toile, dans des tons de glace à la pistache, est en fait un océan déchaîné. »[57]

Le long article que Chesneau consacra à l'exposition rendit justice aux complexités de l'entreprise des impressionnistes, ce qui, disait Monet à Durand-Ruel, est « exactement ce que j'aime ». Chesneau assurait que :

> « Les impressionnistes français […] ne traduisent plus l'abstraite réalité de la nature, la nature telle qu'elle est, telle qu'elle pourrait être conçue par l'esprit d'un savant, mais ils transcrivent la nature telle qu'elle nous apparaît, telle que les phénomènes d'atmosphère et de lumière la façonnent pour nos yeux — à condition que nous sachions la regarder. »

Il a toujours existé, dans l'esthétique réaliste, une certaine incompatibilité entre la notion d'un art tendant à l'objectivité de l'homme de science et la certitude que la connaissance du monde extérieur ne peut s'acquérir que par la perception individuelle. Il semble que Chesneau ait été prêt à dissiper cette dualité et à rejeter la notion d'objectivité, en soulignant avec force la relation entre la nature transitoire de l'expérience subjective et l'instabilité des phénomènes naturels :

> « Ils n'ont d'existence propre, contrairement à la réalité abstraite ; ils ne font que passer, et tout ce qu'ils laissent derrière eux, c'est une sensation dans notre esprit, une impression sur notre mémoire, rien que le souvenir d'un enchantement de mouvement et de couleur. Voilà ce que les peintres, biens nommés impressionnistes, aspirent à reproduire pour nous et ce avec succès ; c'est ce souvenir qu'ils désirent capturer et qu'ils savent comment saisir. »[58]

La représentation de la nature est due à un processus subjectif, telle était la conviction exprimée par Monet treize ans auparavant, quand il avait

167. *Bouquet de soleils* (W.628), 1880, 101 x 81

déclaré que sa peinture serait « simplement l'impression de ce que j'aurai ressenti, moi personnellement »[59]. L'article de Chesneau dénote une compréhension exceptionnelle de la volonté qui anime les impressionnistes, déterminés à représenter ce qui est passager, éphémère, comme du rôle que joue la mémoire dans de telles représentations. Si Monet éprouvait le désir de recréer et de préserver une existence physique idéale, plus dense que celle que nous apporte le flux de la vie, cela provenait peut-être des souvenirs qui transforment le monde de l'enfance en un univers de bonheur intense ; mais, en peignant Camille sur son lit de mort, il démontrait son espoir de saisir le moment qui est, avant qu'il ne devienne un souvenir. Monet se défiait pourtant des effets niveleurs de la mémoire, et cette obsession de l'éphémère, ce besoin de capturer l'effet passager avant sa disparition impliquaient une quête constante d'un nouveau sujet à peindre ; mais sa recherche des équivalences visuelles était inséparable des réminiscences du passé. Cet automatisme de la mémoire, avec ses gestes recommencés mais toujours nouveaux, marquant l'infinie variété d'où naît la forme intelligible, était profondément ancré en lui et pouvait se manifester en dehors de toute pensée consciente. C'est en cela que résidait le rôle primordial de la mémoire dans le processus de création des impressionnistes et, parce que son cheminement conscient n'était pas perçu, elle n'en avait que plus de pouvoir, dans son insaisissable ambiguïté.

À la fin des années 1870, les impressionnistes s'étaient acquis des sympathies de plus en plus nombreuses et leur mouvement était généralement interprété comme une forme extrême de naturalisme, où les excentricités apparentes de coloris et de technique pouvaient être expliquées en termes d'analyse scientifique de la lumière et de rapidité d'exécution indispensable pour la « saisir ». D'un autre côté, l'harmonie de leur palette, leur perspective sans profondeur et leurs coups de pinceau apparents pouvaient également s'expliquer par la recherche d'effets décoratifs. Cet aspect de l'impressionnisme est relevé incidemment, dès 1874, sous la plume de critiques sympathisants, mais ne devient un élément d'appréciation que huit ou dix ans plus tard. Lorsque Silvestre décrit *Les Glaçons* comme « une toile aux impressions d'une merveilleuse précision et d'un immense effet décoratif », il ne s'agit pas de substituer cette notion à celle de fidélité envers la nature mais de la compléter, de l'amplifier, et c'est en ce sens que Monet accentua le caractère décoratif de son art dans les années 1880[60]. C'est à juste titre que Monet fut satisfait des résultats de cette exposition : les toiles qu'il

présentait équivalaient à celles d'une exposition particulière et l'ensemble cohérent des peintures de Fécamp fut généralement bien accueilli, en dépit de ses audaces picturales. Huysmans l'associa à Pissarro, estimant qu'ils étaient « finalement sortis victorieux de la terrible lutte », et, bien que le nombre de visiteurs et les recettes aient été moindres que prévus, Monet aurait certainement été réconforté par les conclusions de Hepp à propos de Durand-Ruel, dont on avait auparavant critiqué l'engouement pour les peintres impressionnistes, « qui triomphent à leur tour »[61]. Ce fut cependant la dernière exposition impressionniste à laquelle Monet participa.

Monet reçut l'article de Chesneau à Pourville, où il revint après avoir assisté à l'inauguration, ce qui l'encouragea peut-être à poursuivre les innovations formelles entreprises à Fécamp. Eugène Manet écrivit à Berthe

168. *La Mer à Fécamp* (W.660), 1881, 65 x 82

169. *La Maison du pêcheur, Varengeville* (W.732), 1882, 60 x 78

Morisot : « Tous ces événements financiers ont un peu fauché tout le monde et la peinture s'en ressent », mais la faillite de l'Union Générale n'affecta pas du jour au lendemain les achats de Durand-Ruel, qui pressa Monet de lui expédier un plus grand nombre de vues de la côte pour les vendre. Monet lui répondit qu'il avait terminé quelques toiles, mais qu'il préférerait lui « montrer toute la série de [ses] études à la fois, désireux [qu'il était] de les voir toutes ensemble chez [lui]. »[62] C'est la première fois qu'est mis en évidence le besoin de Monet de revoir l'ensemble de ses études d'un site particulier et le fait qu'à ses yeux elles constituaient une « série », bien qu'il ait déjà recouru à ce procédé dans quelques-unes des œuvres d'Argenteuil et dans ses tableaux de la gare Saint-Lazare. Monet réalisa plusieurs séries de ce genre à Pourville, représentant un motif à différentes heures de la journée et sous des conditions atmosphériques variées. Le groupe le plus

important était composé de quatorze toiles où figure le poste de douane, par beau temps où sous la tempête, sous le soleil ou sous les nuages, de l'aube au crépuscule (W.730-743). Cinq d'entre elles montrent cette cabane, blottie au creux des falaises herbeuses dominant la mer ; neuf sont vues de plus haut, le sommet de la falaise et la cabane se profilant sur la mer, loin en contrebas, ou bien se fondant dans la masse estompée des falaises. Cette cabane joue un rôle comparable à celui de la villa d'Argenteuil, ou du clocher de l'église de Vétheuil : elle est le témoin des déplacements du peintre à l'intérieur du paysage. Cependant, à Argenteuil comme à Vétheuil, le motif devait être développé durant une longue période sans être détaché de son contexte, de sorte que ses divers aspects n'étaient pas nettement différenciés les uns des autres, mais attestaient la constance avec laquelle Monet explorait le paysage. Étant donné la brièveté de ses séjours sur la côte, le temps s'imprimait d'une toute autre façon sur les toiles que Monet y peignait : chacune des vues était très nettement isolée de son environnement, ce qui soulignait son caractère instantané, intemporel. Devant cette série, mieux encore que devant les peintures plus anciennes, nous prenons conscience de l'art consommé avec lequel le peintre choisissait ses motifs.

L'influence de Millet est toujours sensible dans les asymétries audacieuses et les juxtapositions abruptes de formes largement autonomes utilisées par Monet dans ses toiles de Fécamp, toutefois les tonalités y sont travaillées en structures plus denses. Dans *La Mer à Fécamp*, Monet a représenté un effet unique, celui des vagues lancées à l'assaut d'une falaise, mais dans *Marée montante à Pourville*, il utilise une multitude de virgules, brossées d'un pinceau si rapide qu'elles ne recouvrent pas la totalité de la toile, afin de créer des rythmes complexes traduisant avec vigueur les forces qui animent la scène : le vent arrachant les herbes et les buissons rabougris et les lames de fond écumantes qui s'écrasent en déferlant sur le rivage, tandis que d'invisibles nuages se reflètent en taches vertes sur une mer grise et violette. En revanche, dans la *Cabane de douanier* (Philadelphie, Museum of Art), Monet a peint les éléments les plus puissants du paysage à la façon des peintres japonais, avec une simplification draconienne de l'espace : il souligne ainsi la hauteur et la violente poussée ascendante de la falaise en déplaçant le centre de gravité vers le bas du tableau, vers la ferme et le plan horizontal, si lumineux, de la mer.

Quand il était à Pourville, Monet écrivait presque tous les jours à Alice Hoschedé, comme il allait le faire, chaque fois qu'il voyageait pour peindre, tout au long des vingt années suivantes. Ses lettres sont un véritable journal intime, exprimant la joie et l'angoisse causées par l'apprentissage d'un nouveau paysage. Celles de Pourville trahissent son désespoir quand il ne parvient pas à obtenir les effets désirés, quand le temps est instable, quand il se voit contraint de travailler comme un forcené pour produire des œuvres assez satisfaisantes pour lui permettre de revenir dans sa famille. À cette époque, il avait pris l'habitude de mettre en train plusieurs toiles consacrées à un même motif vu sous différents éclairages, ce qui l'obligeait à prendre quelqu'un pour l'aider à les porter (et lui faisait perdre une journée de travail lorsque cet homme était ivre), et il avait dit à Alice qu'un jour, il avait travaillé à huit esquisses, passant environ une heure sur chacune, en se concentrant avec une telle intensité que le soir, il n'y voyait « plus clair ». Il essayait de la raisonner quand elle lui reprochait ses longues absences, mais retardait sans cesse son retour, car il avait besoin de « deux journées de soleil et deux ou trois de temps gris ». Et lorsqu'il avait eu quelques jours de temps adéquat, il « tremblait » qu'il ne devienne nuageux, car il avait beaucoup à faire et le printemps approchait : « Je suis resté si longtemps sur certaines toiles que je ne sais plus qu'en penser, et je deviens décidément de plus en plus difficile : rien ne me satisfait, et puis la nature change terriblement en ce moment. » Ses tentatives devaient lui paraître irréalisables, car il écrivait : « La plupart de mes études ont dix et douze séances, et plusieurs vingt » ; s'il lui fallait vingt séances pour essayer de représenter un effet fugitif, cela signifiait qu'il avait attendu dix-neuf fois son retour et qu'il suffisait d'un instant pour qu'il s'évanouisse…[63]

La densité de la pâte dans *La Maison du pêcheur, Varengeville*, montre que Monet y travailla à de nombreuses reprises. Une superposition de petites touches, d'épais frottis, de taches fluides et délicates dans des tonalités vertes, roses et ocres, sont inscrites au-dessus d'une infrastructure composée de touches plus amples, plus étendues, afin de donner à la matière un relief qui sera presque une contrefaçon de celui des falaises.

Pour décomposer la structure linéaire de ce motif (procédé qu'il emploiera pour d'autres motifs), Monet dessine d'un trait fin, nerveux et continu, sans aucun dégradé, le volume et l'architecture interne des falaises[64]. Ces esquisses, comme les toiles définitives, sont unifiées à coup de longues traînées, fondues dans de légers nuages de couleur, nous révélant

ainsi que sa "visualisation" du paysage était inséparable de sa construction. L'emploi de touches d'un vert vif apparemment dépourvues de toute référence, au flanc de la petite maison, pour amalgamer les courbes délicates de la clôture à celles du paysage procède de la même démarche ; on les voit reparaître, presque invisibles, sous la forme d'un sentier descendant la pente, sur la gauche, et, avec davantage de vigueur, dans les taillis et les broussailles du premier plan. Monet a accentué ces transpositions et ces réminiscences en ajoutant des touches de vert plus foncé, de bleu et de rouge orangé lorsque le tableau fut presque achevé, sans doute lorsqu'il put revenir chez lui et avoir sous les yeux la totalité de ses peintures. Cette vue d'ensemble lui permit de renforcer l'unité de chacune des œuvres en la parachevant par des touches spécifiques, afin d'en définir plus clairement l'identité à l'intérieur des différents groupes de motifs. Malgré sa surface dense et empâtée, ce tableau évoque un instant fragile, dans la lumière éclatante du petit matin, à l'heure où les vibrations de la rosée dans la brume sont encore sensibles tandis que le soleil réchauffe l'air qui paraît encore frais dans les zones d'ombre. Dans le lointain, les minuscules voiles blanches intensifient en quelque sorte notre perception de la lumière : elle ne se cantonne pas dans l'espace immense s'étendant de la falaise à l'horizon estompé, mais se diffuse dans un brouillard presque transparent qui s'amenuise en se rapprochant de la côte.

Après avoir vendu plus de vingt toiles à Durand-Ruel, pour un total de huit mille francs (dont une partie fut engloutie dans le remboursement de dettes anciennes)[65], Monet retourna à Pourville en juin, accompagné d'Alice et des huit enfants qui devaient y passer leurs vacances d'été. C'est grâce à leur présence qu'il revint aux thèmes de la vie contemporaine montrant les gens qui goûtent les plaisirs de la plage, pataugeant dans l'eau, escaladant les falaises, admirant la mer ou le coucher du soleil. Ce retour au passé marque cependant une évolution dans l'œuvre de Monet, où l'interaction entre les êtres humains et le paysage va s'estomper au profit de tableaux où la nature sera représentée sous un aspect plus élémentaire, car, contrairement aux figures individualisées apparaissant dans ses œuvres des années 1860 et jusqu'au début des années 1870, consacrées aux plages de la Manche, elles ne seront plus désormais que de petites mouchetures de couleur. Quelques-unes s'apparentent aux figures de spectateurs des époques précédentes, mais leur regard n'est pas clairement défini et ne joue aucun rôle dans l'exploration visuelle de la scène ; qui plus est, si l'on excepte la *Promenade sur la falaise, Pourville* (ill.177), la structure des œuvres nouvelles

Ci-contre :

170. Dessin pour la *Cabane de douanier*, 1882
(carnet de croquis MM.5131, 12 recto)

171. *Cabane de douanier* (W. 743), 1882, 60 x 81

172. Shūbun, *Paysage*, encre sur papier, première
moitié du XVᵉ siècle, 89 x 33

173. *Marée montante à Pourville* (W.740),
1882, 65 x 81

174. *La Manneporte* (W.832), 1882, 65 x 81

donne à penser que les figures sont étrangères au paysage, et pourraient même en être éliminées[66]. Ce n'est pas parce qu'elles représentent des personnes en villégiature sur la côte — ce qui a toujours été le cas dans l'œuvre de Monet — mais parce qu'elles sont surajoutées à la scène d'une façon qui détourne l'attention de ce que la *peinture* révèle comme le souci majeur de l'artiste : l'analyse de la perception du spectacle de la lumière. Une marine (W.772) uniquement constituée de la mer et du ciel, suggère que Monet désirait se limiter à la géométrie pure et naturelle des éléments, afin d'étudier l'infinité des interactions entre la luminosité du ciel et ses reflets sur la mer.

Lorsqu'il se décide à peindre un motif de son époque, telle cette grande villa sur la falaise, cette dernière apparaît moins comme un témoignage banal de la transformation de l'écologie côtière, comme dans *La Plage de Sainte-Adresse*, que comme une chose vulgaire et déplacée. Dans *Église de*

*Varengeville* (ill.182), Monet brosse d'un même pinceau l'église et la falaise, tandis que dans *La Falaise à Dieppe* (ill.179), les petites touches hachurées utilisées pour décrire le volume et les détails de la villa contrastent avec les larges traînées calligraphiques définissant le flanc de la falaise. Ramassée sur elle-même, étrangère au paysage, la villa ne s'y intègre pas, tandis que l'église séculaire forme le sommet, le point culminant des énormes forces géologiques et telluriques qui ont sculpté la falaise et que Monet a représentées en lignes tourmentées aux couleurs éclatantes. Les figures minuscules, presque invisibles au pied de la falaise (comparables à celles de *La Rue Montorgueil*), n'existent que comme d'infimes parcelles de cet immense dynamisme. Même dans la *Promenade sur la falaise, Pourville*, les robes, les châles et les ombrelles des élégantes qui s'aventurent à l'extrémité de la falaise frémissent au vent, ce même vent qui fouette les herbes, fait jaillir à la surface de l'eau des vagues bondissantes et gonfle les voiles blanches. Les figures ont un double rôle : en tant que dames de la bourgeoisie, pur produit de la culture, elles se distinguent de la nature ; mais étant par ailleurs soumises à son dynamisme, elles en sont une des composantes.

Bien qu'il ait été heureux de revenir à Pourville pour y travailler, Monet se trouva à la fin de septembre dans un complet découragement après avoir entrepris un nombre « insensé » de toiles que le mauvais temps l'avait empêché de terminer[67]. Il y mit la dernière main dans son atelier et en vendit vingt-cinq à Durand-Ruel à la fin de l'année. Ce choix délibéré de motifs très proches les uns des autres, se définissant chacun comme partie d'un ensemble, renforça peut-être son désir de faire une exposition personnelle, ou en compagnie d'un artiste dont l'œuvre serait complémentaire de la sienne (il proposa Renoir comme peintre de figures). Durand-Ruel accepta d'organiser une série d'expositions de ses peintres impressionnistes, dont Monet serait le premier. Le montant des œuvres qu'il lui avait cédées en 1882 s'élevait à vingt-quatre mille sept cents francs et, bien que le marchand ait pu en vendre quelques-unes, le bruit courait, que Durand-Ruel aurait « bientôt quatre cents tableaux dont il ne pourra se débarrasser »[68]. L'exposition n'était donc pas alors uniquement un événement artistique, mais une spéculation financière sur un quasi-monopole.

À la fin de janvier 1883, Monet retourna sur la côte normande à Étretat, petit village de pêcheurs devenu station balnéaire, où il avait vécu avec Camille et Jean en 1868. Étretat avait déjà accueilli de nombreux peintres, parmi lesquels Delacroix, Jongkind et Courbet, qu'attiraient la beauté de sa lumière et ses célèbres falaises crayeuses, où l'érosion de la mer avait creusé trois arches et une "aiguille" solitaire. C'était peut-être la première fois que Monet avait peint un site touristique, connu en premier lieu de ses visiteurs grâce aux illustrations des journaux, aux cartes postales et aux guides de voyage, dont il allait retrouver le décor dans les années à venir, lors d'autres expéditions artistiques[69]. Il allait cependant transformer l'image donnée par la carte postale en une étrange représentation des forces de la nature, contrastant avec les désirs plus classiques des touristes. Il trouva également une source d'inspiration dans les motifs des tableaux de Courbet et de l'art japonais. Ses toiles peintes en atelier s'étaient bien vendues en 1880 (Clapisson, l'agent de change, avait acheté *Soleil couchant sur la Seine, effet d'hiver*, au milieu de l'année 1882), c'est peut-être pourquoi il entreprit pour son exposition de rivaliser avec les deux grandes toiles que Courbet avait exécutées en 1869 à Étretat, *Falaise d'Étretat*, et *La Vague* (Musée du Louvre), qu'il avait sans doute vues à sa rétrospective de l'école des Beaux-Arts en 1882, exposition qui marqua sa réhabilitation après la Commune.[70]

Monet estimait son projet « terriblement audacieux » puisque Courbet avait « admirablement » peint la falaise, mais ne put terminer aucune œuvre de grand format car pendant ces trois semaines passées à Étretat, le temps fut très mauvais et il dut en outre rassembler des prêts pour son exposition qui allait s'ouvrir à la fin de février. Il était également très préoccupé par une visite qu'Ernest Hoschedé avait faite à sa femme et par le risque de les voir, elle et ses enfants, repartir avec lui. Monet écrivit à Alice, depuis Étretat :

« …faut-il me faire à cette idée de vivre sans vous ? Je sais bien, cependant, que je ne puis rien et ne dois rien dire contre ce que vous avez décidé hier, il me faut me soumettre n'ayant aucun droit... Bonnes ou mauvaises sont mes toiles, cela m'est bien égal. L'exposition est le moindre de mes soucis […].

J'ai voulu faire semblant d'aller travailler, essayer même, mais mes affaires sont restées à côté de moi sur le galet sans que je songe seulement à ouvrir ma boîte de couleurs ; je restais à regarder bêtement les vagues, souhaitant que la falaise m'écrase. »[71]

Étant donné la verdeur inhabituelle de son langage, il est possible qu'en cette occasion Monet ait investi la nature de ses émotions propres, allant peut-être jusqu'à les projeter dans *La Falaise* et la *Porte d'Aval par gros*

*temps* (W.820) où, dans une instabilité turbulente, les falaises semblent se désintégrer sous les coups de boutoir de la mer.

Hoschedé ne mit pas sa menace à exécution et Monet revint à Poissy deux jours après avoir écrit cette lettre, emportant avec lui des « masses de documents pour faire de grandes choses à la maison ». Il mit la dernière main à cet ensemble de tableaux jusqu'à la fin de novembre, non sans avoir commencé à peindre des panneaux décoratifs pour l'appartement de Durand et s'être ensuite interrompu pour emménager à Giverny. Il est évident que le travail en atelier pouvait durer des mois, car, comme il avait

175. *Étretat, mer agitée* (W.821), 1883, 81 x 100

176. Gustave Courbet, *Falaise d'Étretat*, 1869, 133 x 162

écrit à Durand-Ruel, « ces retouches qui n'ont l'air de rien sont bien plus difficiles qu'on croit »[72]. Parmi les œuvres terminées à la maison figure sans doute *Étretat, mer agitée*, probablement celle où Monet était le plus conscient de sa rivalité avec Courbet, car elle contient des détails descriptifs — les bateaux des pêcheurs et l'entrée de la grotte inhabituels dans sa peinture, mais qui se trouvent dans *La Porte d'Aval* de Courbet. Si Monet souhaitait rendre hommage à son vieil ami et par là conforter sa position personnelle de chef d'une nouvelle école de paysagistes, il prit soin de le faire en soulignant leurs différences de facture. La toile de Courbet était de dimensions beaucoup plus importantes que celle de Monet, et d'un calme olympien, avec cette pesanteur tellurique qui caractérise ses paysages. La falaise du premier plan est solidement enracinée dans le sol ; la mer reste soudée au plan horizontal, mettant ainsi en évidence la puissante verticalité de la falaise. Monet, lui, décrit les falaises à longues touches linéaires, avec des stries parallèles pour suggérer leur agressivité et leurs stratifications, leurs saillies et leurs déclivités. L'énergie linéaire des falaises n'est pas différente, mais plus concentrée que celle qui s'exprime en touches incurvées pour traduire le flux, le reflux et les soubresauts des vagues. Ces lignes mobiles ne

sont jamais statiques, n'autorisent jamais l'œil à se reposer, évoquant ainsi une conjonction unique, exceptionnelle de forces complexes. Dans *La Vague*, Courbet a représenté le moment où une lame énorme est sur le point de se briser; mais la pesanteur de la mer glauque et son horizontalité oppressante nous donnent l'impression que ce moment va durer toujours, tandis que Monet a capté un instant si riche de mouvement qu'il n'est jamais figé.

Les œuvres les plus originales que Monet exécuta à Étretat représentent la Manneporte, immense arche rocheuse. Il y en a deux, l'une étant restée à l'état d'étude pleine de vigueur (W.833), alors que la seconde est d'une pâte très dense, qui exigea certainement de nombreuses séances et fut terminée en atelier, avant d'être achetée par Durand-Ruel en juillet (ill.174). Peu de temps après son arrivée à Étretat, Monet avait écrit à Alice :

> « Vous ne pouvez vous faire une idée de la beauté de la mer depuis deux jours, mais quel talent il faudrait pour rendre cela, c'est à rendre fou. Quant aux falaises, elles sont ici comme nulle part. Je suis descendu aujourd'hui dans un endroit où je n'avais jamais osé m'aventurer autrefois et j'ai vu des choses admirables , aussi suis-je bien vite revenu chercher mes toiles, enfin je suis très content, [...] aussi me faut-il diablement travailler pour arriver à temps près de vous et être prêt pour mon exposition. »[73]

Monet décrit l'arche qui se dresse au-dessus de lui, l'amputant brutalement d'un tiers de sa hauteur, la coupant du reste de la falaise, éliminant toute allusion à l'aspect humain du paysage (les deux figures minuscules, presque invisibles, servent uniquement à indiquer ses proportions impressionnantes). Il est possible que Monet se soit rappelé une estampe d'Hiroshige, qui aurait déjà fait partie de sa collection : *L'Entrée des grottes*

*d'Enoshima dans la province de Sagami* (ill.180), avec ses formations rocheuses spectaculaires , ses personnages minuscules, et le contraste entre le calme de la mer dans le lointain et le jaillissement des vagues, évoquant la puissance des forces qui ont sculpté l'arche. La toile de Monet présente d'évidentes affinités avec les simplifications audacieuses des estampes japonaises : les peintres japonais, en quelques touches rapides au pied d'un rocher, auraient symbolisé la complexité des forces de la mer ; Monet, lui, a utilisé des notations similaires pour incarner l'interdépendance dynamique entre l'eau, la lumière et le roc.

Monet ne parvint à terminer aucune des toiles d'Étretat à temps pour son exposition, qui semble avoir été conçue comme une rétrospective comprenant cinquante-six œuvres, venant en majorité de la collection de Durand-Ruel, avec des prêts de Duret, du docteur de Bellio, de May et de Baudry[74]. Il y avait onze natures mortes et compositions de fleurs, et près de quarante paysages et marines, allant d'une peinture de 1864 représentant la côte normande (W.39) jusqu'à d'autres vues de la même région datant des années 1880. Les sujets de la vie contemporaine — le jardin de sa maison (W.284), la gare du chemin de fer (W.422), les promenades à la campagne, les boulevards et le parc de la capitale — offrirent certainement un spectaculaire contraste avec les deux douzaines d'œuvres exécutées à Pourville et à Varengeville en 1882, décrivant une nature indifférente à l'insignifiante présence humaine et aux traces qu'elle a laissées à sa surface. Parmi celles-ci se trouvaient quatre vues de la cabane des douaniers (W.730, 733-734, 736), et trois tableaux des falaises projetant sur la mer des ombres multicolores (W.792, 806, 808). Même si ces oeuvres n'étaient pas regroupées, elles ne pouvaient que souligner, avec plus de force encore qu'en 1882,

Ci-contre :

177. *Promenade sur la falaise, Pourville* (W.758), 1882, 65 x 81

178. *Bords de la falaise à Pourville* (W.757), 1882, 60 x 73

179. *La Falaise à Dieppe* (W.759), 1882, 65 x 81

l'évolution saisissante de la construction imposée par les variations de la lumière et l'extraordinaire inventivité grâce à laquelle Monet transformait le motif en diversifiant ses touches et les dominantes de sa palette.

L'exposition s'ouvrit le 28 février 1883, dans la nouvelle galerie de Durand-Ruel, sur l'élégant boulevard de La Madeleine. Bien que Pissarro l'ait qualifiée de « grand succès artistique, très bien organisé », elle n'attira qu'un petit nombre de visiteurs, et, dans les premiers temps, peu de réactions de la critique. Monet déclara que c'était une « catastrophe » et reprocha à Durand-Ruel de ne pas l'avoir suffisamment annoncée dans la presse. Il lui écrivit : « Je fais quant à moi fort peu de cas de l'opinion des journaux, mais il faut bien reconnaître qu'à notre époque, on ne fait rien sans la presse », ajoutant le lendemain que les critiques, et même les insultes, étaient préférables au silence. « Non, au point de vue artistique, cela [l'opinion de la presse] ne change rien, je sais ma valeur et suis plus difficile pour moi que n'importe qui. Mais c'est au point de vue commercial qu'il faut voir les choses. » De ce même « point de vue », il lui arrivait d'offrir des toiles à des critiques bien disposés, et d'écrire des lettres de remerciements aux auteurs d'articles favorables. Il avait besoin d'argent, mais n'osait pas demander d'avances à Durand-Ruel : « Je suis effrayé du nombre de toiles que vous avez de moi : si vous ne les vendez pas, est-il possible de vous encombrer d'avantage ? » Et il menaçait de les vendre à d'autres.[75]

Malgré les appréhensions de Monet, l'exposition suscita un grand nombre d'articles, plus longs et plus compréhensifs que la plupart de ceux qui avaient jusque-là concerné les impressionnistes. Peu se montraient hostiles[76] ; en général les critiques partaient du principe que, si les tableaux de Monet pouvaient sembler étranges, l'on finissait par s'y accoutumer ; ils recherchaient les raisons de cette singularité qui s'élucidait progressivement, pour laisser apparaître la signification et le caractère révélatoire de son œuvre. C'est à Gustave Geffroy, chroniqueur à *La Justice*, le journal radical de Clemenceau, que l'on doit le premier article significatif. Prenant la *Cabane de douanier* comme exemple, il affirmait que le « dessin sommaire » des peintures de Monet, avec leurs plans simplifiés et la sobriété de leur trait, était le « véhicule nécessaire » au peintre pour représenter « les couleurs éclatantes et sans cesse changeantes de la nature ». Il montrait davantage de perspicacité en observant que, chez Monet, la poursuite de la sensation pouvait aboutir à la désintégration de la forme connue, lorsque sa « réalité » pouvait prendre « des allures de cauchemar ». Peut-être Geffroy pensait-il aux couleurs flottantes et aux touches filiformes de l'*Effet de brouillard près de Dieppe* (W.724), ou aux étonnantes traînées de moirures brillantes sur l'aplomb de la falaise, dans l'*Église de Varengeville, effet matinal*. Signe des temps : la menace de désintégration des formes, qui avait été le cheval de bataille des critiques hostiles dans les années 1870, pouvait alors être abordée presque sans commentaires dans un article favorable, comme si le « cauchemar » était un fait acquis[77].

Dans *La Vie moderne*, Silvestre notait « un retour triomphal à la réalité des impressions… » et que, malgré sa variété, son œuvre témoignait d'une « unité artistique » où l'on pouvait percevoir « une synthèse d'une grande puissance, un geste longuement réfléchi, une chose ardemment désirée et destinée à durer. » En s'exprimant de la sorte — et peut-être inspiré par le parti pris d'invention des neuf vues de falaises présentées à l'exposition — Silvestre affirmait sans ambiguïté que, selon lui, les tableaux de Monet étaient des structures formelles, consciemment développées, capables de transcender le moment représenté[78].

Dans une étude capitale parue dans *La Republique francaise*, Burty prétendit que l'impressionnisme était lié à la République des opportunistes. Il rappela le tumulte suscité par leurs premières expositions et observa que des « connaisseurs raffinés » soutenaient à présent les impressionnistes, « et leur ouvraient même *La Gazette des Beaux-Arts*, le journal académique par excellence ». Cependant, en 1874 :

180. Utagawa Hiroshige, *L'Entrée des grottes d'Enoshima dans la province de Sagami*, estampe de la suite *Endroits célèbres des soixante et autres provinces*, 1853-1856, gravure sur bois, 34 x 23

Ci-contre :

181. Nagasawa Rosetsu, *Côte rocheuse*, fin des années 1790, paravent peint, encre et feuille d'or sur papier, 171 x 373

« Seule *La République française* fut favorable [à Monet], l'admirable citoyen qui en était le directeur [Gambetta, qui venait de mourir] ayant compris, dès le début, que la politique n'avait rien à voir à l'affaire et que les nouveaux préceptes, […] en art comme en science, donnent la mesure du progrès véritable et sont la prérogative du génie français. »

Burty poursuivait en déclarant que Monet n'était plus « … l'esclave d'une production hâtive dûe à la nécessité de vendre au jour fixé. Vendre à un prix plus élevé lui permet de travailler plus longtemps sur une toile et de donner corps à ses intentions de façon plus précise. » D'après lui, la facture de Monet était « résolument moderne ». Il précisait que, l'œuvre étant peinte « à bras tendu », elle ne pouvait être bien appréciée « que de loin ». Vue d'une certaine distance, la peinture n'avait plus le pouvoir de troubler les perceptions habituelles, mais perdait une part de son intimité et n'était plus en mesure d'impliquer le spectateur dans son processus de développement propre. Burty admettait implicitement l'existence d'un public cultivé et sûr de ses valeurs individuelles. « Pour une peinture si personnelle, écrivait-il, il faudrait des spectateurs sachant partir à la recherche de leurs impressions avec discernement et s'arrêter devant ce qu'ils aiment. »[79]

En quels termes l'art de Monet était-il apprécié ? Nous en avons un exemple significatif dans un article publié par la prestigieuse *Gazette des Beaux-Arts*. Son auteur, Alfred de Lostalot, explique que « l'apparition du nom de ce peintre dans une revue qui prétend être rangée parmi les journaux conservateurs de l'art… revient à déclarer que nous refusons à voir en lui un anarchiste de la peinture ». Avec cette phrase d'apparence anodine, Lostalot rejetait l'hypothèse avancée depuis les années 1870 et peut-être même plus tôt encore, selon laquelle il existait un certain lien entre la peinture de Monet et une certaine forme de radicalisme politique destructeur. Cet article, paraissant en même temps que d'autres chroniques consacrées à Raphaël, Rubens et Velasquez, était le seul à traiter d'un peintre du XIXᵉ siècle dans cette livraison de la *Gazette*. Ceci équivalait en fait à inclure Monet dans la grande tradition artistique, mais, sur un plan plus fondamental — étant donné qu'il n'y avait aucun rapport entre ces différentes

formes d'art — ce voisinage coupait l'œuvre de Monet de son époque, la réduisant au rang d'un produit de l'art parmi d'autres. L'article de Lostalot venait à propos, à un moment où Monet envisageait d'exposer ses œuvres de façon à plaire à un public d'élite qui, espérait-il, pourrait s'intéresser aux expériences de plus en plus larges de son langage pictural[80]. Le critique ne se soucia d'aucun des tableaux de la vie contemporaine de l'exposition, comme *Le Boulevard des Capucines*, *Impression, soleil levant*, *Le Pont de l'Europe*, *Gare Saint-Lazare* (W.442) ; l'ensemble de son article évoquait un royaume intemporel de sensations raffinées. Il ne s'interrogea pas plus avant sur la spontanéité de l'exécution, ou des réactions suscitées par les toiles, disant qu'à son avis cette appréciation était du ressort du spécialiste. Ainsi l'art de Monet s'apparentait-il encore davantage à un discours privilégié.

« La vision de M. Monet est exceptionnelle ; il voit autrement que la majorité des humains », tel était le thème central de Lostalot. Avec une formule curieusement dubitative, « si l'on en croit la rumeur selon laquelle il peindrait toujours en plein air », il exprimait son mépris envers ceux qui estimaient que le pleinairisme de Monet offrait « de précieux gages d'exactitude qu'aucun autre label de fabrication ne serait en mesure de garantir avec une certitude comparable. » Il réaffirmait que Monet n'était pas véritablement un novateur, car « les lois de la nature », celles en particulier régissant la perception des couleurs, avaient jadis été appliquées par Rubens et Véronèse, et que les « audaces » de Monet étaient déjà présentes dans les pastels de Millet. D'après Lostalot, si le public était indifférent ou hostile à l'art de Monet, c'est parce qu'il « peint dans une langue étrangère… dont lui-même et un petit cercle d'initiés sont les seuls à détenir le secret ». Le critique se croyait manifestement l'un de ces initiés, et mettait en avant une explication pseudo-scientifique : Monet peignait sous un soleil éclatant, dominé par les jaunes, de sorte que sa vision de la nature était imprégnée de la couleur complémentaire du jaune, le violet ; par conséquent « lui et ses amis voient tout en violet ; la foule voit autrement », mais les connaisseurs étaient à même d'apprécier « une exquise symphonie en violet. » Bien que ce critique ait souligné que la peinture est un langage qui peut s'apprendre,

il ne semble pas, en l'espèce, l'avoir trouvé très parlant. Confronté à l'œuvre de Monet, il jugeait « l'impression première » « étrange et invraisemblable », mais dès que « l'œil s'accoutume et l'esprit s'éveille », la peinture de Monet pouvait stimuler « les fibres nerveuses qui, pour ma part, demeurent inertes devant la nature ». La singularité de la peinture de Monet pouvait dès lors être assimilée au discours conservateur affirmant que son but originel était de faire vibrer les « fibres nerveuses » des spectateurs[81].

L'exposition de 1883 marque un tournant pour Monet : il commence à être reconnu comme le premier peintre paysagiste de son temps, réputation qui s'étend au-delà d'un petit cercle d'artistes et d'amis, de critiques et de collectionneurs d'avant-garde, jusqu'à l'élite de la bonne société. Il aurait encore pu mettre en exergue de son exposition sa célèbre formule : « Je suis et souhaite toujours être un impressionniste », cependant elle témoignait des profonds changements qu'avait enregistrés son impressionnisme depuis 1878. À quelques exceptions près, telles *Le Sentier sur la falaise*, les paysages les plus récents n'étaient pas animés par la vie contemporaine : les maisons paraissaient inhabitées, les églises semblaient le fruit d'éruptions naturelles, et même les voiles des yachts refusaient d'attester une présence humaine[82], alors que les onze toiles de Paris et d'Argenteuil étaient des paysages urbanisés, vibrant d'activités humaines. Les critiques les passèrent sous silence et le jugement de Monet concorda apparemment avec le leur, car il ne représenta plus jamais la vie des faubourgs de son époque ; quant aux figures modernes et bourgeoises apparaissant dans les paysages exécutés entre 1885 et 1890, elles semblent y être incluses et n'en être que les composantes. Ces commentaires privaient l'art de Monet de toute référence sociale ; il allait désormais se cantonner à l'intérieur d'un territoire individualisé auquel les symbolistes, eux aussi, étaient voués.

L'exposition de Monet incita Burty à chanter les louanges de ces peintres qui montrent une France « douce, poétique », avec son atmosphère vaporeuse et ses nuances subtiles. Il concluait ainsi : « Tandis que nous construisons l'édifice de la République pierre par pierre, mais n'oublions pas que c'est l'art qui devra lui conférer son ultime ornement. » Le critique

182. *L'Église de Varengeville, effet matinal* (W. 795), 1882, 60 x 73

ignorait les touches de couleurs torrides, la rigidité de la composition, le dynamisme abrupt d'œuvres comme *L'Église de Varengeville, effet matinal*, et ne tint aucun compte de la désintégration « cauchemardesque » de la forme évoquée par Geffroy. Burty restreignit la signification potentielle de la peinture de Monet, en la définissant en termes de « science », « progrès »,

« poésie », formules à la mode qui caractérisaient le discours nationaliste des républicains modérés et, à l'instar des autres critiques, tint à préciser que dans cette société nouvelle, l'art essentiel serait la peinture de paysages qui, même dans ses audaces picturales, était censée donner de la France une image qui avait perduré pendant des siècles.[83]

# 4

## Paysages familiers et voyages touristiques
## 1883-1889

« *Et c'est la vie, en effet, qui emplit ces toiles [...] la vie de l'air, la vie de l'eau,
la vie des parfums et des lumières, l'insaisissable, l'invisible vie des météores,
synthétisées en d'admirables hardiesses, en d'éloquentes audaces, lesquelles,
en réalité, ne sont que des délicatesses de perception et dénotent une supérieure
intelligence des grandes harmonies de la nature.* »
MIRBEAU, 1889

« *... mon ambition étant de ne vous donner que les choses dont je suis complètement satisfait, quitte à vous en demander un peu plus cher. [...] Car autrement
je deviendrai absolument une machine à peindre.* »
MONET À DURAND-RUEL, 1884[1]

L'arrivée de la famille Monet-Hoschedé à Giverny, à la fin d'avril 1883, fut assombrie par la nouvelle de la mort de Manet. En compagnie de Zola, Duret, Burty, Fantin-Latour, Alfred Stevens et Antonin Proust (ancien ministre des Beaux-Arts de Gambetta), Monet tint l'un des cordons du poêle. Il fut le seul représentant de la jeune génération de peintres qui avaient été si profondément influencés par Manet. Sa présence était le symbole de la position prééminente qu'il devait occuper dans l'art francais dans les années 1880. Monet avait alors à portée de la main les trois conditions, indispensables à sa vie de peintre, qu'il avait évoquées devant Bazille quelque quinze ans auparavant : la sécurité financière pour pouvoir « travailler toute la journée », sa famille et une maison. Cette maison, une vieille ferme, se trouvait dans un petit village rural, aux confins de la Normandie et de l'Ile-de-France, au cœur de la région que Monet avait peinte toute sa vie : la vallée de la Seine, entre Paris et la mer. Il demanda à Durand-Ruel quatre mille cinq cents francs pour le déménagement et le loyer, et l'assura qu'il espérait y « faire des chefs-d'œuvre », car le paysage de Giverny le ravissait, et qu'il trouverait dans cet « endroit fixe » qui lui avait si souvent fait défaut « la tranquillité qui est la première chose pour bien travailler »[2]. Monet n'imaginait pas alors, évidemment, qu'il allait rester quarante-trois ans à Giverny, la seconde moitié de sa vie.

Bien qu'au cours des deux années suivantes, Alice Hoschedé ait pu en certaines occasions envisager de se séparer de Monet, l'emménagement à Giverny donna à leur relation un cachet de stabilité quasi officiel — et capital pour l'art de Monet. Les revenus d'Alice constituaient la base de la prospérité familiale, qui ne cessait de croître ; l'éducation des huit enfants, l'entretien de la maison, tel était le domaine de cette femme de caractère, qui allait créer un foyer chaleureux et un cadre raffiné centré sur l'art de Monet où, reconnue comme sa compagne, elle allait acueillir ses amis. Elle était fort cultivée et, en même temps que Mirbeau, encouragea sans doute Monet à lire les auteurs contemporains ; elle fit enseigner à ses filles les arts d'agrément traditionnels et l'atmosphère de la maison n'en fut que plus douillette. C'est sans doute grâce à Mme Hoschedé que la peinture de Monet acquit une élégance et un raffinement croissants. Les garçonnets des deux familles apparaissent de temps à autres dans ses tableaux, mais ses figures

de prédilection sont les filles d'Alice, en barque, en promenade, en train de lire ou de peindre dans la campagne pleine de charme. On ne saurait nier l'existence de tensions complexes à l'intérieur de cette double famille, intensifiées par les contraintes inhérentes à la peinture de Monet, mais la présence des jeunes filles lui permit, en les incorporant au paysage, de créer une image de bonheur idyllique[3].

Le long séjour de Monet à Vétheuil l'avait conduit à apprécier un certain isolement, caractéristique de la culture des années 1880 et 1890 dans de nombreux domaines. Si Giverny était suffisamment proche de Paris pour lui permettre de rester en contact avec la vie intellectuelle de la capitale, il en était assez éloigné pour lui apporter la paix dont il avait besoin pour analyser et transcrire ses perceptions. Sans doute partageait-il les sentiments de son ami Mirbeau, qui écrivait après avoir quitté Paris :

« Ah ! comme je vais être bien là, en ce petit coin perdu, tout embaumé des odeurs de la terre reverdissante ! Plus de luttes avec les hommes, plus de haine, la haine qui broie les cœurs ; rien que l'amour, ce grand amour qui tombe des nuits pacifiées... »[4]

Au fil des années, les tableaux de Monet allaient refléter le raffinement croissant d'une sensibilité toute personnelle, traduire des perceptions d'une extraordinaire acuité grâce à une technique soulignant, plus encore que par le passé, leur caractère intemporel. Recherchant pour son œuvre un public plus prestigieux, il va laisser libre cours à son individualisme, suivant en cela la tendance générale qui privilégie les talents particuliers. Bien que ses toiles se soient bien vendues, la grave crise économique qui dura du début des années 1880 jusqu'en 1895 ne mit pas, évidemment, Monet à l'abri de tout souci financier ; et même, lorsqu'il commença à acquérir une certaine fortune, à la fin des années 1880, la crainte de se retrouver « sans le sou » ne l'abandonna jamais. Ses périodes de relative aisance avaient été autrefois si vite suivies de retours à la pauvreté qu'il avait la hantise de « la misère qui nous guette ». Les pertes subies par Durand-Ruel après la faillite de l'Union Générale, survenue si peu de temps après sa frénésie d'achats d'œuvres de Monet, en 1881 et 1882, lui étaient certainement apparues comme la réédition de la situation vécue dix ans auparavant[5].

À présent Monet était bien résolu à se créer un public capable de soutenir ses efforts artistiques plus vigoureusement que ses acheteurs des années 1870 ; ce public devrait être en état de prendre des risques — de spéculer — comme l'avaient fait Hoschedé et Durand-Ruel, mais également être assez riche pour ne pas risquer la faillite au cours de ces opérations. Il lui fallait des revenus non négligeables pour maintenir sa famille dans l'opulence discrète indispensable à l'éclosion de son art (famille qui avait quadruplé depuis son départ d'Argenteuil), et dès le début des années 1880, Monet avait décidé, de sang-froid, de parvenir à la réussite sur le plan matériel en usant de moyens qui horrifiaient — et fascinaient — ses vieux camarades. Il s'arrangeait pour que ses tableaux soient exposés dans un décor luxueux où il était loisible de les contempler, tels des objets rares et précieux, aux côtés d'œuvres d'artistes à la mode comme Helleu et Gervex, indiquant par là qu'il ne voyait aucun inconvénient à ce que ses peintures voisinent avec des œuvres faciles et superficielles, dès lors qu'elles respiraient le succès. Il se battit pour obtenir des prix élevés, apprit à mettre ses marchands en concurrence l'un avec l'autre et encouragea la spéculation sur ses tableaux. Les images nouvelles de Monet constituaient peut-être un antidote à l'univers industrialisé des villes, cependant les conditions dans lesquelles étaient produites et exposées ces séries d'œuvres apparentées, mais dont chacune était unique, créées pour un marché de luxe non encore défini, et quasi vouées à la spéculation, concordaient parfaitement avec l'évolution du capitalisme financier de la France.

L'instauration de la Troisième République, dans des circonstances assez peu héroïques et la médiocrité du « gouvernement des opportunistes » ne tardèrent pas à susciter de nombreuses désillusions. Le mécontentement fut aggravé par une série de scandales, et l'un d'eux, la faillite de la banque de l'Union Générale, servit de base à Zola pour son roman *L'Argent* (1890) où il propose une vision extraordinaire d'une société à la fois corrompue et galvanisée par la spéculation financière, qui promettait de métamorphoser la terre et l'humanité, mais risquait d'entraîner pour ses victimes des malheurs sans nom. Pendant plus de dix ans, les accusations de corruption engendrées par le projet de percement du canal de Panama flétrirent un nombre croissant de parlementaires, de journalistes et de financiers, parmi lesquels se trouvaient certains protecteurs de Monet. Profondément persuadés que la société française était, selon les mots de Gambetta, composée « d'individus en pleine ascension », une succession de gouvernements en proie à de fréquentes crises ministérielles démontrèrent clairement qu'il n'y aurait pas de transformation fondamentale de cette société, malgré une prise de conscience sans cesse accrue des inégalités provoquées par le marasme économique[6]. La promesse du progrès, générateur de prospérité universelle et de justice sociale, grâce au libéralisme du parlement et au système de libre entreprise, apparut de plus en plus vaine. Des mouvements socialistes ou anarchistes émergèrent et une puissante vague de nationalisme romantique faillit porter au pouvoir le général Boulanger en 1889. Le mépris de l'avant-garde intellectuelle à l'égard des discours emphatiques de la démocratie libérale transparaît clairement dans le *Prélude* de Mirbeau, publié le 14 juillet 1889, à l'ouverture d'une campagne électorale :

> « Eh bien ! brave électeur […] s'il vous reste un soupçon de raison […] le jour où mendiants, boiteux et autres monstres électoraux se trouveront sur ton chemin […] ce jour-là, vous irez paisiblement pêcher, dormir sous les saules, retrouver des jeunes filles derrière les meules, ou alors jouer aux boules […]. Ce jour-là, vous pourrez vous vanter d'avoir accompli le seul acte politique […] de toute votre vie. »[7]

De même que Geffroy, Mirbeau fut l'un des plus ardents défenseurs de Monet dans les années 1880 et 1890 ; les deux hommes étaient amis intimes et tous deux étaient favorables à des changements révolutionnaires. Geffroy, le « juste de la justice », était socialiste et, à la fin des années 1880, l'influence de Mirbeau était considérable auprès des nombreux intellectuels, écrivains et artistes, sympathisants ou soutiens actifs des théories anarchistes, qui mettaient l'accent sur la nécessité d'abolir des institutions ridicules et inefficaces, afin que chaque individu puisse jouir de la liberté la plus entière et puisse se réaliser pleinement[8].

Comme celles de la plupart des artistes et des écrivains qui dénonçaient à l'époque la culture, le matérialisme et les institutions bourgeoises, les conceptions artistiques de Mirbeau et de Geffroy reposaient sur une franche acceptation de l'idéologie individualiste de la bourgeoisie ; l'un et l'autre considéraient l'artiste comme le vecteur idéal de cette idéologie, et se faisaient les défenseurs de l'art raffiné, précieux et exceptionnel de Monet, qui personnifiait à leurs yeux la quintessence de la liberté individuelle. La république libérale était favorable au pluralisme artistique d'une avant-garde composée de multiples factions rivales, où elle voyait l'expression de la vitalité de la société prônant la libre entreprise. En réalité les représentants de ces diverses tendances étaient fort proches les uns des autres, chacun d'eux croyant que la simple proclamation de la liberté individuelle, bien qu'elle ne touchât qu'une minorité, marquait une différence fondamentale d'avec une société avilissante. Le rejet de cette société était beaucoup plus significatif que les divergences entre ces groupes. C'est pour toutes ces raisons que Mirbeau pouvait être regardé comme « le polémiste de toutes les modes et de tous les combats d'idées de la fin du XIXe au début du XXe siècle, du naturalisme au symbolisme et de l'impressionnisme à l'anarchie »[9], et c'est ainsi que ses romans érotiques, sinon obscènes, pouvaient trouver leur justification. Son érotisme est difficile à concilier avec les vertus domestiques de Monet, tout autant que son esprit de provocation, son extrémisme et sa violence — mais tous deux avaient en commun la passion de la nature et du jardinage, et Mirbeau se révéla en outre un ami fidèle dont, apparemment, Monet avait le plus grand besoin.

Grâce à ses fréquents séjours à Paris et aux visites de ses amis, Monet restait en rapports non seulement avec ses vieux camarades, mais aussi avec les adeptes des nouveaux courants culturels : Mallarmé, Mirbeau, Huysmans le « décadent », Berthe Morisot, Rodin et Whistler, dont l'amitié lui fut précieuse. Monet ne se contenta pas d'exposer en leur compagnie mais fraternisa aussi avec des artistes comme Helleu, peintre des élégantes parisiennes, qui avaient acquis leur réputation en appliquant un judicieux mélange de couleurs impressionnistes et de dextérité à des sujets raffinés, poétiques ou pittoresques flattant les goûts de la haute bourgeoisie.

L'opposition traditionnelle entre l'impressionnisme et le symbolisme se fonde sur une polarité simpliste entre l'attachement des impressionnistes à la fidélité envers la nature et l'intérêt des symbolistes pour les expériences subjectives et les modes d'expression abstraits. Cependant, comme nous avons pu le constater, Monet avait toujours été conscient de la subjectivité de sa perception de la nature ; il savait pertinemment que les schémas de la représentation sont aussi bien physiques que mentaux, et attirait régulièrement l'attention sur le caractère artificiel de sa peinture. Les écrivains symbolistes ne s'y trompèrent pas et, comme l'avait fait auparavant Mallarmé, soulignèrent cet aspect de son art, plus particulièrement spécifique de sa production des années 1880.

Monet n'avait aucune sympathie pour ces symbolistes qui rejetaient les évidences du monde extérieur et cherchaient à utiliser la peinture comme un moyen de traduire des expériences mystiques. Toutefois de nombreux symbolistes s'intéressaient également aux processus du développement mental, tel que le conditionne la vie moderne et croyaient que les progrès de la silence permettaient de révéler la réalité de l'état mental plus précisément que n'importe quel mysticisme sentimental. C'est ainsi par exemple que Félix Fénéon, l'un des plus éminents critiques symbolistes, se passionna pour l'analyse scientifique de la représentation de la lumière grâce à une « division » de la couleur, pratiquée par les néo-impressionnistes ; et il semble bien que Monet ait mis à sa peinture davantage de rigueur pour répondre aux reproches de Fénéon, qui la définissait comme techniquement brillante, certes, mais aussi incohérente, anti-scientifique et facile[10].

Tandis que certains tenants de l'avant-garde cherchaient le moyen de réformer, voire de détruire le système social, la plupart d'entre eux, désabusés en face d'un monde qu'ils considéraient comme médiocre, matérialiste et corrompu, essayaient de se réfugier dans des rêves d'évasion — dans l'exotisme, dans les voyages, dans le passé ou l'au-delà, dans l'imaginaire ou dans les profondeurs de l'esprit ; de s'évader dans un univers idéal, sensuel, dans une totale harmonie esthétique. Il y avait un immense besoin de valeurs spirituelles, que l'on pensait disparues dans les villes tentaculaires, sophistiquées à l'extrême, mais encore présentes dans les sociétés "primitives", voire sauvages, où l'homme n'avait pas perverti la nature.

À Vétheuil, Monet avait déjà effectué un retour à la vision d'une nature essentiellement rurale, telle que la concevaient les peintres de Barbizon, et il en avait exclu ceux qui y vivaient et y travaillaient, tandis qu'en Normandie, il avait transformé la côte peuplée de vacanciers en un désert de hautes falaises, de plages nues et de chemins abandonnés. Les figures avaient totalement disparu des œuvres exécutées à cette période, au cours de voyages dans différentes régions de France et d'Italie ; en 1884 il avait représenté la côte méditerranéenne curieusement vide, sans aucun personnage, ses oliveraies et ses jardins semblables à des jungles exotiques, ses villages pareils à des excroissances organiques, ses villas contemporaines inhabitées, envahies de plantes inquiétantes ; en 1888, il montra ses plages bordées d'arbres pareilles à des îles désertes, ou le fort d'Antibes comme un château de rêve ; il choisit également d'aller peindre à Belle-Ile parce qu'elle avait la réputation d'être sauvage et inculte, et par là même susceptible de produire une « note différente » de ses paysages habituellement inondés de soleil. Les « séries » de Monet — groupes de peintures d'un même motif vu sous les aspects multiples dus aux variations de la lumière — naquirent au cours de ses voyages dans ces régions touristiques, loin du paysage familier de Giverny ; il passait ensuite de longs mois à les terminer dans son atelier, rehaussant l'expressivité des effets spécifiques et renforçant les relations esthétiques entre les œuvres, prises une à une, et leur ensemble.

Monet choisissait pour ses voyages des endroits figurant en bonne place dans les guides touristiques et connus par des reproductions d'images commercialisées. Dans ses paysages de la fin des années 1860 et des années suivantes se décèle l'œil du citadin en visite à la campagne, tandis que dans ses œuvres des années 1880, peintes au bord de la Méditerranée et en Bretagne, on voit plutôt transparaître quelque chose de l'expérience du touriste cherchant à se forger une image d'un lieu dont il ou elle est inévitablement exclu. Ce détachement — qui n'a pas de rapport avec la distanciation opérée par Monet vis-à-vis des connotations intimes du paysage de Giverny — était la condition nécessaire à la fragmentation inhérente à ses séries, comme à l'expression d'une relation moderne au paysage, en termes de perception pure. Ce sont ces œuvres touristiques qui ont réconcilié le public de la haute bourgeoisie avec Monet.

Ce désir croissant, cette obsession de capter un moment de lumière auraient risqué de provoquer une forme de désaffection à l'égard du paysage. Ne craint-il pas en effet de devenir une « machine à peindre », s'il n'est pas sûr de pouvoir passer suffisamment de temps dans son atelier pour terminer une importante série de toiles commencées en plein air, au cours de son voyage artistique de 1884 ? En 1909, comme s'il cherchait une façon de définir une certaine absence d'émotion dans l'œuvre de Monet, le critique Louis Gillet en vint à se demander « si ce grand paysagiste [aimait] vraiment la nature », en décrivant comment Monet souhaitait représenter « la collection de chocs nerveux dont se compose l'image visuelle » (on trouve également sous la plume de Jules Laforgue une allusion aux « chocs » des couleurs)[11]. La fragmentation du passage de la lumière en une succession de moments, comme la désintégration de l'image en « chocs nerveux », atteste la mainmise de l'ère industrielle sur la représentation de la nature.

Dans la peinture de Monet, Giverny existe à peine en tant que village et c'est là, plus que partout ailleurs, que Monet donna au paysage toutes les caractéristiques d'un jardin clos, jardin qui absorbe ses modèles, les membres de sa famille agrandie qui y apparaissent discrètement, figures menues dans les vues de 1885, pour devenir le sujet d'œuvres majeures exécutées de 1886 à 1888. Le paysage recréé par Monet à Giverny est habité par ceux qu'il connaît intimement, et bien qu'il ait tenté de les représenter « comme des paysages »[12], ils lui confèrent une sorte de continuité, précisément parce que la figure humaine demande une forme d'attention différente de celle généralement requise par un paysage. Mais cette aura d'intimité va progressivement envahir les peintures de la campagne de

Giverny. Ainsi, bien qu'ils évoquent une expérience qui va bientôt appartenir au passé, ce ne sont pas seulement des souvenirs, comme les toiles d'Antibes ou de Belle-Ile, car ils reflètent une part de l'ardeur avec lesquelles Monet n'a cessé d'explorer cette parcelle de la vallée de la Seine.

Pour Monet, les prix de plus en plus élevés et la demande croissante de ses œuvres lui donnaient simplement la possibilité de réaliser ses objectifs personnels de peintre : approfondir son expérience de la nature ; analyser jusqu'aux dernières limites le mystère des relations entre la vision et la peinture ; et recréer à partir de ce chaos de sensations fugitives un ensemble cohérent. Cette situation entraînait néanmoins quelques tensions : à trop flatter un public parisien sensible à l'élégance, Monet risquait d'émousser son désir de poursuivre ses expériences dans le champ des perceptions jusqu'au point où les formes connues se désintègrent ; d'autre part, la préciosité grandissante de son œuvre coexistait difficilement avec son intérêt persistant envers une nature sauvage, inviolée ; le lancement de ses œuvres sur le marché de la spéculation amoindrissait les valeurs spirituelles attribuées à la création artistique ; et finalement, son expression de la fragmentation de la durée était en complète contradiction avec sa tendance à utiliser la peinture pour cicatriser les blessures du temps.

# I

Monet ne commença à peindre à Giverny qu'en été 1884, car il avait retravaillé les toiles d'Étretat ainsi que trente-six panneaux représentant des fleurs et des fruits destinés aux six portes à double battant du salon des Durand-Ruel (ill.183). Il peignit plusieurs vues de l'église de Vernon, la ville la plus proche, ainsi que de la Seine, mais ce fut tout ; en décembre 1883, il écrivit à son marchand : « Voilà un siècle que je n'ai pas travaillé sur nature en plein air. »[13] Giverny allait devenir le centre de sa vie de peintre ; sa topographie et sa lumière lui fournirent un point de départ pour la création d'œuvres profondément différentes de celles qu'il avait rapportées de ses voyages, et lorsqu'il eut terminé à Giverny ses séries touristiques, il put se livrer à de nouvelles expérimentations visuelles et renouveler sa stratégie picturale dans la vallée de la Seine. Au cours de ses voyages de travail, sachant que le temps lui était compté, il se mettait immédiatement à la recherche de motifs caractéristiques, afin de marquer des jalons dans l'étude de la lumière et de la géographie particulières à cet endroit ; mais, s'il pouvait être ébloui par les sensations que faisait naître ce lieu, ce qu'il voyait était dans une certaine mesure déterminé par ses idées préconçues sur cet endroit, délibérément choisi pour contraster avec son mode de vision habituel, tout en lui donnant plus d'extension. S'il ne s'était pas mis à peindre dès son arrivée à Giverny, c'était, disait-il, parce qu'il « faut toujours un certain temps pour se familiariser avec un pays nouveau », et son exploration, ou plutôt son assimilation de ce paysage lui prit des années, et non des semaines[14].

En décembre 1883, Monet et Renoir se rendirent ensemble sur la côte méditerranéenne, mais Monet y resta moins d'un mois ; à son retour il déclara à Durand-Ruel : « J'ai toujours mieux travaillé dans la solitude et d'après mes seules impressions. »[15] Il partait presque toujours seul pour ces expéditions et les œuvres qu'il en ramenait montraient de subtiles différences avec les tableaux désinvoltes et mondains exécutés en compagnie de ses amis dans les années 1860 et 1870. Ses lettres quotidiennes à Alice Hoschedé révèlent la complexité des menaces que le temps faisait peser sur sa représentation de paysages qui lui étaient étrangers. À son arrivée, le nouveau paysage le mettait dans le ravissement et il espérait « rapporter des choses intéressantes » chez lui en quelques semaines. Mais il ne tardait pas à se plaindre de sa difficulté à saisir des effets différents de ceux auxquels il était habitué ; un peu plus tard, il passait en revue les toiles peintes

183. L'un des six doubles battants de porte (W.925-930)
peints pour le salon des Durand-Ruel (porte B), 1882-1885

tout au début de son séjour et bien qu'en général il les trouvât mauvaises, elles l'aidaient à prendre conscience de tout ce qu'il avait pu apprendre au sujet de ce paysage. Quoi qu'il en soit, le décalage entre ses premiers tableaux et ce qu'il voyait après un temps d'accoutumance lui faisait comprendre, à son grand désespoir, qu'il devrait les retravailler encore longtemps. Et pendant toute la durée de son séjour, il était hanté par l'instabilité du temps, la rapidité des variations de la lumière et des conditions atmosphériques, et sa propre lenteur au travail.

Le séjour de Monet sur la Riviera, en décembre 1883, mit en évidence le violent contraste entre les couleurs éclatantes et la crudité de la lumière méditerranéenne et la lumière "blanche", caractéristique de la vallée de la Seine comme de la côte normande, qu'il avait représentées sur les toiles exposées quelques mois auparavant. Ses lettres montrent qu'il craignait de lasser son public, c'est pourquoi il était déterminé à exploiter un paysage dont chaque aspect évoquait un pays très différent du sien, espérant y trouver matière à une exposition après trois semaines de travail sur place. Il y resta deux mois et demi. Il ne parvint pas, au début, à isoler des motifs acceptables ; il avouait d'ailleurs être « l'homme des arbres isolés et des grands espaces », et trouvait la végétation trop dense[16]. Il était enchanté de retrouver jour après jour la même qualité de lumière, mais éprouvait des difficultés croissantes à en rendre l'éclat si particulier ; et il dut passer près de quinze jours à la peindre avant de sentir qu'il commençait à la comprendre. Le nombre de ses toiles se multipliait — il en subsiste quarante-cinq — et il lui fallait parfois douze séances de pose pour certaines d'entre elles qu'il reprenait inlassablement. « Je travaille comme un forcené », disait-il à Alice[17].

Monet peignit *Menton vu du Cap Martin* (ill.196) avec énormément de fougue, comme il le faisait toujours lorsqu'il abordait des scènes qui lui étaient peu familières. De longues touches incurvées traduisent les rythmes internes du paysage et se modulent en fonction de ses différentes zones : celles qui définissent la route ombragée trouvent un écho dans les collines de l'arrière-plan, elles se font plus vigoureuses à mesure que l'on s'en éloigne pour monter jusqu'aux arbres, avant de reparaître dans les nuages et leurs reflets sur les cimes. En décomposant les formes en longues traînées de couleurs, où le rose orangé brûlant de la route et le bleu dur de la mer reviennent en contrepoint, adoucis, sur les pentes lointaines des collines, Monet a imprimé à la composition toute entière les vibrations des tonalités roses et bleues où il voyait la quintessence de la lumière méditerranéenne.

L'influence de l'art japonais est également sensible dans ces œuvres exécutées sur la Riviera mais, comme tel était souvent le cas lorsque Monet peignait des endroits qu'il ne connaissait pas, elle se traduit surtout en termes de clichés et de stylistique, comme on l'aperçoit dans la perspective oblique et la plage de couleurs vives traitée en figure géométrique du *Menton vu du Cap Martin*. Ce procédé, qui n'a rien d'européen, ne fut en l'occurrence d'aucune aide à Monet, il lui permit simplement de doter la structure du paysage d'accents naturalistes : il suffit d'ailleurs de comparer ce tableau avec ceux que Cézanne a peints dans la même région, avec leurs hésitations, leurs interrogations et leur maladresse, pour voir à quel point il est conventionnel. Peut-être faut-il voir là une réminiscence des guides de voyages où Monet cherchait des idées de motifs[18]. Les images que les touristes découvraient dans ces ouvrages leur permettaient de vérifier qu'ils avaient effectivement vu la chose à voir, les rassuraient sur son authenticité et en fournissaient la preuve. Elles attestaient en outre la valeur marchande des endroits cités et il en subsiste un arrière-goût dans les tableaux peints par Monet à Bordighera et à Menton, qui proposent une traduction de la notion même de Riviera, avec sa chaleur, sa lumière éclatante et sa végétation luxuriante. *Le Cap Martin* est une réaction éblouissante à un site particulier, mais il ne suggère aucunement que Monet, malgré sa perception si aiguë, ait été capable de *connaître* réellement ce paysage. Il lui est demeuré étranger ; il en a eu une vision intense, mais fatalement extérieure.

184. Paul Cézanne, *Le Golfe de Marseille vu de l'Estaque*, 1878-1880, 59 x 73

La peinture de sites touristiques n'était évidemment pas une nouveauté et les murs des Salons étaient couverts de toiles de ce genre. Cependant on pourrait dire que Monet est le premier peintre d'avant-garde à les avoir représentés à une époque où le tourisme des classes moyennes devenait un phénomène majeur de la vie moderne ; et ses œuvres se distinguent de celles des XVIIe et XIXe siècles par leur caractère résolument anti-associatif. Elles n'évoquent pas le passé (même si elles reproduisent un pont en ruine), ne se réfèrent pas aux habitants des lieux, ni aux fonctions du paysage. Ce sont, à la vérité, des souvenirs muets d'endroits visités, des icônes de sites exotiques et le fait qu' ils sont, en somme, des biens de consommation est souligné non seulement par la répétition des motifs, mais par l'extériorité du style de Monet. La vision touristique représentait une forme extrême de la vision objective de Monet, mais celle-ci pouvait s'exercer dans un contexte de connaissance intime — paysages de la vallée de la Seine ou de la côte normande — tandis que la première n'intervenait que pour des paysages connus primitivement par d'autres vecteurs, écrits, graphiques, ou picturaux. Par la suite, Gillet tenta de définir la différence entre le choix des motifs chez les peintres de l'école de Barbizon et chez Monet :

> « La vie de paysagiste est devenue facile. Il y a loin de ces tournées bourgeoises ou de ces villégiatures, aux rudes campagnes des hommes de 1830. Ce n'est plus cette exploration passionnée de la terre, cette vie d'aventures, cette chasse à la poursuite de sites vierges et de beautés sauvages […]. Monet ne connaît pas cette angoisse du "motif". Rien de plus banal qu'Étretat, Fécamp, la Côte d'Azur. »[19]

Monet était fébrile et anxieux, non seulement à cause des problèmes que lui posait la nouveauté du paysage, mais au sujet de l'accueil que ses nouvelles toiles recevraient à Paris. Il écrivit à Durand-Ruel qu'il lui faudrait revoir la totalité de ses œuvres chez lui afin de pouvoir les passer en revue calmement et décider de celles qui étaient trop incomplètes pour être vendues et de celles qui pourraient être livrées au commerce « en les retouchant avec soin »[20]. Étant donné qu'il lui avait fallu plus de deux mois à Giverny pour parachever les vingt et une œuvres que Durand-Ruel avait choisies, les retouches étaient certainement devenues un travail plus ambitieux. La matière de certaines de ces toiles révèle que Monet a renforcé ses longues touches incurvées, alourdi les traînées de couleur à la surface

et dans la masse, tout en rehaussant l'unité du décor de chaque œuvre. Il a peut-être également tenu compte des rapports de chacune des œuvres avec le paysage et, en les analysant toutes ensemble dans son atelier, il les comparait entre elles et non au motif qui n'était plus sous ses yeux. C'est en ce sens que son expérience du paysage s'est nourrie toujours davantage de ses tableaux même. Il confie à Alice Hoschedé son opinion sur les couleurs qu'il met sur ses toiles :

> « Évidemment bien des gens crieront à l'invraisemblance, à la folie, mais tant pis, ils le disent bien quand je peins notre climat. Tout ce que je fais est flamme-de-punch et gorge-de-pigeon et encore ne le fais-je que bien timidement. Je commence à y arriver. »[21]

Il était persuadé que l'acuité de ses perceptions était devenue si vive que le public ne pouvait le suivre, rejoignant en cela la théorie symboliste selon laquelle la prise de conscience des artistes est si intense que seuls peuvent l'apprécier quelques rares esprits. Dans son essai sur l'impressionnisme, rédigé quelques mois avant le voyage de Monet, Laforgue affirmait que :

> « L'œil commun du public et de la critique non artiste, élevé à voir la réalité dans des harmonies établies et fixées par la foule de ses peintres médiocres comme œil, cet œil n'a aucun droit contre les yeux aigus d'artistes qui, plus sensibles aux variations lumineuses, en noteront naturellement sur leur toile des nuances, des rapports de nuances rares, imprévus, inconnus, qui feront crier les aveugles à l'excentricité voulue… »

Les métaphores de Monet : « couleur flamme-de-punch ou gorge-de-pigeon », tout autant que ce désir d'une palette « de diamants et de pierreries » pour traduire l'éclat de la lumière méditerranéenne, montrent qu'il était clairement conscient de son besoin d'équivalences abstraites pour exprimer les sensations que la nature lui inspirait. Laforgue émettait un jugement similaire en écrivant que « la langue de la palette par rapport à la réalité » était « une langue conventionnelle », c'est-à-dire un système de signes codés pour traduire la réalité[22]. Pour leur part, les naturalistes, en affirmant l'existence d'une corrélation franche entre la nature et son image sur une toile, sous-entendaient que cette image pouvait être déchiffrée même par un spectateur sans instruction, mais l'accent mis sur l'artifice pictural était presque systématiquement associé avec un public exclusif sur le plan mondain ou intellectuel.

Une fois encore, le travail de Monet à Bordighera fut troublé par des soucis financiers — les affaires étaient mauvaises, confiait-il à Alice, et « la recrudescence de haine contre notre peinture » risquait de devenir « bien défavorable à Durand ». Son marchand était effectivement en fâcheuse posture, il lui avait acheté vingt et une toiles, à des prix variant de six cents à mille deux cents francs, si bien que Monet avait gagné dix-huit mille francs — au moins sur le papier — au cours des six premiers mois de l'année ; mais Durand-Ruel avait des difficultés à payer les sommes dues au peintre et ne pouvait lui remettre que de petites avances. Monet le bombardait littéralement de lettres désespérées, lui réclamant de l'argent, l'assurant qu'il était « tourmenté de [le] savoir tourmenté à ce point et de prendre de l'argent qui [lui] coûte tant à avoir. » Il déclarait encore : « Je m'épouvante et me désole à la pensée de rétrograder et de recommencer cette chasse à l'amateur. » Et il craignait de demander à Durand-Ruel l'autorisation de vendre à d'autres marchands. Il lui avait avoué au mois d'octobre qu'il ne pouvait plus « faire face aux besoins les plus nécessaires » et que, ses dettes s'accumulant, il courait inévitablement à la catastrophe[23].

À la fin de novembre, Monet déclara à Pissarro que le pire était passé — en grande partie grâce à la persévérance et à la confiance de Durand-Ruel — mais les demandes d'argent allaient se poursuivre et se faire pressantes au cours de l'été 1885. Après sa faillite, le marchand se vit accorder un délai de dix ans pour rembourser ses créanciers, mais ne put subvenir

185. *Meules, effet du soir* (W.900), 1884, 65 x 81

régulièrement aux besoins de Monet durant les cinq ou six années suivantes. Cette situation exacerba les réactions ambivalentes de Monet vis-à-vis de sa peinture : « Plus je vais, plus j'ai de peine à mener une étude à bonne fin, et à cette époque où la nature change tant d'aspect, je suis obligé d'abandonner des toiles avant leur complet achèvement. » Durand-Ruel prétendit que l'inachèvement de ses œuvres était la raison majeure de leur insuccès ; il lui suggéra de lui remettre des toiles mieux finies, ce que Monet refusa avec indignation, en déclarant qu'il travaillait ses tableaux assidûment et qu'il était seul juge de leur état définitif, fini ou non. Et pourtant l'obligation de vendre, et de vendre rapidement, se faisait pressante[24].

Bien que Monet ait consacré beaucoup de temps aux panneaux du salon des Durand-Ruel en 1884, il commença, l'été venu, à peindre la campagne aux alentours de Giverny. Certains de ces paysages trahissent l'influence des œuvres de la Riviera, par leur composition étouffante et leurs couleurs presque criardes (W.909-917), mais dans trois toiles représentant des meules de foin (W.900-902), Monet découvrit ce qui allait devenir son style de composition de prédilection à Giverny — les horizontales d'un champ ouvert ou d'un bord de rivière opposées aux verticales d'un bosquet ou d'une rangée d'arbres, dessinant un réseau délicat mais omniprésent, lui permettant de traduire l'orientation et la densité de la lumière dans l'espace. La topographie de Giverny met en évidence les qualités particulières de sa lumière : le village est niché sur les pentes douces qui dominent l'Epte, une rivière minuscule ; des prairies sans relief, animées par des écrans de peupliers ou de saules étêtés, s'étendent sur près d'un kilomètre jusqu'à la Seine, derrière laquelle s'élève une colline assez escarpée. La vallée, qui s'allonge d'est en ouest, est si renfermée sur elle-même que les vibrations de sa lumière estompée sont presque palpables et visibles. Le trajet du soleil, qui se lève à l'est du village et se couche au-delà de Vernon derrière la colline, en est magnifié. Peu de temps après son installation à Giverny, Monet, peut-être pour parachever l'atmosphère sécurisante du paysage, commença à planter des parterres de fleurs dans le verger attenant à la maison et continua à étendre leur domaine jusqu'à y créer un véritable sanctuaire[25].

De l'automne 1884 jusqu'à l'été suivant, Monet entreprit d'explorer systématiquement Giverny et ses environs, avec ses crayons et ses pinceaux. Il fit le tour de la vallée entière, expérimentant toute une gamme de motifs,

examinant les possibilités offertes par le village lui-même, les champs qui l'entouraient, les collines, la Seine, les hameaux voisins et les routes des alentours. Ce travail méthodique fut interrompu par la nécessité de terminer ses œuvres pour une exposition de groupe à la galerie Georges Petit, en mai 1885. C'est après cette exposition qu'il exécuta ses premières toiles dans les champs voisins de Giverny, sous la lumière estivale.

Déjà, en décembre 1882, alors qu'il visitait en compagnie de Pissarro l'Exposition internationale de Georges Petit, Monet avait été tenté par l'idée d'exposer dans cette prestigieuse galerie ; il écrivit à Durand-Ruel :

« Tout en constatant la banalité et le peu de valeur de la plupart des tableaux exposés chez M. Petit, on ne peut nier que le public est subjugué et qu'il n'ose faire la plus petite critique, tant ces tableaux sont avantageusement montrés, tant le luxe de la salle, qui en somme est très belle, en impose à la foule. »

Ses amis impressionnistes, tout comme Durand-Ruel, estimèrent que sa participation à l'exposition de Georges Petit était déloyale. Monet leur rétorqua que, tant que Durand-Ruel conserverait un tel stock d'œuvres impressionnistes, il ne pourrait que bénéficier de l'augmentation de ses propres ventes — et d'après lui, cette exposition ne pourrait « amener que d'heureux résultats pour l'avenir[26]. »

Monet souhaitait vivement maintenir le contact avec ses vieux camarades ; il écrivit en novembre 1884 à Pissarro et à Renoir pour organiser un dîner mensuel : « J'ai écrit à Renoir pour que nous nous entendions pour dîner tous ensemble chaque mois, histoire de nous réunir et de causer, car c'est bête de s'isoler. Pour ma part, je deviens moule… » Ces dîners devaient continuer tout au long des années 1880, ils réunissaient les impressionnistes et les écrivains qui partageaient leurs goûts : Mallarmé, Mirbeau, Geffroy, Duret, Zola, Huysmans, auxquels se joignait parfois Durand-Ruel, certains collectionneurs, artistes et hommes de lettres de la bonne société[27]. Cet éclectisme — fort différent, par exemple, des soirées du café Guerbois dans les années 1860 — était caractéristique des années 1880. C'est aussi par le biais de la correspondance que Monet se maintenait en liaison avec la vie intellectuelle de la capitale, écrivant à Pissarro pour lui demander un exemplaire de tel ou tel livre de Huysmans, *L'Art moderne* (1883), ou *À rebours* (1884) ; à Zola pour obtenir des billets pour lui et Caillebotte, pour une reprise d'une pièce des Goncourt, *Henriette Maréchal*, ou pour féliciter le romancier après avoir lu *Germinal*, publié en feuilleton. Ses lettres ne révèlent apparemment aucune contradiction entre la description sans complaisance d'hommes et de femmes, que Mirbeau décrivait comme « privés des joies terrestres, condamnés aux ténèbres, peinant, luttant pour chaque souffle, périssant dans des nuits sépulcrales, et ne voyant jamais le soleil se coucher dans le lointain… », et sa propre vie passée à peindre dans la lumineuse campagne de Giverny, à retravailler dans son atelier des toiles nécessitant « une palette de diamants et de pierreries », tout en se préparant à exposer dans l'une des plus somptueuses galeries de Paris[28].

À la fin de novembre 1884, Monet avait reçu une copie d'un article très enthousiaste d'Octave Mirbeau, paru dans *La France*, à la suite d'une rencontre que leur avait ménagée Durand-Ruel. Pissarro avait estimé que les éloges immodérés décernés par Mirbeau, dans une chronique précédente, aux impressionnistes et à leur marchand, risquaient de conforter leurs « adversaires » ; Monet admit que la « douceur » aurait sans doute été préférable, mais il ne s'attendait pas à un soutien aussi chaleureux de la part d'un écrivain si en vue, à tel point que de Bellio le félicita d'être parvenu à un tournant décisif dans sa carrière ; et quand Monet voulut donner à Pissarro des raisons d'être optimiste à la suite d'une crise des plus graves, il choisit pour leur défense les articles de Mirbeau[29]. L'article de *La France* reflétait sa conviction de la décadence de son époque, et sous-entendait que seuls quelques rares élus étaient capables d'apprécier le beau, le naturel et le vrai :

« Que pensera-t-on de nous plus tard lorsque l'on dira que tous ces grands artistes que la postérité élèvera à la gloire de ce siècle, étaient insultés, dénigrés — pire encore, tournés en ridicule [...]. Nation de railleurs [...] nous voulons tout voir à travers les cinq actes d'un vaudeville ou d'un mélodrame [...] et contraindre la nature et la vie à se soumettre à toutes les déformations de notre esprit. »

Il rappelait qu'un critique influent avait été jusqu'à accuser Monet d'être un Communard, mais que le peintre n'avait fait aucune concession « à la couardise et à la médiocrité de son époque ». Pour Mirbeau, Monet était le « peintre le plus complet parmi les paysagistes modernes ».

« Il a saisi [la nature] à chaque heure, chaque minute [...] il l'a rendue avec tous ces aspects changeants, tous les effets fugitifs de la lumière [...] il exprime l'impalpable, l'insaisissable de la nature [...] son âme, ses pensées et le battements de son cœur. »

À en croire Mirbeau, Monet était capable de transformer, tout simplement, la nature en tableau, « sans aménagement, décor, souci d'effet ou recherche de mise en scène. Il tire simplement son effet de l'exactitude des choses mises en lumière dans l'air ambiant... » Il concluait en affirmant que la postérité unirait Monet et Corot dans « la même gloire éternelle »[30]. Mirbeau introduisit deux de ses credos personnels dans sa critique de l'œuvre de Monet : sa théorie panthéiste de la nature, composée d'énergies invisibles qui en pénètrent chacun des aspects, et qui est dotée de « pensées », d'humeurs ou de « rêveries », auxquelles l'artiste peut accéder. En vérité, en tant que participant à cette unité panthéiste, l'artiste était partie intégrante et "sentante" de ces « rêveries » de la nature. Ainsi, en dépit de sa définition naturaliste de la peinture de Monet, Mirbeau, dans son interprétation, allait bien au-delà du naturalisme. Il arrivait souvent à Monet de remercier les critiques dont les articles lui avaient été favorables, mais en l'occurrence, il réagit avec une chaleur inhabituelle, allant jusqu'à envoyer à Mirbeau l'une de ses toiles récentes de la cabane des douaniers[31].

À cette époque, Mirbeau avait une solide réputation de réactionnaire. Il venait à peine d'arrêter la publication, éphémère, du journal *Les Grimaces*, extrêmement virulent, où il avait attaqué avec haine ce qui était, à ses yeux, la mainmise des Juifs sur la vie financière de la France, ainsi que la décadence et le matérialisme de la société contemporaine (il avait lui-même exercé la charge d'agent de change jusqu'en 1882). Mais si Monet croyait que le soutien d'une personnalité visiblement conservatrice rassurerait un public conservateur, il ne le faisait pas sans une certaine ironie, car Mirbeau était en train d'opérer une vertigineuse conversion, passant de l'extrême droite à la gauche anarchiste. Cette trajectoire d'un extrême à l'autre n'avait rien de surprenant de sa part, mais de nombreux autres tenants de l'avant-garde, déçus par la société contemporaine, avaient également opté pour l'anarchie. Un an après avoir écrit son premier article sur Monet, furieux de voir le gouvernement interdire la pièce de théâtre tirée de *Germinal* à cause de ses « tendances socialistes », Mirbeau attaquait « la politique continuellement inhumaine du gouvernement qui ne songe qu'à défendre les puissants, protéger les riches et sourire aux bienheureux... »[32] Pendant ce temps, Monet avait réussi à toucher précisément ceux que fustigeait Mirbeau, grâce à l'Exposition Internationale qui s'était ouverte en mai 1885 dans la galerie de Petit, en présence du Tout-Paris.

Avec son assortiment hétéroclite de styles et de sujets, l'exposition, présentant plus de cent tableaux de trente-neuf artistes de nationalités différentes ressemblait sans doute fort à un Salon en miniature : le *Job sur son fumier* de Bonnat, membre de l'Institut, voisinait avec des paysans italiens, des cheikhs arabes, des scènes de la vie de la haute bourgeoisie : *Aux Ambassadeurs*, et *Communiantes à l'église de la Trinité*, de Gervex, dont les peintures révélatrices de la sensualité contemporaine, *Rolla* (Marseille) et *Nana* (Bordeaux), semblaient ridiculiser le *Retour des chiffonniers* de Raffaelli.

En 1881, Monet avait refusé d'exposer aux côtés de ce dernier, mais on peut imaginer qu'il se sentait à l'époque assez sûr de lui pour être accroché en sa compagnie sans que son travail s'en trouve déprécié aux yeux d'un public élégant. Raffaelli, incarnant sans conteste la conscience libérale des années 1880, était suffisamment populaire pour s'être vu décerner une mention honorable au Salon de 1885, et toutes les implications sociales que ses œuvres pouvaient contenir pouvaient être désamorcées par une ironie condescendante, comme en témoigne le commentaire de Lostalot : « De spirituelles investigations dans la banlieue de Paris... qui relèvent d'un trait incisif flore et faune, hommes et bêtes de ce milieu désolé. » Presque tous les exposants français avaient reçu des médailles aux Salons précédents et étaient décorés de la Légion d'Honneur. Dans *La Gazette des Beaux-Arts*, Lostalot notait que « la dernière des curiosités de cette exposition était de voir des hommes tels que MM. Bonnat et Monet fraterniser » :

« Au sein de ce rassemblement d'artistes distingués, on trouve tous les tempéraments et tous les goûts... [un] chaos d'idées et d'actes contradictoires... Goûtons ainsi le plaisir d'examiner les œuvres une par une sans arrière-pensées... plus elles sont différentes, plus variés seront nos plaisirs. »[33]

186. Henri Gervex, *Communiantes à l'église de la Trinité*, 1877,
402 x 291

187. *Pré à Giverny* (W.995), 1885, 74 x 93

Cette exposition privée, tout aussi éclectique que les Salons officiels, amalgamait les tableaux dans un ensemble indifférencié où les significations potentielles étaient réduites à un simple frisson d'intérêt et ne suscitaient que des réactions esthétiques.

Monet présentait dix paysages — deux exécutés sur la Riviera, trois dans la région de Giverny et cinq sur la côte normande. Seules deux œuvres, représentant la cabane des douaniers, traitaient d'un sujet identique et toutes — à l'exception d'une saisissante image de la Manneporte, propriété de Georges Petit — représentaient des motifs dont la popularité était reconnue, ou sinon de jolis sujets, sensuels ou dramatiques, apparemment de tout repos. Les critiques lui furent pratiquement tous favorables ; Lostalot lui-même ne fit guère de restrictions, se contentant de souligner que Monet avait « une manière de voir qui lui était personnelle », et que sa technique était « brutale », (opinion que Monet ne contesta pas), mais en affirmant que cette fois-ci, ses toiles « n'étaient pas des esquisses : ni lui ni personne d'autre n'aurait pu y ajouter quelque chose ». Les œuvres de Monet se vendirent bien, il semble donc que ses peintures d'une nature apparemment

déserte et intacte, ou de régions touristiques exotiques aient été du goût de la haute bourgeoisie. Il avait délibérément choisi de les montrer à la société élégante dans un cadre luxueux et réservé à une élite ; c'est pourquoi, en la circonstance, elles purent être regardées sans aucun problème.

Au printemps, Monet s'était rendu sur les bords de l'Epte, il avait commencé à peindre la petite rivière (W.980-984) et à explorer minutieusement les alentours immédiats de sa maison. Les effets de cette concentration sont très sensibles dans les toiles peintes en été 1885, après l'exposition, comme dans *Pré à Giverny*, où sa façon de visualiser le paysage entraîne des notations extrêmement complexes[34]. Les meules sont peintes dans une matière très dense, avec une infrastructure de touches audacieuses, d'une pâte assez épaisse sous des superpositions de légers coups de pinceau qui révèlent en partie à quel point sa perception du motif s'approfondissait à mesure qu'il peignait. Dans l'écran formé par les arbres au fond de la prairie, des mouchetures violettes, rose vif, jaune acide et bleu marine brillant sont appliquées par dessus le vert plus foncé des arbres, ce qui nous laisse penser que les nuances du ciel, du champ et de la butte de l'arrière-plan n'étaient perçues que progressivement et surajoutées en tant que sensations colorées, et non comme des formes définies, une fois les arbres terminés. La distinction subtile entre la lumière dorée du soleil de fin d'après-midi, traversant en oblique les arbres situés à droite — traduite en touches jaunes, rouges et violettes sur les troncs ombragés — et celle qui baigne la dernière rangée d'arbres, emplissant la vallée lointaine d'une transparence rosée et parant les collines de reflets pourpres, a la force de quelque chose qui nous est immédiatement familier, même si nous n'avons jamais rien vu de semblable auparavant. Effet de visualisation encore plus extraordinaire, les mouchetures diagonales d'un rouge pur, imperceptibles au premier abord, qui émergent dans l'angle entre les deux écrans d'arbres, évoquant la vibration des lueurs du crépuscule dans une atmosphère de pénombre.

Laforgue a analysé brillamment cette façon de voir dans un article intitulé « L'impressionnisme » — qui ne fut publié en français qu'en 1903 — dans lequel il décrit « l'œil impressionniste », suivant les théories de Darwin, comme ayant atteint le plus haut degré de l'évolution humaine : « L'impressionniste voit et rend la nature telle qu'elle est, c'est-à-dire uniquement en vibrations colorées. Ni dessin, ni lumière, ni modelé, ni perspective, ni clair-obscur, ces classifications enfantines. » Dans un Monet ou un Pissarro, « tout est obtenu par mille touches menues dansantes en tout sens comme des pailles de couleurs ». Laforgue analyse en détail la complexité des phénomènes physiologiques que demande la peinture d'un effet « en quinze minutes », tel que le ferait un impressionniste :

« …l'œuvre ne sera jamais l'équivalent de la réalité fugitive, mais le compte rendu d'une certaine sensibilité optique sans identique à un moment qui ne se reproduira plus identique chez cet individu, sous l'excitation d'un paysage à un moment de sa vie lumineuse qui n'aura plus l'état identique de ce moment. »[35]

Abstraction faite de deux petites silhouettes filiformes dans un paysage de neige de 1885, c'est dans ses peintures estivales que Monet introduisit pour la première fois des figures à Giverny : Alice Hoschedé et Michel assis à l'ombre d'une meule de foin, Alice et les trois plus jeunes enfants se promenant dans une prairie dans l'ombre du soir, tandis qu'une des filles d'Alice est présente dans un champ de fleurs (W.994, 993, 996). En fait, ils n'apparaissent qu'incidemment, à la lisière des tableaux ou presque perdus dans la vibration des ombres ou parmi les fleurs, mais l'on perçoit que leur présence est une composante essentielle du Giverny de Monet.

À la mi-septembre, Monet accompagna sa famille à Étretat, où il demeura, après son départ, jusqu'au milieu de décembre. Il retourna sur les motifs qu'il avait déjà étudiés en 1883, exploitant leurs possibilités dans des dessins où les formes étranges des falaises et leurs principales lignes de force sont indiquées par une succession de striures fluides[36]. Ses motifs de prédilection étaient ces falaises, soient qu'elles émergent de la mer, avec des bateaux de plage échoués sur les galets ou éparpillés au large, soit, dans des compositions plus audacieuses, qu'elles apparaissent en plan rapproché comme l'arche de la Manneporte, en vue plongeante sur leurs flancs abrupts, ou, sous un angle opposé, depuis une petite plage, à leurs pieds, où Monet ne pouvait peindre qu'à marée basse et pas plus de quatre heures d'affilée. Il s'en fallut d'ailleurs de peu que le peintre — qui déclara par la suite vouloir être enseveli en mer — ne pérît victime de son amour de l'art, comme il le raconta à Alice :

« J'étais dans toute l'ardeur du travail sous la falaise, bien à l'abri du vent, à la place où vous êtes venue avec moi ; convaincu que la mer baissait, je ne m'effrayais pas des vagues qui venaient mourir à quelques pas de moi. Bref, tout absorbé, je ne vois pas une énorme vague qui me flanque contre la falaise et je déboule dans l'écume, avec tout mon matériel ! Je me suis vu de suite perdu, car l'eau me tenait, mais enfin j'ai pu en sortir à quatre pattes,

mais dans quel état, bon Dieu ! avec mes bottes, mes gros bas et la gâteuse mouillés ; ma palette restée à la main m'était venue sur la figure et j'avais la barbe couverte de bleu, de jaune, etc. »[37]

Guy de Maupassant, qui était un habitué d'Étretat, décrivait le peintre partant travailler, suivi par des enfants portant « cinq ou six toiles représentant le même sujet à des heures diverses et avec des effets différents. Il les prenait et les quittait tour à tour, suivant les changements du ciel et les ombres. » Cet article, publié en septembre 1886, donnait le premier compte rendu de la technique des futures « séries » de Monet[38]. Maupassant avait peut-être vu les quatre versions de L'Aiguille et la Porte d'Aval, dont l'arche grêle se détache de la falaise comme pour enjamber la mer (W.1032-1034, 1043), ou les quatre toiles représentant l'immense arche de la Manneporte sous un angle très rapproché (W.1035-1036, 1052-1053), qui montrent comment Monet variait sa technique en fonction des effets de lumière. Parfois, pour traduire le calme de la mer dans la clarté immobile de la mi-journée (ill.209), il accumule de minuscules mouchetures, en couches très épaisses, au-dessus d'une infrastructure à larges touches souples, qui délimite les zones d'ombre et de lumière en tonalités contrastantes. Parfois, lorsque la mer est plus turbulente et la lumière déclinante de l'après-midi plus fugitive, son pinceau est plus nerveux, ses touches, calligraphiques, n'occupent plus l'intégralité de la toile et, dans ce que l'on pourrait appeler des pochades, la surface est simplement hachurée par quelques traits évocateurs

188. *La Manneporte* (W.1053), 1886, 92 x 73

des forces internes de la falaise. En revanche, dans les peintures plus déli-bérées, il retravaille les surfaces avec un réseau serré de petites touches, ac-centuant le volume de la falaise, précisant la répartition de la lumière sur ses différents plans ainsi que les stries et les décolorations de la craie. Lorsque les tableaux étaient peints, Monet, probablement dans son atelier de Giverny, réaffirmait sa calligraphie, accroissant ainsi la tension de l'image qui donne une vision de l'arche immense et compacte, éclairée par les vibrations de l'air chargé de lumière et les reflets du miroir rayonnant de la mer. L'arche acquiert ainsi une puissance presque hallucinatoire, en nous donnant l'im-pression de s'élever et de grandir, tandis que nos regards tentent de la contourner pour se perdre dans l'espace lumineux de l'horizon.

En 1883, Monet avait moins bien réussi à capter les vibrations de la lu-mière blanche « éblouissante sans être aveuglante… claire sans être bru-tale », selon la définition de Maupassant ; ce sont sans doute ses efforts pour traduire la transparence des tons roses et bleus de la féerie méditerranéenne, ou les nuances de la lumière de Giverny, blanche également, mais d'un éclat très doux, qui l'ont aidé à saisir les caractéristiques de la luminosité des côtes crayeuses. Maupassant disait avoir vu Monet « saisir une tombée étince-lante de lumière sur la falaise blanche et la fixer à une coulée de tons jaunes qui rendaient étrangement surprenant l'effet de cet insaisissable et aveu-glant éblouissement ». Toutefois son article ne précisait pas la somme de travail nécessaire pour parvenir à traduire cette impression fugitive. Dans l'une de ses tirades contre les caprices du temps, Monet écrivait : « Je n'ai pu reprendre aucun de mes motifs de la Manneporte ; quand la marée était juste ce qu'il me fallait, le temps n'y était pas. » Cette conjonction si parti-culière de la marée et du temps ne durait peut-être pas plus de quelques mi-nutes, alors que Monet devait continuer à en découvrir toutes les complexités, grâce à une lente superposition de touches, incompatible avec cet instant unique, à jamais enfui, où le panache d'écume projeté par les mystérieuses convulsions de la mer coïncide avec les lueurs éphémères du soleil décli-nant. Pour Maupassant, la technique de Monet se résumait peut-être à une procession d'enfants chargés de toiles, ou à de brillantes variations sur un effet unique, ou encore, comme Monet le suggérait à Alice, ne comprenait-il pas grand-chose à la peinture ; quoi qu'il en soit, son article présentait au public une vue assez simpliste de son application du procédé des séries[39].

Après son retour à Giverny, Monet travailla durant plusieurs mois à un nombre important d'œuvres (au moins quarante-quatre), puis en février 1886 retourna passer trois semaines à Étretat, sous prétexte de parachever ses toiles, mais également pour donner à Alice, restée seule à la maison, le temps de prendre une décision au sujet de leur avenir[40]. Il attendit jusqu'en septembre pour dire à Durand-Ruel : « Je n'ai pas pu faire ce que vous me demandiez pour la grande porte d'Étretat. Ce n'est pas retouchable, mais du moment que ces toiles ne vous satisfont pas, je préfère les garder »[41]. Il n'était pas choqué à l'idée de modifier une œuvre à la demande de son mar-chand, mais précisait simplement qu'à ses yeux, elle était terminée. Certes, les retouches en atelier ne correspondent guère à l'article de Maupassant, publié une quinzaine de jours plus tard, évoquant le mythe du peintre im-pressionniste saisissant un effet en un seul instant.

Tout en mettant la dernière main à ses tableaux d'Étretat, Monet conti-nuait à explorer la vallée de la Seine, Giverny et ses alentours, peignant des villages enfouis sous la neige, puis des saules avec leur feuillage printanier, ou encore les jardins en fleurs — oeuvres luxuriantes présentant un contraste frappant avec les formes nues et anguleuses des toiles d'Étretat. Dans *Le Printemps* (ill.214), l'une des deux peintures très voisines qu'il fit de son jar-din (W.1065-1066), Monet représenta Suzanne Hoschedé, son modèle pré-féré parmi les quatre filles d'Alice, en compagnie de son fils aîné, Jean, dans un espace assez resserré empli de toute une variété de verts, de roses et de bleus qui semblent diffuser dans la torpeur de l'air une lumière rosée. Les courbes répondent aux courbes, enchâssant les figures entre les lignes des

arbres, les insérant encore davantage dans ce cadre frémissant que Monet a délimité en plaçant une longue ligne bleue derrière les arbres, comme pour suggérer un second espace par-delà le jardin, tandis qu'au tout pre-mier plan des touches vert foncé luisent autant que l'herbe sur laquelle les jeunes gens sont assis. Il ne s'agit pas là d'une description, mais de la re-création d'une sensation : l'impression d'être immergé parmi les feuilles et les fleurs qui viennent d'éclore, dans la tiédeur d'une journée de printemps.

À la fin du printemps de 1885, Monet avait dit à Durand-Ruel qu'il faisait du jardinage afin de se « préparer de beaux motifs de fleurs pour l'été »[42]. Mais son jardin ne lui servit pas souvent de sujet avant le milieu de la décennie 1890 ; en revanche, grâce à ses peintures, il le transforma et l'étendit jusqu'aux prairies du bord de l'eau et aux champs de blé ou d'avoine parsemés de coquelicots. Ce n'est pas, sans doute, un effet du ha-sard si Monet entreprit de peindre les deux tableaux représentant Jean et Suzanne au pied des arbres en fleurs au moment où se résolut enfin la der-nière crise dans ses relations avec Alice Hoschedé, et où la double famille acquit sa stabilité. En 1886, lorsqu'elle avait envisagé de le quitter, il lui avait écrit d'Étretat : « Le peintre est mort en moi […], et il ne faut pas croire qu'en prenant le parti de vivre séparés, je retrouverai le courage. » Deux jours plus tard, répondant à une lettre où Alice lui parlait de sa joie « du bonheur et du succès » de ses filles, il lui confiait :

« … comme vous le dites, je n'ai pas le droit de partager vos joies […]. Je le savais très bien, cela, au commencement de nos amours, je n'avais rien, rien à dire à cela, mais après les années que nous avons vécues côte à côte, cela est pénible, et, comme cela aug-mentera, je sais ce que j'aurais à souffrir. »[43]

D'un point de vue légal, il en était tout à fait conscient, sa famille n'était qu'une fiction ; mais une fois encore il en fit une réalité dans un ta-bleau. Peinte dans un verger en fleurs au cœur de la France, cette famille était à la fois idéale et réelle : elle était l'image même de l'harmonie et de la sécurité, sans aucune trace de deuil ou de douleur, mais surtout elle était représentée dans une "vraie" lumière, sous de "vrais" arbres, dans ce jar-din printanier sans apprêt et pourtant rempli d'extase[44]. Monet participa à la Ve Exposition Internationale de Peinture et de Sculpture, qui ouvrit ses portes le 15 juin 1886 à la galerie Georges Petit. Malgré son succès à l'ex-position de 1885, sa situation financière était loin d'être stable. Certes ses prix avaient monté, mais il se sentit menacé lorsque quelques marchands, dont Georges Petit, intriguèrent pour « tuer [Durand-Ruel] raide-mort », ce qui, d'après une lettre de Pissarro adressée à Monet en octobre :

« …fait un joli gâchis qui retombera sur le pauvre peintre, naïf, qui trime sur nature, qui s'use le tempérament pour faire son œuvre. […] Je suis étonné que vous ne m'en di-siez rien, de ces événements gros de conséquences, funestes pour nous. Vous qui lisez le *Gil Blas*, vous devez être au courant ; […] Dieu nous garde de ces messieurs si gentils, si féroces ! »

Durand-Ruel était déterminé à étendre sa clientèle en organisant une importante exposition de peintres impressionnistes à New York, ce qui in-quiétait Monet. En juillet 1885, il déclara à son marchand qu'il n'aimait pas l'idée de voir ses peintures disparaître « au pays des Yankees et [il] en [vou-drait] réserver un choix pour Paris, car c'est surtout et là seulement qu'il y a encore un peu de goût » ; cette appréhension renforça peut-être sa déci-sion de rechercher une solution du côté de Georges Petit. En novembre, alors que Pissarro, malgré ses sympathies pour le néo-impressionnisme, tentait d'organiser une autre exposition du groupe, Monet lui confia que Petit ne voulait pas qu'il expose en même temps que ses amis, et refusait également de présenter des œuvres appartenant à Durand-Ruel. Il a jou-tait qu'il avait pris cette résolution parce que : « À notre âge, n'est-ce-pas, il faut songer aussi à se tirer d'affaire. Je crois du reste qu'en cela je servi-rai utilement notre cause et celle de Durand. » ; et il affirmait qu'il n'avait jamais songé à abandonner « ni vous ni mes amis, soyez-en persuadés ; nos intérêts sont les mêmes »[45]. Il expliquait en outre à son marchand qu'il se-rait préférable que le public voie qu'il n'était pas le seul à détenir leurs œuvres. Quelques mois plus tard, en avril, alors que se tenait à New York sa grande exposition, « Les impressionnistes de Paris », Monet reprocha à Durand-Ruel de l'avoir empêché de vendre, à un moment où il se sentait si proche du succès et lui avoua ses craintes de « redescendre », et l'accusa d'être « imprudent de partir sans [leur] laisser de quoi vivre pendant quelques temps »[46].

Ces intrigues, ces rumeurs et ces récriminations étaient les symptômes d'un conflit qui opposait Monet, Durand-Ruel, Petit et d'autres marchands déterminés à avoir la haute main sur la vente des tableaux dont les prix commençaient à monter à vive allure. Dans le même temps, l'avant-garde se désintégrait en fractions rivales mais empiétant les unes sur les autres, chacune d'elles se proclamant le chef de file de la marche vers le progrès, accélérant la dynamique du changement qui caractérise le modernisme. Ce concours de circonstances hâta l'avènement et le développement du pou-voir des marchands et fixa leur rôle qui avait commencé à s'affirmer au début des années 1880. Monet voulait être sûr qu'aucun autre marchand n'aurait l'exclusivité de ses œuvres, et par là le contrôle de leurs prix, mais à ce stade, seul Durand-Ruel avait réellement foi en lui et, en dépit de ses problèmes financiers, était le seul prêt à prendre des risques en consentant des avances au peintre. Le marchand avait réuni une très importante col-lection de tableaux qui ne pouvaient être proposés sur le marché francais sans provoquer un effondrement catastrophique des cours. La situation fut sauvée grâce au succès de l'expérience américaine de Durand-Ruel : il ven-dit en effet la moitié des quarante-huit Monet qu'il avait présentés à l'ex-position de 1886 (en majorité des paysages), organisa une autre exposition l'année suivante et installa une galerie permanente à New York en 1888.

Comme les grands collectionneurs d'œuvres de Monet des années 1870 en France, les acheteurs américains étaient pour la plupart des finan-ciers, des industriels ou des membres des professions libérales, mais tous capables de spéculer sur une plus grande échelle, achetant parfois de nom-breuses toiles pour les revendre ensuite avec de gros profits. Monet avait néanmoins un train de vie onéreux et à en juger par ses réclamations, les remises de fonds de Durand-Ruel, malgré le succès de ses affaires, étaient lentes à venir ; si bien qu'au début, Monet n'eut guère de raisons de se ré-jouir du départ de ses tableaux entre les mains d'un public inconnu. Cependant, à la fin des années 1880, l'essor du système capitaliste des États-Unis lui offrit les moyens d'exercer pleinement son art, si individualiste et si moderne, consacrer tout le temps qu'il désirait à une œuvre ou à une série d'œuvres. Les bénéfices que ces milliardaires américains, *self-made men*, ou leurs compatriotes, tiraient des tableaux de Monet n'étaient pas, en fait, ceux de la spéculation ; car si l'accroissement des richesses faisait partie de leur idéologie, les profits dans le domaine artistique demeuraient minimes comparés au résultat de placements classiques. Mais leur statut social et leur crédibilité financière s'en trouvaient rehaussés, du fait qu'ils étaient propriétaires de biens culturels et consommateurs ostentatoires. Les paysages de Monet leur apportaient davantage encore, à en croire un cri-tique américain : « Les problèmes complexes de l'existence humaine […] n'entrent pas dans les paysages […] Ils sont emplis d'un calme divin. Claude Monet […] nous arrive comme un messager de paix. »[48]

En mars 1886, au cours de leur dîner mensuel au café Riche, les conver-sations entre les convives, Monet, Pissarro, Mallarmé, Huysmans et Duret entre autres, roulaient principalement sur le roman que Zola venait de pu-blier : *L'Œuvre*. Peu de temps après, Monet écrivit à Zola pour le remercier de lui avoir envoyé son livre, lui disant qu'il avait éprouvé un réel plaisir

189. Georges Seurat, *Le Bec du Hoc, Grandcamp*, 1885, 66 x 82

à le lire, retrouvant des souvenirs à chaque page — mais qu'il craignait ce-pendant que le public et la critique n'assimilent les personnages à Manet, à ses amis, et à lui-même, les considérant comme des ratés et que, « au mo-ment d'arriver, les ennemis ne se servent de [son] livre pour [les] assom-mer »[49]. Monet reconnaissait que le roman soulevait « des questions d'art pour lesquelles [ils] [combattent] depuis longtemps », mais il était sans doute préoccupé par la façon dont Zola, suivant la tendance caractérisant l'éclectisme culturel des années 1880, entrecoupait des discussions sur le réalisme des années 1860 avec sa propre théorie de l'impressionnisme, fai-sant référence à un néo-impressionnisme plus scientifique, mâtiné d'une sorte de symbolisme académique. D'après le roman, la peinture de figures et de paysages en plein air était démodée et ses pages les plus vivantes dé-crivaient les affres de Claude Lantier, le peintre maudit qui en est le héros, obsédé par un tableau allégorique représentant Paris, ville moderne, sous les traits d'une figure féminine qui prend progressivement les traits cau-chemardesques d'une femme fatale. Les amis de Monet éprouvaient les mêmes inquiétudes, justifiées du fait que *L'Œuvre*, publiée en feuilleton avant de l'être en livre, devait atteindre un public beaucoup plus large que celui auquel s'adressaient les critiques d'art et que ces lecteurs seraient beaucoup plus perméables aux idées de Zola, diffusées à longueur de co-lonnes dans un style puissant et persuasif.

La nervosité de Monet était probablement accrue par les espoirs qu'il avait placés dans la réussite de la Ve Exposition Internationale de Peinture et de Sculpture. Elle présentait, aux côtés de Rodin et de Renoir, Boldini, Liebermann, Cazin, Raffaelli, Blanche, Gervex et Besnard, qui pour la plu-part avaient égayé leurs œuvres de coloris impressionnistes et de souplesse dans le traitement. Monet y montrait treize œuvres, exécutées de 1884 à 1886, comprenant certains motifs touristiques très reconnaissables de la Riviera et d'Étretat, ainsi que de Hollande où il venait d'effectuer un voyage à l'invitation d'un de ses admirateurs qui souhaitait lui voir peindre les champs de tulipes. Il exposait également de charmants tableaux des envi-rons de Giverny, dont l'un représentait Alice et Michel à l'ombre d'une meule de foin, datant de 1885 et appartenant à Petit et le second, un tout récent portrait de Suzanne dans le jardin (W.994, 1065). La seule œuvre d'avant-garde était l'une des vues de la Manneporte en plan rapproché

(W.1053), que Monet aimait particulièrement, qui fut la seule invendue[50]. Ses toiles reçurent un excellent accueil ; le critique du respectable *XIXᵉ Siècle* proclama la suprématie de Monet sur tous les exposants d'une si haute élégance, et bien que le redoutable Albert Wolff du très conservateur quotidien *Le Figaro* ait repris son couplet habituel sur le caractère incompréhensible de l'art de Monet, il lui décerna quelques menus éloges :

> « La *Mer à Étretat* n'appartient pas cependant au genre naturaliste. C'est un lac de conte de fées…C'est donc une mer de rêve, avec une coloration imaginaire, mais très distinguée, avec des rochers de rêve […] et "vraiment charmant". »[51]

Cependant, si Monet s'était acquis les critiques les plus conservateurs, il était devenu la cible des tenants de la nouvelle avant-garde, symbolistes et néo-impressionnistes, dont le porte-parole le plus éloquent était le jeune Félix Fénéon. La huitième exposition impressionniste, dominée par Gauguin, Degas et les néo-impressionnistes, parmi lesquels figurait son vieux camarade Pissarro, venait de fermer ses portes lorsque s'ouvrit l'Exposition Internationale ; et quiconque y serait entré après avoir étudié la discipline et l'intensité des paysages de Seurat et de Pissarro aurait fort bien pu considérer ceux de Monet comme désordonnés et fantaisistes[52]. *Le Bec du Hoc, Grandcamp* (ill.189), où la falaise se projette sur l'horizon dans un élan si magnifiquement calculé, aurait pu paraître une critique singulièrement explicite de *La Manneporte* de Monet. Ces différences auraient encore été accentuées en raison du voisinage de ses toiles avec les portraits clinquants de Boldini, ou les paysages rêveurs de Cazin. L'article que Fénéon consacra à la VIIIᵉ exposition impressionniste plaçait les néo-impressionnistes à la tête de l'avant-garde et reléguait résolument la « période héroïque » des impressionnistes dans le passé. C'est alors, écrivait-il, que les peintres de la première génération qui avaient représenté « la vie moderne directement observée et [le] paysage directement peint » en plein air avaient découvert les lois de la division des couleurs (qu'ils avaient toutefois appliquées de manière arbitraire), tandis que Seurat, Camille et Lucien Pissarro, et d'autres, « divisent le ton d'une manière consciente et scientifique ». Fénéon présentait une analyse détaillée de la division des couleurs pratiquée par Seurat dans *Un Dimanche après-midi à l'île de la Grande-Jatte*, et louait l'uniformité et la monotonie de sa touche, ainsi que sa totale absence d'emphase[53].

La relation entre l'impressionnisme et le néo-impressionnisme devrait être vue comme une ouverture sur l'avenir, une construction de l'histoire

190. Georges Seurat, *Un Dimanche après-midi à l'île de la Grande-Jatte*, 1884-1886, 206 x 306

grâce à une avant-garde, une succession ininterrompue de moments dont chacun rend obsolète celui qui vient de s'écouler. Cette notion se fondait sur une conception du temps que Monet avait fait sienne, mais qu'il commençait à combattre sans pour autant l'abandonner, fixant des fragments du temps avec une fermeté croissante, tout en recherchant d'autres expressions de la durée dans sa peinture de figures.

Il serait difficile de nier le rôle que le défi intempestif des néo-impressionnistes, attachés à la rigueur scientifique et à l'automatisme des notations, a pu jouer dans l'évolution de ses vues de voyage, où il fait preuve d'une farouche opiniâtreté. Celles qu'il va exécuter en série à Belle-Ile, à Antibes et dans la Creuse représentent des paysages qui l'attiraient d'un point de vue purement visuel, mais dont il n'avait aucune connaissance intime, et il le fera dans des circonstances qui lui déplaisent souverainement, il habitera l'hôtel, loin de sa famille et de son environnement de prédilection, le temps lui sera compté, mais c'est pourtant là qu'il va élaborer ses propres théories scientifiques. Il conservera la technique d'improvisation que désapprouvent les néo-impressionnistes, mais va se battre pour qu'elle traduise mieux que jamais les composantes de chaque instant lumineux.

L'Exposition Internationale lui fut bénéfique : il vendit douze tableaux (dont trois à Petit et cinq à Faure), pour un total de quinze mille cent francs

Ci-contre :

191. *Essai de figure en plein air*
*(vers la droite)*
(W.1076), 1886, 131 x 88

192. *Le Déjeuner sous la tente*
(W.846), vers 1886, 116 x 136

et répondit aux félicitations que Berthe Morisot lui avait adressées après la réussite de cette exposition : « Si l'on considère cela au point de vue de la vente, tout ce qui a été exposé a été vendu cher et à des gens bien. » Il ajoutait, sans doute à la suite d'une observation de sa part :

« Quant à avoir la prétention de faire l'éducation du public, il y a longtemps que je n'y crois plus, ce serait être trop gourmand de ne vouloir vendre qu'à de vrais connaisseurs, et à ce jeu-là on risquerait de mourir de faim. »

Il écrivit sensiblement dans les mêmes termes à Duret :

« Oui, je suis très content et j'ai regretté […] je dois une fière chandelle à Petit. Je ne suis ni plus ni moins fort, mais, enfin, je suis chez Petit et les amateurs ont plus confiance, mais, hélas, sans y rien comprendre de plus, mais ne vouloir vendre uniquement qu'à des connaisseurs serait trop demander. »[54]

Les sujets contemporains traités dans les années 1860 et 1870, ainsi que l'organisation des expositions impressionnistes nous donnent à penser que Monet a cru, un temps, que le public pourrait être éduqué et amené à apprécier la nouvelle peinture ; mais nul ne sait s'il s'est jamais demandé si les œuvres qui plaisaient à la clientèle de Petit, riche mais ignorante, possédaient ou non les qualités tant prisées par les « vrais connaisseurs », exigeant culture et intelligence.

Au cours de cet été où, comme il le confia à Berthe Morisot, il fut « très content » — exception faite de la « terrible désunion » entre les impressionnistes —, il fit deux portraits de Suzanne Hoschedé (ill.191 et 213) se promenant dans l'île aux Orties, à Giverny, où la famille amarrait ses embarcations. Selon Jean-Pierre Hoschedé, Monet aurait aperçu la silhouette de la jeune fille se détachant sur le ciel et se serait exclamé : « Mais c'est comme Camille à Agenteuil ! Eh bien ! demain nous revenons et tu poseras là. »[55] La toile dont il se souvenait était *La Promenade* datant de 1875, où apparaissent sa femme et son fils Jean et ce souvenir l'incita à peindre sa nouvelle famille, dans une étude portant le même titre (W.1075) montrant Blanche et Germaine Hoschedé, en compagnie de leur mère et de Michel Monet, esquissés à grands traits derrière elles. Une autre œuvre inachevée est toute aussi riche de sens : il s'agit d'une des trois toiles de grand format représentant un repas, ce ne sont plus alors Camille et Jean, à Argenteuil ou à Étretat, mais bien Alice et Michel Monet, assis à une table, sous un auvent, dans le jardin de Giverny[56]. Ces trois œuvres symbolisent l'unité idéale

193. Berthe Morisot, *Eugène Manet et leur fille à Bougival*, 1883, 60 x 73

de la famille, avec le couvert mis devant une place vide (détail souligné même dans la toile inachevée) marquant sa propre présence à la table d'où il est absent parce qu'il est également le créateur de cette unité, le peintre et le regard, observant de l'extérieur le cercle familial. Il semble que le tableau de Giverny ait tenté de recréer un moment similaire à celui d'Argenteuil : le repas pris dans le jardin vient de s'achever, la famille s'est dispersée ; on peut certes se demander pourquoi Monet n'a pas terminé ce tableau, ou *La Promenade* (ill.128), mais la raison devrait en être cherchée dans le statut incertain de sa famille au milieu des années 1880. Quoi qu'il en soit, *La Promenade* marque une fois de plus le rôle que joue la famille dans l'appropriation de la campagne qu'elle transforme en domaine privé.

Les portraits de Suzanne que Monet exposa en 1891, en même temps que sa série des *Meules*, sous le nom de *Essais de figures en plein air*, appellent des commentaires différents. Voici ce qu'il en aurait dit :

> « C'est la même jeune femme, mais peinte au milieu d'une atmosphère différente ; j'aurais pu faire quinze portraits d'elle, tout comme de la meule. Pour moi, ce ne sont que les alentours qui donnent la véritable valeur aux sujets. »[57]

Cela peut paraître une boutade, après une série de trente images d'une meule de blé dans un champ inondé de lumière et pourtant, d'une certaine façon, il a représenté la jeune fille comme si elle n'était qu'une simple émanation de la lumière. Dans le tableau de 1875, Camille est une jeune femme bien définie, aperçue en un clin d'œil, alors qu'elle se tourne vers son mari. Le temps, la saison sont explicitement décrits : les plages d'ombre et de lumière répondent aux petits nuages argentés qui se meuvent rapidement, animés par la même brise que celle qui enroule la robe de la jeune femme autour de son corps et agite sa voilette. Les toiles de Giverny ont un caractère moins spécifique : tandis que Camille nous regarde franchement, Suzanne est voilée, ses traits sont indistincts, on ne peut que la deviner et elle semble moins une personne précise qu'une sorte de nymphe moderne, une personnification des forces de la nature, de la lumière et du vent — impression renforcée par la répétition du motif, l'un des tableaux évoquant la lumière du matin, le second la chaleur et l'éclat de la fin de l'après-midi. Néanmoins, et précisément parce qu'il s'agit de la représentation d'un être humain, il est impossible de le *voir* simplement comme une interprétation

d'un instant lumineux ; il provoque au contraire un effet étrange, presque hallucinatoire, dans lequel la réalité de la personne semble se fondre et s'évanouir. Dans la figure peinte l'après-midi, le soleil filtre à travers l'ombrelle parant la robe d'un reflet blanc et même la partie demeurée dans l'ombre est imprégnée de rose par la lumière ambiante. La brise fait voleter la robe, la longue écharpe et la voilette, donnant à la figure à peine plus d'épaisseur qu'aux herbes ondulantes et aux nuages flottant dans le ciel. C'est moins une forme pleine, définie, qu'une concentration de lumière fluctuante et fugace, singulièrement quand on regarde côte à côte les deux figures qui se font pendant. Cet effet s'apparente à la sensualité patente, mais ambiguë de *L'Après-Midi d'un faune*, écrit par Mallarmé en 1876, qui provoque un état de rêve, tout alourdi de la chaleur d'une fin de journée ensoleillée, où s'abolissent les distinctions entre le réel et l'irréel, où le faune est à la fois intensément présent et éternellement absent[58].

La poésie qui irradie les figures de ces deux tableaux peut s'inclure dans la notion contemporaine de « rêverie », interprétée comme un état mental où se résout la dichotomie établie par les réalistes entre l'objet et le sujet. En l'occurrence, il est possible que l'œuvre de Monet ait été influencée par la peinture de Berthe Morisot, dont il admirait le talent. Elle affirmait, en contradiction avec lui, sa croyance en une vie intérieure et l'avait ainsi exposée en 1881 : « Le rêve, c'est la vie… le rêve est plus vrai que la réalité ; dans le rêve, on est soi-même, véritablement. Si l'on a une âme, c'est là qu'elle se trouve. »[59] Mue, tout autant que Monet, par le désir, pour ne pas dire l'obsession, d'utiliser la peinture pour saisir les aspects fugitifs de la vie, Berthe Morisot semble s'être préoccupée plus que lui de traduire l'emprise subtile de telles expériences sur l'esprit et, contrairement à lui, elle était capable d'exprimer les liens émotionnels à peine visibles unissant les membres d'une même famille. Le premier témoignage de leur amitié, qui ne va cesser de croître, date de 1884. C'est un échange de lettres au sujet de la commande d'un important panneau décoratif de Bordighera qu'elle souhaitait installer dans sa nouvelle maison (W.857). Berthe Morisot rendit visite à Monet, à Giverny, au cours de l'été 1885 et ils restèrent en étroit contact au cours des années suivantes. C'est peut-être par son entremise que Monet put se lier davantage avec Mallarmé, qui était assidu à ses « jeudis », et aux dîners qu'elle donnait à ses amis artistes[60].

Renoir joua peut-être, lui aussi, un rôle dans le retour de Monet à la peinture de figures. En été 1886, il passa, en compagnie de sa famille, ses vacances à La Roche-Guyon, près de Giverny, pour travailler à ses

194. Pierre-Auguste Renoir, *Baigneuses*, 1887, 116 x 118

*Baigneuses*, que Monet trouvait superbes[61]. Ce tableau ne devrait pas être regardé uniquement comme un exercice artistique destiné à renouveler l'impressionnisme, ou à créer un classicisme moderne, mais comme une tentative pour rompre la déshumanisation du paysage, d'où les impressionnistes avaient expulsé les habitants traditionnels, travailleurs de la terre. Les idées de Monet en la matière s'enrichirent peut-être à la lecture des extraordinaires tensions décrites par Zola dans *L'Œuvre*, où le peintre Claude Lantier, ne pouvant résoudre les problèmes que lui pose la peinture de la chair féminine à la lumière du soleil, va représenter une figure allégorique dotée par l'écrivain d'une symbolique non picturale si complexe qu'elle détruira son créateur potentiel. La peinture de Renoir exprime, elle aussi, le dilemme posé par la présence du nu dans le paysage, à une époque où ce thème et la façon dont l'avaient abordé les tenants du réalisme, suscitait encore des réactions d'incrédulité[62]. Ses *Baigneuses* devraient, au contraire, être replacées dans le cortège des nymphes innombrables — souvent représentées dans une gamme de coloris clairs et avec les touches souples typiques des impressionnistes qui peuplaient encore les Salons et les galeries d'art des marchands dans les années 1880 et 1890. De telles œuvres n'étaient pas tellement éloignées, dans leur respect des conventions et leur manque d'exigence, des nombreux portraits de dames de la bourgeoisie dans un cadre champêtre, dont quelques-uns avaient été peints par des amis de Monet, Sargent et Helleu[63]. Ils utilisaient, eux aussi, les techniques superficielles des impressionnistes, mais leur souplesse de touche apparaît surtout comme un synonyme de liberté de traitement, leurs coloris sont plus jolis que structurels, et, ce qui caractérisait l'impressionnisme académique, ils ne se sentaient absolument pas concernés par la distinction entre le réel et sa représentation. Quoi qu'il en soit, Monet semble avoir pensé grand bien de l'œuvre de Helleu, qui correspondait parfaitement au cadre pictural auquel le vouait sa recherche d'une clientèle de riches bourgeois, que ses amis impressionnistes et lui-même avaient pourtant dénoncée dans les années 1870. Les *Essais de figures en plein air* de Monet s'intègrent donc logiquement dans ce contexte, qui souligne cependant leur singularité.

Les *Essais* sont le reflet des tensions idéologiques auxquelles étaient confrontés les peintres d'avant-garde, désireux de représenter la présence de la bourgeoisie dans le paysage en ces années 1880. Elle se traduit en général sous la forme de figures féminines, avec des exceptions significatives, telles les vues des banlieues parisiennes : *Une Baignade, Asnières* (National Gallery, Londres), et *Un Dimanche dans l'île de la Grande-Jatte*, de Seurat, les scènes de canotage et les nageurs de Caillebotte, et un petit nombre de toiles où Monet peignit ses fils, peut-être en compagnie de Sargent, avec les filles de Mme Hoschedé. La structure des *Essais* évoque un moment dont l'atmosphère est unique, mais la répétition du motif donne à ce moment éphémère une durée intemporelle, incarnant ainsi une part de l'expérience de la campagne "embourgeoisée" vécue par Monet, exprimée par ses propres conceptions du paysage qu'il anime grâce aux figures des jeunes filles de la famille. L'instant immobilisé sur ces tableaux est si riche de potentialités qu'il peut s'ouvrir à d'autres réminiscences et la nymphe des temps révolus peut y apparaître sous les traits d'une jeune femme moderne, encombrée de jupes pesantes, d'un chapeau, d'une voilette, de gants et d'une ombrelle qui, dans l'une des toiles, promène indéfiniment sa silhouette bourgeoise, et dans la seconde contemple éternellement le paysage. On peut comparer les figures de ces deux pendants aux couples bourgeois en parade dans la *Grande-Jatte* de Seurat, l'œuvre la plus saisissante de la huitième exposition impressionniste ; la dépersonnalisation systématique de ses figures figées a peut-être incité Monet à recourir à un autre moyen de traduire la continuité par le biais de la répétition et à peindre des êtres goûtant apparemment les plaisirs physiques de la campagne, en contraste avec ceux que décrit Seurat, égarés dans les espaces du mal-être, en quête d'une reconnaissance de classe dans les faubourgs industriels de Paris[64].

Or, si les personnages féminins mis en scène par Monet sont réellement présents au sein du paysage campagnard, ils n'y sont pas intégrés et leur existence ne se perçoit qu'en tant qu'objets du regard, uniquement *vus* dans des moments de perception intense et délibérée, car, malgré la nature plus temporelle et plus permanente de l'image, ils reflètent une part de la vision photographique qui a arrêté la jeune femme au cours de sa promenade, a intercepté son regard et l'a pétrifié. En ce qui concerne l'utilisation de la figure humaine pour animer le paysage, les jeunes femmes de Monet échappent à la charmante absurdité des *Baigneuses* de Renoir, ou au grotesque tragique de celles de Cézanne et cependant leur fragilité même — en tant qu'images — est symptomatique d'une campagne que Monet dépouillait de ses fonctions traditionnelles et de sa continuité historique, la transmuant en un espace de pure recréation.

## II

Monet avait depuis longtemps souhaité se rendre en Bretagne et il y partit à la mi-septembre 1886, pour découvrir l'un des endroits les plus spectaculaires de cette région, Belle-Ile, sinistre et balayée par le vent, dont les plages de granit presque noires, rongées par l'érosion, n'étaient plus que falaises déchiquetées, grottes et rochers torturés. Une fois encore, il choisit les emplacements qu'il allait peindre pour remettre en question ses modes traditionnels de perception et de représentation, pour exécuter des œuvres faciles à vendre et maintenir le rythme acquis grâce à ses succès de la galerie de Georges Petit[65]. Étant donné que, dans la plupart des cas, ses marines se vendaient bien, il envisagea peut-être de peindre un ensemble de toiles qui contrasteraient avec celles d'Étretat, car il savait sans doute combien les côtes bretonnes étaient sombres, pleines d'anfractuosités et la mer d'un vert éclatant — extrêmement différentes des côtes normandes où les falaises crayeuses réverbèrent leur luminosité sur l'eau. Peut-être s'en était-il rendu compte en voyant les innombrables sujets bretons présentés aux Salons et dans les galeries d'art, sinon en feuilletant des guides touristiques, ou l'un des nombreux récits ou descriptions de voyage en Bretagne, ou encore par l'entremise de Mirbeau qui y possédait une maison et l'y avait invité[66]. Monet partit pour la Bretagne avec les idées préconçues d'un touriste, avec l'intention de peindre sur place plusieurs toiles en un temps très court et de les vendre comme preuve de son séjour et, toujours avec la mentalité d'un touriste, dans l'espoir de régénérer ses sensations grâce à de nouvelles expériences. À peine arrivé, ces préjugés se trouvèrent en contradiction avec son attitude envers la nature et singulièrement envers la mer ; le résultat fut que le court séjour devint fort long et qu'il revint chez lui avec un grand nombre de toiles très ou trop travaillées, mais inachevées.

Depuis les années 1860, la Bretagne avait été un endroit de prédilection pour les peintres, aussi bien les artistes d'avant-garde que les naturalistes de toutes nationalités, qui croyaient que la survivance des coutumes locales et la piété des campagnes étaient le gage d'une vie spirituelle plus sincère que celle qu'ils auraient pu trouver dans une métropole matérialiste moderne, et que son mode de vie et ses paysages pouvaient leur fournir des sujets qui attireraient l'attention — et les acheteurs — de ces mêmes métropoles, toujours avides de vérités éternelles. Gauguin était attiré par ce qu'il appelait « la simplicité rustique et *superstitieuse* » des paysans bretons et affirmait, tout comme Monet, qu'il y trouvait « le sauvage, le primitif »[67]. Le matérialisme bourgeois ne causait aucun souci à Monet et l'idée que les véritables valeurs spirituelles n'existaient que dans la vie primitive ou la simplicité rustique ne l'intéressait pas le moins du monde ; il ignorait le pittoresque des paysans et des pêcheurs, ainsi que les paysages évoquant les activités humaines (de la même façon qu'il avait représenté le cœur de la France agricole pendant vingt ans sans avoir peint ceux qui y travaillaient). Ce qui le séduisait, en Belle-Ile, ce n'était pas la différence spirituelle, mais la source de sensations nouvelles et il la décrivait à Caillebotte :

> « Je suis dans un paysage superbe de sauvagerie, un amoncellement de rochers terribles et une mer invraisemblable de couleurs ; [...] j'étais habitué à peindre la Manche et j'avais forcément ma routine, mais l'Océan c'est autre chose. »

Il disait à Durand-Ruel : « J'ai beau être un homme du soleil, comme vous dites, il ne faut pas se spécialiser dans une seule note. » ; il était « enthousiasmé par ce pays sinistre et justement parce qu'il [le] sort de ce qu'[il] a l'habitude de faire » ; à Alice, il confiait : « Il me faut faire de grands efforts pour faire sombre, pour rendre cet aspect sinistre, tragique, moi, plus porté aux teintes douces, tendres. »[68]

Le séjour de Monet en Bretagne se déroula selon un schéma devenu routinier : il avait prévu d'y passer une quinzaine, mais le défi posé par la nouveauté du paysage l'y fit rester deux mois. Dès le premier mois, il avait entrepris trente-huit peintures d'un nombre de motifs moindre, mais avec une variété d'effets plus grande que d'habitude. Il écrivait à Alice : « Je sais bien que pour peindre vraiment la mer, il faut la voir tous les jours, à toute heure et au même endroit pour en connaître la vie à cet endroit-là ; aussi je refais les mêmes motifs jusqu'à quatre et six fois même. » Ses neuf groupes de tableaux comprenaient cinq versions d'un orage et des vagues battant les rochers (W.1115-1119 ; ill.211) et six versions des *Pyramides de Port-Coton* (W.1084-1089 ; ill.195 et 208). Elles sont toutes vues depuis une falaise dominant la mer et les rochers déchiquetés par les intempéries jaillissant de sa surface plane et sont représentées par temps gris, sous un soleil froid et éclatant, par mer calme, sous une lumière sombre et menaçante au-dessus des eaux bouillonnantes, et sous l'orage[69]. À Pourville comme à Étretat, Monet avait également peint un certain nombre de toiles depuis une falaise, mais elle était alors représentée à une certaine distance ou de biais, tandis qu'à Belle-Ile, la vue est toujours frontale et la mer assez rapprochée. Monet a décrit l'eau comme une substance continue, mais l'a galvanisée grâce à des incurvations tantôt longues, tantôt brèves, véritables coups de sabre de couleurs hardies et contrastantes, qui traduisent l'interaction entre les lames de fond et les rochers torturés.

Cette répétition plus rigoureuse de motifs différents reflète peut-être l'influence des critiques que Fénéon venait de formuler, estimant que le traitement de ses œuvres récentes était arbitraire et sa division des couleurs anti-scientifique. Par comparaison avec l'élégante précision et la rigueur scientifique manifestes dans les œuvres de Seurat et de Pissarro, les peintures de Monet, selon Fénéon, ne présentaient apparemment qu'une spontanéité débraillée et une séduction à bon marché. Son article fut publié dans *L'Art Moderne* en septembre, une semaine après l'arrivée de Monet à Belle-Ile et si jamais il lui fut adressé, il aurait pu en déduire que, pour la première fois depuis 1865, il n'était plus le chef reconnu de l'avant-garde. Fénéon soutenait que, malgré l'exemple de Pissarro, Monet ne voulait pas « recommencer la lutte contre le public, les marchands et les acheteurs » et c'est peut-être ce qui l'incita, pour battre en brèche la thèse du critique, à accentuer le caractère systématique de ses séries traduisant les variations de la lumière, et à affirmer l'importance primordiale du travail empirique sur nature par opposition au travail théorique en atelier. Fénéon condamnait particulièrement les « roueries coutumières » picturales des impressionnistes : « le jeu de la main varia avec l'effet à reproduire : il eut pour les eaux des glissements et le sillon des poils dans la pâte ; il fut circulaire pour bomber des nuages. » ; mais, comme pour lui lancer délibérément un défi, Monet se livra à une éblouissante démonstration de virtuosité[70].

Toutes les peintures de Belle-Ile se caractérisent par l'emploi de couleurs dominantes composées de bleus, sombres ou éclatants, de violets pourprés profonds, de turquoise vifs, de gris bleutés légers relevés de touches d'orange et de blanc : combinaison de tonalités brutales et inharmonieuses, mais propre à rendre l'impression « sinistre » et « tragique » qu'y ressentait Monet. Ces couleurs ne sont pas celles de la nature, mais procèdent à la fois de l'idée préconçue que le peintre s'est faite de l'endroit et de sa réaction émotionnelle sur place. Lorsqu'il s'avéra que la couleur d'un objet ne lui est pas inhérente, mais est déterminée par la lumière, le public admit progressivement que l'artiste pouvait créer des *équivalents* pour traduire sa propre perception de la nature dans la gamme de tonalités, quelle qu'elle soit, lui paraissant appropriée. Lorsqu'il avait "découvert" les formes, les couleurs et les touches concernant à une série particulière, Monet pouvait, s'il le souhaitait, les oublier — comme il pouvait oublier le spectacle qu'il avait sous les yeux, oublier qu'il en était l'observateur conscient, pour se lancer dans un combat angoissant afin de découvrir des équivalents picturaux à chacune des particules de couleur changeante composant la scène à peindre. Cependant, dès qu'il avait saisi son pinceau, le tableau acquérait une certaine fixité, attribuant une forme aux moments de perception inexorablement enfuis, qui ne reviendraient jamais plus sous un aspect identique. Les lettres que Monet écrit à cette époque le montrent déterminé à établir une corrélation parfaite entre le tableau et le motif, dans les conditions atmosphériques de sa conception originelle. Ainsi il se plaint que le jour où le soleil est « bon » pour une certaine toile, la marée n'est pas la même que lorsqu'il a commencé à la peindre ; il constate que chaque jour le soleil raccourcit sa course et éclaire les motifs sous des angles différents. Il va jusqu'à gratter entièrement une toile qui lui a demandé vingt séances et parfois en détruit d'autres, ce qui le met au désespoir[71].

Monet a toujours parlé de la mer, son « premier amour », plus chaleureusement que de la campagne, mais ses commentaires à propos de Belle-Ile étaient rédigés en termes encore plus émotionnels, ce qui paraît en contradiction avec son désir de parvenir à l'immobiliser à un moment où le soleil *s'était trouvé* à un certain angle. Il avait dit à Durand-Ruel que « cette côte [le passionnait] », et avait écrit à Alice : « c'était une jouissance pour moi de voir cette mer en fureur ; c'était comme énervement [sic], et j'étais si emballé qu'aujourd'hui j'étais désolé de voir le temps se calmer si vite. »[72]

Gustave Geffroy, qui avait publié un article favorable à l'art de Monet dans le journal radical de Clemenceau, *La Justice*, en 1883, fit sa connaissance à Belle-Ile où il effectuait des recherches sur Blanqui, le révolutionnaire, et ne tarda pas à devenir un ami très proche et un ardent défenseur du peintre. Il racontait y avoir vu Monet, le chevalet attaché à la falaise, travaillant sous l'orage, cinglé par le vent, la pluie et les embruns et évoquait l'héroïque Joseph Vernet qui, à l'instar de Turner, se serait fait lier au mât d'un navire pour mieux observer et comprendre une tempête en mer[73]. Monet traduit cette expérience dans cinq toiles, intitulées *Tempête à Belle-Ile* (W.1115-1119) où, grâce à d'épaisses touches humides de bleu clair, de vert, de mauve et de blanc, s'entrecroisant au travers de la toile en longues incurvations, il imite les turbulences de la mer quand elle s'engouffre entre les rochers, les martelant à coups redoublés, rochers qui n'ont pas davantage de substance que les vagues et sont modelés par les mêmes rythmes (ill.211). Ces touches ne se travestissent pas pour donner l'illusion de l'eau ou des rochers, mais elles nous persuadent de leur vérité par la franchise avec laquelle elles s'identifient aux rythmes de la nature, et leur permet d'exprimer la dynamique du regard qui descend à la surface des eaux, se laisse entraîner par les vagues houleuses et rebondit avec les embruns. Cette vision emphatique contraste avec les effets, plus délibérés, des autres peintures de Belle-Ile et avec l'obstination presque fanatique qu'il a mise à fragmenter la continuité de la mer en une séquence de plans fixes individuels, souvenirs du caractère « si différent » de la Bretagne qu'il évoque dans un torrent d'adjectifson ne peut plus à la mode : « sauvage », mais « délicieuse », « tragique » et « sinistre », mais « superbe ».

195. *Rochers à Belle-Ile* (W.1086), 1886, 60 x 73

Quel serait le résultat de ce séjour ? Anxieux, il écrit à Alice :

« Il a fait une assez belle journée aujourd'hui […] ; mais à chaque belle journée je m'aperçois du changement de mes motifs, et il me faut bien constater qu'il ne m'est plus possible de retrouver mes effets, et j'aurais mieux fait de partir il y a trois semaines, car depuis cette époque, je m'en aperçois trop tard, je n'ai fait que détruire ce que j'avais fait de bien, et, quitte à rapporter des choses incomplètes, il eût mieux valu les avoir *dans leur pureté* d'accent. […] Enfin, je vais encore tâcher de sauver quelques toiles, le temps paraît bien se mettre au beau. »[74]

À peu près à la même époque, Mirbeau écrivit à Rodin, en soulignant le caractère affecté du projet de Monet à Belle-Ile : « Ce sera une face nouvelle de son talent : un Monet terrible, formidable, qu'on ne connaissait pas encore. Mais ses œuvres plairont moins que jamais aux bourgeois. »[75] Monet, avant de quitter Belle-Ile, rendit brièvement visite à Mirbeau. Il se préparait alors à faire publier son premier roman, *Le Calvaire*, qui avait paru en

feuilleton pendant le séjour de Monet en Bretagne. Largement autobiographique, c'est une dénonciation passionnée des méthodes employées par les autorités pour pervertir les qualités inhérentes à chaque individu ; il provoqua un scandale et fut considéré comme une attaque anti-patriotique contre les innombrables victimes de la guerre franco-prussienne. Mirbeau souhaitait visiblement choquer la bourgeoisie, mais Monet et les « autres »— ainsi que Fénéon l'avait prédit — ne pouvaient « malgré l'exemple de M. Camille Pissarro, leur doyen, recommencer leur lutte contre le public » et sa « terribilita » demeura une figure de style qui aiguillonna la sensibilité bourgeoise davantage qu'elle ne la choqua.

Dans cette même lettre, Mirbeau disait à Rodin que Monet « ne [pourrait] rapporter que trois ou quatre tableaux achevés et trente autres à l'état d'intention. » Monet retravailla certainement les toiles de Belle-Ile pendant plusieurs mois à Giverny et plutôt que de resserrer sa technique, pour répondre aux critiques des néo-impressionnistes, il accentua tout ce qui pouvait provoquer une réaction instinctive et immédiate aux effets les plus spectaculaires. Il souligna l'articulation de ses peintures en séries spécifiques renforçant la corrélation entre les œuvres, intensifiant leurs variations sur une gamme de coloris livides et amplifiant ses coups de pinceau véhéments, si caractéristiques de son séjour breton. Ainsi, dans le groupe des *Pyramides de Port-Coton* (ill.195 et 208), il donna plus de pâte aux larges virgules qui cernent ou définissent les rochers, il éleva le ton de ses dominantes par l'adjonction de notes plus claires, soit dans les mêmes coloris, soit dans leurs complémentaires. Le renforcement des touches linéaires met en relief l'érosion des rochers et attire l'attention sur les changements qu'ils subissent d'un tableau à l'autre du fait des différents effets de lumière, mais en outre il raffermit le rythme et la structure de chacune des toiles en reliant leur décor à celui des autres œuvres du groupe.

Tout en mettant la dernière main aux œuvres de Belle-Ile, Monet continuait à jouer un rôle dans le monde cultivé de la capitale : dînant chez Berthe Morisot avec Mallarmé et Renoir, participant aux dîners mensuels en compagnie de ses vieux amis au café Riche et à d'autres soirées au restaurant des Bons Cosaques avec Mirbeau, Rodin et Renoir ou avec des artistes en vogue comme Cazin, Gervex, Duez, Béraud et Helleu ; allant peut-être écouter *Lohengrin* ; continuant à harceler Durand-Ruel et à mettre ses marchands en concurrence les uns avec les autres. En 1887, Théo Van Gogh, qui exposait des œuvres d'avant-garde à l'une des annexes de la galerie Boussod et Valadon, successeurs de Goupil, était devenu le rival le plus sérieux de Durand-Ruel, et de fait le principal acheteur des toiles de Monet jusqu'en 1890. Monet participa très énergiquement à l'organisation de l'Exposition Internationale de la Peinture, qui s'ouvrit le 8 mai 1887 à la galerie Petit[76]. Renoir et lui réussirent à convaincre Berthe Morisot, Pissarro et Sisley d'exposer en leur compagnie — ce qu'ils interdirent à un certain nombre d'artistes dont ils estimaient les œuvres incompatibles avec les leurs, tout en acceptant le voisinage de ceux avec qui ils se sentaient raisonnablement en sympathie : Besnard, Cazin, Liebermann, Raffaelli, Whistler, Sargent et Rodin, le sculpteur le plus renommé de sa génération[77]. Bien qu'ils n'aient pu persuader Degas de se joindre à eux, le groupe de leurs débuts était presque entièrement reconstitué, mais dans une galerie, et avec des artistes susceptibles de plaire à la haute bourgeoisie, tandis que les néo-impressionnistes (exception faite de Pissarro) et les symbolistes exposaient de préférence au tout nouveau Salon des Indépendants.

Monet présentait un luxueux intérieur bourgeois peint à Argenteuil, *Vétheuil dans le brouillard*, trois des toiles les plus luxuriantes de Bordighera et dix peintures de Belle-Ile ; il n'avait jamais auparavant montré un si grand nombre d'œuvres réalisées au cours d'un seul voyage. Les critiques — conservateurs ou radicaux, traditionalistes ou d'avant-garde, qu'ils aient admiré la vérité naturaliste ou les qualités décoratives ou expressives de la peinture de Monet— furent unanimement élogieux. Geffroy mit l'accent sur le rôle joué par la salle mondaine de Georges Petit dans ce succès et déclara que Monet n'avait pas consenti à « amoindrir la hardiesse de sa manière » — comme certains le prétendaient — mais que « ce sont plutôt les yeux qui se sont faits à cette peinture de franchise et de séduction ». Aucun critique ne surpassa Mirbeau, qui proclama que « jamais la nature n'a eu d'interprète si éloquent, si prestigieux... il a littéralement inventé la mer. »[78]

Les dix tableaux de Belle-Ile ne constituaient pas différentes versions d'un même motif, mais des œuvres individualisées de divers motifs. Quoi qu'il en soit, l'article que Maupassant avait publié l'année précédente dans *Gil Blas* à propos des peintures d'Étretat avait instruit le public des habitudes de Monet, travaillant simultanément jusqu'à six toiles d'un même motif, pour rendre les variations de la lumière ; mais en l'occurrence Geffroy considérait les oeuvres de Belle-Ile comme un groupe et utilisa le terme de « série », en les opposant à celles peintes à Bordighera ou en Hollande. Il dévoilait également le but de Monet, soigneusement calculé, dans ses

expéditions : « Par Belle-Ile, Monet acheva de se révéler apte à peindre toutes les configurations du sol, tous les états de l'atmosphère... » Paragraphe après paragraphe, Geffroy les décrit en mots imagés, inspirés tant par les œuvres elles-mêmes que par sa propre observation des motifs, ce qui nous laisse penser qu'il croit être en mesure de faire une lecture directe de l'un à l'autre. Cependant l'analyse de la technique picturale de Monet, qu'il avait effectivement vu à l'œuvre à Belle-Ile, montre également qu'il avait compris que la peinture possède son impulsion propre, qui n'est pas entièrement dépendante du motif :

« Hâtivement, il couvre sa toile des valeurs dominantes, en étudie les dégradations, les oppose, les harmonise. De là, l'unité de ces tableaux qui donnent, en même temps que la forme de la côte et le mouvement de la mer, l'heure du jour, par la couleur de la pierre et la couleur de l'eau, par la teinte de la nuit et la disposition des nuages. »

Geffroy évoque la fuite du temps avec des accents lyriques qu'il allait appliquer à l'ensemble de la série :

« Observez ces minces bandes de ciel, ces clartés, ces assombrissements, ces soleils fatigués, ces horizons de cuivre, ces mers violettes, vertes, bleues, tous ces états si différents d'une même nature, et vous verrez devant vous se lever des matins, s'épanouir des midis, tomber des soirs. »[79]

Dans *La Gazette des Beaux-Arts*, Lostalot exaltait l'exposition où il voyait une manifestation patriotique attestant la vitalité de l'art français. Il faisait l'éloge de Whistler, que Monet avait à grand-peine convaincu d'exposer, espérant peut-être que son œuvre pourrait être comparée à celle de son ami américain, et ainsi attirer l'attention sur son emploi d'une gamme de couleurs abstraites pour mieux traduire sa perception de la nature. Whistler, à en croire Lostalot, utilisait des moyens abstraits pour émouvoir la conscience, comme l'aurait fait un musicien :

« Le sujet est tout à fait secondaire. L'artiste doué l'utilise parce qu'il ne peut guère faire autrement — bien plus heureux est le musicien dont les moyens moins réduits l'autorisent à composer des romances sans mots ! »

Lostalot notait aussi que Berthe Morisot — avec laquelle Monet avait souhaité exposer — à l'instar de Whistler, était « enclin à un art d'impression [s'intéressant] aux sensations subjectives que suscite la contemplation de la nature », et découvrait des qualités comparables dans l'œuvre de Monet :

« Qu'on le veuille ou non, il faut admirer ces toiles fiévreuses, où malgré l'intensité de la couleur et la brutalité du traitement, la tenue est si parfaite que le sentiment de nature jaillit spontanément en une sensation de totale grandeur. »[80]

Huysmans écrivit, dans le style flamboyant des symbolistes, soucieux de traduire en mots les effets picturaux :

« De Monet, une série de paysages tumultueux, de mers abruptes et violentes aux contours féroces : bleus hargneux, violets crus, verts brutaux, de vagues semblables à des rochers, avec leurs crêtes massives sous les cieux enragés [...] La sauvagerie de cette peinture vue par les yeux d'un cannibale est d'abord déconcertante, puis, face à la force qui en émane, la foi qui l'anime, la puissante inspiration de l'homme qui l'a peinte, on succombe aux charmes menaçants de cet art fruste. »[81]

À l'autre aile de l'avant-garde, Pissarro était profondément troublé par la nouvelle peinture de Monet. Après avoir vu certaines d'entre elles un peu plus tôt, en 1887, ses formules « fantaisie incompréhensible », « absolument incohérent », paraissaient presque aussi acerbes que celles des

196. *Menton vu du cap Martin* (W.897), 1884, 68 x 84

critiques des années 1870, son principal grief étant que « le désordre qui ressort de cette fantaisie romanesque [...] n'est plus en accord avec notre époque ». En voyant les œuvres que Monet présentait à l'exposition, il eut une réaction plus mesurée : « L'aspect, évidemment est décoratif, mais aussi la finesse manque et la rudesse est accentuée ; je ne sais si cela tient à notre vision qui évolue vers l'harmonie et qui demande un art moins décorateur, tout en étant décoratif. »[82] Ce faisant, Pissarro établissait une distinction importante pour la théorie impressionniste. Par « décoratif », il entendait un art harmonieux parce qu'accordé aux harmonies inhérentes à la nature, transcendant ainsi la simple beauté. Selon ce critère, l'art de Monet présentait des lacunes, n'étant décoratif que dans la mesure où il fournissait un cadre de vie agréable, et Pissarro était manifestement persuadé que

Monet n'avait pas relevé le défi du néo-impressionnisme en élaborant pour ainsi dire scientifiquement sa méthode des séries. Paradoxalement, ce procédé témoignait non seulement de la sujétion de l'artiste envers les lois inexorables de la nature, mais attirait également l'attention sur la subjectivité de l'interprétation individuelle de ces lois ; car, dès lors que la notion de forme *essentielle* de la nature était abolie, il ne subsistait plus que des perceptions fragmentaires et individuelles que les néo-impressionnistes rejetaient en faveur d'un art plus noble, plus stable, plus impersonnel.

Devant la sincérité fiévreuse des peintures de Belle-Ile, le frisson d'horreur raffiné de Huysmans paraît la réaction appropriée, car Monet, touriste d'avant-garde en Bretagne, se délectait également à cultiver le paradoxe des terreurs « délicieuses ». Tel était aussi le cas des collectionneurs, car il vendit la majorité de ses toiles, déclarant à Durand-Ruel : « Le public acheteur nous fait décidément meilleur accueil », et exultant parce que « la maison Boussod » était dépositaire de ses œuvres. À la vérité, entre le printemps et l'automne 1887, Théo Van Gogh avait acheté quatorze tableaux pour plus de vingt mille francs, dont il revendit sept avec bénéfice dans le même laps de temps. Petit en avait acheté trois et Durand-Ruel quatre. Théo Van Gogh avait mis au point une tactique qui allait devenir de plus en plus évidente dans les expositions ultérieures : la vente rapide, le rachat et la revente des toiles (trois ou quatre des toiles de Belle-Ile qu'il avait acquises passèrent deux fois entre ses mains en moins d'un an). Pissarro — dont les sympathies allaient alors plus aux « impressionnistes scientifiques » qu'aux « impressionnistes romantiques », mais que sa désastreuse situation financière obligeait à exposer — soupçonnait Petit de mettre en vedette Monet et Sisley à ses dépens (par exemple, leurs œuvres étaient regroupées à l'accrochage, tandis que les siennes, dispersées, avaient un moindre impact). Furieux, il écrivit : « Cette satanée exposition [...] sent le bourgeois à plein nez. » Il était fort inquiet, craignant de ne pouvoir survivre s'il ne pouvait compter que sur des « capitalistes de moyenne fortune », alors que Monet attirait ceux qui avaient de plus hauts revenus, comme l'agent de change Paul Aubry, qui dès 1889 possédait deux ou trois tableaux de Belle-Ile, et Dupuis, un industriel qui en avait acheté trois à Théo Van Gogh, à un prix variant de deux mille quatre cents à deux-mille cinq cents francs chacun[83].

Les ventes de Pissarro avaient été notablement affectées par la dépression économique née de la crainte d'une guerre avec l'Allemagne, provoquée en partie par la réaction belliqueuse du général Boulanger à la suite d'un incident de frontière[84]. La popularité de Boulanger s'accrut encore après cette crise : il obtint un triomphe à une élection partielle à Paris, peu de temps avant l'ouverture de l'exposition chez Petit. Dès lors et jusqu'au début de 1889, où il s'enfuit en Belgique, son prestige atteignit une ampleur extraordinaire, le mettant en mesure de tenter — et de réussir — un coup d'État. Le phénomène du boulangisme, mélange détonnant de peur, d'allégresse et de romantisme aventureux, était le symptôme du discrédit profondément ancré et généralisé de la République parlementaire, de ses incessants changements de gouvernement, de ses scandales et de leurs relents de corruption. Boulanger promit tour à tour la souveraineté populaire, la restauration de la monarchie, l'abolition de la démocratie parlementaire et le rétablissement de l'ordre et de l'orgueil national, des réformes radicales et surtout, la revanche. Il avait des partisans dans tous les courants de l'opinion, de l'extrême-gauche à l'extrême-droite, mais était combattu par ceux qui craignaient son « césarisme » et ceux qui estimaient que ses théories revanchardes signifiaient « la revanche à l'intérieur, la revanche contre les Versaillais, contre les bourgeois, contre les opportunistes »[85].

Il existe un certain rapport entre le fait que des idéologies incompatibles puissent se rejoindre en la personne d'un brillant héros, et les contradictions internes au monde de l'art, mettant en relief le rôle de l'individu, sa recherche inlassable de sensations nouvelles, d'expériences exotiques et d'émotions exacerbées. Ainsi un anarchiste tel Félix Fénéon glorifiait simultanément l'individualisme et les théories mécanistes des néo-impressionnistes, à grand renfort d'incantations mystérieuses empruntées au vocabulaire symboliste, tandis que Pissarro, socialiste anarchisant et modeste peintre de la vie paysanne, était invité à exposer en compagnie d'artistes comme Helleu et Monet.

En dehors d'un court séjour à Londres — où il souhaitait revenir afin de peindre « quelques effets de brouillard sur la Tamise » — Monet passa le reste de l'année à travailler à Giverny. Sur la trentaine de toiles peintes dans la campagne des alentours en 1887, plus d'un tiers comportent des figures, constituant ainsi le groupe le plus important qu'il y ait consacré depuis plus d'une décennie. Dans une lettre à Duret, en août 1887, il écrivait ceci :

« Je travaille comme jamais, et à des tentatives nouvelles, des figures en plein air comme je les comprends, faites comme des paysages. C'est un rêve ancien qui me tracasse toujours et que je voudrais une fois réaliser ; mais c'est si difficile ! [...] cela m'absorbe au point d'en être presque malade. »[86]

En 1889, Mirbeau évoquait le caractère idyllique de la vie de Monet, travaillant loin de Paris « avec ses fièvres, ses luttes, ses intrigues », « dans un paysage choisi, en constante compagnie de ses modèles »[87]. Ces modèles étaient, une fois encore, les membres de sa famille, qu'il montre goûtant tous les plaisirs que pouvait offrir la campagne, la rendant plus intime grâce à leur présence : se promenant dans les champs presque submergés par le miroitement des herbes et des fleurs ; pêchant dans les eaux de l'Epte aux reflets changeants, lisant, peignant des aquarelles ou canotant. Le tableau de Sargent où l'on voit Monet en train de peindre un paysage à la lisière d'un double écran de peupliers, tandis qu'une des filles d'Alice est assise derrière lui, semble confirmer l'opinion de Mirbeau : Monet était bien « en

Ci-contre :

197. John Singer Sargent, *Claude Monet peignant à l'orée d'un bois*, vers 1887, 54 x 65

198. *Blanche Hoschedé peignant* (W.1130), vers 1887, 73 x 92

199. *Blanche Hoschedé peignant et Suzanne lisant* (W.1131), 1887, 91 x 98.

constante compagnie de ses modèles » devant son chevalet, à Giverny comme à Argenteuil. Dans l'une de ces toiles, Monet a représenté Blanche en train de peindre tandis qu'à l'arrière-plan l'élégante Suzanne regarde, par-dessus son épaule, ce que fait un autre artiste, qui pourrait être Sargent. Blanche occupe exactement le devant du tableau, comme si elle se trouvait dans l'espace de Monet, en train de faire son portrait à l'instant même où il la peint. Le regard de la jeune fille se lie à celui du peintre et son rôle ne se limite plus à celui d'un simple modèle, passif ; elle est un peintre, un observateur à part entière ; tandis qu'à l'arrière-plan sa sœur n'a d'autre fonction que celle, traditionnelle, de spectateur de l'acte de création[88]. C'est un exemple plaisant de la façon dont Monet reconstruisait le paysage familial, le muant en champ clos réservé à la peinture, où il était à la fois inclus en tant que membre et fondateur et exclu en sa qualité d'observateur invisible.

Les figures peintes par Monet dans des thèmes récurrents soulignent le caractère fermé de son univers artistique, où un nombre limité de sujets se font écho et se répondent sans cesse dans des contextes différents ; tout se passe comme si ces sujets existaient à l'état latent dans l'esprit du peintre jusqu'à ce qu'une vision similaire les fasse émerger : c'est ce qui s'est passé à Giverny, dans ces champs réels qui sont devenus ceux que sa peinture lui avait révélés. Ainsi *Sous les peupliers, effet de soleil* (ill.200), est un écho d'une toile de 1874, *Prairie à Bezons* (ill.122), mais ici le tableau le plus ancien est devenu une vision presque extatique de la lumière, où le sujet, une jeune fille de la bourgeoisie goûtant la joie d'une promenade en été, tend curieusement à disparaître. Monet a représenté la figure et tout ce qui l'entoure en délicates touches de couleur unissant la jeune fille, les fleurs, les herbes, les feuilles et jusqu'aux collines de l'arrière-plan en une surface scintillante. Dans la *Prairie à Bezons*, l'on peut imaginer le moment qui passe, la jeune femme fermant son livre et quittant la scène tandis que dans la toile la plus récente, la lumière, devenue sujet, donne à chaque élément une dimension globale et confère à l'instant valeur d'éternité. La mémoire peut ainsi se l'approprier, de sorte qu'il paraît moins un incident spécifique que le souvenir du vert paradis des étés enfantins rêvés par un adulte.

200. *Sous les peupliers, effet de soleil* (W.1135), 1887, 74 x 93

Dans un format plus ambitieux, remontant aux années 1860, Monet a peint également six toiles, sinon plus, représentant les filles d'Alice en barque, au cours de l'été et de l'automne de 1887 ou 1888 ; il est possible qu'il l'ait fait à nouveau en 1890[89]. Ce groupe comprend une étude à l'huile de Mme Hoschedé avec sa fille aînée, Marthe, en "norvégienne", barque dont l'avant, assez court, est relevé (W.1150) ; un tableau de grand format, *Jeunes filles en barque*, représentant Suzanne et Blanche dans un bateau semblable, leurs ombres presque noires sur les eaux de la rivière ; *En norvégienne*, où l'on voit Germaine, Suzanne et Blanche dans la barque à l'amarre, dont les ombres songeuses illuminent les eaux sombres ; ainsi que deux portraits de Suzanne et Blanche : *En canot sur l'Epte* (ill.207), et *La Barque Rose* (W.1249). Certaines études donnent à penser que Monet projetait un autre tableau montrant l'une des jeunes filles allongée sur la norvégienne, assez proche de *La Barque* vide (ill.221). Dans l'un de ces dessins on voit les deux jeunes filles ramant sur une rivière bordée de peupliers se reflétant dans l'eau, mais dans la plupart des cas la vue se limite à la surface de l'eau.

Mirbeau écrivit à Monet au début de l'année 1888, peu de temps après avoir terminé son roman, *L'Abbé Jules*, pour lui signaler que Geffroy lui avait dit que le peintre avait tailladé une de ses « superbes » figures. « Ne pouvez-vous donc pas les réparer ? » demandait Mirbeau, « c'est un véritable crime. Gardez-vous de la folie d'être toujours parfait[90] ». Monet laissa au moins trois de ces œuvres inachevées et apparemment n'en exposa que deux (ou peut-être trois) : *En norvégienne* et *En canot sur l'Epte*.

Du temps de son séjour à Argenteuil, Monet avait souvent pris pour thème les canotiers, mais les figures n'apparaissaient alors qu'esquissées à touches rudimentaires, à l'arrière-plan. L'une des rares exceptions est la toile représentant Camille Monet dans le bateau-atelier, mais même elle est davantage une silhouette estompée qu'un personnage défini. Il faudra attendre les années 1880 pour que Monet, suivant l'exemple de Manet, Caillebotte et Berthe Morisot, peigne des bateaux en plan rapproché. Dans ses audacieux *Canotiers sur l'Yerres* de 1877 (ill.205), Caillebotte a montré le rameur en vue plongeante prise exactement au-dessus de son bateau et de

201. Utagawa Toyokuni, *Trois Femmes sur une barque pêchent au lamparo,* XIXᵉ siècle, gravure sur bois, 36 x 76

202. *Jeunes filles en barque* (W.1152), 1887, 145 x 132

203. *En Norvégienne* (W.1151), 1887, 98 x 131

204. « Jeune fille en barque », vers 1887, dessin, (carnets de croquis MM. 5129, 7 recto)

la surface de la rivière, ombragée par des arbres que l'on ne voit pas et re-flétant un ciel invisible. Berthe Morisot, dans *Jour d'été* (ill.206), montre deux jeunes femmes élégamment vêtues assises au tout premier plan dans une barque, leurs silhouettes se détachant sur l'eau, de même que les figures d'Argenteuil, de Manet (Tournai), ou les *Jeunes filles en barque* de Monet. Les tableaux de Manet, de Caillebotte et de Berthe Morisot sont des images de société : Manet et Caillebotte représentent les plaisirs partagés de l'été, tandis que Berthe Morisot, à touches d'une grande délicatesse, suggère une sorte de connivence entre les deux jeunes femmes, bien qu'elles n'aient apparemment aucune activité commune ; et, comme l'une d'elles regarde vers l'extérieur, elle semble en outre communier, le temps d'un fragile instant, avec l'artiste qui l'observe. Elles sont toutes deux vêtues à la dernière mode, tandis que les robes blanches portées par les modèles de Monet dans les *Jeunes filles en barque* sont à la fois fidèles au style des années 1888-89 et évo-catrices d'un climat plus intemporel. Ses figures sont plus abstraites que celles de Berthe Morisot : formes blanches et indistinctes, elles se dérobent à tout contact avec le regard du spectateur et leurs visages sont non seule-ment dépourvus de toute expression, mais leurs traits ne sont même pas esquissés. Malgré l'importante différence de format, ces deux figures ont un point commun avec *La Manneporte près d'Étretat* : ce sont des formes qui absorbent et réfléchissent la lumière, qui projettent des ombres et se reflè-tent ; et c'est bien là ce que recherchait Monet : « Des figures en plein air comme je les comprends, faites comme des paysages. »

Contrairement à Berthe Morisot, Monet s'installe à la verticale du motif pour le dominer, de sorte que la surface de l'eau remplit intégrale-ment la toile, gommant toute référence sociale qui lui serait extérieure. La hardiesse de la composition, plaçant la barque dans le haut du tableau, se détachant sur le plan d'eau inoccupé au-dessous d'elle, a permis à Monet de mettre l'accent sur les reflets estompés des jeunes filles, dont l'image dans l'eau est toute aussi "réelle" que leurs figures peintes dans l'atmo-sphère gorgée de lumière. Dans les dessins consacrés au même thème, des notations hâtivement griffonnées paraissent donner aux reflets une valeur identique à celles des figures et du bateau. La surface de l'eau n'est aucu-nement indiquée et ne se matérialisera sans doute que pendant l'exécution du tableau, lorsque Monet aura effectivement vu les reflets, les ombres et la lumière du soleil s'enfoncer dans les profondeurs de la rivière, et aura

trouvé le moyen de réconcilier cette vision pénétrante et celle, superficielle, qui effleure le miroir de l'eau. Cette expérience de visualisation, si com-plexe, peut se comparer à celle vécue quand Monet a peint *L'Étang à Montgeron* (ill.133), où le regard ne fait que glisser à la surface de l'eau.

*En norvégienne* offre une composition moins audacieuse. Il n'est pas impossible que le motif provienne de l'art japonais — des scènes analogues apparaissent également dans *La Japonaise* et dans une estampe de Toyokuni, *Trois femmes sur une barque pêchent au lamparo*. Quoi qu'il en soit, ce tableau est d'un romantisme inhabituel dans son œuvre et en cela se rapproche plus de certaines toiles présentées aux Salons — comme *Les Derniers beaux jours* de Charnay (Salon de 1877) — que de l'avant-garde française ou de la peinture japonaise. Même ainsi, la comparaison avec la spécificité quasi anecdotique des figures contemporaines de Charnay est révélatrice à la fois de la dépersonnalisation avec laquelle Monet a représenté les trois sœurs et de la curieuse intemporalité de la scène.

Ce tableau représente le jeu mystérieux des images réfléchies dans une partie de la rivière, enclose sous une voûte de feuillage créant une

205. Gustave Caillebotte, *Canotiers sur l'Yerres*, 1877, 89 x 115

206. Berthe Morisot, *Jour d'été*, 1879, 46 x 75

« ombre verte » au travers de laquelle la lumière filtre ou se projette en taches isolées et où l'eau devient lisse comme un miroir quand tombe la brise du soir. Cette toile nous donne la joie de découvrir les innombrables rapports existant entre le monde réel et l'univers de la peinture : nous sommes ainsi charmés par les mouchetures roses et mauves dont la lumière du soir parsème la robe blanche de Germaine et éclabousse son chapeau sans grâce ; ou encore, lorsque notre regard est attiré au premier plan, sous la barque, c'est un plaisir de déterminer le moment où les perches — utilisées prosaïquement pour amarrer la barque et donner de la raideur à la composition — deviennent des reflets. Cette charnière, où la verticale se mue en horizontale, marque l'instant de la prise de conscience, où nous croyons identifier la transition entre le monde réel décrit par Monet et son double, dualité qui le fascinait depuis que, vingt ans auparavant, il avait peint *Au bord de l'eau, Bennecourt*. Dans le tableau de 1887, les figures reflétées sont imprégnées d'une lueur diffuse et l'étrange éclat émanant des taches qui illuminent la robe de Germaine et le chapeau de Suzanne semble plus intense que la lumière qui baigne les figures réelles. Dans *Au bord de*

*l'eau, Bennecourt*, Monet emploie des couleurs localisées, inhérentes aux objets représentés ; ce qui n'est pas le cas pour *En norvégienne*, composée dans une gamme de coloris extrêmement voisins : bleu, bleu-vert, bleu-violet, rose, mauve et violet intenses, rehaussés de petites touches de rouge et de jaune. Bien que ces nuances traduisent l'impression subjective de la fragilité de l'instant, elles sont si dépouillées qu'elles ne laissent prévoir aucun changement imminent. Ce tableau, dans son immobilité si dense, évoque un moment qui se prolonge à jamais.

Ce temps suspendu, ce temps de rêve, n'est pas sans rappeler celui qui s'exhale des œuvres de Whistler, également peintes dans des gammes de coloris méticuleusement calculées et que Monet aurait pu observer soit à l'exposition de Georges Petit, soit à Londres lorsqu'il lui rendit visite au début de l'été 1887 (le qualifiant à son retour de « grand artiste »). En 1885, dans sa *Ten O'Clock Lecture*, l'un des exposés les plus précis de la doctrine esthétiste, Whistler avait évoqué la musicalité de la couleur. Duret, sur le point de lui consacrer un article, avait pu assister à cette conférence et Whistler lui-même avait persuadé Mallarmé de la traduire, peut-être au

207. *En canot sur l'Epte* (W.1250), 1887-1889, 133 x 145

208. *Pyramides de Port-Coton, mer sauvage*
(W.1084), 1886, 65 x 81

Ci-contre :

209. *La Manneporte près d'Étretat* (W.1052),
1886, 81 x 65

À gauche :

210. Utagawa Hiroshige, *Les rochers jumeaux à Bô no ura,
dans la province de Satsuma*, estampe de la suite *Endroits
célèbres des soixante et autres pronvinces*, 1853-1856,
gravure sur bois, 23 x 22

À droite :

211. *Tempête, côtes de Belle-Ile* (W.1116), 1886, 65 x 81

212. Berthe Morisot, *Le Lac du bois de Boulogne*, 1888, eau-forte, 15 x 11

cours d'une réunion organisée par Monet à l'élégant café de la Paix en janvier 1888 ; en juin de la même année, Mallarmé avait adressé à Monet un exemplaire de sa traduction[91]. Whistler insistait sur la séparation absolue entre l'art et la nature, ce qui à l'évidence aurait déplu à Monet — ses amis Berthe Morisot et Pissarro exprimèrent d'ailleurs leurs réserves à ce propos — mais aurait peut-être encouragé sa tendance à utiliser des structures de couleurs plus dépouillées. Néanmoins, contrairement à Whistler, Monet remettait en question toutes les modulations de sa palette pour se soumettre aux nécessités particulières de chaque motif, à chaque stade de sa création picturale, sur nature ou en atelier où cette expérience était confrontée aux œuvres qui lui étaient apparentées. En outre, si dépouillées que soient ses peintures, elles sont pleines de vigueur comparées à celles de Whistler.

*En canot sur l'Epte* participe de la même réflexion songeuse qu'*En norvégienne* et *Jeunes filles en barque*. Ici aussi le plan d'eau occupe entièrement le champ visuel ; coloré par des couches successives de feuillage, visible ou invisible, et par le reflet du ciel et des nuages qu'on ne voit pas, il circonscrit totalement les figures et le bateau. Ses tonalités sont plus chaudes que celles d'*En norvégienne*, d'où l'on déduit que la lumière, qui filtre à travers le feuillage s'attarde sur un voile de feuilles et plonge dans les profondeurs de l'eau où elle miroite en d'invisibles courants, est celle de l'après-midi plutôt que celle du soir. Dans *En canot sur l'Epte* comme dans *La Barque*,

Monet s'est concentré non pas sur les reflets artificiels dans l'eau immobile, mais sur les mouvements du lit de la rivière, sur les herbes qui flottent, à peine visibles, dans ses profondeurs, captant par intermittence la lumière qui tombe verticalement. En sectionnant la barque à la lisière de la toile, il a créé une géométrie subtile dans laquelle sa trajectoire diagonale sur le courant imperceptible est momentanément suspendue par les avirons stabilisés. L'équilibre entre le mouvement et l'immobilité est aussi insaisissable que les herbes aquatiques, actives et invisibles, au sein d'une eau toujours mouvante et toujours immuable. Ici, ni l'aviron ni la barque ne viennent troubler la rivière, les figures demeurent impassibles, regardant d'un œil indifférent les beautés qui les entourent.

En 1887, Mallarmé avait demandé à Berthe Morisot, Monet, Renoir et Degas d'illustrer l'un de ses poèmes en prose du recueil qui devait être intitulé *Le Tiroir de laque*. Seuls Renoir et Berthe Morisot le firent et en octobre 1889, Monet écrivit à Mallarmé pour lui avouer qu'il ne pouvait pas lui donner d'illustration pour « La Gloire ». Son imagination aurait sans doute été plus inspirée par « Le Nénuphar blanc », pour lequel Berthe Morisot avait exécuté un dessin aux crayons de couleur qui, selon les propres termes de Mallarmé, avait « charmé » Monet. Mallarmé évoquait la barque, entre les « végétations dormantes d'un toujours étroit et distrait ruisseau. » :

« Sans que le ruban d'aucune herbe me retînt devant un paysage plus que l'autre chassé avec son reflet en l'onde par le même impartial coup de rame, je venais échouer dans quelque touffe de roseaux, terme mystérieux de ma course, au milieu de la rivière : où tout de suite élargie en fluvial bosquet, elle étale un nonchaloir d'étang plissé des hésitations à partir qu'a une source. »

Parti à la rencontre d'une femme inconnue dont on lui a chanté les louanges, le poète, bercé par le mouvement de l'eau, a sombré dans l'oubli ; seule demeure la conscience de ce rythme alanguissant :

« Tant d'immobilité paressait que frôlé d'un bruit inerte où fila jusqu'à moitié la yole, je ne vérifiai l'arrêt qu'à l'étincellement stable d'initiales sur les avirons mis à nu, ce qui me rappela à mon identité mondaine. »

Tandis qu'il rêve dans sa barque échouée parmi les roseaux, il entend des pas : pensant alors qu'il sera plus proche de cette femme imaginée s'il ne la voit jamais, le poète prend ses avirons et s'en va, cueillant au passage un de ces nénuphars blancs qui renferment en « leur creuse blancheur un rien, fait de songes intacts, du bonheur qui n'aura pas lieu »[93].

La songerie de Mallarmé semble trouver un écho dans certains tableaux, dessins ou gravures de Berthe Morisot ayant pour thème le bois de Boulogne[94]. L'un d'eux représente un homme canotant sur le lac, dont la surface s'articule grâce aux fines verticales tracées par le reflet des peupliers, à des roseaux et à un coussin de nénuphars. Ces lignes frêles font ressortir de larges plages de papier blanc, allusion voilée à la présence dans l'espace de formes à la limite de la non-existence, biais par où Berthe Morisot tente d'exprimer sa certitude que « le rêve est plus réel que la réalité ». Par comparaison avec les œuvres de cette artiste, les jeunes filles en barque de Monet paraissent extrêmement matérialisées, mais lorsque le poème de Mallarmé fut publié pour la première fois dans *L'Art et la Mode* en 1885, il était illustré par une image conventionnelle, représentant une jeune femme dans un bateau, qui aurait pu suggérer un lien entre l'héroïne absente du poète et les modèles bien réels de Monet[95]. Même dans ce cas, ces figures rêveuses et leur introspection consciente sont un élément nouveau dans son œuvre, apparu peut-être sous l'influence des peintures et dessins de Berthe Morisot, de même que la sensualité ensommeillée des scènes de canotage est peut-être le fruit de sa méditation sur le « Le Nénuphar blanc » de Mallarmé. Lorsque le poète évoque son esprit dérivant consciemment tandis que glisse la yole jusqu'au « toujours étroit et distrait ruisseau », il éveille un écho dans le regard absent des deux jeunes filles d'*En canot sur l'Epte*, dont l'une semble prendre à l'instant conscience de l'aviron arrêté à mi-course. Le courant tranquille de Monet, pareil à celui de Mallarmé, n'a « le ruban d'aucune herbe » pour séparer les « végétations dormantes » de leur reflet. Dans le poème, chacune des images vient renforcer le sentiment d'un espace clos, d'un univers où l'eau et le feuillage ne forment plus qu'une seule et même substance, ce « fluvial bosquet » évoquant merveilleusement l'absorption des arbres se reflétant dans l'eau, le parc invisible dont la présence n'est suggérée que dans son double « humidement impénétrable », et la rivière elle-même qui se mue en un étang fermé où seuls quelques remous hésitants suggèrent le courant. Comme pour sublimer cette atmosphère de claustration, où chaque image se transpose en son écho, aérien ou aquatique, la dame invisible fait du cristal de l'eau son « miroir intérieur ».

Alors que la profonde ambiguïté du langage mallarméen maintient notre esprit hésitant entre l'imaginaire et le réel, si bien que nous ignorons toujours si le poète a entendu ou cru entendre le bruit des pas, ou si la femme invisible a jamais existé, les tableaux de Monet insistent sur la présence physique des jeunes filles de sa maisonnée. Néanmoins, le fantasme de Mallarmé, où l'esprit oscille sans fin entre rêve et réalité, a fort bien pu donner à Monet une conscience plus intense de ce que représente la peinture de la réalité — question qui semble s'être posée avec une acuité particulière lorsqu'il s'agissait de figures. À la différence des paysages touristiques, les tableaux des jeunes filles en barque incarnent une continuité dont le lien avec l'instant est à la fois évident et élusif. Comme on peut le voir dans *Au bord de l'eau, Bennecourt*, peint vingt ans plus tôt, à cinq kilomètres à peine de Giverny, la représentation des reflets sur l'eau, vus de très près, posait le problème des rapports entre le moment fragmentaire de la perception et la continuité de la nature. Ces préoccupations étaient moins vives lorsque Monet, dans les années 1870, peignait des paysages à distance, selon le schéma traditionnel ; mais au cours des décennies suivantes, le problème devint crucial pour la représentation des rivières et des étangs en plan rapproché.

*En norvégienne* et *Au bord de l'eau, Bennecourt*, montrent que lorsque le regard des figures devient le sujet du tableau, la dimension du temps et de la conscience mise en jeu est plus complexe que dans le cas d'un paysage pur. Ainsi, bien que Monet ait eu l'intention de représenter des figures « faites comme des paysages », leur qualité humaine les dote d'une conscience qui suscite inévitablement des spéculations quant à sa véritable nature, et c'est là ce qui donne à la peinture sa continuité. Nous pouvons le démontrer en comparant *En norvégienne* à *Un Tournant de l'Epte* (ill.218), peint sur cette même rivière un an plus tard. Dans les deux tableaux, un écran de feuillage impénétrable doublé par son reflet, crée un monde replié sur lui-même, où rien ne vient interférer avec l'acte du peintre, transformant le réel et son image en une réalité nouvelle : le tableau. Sans la présence humaine, cependant, *Un Tournant de l'Epte* se réduit simplement à la représentation d'un motif sous un effet de lumière spécifique et sur le point de changer, tandis qu'*En norvégienne* évoque un moment qui dure, un moment que suggèrent les mots de Mallarmé, « ce suspens sur l'eau ».

*En norvégienne* est peut-être encore une de ces peintures où l'instant se prolonge grâce aux souvenirs des œuvres passées, car la figure de Suzanne contemplant d'un air songeur son propre reflet, faisant « de ce cristal son miroir intérieur », joue le rôle jadis dévolu à Camille au bord de l'eau, à Bennecourt et souligne celui de Monet, observateur résolu, absorbé dans le mystère de la relation entre la réalité et son image. L'œuvre la plus ancienne a été exécutée dans les années 1880, alors que Monet cultivait encore une approche réaliste du sujet, et le fait que Germaine et Blanche soient occupées à pêcher à la ligne n'autorise guère à lire l'œuvre la plus récente comme une simple transposition de la création artistique, à l'instar de tant d'autres images d'avant-garde de cette époque (et tout particulièrement

des *Poseuses* de Seurat, de 1886). L'activité des jeunes filles, qui les absorbe entièrement, traduit leur existence propre, qui n'est pas accessible à l'observateur et échappe ainsi à une totale assimilation avec l'œuvre d'art.

Aucun des tableaux représentant les filles d'Alice Hoschedé en train de peindre, de canoter, de lire ou de se promener ne fut exposé avant 1889 ; quatre d'entre eux figurèrent dans la rétrospective de Monet et d'autres dans une petite exposition particulière peu de temps auparavant ; tandis que les deux *Essai de figures en plein air* furent inclus dans son exposition de 1891. Seules trois toiles furent vendues durant cette période, toutes les autres demeurèrent, à titre privé, dans la famille[96].

# III

A la fin de 1887, Monet écrivit à Duret une lettre d'une gaieté inhabituelle : « À Paris, ça marche on ne peut mieux pour moi, même au-delà de mes espérances, et je serais on ne peut plus content, si je pouvais être aussi satisfait de mes tableaux. »[97] C'est en effet cette année-là que la redoutable Mrs Potter Palmer, appartenant à la haute société de Chicago et dont l'immense fortune provenait de spéculations foncières, avait acheté sept de ses tableaux ; pendant plusieurs années, elle continua à en acheter des douzaines, les accrochant chez elle pour découvrir ceux qu'elle préférait, puis revendant les autres — avec un solide bénéfice — à d'autres collectionneurs américains[98]. Il aurait été surprenant qu'à ce stade de sa carrière, Monet ait eu beaucoup à apprendre de cette magnifique représentante du capitalisme et de la libre entreprise, mais grâce à cette prodigalité typiquement américaine, ses œuvres furent de plus en plus recherchées en France, même s'il devait regretter de peindre de plus en plus pour une clientèle en majorité étrangère, qui lui était inconnue.

En janvier 1888, juste après sa réunion avec Whistler et Mallarmé, Monet fit un autre séjour dans le Midi de la France, à Antibes, où il resta jusqu'à la fin d'avril et où il peignit une série d'au moins trente-cinq tableaux. Suivant une tactique devenue habituelle, il choisit cette région pour établir un contraste avec sa précédente série ; il écrivait à Alice : « Après Belle-Ile terrible , ça va être du tendre ; ce n'est ici que du bleu, du rose et de l'or. » Ses mots ne rappellent pas seulement les « harmonies » de Whistler, mais aussi le refrain de « L'Invitation au voyage », de Baudelaire : « Là, tout n'est qu'ordre et beauté / Luxe, calme et volupté »[99]. Telle est bien l'atmosphère de ces peintures, car sous le climat plus stable de la côte méditerranéenne, Monet pouvait se permettre de se concentrer plus longuement qu'en Normandie sur le choix des pigments destinés à rendre l'effet d'une lumière aux couleurs intenses.

La gamme de coloris purs dont il s'était servi, après son précédent voyage sur la Côte d'Azur, pour traduire la lumière crayeuse d'Étretat ou la blanche luminosité de la vallée de la Seine ne sera plus de mise ; il va adapter sa palette à la chaleur et à l'éclat de la lumière méditerranéenne. Il a peint quatre versions d'*Antibes vue de la Salis* (ill.216) : c'est une ville de rêve, rose, bleue et dorée, miroitant au bord d'une baie étincelante, bleue et verte, encadrée par des oliviers aux ombres d'un bleu violacé presque iridescent ; la lumière brûlante est rendue par des mouchetures d'un rouge ardent s'étageant du lie-de-vin à l'incarnat, comme pour élever la couleur au plus haut degré compatible avec l'harmonie de l'ensemble. Le flamboiement méditerranéen est presque un supplice pour Monet ; il dit à Alice : « Ce que je rapporterai d'ici sera la douceur même : du blanc, du rose, du bleu », à Geffroy « qu'on nage dans de l'air bleu, c'est effrayant » ; il décrit à Alice l'air « si clair, si pur de rose et de bleu que la moindre touche pas juste fait une tache de saleté ». Il chante le même refrain à Helleu : « Plus je vais, plus je cherche l'impossible et plus je me sens impuissant. » À la mi-avril, il travaille « comme jamais », se levant à cinq heures du matin , puis tombant de

Ci-contre :

214. *Le Printemps* (W.1066), 1886, 65 x 81

213. *Essai de figures en plein air*
*(Vers la gauche)* (W.1077), 1886, 131 x 88

sommeil le soir « sans même avoir une minute pour voir [ses] toiles », mais atteignant finalement le point où « chaque coup de pinceau porte »[100].

Au cours de ce séjour à Antibes, Monet écrivit de nombreuses lettres pour essayer d'organiser une exposition à la galerie de Petit en compagnie d'artistes de son choix — Berthe Morisot, Whistler, Renoir, Rodin et même Helleu, spécialiste des portraits de jeunes femmes élégantes dans des coloris assez clinquants — et, quand le projet avorta, pour s'assurer que ses œuvres ne seraient pas présentées à la galerie de Durand-Ruel avec « toute la bande et sa suite ». Il en était venu à ne plus faire confiance au marchand et à son fils, et déplorait ce qu'il considérait comme sa « persistance » du marché américain. Il écrivit à Alice qu'il était navré : « J'entends dire que la politique va bien mal ; il ne nous manquerait plus que cela comme bouquet » ; mais l'ombre de Boulanger était bien pâle à la lumière féerique de la Méditerranée, qui ne le chagrinait que dans la mesure où elle risquait d'affecter sa peinture[101]. N'ayant pas présenté d'œuvres chez Georges Petit, Monet exposa « Dix marines d'Antibes », grâce à Théo Van Gogh, pour la maison Boussod et Valadon, qui était en concurrence acharnée avec Durand-Ruel pour acquérir ses productions. C'était la première fois qu'il montrait des œuvres consacrées exclusivement à une même région ; l'exposition fut

accueillie avec un grand enthousiasme, peut-être en raison de son pouvoir de séduction qui, selon Geffroy, était une heureuse diversion aux événements contemporains — vraisemblablement l'affaire Schnaebelé, qui aurait pu dégénérer en conflit avec l'Allemagne et bénéficier au général Boulanger. Toujours aussi admiratif, Geffroy exalta dans un article l'unité des effets de ces dix toiles :

> « Couleurs changeantes de la mer, verte, bleue, grise, presque blanche, — énormité des montagnes irisées, nuageuses, neigeuses — verdure d'argent pâle des oliviers, verdure noire des pins — rouge éblouissant de la terre — silhouette de ville rosée, dorée, pénétrée de soleil... »

Ces dix œuvres formaient, selon lui, « le résumé de ces aspects si différents d'un pays raconté par son atmosphère, par ses lueurs, par les vibrations de sa lumière », insistant sur le fait que Monet ne se bornait pas à représenter les aspects les plus spécifiques d'un paysage, mais son organisation générale, se servant de « la justesse de son dessin » et des « procédés de sa secrète alchimie de coloriste » pour pouvoir rendre « l'idée de l'enveloppe des objets et l'idée d'espace »[102] Dans *La Cravache parisienne*, journal symboliste, Georges Jeanniot assurait que ces tableaux parlaient « non seulement aux yeux, mais aussi aux nerfs et à l'imagination des plus délicats » ; ils suggéraient « le côté psychologique des choses », ayant « l'air d'évocations lointaines de spectacles vus jadis, spectacles frappant la mémoire et lui imprimant une marque indélébile ». Quant à Fénéon, le critique le plus acerbe de la nouvelle génération, il n'était pas impressionné :

« [Monet] s'émeut brusquement à un spectacle ; mais en lui rien de contemplateur ou de l'analyste. Servi par une excessive bravoure d'exécution, une fécondité d'improvisateur et une brillante vulgarité, son renom croît... »[103]

Pourtant des esprits aussi raffinés que Berthe Morisot et Mallarmé étaient d'un tout autre avis : Berthe Morisot déclara à Monet que son mari et elle étaient restés « en extase » pendant une heure devant « celui aux petits arbres roux du premier plan », et que l'exposition regorgeait de visiteurs admiratifs ; tandis que Mallarmé écrivait : « Je sors ébloui de votre travail de cet hiver ; il y a longtemps que je mets ce que vous faites au-dessus de tout, mais je vous crois dans votre plus belle heure. » En revanche, Pissarro se livra à un éreintement en règle :

« ... ce que j'ai vu des tableaux de Monet ne me paraissait pas dénoter un progrès ; l'opinion des peintres sont [sic] à peu près unanimes à cet égard. Degas a été des plus sévères, il ne considère cela que comme un art de vente, du reste il a toujours été de l'avis que l'art de Monet ne faisait que de belles décorations ; mais c'est plus vulgaire encore, dit Fénéon, que jamais !!! Renoir trouve aussi que c'est en arrière ; diable !!! »[104]

Jeanniot rendit visite à Monet à Giverny et raconta : « Monet ne travaille jamais en dehors de l'effet choisi (ne durerait-il que dix minutes) et toujours sur nature ; [...] Jamais de retouche à l'atelier. » :

« Le peintre n'a pas ce qu'on nomme un atelier. [...] Une espèce de grange, percée d'une large baie, lui sert à rentrer ses toiles. [...] Dans ce local dont le plancher est de terre foulée, il se contente de fumer sa pipe, regardant les études commencées, cherchant le pourquoi d'un défaut ou parlant de ce qu'il compte faire si le temps le favorise. »

Décrivant l'atelier de Monet, Geffroy souligne une fois encore à quel point l'ambiance familiale avait d'importance pour sa peinture : « Ce salon-atelier était plein de vie et de jeunesse aux jours de 1886 où j'y suis allé pour la première fois, des jeunes filles, des jeunes gens, des adolescents, les enfants et les beaux-enfants de lui et de Mme Monet. »[105] Jeanniot avait beau proclamer que Monet peignait exclusivement sur le motif, les faits lui donnaient tort : le peintre ramenait en effet de ses voyages un grand nombre d'œuvres à considérer comme un ensemble et à terminer en atelier (sans compter celles à exécuter à partir de simples études). Le journaliste avait pourtant accompagné Monet pendant une séance de travail en plein air, remarquant qu'il peignait directement, « avec une agilité et une sûreté de dessin surprenante », changeant de toile dès que l'effet observé se modifiait. Jeanniot affirmait qu'un tableau pouvait être considéré comme terminé « après la première séance, qui dure... ce que dure l'effet, à peine une heure et souvent beaucoup moins » ; et il se contentait de suggérer l'éventualité de séances supplémentaires. Il invitait ainsi le public à regarder les œuvres de Monet comme de brillantes improvisations, fruit d'une rencontre quasi miraculeuse avec un « effet ». Pour mieux s'harmoniser avec les théories de l'époque, considérant comme également miraculeuse la création de valeurs marchandes, le travail et la pensée qu'avaient demandé ces tableaux étaient passés sous silence. Monet apprécia suffisamment cet article pour adresser à Jeanniot une lettre de remerciements[106].

Vulgaires ou non, les tableaux se vendirent. Dans les années 1880, les appartements des bourgeois aisés où ils étaient destinés à prendre place étaient tout aussi surchargés et surabondamment meublés que sous le Second Empire et les œuvres de Monet allaient être chaque jour davantage du goût de cette catégorie d'acheteurs. En multipliant les vues d'une région touristique, il était peut-être parvenu à créer un ensemble qui n'avait jusqu'alors pas eu d'équivalent, mais surtout il avait fait de ces toiles brillantes et dépourvues de sensibilité des souvenirs, plaisant à sa nouvelle clientèle, habituée à séjourner dans ces nouvelles villégiatures, si nettement différenciées des environs de Paris où allaient se distraire les petits bourgeois. Le titre de l'exposition de 1888, « Dix marines d'Antibes », annonçait déjà que le nombre de toiles à acquérir était limité et la lutte fut chaude pour y parvenir. La totalité des œuvres exposées avait été achetée par Théo Van Gogh pour une somme de onze mille neuf cents francs, mais Durand-Ruel et Petit avaient jeté leur dévolu sur la majorité des œuvres d'Antibes qui n'avaient pas été exposées ; elles furent rapidement revendues, principalement à d'autres marchands et à des collectionneurs particuliers aux États-Unis. Parmi les acheteurs francais se trouvaient Louis Gonse, grand amateur d'art japonais, Paul Aubry et le comte de La Rochefoucauld. Le résultat de ces opérations ne se fit pas attendre : en huit jours le prix d'une œuvre passa de mille trois cents à trois mille francs ; l'envie d'acquérir un Monet rapidement s'en trouva donc renforcée. L'art contemporain commençait à figurer parmi les valeurs fictives dont la hausse fiévreuse devait être le sujet du roman de Zola, L'Argent, paru en 1890, valeurs qui, au milieu de la spéculation et de la corruption engendrées par le projet du canal de Panama, empoisonnaient la vie publique française. Un certain nombre d'acheteurs d'œuvres de Monet — récents ou non — furent compromis dans le scandale qui s'ensuivit[107].

Monet avait eu la possibilité de faire des placements et d'acheter des actions, et son contrat avec Théo Van Gogh lui allouait cinquante pour cent sur le montant des reventes, ce qui le faisait profiter directement de la spéculation sur ses œuvres. Gauguin affirmait : « ... je ne suis pas fâché si les Claude Monet deviennent chers ; ce sera toujours un exemple de plus pour le spéculateur qui compare les prix d'autrefois avec ceux d'aujourd'hui » ; et le prix de ses propres tableaux en bénéficierait ; mais Pissarro, quelque temps auparavant, avait signalé les dangers de cette commercialisation systématique, disant qu'il ne voulait « rien faire sans bien posséder [son] sujet » et en cela était incompatible « avec la spéculation ». Dans ce contexte, les mots du caricaturiste de 1868 : « Go head ! Time is money » n' auraient pas perdu grand-chose de leur actualité[108].

Dans certaines œuvres exécutées à Giverny au cours de l'été 1888, Monet paracheva son analyse de l'emprise de la lumière sur les couleurs caractérisant les toiles d'Antibes, en appliquant de petites touches de couleur pure additionnées de blanc en quantité, ce qui faisait vibrer la surface du tableau. Dans un groupe de quatre compositions : des peupliers dans les brumes du matin (W.1194-1197) (ill.217), il a représenté les arbres prenant forme progressivement à mesure que le soleil réchauffe le brouillard où la lumière, rose et dorée, se matérialise. Les nuances de coloris sont parfois si délicates qu'on ne peut les distinguer à première vue, mais elles traduisent une profondeur d'observation, une intimité très différente des tours de force spectaculaires des versions d'Antibes, vue de la Salis. Dans Un Tournant de l'Epte (ill.218), une vibration lumineuse semble emplir l'espace séparant les arbres de l'eau. De petites touches empâtées d'or, de vert et de violet ondulent à la surface du tableau, pour se résoudre en feuilles de peuplier ; ces couleurs se répètent sur l'eau, en touches plus longues et plus plates qui lui donnent un reflet soyeux. La sensualité vaporeuse qui se dégage de l'œuvre semble presque abstraite, jusqu'à ce que le spectateur en vienne à percevoir des détails tels les troncs d'arbres attiédis dans l'ombre de la berge, au premier plan, qui lui démontrent que cette abstraction est le fruit d'une observation très poussée. Monet a utilisé ce même type de micro-structure,

215. *Les Meules, effet de gelée blanche*
(W.1215), 1889, 65 x 92

due à des touches vibrantes de couleur, dans les toiles où apparaît sa famille. Il devait sans doute continuer à penser à la peinture de figures durant son séjour à Antibes, car il écrivit à Alice dans une lettre dont nous n'avons malheureusement que des fragments : « … c'est peut-être cela qui me sauvera de cette terrible spécialité de paysagiste, et de cet état d'abrutissement où je me morfonds. » À un moment donné, il craignit de devoir renoncer à exécuter des figures « à cause de ces sacrés Américains » — une colonie de peintres américains installés à Giverny, dont quelques-uns venaient l'interrompre dans son travail. Monet était furieux car il souhaitait « tant prouver » qu'il pouvait « faire autre chose ». C'est également à cette époque qu'il écrivit à Mallarmé, espérant qu'il viendrait lui rendre visite et lui demandant un exemplaire de *L'Après-Midi d'un faune*[109].

Geffroy précisa que Monet « au parcours des prairies qui bordent la Seine, trouva l'inspiration familière de ses toiles cette année-là ». « Des prairies s'étendent où frissonnent les peupliers, où le mince sentier liliacé court dans le vert jauni de l'herbe, où l'espace est aperçu à travers une branche de premier plan, dont chaque feuille est modelée dans la lumière. » (W.1205) C'est là qu'il peignit des meules au soleil couchant (W.1213), qui « absorbent et renvoient le dernier éclat du jour en phosphorescence de cuivre et d'incendie, se cerclant de l'ombre bleue de la nuit à leurs bases, toutes seules dans la solitude du soir, au-devant des collines transparentes et pâles, des ombres d'arbres, des cieux incandescents. »

Ces mêmes prairies servirent de toile de fond pour de nouvelles peintures des enfants Monet et Hoschedé : Suzanne et Jean figurent ensemble dans un paysage tout auréolé de l'or rosé d'un crépuscule d'été (W.1205) ; dans la *Promenade, lumière grise* (W.1203) et *Paysage avec figures, Giverny* (ill.219), « dans la même prairie, à des instants différents, des jeunes filles et des enfants surgissent et passent à travers les harmonies vibrantes et douces de la contrée, de la saison et de l'heure ». Dans le second tableau, Jean Monet et Suzanne Hoschedé sont à l'arrière-plan, et Michel Monet, Germaine et Jean-Pierre Hoschedé au tout premier plan, de sorte que le cadre ampute en partie leurs silhouettes et qu'ils paraissent entrer dans l'espace du peintre et le regarder en face. Bien que leurs figures, formant

écran aux rayons obliques du soleil, soient dans l'ombre, Monet les fait étinceler grâce à de fines touches scintillantes de couleurs intenses, qui créent une extraordinaire impression de lumière chaude dans un espace où les personnages — au même titre que les arbres vibrants et le talus aux lueurs estompées — apparaissent indifféremment comme d'éphémères proliférations d'énergie ou comme des structures permanentes. Geffroy évoquait « une brume d'or » enveloppant le paysage tout entier :

« Les ardeurs déclinantes du soleil rougeoient l'atmosphère de l'automne […]. Les nuances des robes de toile roses et bleues s'éclairent, se reflètent, se transforment, dans ce foyer de lumière où les couleurs et les nuances brûlent et s'évaporent. Les carnations des mains et des visages s'enflamment subitement au passage de brusques lueurs, les ombres longues des corps sont bleues d'un bleu de flamme. »

La chevelure des jeunes filles est toute illuminée et « les yeux vifs des garçonnets noircissent, trouent la vapeur incandescente qui descend du ciel et qui remonte de la terre[110]. » Si Mirbeau et Geffroy étaient d'accord avec Monet lorsqu'il déclarait vouloir peindre « des figures faites comme des paysages », cela semblerait confirmer une opinion largement répandue, d'après laquelle la présence de personnages dans ses peintures lui importait peu, et qu'avait reprise une artiste peintre américaine, Lilla Cabot Perry[111]. Monet lui avait apparemment confié qu'il aurait souhaité naître aveugle, puis recouvrer la vue afin de pouvoir peindre sans savoir ce qu'il voyait ; en d'autres termes, au lieu de voir des objets connus, il se serait concentré sur la recherche d'équivalents picturaux aux sensations colorées suscitées par le motif, ajoutant touche après touche, jusqu'à ce que surgissent des formes identifiables, images de son expérimentation du motif. Lilla Perry précisait qu'il aurait aimé la voir placer les yeux sous le nez ou déplacer le nez ; mais bien que les traits des modèles de Monet aient parfois été indistincts, en raison de la distance ou de l'intensité de la lumière, il ne les déplaça jamais. Sans doute voulait-il dire par là que si l'artiste est fidèle à la vérité de sa perception de la couleur, la vérité de la forme en résultera inévitablement. En s'efforçant de représenter des figures « faites comme des

216. *Antibes vue de la Salis*
(W.1168), 1888, 73 x 92.

217. *Brouillard matinal*
(W.1196), 1888, 73 x 92

Ci-contre :

218. *Un Tournant de l'Epte*
(W.1209), 1888, 73 x 92

219. *Paysage avec figures, Giverny*
(W.1204), 1888, 80 x 80

paysages », Monet ne niait pas leur réalité particulière, mais luttait pour les regarder comme pour la première fois, préservées de toute formulation conventionnelle, de toute association d'idées au rabais. Dans la quasi-totalité de ses œuvres où les figures sont davantage que de petits points à l'arrière-plan d'un paysage, il est évident, à considérer la différence des touches — nettement plus denses pour les figures que pour le paysage — qu'elles ont été considérées autrement, avec plus d'attention et de concentration que les arbres, les herbes, les collines et le ciel.

Au premier abord, le *Paysage avec figures* évoque un moment pris au hasard, où les enfants sont saisis, lambinant au rythme caractéristique des promenades familiales, et cependant le parti-pris de la composition — les figures ne cessant pas d'avancer vers l'espace de l'artiste, tous les regards étant fixés sur lui — souligne le fait que c'est Monet qui a organisé *ce* moment précis dans *ce* paysage précis pour traduire sa technique de représentation avec autant de netteté que dans sa description plus littérale de la création artistique dans *Blanche Hoschedé peignant* (ill.198). En refusant de s'identifier avec les figures, il leur confère cette opacité déjà envisagée dans les années 1860 et au début de la décennie suivante, mais il n'existe nulle part ailleurs une telle tension entre la proximité et la distance et nulle part ailleurs il n'exprime avec autant de fermeté sa volonté de maintenir cette vision objectivante en dépit de l'intimité de la scène. Au cours de ce même automne 1888 et de l'hiver qui suivit, Monet peignit quatre ou cinq toiles représentant des meules de blé (W.1213-1217). Pour trois d'entre elles, la composition est quasiment identique, et d'une simplification extrême, pour saisir les changements d'éclairage[112]. Avec les quatre versions des peupliers émergeant des brouillards de l'aube, ces meules marquent l'apparition, au sein du paysage familier, de l'étude systématique des variations de la lumière sur un motif presque toujours identique. Ce procédé était devenu une routine lors de ses campagnes de travail et il devait y recourir à nouveau dix-huit mois plus tard, à Giverny, devant ce même motif de meules.

Il poursuivit entre-temps ses recherches sur la représentation des formes dans les effets de lumière, au cours du voyage qu'il effectua de mars à mai 1889 au centre de la France, dans les gorges rocheuses de la Creuse. Il y peignit au moins vingt-trois toiles, dans un paysage dont la nouveauté et l'étrangeté le défiaient, lui rappelant Belle-Ile et sa « sauvagerie terrible ». Cette campagne de travail révèle plus clairement encore que les précédentes à quel point le désir de découvrir l'équivalence exacte entre l'effet naturel et la peinture était devenu chez Monet une obsession, qui se traduisit par neuf ou dix répétitions de différents motifs, exécutés sous une pluie battante et dans un froid glacial qui lui gerçait les mains[113]. On voit que son objectif était impossible à atteindre, car il prit la décision de ne pas modifier ses toiles pour tenir compte de la pluie, puisqu'il aurait dû les changer à nouveau pour reprendre l'effet originel quand elle aurait cessé. Mais quand revint le beau temps, le printemps se rapprochait et le paysage s'était métamorphosé et verdissait « à vue d'œil ». Le comble, c'est que Monet dut payer un propriétaire pour faire arracher les feuilles d'un chêne dont il avait peint les branches nues quand il avait commencé son tableau — geste quasi blasphématoire pour un homme aussi attaché à la nature[114].

Monet représenta les énormes blocs de rocher des ravins de la Creuse dans une surprenante gamme de couleurs iridescentes, généralement appliquées en longues touches calligraphiques, exprimant les lignes de force des collines inébranlables. Comme la plupart des œuvres exécutées dans la région, *Le Vieil Arbre au confluent*, l'une des trois (W.1230-1232) toiles représentant le confluent de cette rivière et de la Grande Creuse (ill.220), est peinte à contre-jour : les pentes sont traduites par d'énormes lignes griffonnées, tandis que la lumière qui brille derrière elles se fragmente en petites touches de couleurs incandescentes .

Ce groupe forme un ensemble d'une unité remarquable : la plupart des œuvres sont peintes depuis un ou deux points de vue, toutes dans une palette caractéristique composée de gammes dominantes de vert cru éclatant, de tons froids : bleu violacé, jaune acide et pourpre, avec quelques touches de rose et de rouge perçants, particulièrement marquées sur les contours des collines qui font écran à l'orange du soleil couchant. En dépit de leur abstraction, ces couleurs rendent fidèlement l'atmosphère de ce site et sa lumière si typique, mais les contrastes qu'elles présentent entre elles sont si violents qu'ils font presque grincer des dents. Monet a réalisé une extraordinaire prouesse en visualisant un terrain qui lui était si étranger — et qui avait manifestement été modelé par la puissance des éléments. De ce point de vue, l'arrachage des feuilles de l'arbre — pour permettre à son énergie linéaire de se transmettre à celle des rochers et de la rivière — est révélatrice des contradictions que Monet avait tant de peine à résoudre pour s'imprégner de la réalité du paysage.

En 1889, le succès qui souriait à Monet depuis quelques années se confirme définitivement. Non seulement il présente trois toiles à l'exposition centenale de l'art français, ouverte à l'occasion de l'Exposition universelle commémorant la Révolution, mais en outre deux expositions particulières lui sont consacrées : l'une, assez limitée, en février-mars chez Théo

Van Gogh, directeur de la succursale de la galerie Boussod et Valadon et en juin, chez Georges Petit, une rétrospective comprenant plus de cent cinquante tableaux voisinant avec trente-quatre sculptures de Rodin. L'exposition du début de l'année comportait deux toiles récentes avec figures, *Promenade, temps gris* (W.1203), *Paysage avec figures, Giverny* et parmi les paysages : *Un Tournant de l'Epte, Meules à Giverny, soleil couchant* (W.1213), et une œuvre de 1879, *Vétheuil dans le brouillard*. Elle était accompagnée d'une interview capitale et inspira un grand nombre d'articles enthousiastes, dont le plus important fut celui de Geffroy dans *La Justice*, avec ses évocations poétiques des tableaux. Mirbeau en fit un ardent panégyrique sur deux colonnes, en première page du très conservateur *Figaro* qui, selon Théo van Gogh, attira un flot de visiteurs à l'exposition[115]. L'article du *Figaro* et l'interview accordée à Hughes Le Roux dans *Gil Blas* accréditaient le mythe de Monet, peintre autodidacte — qui, d'après Mirbeau, n'avait besoin « d'aucun autre maître » que la nature, alors que Monet exprimait à Boudin toute sa gratitude pour les « conseils qui m'ont fait ce que je suis ». On pouvait lire, dans l'article de Geffroy, une définition des séries de Monet qui allait devenir une référence classique :

« S'il était obligé de rester, jusqu'à la fin de sa vie, à la même place, devant le même paysage ou devant le même être, il ne suspendrait pas un instant son travail, il trouverait tous les jours une expression différente à fixer, il en trouverait une toutes les heures, il en trouverait une toutes les minutes… »

Pour étayer sa démonstration, Geffroy évoque les deux peintures des enfants Monet et Hoschedé dans une prairie — l'une avec « la lumière doucement voilée par l'annonce du crépuscule, l'ensemble est doux et alangui, d'une harmonie mourante et mauve, l'autre dans des tons mêlant les ors rougeoyants et les pourpres du soleil déclinant[116]. »

Mirbeau célébrait en Monet le plus grand artiste de son temps — en vérité de tous les temps — et lui attribuait « une supérieure intelligence des harmonies de la nature ». Comme pour répliquer aux critiques des néo-impressionnistes, il soulignait le caractère rationnel de l'évolution de Monet :

« Il divisa son travail sur un plan méthodique, rationnel, d'une inflexible rigueur, en quelque sorte mathématique. En quelques années il arriva à se débarrasser des conventions, des réminiscences, à n'avoir qu'un parti-pris, celui de la sincérité, qu'une passion, celle de la vie. »[117]

Si Le Roux admettait l'interprétation naturaliste de la peinture de Monet, il faisait valoir ses bases scientifiques, d'après « les théories les plus récentes de la perception », selon lesquelles « toute chose peut se réduire à un mouvement. La vision, c'est un mouvement de l'éther », et la perception de la couleur est relative, variant selon l'éclairage et l'environnement. Le journaliste pensait sans doute à certaines peintures des peupliers dans le brouillard quand il remarquait que, pour Monet, « l'impressionnisme, c'est avant tout la peinture de l'enveloppe, du mouvement de l'atmosphère, de ces vibrations de la lumière qui palpitent et nimbent les objets ». L'article de Le Roux donne à penser qu'à ce stade, Monet souhaitait convaincre son public du sérieux de son travail, car il évoqua devant lui la façon dont il avait peint *Vétheuil dans le brouillard*, expérience qu'il considéra certainement comme fondamentale, puisque ce tableau devint pour lui un talisman qu'il exposa à quatre reprises au cours de la décennie 1880 et qu'il se refusa toujours à vendre. On serait presque tenté d'établir une analogie entre la façon dont l'église et le village émergent du brouillard pour prendre forme, et son propre rôle de peintre, mais en tous cas cette œuvre attire l'attention sur l'instabilité des impressions subjectives. « Existent-elles réellement, se demandait Le Roux, ou était-ce quelque fantasmagorie du soleil jouant dans les nuages ? L'apparition s'est évanouie… Mais le peintre a eu le temps de la fixer sur la toile. » Et il notait que Monet avait pris la décision de présenter ce tableau à cette exposition ainsi qu'à la rétrospective de la galerie Petit, car il « pensait que cela apporterait des informations sur sa façon de travailler, que cela en dirait plus sur l'auteur et son rêve[118]. »

Avant la publication de ces articles, Monet avait été déçu par les réactions suscitées par cette exposition et avait dit à Berthe Morisot qu'il allait « de moins en moins à Paris, où du reste, l'on est absorbé que par la politique », que son exposition avait en somme été « bien modeste » et que d'ailleurs le public ne s'y intéressait guère en raison de la situation politique. Il écrivait alors que la crise du boulangisme atteignait son point culminant et que tout Paris était anxieux de savoir si oui ou non le général allait prendre le pouvoir (dix jours auparavant, Mirbeau avait écrit dans *Le Figaro* qu'il avait, en 1886, reconnu en Boulanger « l'homme qui ferait le coup d'État »[119]). Quelques semaines plus tard, Boulanger s'enfuit en Belgique et la crise fut balayée par l'excitation suscitée par l'ouverture de l'exposition universelle. Ces événements ne retentirent pas sur la peinture de Monet, demeuré au calme à Giverny, si ce n'est peut-être en le décidant à inclure dans sa rétrospective de juin l'un de ses tableaux des rues de Paris constellées de drapeaux, célébrant la précédente Exposition de 1878.

Un public extrêmement nombreux vint admirer les œuvres que Monet présenta à la très officielle exposition centennale de l'art francais, mais toutes trois étaient relativement naturalistes, presque classiques ; son souci primordial était manifestement son imposante rétrospective, qui d'une certaine manière battait en brèche les expositions de l'État. Petit organisa sa rétrospective pendant que se tenait l'Exposition universelle afin d'attirer une partie des milliers de visiteurs accourus à Paris — et, en présentant les œuvres de Monet et de Rodin qui étaient reconnus respectivement comme les plus significatifs parmi les peintres et les sculpteurs de leur génération, il avait eu l'habileté de choisir une forme d'art tournée vers l'avenir, vers les cent années à venir, plutôt que vers le passé[120].

Cette rétrospective fut le couronnement de toutes les tentatives faites par Monet, depuis les expositions groupées des années 1870, pour présenter son œuvre en solo, ce qui était à l'époque inhabituel pour un artiste vivant. Bien que son but ait été de donner un aperçu de ce qu'il avait accompli de mieux durant les deux décennies précédente — avec des peintures de chaque année depuis 1864 (à l'exception de 1865) — plus de la moitié des cent cinquante œuvres exposées dataient des années 1880, l'accent étant mis principalement sur ses plus récentes campagnes touristiques (neuf tableaux de Belle-Ile, dix-sept d'Antibes, treize de la Creuse). Les peintures de Giverny figuraient en grand nombre. Bien que l'exposition ait comporté une majorité de paysages, la *Prairie à Bezons* de 1875, la *Prairie de Vétheuil* de 1880 et *Soir dans la prairie* de 1888, auraient pu révéler le rôle de sa famille dans l'appropriation du paysage, tandis qu'un groupe de tableaux intitulé *Essais de figures en plein air*, comprenant les *Peupliers, temps gris* (W.1136), *Promenade* (W.1133), *En norvégienne* et *Peupliers, effet de soleil*, aurait montré son regain d'intérêt pour le portrait de jeunes femmes de son temps, ce que préfiguraient ceux de Camille à Bennecourt en I867, dans le jardin d'Argenteuil en 1872, et d'Alice dans le jardin de Vétheuil.

Le fait que Monet expose une fois encore *Vétheuil dans le brouillard* atteste le caractère presque didactique de cette rétrospective. Entourée de peintures récentes où les nuances de la lumière semblent suspendues dans l'atmosphère chargée d'humidité de Giverny (*Soir dans la prairie* et sans doute *Brouillard du matin*), la toile exécutée dix ans auparavant aurait pu souligner la subtilité et la richesse d'expression désormais atteintes dans le traitement de ces effets et peut-être se révéler plus instructive encore que dans le cadre de l'exposition de février-mars, consacrée à « l'auteur et son rêve »[121]. L'exposition ouvrit le 21 juin et suscita de nombreux articles dans la presse, dont la plupart étaient favorables en dépit de quelques réflexions rappelant celles faites jadis du temps des premières expositions impressionnistes :

les tableaux allaient jusqu'à « blesser l'œil », ou encore étaient le résultat d'« une maladie funeste de l'appareil visuel »[122]. Cette rétrospective marque un tournant décisif dans la carrière de Monet : la vente de ses œuvres augmenta dans des proportions saisissantes (certaines œuvres, prêtées par des collectionneurs particuliers, furent achetées sur-le-champ, tandis qu'un certain nombre de tableaux changèrent de mains plusieurs fois au cours des trois années suivantes)[123]. Ce qui donna pour la première fois l'occasion aux critiques, aux collectionneurs et au public amateur d'art d'apprécier la continuité ainsi que la diversité de l'œuvre de Monet et de voir de larges groupes de tableaux exécutés dans ses différents voyages, en même temps que des peintures de Giverny. Cela permit à la critique, au cours des années qui suivirent, de réagir de façon plus compréhensive aux développements complexes de son travail. L'exposition donna également à Monet la possibilité d'évaluer l'ensemble de sa carrière, ce qui contribua sans doute à accroître la conscience de sa propre valeur et la poursuite d'un même but qui allaient désormais caractériser sa production.

Le catalogue, très substantiel, comportait deux importantes notices : l'une sur Rodin, par Geffroy, l'autre sur Monet, par Mirbeau (selon Monet, ce catalogue était destiné au « public étranger », vraisemblablement venu à Paris pour visiter l'exposition)[124]. La préface enthousiaste de Mirbeau, plus précise que son article de mars dans *Le Figaro* — qu'il réutilisa presque intégralement — donne à penser que de sérieuses discussions avec Monet lui avaient apporté une compréhension plus profonde de la façon dont la peinture sollicitait également la perception, l'émotion et la pensée. Elle était construite avec tant de soin et rédigée avec tant de ferveur qu'elle influença toute une génération de critiques, qui soulignèrent tantôt l'un, tantôt l'autre des aspects subtils de la peinture de Monet, dont les composantes avaient été si finement soupesées par Mirbeau. Tout comme l'article du *Figaro*, elle commençait par affirmer haut et fort l'individualisme de Monet. Étant donné la haine vouée par Mirbeau à toutes les institutions éducatives et culturelles, Monet, l'artiste idéal, devait impérativement être un autodidacte et se devait de rejeter le passé pour obéir au principe qui considère que : « …la loi du monde est le mouvement, que l'art, comme la littérature, la philosophie, la science, est perpétuellement en marche vers des recherches nouvelles et de nouvelles conquêtes ; qu'aux découvertes d'hier succèdent les découvertes de demain… »

Mirbeau proclamait que l'exposition illustrait parfaitement cette « loi » du mouvement ; elle avait un caractère biographique puisqu'elle résumait vingt-cinq années de la vie artistique de Monet et permettait au spectateur de « passer par les différents stades qui marquent, non pas l'histoire de ses transformations, mais la chronologie de ses progrès ». L'évolutionnisme de Mirbeau exigeait également un Monet viril et robuste — à n'en pas douter un coup de griffe aux symbolistes surannés. Pour parvenir à maîtriser sa visualisation et sa technique, l'artiste-héros avait besoin « d'isolement moral, de concentration en soi, d'abstraction de ses facultés dans la seule nature, à force d'oubli des théories et des esthétiques »[125]. Dans un passage capital, où il se dissocie de la tendance mystique du symbolisme, Mirbeau écrivait :

« L'art qui ne se préoccupe pas, même dans les conceptions de rêve, des phénomènes naturels, et qui ferme les yeux devant ce que la science nous a appris du fonctionnement des organismes, n'est pas de l'art. »

La vérité, affirmait-il, est la « source unique du rêve »[126]. Ensuite Mirbeau se livrait à une analyse détaillée de la technique de Monet, afin, expliquait-il, de répondre à une vieille accusation remise au goût du jour : le manque de fini, l'à-peu-près. Il maintenait que, depuis que Monet avait compris que, par temps calme, « un effet dure à peine trente minutes » (ce qui valait également pour les figures ne représentant « qu'un ensemble d'ombres, de lumières, de reflets, toutes choses mobiles et changeantes »), le peintre

s'était fixé pour règle de couvrir sa toile pendant une demi-heure, avant que l'effet ne change ; puis il retournait sur le motif, chaque jour, à la même heure et, si l'effet lui convenait, il se remettait à son chevalet pendant la demi-heure réglementaire. Il passait parfois soixante séances sur un même motif, à rechercher tous les rapports coexistant entre ses tonalités, mais s'arrêtait, inflexible, si la lumière changeait, pour courir « à un autre motif ». Cette analyse survient à un moment capital dans l'évolution de la technique des séries, à un moment où — comme en témoignent les neuf tableaux des gorges de la Creuse, peints presque aux mêmes heures et sous le même éclairage de l'après-midi et du crépuscule — Monet ne représentait pas des effets contrastants, mais essayait d'établir des différences entre des intervalles de temps de plus en plus courts. Mirbeau ne faisait aucune allusion au travail du peintre en atelier, bien qu'il en ait été averti, allant même jusqu'à déclarer : « Le plein air est son unique atelier. »[127] Satisfait d'avoir pu préciser ces détails techniques, Mirbeau changea de registre et se lança dans une évocation lyrique de l'interprétation du peintre et de sa transcription des lois et de l'harmonie rationnelles de la nature :

> « Et c'est la vie […] qui emplit ces toiles […] la vie de l'air, la vie de l'eau, la vie des parfums et des lumières, l'insaisissable, l'invisible vie des météores, synthétisée en d'admirables hardiesses, en d'éloquentes audaces, lesquelles, en réalité, ne sont que des délicatesses de perception et dénotent une supérieure intelligence des grandes harmonies de la nature. »

Après cela, Mirbeau se laissa aller à son enthousiasme et, en un poème en prose de deux pages, proclama qu'il ne discernait pas seulement le visible, mais l'invisible dans ces tableaux : « l'air, toutes les fluidités de la lumière et les reflets infinis dont elle enveloppe les objets et les êtres ». Les œuvres de Monet le mettaient face à face avec la « nature vivante » et dans « son mécanisme cosmique, dans cette vie soumise aux lois des mouvements planétaires, le rêve, avec ses chaudes haleines d'amour et ses spasmes de joie, bat de l'aile, chante et s'enchante. »[128] Tel est le style de discours qui allait se généraliser pour définir la peinture de Monet qui, tout en restant profondément fidèle à la nature, allait bien au-delà du naturalisme.

Et cependant Mirbeau évoque ses réactions devant les tableaux de Monet avec tant de vivacité qu'il semble que certains paragraphes aient été rédigés après leur accrochage à la galerie[129]. L'écrivain affirmait que depuis les premières peintures de figures jusqu'« aux éblouissantes figures de Giverny ; des gaietés ensoleillées d'Argenteuil aux tragiques paysages, voilés d'un si poignant et presque biblique mystère, de la Creuse ; des champs de vigne morts sous les ciels de plomb, aux meules couvertes de neige », Monet était guidé par « la même pensée » : saisir « l'instant du motif ». Grâce à une analyse rigoureuse, Monet parvenait à une « synthèse des expressions plastiques et des expressions intellectuelles » d'une telle puissance que « un bout de ciel et un bout de mer » vous prend « dans tout votre être physique et tout votre être pensant ». Parfois le critique se sentait tellement subjugué par cette confrontation qu'il en oubliait que « ses mers farouches de Belle-Ile, ses mers souriantes de Bordighera » étaient « faites, sur un morceau de toile, avec de la pâte », mais il revenait sans cesse à la matérialité de la peinture de Monet — à sa « pâte » ou à son choix de « pinceaux de martre longs, fins, flexibles »[130].

Ainsi Mirbeau réussit, comme peu d'écrivains surent le faire avant et après lui, à évoquer la complexité de tableaux dont le spectateur ne peut saisir la signification profonde sans puiser dans sa propre expérience de la nature — tout en prenant simultanément conscience que c'est la « pâte » de Monet qui modèle cette expérience. Il fut l'un des rares écrivains à voir un lien essentiel entre les exigences de l'harmonie picturale et la notion de fidélité à l'égard des détails et des grands principes de la nature, et à comprendre que cette relation est un amalgame de sensations, de pensées et de sentiments. Convaincu que la société de son époque dissociait le physique du mental et de l'émotionnel, comme elle isolait l'individu de la nature et de la société, Mirbeau croyait que la peinture de Monet pouvait être le moyen de les réconcilier. D'où son insistance à soutenir que l'art de Monet exprimait « ses chaudes haleines d'amour et ses spasmes de joie », ce qui n'était pas une figure de style ; et c'est la raison pour laquelle Geffroy et lui, défenseurs passionnés de ces êtres privés des joies terrestres, malgré leur appartenance à la classe bourgeoise privilégiée, pouvaient fonder de tels espoirs sur l'art sans cesse plus raffiné et plus éblouissant de Monet[131].

# 5

# *Concentration et Fragmentation :*
# *Les Séries 1890-1904*

« *Il faut savoir saisir le moment du paysage à l'instant juste, car ce moment-là ne reviendra jamais…* »
MONET, 1891

« *Enfin je me suis encore escrimé tant bien que mal avec l'admirable motif de paysage que j'ai dû faire par tous les temps afin de n'en faire qu'un qui ne soit d'aucun temps, d'aucune saison…* »
MONET, 1891[1]

A partir de 1890, Monet cessa de représenter sa famille aux alentours de Giverny, dans les champs ou sur la rivière mais, en dépit de ses dimensions restreintes, le paysage familier demeurera pendant trente-cinq ans encore le décor de prédilection de ses recherches visuelles ; cette année-là, il acheta la maison qu'il habitait et deux ans plus tard, après avoir clarifié sa situation familiale en épousant Alice Hoschedé, il assura définitivement la stabilité de son cadre de vie et put se consacrer à la création ainsi qu'à l'embellissement d'un luxuriant jardin de fleurs et d'eau.

Il avait passé plusieurs années à peindre la campagne aux alentours de sa propriété avant de commencer à appliquer la fragmentation du temps — déjà pratiquée dans d'autres régions de France — à sa représentation de nombreuses versions d'un même motif sous différents effets de lumière. Ce ne fut sans doute pas un hasard si cette démarche atteignit son paroxysme à Giverny dont les champs et les rivières, si intimement connus, lui fournissaient un contexte sans faille pour l'exercice de ce qu'un critique appelait « l'œil moderne exaspéré », par lequel les formes connues étaient désintégrées au point de céder la place à des « réalités inconnues ».

C'est au moment où les figures disparurent du paysage aimé que Monet entreprit de représenter des meules de blé, comme des concentrations éphémères de matière lumineuse plutôt que comme des formes jouant un rôle dans l'une des régions agricoles les mieux exploitées d'Europe ; peu de temps après, il peignit la cathédrale de Rouen, abstraction faite de toutes ses connotations historiques et religieuses, comme une falaise immense ou un monolithe humain ; enfin, dans les dernières années du siècle, il se servit du centre d'une grande ville comme d'une gigantesque toile de fond architecturale pour traduire les avatars de la lumière naturelle se diffusant dans une atmosphère polluée.

Pour Monet, ce fut une période de succès ininterrompus et singulièrement sur le plan financier. Quelles que soient les notions que l'on ait pu en avoir préalablement, rien ne peut nous préparer au choc, au saisissement ressentis en voyant simultanément un si grand nombre de peintures d'un motif immuable, et dans les années 1890, chacune des séries exposées fut accueillie avec des éloges de plus en plus hyperboliques ; en 1900, quand se tint l'Exposition universelle, Monet était considéré comme l'un des plus grands peintres traditionnels français. Au cours de cette décennie, les revenus qu'il tira de sa peinture passèrent de cent mille francs en 1891 à deux cent soixante-dix mille francs en 1904 (auxquels il faut ajouter les intérêts de ses placements). Tout ceci lui permit de mener une vie tranquille, confortable, voire luxueuse : les journalistes se faisaient une joie de décrire la maison, le jardin et jusqu'aux menus du peintre, que l'un compara à un « gentleman farmer », tandis qu'un autre observait que la famille était servie par un « valet de chambre parfaitement vêtu ». Dans ce Giverny auquel il est si attaché, Monet travaille avec constance, durant de longues périodes entrecoupées de voyages artistiques : à Rouen, sur la côte normande, à Londres, ainsi que d'événements familiaux, mariages, naissances et décès. Il se rend fréquemment à Paris pour parler affaires avec ses marchands et assister aux manifestations artistiques et à toutes sortes de spectacles (comme la visite d'une exposition d'Utamaro suivie d'un dîner de peintres impressionnistes, rapportés avec verve par Pissarro ; les pièces de théâtre de Mirbeau ; un banquet en l'honneur de Puvis de Chavannes ; la *Danse serpentine* et la *Danse du feu* de Loïe Fuller ; les ballets de Java ; et jusqu'à des combats de boxe). Amis, artistes, écrivains et collectionneurs se succèdent chez lui[3].

Loin du bruit, dans le calme de sa campagne, Monet poursuit son travail que ni les bombes, ni l'agitation sociale et la répression qu'elle entraîne, ni l'angoisse et l'amertume provoquées par l'affaire Dreyfus ne viennent apparemment troubler ; il continue à peindre ses visions radieuses tandis que Mirbeau, son ami le plus proche, combat la tyrannie des institutions et l'exploitation capitaliste des déshérités, écrivant des articles pour la presse anarchiste, même après les attentats, malgré les risques courus du fait de la répression gouvernementale. La peinture de Monet est appréciée chaque jour davantage par les classes possédantes qui, sous la pression des nationalistes de droite et des activistes d'extrême-gauche, deviennent progressivement plus conservatrices. Cela dit, son art n'en est pas moins apprécié des membres de la gauche anti-nationaliste. Monet apportait à Mirbeau comme à Geffroy la confirmation de leur théorie : l'artiste est, d'après eux, un homme que sa liberté place au-dessus de tous les autres, capable de percer le secret et l'essence de la nature, seule véritable source de l'art et de la vie en société. Alors que Monet destinait sa peinture à un public de plus en plus exclusif et fortuné, que Mirbeau et Geffroy l'aidaient à conquérir grâce à leurs articles, ils se disaient toujours convaincus que son art aurait une action bénéfique au point de vue social, en incarnant les joies et les beautés qui, croyaient-ils, pouvaient et devaient être accessibles à tous. « Le peuple, proclamait Mirbeau, a droit à la beauté, comme il a droit au pain. »[4]

Les discours cocardiers et chauvins de l'Exposition universelle sonnaient bien creux au regard de la succession de scandales politiques, du déclin économique et de l'angoisse constante engendrée par la puissance menaçante de l'Allemagne, ce qui pourrait expliquer en partie la remise en question de la société française, de sa nature et de sa culture dans les années 1890. Comme au cours des deux décennies précédentes, l'art était censé jouer un rôle capital dans la régénération nationale ; mais une large partie de l'opinion estimait que ce ne serait possible que grâce à un individualisme extrêmement poussé. Dans la fermentation sociale de cette fin de siècle, la culture bourgeoise, traditionnelle ou d'avant-garde, tendait à se replier sur elle-même, se complaisant dans un raffinement confinant parfois à la morbidité et se concentrant plus intensément encore que dans les années 1880 sur ses états d'âme. La réaction contre ce qui était perçu comme le matérialisme excessif de la société contemporaine s'exprimait en termes de désirs de spiritualité, que ce soit le panthéisme exultant et laïque de la gauche, ou le renouveau du catholicisme qui attirait de nombreux anciens libres penseurs. Les recherches effectuées par Monet sur sa propre perception de la lumière de plus en plus subtiles, furent prises en compte par les écrivains symbolistes s'intéressant à la vie intérieure ou aux expériences mystiques, tandis que ses défenseurs de gauche souhaitaient que la nature dite scientifique de sa peinture ne soit pas contaminée par la résurgence spiritualiste de l'époque, bien que leur langage ait été assez proche de celui des symbolistes. Le vocabulaire haut en couleur, parfois obscur, les accents visionnaires de ces nouveaux critiques n'avaient pas échappé à Fénéon, qui opposait la prose « grise » que Duret avait employée pour « catéchiser les foules » au « style coloré, tumultueux et magnifique » dans lequel Huysmans s'adressait « à un public plus restreint »[5].

Le paysage était toujours le genre privilégié par ce public d'élite. Comme on avait tendance à les considérer davantage en termes de plaisir visuel pur qu'en raison de leur valeur humanitaire ou de leur vérité morale spécifique, les tableaux représentant une campagne fertile, mais inhabitée en vinrent progressivement à être préférés à ceux qu'occupaient des paysans ou des citadins en visite. De tels paysages pouvaient facilement être regardés comme l'expression d'une tradition typiquement française et cette interprétation se développa plus fréquemment encore que dans les décennies précédentes. À cette période, pleine d'incertitudes et de conflits, les peintures de Monet décrivant le cœur de la France avec ses champs florissants, ses rivières tranquilles et ses églises gothiques, offraient une vision rassurante de la belle France.

Tandis que les critiques des multiples tendances de l'avant-garde se référaient rarement à des critères nationalistes pour juger de son art, les écrivains proches de la bonne société ne tarissaient pas d'éloges sur le caractère essentiellement français des sujets choisis par Monet, et plus ils devenaient raffinés et décoratifs, plus ils y voyaient l'incarnation suprême de la tradition française — tradition qu'ils assimilaient sommairement à Corot et au style rococo. Son art semblait s'harmoniser si totalement avec ces conceptions patriotiques qu'en 1900, un critique célébra en lui l'expression de « l'esprit d'un peuple à la fois passionné et mesuré… le dénigrer en France, c'est se dénigrer soi-même »[6].

En adoptant presque systématiquement le procédé des séries dans les années 1890, Monet va exacerber les tensions inhérentes à son art : s'il a foi en la nature considérée comme réalité indépendante, son obsession de la fuite du temps le pousse à travailler d'une façon extraordinairement rigoureuse, même s'il a admis la possibilité de n'être plus qu'« une machine à peindre ». C'est pourquoi il essaiera de soumettre la nature à l'image qu'il lui a déjà donnée en peinture. Dans le même temps, le succès des séries, apparentées à des tirages limités, contribuait à transformer les mécanismes permanents de la conscience en composantes fragmentées.

C'est peut-être en réponse à ces tensions — et aussi parce que, suivant la tendance de son époque, il s'intéresse aux nombreux aspects culturels des mécanismes intellectuels — qu'il va commencer à peindre en sauvegardant la continuité de la conscience malgré l'écoulement du temps : il fait appel à la mémoire en retournant sur les lieux de ses anciens tableaux et, devant les paysages qu'il a décrits pendant un demi-siècle, il va créer des images aux tonalités vaporeuses et nacrées, évocatrices de fragiles rêveries qui prolongent à l'infini le moment lumineux. Ces œuvres plaisaient également aux riches collectionneurs et elles se vendirent rapidement à des prix de plus en plus élevés. Ainsi des tableaux connus pour s'opposer à la fragmentation de la vie moderne ne parvinrent pas à y échapper et , éphémères instants de perception, se retrouvèrent à la fin du siècle en dépôt dans les collections d'Europe et des États-Unis.

# I

Monet revint de son voyage dans la vallée de la Creuse au printemps 1889 et ne peignit guère jusqu'au printemps suivant, occupé qu'il était à terminer les paysages qu'il en avait rapportés, à préparer sa rétrospective et à organiser une souscription pour acheter l'*Olympia* de Manet à sa veuve et l'offrir à l'État afin qu'elle prenne la place que, selon lui, elle méritait, et entre au Louvre. Certaines personnes, en particulier Zola, interprétèrent l'initiative de Monet comme une promotion personnelle ; la bonne société considérait cette proposition sans enthousiasme ; tandis que d'autres estimaient que, si une œuvre de Manet devait figurer dans les musées nationaux, l'*Olympia* n'était pas le meilleur choix. Cependant les radicaux soutenaient de toutes leurs forces le projet de Monet, ainsi que l'atteste un article de Geffroy dans *La Justice* dont le rédacteur en chef, Camille Pelletan, député radical, exerça de fortes pressions sur le gouvernement pour qu'il accepte cette donation. L'affaire suscita de telles passions qu'un autre député, l'opportuniste Antonin Proust (qui avait été un ami intime de Manet) provoqua Monet en duel. Il était apparemment persuadé que Monet avait été l'instigateur d'un article insultant de Mirbeau lui reprochant violemment de s'opposer à l'entrée de l'*Olympia* au Louvre. Les seconds de Monet, Geffroy et Duret, réussirent toutefois à résoudre cette controverse. Cette affaire souligne un aspect inhabituel de Monet qui, quelle qu'ait été l'instabilité de sa vie privée, veillait à ce que la presse le présente au public sous le meilleur jour possible, dans la sérénité, le confort et le calme de l'univers familial de Giverny.

La lettre que Monet adressa au ministre de l'Instruction publique pour offrir solennellement l'*Olympia* à l'État évoque certains artistes comme Delacroix, Corot, Courbet et Millet qui, ignorés à leurs débuts, faisaient à l'époque « la gloire de la France ». Il est manifeste que Monet se situe dans leur lignée et, en déclarant que l'œuvre de Manet devait dorénavant être reconnue officiellement comme appartenant à la même tradition et ne pas être accaparée par les collectionneurs américains, il se définissait également comme son héritier. Le succès de sa campagne ne fut probablement pas étranger à la réussite de cette stratégie[7].

Si la production de Monet fut très réduite pendant un an, la faute n'en revient sans doute pas à l'affaire de l'*Olympia*, car il ne laissait jamais les événements extérieurs interférer sérieusement avec son travail. Il avait alors des revenus suffisants pour ne pas être contraint à peindre sans arrêt et il est fort possible qu'il ait eu besoin de cette pause pour réfléchir et méditer sur sa peinture : il atteignait sa cinquantième année et sa récente exposition avait déroulé devant ses yeux sa carrière de peintre toute entière. Geffroy avait jadis fait allusion aux préoccupations de Monet au sujet de « ce que l'on peut dire de lui dans les feuilles » et, parvenu à ce tournant dans sa vie, la longue préface de Mirbeau l'avait peut-être encouragé à ce retour sur lui-même, ainsi également qu'un article de Fénéon, paru en septembre 1889, qui ridiculisait les envolées lyriques de Mirbeau :

« Nulle part l'essence d'un paysage n'est recréée d'une manière ardente ou inattendue […] partout la joie d'un "admirable peintre" devant les couleurs avec lesquelles il va traduire la nature sur la toile ; l'exaltation des vertus vulgaires ; tout le prestige d'une magnifique exécution nimbée d'un lyrisme ordinaire. »

Le but de Monet, disait Fénéon, était d'« immobiliser l'instantanéité d'une série de changements à vue », mais malgré ses biographes qui le décrivent « jonglant avec ses châssis et bousculé par les autans », les résultats étaient d'une affligeante monotonie[8]. Les commentaires de Geffroy sur les paysagistes contemporains, dans son analyse du Salon de 1890, ont peut-être incité Monet à se pencher sur ses tableaux de campagnes touristiques, car son ami critiquait la « recherche indifférente du pittoresque » des naturalistes, qui les entraînait vers des paysages inconnus ; là, le peintre demeurait « l'étranger », « l'intrus et l'incompréhensif ». Mais, affirmait Geffroy, Monet, lui, était capable de peindre n'importe où, car il souhaitait « fixer la lumière qui est entre lui et les objets » et pouvait « peindre toute sa vie d'après les mêmes objets », dont « il ferait sans cesse des tableaux différents ». Geffroy était persuadé que « l'artiste doit être d'un pays » ; à l'en croire, un artiste devait s'attacher au pays « où il est né, où il a été élevé, si c'est possible. S'il l'a quitté, qu'il y retourne, qu'il aille y rechercher ses souvenirs, qu'il les évoque doucement. »[9] L'exposition de Monet avait peut-être ravivé les souvenirs de son « pays » — la vallée de la Seine et la côte normande — et pu le faire douter de la valeur de sa peinture quand le paysage lui était étranger. N'avait-il pas insulté la nature en faisant arracher les feuilles d'un arbre dans la vallée de la Creuse, région qu'il connaissait insuffisamment ? Quelles qu'en aient été les raisons, et bien qu'il se soit promis de retourner dans la Creuse, il décida de se concentrer sur les paysages de son pays et y demeura pendant trois ans, revenant aux sujets qu'il avait faits siens depuis longtemps.

En juin, Monet écrivit à Geffroy : « J'ai repris encore des choses impossibles à faire : de l'eau avec de l'herbe qui ondule dans le fond… c'est admirable à voir, mais c'est à rendre fou de vouloir faire ça. »[10] Ce motif était proche de celui de *En canot sur l'Epte*, mais Monet faisait sans doute allusion à *La Barque* (ill.221). L'idée de ce tableau doit remonter à 1887, date à laquelle Monet exécuta les dessins préparatoires aux représentations des filles d'Alice Hoschedé en train de canoter. Dans son carnet d'esquisses, trois dessins d'une barque, vue sous un angle inhabituel, se suivent ; deux au format horizontal, le troisième à la verticale. Sur le premier, les rides de l'eau sont définies avec une vigueur presque égale à celle de la figure d'une jeune fille à demi allongée. Sur le deuxième, les rides sont plus prononcées et la figure semble rétrécie ; quant au dernier, dont le format rappelle *La Barque*, la figure est si ténue qu'on peut à peine la discerner, la rivière est encore plus mouvementée et la barque s'impose, présence menaçante, comme dans le tableau. D'après House, Monet a sans doute peint cette toile en 1890, mais a dû s'interrompre à cause d'une maladie de ses « jolis modèles », c'est pourquoi il laissa la barque esquissée à grands traits, avec l'intention de la traiter avec la même densité que l'eau une fois les jeunes filles guéries ; mais il ne put le faire car les herbes aquatiques avaient été arrachées et qu'il était occupé à d'autres tableaux[11]. Cela paraît peu vraisemblable, car Monet ne commençait jamais un tableau sans mettre en place ses principaux éléments, réservant des espaces sur la toile pour ce qui devait être peint ultérieurement ; or ce n'est pas le cas en l'occurrence. Il semblerait plutôt, comme l'indique la succession des dessins, que le motif des herbes aquatiques ait graduellement absorbé l'attention de Monet, jusqu'à ce qu'il reconnaisse — et peut-être en persuade Mirbeau — que « le cœur du sujet » n'était pas dans les figures, mais dans « toute une flore aquatique » d'herbes « qui s'agitent, s'entortillent, s'entrelacent, se dispersent, se recomposent puis ondoyent, se déploient, s'enroulent et s'allongent… »[12]

Dans « Le Nénuphar blanc », de Mallarmé, l'absence de la dame invisible vient confirmer son existence. *La Barque* de Monet résonne du souvenir des jeunes filles absentes et ce vide ostentatoire acquiert une présence presque hallucinatoire, en nous rappelant toutes les barques vides qui ont pu s'inscrire dans sa mémoire : celle des *Demoiselles du bord de Seine*, de Courbet, du *Déjeuner sur l'herbe*, de Manet, et celle de la *Baigneuse* de Renoir (Salon de 1870 ; Sao Paulo) ; celle qu'il a lui-même peintes dans le portrait de Camille à Bennecourt (présenté à son exposition de 1889), ou dans les eaux gelées de la Seine à Vétheuil.

Depuis la fin des années 1860, Monet était fasciné par les phénomènes qui traduisent les effets d'une réalité invisible ou évoquent la « présence par une ombre »[13] : maisons dont on ne voit que le reflet, ondulations de l'eau qui réverbère un instant un nuage absent ; ombres projetées sur la mer par des falaises hors du champ visuel. Cette esthétique significative est particulièrement sensible dans *La Barque*, où Monet a représenté les *effets* des herbes dans l'eau davantage que les herbes elles-mêmes, car s'il s'était concentré sur leurs formes évidentes, il aurait perdu la quintessence de ce qui le fascinait : l'interaction presque imperceptible entre des rayons de lumière et des herbes ondulant dans les profondeurs sans cesse mouvantes d'une eau transparente. Ainsi l'esthétique de l'absence a-t-elle aidé Monet lorsqu'il s'est efforcé de percevoir les réalités invisibles (par exemple pour voir les figures comme des concentrations de lumière), tout en demeurant toujours dans le domaine de la sensation.

Les théories de Mallarmé ont vraisemblablement conforté celles de Mirbeau et de Geffroy pendant la longue période où il a cessé de travailler, en 1889 et 1890, au cours de laquelle, comme nous l'avons suggéré, il entreprit une profonde réflexion sur l'orientation de son art, afin de trouver une solution de rechange à l'extériorité des séries touristiques. Les poèmes en prose de Mallarmé étaient encore présents à sa mémoire lorsqu'il reconnut, en octobre 1889, qu'il ne parvenait pas à illustrer « La Gloire », ainsi que le poète l'en avait prié. Dans « La Gloire » tout comme dans les « Éventails », Mallarmé, usant d'associations sensuelles de sons et d'images, transmue les événements quotidiens ou les objets les plus humbles en formes nouvelles et imprévues, auxquelles chacun, selon sa sensibilité, pourra découvrir un sens jamais entrevu auparavant[14]. *La Barque* marque le début des trois longues années où Monet va se consacrer à la campagne des alentours de Giverny, à moins de deux kilomètres de sa maison et peindre des œuvres où, comme dans les poèmes de Mallarmé, l'on est intensément conscient du pouvoir magique de l'artiste qui transforme ses matériaux — objets familiers ou couleurs — en un monde unique qui n'appartient qu'à lui.

Geffroy écrivit en 1891 que « pendant une année, le voyageur a renoncé au voyage » et, tout en rêvant aux paysages qu'il avait peints ou souhaitait peindre à nouveau, Monet savait également :

« …que l'artiste peut passer sa vie à la même place et regarder autour de lui sans épuiser le spectacle sans cesse renouvelé. À deux pas de sa maison tranquille, de son jardin où flambe un incendie de fleurs, il s'arrête sur la route, un soir de fin d'été, il regarde le champ où se dressent les meules… »[15]

À partir de l'été 1890, Monet consacra sept mois à vingt-quatre versions, si ce n'est plus, de meules qu'il mit trois mois à terminer en atelier ; il en exposa quinze à la galerie Durand-Ruel en mai 1891. Ainsi, durant cette période de concentration aussi intense que celles vécues pendant ses voyages, Monet approfondit son expérience de son univers familier, recherchant ce qu'il n'avait encore jamais vu au cœur même de ce qu'il avait observé durant des années, pour parvenir à une sorte de vision primordiale du paysage familial. Mais ses angoisses le reprirent lorsqu'il se remit à ses pinceaux dans cette campagne aimée ; et il souhaitait que la visite de Berthe Morisot, accompagnée de son mari et de Mallarmé, le réconforte : « J'espère que vous me remonterez un peu le moral, car je suis dans un découragement complet. Cette satanée peinture me torture. » Pourtant, une semaine après leur départ, comme il le confia à Geffroy, la situation ne s'était pas améliorée :

« Je suis bien au noir et profondément dégoûté de la peinture. C'est décidément une torture continuelle ! Ne vous attendez pas à voir du nouveau, le peu que j'ai pu faire est détruit, gratté ou crevé. Vous ne vous rendez pas compte de l'épouvantable temps qu'il n'a cessé de faire depuis deux mois. C'est à rendre fou furieux, quand on cherche à rendre le temps, l'atmosphère, l'ambiance. »[16]

Malgré deux mois de mauvais temps, Monet exécuta un grand nombre de toiles, dont une représentant « de l'eau avec de l'herbe qui ondule dans

221. *La Barque* (W.1154), 1887-1890, 146 x 133

le fond », et dix de champs de coquelicots, dont les couleurs sensuelles et les touches souples évoquent l'essence même de l'été. Clemenceau — momentanément écarté de la vie politique pour avoir été compromis dans le scandale de Panama — racontait qu'il avait vu Monet, avec « quatre toiles devant son champ de coquelicots, changeant sa palette à mesure que le soleil poursuivait sa course »[17]. Il avait peint cinq toiles montrant les prairies du bord de l'eau (W.1251-1255) et cinq autres, des vues du haut des collines de Giverny en direction du nord-est, représentant des champs d'avoine constellés de fleurs rouges (W.1256-1260). Parmi celles-là, deux ont un motif identique, que seule la lumière différencie. Dans l'une, les arbres de l'arrière-plan sont maculés de bleu, de violet et de vert intenses ; les champs, roses et orangés, sont délicatement articulés par des ombres transparentes, vertes et violettes, qui semblent trembler dans la brume lumineuse, dérivant en nuages aux teintes estompées jusqu'aux lointains. Dans un tableau exécuté en fin d'après-midi, Monet a accentué les contrastes entre l'éclat rouge cuivré des fleurs, les ombres sombres, vertes, bleues et violettes, et la coulée de lumière jaune dans les arbres. Il faisait sans doute allusion à ces œuvres en s'excusant auprès du docteur de Bellio, à qui il n'avait pas écrit, car le soir venu, disait-il, il était « las et absorbé », laissant entendre par là qu'il réfléchissait à ses tableaux quotidiennement, après avoir travaillé sur le motif[18].

Depuis qu'il avait commencé à peindre les paysages de Giverny, Monet avait rarement exécuté une version unique d'un motif ; dès 1884, il avait réalisé trois versions de meules de foin se détachant sur un fond d'arbres et de collines. Cependant, jusqu'à la fin de la décennie, il traita également d'autres motifs comprenant deux, trois ou même davantage de variantes, ce qui semble refléter des allées et venues incessantes à travers la vallée plutôt qu'une étude attentive des différences d'éclairage, telle qu'on la constate dans quatre toiles représentant un groupe de peupliers dans le brouillard ainsi que dans trois versions de meules de foin identiques datant de 1888 et 1889 (W.1194-1199,1213-1217). Monet avait toujours peint plusieurs versions d'un même motif — deux dès le début des années 1860 (tels W.26-27, 29-34), quatre de la promenade à Argenteuil (W.221-224) et plusieurs d'un train sous la verrière de la gare Saint-Lazare (W.438-441). La répétition des motifs allait devenir sa pratique favorite lors de ses campagnes de travail, de Pourville à Belle-Ile et à Antibes, où il exécuta jusqu'à six versions d'un même motif. Six ou sept mois après son retour d'Antibes, il entreprit ses premières séries de meules de foin.

Monet avait souvent peint des meules : dès 1865, on trouve dans les *Meules à Chailly, soleil levant* (ill.225) un effet spécifique de lumière en même temps qu'un antagonisme entre une forme dense et la profondeur de l'espace qui l'attire, caractéristiques de ses œuvres ultérieures. De petites meules de foin au cœur d'un vaste paysage avaient constitué l'un de ses sujets favoris à Giverny, mais ce n'est qu'en 1888 que les meules devinrent le sujet principal d'un tableau, et dès lors il préférera les meules de blé aux meules de foin entassées plus irrégulièrement. Composées de gerbes superposées, elles restaient au milieu des champs depuis la moisson, fin juillet, jusqu'à la fin de l'hiver, lorsqu'on les ramasse afin de les battre[19]. Leur forme quasi géométrique, leur structure si dense au milieu d'un champ où jouent les couleurs de la lumière mettaient singulièrement à l'épreuve les modes de visualisation de Monet ; mais en 1890, à l'époque où il entreprit de les peindre, il n'avait plus rien à apprendre des objets qu'il représentait ou de la technique à utiliser. C'est précisément cette familiarité avec son sujet qui permit à Monet de pénétrer au-delà du monde des objets finis et de voir la lumière se matérialiser dans l'espace.

La composition de chacune des *Meules* est d'une extrême simplicité : une ou deux formes se détachant devant trois plages horizontales : le champ, les collines (qui absorbent les fermes et les arbres) et le ciel. Cette configuration dépouillée permettait à Monet d'enregistrer les nuances changeantes

des vibrations de l'atmosphère et, dans la lumière très directe de la vallée, où le soleil se lève à l'est de Giverny pour se coucher derrière les escarpements bordant la Seine, à l'ouest, les meules avec leurs ombres portées auraient pu jouer à ses yeux le rôle de cadrans solaires géants aidant à mesurer le passage du soleil tout au long du jour et la variété de son inclinaison selon les saisons.

D'autres coordonnées interviennent dans les relations entre les deux meules, ainsi qu'entre elles et la ligne de peupliers, le bosquet d'ormes ombrageant certaines fermes, les autres fermes plus à découvert, la butte escarpée sur la rive opposée de la Seine, et la coupure qu'y fait le Grand Val. Ainsi non seulement l'angle des ombres se modifiait en même temps que le trajet du soleil, mais chacun de ces rapports évoluait dès que l'artiste changeait tant soit peu sa position, se déplaçant de la gauche vers la droite par rapport aux meules (ne déviant jamais de l'angle sud-est à sud-ouest de la boussole, afin que sa ligne de vision fasse intersection avec le mouvement d'est en ouest du soleil). Une fois encore, l'exégèse des déplacements de ces coordonnées spatiales imprègne profondément l'art de Monet (comme l'avait montré son utilisation du motif de la villa à Argenteuil, du clocher de l'église à Vétheuil et du poste de douane à Pourville), mais il ne s'agit pas ici de l'élément topographique clé d'un voyage touristique, ou des environs de Giverny pourtant si bien explorés. La démarche de Monet est tout autre : il va dépouiller la scène de tous les détails descriptifs — encore présents dans les *Meules* de 1888 et 1889 — afin que rien ne détourne le spectateur de la contemplation des multiples relations qui s'offrent à lui[20].

Au cours de la troisième semaine de septembre 1890, Monet écrivit à Berthe Morisot que le beau temps l'obligerait peut-être à reporter la visite qu'il devait lui rendre : « J'ai plusieurs paysages que je voudrais sauver. » Le beau temps revint assurément, car il écrivit en octobre à Geffroy :

« Je pioche beaucoup, je m'entête à une série d'effets différents (des meules), mais à cette époque le soleil décline si vite que je ne peux le suivre… Je deviens d'une lenteur à travailler qui me désespère, mais plus je vais, plus je vois qu'il faut beaucoup travailler pour arriver à rendre ce que je cherche : "l'instantanéité", surtout l'enveloppe, la même lumière répandue partout, et plus que jamais les choses faciles venues d'un jet me dégoûtent. Enfin, je suis de plus en plus enragé du besoin de rendre ce que j'éprouve et fais des vœux pour vivre encore pas trop impotent, parce qu'il me semble que je ferai des progrès. »

Ce passage révèle les dilemmes exceptionnels auxquels il se trouvait alors confronté. Son travail était une véritable course contre la montre, or il ne se satisfaisait plus d'une esquisse ou de l'impression d'un effet passager ; il mesurait avec une acuité sans cesse croissante la rapidité des variations de la lumière, mais avait besoin de plus longs délais pour mieux en traduire la complexité ; il *éprouvait* les contradictions entre le sentiment très fort de l'objectivité de ce qu'il observait : le passage inexorable de la lumière qui progresse sans se soucier de la présence humaine et la subjectivité de ses propres perceptions, de son mode de représentation. Lorsqu'il emploie le verbe « éprouver » dans sa lettre à Geffroy, il le prend dans toutes ses acceptions : expérience certes, mais également sentiment et même souffrance[21].

En argot d'atelier, « enveloppe » signifie atmosphère, et Geffroy avait évoqué sa signification potentielle un peu plus tôt en 1890, en spécifiant que Monet « ne veut pas représenter la réalité des choses, il veut fixer la lumière qui est entre lui et les objets »[22]. En général, pour représenter l'espace imbibé de lumière, Monet recourait à des motifs délicats qui interceptaient à peine cette lumière, mais ici il a placé en plein centre de la toile des formes massives qui viennent la bloquer. C'est ce qu'il avait également fait en peignant la Manneporte, mais en l'occurrence l'attention se fixait sur cette masse imposante se détachant sur un fond plutôt passif ; dans les *Meules* de 1890 et 1891, l'œil, habitué à se fixer sur un objet convenu, lutte pour

222. *Champ d'avoine*
*(W.1260)*, 1890,
51 x 77

s'adapter à l'espace qui les dépasse et prendre conscience de « la même lumière répandue partout ». Les meules peintes en 1888 et 1889 sont, elles, toujours perçues comme des objets connus, plutôt que comme des structures étranges et pleines de vibrations, en partie parce qu'elles ne font pas écran à la lumière qui filtre de la gauche et décrit leurs formes de façon relativement littérale. Cet intérêt pour les effets de lumière bloquée date peut-être des difficultés considérables éprouvées par Monet dans les gorges de la Creuse aux rochers impressionnants, où il avait utilisé de petites touches de couleur pour animer les roches du premier plan, envahies d'ombres, alors que leurs contours, illuminés par le soleil couchant, vibrent grâce à de longues spirales de pigment rose vif, et que leurs masses solides frémissent comme prêtes à faire exploser les contraintes de la matière.

Dès les premières expositions impressionnistes, la plupart des interprétations de l'œuvre de Monet avaient souligné son art de capter ce que Chesneau appelait « l'instantanéité du moment », toujours assimilée à une exécution hâtive, à une instantanéité photographique et à une technique non seulement manuelle, mais mécanique. Aucun critique, avant Mirbeau, n'avait attribué à ce procédé le moindre contenu intellectuel. En 1886, Fénéon déclarait que les tableaux des trois dernières années « sont des impressions de nature fixées dans leur fugacité par un peintre, dont l'œil apprécie instantanément les données d'un spectacle et décompose spontanément les tons » ; un peu plus tard il proclamait que « l'instantanéité » n'était qu'une forme de représentation mécaniste permettant à Monet d'« immobiliser

l'instantanéité d'une série de changements à vue »[23]. Pour Mirbeau — et probablement pour Monet — ce terme avait une signification plus profonde. Toutes les peintures de Monet, écrivait le critique en 1889, étaient régies par une « même pensée » :

« …*la mise en caractère* d'un terrain, d'un coin de mer, d'un rocher, d'un arbre, d'une fleur ou d'une figure, dans leur lumière spéciale, dans leur instantanéité, c'est-à-dire dans la minute même où la vision se pose sur eux et les embrasse, harmoniquement. »

Aux yeux de Mirbeau, appréhender le motif comme un tout harmonieux participait de l'essence même du rêve, de ce moment d'illumination où sujet et objet se pénètrent l'un l'autre, chacun imprégnant l'autre de son état d'esprit propre. Même si cette prise de conscience était immédiate, sa traduction en peinture ne l'était pas et l'artiste devait donc, à partir d'une expérience quasi mystique d'unicité, parvenir à une « analyse minutieuse […] de ces innombrables détails dont se composent ses tableaux », et qui devaient également obéir aux lois de la nature :

« Chaque objet, l'air *visiblement* le baigne, l'enduit de mystère, l'enveloppe de toutes les colorations, assourdies ou éclatantes, qu'il a charriées avant d'arriver à lui. Le drame est combiné scientifiquement, l'harmonie des formes s'accorde avec les lois atmosphériques, avec la marche régulière et précise des phénomènes terrestres et célestes ; tout s'anime ou s'immobilise, bruit ou se tait, se colore ou se décolore, suivant l'heure que le peintre exprime,

223. *Le Champ d'avoine*
*aux coquelicots*
(W.1258), 1890, 65 x 92

et suivant la lente ascension ou le lent décours des astres, distributeurs de clartés. Étudiez de près n'importe lequel des tableaux de M. Claude Monet, et vous verrez comme chacun des multiples détails dont il se compose s'enchaîne logiquement et symphoniquement l'un à l'autre, d'après la direction des rayons lumineux, comme le moindre brin d'herbe et l'ombre de la branche la plus menue subissent l'influence de leur horizontalité ou de leur obliquité. »[24]

L'analyse de la technique de Monet ne peut donner qu'un aperçu de la complexité de la représentation de l'« instantanéité ». Deux dessins datant, pour les meules les plus pointues, de 1888 et 1889, montrent que Monet élaborait la structure linéaire du motif avant de commencer à peindre, mettant en place les meules, leurs ombres, les fermes, les arbres, les champs et les collines d'un trait pur, représentant la meule *et* son ombre comme une forme unique, indifférenciée, dont les contours allaient se fondre, sans interruption, avec ceux des arbres situés derrière elles. Dans le second dessin, les contours de la meule sont si multipliés qu'elle paraît s'enfler, comme pour mieux s'affirmer en face du paysage, acquérant ainsi une présence étrange, presque menaçante. D'après Mirbeau, la décision prise par Monet de changer de toile à chaque variation de la lumière l'obligeait parfois à « mener de front dix études, presque autant d'études qu'il y a d'heures en un jour ». De l'été à l'automne 1890, il ne paraît pas avoir exécuté plus de huit tableaux mais, comme pour se conformer aux théories de Mirbeau, assurant que chaque détail était déterminé par « la direction des rayons lumineux » et chaque modulation de couleur par « la lente ascension ou le

lent décours des astres », ces toiles précisent les phases du trajet du soleil et l'angle de vue de l'artiste plus qu'aucun groupe d'œuvres antérieures[25].

C'est peut-être parce que Monet estimait que la lumière du crépuscule peut se rendre plus facilement que les *Deux Meules, déclin du jour, automne* (ill.224) sont moins travaillées que les *Meules en été, après-midi*, et révèlent davantage les phases premières de la peinture, où Monet inscrit les éléments majeurs de la composition avec de larges touches parallèles ou entrecroisées et de longues lignes sinueuses ; d'après Mirbeau, dès la première séance, il couvrait la toile en moins d'une demi-heure. Au cours des séances suivantes, Monet étalait des tons aux nuances douces et accentuait les lignes de calligraphie parsemant la composition, liant la meule aux arbres et aux collines de l'arrière-plan. L'œuvre peinte sous l'éclatant soleil de midi, orientée vers le sud-est, est beaucoup plus complexe ; Monet a dû s'y remettre à maintes reprises, usant d'une extraordinaire variété de touches — épaisses, grasses ou fines et quasi linéaires, frottis, taches minuscules et même mouchetures de pigment — pour construire une surface si dense que certains des contours originels semblent ravinés. La densité de la pâte n'obscurcit pas d'importants repentirs attestant que Monet avait placé la petite meule plus au centre de la toile, avant de la transférer presque en lisière, à gauche. Le pigment est à la fois si épais, si strié et si grenu qu'il reçoit et réfléchit la lumière sous une infinité d'angles, et de ce fait devient source lumineuse. Comme les autres impressionnistes, Monet cherchait à préserver cet effet en évitant les vernis qui donnent aux peintures un éclat et des reflets plus unis affadissant les couleurs. Monet a traduit son sentiment de l'unité harmonique de « l'instant du motif » en gammes de couleurs, chaudes et froides, entremêlant le rouge, l'orange et le jaune avec le violet, le bleu et le vert, ajoutant davantage de blanc à celles qu'il utilise pour l'arrière-plan pour créer des mauves et des des verts crayeux, évoquant les effets de l'humidité dans l'atmosphère. Les couleurs chaudes sont plus fortes au premier plan : les larges touches de gouache rouges orangées et jaunes orangées de la meule luisent à travers le violet et le vermillon de sa base restée dans l'ombre, comme à travers les orangés et les mauves atténués de sa partie cônique, tandis que la lumière emplissant l'espace de l'autre côté de la meule n'a été définie qu'en fin d'exécution par une longue ligne incurvée d'ocre rosé vif qui cerne sa silhouette.

Il ne faisait aucun doute, pour Mirbeau, que « l'instantanéité » était une démarche visuelle dans laquelle la découverte de l'essence objective du motif coïncidait avec la perception de son harmonie. Ainsi, lorsque Monet retournait sur le motif après avoir reçu sa première impression, il voulait « saisir du même coup d'œil les accords de tons, les rapports de valeurs, disséminés çà et là dans le motif ; les fixant, pour ainsi dire, simultanément… »[26] À la façon dont certaines gammes de couleurs reparaissent dans différentes parties du tableau, on s'aperçoit que certaines relations ont été découvertes simultanément : ainsi des jaunes acides, des bleus vifs et brillants et des bleus turquoise plus sombres servent de traits d'union entre la petite meule, les toits, les ombres du feuillage et celles projetées par les arbres et la grande meule. Les touches de mauve qu'elle contient émergent à nouveau dans les arbres et se révèlent progressivement sur les toits tout en s'intégrant à cette imbrication complexe de couleurs. Les notes légères de jaune acide ajoutées aux enchaînements de bleu, de vert et de violet, évoquent le moment où la lumière de la fin du jour, très directionnelle, commence à donner aux ombres un aspect crépusculaire, tandis que les

feuilles des hautes branches perdent peu à peu leurs détails sous les feux du soleil déclinant qui s'attarde sur elles et fait, par contraste, ressortir les ombres. La tiédeur de la lumière de l'après-midi s'exprime à travers des touches d'ocre rosé, posées presque en fin de composition, qui semblent faire flotter les verts du feuillage et du champ ; elles apparaissent plus intenses sur les courbes d'une botte de paille, sur l'ombre et les contours de la grande meule, et sont finalement maintenues en place par les accents rouges ardents de la signature. L'ensemble de la composition apparaît alors, formé de gammes de couleurs contrastantes qui s'interpénètrent, ce qui nous donne à penser que non seulement Monet a perçu ce motif comme un tout indissoluble, mais que sa singularité est indissociable de la durée. Et pourtant la signature, en démêlant ses écheveaux multicolores, atteste la part d'artifice présente dans cette représentation de la nature.

Cette analyse nous permet d'entrevoir la complexité de la visualisation de « la même lumière répandue partout » à cette époque de l'année où Monet déplorait que « le soleil décline si vite ». Nous ignorons le temps dont il avait besoin pour choisir une gamme de coloris appropriés à un « moment » donné, déterminer les nuances d'un détail éphémère, découvrir les harmonies « disséminées çà et là dans le motif » ; mais le fait qu'il préférait laisser sécher ses touches plutôt que de rajouter des touches sur une toile humide atteste la justesse de la remarque de Mirbeau pour qui chacun de ses coups de pinceau était réfléchi, tel le fruit d'une longue méditation, de comparaisons, d'analyses. Il fallut sans doute deux mois, de l'été à l'automne, pour que Monet exécute cette série de huit meules en plein air, en guettant parfois très longtemps le retour d'un effet souvent si fugitif qu'il ne pouvait en brosser que quelques traits avant sa disparition[27]. Ce n'était certes pas la première fois qu'il se heurtait à ces problèmes, mais le choix d'un motif simple au cœur d'un paysage connu mettait en évidence les contradictions insolubles de son projet. Résolu à peindre le motif sous un

224. *Deux meules, déclin du jour, automne* (W.1270), 1890, 65 x 100

Ci-contre :

225. *Meules à Chailly, soleil levant*, 1865, 30 x 60.

226. *Meule*, vers 1888-1889, esquisse (croquis MM. 5134, 22 recto)

éclairage invariable, sa première impression ne pouvait être que globale et il devait faire appel à sa mémoire pour retrouver l'effet de lumière originel, puis, à mesure que la représentation de cet effet se précisait, Monet devait attendre que ses souvenirs concordent avec la réalité. Ces longues périodes d'attente lui enseignaient sans doute que, si le « moment du paysage » était dû à l'exceptionnelle conjonction de l'heure, du temps, de la saison, chacun de ces instants se fondait imperceptiblement dans celui qui le suivait, sans rompre la continuité qu'il cherchait à profaner. Vision de désintégration terrifiante, si l'on veut bien dépasser l'apparente simplicité de la phrase citée par un écrivain hollandais, Byvanck : « Il faut savoir saisir le moment du paysage à l'instant juste, car ce moment-là ne reviendra jamais… »[28]

Ce n'est sans doute pas un effet du hasard si cette période de concentration intense sur un même motif dans un champ du voisinage se produit au moment où il achète la propriété dans laquelle il vivait avec toute sa famille depuis 1883. Ses difficultés financières surmontées, Durand-Ruel avait pris la suite de la maison Boussod et Valadon et était devenu le principal marchand de Monet et c'est à lui que l'artiste écrivit en octobre, deux semaines après avoir évoqué les meules dans une lettre à Geffroy :

« … je serai obligé de vous demander pas mal d'argent, étant à la veille d'acheter la maison que j'habite ou de quitter Giverny, ce qui m'ennuierait beaucoup, certain de ne jamais retrouver une pareille installation ni un si beau pays. »[29]

227. *Meules au soleil, milieur du jour* (W.1271), 1890, 65 x 100

228. *Meule, soleil couchant* (W.1289), 1891, 73 x 92

229. *Portrait de Suzanne aux soleils* (W.1261), vers 1890, 162 x 107

Monet signa l'acte de vente de sa maison en novembre, quinze jours avant une autre date importante : son cinquantième anniversaire. Fait également significatif pour la sécurité de sa vie familiale, il ne faisait pas de doute qu'Ernest Hoschedé souffrait d'une maladie incurable ; après avoir été veillé « pendant six jours et six nuits » par Alice, il mourut en mars 1891[30]. C'est peut-être à cette époque qu'il a peint un portrait de Suzanne, encadrée par trois tournesols, que Mirbeau qualifiait d'« infiniment triste » :

> « Elle est aussi étrange que l'ombre qui envahit l'ensemble et qui est, comme elle, troublante [...]. Mais plus étranges encore sont ces trois gigantesques tournesols qui [...] se balancent près de son front, comme trois étoiles sans rayons, d'un vert insolite aux reflets métalliques [...]. Malgré soi, on pense [...] à une de ses figures de femmes, spectres d'âme, évoquées par Stéphane Mallarmé dans certains de ses poèmes. »

Ce fut sans doute la dernière figure peinte par Monet et elle n'est pas dénuée de symboles. Cette fleur qui se tourne vers le soleil (et porte d'ailleurs

son nom) évoque traditionnellement sa force vitale. Lorsqu'en en 1888, à Arles, Van Gogh décida d'accueillir Gauguin avec douze représentations de tournesols, « une symphonie en bleu et jaune », il n'est pas impossible qu'il ait été inspiré par ceux que Monet peignit quelques années auparavant, si pleins de vie et chargés des mêmes symboles. La fleur flétrie dont la tête s'incline devient l'emblème de la mort et cette association d'idées a pu venir à l'esprit de Monet quand il apprit le suicide de Vincent en juillet 1990, suivi par la dépression nerveuse de Théo en octobre ; sa mort, en janvier 1891 fut véritablement une grande perte pour tous, selon Pissarro pour qui ce marchand avait été, comme pour Monet, l'acheteur le plus régulier et le plus chaleureux de la fin des années 1880. Certains symbolistes, en ayant recours aux tournesols, aux nénuphars ou à d'autres fleurs peintes par Monet, faisaient référence à diverses sources artistiques ou littéraires, mais toujours fondées sur les caractères naturels de ces fleurs, sans aucun langage codé. C'est sans doute ainsi qu'il faut regarder l'œuvre de Monet ; ce portrait, avec ses mauves et ses verts mélancoliques, opposés à l'éclat des tournesols, est à la fois suggestif et mystérieux. Mirbeau continua à souligner la fusion entre le cadre de vie idyllique de Monet et sa peinture dans un article publié en mars 1891 dans le journal de Durand-Ruel, *L'Art dans les deux mondes*. Il s'ouvrait sur une évocation lyrique de la vallée de l'Epte et du jardin de l'artiste. « L'environnement, écrit Mirbeau, que l'on imagine pour ce peintre prodigieux [...] qui exalte notre imagination avec tout le rêve que recèle mystérieusement la nature... »[32]

Vers le milieu de l'année, Monet déclara à Mallarmé : « Et puis, je dois l'avouer, j'ai beaucoup de peine à quitter Giverny, surtout maintenant que j'arrange la maison et le jardin à mon goût. »[33] L'acquisition de la propriété et l'accroissement de sa fortune marquent une étape décisive : la création d'un environnement idéal qui fournira les données essentielles à la fragmentation de la durée et à la désintégration de la forme dans le procédé des séries. La transformation du potager et du verger, entreprise dès l'arrivée de Monet à Giverny, allait de pair avec l'idéalisation croissante du paysage familial dans son œuvre. Au portrait de Suzanne et de Jean dans le verger de 1885 vont succéder en 1888 des portraits des enfants dans un cadre que la lumière va muer en un séjour enchanteur, ou des jeunes filles dans le jardin de fleurs : Germaine dans une allée bordée de capucines, portant un énorme bouquet et Suzanne se promenant au hasard d'une autre allée, évoquant encore une fois comme un écho. Camille marchant au milieu des glaïeuls à Argenteuil (W.1207-1420)[34]. Les alentours de Giverny étaient modelés par l'agriculture, mais les tableaux des champs de coquelicots des années 1890 les présentent comme un vaste jardin où Monet a désormais, et à jamais, trouvé sa place.

C'est dans ces circonstances que Monet s'attaqua à la phase la plus hardie de ses séries, de ce que Mirbeau appelait à juste titre « les étonnantes séries de meules en hiver » : dix-sept toiles peintes dans un paysage couvert de neige, du début de décembre 1890 jusqu'au dégel, qui eut probablement lieu fin janvier 1891, quand le fermier démonta ses meules. Durant toute cette période, Monet se montra, contrairement à ses habitudes, très content de son travail : en décembre il déclara à Durand-Ruel : « La neige est survenue avec un temps superbe » et qu'il avait « beaucoup de choses en train » ; il était « en plein travail, dehors du matin au soir » et, bien qu'une affaire de famille l'ait interrompu pendant plus d'une quinzaine, il se trouvait encore à la fin de janvier dans « l'affolement du travail »[35].

À la façon dont la lumière tombe sur les meules et les ombres qu'elles projettent, l'on s'aperçoit qu'elle était relativement discrète, que ce soit le matin, en plein jour ou le soir, au cours de l'été et de l'automne ; mais dans la série hivernale, les variations lumineuses ne sont pas aisément tranchées. Il semble que Monet ait été conduit, par une conscience sans cesse plus aiguë de la tension entre le « moment » et la durée, à fragmenter davantage encore ce moment, multipliant ses versions comme pour former une chaîne continue avec tous ces instants isolés. Il modifiait assez peu les angles de vue du motif, se bornant à quelques déplacements à gauche ou à droite des deux meules, si bien que la ligne droite de l'escarpement demeure constante, et qu'il subsiste une certaine continuité temporelle en dépit de sa rupture. Il lui arrivait parfois, exceptionnellement, de s'éloigner du motif, si bien que la meule solitaire semble glisser au-dessus d'une brume iridescente, comme prête à s'élever dans un mouvement de lévitation ; ou de s'en rapprocher au point que la meule paraît se gonfler comme si elle devait occuper la totalité du champ visuel.

La neige, ne possédant pas de couleur propre, était un support idéal pour l'étude des tonalités lumineuses et depuis *La Pie* (vers 1868), aux innombrables blancs cassés, jusqu'aux meules de blé de 1888 et 1889 « couvertes de neige », « dans les brumes transparentes », Monet avait toujours fait preuve d'invention en la représentant[36]. Cela est encore plus flagrant dans cette dernière série, où le passage d'une lumière colorée sur des formes stables et vigoureuses l'ont condamné à créer d'extraordinaires combinaisons de nuances iridescentes, incandescentes ou glacées. Malgré les contrastes frappants entre les tonalités des différentes versions, la série était très homogène, se composant de surprenants mélanges de bleu et de violet, de vermillon, d'orange et de quelques jaunes, souvent largement additionnés de blanc ; les verts y sont plus rares, formant parfois d'étranges images persistantes. Toutes ces meules sont peintes sur une base de couleur chaude, par-dessus laquelle se déploie un véritable feu d'artifice.

Dans les *Meules, effet d'hiver* (ill.232), le soubassement apparent est d'un orange ocré recouvert de longues touches d'un bleu violacé, de roses teintés de bleu, et finalement, de quelques légers coups de brosse d'un orange rosé éclatant. Le champ couvert de neige est rendu à l'aide de blancs teintés de violet, en pâte épaisse et collante, qui s'intensifient jusqu'au bleu violet voilant les peupliers, s'adoucissent de rose sur le ciel, pour atteindre une extrême densité dans les ombres au pied des meules. Des touches d'un jaune profond, complémentaire du violet, sont éparpillées autour de l'ombre et viennent se fondre dans les contours irréguliers de la petite meule. La même gamme de coloris se retrouve dans *Meules, effet de neige, soleil couchant* (ill.231), pour lesquelles Monet s'est placé légèrement plus au sud, regardant plus franchement en direction de l'ouest, mais les couleurs sont renforcées et traduisent le changement opéré en passant d'une journée sans soleil aux lueurs du couchant : bleus durs, violets pourprés plus aigus, vermillons, roses teintés de mauve, orangé acide évoquent la lumière menaçante créée par les nuages de neige qui traversent le ciel enflammé.

Le choix d'un motif presque immuable a sans doute aidé Monet à voir « la même lumière répandue partout », c'est-à-dire à regarder le paysage sans se soucier des formes spécifiques ; défi extraordinaire, alors que ces structures nettement définies avaient un tel relief, mais le résultat de cette vision en quelque sorte décentrée se voit à la façon dont les meules semblent grossir et s'assombrir quand le regard les dépasse. Ce phénomène est remarquable dans la *Meule, soleil couchant* (ill.228), où l'atmosphère paraît enflammée par les derniers rayons du soleil : une lumière vibrante imprègne les collines d'or et de violet, projetant un orange cuivré au travers du champ, où une brume d'un rose livide évoque le fin brouillard glacé d'un soir d'hiver. La masse solide de la meule, cernée de spirales rouges, semble faire écran à l'éclat de la lumière mais, si nous la dépassons du regard, elle paraît flotter et se multiplier comme si sa substance se fondait dans l'espace lumineux. Monet a sans doute essayé de peindre d'autres effets d'images persistantes (ce qu'avait fait Seurat autrefois et que Cézanne expérimentait alors) non seulement en utilisant des traînées de vermillon, mais en appliquant des touches bleu-vert très foncées — complémentaires du rouge orangé — sur le flanc non éclairé de la meule alors que dans la *Meule, soleil dans la brume* (ill.230), la meule étincelante intercepte le soleil et projette une ombre verdâtre *flottant* au-dessus du sol.

Dans d'autres toiles, les ombres, si étrangement affirmées, dépendent d'interactions complexes entre vision centrée et vision périphérique : en scrutant la profondeur de l'espace situé au-delà des meules, Monet pouvait encore percevoir l'existence d'une zone d'obscurité mouvante dont il tentait de fixer la présence et à laquelle il donnait davantage de fermeté à mesure que son regard revenait vers les ombres. La prise de conscience de ces phénomènes optiques pourrait expliquer les changements d'emplacement et d'échelle des meules révélés par les repentirs de *Meules, effet d'été, l'après-midi* : le glissement de la petite meule vers la gauche lui permet de prendre de l'ampleur et de vibrer à la périphérie d'un regard fixé soit sur la grande meule, soit dans la profondeur de l'espace. Les études préparatoires montrant les meules et les arbres aux contours triples, quadruples, ou cernés de lignes pointillées, nous laissent penser que Monet admettait que, sous l'effet de la lumière, les formes puissent s'amplifier ou se rétracter optiquement. Ce pourrait être la raison pour laquelle un certain nombre de meules de cette série — et singulièrement la plus importante de ce tableau — ont été agrandies en cours d'exécution[37].

Les couleurs traduisant ces phénomènes optiques ont généralement été appliquées sur les tableaux en cours d'achèvement, en l'occurrence en atelier, durant les trois mois écoulés entre le dégel et l'exposition de mai 1891. Ainsi les effets révélateurs d'une perception hors du commun ont-ils sans doute été réalisés à partir de clés inscrites dans les œuvres elles-mêmes — et dans la mémoire de l'artiste. C'est au moment où il pouvait comparer ses toiles entre elles dans son atelier que, raffermissant un contour ici, rehaussant un ton là, Monet pouvait renforcer aussi bien la singularité de chaque « moment du paysage » que la cohésion de l'ensemble de la série.

Les meules, les collines et les arbres des toiles peintes de 1888 à 1890 manifestent encore leur réalité physique finie ; mais ce n'est plus le cas pour les œuvres peintes par temps de neige, car elles se désintègrent sous un regard analysant chacune des nuances d'un coloris et s'efforçant de *voir* l'espace. Ainsi dans la *Meule, soleil dans la brume*, il semble que la terre elle-même se déplace, que la meule oscille et que le paysage s'effiloche en écheveaux flottants teintés de bleus iridescents et d'orange. En renforçant les contours et l'ombre dans son atelier, Monet a peut-être trouvé le moyen d'affirmer la pesanteur physique ambiguë de la meule en l'ancrant sur un sol instable.

L'ouverture de l'exposition de Monet, le 4 mai 1891, avait été précédée par une publicité d'une ampleur inhabituelle, orchestrée en partie par l'article de Mirbeau dans *L'Art dans les deux mondes*. Le monde de l'art bruissait de rumeurs, comme en témoignent les lettres de Pissarro ; ayant entendu dire que Monet ne devait présenter « rien que des meules », son vieil ami déclarait : « Je ne sais comment cela ne gêne pas Monet de s'astreindre à cette répétition […] voilà les effets terribles du succès. » Même si Pissarro reconnaissait que les prix élevés atteints par les tableaux de Monet se répercuteraient finalement sur sa propre peinture, ses perspectives n'étaient guère encourageantes et il s'en plaignait : «… pour le moment, on ne demande que des Monet. Il paraît qu'il n'en fait pas assez. Le plus terrible, c'est que tous veulent avoir des Meules au soleil couchant !!! Toujours la même routine, tout ce qu'il fait part pour l'Amérique à des prix de quatre, cinq, six mille francs. » Ce n'était pas vrai, mais, comme le démontrait le roman de Zola, *L'Argent*, qui paraissait alors en feuilleton, la spéculation se nourrissait de rumeurs tout autant que de vérité. Plus de la moitié des *Meules* exposées furent vendues soit avant, soit pendant l'exposition, à un prix variant de deux mille cinq cents à trois mille francs, et presque toutes les autres trouvèrent preneur avant la fin de l'été ; au moins quatorze d'entre elles partirent pour les États-Unis dans les deux années qui suivirent. La plupart furent achetées par Durand-Ruel, Boussod et Valadon ainsi que Mrs Potter Palmer — neuf passèrent entre ses mains, quelques-unes faisant même des allers et retours entre elle et Durand-Ruel, augmentant de prix

à chaque fois[38]. La lutte était chaude pour acquérir l'une des toiles d'un même motif, étant donné leur nombre limité, car visiblement ces expressions d'une perception extrêmement individualisée d'un instant de lumière dans un paysage déserté avaient beaucoup plus de charme aux yeux des spéculateurs que les vues d'Antibes.

À côté de ses quinze versions des *Meules*, Monet exposa les deux *Essai de figures en plein air* de 1886 et quatre toiles représentant les prairies en fleurs, au printemps et en été, évoquant ainsi tout le cycle des saisons à Giverny. Nous ne savons pas si les *Meules* furent accrochées dans l'ordre chronologique : elles se trouvaient groupées dans une salle unique, surmontées par les figures. Si les titres du catalogue mentionnaient la saison, les conditions atmosphériques et l'heure, ils ne donnaient pas d'autres indications. Néanmoins, si le spectateur avait le sentiment d'une progression chronologique, l'absence de corrélation entre l'évolution de la lumière et l'emplacement d'où les meules avaient été peintes ne lui permettait pas d'en avoir la certitude. La difficulté d'inclure ces tableaux dans une structure temporelle, quelle qu'elle soit, obligeait le spectateur à affronter la singularité de chacun de ces « moments du paysage »[39]. Les articles des journaux spécialisés et la préface de Geffroy pour le catalogue fournirent à l'élite qui les lisait un excellent guide pour la compréhension des séries. Avant l'ouverture de l'exposition, Mirbeau avait écrit :

« Un seul motif — comme celui de l'étonnante série des *Meules* en hiver — suffit [à Monet] pour exprimer les émotions multiples et variées par lesquelles passe la terre tout au long de son périple, du matin jusqu'au soir. »

Pour sa part, Geffroy affirmait dans sa préface : « Ces meules, dans ce champ désert, ce sont des objets passagers où viennent se marquer, comme à la surface d'un miroir, les influences environnantes, les états de l'atmosphère, les souffles errants, les lueurs subites. » Geffroy avait fait une description haute en couleur de la transformation des meules, depuis leur première apparition en été, telles d'« heureuses chaumières » se détachant sur les arbres verts, jusqu'à l'automne aux « jours voilés » ou aux « temps très clairs » quand « des ombres bleues, déjà froides, s'allongent sur le sol » puis, évoquant les meules au soleil couchant, il écrivait :

« Aux fins des journées de tiédeur, après des soleils obstinés qui s'en vont à regret, qui laissent une poudre d'or dans la campagne, les meules resplendissent dans la confusion du soir comme des amas de joyaux sombres. Leurs flancs se crevassent et s'allument, laissent entrevoir des escarboucles et des saphirs, des améthystes et des chrysolithes, — les flammes éparses dans l'air se condensent en feux violents, en flammes légères de pierres précieuses, — l'ombre de ces meules rougeoyantes s'allonge criblée d'émeraudes. Des voiles tragiques, d'un rouge de sang et d'un violet de deuil, traînent autour d'elles, sur le sol, au-dessus du sol, dans l'atmosphère. »[40]

Enfin, en hiver, « la neige éclairée de rose, les ombres bleues et pures, la menace du ciel, le blanc silence de l'espace ». D'autres s'inspirèrent du style fleuri de Geffroy et son analyse de l'évolution de la lumière au cours des jours ou des saisons fut reprise dans les commentaires sur les séries.

La réaction des critiques fut plus que favorable à l'exposition, probablement parce que la répétition de formes simples avec toutes leurs modulations polychromes les incitait à spéculer sur le pourquoi et le comment de chacune des variations du thème. Jamais la nature n'avait offert d'aussi étranges combinaisons de couleurs sous un volume aussi réduit, et cependant aucun critique ne se plaignit de leur infidélité, alors qu'ils avaient condamné si vigoureusement les coloris pourtant beaucoup plus sages des

Ci-contre :

230. *Meule, soleil dans la brume* (W.1286), 1891, 65 x 100

231. *Meules, effet de neige, soleil couchant*
(W.1278), 1891, 65 x 100

232. *Meules, effet d'hiver* (W.1279), 1891, 65 x 92

années 1870. Sans doute s'étaient-ils accoutumés à voir dans la majorité des manifestations de l'art contemporain une gamme de tons beaucoup plus forts, et sans doute aussi chaque couleur jouait-elle « visiblement » (pour employer un terme cher à Mirbeau comme à Geffroy) un rôle dans l'expression de l'expérience de Monet.

Aucun critique n'évoqua les variations de composition dues aux légers déplacements de Monet autour des meules. Les différentes versions ayant été exposées ensemble, il ne devait pas être difficile de voir que chacune d'elles était inséparable des réactions ressenties par Monet devant les autres représentations du motif ; toutefois, en dehors de ses amis les plus proches, la plupart des commentateurs étaient si persuadés que sa technique était purement mécanique, que l'éventualité d'une construction intellectuelle dans l'élaboration de ces « moments du paysage » ne les intéressait aucunement. L'analyse de l'écrivain hollandais Byvanck traduisait l'influence de Geffroy et de Mirbeau, mais il se montra plus concret, en décrivant ses réactions devant l'exposition. Tout d'abord rebuté et désorienté devant « ces couleurs voyantes, ces lignes zigzagantes », il finit par subir leur fascination. Il avait suffi pour qu'il révise son jugement, d'une toile (probablement la *Meule, soleil couchant*), dans laquelle « un soleil d'après-midi brûlait la paille de ses rayons pourpre et or », et qui le conduisit à « recréer au moyen de ce bariolage la vision du peintre ». Il osa alors jeter les yeux sur les autres tableaux :

« … je sentais maintenant une jouissance rare à parcourir la série des tableaux exposés et la gamme des couleurs qu'ils me montraient, depuis le pourpre écarlate de l'été jusqu'à la froideur grise du pourpre mourant d'une soirée d'hiver. »

Byvanck était tout à sa joie de comprendre enfin les relations entre une gamme de couleurs abstraites et la traduction d'effets particuliers, lorsque Monet entra dans la galerie. Au cours de la conversation, Monet affirma que les tableaux « n'acquièrent toute leur valeur que par la comparaison et la succession de la série toute entière ». Il souhaitait apparemment que le spectateur se concentre sur les relations internes entre ses œuvres, tout en prenant conscience simultanément de leur position dans le déroulement du temps. Byvanck concluait que l'« analyse exacte » de l'effet atmosphérique exprimé par chaque toile ne pouvait être apprécié qu'« en se rattachant à des impressions du même genre. Et cette analyse-là ne vaut que par la synthèse que l'artiste nous fait faire à nous-même. »[41] En exposant ses meules groupées, en série, Monet faisait confiance à l'intelligence de son public et à sa volonté de comprendre ce nouveau mode de transcription d'expériences perceptives, attitude déjà adoptée dans les années 1870 ; et même si dans les années 1880 il avait renoncé à faire son éducation, il se trouvait dorénavant devant une audience plus choisie, se fiait à elle et désirait l'aider à saisir la signification de son travail.

Si Fénéon ne fut pas conquis par la formalisation des variations d'éclairage dans cette série, il éprouva manifestement du plaisir à l'évoquer :

« Au soleil soiral surtout s'exaltaient les *Meules* ; l'été, elles s'auréolaient de pourpre en flammèches ; l'hiver, elles ruisselaient au sol leurs ombres phosphorescentes et, sur un ciel d'abord rose puis d'or, elles miroitaient, émaillées bleu [sic] par un brusque gel. »

Il n'approuvait pas la soumission délibérée de Monet à l'éphémère. La nature, selon lui, « n'est pas si mobile, elle titube seulement, et peut-être aimerions-nous mieux des peintres qui, moins prompts à servir ses caprices, coordonnent ses aspects disparates, la recréent stable et la douent de permanence ». Pissarro était toujours troublé par l'œuvre de Monet. Il déclarait : « … ce serait dans l'unité de l'exécution que je trouverais à redire, ou plutôt dans une manière plus calme de voir, moins éphémère dans certaines parties. » Mais il concluait : « C'est égal, c'est un bien grand artiste ! »[42]

La science et le subjectivisme formaient un curieux mélange dans les évocations flamboyantes de la succession des saisons et des heures auxquelles se livraient Mirbeau et Geffroy. Ce dernier décrivait les séries non seulement comme la « démonstration victorieuse » d'un changement incessant dans « un spectacle d'apparence invariable », mais comme la représentation des « visages des paysages, les apparences de joie et de désespoir, de mystère et de fatalité, dont nous revêtons, à notre image, tout ce qui nous entoure ». De la même façon, Mirbeau affirmait que les paysages de Monet sont comme la révélation de l'état d'esprit de la planète et des formes supra-sensorielles de notre pensée. Ces interprétations subjectivistes, voire spiritualistes, des processus d'analyse objective étaient monnaie courante en cette fin de siècle. Les symbolistes de toutes obédiences étaient convaincus que les apparences recouvraient des vérités plus profondes que chacun traduisait en termes spiritualistes, selon sa tendance ; mais, tandis que les amis intimes de Monet usaient abondamment de la terminologie symboliste, leur sympathie personnelle allait à un panthéisme laïque dont la science garantissait la vérité, et dont le rôle consistait à conduire l'humanité vers une société de justice. Au cours de l'été 1890, Mirbeau écrivit à Monet :

« Alors que les sciences naturelles découvrent des mondes et s'apprêtent à démêler les origines de la vie… [alors qu'] elles questionnent le caractère infini de l'espace et éternel de la matière, qu'elles explorent les profondeurs inviolées de la mer à la recherche du mucus originel dont nous descendons, la littérature larmoie encore autour d'un ou deux sentiments stupides, artificiels et conventionnels […] abrutie par la fausse poésie d'un panthéisme sot et barbare et rabaissée par un anthropocentrisme empreint de sentimentalisme. »

C'est dans ce contexte qu'il faut replacer le qualificatif de « grand poète naturiste » attribué par Geffroy à Monet, et l'affirmation de Mirbeau selon laquelle il « savait comment exprimer l'inexprimable », lui qui « exalte notre imagination par le rêve que recèle mystérieusement la nature, un rêve secrètement diffusé dans la lumière divine. »[43]

Monet avait demandé à Mirbeau de lui consacrer un article dans *L'Art dans les deux mondes*, et accepté ainsi implicitement le mysticisme laïque qui fleurissait déjà dans ses chroniques de 1889. Dans le même temps, il craignait peut-être que l'on puisse considérer que ses tableaux reflétaient ce courant à la mode. Monet parlait toujours de ses œuvres en termes francs et directs : dans les centaines de lettres où il discute de son travail, il mentionne *exclusivement* les beautés de ce qu'il a vu et les difficultés qu'il éprouve à les représenter ; et il répondit à Byvanck, tout simplement : « Avant tout j'ai voulu être vrai et exact. » Il n'aurait sans doute pas admis l'analyse de Pissarro, en termes de conscience de classe, mais aurait certainement approuvé sa dénonciation des lubies de l'époque :

« La bougeoisie inquiète, surprise par l'immense clameur des masses déshéritées, de l'immense revendication du peuple, sent le besoin de ramener les peuples aux croyances superstitieuses ; de là ce remue-ménage de symbolistes religieux, socialisme religieux, art idéiste, occultisme, bouddhisme, etc. ; […] les impressionnistes sont dans le vrai, c'est l'art sain basé sur les sensations, et c'est honnête. »[44]

Monet éprouvait-il ou non une réelle sympathie pour le mysticisme laïque de ses zélateurs ? Toujours est-il que sa volonté de s'abstraire des formes répertoriées pour ne peindre que la lumière mettait en suspens sa conscience rationnelle, le conduisait peut-être à s'identifier avec la lumière et, à travers elle, avec la nature elle-même. Mais en même temps, sa formation de réaliste avait instillé en lui une extrême conscience de l'extériorité du monde objectif, empêchant son moi de se dissoudre dans un « autre » mystique. Lorsque Monet affirme en termes laconiques son désir de rendre « l'instantanéité », « la même lumière répandue partout », il se trouve presque en contradiction avec Mirbeau, selon lequel il exprime « ce rêve secrètement diffusé dans la lumière divine ». Mais on peut préciser la pensée du peintre en citant ce qu'il déclara à Byvanck : « Un paysage, pour moi, n'existe point en tant que paysage, puisque l'aspect en change à chaque moment ; mais il vit par ses alentours, par l'air et la lumière, qui varient continuellement. » De par leurs éléments clairement définis, les *Meules* de 1888 et 1889, et même celles commencées en été ou en automne l'année suivante peuvent encore être considérées comme des « paysages », mais dans les toiles de 1891, la répétition lancinante de formes menaçantes perpétuellement prêtes à se désintégrer les fait apparaître uniquement comme d'éphémères concentrations de lumière, anihilant ainsi leur rôle traditionnel et symbolique de fruits du labeur humain. D'où la difficulté — comme dans d'autres évocations contemporaines du même thème — de la représentation du travail des champs et l'incarnation de la richesse de leurs propriétaires, ainsi que le soutient Herbert. Seul un critique, Roger Marx, qui avait été l'un des commissaires de l'Exposition centennale, fit allusion à cet aspect du sujet, tout en affirmant que Monet avait choisi les meules comme « thème de démonstration » de son « unique but », qui était « de rendre compte de la variété d'aspects pris par un simple motif selon les différents moments où on l'observe… » Ce sujet, déclarait-il, « symbolise les labours, les semailles, les récoltes, toute la lutte acharnée pour rendre le sol fertile, tout le remarquable et douloureux travail de la terre… » Il ajoutait qu'il serait « d'actualité », ce qui était peut-être une référence à *L'Angélus* de Millet, acheté en 1889 par le marchand américain James Sutton, ce qui avait provoqué une telle indignation dans le public que le tableau venait de revenir en grande pompe en France. Aucun autre critique ne fit allusion à cet événement ; il est probable que l'avant-garde prenait ses distances vis-à-vis du chauvinisme sentimental qui admirait dans *L'Angélus* le symbole de la plus haute valeur de la France : son attachement quasi religieux à sa terre. Ainsi Mirbeau affirma-t-il par la suite que *L'Angélus* avait été tellement retouché que ce n'était plus un Millet, en insistant sur cette « sublime ironie » ; au moment de sa vente « ce n'était plus un tableau, mais l'incarnation même de la patrie »[45].

Geffroy évoquait « ces meules dans ce champ désert », insinuant en dépit de la présence indéniable des fermes, qu'il s'agissait là d'un paysage déshumanisé, tandis que Monet s'était borné à mentionner négligemment : « Je m'entête à une série d'effets différents [des meules] », lui qui n'avait jamais, durant toutes les années passées à Giverny, représenté les travailleurs des champs[46]. Il mettait l'accent sur « la même lumière répandue partout » et sur la fonction essentielle des meules, qui était de servir de mesure aux fluctuations de la lumière. Ce faisant, elles incarnaient un principe plus fondamental : le pouvoir de la lumière qui révèle les formes, les fait émerger au niveau de la conscience, qui crée la vie et lui donne son sens.

Dans sa correspondance si vaste, Monet ne projette jamais ses émotions personnelles dans les « physionomies » de la nature, comme Geffroy semblait le croire, même si ses perceptions reflétaient sa propre subjectivité. L'émotion que traduisaient ses tableaux n'était pas « l'anthropocentrisme empreint de sentimentalisme » dénoncé par Mirbeau, elle naissait de la découverte d'une réalité extérieure au moi, mais néanmoins concrétisée grâce à ce moi. Monet avait déclaré à Byvanck : « Il faut savoir saisir le moment du paysage à l'instant juste, car ce moment-là ne reviendra jamais et on se demande toujours si l'impression qu'on a reçue a été la vraie. » Curieuse remarque, d'où l'on peut déduire qu'il considérait certaines impressions comme plus fidèles que d'autres — que Mirbeau saura élucider. Pour lui, l'« instantanéité » est un éclair de compréhension entre le peintre et « le moment du paysage » qui lui permet de saisir son caractère spécifique autant que l'harmonie de sa structure : un moment d'une telle intensité qu'il triomphe des contradictions logiques inhérentes à toute représentation du changement. Byvanck estimait que l'un des tableaux de cette

série était « parfaitement réussi », sans pour autant le comparer aux autres, et Monet acquiesça, expliquant que c'était « peut-être parce que le paysage alors donnait tout ce qu'il était capable de donner »[47]. Monet, tout comme Mirbeau, laisse entendre que l'échange réciproque entre l'artiste et le paysage est si fort que lorsque le peintre exprime l'extériorité du paysage, il lui insuffle sa propre conscience et que le moment atteint à la permanence.

Mirbeau et Geffroy soulignaient que les aspects prosaïques et analytiques de la technique de Monet étaient le prélude indispensable pour saisir l'identification de ce « moment du paysage » particulier à la nature toute entière — alors que, comme le dit Geffroy :

> « Il donne la sensation de l'instant éphémère, qui vient de naître, qui meurt, et qui ne reviendra plus, — et en même temps, par la densité, par le poids, par la force qui vient du dedans au dehors, il évoque sans cesse, dans chacune de ses toiles, la courbe de l'horizon, la rondeur du globe, la course de la terre dans l'espace. »[48]

Les méthodes de Monet étaient, à l'instar de ses paroles, fort simples : elles nécessitaient une dose infinie d'observations de chaque variation de la lumière et une recherche tout aussi rigoureuse des nuances exactes du pigment, car seule une expérience intensive du détail pouvait lui permettre d'accéder à une compréhension plus profonde de l'ensemble.

De nombreux artistes d'avant-garde avaient adopté ce mode de représentation dans lequel une forme reconnaissable émerge graduellement d'une accumulation de touches de couleur, de Redon à Cézanne et à Monet. Au surplus, en essayant de regarder la nature sans idée préconçue de ce qu'il allait voir et en représentant des meules au cœur d'un village très peu peuplé comme si aucun être humain n'y avait jamais mis les pieds, Monet s'inscrivait dans un courant culturel assez répandu qui, pour échapper à la décadence de l'époque, tendait à retourner aux origines de la vision, du langage, de la société et de l'art. Gauguin, partant pour les mers du Sud en quête d'un paradis primitif, Mallarmé ambitionnant d'écrire « le Livre », « explication orphique de la Terre », Redon, imaginant et recréant les formes premières de la vie, Cézanne, luttant pour exprimer avec clarté les « sensations confuses que nous apportons en naissant », les anarchistes, rêvant à une société sans contraintes et sans corruption, avaient tous un point commun avec Monet, désireux de découvrir un mode de vision primordial, préconceptuel[49].

La tactique de Monet s'était avérée efficace : l'exposition de sa série avait eu un grand succès, grâce à une habile publicité destinée à tenir son public en haleine et à lui donner les moyens de mieux comprendre son œuvre. Les bénéfices des expositions précédentes lui permettaient de mettre ses marchands en concurrence car, comme il l'avait dit à Charles Durand-Ruel : « la concurrence est la meilleure chose pour vous surtout, comme pour moi. » Il pouvait désormais exposer où et quand il le voulait, et ne céder ses tableaux à ses acheteurs enthousiastes qu'à son heure ; il pouvait s'offrir le luxe de consacrer tout le temps nécessaire à une toile ou à une série, selon les fluctuations atmosphériques, ou à parachever ses séries dans son atelier durant plusieurs mois[50]. Celles de Giverny lui avaient fourni une solution de rechange à ses vues touristiques, lucratives mais superficielles. Monet essayait encore de bannir ses souvenirs de sa peinture, mais chaque « moment du paysage » provenait d'un endroit si familier qu'il était inévitablement nourri d'une mémoire intériorisée n'ayant rien de commun avec les réminiscences de paysages moins connus. Les *Meules* liaient son procédé des séries à son pays de prédilection, où il allait le pratiquer tout au long des vingt-cinq années à venir. C'est peut-être la raison pour laquelle, comme le disait Pissarro, « ces toiles respirent le contentement »[51].

On pourrait faire la même remarque à propos de la série suivante, les vingt-trois *Peupliers au bord de l'Epte*. Ces arbres, alignés le long des rivières, servant de brise-vent aux cultures, avaient été l'un des motifs favoris de Monet dès son arrivée à Giverny, et précédemment à Argenteuil. Comme on le voit dans le *Pré à Giverny* (ill.187) ainsi que dans *Brouillard matinal* (ill.217), les troncs élancés et le feuillage transparent des diverses espèces de peupliers constituaient un motif idéal pour traduire la densité de la lumière séparant le peintre des objets, car ils l'articulent sans presque l'interrompre. Dans les œuvres les plus anciennes, le délicat réseau d'horizontales et de verticales se situait dans la profondeur de l'espace, mais en 1887, Monet l'a rapproché du premier plan dans une toile où Suzanne est en train de pêcher (W.1134) au pied de peupliers dont les troncs se reflètent dans la rivière. Monet fit sans doute quelques dessins préliminaires du motif avant de le rapprocher encore, le réduisant à une interaction entre les horizontales de la berge et du plan d'eau et les verticales des arbres et de leurs reflets, tandis qu'une troisième dimension naît des zigzags des arbres de l'arrière-plan qui suivent les méandres invisibles de la petite rivière.

Toute cette série (à l'exception de quatre versions) fut exécutée depuis une barque à fond plat amarrée au pied d'un rideau de peupliers, de sorte que Monet devait constamment quitter des yeux le plan d'eau, à ses pieds, pour regarder la cime des arbres et apprécier leur hauteur. Cette vision désunie se reflète sur les toiles, dont la complexité est accrue par la représentation des reflets comme de simples verticales, alors qu'ils sont en fait allongés sur le plan d'eau. Ces solutions de continuité interdisent la compréhension de la peinture d'un seul regard et, de ce fait, introduisent une dimension supplémentaire de la durée dans ce « moment du paysage ».

Les *Peupliers* ont été peints au cours de ce que Geffroy appelait les « saisons douces », entre la fin du printemps et la fin de l'automne 1891, c'est pourquoi la gamme des effets est moins étendue que dans les *Meules*. Sa barque amarrée sur les eaux tranquilles, Monet n'était distrait que par le vent qui agitait le feuillage et ridait la rivière et par de légères variations de la lumière. La subtilité de ces effets exigeait un mode de représentation

233. *Les Quatre Arbres* (W.1309), 1891, 82 x 81

Ci-contre :

234. *Les Peupliers, trois arbres roses, automne* (W.1307), 1891, 92 x 73

235. Paul Cézanne, *Marronniers au Jas de Bouffan*, vers 1885-1887, 73 x 92

plus délicat que les contrastes spectaculaires régnant dans les *Meules* et la plupart des *Peupliers* ont une matière si dense qu'ils nécessitèrent certainement de nombreuses séances. Les *Quatre Arbres* (ill.233) est une toile hallucinatoire composée de minuscules touches de couleur en couches superposées, aux nuances si complexes que les contours originels des arbres sont noyés sous l'épaisseur de pâte qui les entoure ; et cependant, malgré sa densité matérielle, cette carte en relief des options du peintre évoque l'éclat doré d'un ciel crépusculaire sur lequel se détachent les ombres radieuses des arbres. En vérité, sa géométrie et sa rigidité naturelles intensifient l'impression des vibrations poudrées de la lumière et accentuent sa présence en la renfermant dans un espace sans profondeur. À l'opposé du portrait de Suzanne en train de pêcher, centré sur un agréable passe-temps, ce tableau a une résonance plus essentielle, peut-être parce que les formes sont vues de si près que leur réalité familière se désintègre. Monet revient là à un phénomène qui l'a fasciné depuis les années 1860, et qu'à présent il situe au premier plan : la conjonction d'un bord de rivière et de son reflet assombri, sans faire de distinction entre l'un et l'autre (à l'exception des traces laissées par les touches verticales et horizontales ayant servi à esquisser la composition). Le « moment » où l'élément solide devient liquide est voilé d'ombres violettes estompées : elles attirent le regard du spectateur, lui promettant de résoudre le mystère grâce auquel la lumière révèle et peint les formes, mais se refuse finalement à lui répondre.

À cette époque, la vision de Monet s'apparente à celle de Cézanne, qu'il admire grandement et qui, comme lui, conçoit la peinture comme une « recherche » perpétuelle pour dire la nature telle qu'il la perçoit. Leur approche du motif est similaire : tous deux recouvrent les larges traits de la « première impression » de petites touches de couleur qui répondent avec davantage de précision aux « sensations colorantes qui donnent la lumière », pour employer une phrase de Cézanne que Monet aurait pu signer[52]. Tous deux scrutent la nature avec une telle intensité qu'ils sont conduits à traduire des effets d'optique, comme les fluctuations provoquées par le glissement de la vision centrée à la vision périphérique que l'on peut apercevoir dans les contours brisés, hésitants et réaffirmés des troncs des *Peupliers, trois arbres roses automne* (ill.234) aussi bien que dans les *Les Marroniers au*

*Jas de Bouffan* peints par Cézanne entre 1885 et 1887. Préoccupé par la relativité de la perception, Cézanne composait des œuvres qui ne pouvaient jamais être « finies », tandis que Monet, plus soucieux de perfection décorative, traduisait cette relativité grâce aux possibilités, théoriquement infinies, des séries. Les efforts de Cézanne pour concrétiser la permanence de la nature tout en se fiant aux perceptions individuelles, soumises à l'interdépendance du temps et de l'espace, sont encore plus significatifs aux yeux de Monet. Ce besoin d'exprimer une plus grande stabilité au cœur même du changement transparaît dans une remarque faite en novembre 1891, alors qu'il parachevait ses *Peupliers* dans son atelier :

« Enfin je me suis encore escrimé tant bien que mal avec l'admirable motif de paysage que j'ai dû faire par tous les temps afin de n'en faire qu'un qui ne soit d'aucun temps, d'aucune saison, et cela se réduit à un certain nombre de bonnes intentions. Moralité, il faut faire ce que l'on peut en se foutant absolument du reste... »[53]

Monet espérait-il, en représentant un motif sous tous ses aspects, exprimer en quelque sorte son essence et sa permanence, ou ses « recherches » l'avaient-elles aidé à réaliser l'œuvre unique qui, comme la *Meule, soleil couchant*, pourrait avoir sa personnalité propre à l'intérieur de la série ? *Les Quatre Arbres* en seraient alors la meilleure illustration, avec leur géométrie exclusivement naturelle et leur lumière immobile car, malgré leur apparente fidélité à un instant lumineux, ils apparaissent davantage comme la quintessence de tous les moments où les rayons rasants du soleil éclairent un paysage. En vérité, si l'on ignore les rapports entre l'alignement des peupliers et la progression du soleil dans la vallée de Giverny, et si on ne le compare pas au reste de la série, il n'est pas possible de savoir si ce tableau représente la lumière froide, immobile et les couleurs intenses et surnaturelles de l'aurore, ou la lumière tiède, immobile et les couleurs intenses et surnaturelles du soleil couchant. La remarque de Monet demeure mystérieuse, mais laisse clairement entendre qu'il ne se satisfaisait plus d'une fragmentation sans cesse plus précise, voire mécanique, de la lumière naturelle en moments circonscrits.

En mars 1892, Monet exposa quinze versions des *Peupliers* chez Durand-Ruel, présentant pour la première fois un unique motif. On retrouve deux variantes de composition dans treize d'entre elles, toutes de même format : un rideau d'arbres au premier plan et les zigzags formés par des arbres plus lointains, à l'arrière-plan. La composition et le format des *Quatre Arbres* sont légèrement — mais spectaculairement — différents, Monet s'étant orienté un peu plus à l'ouest pour isoler leurs troncs. La répétition systématique de ces deux variantes, leurs gammes de couleur aux inflexions subtiles si apparentées, l'absence de relief manifeste des tableaux et même une évocation des sinuosités de l'art nouveau dans les courbes des feuillages du fond, ont sans doute contribué à donner à cette exposition un caractère plus décoratif qu'à celle des *Meules*.

On pourrait décrire cette série comme une combinaison de vert, de bleu, de violet, de rose, de jaune et de blanc, dont les dominantes et l'intensité varient dans chaque version selon les fluctuations atmosphériques : encore une fois, *Les Quatre Arbres* se distinguent par l'intensité de leurs coloris, bleu et violet iridescent se détachant sur un rose doré éblouissant ; dans *Les Peupliers, trois arbres roses, automne* des tonalités plus riches, dans une gamme de jaunes mêlés d'oranges rosés, dominant des violets et des jaunes acides atténués, recréent la lumière du matin.

Tous ces effets d'automne, du soir et du crépuscule, ces évocations désenchantées de la lumière déclinante, des heures et des saisons qui s'enfuient, étaient les thèmes de prédilection des tenants de l'esthétisme et singulièrement de Whistler, l'ami de Monet qui s'était installé à Paris en novembre 1891. Ses expositions, où les « harmonies » de couleurs étaient soigneusement étudiées, dans lesquelles la décoration des murs et des salles était pensée en fonction des couleurs et de l'atmosphère des tableaux, ont fort bien pu influencer la conception de cette série de Monet, mais, si décoratifs qu'aient été ses *Peupliers*, ils étaient fondés sur une observation très pénétrante de la nature, ce qui n'était pas le cas pour Whistler. Dans le même temps, Monet ne cessait de contester l'idée qu'un tableau puisse offrir une représentation cohérente de la nature : la peinture demeure toujours une peinture, ce que viennent souligner de petits détails : ainsi la signature d'un rouge vibrant des *Peupliers, trois arbres roses, automne* fait osciller le regard de son manque de relief manifeste à l'horizontalité du plan d'eau. En outre, la répétition du motif projette un doute sur sa réalité objectale.

Dans sa préface au catalogue de l'exposition de 1892, Geffroy décrivait cette série comme « l'étude du même paysage pendant les saisons douces, aux différentes heures du jour », dans laquelle l'écoulement du temps était traduit en « phases nuancées, si étroitement suivies et unies que l'on a la sensation, par ces quinze toiles, d'une seule œuvre aux parties inséparables ». Mirbeau, en termes plus succincts, déclarait voir en « ces séries, une œuvre ». Geffroy réaffirmait l'unité panthéiste de ces « choses dans la pure incandescence de la clarté solaire », précisant en une formule frappante que « les hautes tiges sont en même temps des lueurs »[54].

À en croire certains critiques, cette série était un compte rendu presque mécanique d'une succession de moments de la journée. De la même façon, le critique symboliste Aurier — tout en décernant à Monet le titre d'« amoureux de la divine lumière » — employait un langage très voisin de celui des années 1870 pour désapprouver « la nature rudimentaire de ces pochades saisies dans l'instant », utilisant ailleurs le mot instantané avec ses implications photographiques[55]. En revanche, d'autres critiques reconnaissaient que Monet exprimait une certaine forme de la durée : Geffroy parlait de sa représentation de « la permanence changeante de l'univers » et Clément Janin évoquait la « science » avec laquelle le peintre parvenait à ce qu'un « phénomène purement transitoire […] donne la sensation de la durée, voire de l'Éternité ». Il affirmait que :

« …malgré tous les éléments qui traduisent un état particulièrement mouvant de matière et de l'esprit, Monet nous suggère l'idée d'une indestructibilité induite par la forme fugitive, par essence, des choses : la présence de la cause originelle, de la force qui fera à nouveau demain […] ce qu'elle a fait aujourd'hui. »

Les paysages de Monet, disait-il, « résument, à un moment donné, tout ce que la nature peut donner, et deviennent plus intenses au fil de nos rêves ». Ils n'étaient pas tant la description d'un arbre ou d'une meule spécifiques, qu'une « idée d'arbre » , une « idée de meule » . Pour atteindre ce but, il fallait que Monet soit « un décorateur », et il l'était, « au plus haut degré » . La décoration, selon Janin, était bien davantage que le « décor », représentation harmonieuse mais superficielle des objets; elle consistait en « l'élimination dans l'art de tout ce qui est spécifique et accidentel, pour ne laisser que ce qui est caractéristique des genres répertoriés suivant le temps et le lieu »[56].

Lecomte amplifia ces théories dans un important article de *La Revue indépendante* intitulé « L'art contemporain »:

« Finalement, le talent énergique de M. Claude Monet, qui pendant longtemps s'est contenté […] de rendre de fugaces effets naturels avec leur intensité éphémère, semble de plus en plus faire ressortir *la nature durable de choses complexes en apparence* et, d'une manière plus synthétique et réfléchie, renforcer le *sens* et la *beauté décorative.* »[57]

Jusqu'à ce qu'il expose ses séries, la nouvelle avant-garde était persuadée que l'art de Monet n'était pas suffisamment décoratif. Les critiques conservateurs avaient autrefois condamné ses œuvres, qui à leurs yeux valaient surtout par les qualités sensuelles de la peinture, par opposition à

ses aspects formels et intellectuels ; toutefois, à la fin des années 1880, le caractère « décoratif » était devenu une valeur positive, tant pour la bonne société que pour l'avant-garde. Depuis une vingtaine d'années, les milieux officiels avaient souligné la nécessité de renouveler les arts décoratifs, aussi bien pour améliorer la situation économique de la France que pour contribuer à régénérer ses traditions. L'avant-garde partageait ce point de vue, mais sous des formes bien différentes de celles que prônaient les conservateurs. Il régnait au sein de l'avant-garde une conception en quelque sorte idéaliste de l'art décoratif exprimée par Aurier, entre autres, que combattaient Geffroy et Mirbeau, ainsi que les néo-impressionnistes (pour d'autres raisons), tous persuadés qu'elle incarnait les valeurs de la modernité et du progrès. Pissarro , finalement déçu par le néo-impressionnisme, était très proche de Lecomte et l'a peut-être aidé à comprendre que les expériences des impressionnistes, traduisant leurs perceptions sous une forme décorative, avaient une signification profonde. Lecomte, Pissarro et Mirbeau, tous trois anarchistes, croyaient que l'appréciation du caractère décoratif de la peinture était un moyen d'expérimenter la réalité de la nature, la seule véritable valeur sur laquelle puisse se fonder la vie humaine sous toutes ses formes. Selon Lecomte : « CET INTÉRÊT POUR LA BEAUTÉ DÉCORATIVE doit être LA MARQUE DISTINCTIVE DE NOTRE ÉPOQUE. » En 1895, après avoir vu les *Cathédrales* de Monet dont il admirait l'unité décorative, Pissarro apportait le point final à la définition de Lecomte : « La nature est notre seul espoir pour arriver à un art réel et décoratif. »[58]

Cette fidélité envers la nature ne devait manifestement pas être prise au sens littéral. Dans « L'art contemporain », Lecomte établissait une distinction entre l'œuvre des impressionnistes et celle des néo-impressionnistes, qui, quelle qu'ait été leur abstraction, dérivaient de l'étude de la nature, et celle des « nouveaux peintres tout au symbolisme littéraire et aux mysticismes à la mode », tirant leurs croyances démodées « du Mont-de-Piété de l'Absolu ». D'après Lecomte, l'époque moderne avait son propre idéal : « la croyance dans l'individu et l'efficacité du combat humain ». Le véritable art moderne, assurait-il, ne se soucierait pas seulement de « la grandeur du combat humain et du bien-fondé des nouveaux regroupements sociaux », mais de « la magnificence de la nature avec sa poésie infinie et mystérieuse mais non mystique ». Dans l'ouvrage qu'il publia cette même année 1892, *L'Art impressionniste*, Lecomte proclamait que certains tableaux de Monet et de Pissarro étaient « aussi suggestifs qu'ils sont représentatifs. De leur chaudes harmonies, la Pensée s'est délivrée ; l'imagination prend son envol. Ils restituent le grand mystère de la nature. » S'il avait des préventions contre les peintres symbolistes, ce n'était pas à cause de leur attirance pour le rêve ou le mystère, mais en raison de « leurs idées préconçues » qui risquaient selon lui de les conduire à « une quête de l'Idée avant tout, au détriment de la beauté purement picturale ». La Nature, que les réalistes s'étaient targués de maîtriser dans les années 1850, était devenue à la fin du siècle un élément mystérieux que la science et l'analyse pouvaient élucider mais qui, à en croire les amis proches de Monet, ne pouvait être comprise que dans un moment d'illumination d'où toute rationalité était bannie. Rationalistes ou mystiques, les préjugés ne pouvaient que faire échouer cette expérience[59].

Le caractère sans cesse plus décoratif des séries de Monet correspondait à l'embellissement de son environnement, non seulement au sens figuré, grâce à sa peinture, mais grâce à la transformation de son cadre de vie. Dès qu'il eut acquis la propriété de Giverny, il dressa les plans d'un jardin plus ambitieux, inspiré peut-être par ceux du Japon (il attendait la venue d'un jardinier japonais en juin 1991, alors qu'il travaillait à ses *Peupliers*). De nombreux membres de l'avant-garde ressentaient la nécessité de se créer un cadre idéal, hors de la vulgarité de la société matérialiste, où pourrait s'épanouir leur sensibilité raffinée. Peut-être Monet avait-il lu l'une des évocations les plus célèbres d'un tel décor, *À rebours*, publié en 1884 par Huysmans,

236. *Cathédrale de Rouen, effet de soleil,*
*fin de journée* (W.1327), 1892, 100 x 65

237. *Le Portail et la tour d'Albane,*
*plein soleil* (W.1360), 1893, 107 x 73

238. La salle à manger de Monet à Giverny

des sujets banals pour métamorphoser ces riens en visions et poèmes illuminés ; une meule de blé, un ravin sur la Creuse, des vagues en Méditerranée, quelques peupliers sur les bords de l'Epte ; c'est suffisant pour recouvrir ces choses d'une aura divine […] pour transformer une réalité anodine en un paradis exquis où fleurissent bijoux et sourires. »

Ainsi cet arbre modeste, planté sur un terrain communal, destiné à être abattu et vendu à un marchand de bois (et que Victor Hugo considérait avec mépris comme « le seul arbre qui soit stupide […] Comme l'alexandrin, c'est une des formes classiques de l'ennui ») se nimbait d'une aura transcendentale. Cela dit, Aurier souhaitait que la peinture de Monet soit « moins immédiate et sensationnelle […], un art offrant un imaginaire plus lointain et un idéal »[62]. Mauclair évoquait « l'apothéose de lumière » du « plus grand des paysagistes », tout en étant attentif à la relation entre le « monde symbolique », la véracité des notations de Monet, et l'usage qu'il faisait de la peinture. L'artiste, affirmait-il, rendait ces « réalités » avec une telle fidélité

« …que ces réalités mêmes […] se doublent soudainement d'un *sens* mystérieux qui les associe aussitôt au monde symbolique dont rêvent les poètes. Des troncs d'arbres, ces merveilleuses colonnes de peupliers, des herbes, le miroitement de l'eau, des rangées de légers buissons, un coucher du soleil teinté de rose sont observés par un œil auquel rien de réel n'échappe ; et de plus près, ce n'est qu'un océan de coups de pinceau multicolores, où l'on découvre des relations entre la couleur et le ton si inattendues, que de la vérité même de la vision du peintre, émerge là cette certitude consolatrice : *le monde est tel que nous le créons.* »[63]

Certes, Monet avait donné la vie à un univers pictural unique, mais qui n'interférait pas avec la réalité du monde extérieur à laquelle il croyait avec ferveur.

# II

Lorsque parut l'article d'Aurier, il y avait déjà plusieurs semaines que Monet avait entrepris une nouvelle série consacrée à la façade occidentale de la cathédrale de Rouen. Peut-être avait-il choisi ce motif monolithique, qu'il allait trouver « terriblement difficile et aride à faire » parce qu'il n'était soumis à aucun changement. Son projet était de le peindre en une période assez courte, sans doute afin que la position du soleil demeure à peu près inchangée. Thadée Natanson commenta le choix du motif en ces termes :

« Si l'artiste […] délaisse les arbres et l'eau, s'il ne dispose plus de manifestation naturelle dont il doive […] créer la forme, si le paysage se réduit à une œuvre d'art, ce n'est pas ainsi qu'il pourra se consacrer davantage à la lumière, un sujet majeur de ses peintures jusqu'à aujourd'hui, sujet unique dorénavant ?»[64]

Confronté à cette géométrie préétablie, Monet n'avait rien à inventer et pouvait se concentrer exclusivement sur ses perceptions pour les traduire en peinture. Il est évident qu'aucune série, aucun groupe d'œuvres précédentes ne l'avaient contraint à résoudre un problème de façon aussi moderne ; peut-être souhaitait-il intervenir dans un débat contemporain assez complexe, en lançant un défi à la nouvelle avant-garde, qui déniait toute signification artistique à ce qu'elle considérait comme une représentation simpliste de la réalité extérieure. Ce n'est sans doute pas un hasard si, au moment où Monet peignait la géométrie immuable de la cathédrale, Lecomte soulignait sa tendance à « extraire des apparences complexes la nature durable des choses », car la façade pouvait offrir à Monet l'élément-temps dont il avait besoin pour faire la preuve des « qualités les plus sérieuses » qu'il recherchait alors[65]. Cependant, bien que la forme de la façade

---

mais en fait il est plus vraisemblable qu'il ait été impressionné par les descriptions de jardins japonais faisant découvrir à l'Europe leur philosophie de l'espace et des proportions. Peut-être fut-il également sensible à l'élégante simplicité et à l'harmonie des couleurs de la maison de Whistler à Londres et de ses expositions, dont on pourrait voir un reflet dans la décoration de sa maison de Giverny. Sa célèbre salle à manger, peinte en deux tons de jaune, avec les assiettes jaunes et blanches qu'il avait lui-même dessinées, aux murs ornés d'estampes japonaises dans des tons de bleu, mis en valeur par des vases japonais vert vif, aurait pu s'intituler, comme l'une des expositions de Whistler, « Harmonie en jaune, bleu et vert »[60].

Le terme « décoratif » n'était pas obligatoirement lié à la peinture décorative, destinée à prendre place dans un cadre architectural ou à rehausser le mobilier, mais quand les impressionnistes s'y livraient (comme le fit Monet pour le château des Hoschedé, le salon des Durand-Ruel ou ses paysages d'Étretat peints sur des portes d'armoires), il existait une contradiction entre la notion de peinture du cadre de vie et celle qui ne pouvait être créée et appréciée qu'à la suite d'observations approfondies[61]. Le climat qui régnait dans les années 1890 favorisait le développement de ce qu'on pourrait appeler une peinture « d'ambiance » et, en obéissant à cette tendance élégante, assurée du succès, Monet devait éprouver quelque difficulté à la concilier avec sa fidélité avouée à sa « sensation de la nature ».

Les articles qu'Aurier et Mauclair, écrivains symbolistes, consacrèrent à son exposition de 1892, sont d'excellents exemples de cet idéalisme que Mirbeau et Geffroy — convaincus de la réalité et du sens profond de la nature — craignaient de voir altérer l'interprétation de la peinture de Monet. Aurier établit une comparaison extraordinaire — tempérée par une ironie subtile — entre Monet et un prêtre de Baal éprouvant un amour passionné pour « son Dieu, son Baal… son soleil, son divin soleil » ; selon lui, dans les expériences de Monet, la matière et l'idée se transmuaient en une réalité nouvelle sous l'effet de la force transcendante de la lumière :

« La passion voluptueuse qu'il exalte, les sensations ineffables qu'il éprouve, le délivrent du rêve, de la pensée et presque de l'existence. Idées, êtres et choses ne comptent plus pour lui, dispersé dorénavant dans le souffle ardent de Baal. »

Aurier affirmait que Monet avait choisi :« …des prétextes insignifiants,

demeurât inchangée à chaque variation de la lumière, la répétition du motif détruisait sa réalité profonde et sa « nature durable » devenait ambiguë, transitoire, fragmentaire. Si la finition des toiles en atelier fut exceptionnellement longue, cela tient peut-être au désir de Monet de reconstituer leur continuité — que seule pouvait leur donner la peinture — grâce à ce qu'il avait appelé « la comparaison et la succession de la série entière ».

Le choix du motif se justifie : Monet était de longue date un familier de la vallée de la Seine, dont Rouen est le centre sur son axe est-ouest. La cathédrale permet encore une fois de traduire sa lumière invariable, depuis la gare dont la verrière la matérialise, en passant par le fleuve qui la reflète, les meules de blé mesurant chaque jour sa naissance et son déclin, jusqu'aux rideaux de peupliers qui l'articulent, et à la falaise de la côte normande que Monet a fait vibrer sous sa puissance. Ainsi le motif attestera-t-il l'obéissance à une autre forme du principe essentiel de la nature : la lumière, telle que la percevait Monet dans sa « vision unifiante ». En ce sens, il n'existe pas de différence fondamentale entre les représentations de la cathédrale et celles de la gare Saint-Lazare. En fait, dans la rhétorique moderniste, les grandes gares de chemin de fer avaient souvent été présentées comme les cathédrales du XIXe siècle, et, en même temps que d'autres structures de fer et de verre, comme les Halles, considérées comme les chefs-d'œuvre de la construction de leur époque, comme l'avaient été en leur temps les cathédrales[66]. Il y a un lien entre la géométrie de ces structures et la composition adoptée par Monet, ignorant la masse de la cathédrale et se concentrant sur l'à-pic de la façade évoquant celui d'une falaise, la traitant comme un écran qui, avec les innombrables ruptures créées à sa surface par ses tympans, ses clochetons, ses pilastres, ses niches, sa rosace et son portail encastré, pouvait recevoir et réfléchir la lumière avec une complexité infiniment plus grande que les véritables falaises, pourtant également exposées à l'ouest.

Dans le contraste entre l'édifice laïque et le monument religieux, la gare et la cathédrale, on peut voir comment Monet a affirmé le triomphe de la perception sur la symbolique, de sorte que Clemenceau put s'en prévaloir dans sa lutte contre le cléricalisme. L'un des premiers paysages urbains de Monet montrait la façade de Saint-Germain-l'Auxerrois, d'un gothique tardif, étincelant au soleil au cœur du Paris rénové, partie intégrante du spectacle de l'époque ; et bien qu'il ait éliminé des *Cathédrales* toute trace de modernité, la série demeure assujettie à l'expression visuelle contemporaine, du fait que l'objet est utilisé pour incarner une prise de conscience individuelle et par là même désintégré en « une sorte de palpitation universelle de molécules colorées »[67].

La cathédrale de Rouen n'était pas seulement un édifice religieux : elle était profondément ancrée dans l'histoire de la France et Monet, qui ne croyait pas à l'invisible et faisait fi des souvenirs, avait pourtant choisi de peindre un monument auquel ils donnaient précisément sa signification. Bien que cette image ait pu être l'écho d'une illustration d'un guide touristique, il la peignit comme si elle n'avait jamais été vue auparavant, dépourvue de toute référence humaine (à l'exception de minuscules figures dans une version, et de vieilles maisons pittoresques dans quatre autres). À une période où tant d'esprits revenaient au sein de l'Église et où les signes d'allégeance spirituelle étaient observés de près, Monet obscurcit systématiquement les marques du christianisme de la façade, les brouillant ou allant jusqu'à supprimer la croix qui la surmonte (comme elle était absente d'une gravure qui aurait pu lui servir de source pour ce motif)[68] — mais il effaça également les traces de modernité, comme le cadran de l'horloge.

Les adeptes de ce nouveau spiritualisme avaient tendance, soit à rejeter l'art de Monet pour son matérialisme opiniâtre, soit à l'interpréter selon leurs critères et sa décision de peindre une cathédrale d'un point de vue "laïque" était peut-être destinée à calmer les ardeurs symbolistes de Mauclair et d'Aurier qui voyaient en lui « un des héritiers insoupçonnés des anciennes vérités », célébrant « la glorieuse messe de lumière dans un

temple moderne du soleil »[69]. À la vérité, la dévotion de Mauclair s'évanouit à la vue des *Cathédrales*.

Natanson démontra comment, dans ces œuvres, « le paysage a été réduit aux dimensions d'une œuvre d'art », la cathédrale. Geffroy avait pressenti, dès 1891, l'assimilation de la cathédrale de Rouen à un paysage lorsqu'il avait écrit que Monet souhaitait peindre « les cathédrales de France, hautes et belles, comme les rochers des promontoires » ; il est exact qu'après avoir quitté Argenteuil, les églises de village qu'il représenta fréquemment, à Vétheuil ou à Varengeville par exemple, n'étaient que des éléments naturalisés d'un paysage dessiné de main humaine, tandis que sur la côte normande, la petite église de Varengeville semble jaillir de la falaise[70]. À Rouen, Monet isola la façade du reste de l'édifice, l'édifice de son cadre, et la cathédrale du sens que l'histoire lui avait donné, de sorte qu'elle n'existe qu'au présent de l'indicatif. Peu de temps avant l'exposition vouée aux *Cathédrales*, Pissarro évoquait « la nature, la bonne nature des gothiques français [qui] prend le dessus » car, comme bon nombre de ses contemporains, il considérait le style gothique comme l'expression la plus achevée d'un art qui est harmonieux parce qu'il se fonde sur la nature. Monet traita cette construction humaine comme un phénomène naturel modelé par le temps : Geffroy décrivait « le portail creusé comme une grotte marine, la

239. « La Cathédrale de Rouen », gravure, in *Rouen, Guide-Joanne,* 1891

240. *Le Portail et la tour d'Albane, effet du matin* (W.1346), 1893, 106 x 73

pierre usée par le temps, dorée et verdie par le soleil, les mousses et les lichens » et Monet s'exclamait : « Tout change, quoique pierre. »[71]

À cette époque de recrudescence religieuse, les amis les plus intimes de Monet plaidaient avec ardeur pour une laïcisation de la culture française, qui, pour d'autres et peut-être pour Alice Monet elle-même, détruirait les qualités mêmes qui avaient créé la civilisation française Mais l'objet que Monet avait décidé de peindre était « saturé de significations symboliques », ce qui excitait les passions contemporaines[72]. Ainsi représenté et exposé, cet objet était presque entièrement dépossédé de sa symbolique, ce qui avait embarrassé de nombreux commentateurs de cette série qui proclamait avec audace le pouvoir du peintre, capable de métamorphoser le monde extérieur en univers de l'art.

Il semble, d'après l'un des carnets de croquis consacrés au vieux Rouen, que Monet étudia d'abord la cathédrale dans son cadre, avant de fixer son choix sur la façade occidentale. Elle apparaît sur le dernier dessin d'une série, sous un angle très rapproché, les deux tours latérales découpées si nettement que tout l'espace est rempli de cette falaise architecturale[73]. Tous les éléments de l'œuvre définitive, les portails, la rosace, les arceaux go-

thiques, les niches, la tour et les pilastres sont tracés d'un trait pur, sans aucune ombre, selon son habitude. Monet aurait pu découvrir cette composition dans la partie centrale d'une gravure sur bois du *Guide Joanne* de Rouen montrant la cathédrale sous ce même angle. Si tel fut le cas, il l'élagua de façon à tronquer les deux tours, à éliminer presque totalement le premier plan et le ciel, et à supprimer la croix dominant la rosace ; et il serait allé jusqu'à réduire cette image compliquée à un squelette linéaire qui formera l'armature de toutes les versions qu'il réalisera au cours de deux campagnes. De février jusqu'au milieu d'avril, en 1892 ainsi qu'en 1893, Monet commencera vingt-huit vues de ce motif qui ne diffèrent que par les angles de vue de la façade et parfois la présence des tours et des maisons environnantes. Puis il les termina à Giverny, pendant près de deux ans, jusqu'au moment où il les exposa[74].

Il n'avait pas présenté d'œuvres depuis trois ans et cette longue gestation montre qu'il concevait désormais sa peinture comme une recherche incessante, qui ne s'achevait que lorsqu'il voulait soumettre ses œuvres au jugement de son public. Mais le champ d'application de ses recherches était, en théorie du moins, illimité, car il avait appris à élucider l'acte pictural :

« J'ai pris maintenant une si singulière façon de travailler que j'ai beau faire, ça n'avance pas sensiblement, d'autant que chaque jour je découvre des choses non vues la veille : j'ajoute et je perds certaines choses. Enfin, je cherche l'impossible. »[75]

Dans ces circonstances, le court séjour initialement prévu à Rouen en février 1892 se prolongea et se renouvela l'année suivante. Dès le début, il eut conscience d'avoir entrepris « une rude besogne », particulièrement parce qu'il pensait que ce n'était pas son « affaire d'être dans les villes ». Il adressa à Alice une multitude de recommandations pour le jardin de Giverny et fut pris d'une colère surprenante en apprenant que Suzanne souhaitait épouser un Américain, Theodore Butler, apparemment parce qu'on ne connaissait pas les antécédents de ce jeune homme et parce que c'était un peintre ! « Il m'est impossible de rester plus longtemps à Giverny, écrivait-il, je veux de suite vendre la maison. »[76]

Finalement, il se calma et donna son accord à ce mariage ; mais l'incident était révélateur de l'intensité de ses émotions à la moindre menace de rupture de sa vie de famille idéale et indique peut-être que le rôle de Suzanne, celui du modèle favori, — parfois en compagnie de Jean Monet — avait une signification plus profonde que celui joué tout simplement par une jolie jeune fille.

Il s'installa pour peindre, à Rouen, dans un atelier improvisé sur la place de la cathédrale et situé juste en face, ce qui lui permit — comme à la plupart de ses prédécesseurs, dont Turner — d'observer la façade de biais. Il travaillait toute la journée, du petit matin au coucher du soleil, prenant de nouvelles toiles dès que l'éclairage changeait, revoyant chaque soir ses tableaux à l'hôtel (François Depeaux, l'un de ses principaux collectionneurs, lui fournit une « excellente lampe à pétrole et réflecteur », un porteur pour ses toiles et un paravent pour le soustraire à la vue des clientes du magasin de mode où il avait planté son chevalet). Au bout de trois semaines, il avait en chantier neuf toiles auxquelles il travaillait simultanément et s'inquiétait des caprices du temps. Plus le temps passait, plus son rythme s'accélérait, plus sa tension et ses émotions croissaient, car il découvrait chaque jour des choses « qu'[il] n'[avait] pas encore su voir ». Vers la fin de son séjour, il eut l'impression « qu'un bon nombre de [ses] toiles [seraient] sauvées », mais il ajoutait : « Je suis rompu, je n'en peux plus, et, ce qui ne m'arrive jamais, j'ai eu une nuit remplie de cauchemars : la cathédrale me tombait dessus, elle semblait ou bleue ou rose ou jaune. »[77] Voilà bien Monet et son don d'observation impitoyable. Il revint a Giverny « absolument découragé », ne désirant même pas déballer tous ses tableaux et il mit vraiment longtemps avant de les reprendre[78].

Toute la maisonnée était absorbée par les préparatifs du mariage de Suzanne, qui fut précédé de quelques jours par celui d'Alice et de Monet, le 16 juillet 1892, rendu possible, après douze ans de vie commune, par la mort d'Hoschedé, ce qui lui permit de conduire Suzanne, sa belle-fille, à l'autel.

Parmi les œuvres que Monet rapporta de Rouen en avril 1892, se trouvait probablement un groupe de neuf toiles qui peuvent être distinguées de celles de 1893, car on y voit le ciel entre la façade et la tour d'Albane, à gauche (W.1321-1329). Comme la façade occupe presque entièrement l'espace de chacun des tableaux, vue sous un angle si rapproché, elle semble faire corps avec cette surface, de sorte que le contraste de teintes claires ou sombres traduisant ses avancées et ses reculs donne du relief à la toile elle-même et se répercute à chaque variante.

Une toile inachevée, où Monet a décrit la partie supérieure de la façade, dorée par le soleil de la fin de l'après-midi, et sa partie inférieure dans une ombre violette projetée par les maisons voisines de son poste d'observation, en face de la cathédrale, démontre que ces tonalités proviennent d'une structure linéaire commune à toutes les phases du processus pictural. Il incrustait d'abord de fines traînées de peinture dans le grain de sa toile, puis les recouvrait d'épaisses touches d'un coloris contrastant traçant le plan des principales formes architecturales. Dès qu'il se mettait à son chevalet, il construisait une image rugueuse, une sorte de croûte de jaunes rosés et de violets profonds, articulée par des hachures d'un jaune d'or vibrant et de longs accents mauves. Cette ossature était en général constituée de lignes de couleur imitant les détails de l'édifice, que Monet renforçait continuellement de sorte que leur dessin demeurait visible à travers les couches successives de glacis. Après quelques séances devant le motif, l'œuvre resta inachevée ; si elle est très travaillée et même très précisément observée dans certaines parties (comme dans l'assemblage complexe de touches traduisant les vibrations de la lumière réfléchie dans l'ombre du portail), Monet n'a pas réussi en l'espèce à créer une unité à partir de cette mise au point si véhémente, et l'œuvre ne nous communique pas cette accumulation de perceptions, sans cesse aiguisées par le temps, qui se dégage d'œuvres plus finies, comme la *Cathédrale de Rouen, effet de soleil, fin de journée* (ill.236). Quoi qu'il en soit, étant donné le nombre de séances que Monet avait passées sur cette *Cathédrale* inachevée et le nombre de toiles qu'il avait entreprises durant ce court séjour à Rouen, il est probable que les œuvres qu'il rapporta à Giverny étaient aussi incomplètes que celle-ci.

Lors de son second séjour, exactement un an plus tard afin d'obtenir les mêmes effets de lumière, Monet découvrit un troisième emplacement situé un peu plus sur la droite, d'où il pouvait voir la façade sous un angle plus aigu (W.1346-1348) (ill.240). Il introduisit un facteur nouveau dans cette série, en apportant avec lui ses « effets de l'an passé », disant à Alice qu'au bout de trois semaines il avait comparé ses nouvelles toiles aux précédentes, ce qu'il avait évité jusqu'alors, « pour ne pas tomber dans les mêmes errements »[79]. Ainsi des tableaux témoignant de prises de conscience anciennes s'intégraient-ils à l'expression de perceptions du moment. Selon Monet, ses premières toiles avaient été abîmées parce qu'il avait « voulu trop bien faire », et comme elles sont légèrement plus descriptives que le second groupe, il sous-entendait peut-être qu'il les avait exécutées trop rapidement pour que la lente maturation de la perception prenne le pas sur la traduction des formes connues[80].

Après avoir passé cinq semaines à Rouen, il travaillait à dix ou douze toiles chaque jour, déchiré entre son besoin de les parachever et celui d'en créer d'autres pour surprendre de nouveaux effets, ce qu'il fit pendant une quinzaine de jours, avant que les modifications d'éclairage dues au printemps ne l'obligent à partir. Il rêvait à la joie de peindre à la campagne et, « prisonnier » dans la ville, ne cessait de penser à son jardin. Et cependant ses projets pour un jardin d'eau se trouvèrent contrecarrés, ce qui le mit

241. *Le Portail, harmonie bleue* (W.1355), 1894, 91 × 63

dans une rage terrible. Il écrivit à Alice, évoquant l'opposition des habitants de Giverny : « J'y renonce totalement. […] Il faut […] jeter les plantes aquatiques à la rivière ; elles y pousseront. Donc ne plus m'en parler, je veux peindre. Merde pour les naturels de Giverny, les ingénieurs. »[81]

« Quatorze toiles aujourd'hui, jamais pareille chose ne m'était arrivée », annonçait-il à la fin de mars. Il sentait qu'il commençait à comprendre son sujet, mais se trouvait trop fatigué pour continuer alors que « chaque jour », la lumière devenait « plus blanche » et tombait plus « à plomb », les nerfs à fleur de peau en constatant :

« La vue de mes toiles qui m'ont paru atroces, l'éclairage changé. Bref, je ne pourrai arriver à rien de bon, c'est un encroûtement entêté de couleurs, et voilà tout, mais ce n'est pas de la peinture. »[82]

Lorsqu'il mentionne cet « encroûtement entêté de couleurs », nous pouvons penser que nombre de ses toiles étaient extrêmement travaillées, empâtées, avant qu'il n'attende de les terminer dans son atelier, avant son

242. *La Cathédrale de Rouen*
(W.1326), 1894, 100 x 65

exposition de 1895. Certes il ne consacra pas tout ce temps à reprendre sa série des *Cathédrales* ; il revint en 1893 et 1894 aux motifs qui lui avaient toujours été chers dans sa vallée de Giverny : une meule de foin, des saules, des peupliers au printemps, dans la verdure des prés, le miroitement du brouillard sur la Seine et six toiles de l'église gothique de Vernon et de son reflet dans l'eau (ill.243).

C'est à cette période que Monet jeta les bases de son jardin d'eau ; son jardin de fleurs était déjà orné d'une petite pièce d'eau où poussaient des iris sauvages et des nénuphars. Les sommes considérables qu'il avait gagnées en 1892 lui permirent d'acquérir, au sud de sa maison, un terrain situé entre la voie ferrée et un petit bras de l'Epte. En 1893,il obtint du préfet de l'Eure l'autorisation d'installer un branchement d'eau sur la rivière et d'y construire deux légères passerelles, afin de créer un bassin de plantes aquatiques. Dans sa demande, il avait précisé que son but était de trouver « des motifs à peindre ». Tout en travaillant à ses *Cathédrales*, il fit ajouter aux saules, aux peupliers et aux aulnes existants des frênes, des cerisiers du Japon, des touffes de bambous, des massifs de rhododendrons et, en janvier 1895, il put peindre le bassin et le petit pont japonais qui avait été préféré au pont de pierre initialement choisi[83].

Cette même année, il se rendit en Norvège et, comme de coutume quand il devait représenter des endroits qui ne lui étaient pas familiers, il voyait les paysages à travers d'autres images : le mont Kolsaas le faisait « songer au Fujiyama » et le village de Sandviken lui rappelait un village japonais. À dire vrai, bien qu'il ait peint en plein air, « sous la neige qui tombe sans arrêt », écrivait-il à Geffroy, et « entièrement blanc, la barbe couverte de glaçons "stalactités" » — les plans de bleus et de roses aux teintes délicates et le petit pont de bois semblent procéder autant d'une estampe d'Hiroshige que de la nature. Mais pour nous rappeler qu'il vivait avec son temps, notons qu'il avait écrit à sa femme — sans commentaires — qu'il s'était servi du téléphone[84].

Il est impossible de savoir combien de temps Monet consacra aux *Cathédrales* à Giverny. L'exposition prévue pour le début de 1894 fut reportée, en partie parce qu'il n'était pas satisfait de son œuvre et ne parvenait pas à la terminer : comme il le disait à Durand-Ruel : « J'ai tant de peine maintenant à faire quelque chose et je suis si long. » Dix ans auparavant, il lui écrivait que les retouches ne pouvaient se faire du jour au lendemain. Mais ces délais de plus en plus longs semblent avoir été voués bien davantage au renforcement d'effets existants qu'à leur transformation[85]. Ce qui prenait du temps, c'était sans doute la confrontation de l'ensemble des versions, car il devait bien se pénétrer de leurs différences et déterminer les gammes de coloris susceptibles de clarifier les effets individuels. Après les avoir estompés, voilés, recolorés, accentués par un réseau de fines touches de couleur, Monet devait réajuster ses traits, réaffirmer son articulation, si bien que la surface de la toile était si dense que la matière elle-même en venait à exister presque autant que l'image picturale.

La reprise en atelier renforçait également l'unité décorative de la série rouennaise. La structure linéaire, quasi immuable, consciemment traduite en plusieurs harmonies de couleurs — essentiellement des ocres crémeux et des mauves bleutés avec des accents d'or, de rose, d'orange et de violet —, évoque les variations sur un thème musical et marque peut-être l'influence de Whistler[86]. La cathédrale était construite en pierre grise, donc fort différente des précédents motifs de Monet, composés de substances incolores et réfléchissantes, comme l'eau ou la neige, ou au contraire dotés de fortes couleurs intrinsèques. Les harmonies des *Cathédrales* sont, par conséquent, plus manifestement inventées que celles des œuvres antérieures ; toutefois, dès lors qu'une harmonie avait été « choisie » pour un effet spécifique — choix qui n'était peut-être pas conscient et qui, à mesure que progressait la série, dépendait de plus en plus des choix précédents —

elle traduisait les variations d'éclairage avec autant de fidélité qu'une transcription plus naturaliste. Ainsi, quel que soit le caractère décoratif de ces toiles, soit prises individuellement, soit dans leur ensemble, il est toujours loisible de trouver une raison à chacune des modulations chromatiques perçues par l'artiste devant le motif. En réalité, comme les impressionnistes étaient convaincus que « décoratif » était synonyme de « naturel » et de « fidèle », il était inutile de rechercher les origines d'une gamme de coloris.

De nos jours, seul le musée d'Orsay, avec ses cinq *Cathédrales*, peut donner une idée de la stupéfaction, de l'émerveillement et des interrogations suscités par ces vingt versions exposées simultanément. En les comparant, l'on peut commencer à comprendre comment les perceptions de Monet s'affinent à mesure qu'il s'affronte au motif, pour tenter d'exprimer chacune de ses transitions sous une forme à la fois stable et évanescente. *Le Portail et la tour d'Albane, effet du matin* (ill.240) montre comment l'artiste analyse les vibrations perceptibles lorsque le soleil est derrière la cathédrale, laissant la façade dans l'ombre et la partie supérieure de la tour noyée dans un brouillard doré. On devine la présence d'une lumière tiède dans la hauteur du ciel grâce aux roses frémissants délicatement brossés sur la partie ombragée de la tour, tandis que la lumière plus froide, en contrebas, est évoquée par de minuscules traits d'une infinie variété de bleus. Les ombres plus profondes de la rosace et des portails sont traduites en bleus plus froids et plus denses, et des touches de couleurs plus chaudes marquent les vibrations de la lumière réfléchie par le sol. Bien que le soleil soit toujours derrière la cathédrale et que le ciel soit moins limpide dans *Le Portail, harmonie bleue* (ill.241), le rétrécissement des ombres et l'addition de coups de brosse jaune d'or aux bleus dominants de l'*Effet du matin* indiquent que le soleil est plus haut et que la lumière devant la façade devient plus chaude ; les relations chromatiques changeantes dans *Le Portail et la tour d'Albane, plein soleil* (ill.237), révèlent que le soleil est alors juste en face de la façade et que la lumière, plus nette, donne au dessin architectural plus de relief.

Lorsque l'exposition de Monet à la galerie Durand-Ruel s'ouvrit, en mai 1895, elle comprenait, outre vingt *Cathédrales*, huit toiles de Norvège et douze des alentours de Giverny, parmi lesquelles six de l'église de Vernon. Elle était donc dominée par des tableaux représentant deux églises gothiques, donnant, à un certain niveau, une image de la France traditionnelle, absolument étrangère aux troubles qui secouaient épisodiquement la capitale moderne, dont les plus significatifs furent les attentats anarchistes à la bombe de 1892 à 1894, qui provoquèrent une répression du gouvernement affectant non seulement les membres de ce parti, mais aussi leurs sympathisants de l'avant-garde, dont les réactions confirmaient les plus noirs soupçons des honnêtes gens. Le lendemain d'un de ces attentats, le journal anarchiste *L'Endehors* publiait un article véhément de Mirbeau plaidant pour l'acquittement de Ravachol, l'un des plus célèbres poseurs de bombes :

« J'abhorre le sang versé […]-J'aime la vie et, pour moi, toute vie est sacrée. C'est pourquoi je revendique de l'idéal anarchiste ce que nul gouvernement n'a été en mesure de me donner : amour, beauté et paix parmi les hommes. Ravachol ne me fait pas peur […]-C'est le grondement de tonnerre auquel succède l'allégresse du soleil dans les cieux apaisés. Après la triste besogne, le rêve d'une harmonie universelle nous sourira.

En outre, la société a tort de se plaindre. C'est elle seule qui a engendré Ravachol. Elle a semé le malheur, elle récolte la révolte. »

Lorsqu'en décembre 1893, évoquant la bombe lancée à la Chambre des députés, Laurent Tailhade s'écria « Si le geste est beau, qu'importe les victimes ? », l'apostrophe fit scandale. Prononcée, de notoriété publique, lors d'un banquet du journal symboliste *La Plume* auquel assistaient Mallarmé, Fénéon, Zola et Rodin, elle accrut encore la suspicion vis-à-vis de l'avant-garde. Il n'existe à l'époque dans la volumineuse correspondance de Monet aucune allusion, aucune préoccupation concernant les événements qui touchaient de si près ses amis et connaissances : l'explosion de la bombe à la Chambre des députés en 1892 ; l'assassinat du président de la République, Sadi Carnot, en 1894, qui entraînèrent des vagues d'arrestations y compris celles de Fénéon, Signac et Luce ; et les menaces pesant sur Pissarro, Lecomte et Mirbeau. Les ventes de Monet n'en furent apparemment pas affectées, bien que Pissarro ait déclaré en 1894 que les collectionneurs étaient « si désorientés par les événement qu'ils ne veulent plus entendre parler d'art », et que Durand-Ruel ait affirmé que « les affaires étant désastreuses, il faudrait baisser les prix »[87]. Monet n'était pas anarchiste, mais risquait, comme Pissarro, d'être éclaboussé par les mêmes soupçons, ce qui se produisit en 1894 lors de la violente campagne de presse suscitée par le legs de la collection impressionniste de Caillebotte à l'État. Dans une enquête publiée par *Le Journal des artistes*, l'académicien Léon Gérôme écrivait : « Pour que l'État ait accepté de pareilles ordures, il faut une bien grande flétrissure morale. » C'est le pouvoir qui était en jeu. « Nous sommes ceux qui représentent l'État », disait Gérôme, tandis qu'un autre peintre, Charles Maignan, s'inquiétait de ce que les impressionnistes puissent réussir « à usurper l'autorité ». Les tenants de la peinture académique avaient encore de l'influence, car il fallut trois ans de négociations avant que l'État accepte d'exposer une partie de cette donation[88].

Après le procès des Trente, où furent finalement acquittés les complices présumés des anarchistes — au cours duquel Mallarmé témoigna en faveur de Fénéon — la tension politique s'apaisa et bientôt, comme l'écrivit Pissarro, « tout Paris » bruissait de la lutte opposant Monet à Durand-Ruel au sujet des *Cathédrales*. Le marchand souhaitait acquérir la série entière, mais Monet demandait quinze mille francs par toile, et le report de l'exposition accrut les rumeurs sur leur coût exorbitant. Il les céda finalement à douze mille francs, avant et pendant l'exposition, soit quatre à cinq fois le montant d'une *Meule*[89]. Un nombre important demeura toutefois invendu, non seulement en raison de leur prix, mais à cause de la perplexité et de l'embarras éprouvés par certains critiques, et sans doute aussi par les collectionneurs. L'exposition eut néanmoins un grand succès et un journaliste put affirmer qu'avec *Tannhauser*, c'était « l'événement » de la saison parisienne. L'opéra de Wagner n'avait pas été représenté depuis 1863 et fut accueilli avec enthousiasme par l'avant-garde, mais dénoncé par les nationalistes comme anti-français. Ce journaliste ajoutait que les anciens détracteurs de l'œuvre de Monet « communiaient maintenant dans une mêlée d'adjectifs enthousiastes et une explosion d'épithètes »[90].

Les *Cathédrales* suscitèrent de nombreux commentaires, mais si l'on exclut les envolées lyriques habituelles de Geffroy et un panégyrique de Clemenceau s'étendant sur cinq colonnes en première page de *La Justice*, la plupart des critiques, tout en admirant la virtuosité de Monet, mettaient en doute la « vérité » de cette série, ou étaient hostiles à un tel traitement d'un édifice religieux. Tous étaient d'accord sur la signification particulière de ces nombreuses versions d'un même motif, les uns s'attachant à la représentation des variations d'éclairage, les autres privilégiant leur caractère abstrait, musical ou subjectif, parvenant rarement à lier ces deux éléments. La « décomposition » de la lumière s'appréciait plus aisément quand il s'agissait de reflets mouvants ou de feuillages frémissants que devant un monolithe de pierre. Michel se moquait de ceux pour qui l'impressionnisme était « la vérité même » ; étant donné que l'échelle de valeurs en peinture diffère de celle de la nature, il déclarait : « Il est *impossible* de peindre le véritable soleil. » Il ridiculisait les critiques qui prétendaient que Monet devait « sauter […] d'une toile à une autre » lorsque l'effet changeait, et affirmait que « ces acrobaties me semblent aussi puériles que vaines », en ajoutant que « cette série aurait pu être peinte partout sauf à Rouen ». Décrivant cette série comme « une suite de variations extraordinaires sur

un thème donné, Michel était l'un des rares chroniqueurs à oser dire que Monet « imagine différents effets », utilisant « le spectre de la pierre comme prétexte […] pour son imagination irrésistible et débridée » . D'après lui, la désintégration des « formes définies » était pour Monet « l'expression exacerbée et définitive de la sensation », les râles d'une peinture agonisante qui « n'a plus rien à dire »[91].

Tous les critiques, quelles qu'aient été leurs appréciations, prenaient prétexte des séries pour déployer la virtuosité de leur style. À grand renfort d'adjectifs alambiqués, de métaphores fulgurantes, chacun faisait le décompte des changements d'éclairage survenus sur la cathédrale, dus à leur imagination plus qu'à l'observation des toiles. Quant à Clemenceau, transporté d'admiration par cette analyse des transitions du temps, il proclamait qu'au lieu de ses vingt toiles, Monet aurait pu en faire « autant qu'il y aurait de secondes dans sa vie […] et qu'à chaque battement de son pouls il put fixer sur la toile autant de moments du modèle », autant « que l'homme pourra faire de divisions dans le temps ». Imaginant pour elles une présentation idéale qui révèlerait « la parfaite équivalence de l'art et du phénomène », l'écrivain, ébloui, rêvait à « la durable vision, non plus de vingt, mais de cent, de mille, d'un milliard d'états de la cathédrale de toujours dans le cycle sans fin des soleils »[92].

Clemenceau n'était pas le seul à déplorer la dispersion de la série et demanda au président de la République de l'acquérir pour le compte de l'État, car il n'y avait eu aucun « millionnaire pour comprendre même vaguement la signification de ces vingt cathédrales et dire : "J'achète le tout", comme il l'aurait fait pour un paquet d'actions » . Ainsi soulevait-il un problème essentiel : le rapport entre l'expression de moments uniques et le marché de l'art, la valeur marchande de chaque version individuelle et la signification première de l'ensemble qui se perdait avec la fragmentation, dilemme que Monet ne résolut qu'à la fin de sa vie en offrant à l'État ses *Nymphéas*. Pissarro écrivit à son fils qu'il regrettait de ne pas avoir vu l'intégralité de la série, car :

« … c'est surtout dans son ensemble qu'il faut que ce soit vu. — C'est très combattu par les jeunes et même par des admirateurs de Monet. Je suis très emballé par cette maîtrise extraordinaire. Cézanne […] est bien de mon avis que c'est l'œuvre d'un volontaire, bien pondéré, poursuivant l'insaisissable nuance des effets que je ne vois réalisée par aucun artiste. Quelques artistes nient la nécessité de cette recherche, personnellement je trouve toute recherche légitime quand c'est senti à ce point. »

Il y trouvait une « unité superbe » qu'il avait d'ailleurs lui-même recherchée mais qu'il découvrait sans doute dans la facture monotone, la répétition de la structure linéaire et même la parenté des coloris de la série[93].

Il n'aurait pas été possible de présenter la série comme une succession chronologique d'instants lumineux, car elle comportait des sous-groupes dus à de légères différences d'angle de vue ou d'harmonie et peut-être Monet souhaitait-il juxtaposer des versions voisines, ou contrastantes, afin que le spectateur puisse réfléchir à leurs rapports, plutôt que de suivre passivement la progression du temps. Rien ne peut nous en assurer et seul Lecomte compara les œuvres entre elles, montrant que Monet avait prouvé sa maîtrise du trait en commençant par peindre la cathédrale « sans se soucier » des fluctuations atmosphériques. Sans doute faisait-il allusion à une toile assez descriptive (W.1319), une vue frontale (commencée de biais, mais corrigée ensuite), pouvant servir de référence neutre à toutes les variations d'éclairage. Pour apprécier pleinement la précision de l'analyse des couleurs, Lecomte recommandait d'« examiner en détail puis de comparer » les différents effets atmosphériques par rapport au cadre architectural immuable composé par la rosace, les portes et les porches. Geffroy et lui soulignaient le contraste entre la permanence de la structure et les modifications de la lumière, entre la pierre et l'atmosphère, entre une « réalité à la fois immuable et changeante », telle que la voyait Geffroy[94]. Ils furent les seuls critiques à évoquer la corrélation des composantes intimes de la série : motif unique, abstraction des harmonies de couleurs, quête de la vérité. Pissarro était d'accord avec eux sur un point ; la série, dans son intégralité, était essentielle à la manifestation de la vérité, d'où ce paradoxe : cette vérité se découvrait aussi bien en comparant les versions entre elles qu'en les confrontant avec le motif lui-même. La fidélité envers la nature pouvait donc s'exprimer grâce à l'art.

Monet affirmait : « Tout change, quoique pierre. » Plus il passait de temps à peindre une œuvre, plus il la voyait et plus il la voyait, plus il éprouvait le besoin de la peindre, de sorte qu'elle devenait plus dense, visuellement et matériellement. Il ne cherchait pas seulement à transcrire une réalité extérieure sans cesse mouvante, mais également à exprimer sa conscience permanente de cette réalité[95], et plus il se concentrait sur les variations de la lumière, plus la stabilité de la cathédrale se désintégrait. Lorsque Michel estime que Monet réduisait tout à « une sorte de palpitation universelle de molécules colorées », il traduit en partie la vision terrifiante du réel inhérente à l'artiste, mais aucun autre chroniqueur, en dehors de Clemenceau, ne souhaitait voir les tableaux sous cet angle.

La plupart des critiques étaient en fait déconcertés par la différence entre la pierre grise et les couleurs iridescentes de Monet, ils ne voyaient pas la raison d'être de ces empâtements qu'ils qualifiaient à l'envi de « plâtre », « moulage grossier et sans forme », ou « couches de ciment brut ». En réalité, après avoir comptabilisé religieusement tous les moments de la lumière se succédant sur la façade, rares étaient ceux qui établissaient un lien entre la peinture et la représentation de la lumière et ce avec une grande prudence, car aux yeux de la majorité, les *Cathédrales* étaient totalement irréelles[96]. Pour Michel, c'était : « Une série de… visions », Renan décrivait : « Vingt mirages différents projetant sur nos rétines l'image d'une façade massive et d'une tour aérienne », et exprimait une inquiétude très répandue lorsqu'il affirmait que la « matière picturale » de Monet n'avait jamais été « plus étrangement troublante ». Dans le journal symboliste à la mode, *La Plume*, Éon assimilait l'image de la cathédrale dans la brume à « une cathédrale fantôme » ; le portail, resté dans l'ombre, était « déserté, hermétiquement fermé, mystérieux et muet comme une tombe scellée à jamais » ; il applaudissait au retour des légendes et des contes de la période gothique, en soutenant que « l'impression presque fantastique que Monet a été capable de donner de la cathédrale de Rouen ajoute une note nouvelle et réellement curieuse de mysticisme à sa gloire ». Dans *Le Journal des artistes*, Denoinville s'écriait, en termes dithyrambiques : « Admirable, d'une beauté mystique… Temples de Foi !… Basiliques d'Amour !… Apothéose magique de Religion et de Rêve !… » Seul Lumet écrivait, en toute simplicité, que les tableaux étaient à la fois « vrais et irréels », comme si l'un était fonction de l'autre[97].

Le choix même du sujet jetait le trouble dans certains esprits. Dans le très influent *Mercure de France*, Camille Mauclair, ancien admirateur de Monet, louait sa « prodigieuse » virtuosité, mais s'inquiétait de le voir « tenter, après une vie d'une sensualité timorée, d'appliquer l'art le plus exclusivement coloriste et orgiaque à ces hauteurs de pierre monochrome et à ces théorèmes linéaires. » Les toiles n'apportaient aucune « émotion intellectuelle » répondant à celle de l'architecture, et Mauclair estimait que « l'idée même que le gothique, art cérébral par excellence, serve de thème à ce païen si superbement sensuel, est quelque peu blessante »[98]. Les partisans de Monet défendaient les *Cathédrales* en termes laïques, panthéistes ou anticléricaux. Dans son article au titre provocateur, « La révolution des cathédrales », Clemenceau opposait les peintures de Monet, leurs « réalités miraculeuses », leur mouvement, leur lumière, leur « représentation de la vie en elle-même », aux pseudo-miracles du christianisme. Seul l'artiste, affirmait-il, et non le « faible curé » pouvait transmettre de façon valable les vérités spirituelles[99]. Il était peut-être fatal que les *Cathédrales* de Monet

aient été mêlées aux polémiques religieuses de la Troisième République, car les écrivains qui n'avaient cessé d'attirer sur lui l'attention du public, Mirbeau, Geffroy et à présent Clemenceau, tentaient par tous les moyens de libérer les consciences de ce qu'ils considéraient comme l'emprise et l'obscurantisme de l'Église, alors que leur sympathie pour une religion laïque fondée sur la science, la raison, le progrès et la nature semblait menacée par le renouveau du catholicisme des années 1890[100]. Certes, Monet était libre penseur mais, comme à son habitude, ses toiles ne traduisaient explicitement aucune idéologie. Néanmoins, en représentant la cathédrale uniquement comme une forme — ou plutôt comme des formes multiples, soumises à la lumière — il rangeait sa peinture aux côtés de ceux qui soutenaient que la nature était l'unique, la véritable foi de la société moderne.

Si Monet partageait le panthéisme de ses amis, sa peinture demeurait celle d'un observateur passionné mais impartial, s'il s'oubliait lui-même dans la contemplation de chaque nuance de lumière et dans le choix de son équivalent pictural, il était quotidiennement confronté à des « incrustations rebelles » de couleur. Sans jamais contredire publiquement les envolées lyriques de ses admirateurs, il évoquait toujours son art en termes terre-à-terre. Il n'avait pas besoin de recourir aux notions symbolistes de spiritualisme ou d'idéal et croyait que si la peinture a une signification au-delà de sa présence immédiate, elle ne se révèle que par le travail de la matière, par une discipline presque automatique qui permettra d'atteindre « un maximum d'apparences en étroites corrélations avec les réalités inconnues »[101], comme le rapportera plus tard Clemenceau.

Dans *La Revue blanche*, Natanson évoqua une autre théorie de l'esthétique contemporaine, selon laquelle l'art était la source unique de valeurs sûres, critiquant à demi-mot le style didactique de Clemenceau et Geffroy. Il ne faudrait pas, disait-il, « rendre l'artiste responsable des interprétations d'admirateurs inconsidérés », ni blâmer « la méthode » utilisée dans les séries alors que certains écrivains, loin de s'intéresser à la peinture, surchargeaient « avec une sorte de conception scientifique, un but éducatif et dieu seul sait quelle idée du progrès ». Cette notion se justifierait si elle n'« abuse pas l'artiste lui-même […] comme certains spectateurs, ni le distrait de la tâche — que certains voudraient unique — de composer ses tableaux ». Natanson estimait que « les impressions les plus fugitives de la lumière » qui préoccupaient Monet pourraient le détourner des véritables buts de la peinture qui, selon lui, consistaient à créer « un objet qui ne tire sa valeur que de ses propres qualités », termes qui rappellent sa sympathie pour les Nabis. Pour Monet, les « qualités » formelles étaient le moyen de découvrir la nature, plutôt que des valeurs intrinsèques, mais les subtiles réserves de Natanson sur « ses constructions de pâtes toujours épaisses, presque sculpturales » lui furent peut-être utiles, de même que ce passage : « On commence à préférer aux plus inattendues, aux plus extraordinaires de ces réalisations, une force d'expression moins fugitive, plus ordinaire mais plus durable. »[102]

Monet avait certes réfléchi à toutes ces éventualités, et en choisissant la cathédrale comme motif, il avait peut-être été mû par le désir de créer une œuvre « qui ne soit d'aucun temps, d'aucune saison » mais, dès qu'il s'était mis à son chevalet, il s'était à nouveau absorbé totalement dans la représentation d'effets éphémères. Le travail « terriblement dur et aride » que lui demandaient les *Cathédrales* paraît l'avoir fait réagir contre les aspects les plus automatiques du procédé des séries, et l'avoir incité à recourir à sa mémoire pour rechercher d'autres prises de conscience, afin que le passage de la lumière sur le motif devienne « moins fugitif […] plus ordinaire […] plus durable ». Tout en mettant la dernière main aux *Cathédrales*, Monet reprit un motif abordé dès son arrivée à Giverny, l'église de Vernon vue de la rive de la Seine. Ces six tableaux dépeignent des effets de lumière très nettement différenciés, plutôt qu'une succession de moments comme dans les *Cathédrales*. Plus d'empâtements, mais de délicates nuances évanescentes qui fondent toutes les formes en une substance unique dont l'éclat évoque davantage une lumière inscrite dans la durée qu'un fragment du temps.

Au cours des dix mois qui suivirent son exposition de 1895, Monet peignit un petit nombre de toiles. Il terminait ses paysages norvégiens, tout en s'opposant à l'industrialisation de la commune de Giverny et il était « dans l'inquiétude », car Suzanne et Alice avaient des ennuis de santé. Deux tableaux représentent son jardin d'eau (W.1419,1419 bis) dont le pont japonais se reflète parfaitement dans le bassin[103]. On voit ainsi que dès cette époque le jardin avait pris forme, mais ce n'est qu'au cours des deux étés suivants que Monet s'y consacra réellement, comme s'il avait voulu attendre qu'il soit serti dans ses frondaisons. Contrairement au jardin de fleurs, il ne servit jamais de décor aux membres de la famille et, comme dans toutes les autres œuvres des années 1890 et du XXᵉ siècle, aucune figure humaine n'y apparaît.

Georges Truffaut, le célèbre pépiniériste, affirmait que lorsque les pivoines étaient en arbres et les cytises en fleurs auprès des bambous, « on pouvait penser que l'on se trouvait dans les faubourgs de Yokohama », tandis que d'autres soulignaient le caractère japonais du jardin d'eau. L'influence du Japon allait bien au-delà du style ou du détail : le jardin, avec son petit pont et ses plantations d'iris, de bambous, de pivoines, de saules pleureurs, et ses nénuphars ; la collection d'estampes, la décoration de la maison étaient des manifestations spécifiques d'une vision d'ensemble, relevant de la conception européenne de l'esthétique japonaise où l'art, le cadre de vie, le paysage et, au suprême degré, le foyer, reflètent cette philosophie du beau. Le Japonais, tel que le décrivait Gonse, était « un contemplatif… [qui] aime son foyer, sa demeure, un lieu exquis et paisible, fait pour accueillir des œuvres d'art »[104]. Cette maison et son couronnement, le jardin, devenaient ainsi pour Monet l'aboutissement des désirs de toute une vie.

D'où venait l'intérêt de Monet pour les jardins japonais ? De publications récentes, de descriptions d'amis et connaissances qui s'étaient rendus sur place, Gonse, Duret, Bing ou Hayashi, des *kakemonos* où figurent les détails qui se retrouvent dans son jardin d'eau ? N'oublions pas qu'il avait reçu, en 1891, la visite d'un jardinier nippon et qu'il avait sans doute vu les jardins japonais des Expositions universelles de 1867 et 1878, ainsi qu'une exposition privée organisé en 1890 près de Versailles, comprenant un belvédère, un étang avec des nénuphars et un pont de laque rouge. Et il avait sans le moindre doute lu l'article de Geffroy consacré aux paysagistes japonais, dans *Le Japon artistique* de Bing où, en 1890, il décrivait le jardin japonais comme un microcosme :

> « Tout est représenté dans cet étroit espace qu'une lente promenade de quelques pas peut parcourir si vite. — Il y a la forte et universelle substance, il y a la terre. Cette terre, sous les outils qui la nivellent et qui la creusent, reproduit les ondulations rythmiques du sol, les soulèvements des chaînes de montagnes, les surfaces unies des plaines. — Il y a le fluide et chanteur élément, il y a l'eau qui court, qui jase et qui s'encolère. Le mince filet circule en rivière bordée de sinueuses rives, descend une pente de terrain et tombe en cascade, bouillonne, jaillit, s'apaise et s'approfondit au bassin minuscule qui simule le lac tranquille et la baie rassurante. [...] En même temps que la vérité, l'artificiel triomphe. Pour posséder les nombreuses essences et créer la forêt imaginaire, le rêveur et patient jardinier a violenté la nature... »

Cette « transposition artistique », soutenait Geffroy, révèle « le spectacle changeant de l'univers » en toutes saisons[105].

Si l'échelle réduite des jardins japonais intéressa Monet, il était trop connaisseur pour en recréer un hors de son climat et de son environnement[106]. Au surplus, il avait déjà élaboré les principes de composition de ses jardins de Giverny dans sa peinture, où il donnait l'illusion d'un univers clos, confiné et sensuel dont les frontières disparaissent sous les fleurs

et le feuillage, où les chemins tournent sur eux-mêmes dans un espace limité, mais qui accueille parfois une rivière lointaine dans son unité idéale (W.693). L'eau, son élément de prédilection, apparaissait dans la réalité comme elle l'avait fait sur la toile. Mais la luxuriance du jardin d'eau était bien éloignée du dépouillement japonais qui, à dire vrai, avait davantage inspiré la fonction que le style.

Il était évident, aux yeux de l'avant-garde, que le jardin japonais n'était pas uniquement fait pour l'agrément, mais pour la méditation sur la nature. Comme les estampes, où de simples traits suffisent à évoquer un arbre, une source, un rocher, il incarnait les forces de la nature sous une forme purifiée, condensée, incitant à la contemplation. Conçu dans ce but, le jardin de Monet allait en définitive réintroduire la nature dans les harmonies au raffinement presque excessif de ses œuvres des années 1890 et du début du siècle, et lui permettre de méditer dans cet espace réduit où nature et mise en scène se rejoignent, afin que « le moment du paysage » atteigne à la permanence.

# III

A la fin des années 1890, Monet éprouva le désir de revenir « à ses premières amours », selon le témoignage de son beau-fils, Jean-Pierre Hoschedé. Et plus tard, un journaliste, Thiébault-Sisson, déclara qu'à l'âge de soixante ans, Monet forma le projet de retourner sur les lieux de sa jeunesse pour créer « une façon de synthèse où [il résumerait] dans une toile, parfois deux, [ses] impressions et [ses] sensations d'autrefois ». Il y renonça, compte tenu du temps et des voyages nécessaires : « Il aurait fallu voyager beaucoup, et longtemps, revoir une à une les stations de ma vie de peintre et contrôler mes émotions de jadis » ; mais les six vues de l'église de Vernon, ainsi que les toiles peintes à Pourville et sur la Seine en 1896 et 1897 reprennent des motifs remontant à treize ou quatorze ans. L'importante série commencée à Londres en 1899 trouve sa source dans de petites peintures naïves de 1871, tandis que les six vues de Vétheuil de 1901 s'inspirent de souvenirs vieux de vingt ans[107]. À chaque fois, le désir de créer en un ou deux tableaux une synthèse entre le passé et le présent céda à son obsession de capter des instants sans cesse plus précis de la lumière *actuelle* en multipliant les toiles.

Abolir la mémoire pour réduire l'œuvre à une pure image du « moment » ? C'était un rêve irréalisable, dès lors que Monet se bornait à peindre tant que durait l'effet de lumière, et ne pouvait le retrouver sans faire appel à ses souvenirs du motif. Sans doute lui était-il possible de s'abstraire de toute forme de conscience, hormis celle indispensable à l'analyse de chaque fluctuation lumineuse et à sa traduction dans le pigment. Les tableaux de Giverny n'évoquaient pas ses voyages, mais décrivaient un paysage connu, intériorisé et, si l'on excepte les vues de la série londonienne, les peintures de ses « premières amours » reflétaient, elles aussi, ce caractère familier.

En se penchant ainsi sur son passé, Monet était à l'unisson de cette fin de siècle, vouée au pélerinage aux sources et à l'étude des mécanismes intellectuels. Nombre d'écrivains et d'artistes s'intéressaient aux recherches de Bergson sur les données immédiates de la conscience, soulignant le rôle de la mémoire involontaire permettant au moi de s'inscrire dans « la continuité fluide de la réalité ». Sa distinction entre la mémoire « psychique » que déclenche inconsciemment l'intensité de certaines perceptions, et la mémoire mécanique, utilitaire, qui ressuscite volontairement le passé tel un souvenir sans vie, trouve son écho dans le combat que mène Monet pour découvrir, au-delà de la mémoire conceptuelle, les souvenirs enfouis liant le « moment du paysage » à la conscience individuelle qui, selon Bergson, « perdure avec le temps »[108]. Monet avait par ailleurs des raisons particulières d'être sensible aux mécanismes de la mémoire : au début de 1896, il contribua à l'organisation d'une exposition de l'œuvre de Berthe Morisot,

243. *L'Église de Vernon, brouillard* (W.1390), 1894, 65 x 92

disparue en avril 1895 et, en 1897, l'exposition de seize de ses toiles de 1874 à 1886, incluses dans le legs Caillebotte finalement accepté par l'État, fut un rappel concret du passé. De surcroît, la proximité de son soixantième anniversaire semble l'avoir incité à remonter le cours du temps grâce à ses tableaux[109].

Les rétrospectives de Cézanne et de Corot, présentées en 1895, influencèrent également Monet. Les cent cinquante toiles de Corot auraient pu lui rappeler les années où il le considérait comme « un bon modèle à suivre » et on en retrouve l'empreinte dans la série des *Matinées sur la Seine* de 1896 et 1897. Cézanne n'avait rien exposé depuis l'accueil méprisant réservé aux rares œuvres présentées aux expositions impressionnistes des années 1870, et même ses anciens camarades, qui avaient vu ses toiles dans son atelier, accueillirent celles qu'il montra chez Vollard en novembre comme une révélation[110]. Elles attestaient non seulement son analyse approfondie du paysage provençal, mais sa conscience de la permanence du motif. Peut-être auront-elles permis à Monet de cristalliser sa philosophie des séries, où la perception fragmentée de moments individualisés fait de lui une « machine à peindre », contraint d'attendre que la nature reproduise des effets disparus à peine saisis, réduisant à néant son recours à la conscience profonde d'une réalité extérieure mais qu'il était seul à pouvoir appréhender dans sa continuité. Peut-être aussi lui donnèrent-elles l'envie de retourner à Pourville et de retrouver dans ce paysage familier les traces des expériences passées. Car cette quête des jours anciens est manifeste : contentons-nous de remarquer qu'il utilisa un carnet de croquis de 1882 où figurait un dessin de Pourville pour préparer ses nouvelles toiles[111].

En février 1896, Monet écrivit depuis Pourville à Joseph Durand-Ruel, le fils de son marchand devenu son second : « J'avais besoin de revoir la mer et je suis enchanté de revoir tant de choses que j'ai faites il y a quinze années » et quelques jours plus tard il déclara à Geffroy : « Je suis bien un peu timide et tâtonnant, mais enfin je me sens dans mon élément. »[112] Ce n'était pas écrit à la légère. Au cours de cette campagne, ses lettres dénotaient une certaine nervosité embarrassée, « une indécision, une timidité extrême », assez différente de la gaieté éprouvée jadis au début de ses voyages et malgré son intention déclarée de limiter le nombre de ses toiles, il se sentait toujours porté à en produire davantage. Il le disait clairement : « Il faut me résoudre à mettre des toiles en train par tous les temps, tous les vents ; faire peu de choses et rester les bras croisés quand l'effet n'y est pas m'est impossible. » Il choisissait ses motifs encore plus soigneusement qu'auparavant, se plaçant de façon à obtenir des silhouettes douces et fluides, un équilibre subtil entre le volume et le vide, ainsi qu'un vaste espace rempli de lumière. Mais il voulait surtout des motifs susceptibles de réagir aux variations atmosphériques[113]. Bien qu'il soit revenu à des sites peints méticuleusement quatorze ans auparavant (il commença ainsi onze vues du poste de douane qu'il avait représenté quatorze fois en 1892), Monet estimait toujours avoir besoin d'« un mois d'apprentissage » ; il déclarait : « Je suis si maladroit, si long à voir et à comprendre, enfin… je ne suis plus ce que j'étais. » À la pluie et au vent glacial succéda un soleil radieux, « un temps inouï de calme et de beauté ». La nature elle-même se transformait, rendant ses motifs « méconnaissables ». Finalement le mauvais temps l'obligea à quitter Pourville où il se promit de retourner l'année suivante pour terminer ses toiles, en concluant avec un calme inusité : « Enfin, c'est un drôle de métier que d'être paysagiste. »[114]

C'est sans doute durant l'été que Monet entreprit sa série des *Matinées sur la Seine*, dix-huit tableaux représentant un bras de la rivière près de Giverny (ill.251 et 253) : encore un retour à un thème extrêmement familier en un lieu où il avait peint un grand nombre d'œuvres. En outre, la vue de la rivière, en amont ou en aval (vue unique dans toute son œuvre), à travers un plan d'eau bordé d'arbres qui se distinguent à peine de leurs reflets, avait été un de ses motifs les plus constants à Argenteuil, à Vétheuil et à Giverny. Un journaliste, Maurice Guillemot, raconte comment un matin d'août 1897, à trois heures et demie, il partit à ses côtés, traversa le jardin fleuri et les prés embrumés jusqu'à l'île des Orties où la famille amarrait ses bateaux et où Monet s'installait sur une barque à fond plat, changeant de toile à mesure que le soleil dissipait le brouillard. Monet travaillait à quatorze toiles qui avaient toutes été commencées en même temps, sans doute en une seule matinée, au cours de l'été précédent[115]. Le mauvais temps l'avait alors empêché de terminer ces images de sérénité, qu'il avait dû abandonner dans l'état où sont les deux tableaux inachevés de la Seine à Port-Villez (W.1379-1380), où les arbres et leurs reflets représentent une forme ininterrompue, une découpe verticale, sans aucune trace du plan horizontal de l'eau, en dehors de quelques coups de pinceau.

Il revint à Pourville à la fin de janvier 1897 « voir tous [ses] motifs », l'herbe était plus verte que l'année précédente et comme l'un de ses motifs de 1896 était, selon lui, menacé par le développement du tourisme, il fut obligé de se hâter avant que les herbes ne soient brûlées et « tous ces beaux mouvements de terrain » aplanis[116]. C'est là que furent peintes sept vues du val Saint-Nicolas, en regardant vers Dieppe (W.1465-1471), motif très voisin de celui qu'il avait choisi à Fécamp en 1881 (W.653-654) (ill.162)). Le temps était pire qu'en 1896, l'herbe et l'éclairage changeaient si vite qu'au terme de son séjour, à la fin mars, Monet conclut qu'il aurait mieux valu consacrer une nouvelle toile à chaque effet que d'accumuler les retouches à chacune de leurs modifications, car il n'avait réussi qu'à « faire des choses bâtardes et imprécises »[117]. Toutefois les quarante vues de Pourville, qu'il reprit sans doute dans son atelier jusqu'à l'été suivant, n'expriment aucune angoisse ; il en exposa alors vingt-quatre comportant six motifs différents. Seul un petit nombre représentait une lumière ou une atmosphère instable, comme en 1881 et 1882, bien que ses lettres aient été remplies de récriminations contre le vent et la pluie. Ces œuvres, pour la plupart calmes et rêveuses, ne sont troublées par aucune présence humaine et la voile blanche qui y figure parfois sert à accentuer la douceur des harmonies de coloris et non à évoquer les passe-temps contemporains.

Une lumière ininterrompue imprègne *Au Val Saint-Nicolas, près Dieppe, matin* (ill.252), alors que les couleurs heurtées, les taches du soleil et des ombres d'un motif similaire de 1881 suggèrent de rapides fluctuations de la lumière. À présent les teintes nacrées : verts, mauves, roses orangés iridescents, sont plus proches des nuances en vogue en cette fin de siècle que de celles de la nature et pourtant la fusion de ces couleurs évanescentes et de la masse menaçante de la falaise traduit plus fidèlement la luminosité de la côte normande que l'œuvre précédente, plus descriptive. Les allusions subtiles à la rosée dans l'herbe, aux reflets éclairant l'ombre de la falaise, font paraître la toile de 1881 approximative, sommaire, sans finesse.

Ce séjour à Pourville était surtout un retour au pays de sa jeunesse et à son « élément », mais sa technique lui permettait de gommer sa mémoire consciente tout en conservant l'empreinte de ses souvenirs d'enfant et de peintre. Ainsi ces toiles attestent une permanence qui fait défaut à l'œuvre première et évoquent la nostalgie du siècle finissant pour un passé perdu, pareil à un rêve insaisissable.

La série des *Matinées sur la Seine*, que Monet reprit en 1897, semble un hommage aux harmonies argentées de Corot sur un thème analogue. Geffroy décrit Monet, montant et descendant la Seine en ramant, recherchant « avec une lenteur et un soin infinis » un motif « décoratif » en soi, tel que rien ne vienne le distraire de son analyse de la lumière[118]. Aucune série n'offre une telle unité : les quatorze toiles sont peintes par beau temps, depuis le même emplacement. Commencées à l'aube, continuées jusqu'au début de la matinée : les phases lumineuses se fondaient ainsi l'une en l'autre. Interrompons un moment cette vision idyllique pour signaler que précisément à cette époque, les frères Lumière transformaient l'instantané photographique en film continu, en multipliant et en fusionnant ses phases successives. Les deux modes d'expression étaient fort différents mais, comme de nombreuses formes culturelles de l'époque, souhaitaient traduire le temps et la durée. Ces vues de la Seine inclinent, comme celles de la côte normande, au rêve et à la méditation. Mais leur gamme de coloris : vert, bleu, mauve, lavande et blanc argenté, est froide. Parfois le ciel de l'aube se teinte de rose et d'or, parfois le ciel du matin se pare d'un bleu éclatant quand la brume s'est levée, alors que la palette utilisée en Normandie est beaucoup plus large. Mais la technique n'a jamais été aussi raffinée que dans cette dernière série : la pâte y est très légère, les touches sont discrètes et le pigment est diaphane.

Dans l'une des toutes premières toiles (ill.251), commencée après le lever du jour, un brouillard épais semble imprégner le paysage, de sorte que les arbres et leurs reflets sont comme des ombres noyées dans un bleu intense mêlé de mauve opalescent, teinté d'impalpables touches de violet, vert, bleu et rose, les seuls coups de pinceau apparents définissent le feuillage émergeant dans la lumière et réfléchi par l'eau. Un peu plus tard dans la matinée (ill.253), Monet a montré la surface de la rivière agitée par la brise naissant avec la tiédeur du jour, le brouillard s'effiloche, les arbres commencent à se structurer ; sur la gauche, les formes ne se distinguent pas encore de la brume ou des reflets, et se fondent dans une vapeur mauve et verte. Ces formes se différencient à mesure que s'écoule la matinée, le feuillage apparaît davantage, les reflets sont plus précis. Aucune autre série n'a sans doute donné à ce point au spectateur le sentiment poignant du temps qui passe, à travers la double continuité de la nature et de la prise de conscience de l'artiste.

Monet déclara à Guillemot qu'il voulait empêcher le spectateur de « voir comment cela est fait », ce qui se justifie singulièrement pour cette série : nous oublions presque que ces œuvres sont « faites, sur un morceau de toile, avec de la pâte », comme disait Mirbeau, et nous écririons volontiers que « la quiétude de la lumière déclinante est si fragile que nous retenons presque notre souffle », comme si nous étions confrontés à « la nature vivante » et non à un simulacre d'une exquise délicatesse[119]. Le sentiment du rapport transparent unissant la peinture à la nature naît d'une parfaite concordance entre la révélation progressive des formes dans la lumière et la traduction sans cesse plus précise des perceptions : à mesure que le soleil fait apparaître les arbres et l'eau, Monet, partant de masses de couleurs indifférenciées, affine sa touche pour créer des images dont la structure même concrétise sa visualisation.

Les *Matinées sur la Seine* et les tableaux de Pourville, fragiles évocations d'une nature indifférente aux soucis humains, étaient en cours d'achèvement à Giverny au moment où l'affaire Dreyfus atteignait son paroxysme, et où les amis de Monet, Mirbeau, Geffroy et Clemenceau prenaient très nettement position. Monet écrivit trois lettres à Zola, poursuivi pour diffamation envers le conseil de guerre qui avait condamné Dreyfus en qualité d'espion allemand, lui exprimant son admiration pour sa « vaillance » et son « courage », et son regret que, « malade et entouré de malades », il ne puisse venir au procès lui « serrer la main ». Il signa l'une des « Protestations des intellectuels » publiées dans *L'Aurore* en faveur de Zola dont l'article, «J'accuse », dénonçait les machinations de l'armée et du gouvernement pour dissimuler la vérité. Cependant il refusa de siéger dans un comité de soutien à Dreyfus car, disait-il, il n'était pas du genre à faire partie d'un comité[120]. Il n'existe aucune trace des passions déchaînées par "l'Affaire" dans ses peintures sereines de la fin des années 1890 : il s'abritait en fait sous le manteau protecteur de sa création personnelle.

Après sa visite à Monet, en août 1897, Guillemot définit ainsi les motifs offerts par le bassin aux nymphéas :

« ...les modèles pour un décor pour lequel il a déjà fait quelques études, de larges panneaux qu'il me montra plus tard dans son atelier. Imaginez une pièce circulaire, les lambris sous le moulage au mur totalement envahi par un plan d'eau où se dispersent ces plantes, écrans transparents, parfois vertes, parfois presque mauves. Les eaux calmes silencieuses, tranquilles où se reflètent les fleurs éparses, les couleurs évanescentes, avec de délicieuses nuances d'une élégance de rêve. »

Sans doute avait-il vu une série de toiles où le peintre représentait la surface du bassin vue de très haut, où seules les membranes des feuilles de nénuphars indiquent l'horizontalité du plan d'eau[121]. Leur composition est uniforme : une nappe d'eau immobile couvre l'intégralité de la surface peinte de verts ou de bleus limpides accentués par les nymphéas roses ou blancs, aux feuilles vertes et violettes (ill.244).

Ce jardin d'eau donna à Monet une nouvelle occasion de transformer la réalité extérieure en univers pictural. Si, pour ses visiteurs, l'artiste l'avait dessiné comme un tableau, cela s'appliquait peut-être davantage à son jardin de fleurs où ses revenus lui permettaient d'employer des jardiniers pour modifier au fil des saisons les effets de couleur des massifs, tels ces milliers d'iris mauves, de violettes et de pensées destinés à se détacher sur un fond de tulipes rouges, de roses jaunes et de « cascades de doronicus dorés ». Les contrastes et les harmonies de ces blocs de couleurs et de fleurs suspendus dans l'espace, sur des arceaux ou des pergolas, ont de frappantes ressemblances avec les toiles de Monet par la richesse de leur palette et leur structure linéaire. Les « violentes *polychromies* » du jardin de fleurs étaient enrichies par les teintes adoucies du jardin d'eau, roses, blanches et mauves parmi toutes les nuances de vert des arbres et des buissons dont le cœur, « vaste et palpable miroir », reflétait dans son étang les saules, les peupliers, les aunes et les frênes, les iris et les herbes des pampas[122]. Le jardin d'eau était ainsi la recréation du motif qui avait fasciné Monet depuis des décennies : un plan d'eau reflétant le ciel et les arbres qui le dominent.

La première évocation de ce motif fragile, inscrit dans un cadre architecturé, apparaît dans les quatre panneaux décoratifs peints par Monet en 1876, pour le grand salon des Hoschedé au château de Rottenbourg. Il

s'agissait là de peintures isolées, alors que celles qu'évoque Guillemot s'inscrivent dans la renaissance du style rococo des années 1890, dont on peut voir un exemple dans la décoration de la spectaculaire salle à manger dessinée par Charpentier, où les panneaux sont liés entre eux par des moulures voluptueuses de plantes et de fleurs si appréciées en cette fin de siècle[123]. La salle à manger jaune de Monet, dans sa simplicite raffinée, était fort différente, mais toutes deux tendaient à créer un cadre harmonieux pour l'un des plus grands plaisirs de la vie.

À cette période tardive de l'impressionnisme, la contradiction entre décor et décoration était flagrante. Le décor avait une relation superficielle avec la nature, et n'ayant d'autre fonction que le plaisir des yeux, n'avait pas de signification intellectuelle. La décoration procédait de ce que Pissarro appelait une analyse « intensément ressentie » de la nature. Elle était source de joie dans la mesure où elle s'accordait avec ses harmonies essentielles, ce qui justifiait ses exigences. En 1892, Pissarro avait rapporté à son fils l'opinion de Degas, qui affirmait qu'une décoration doit être conçue « en destination d'un ensemble » et qu'il était absurde de considérer la peinture de chevalet sous cet angle. D'où sans doute l'enthousiasme de Pissarro pour la série des *Cathédrales* de Monet : elles confortaient sa théorie en prouvant qu'un groupe de tableaux apparentés inspirés par une « recherche » de la nature peuvent constituer une décoration. C'est ce que confirme Clemenceau lorsqu'il évoque les *Cathédrales* comme une succession de transitions lumineuses, exposées sur quatre murs, que l'on peut embrasser « d'un grand coup d'œil circulaire »[124]. Aurait-il ainsi donné à Monet l'idée d'une pièce en ellipse, idée qui ne le quittera jamais ? Si la dispersion de cette série risquait de lui faire perdre sa signification, peut-être a-t-il pensé que la seule façon de sauvegarder leur continuité et, somme toute, leur philosophie, était de les présenter dans une architecture permanente, dans « quelque chose de durable » dans un sens différent.

L'imagerie de Monet était très proche de celle qui était à la mode en ces années 1890, où des tableaux de nénuphars, dans un étang ou sur une rivière, entourés de feuillage, encadrés de roseaux et d'iris d'eau, se retrouvaient quasiment à chaque Salon depuis trente ans (ill.247). Les nénuphars apparaissaient aussi bien dans des sujets contemporains — singulièrement des jeunes filles en barque ou au bord d'une rivière — que dans les innombrables variations sur le thème des nymphes des bois et des cours d'eau, dont les *Nymphes* de Checa sont l'archétype. Ces chairs alanguies au bord d'un étang avec des feuilles de nénuphar et des iris dans « l'ombre tremblante des saules », cet érotisme aseptisé symbolisaient l'esprit de la nature, mais au prix de tels artifices (ainsi toutes les nymphes semblent sortir du même moule reflétant les canons de beauté de l'époque), que la nature se fane[125]. Toutes ces images soulignent le vide radical des peintures de Monet, où l'eau devient objet du désir et dont l'emprise sur notre imagination est d'autant plus vive qu'elle est allusive.

L'un des motifs les plus achevés des *Nymphéas* représente simplement un nénuphar blanc jumelé à son reflet noir (W.1505). Lors de son séjour à Pourville, en 1897, Monet avait reçu de Mallarmé un exemplaire de ses *Divagations*, recueil contenant son essai de 1876, « Manet et les impressionnistes », sa préface pour le catalogue de l'exposition commémorative de Berthe Morisot, ainsi que « Le Nénuphar blanc » que celle-ci avait illustré en 1888-89. Monet promit à Mallarmé de lire son livre « avec tout le soin et le recueillement qu'il mérite », et trouva peut-être un renouveau d'inspiration dans l'image de cette fleur aquatique, qui enserre dans sa « creuse blancheur un rien, fait de songes intacts, du bonheur qui n'aura pas lieu », l'occasion de méditer sur les potentialités d'une peinture marquée au sceau de l'absence et d'analyser les implications de l'art japonais qui « évoque la présence par une ombre, la totalité par un fragment »[126].

Bien que les décadents, ridiculisés en 1895 par Mirbeau dans son article intitulé « Les lys, les lys ! », aient inclus le « lotus sacré » du bouddhisme

244. *Nymphéas, effet du soir* (W.1504), vers 1897-1898, 73 x 100

zen japonais dans leur mysticisme de pacotille, cette doctrine, largement po-
pularisée dans la littérature de l'époque offrit peut-être à Monet un modèle
de contemplation permettant une communion directe avec la nature et li-
bérant l'esprit de toute connaissance acquise. Ainsi aurait-il conforté son
désir de peindre « sans savoir ce qu'il voyait » afin que sa conscience puisse
s'ouvrir à la qualité d'être[127]. Monet ne termina pas l'ensemble décoratif dont
il avait parlé à Guillemot, peut-être parce qu'il ne pouvait concilier l'éva-
nescence du motif et la rigueur d'un cadre structuré — et lorsqu'en 1899 il
reprit ce thème, il peignit une parcelle du bassin dans un style plus descriptif, avec une composition plus conventionnelle. Certaines de ses œuvres
restèrent dans ses caves, oubliées, et il ne les retrouva qu'à la veille de la
guerre de 1914-18 : lorsqu'il revint à son projet de grandes décorations.
L'article de Guillemot fut publié en mars 1898, sans doute dans l'intention
d'expliquer à ses lecteurs comment regarder la série des *Matinées sur la Seine*
qui allait être exposée à la galerie Georges Petit. Il concluait ainsi :

« Si on ne connaissait pas — par des confidences — le temps et la patience consacrés
au travail, la recherche consciencieuse, l'obsession fiévreuse de ces deux années de labeur,
on s'étonnerait de ce désir : "Je voudrais éviter que l'on voie comment cela a été fait". »[128]

Il est clair que Monet, ayant initié un journaliste à ses secrets, souhaitait que le public soit conscient de ses procédés, mais sache les oublier
pour contempler les effets qu'il lui offrait, et y déceler la part de la nature
et celle de l'artifice.

La presse, à de rares exceptions près, accueillit cette exposition par
un concert de louanges. Pour Geffroy, les sept *Cathédrales* étaient des
exemples frappants d'« une rencontre et une pénétration de la force naturelle et de l'œuvre humaine », observation due à sa conception d'un panthéisme universel. Les critiques de la jeune génération soulignaient un nouvel aspect de l'œuvre de Monet : le sentiment de la durée vécue. Roger-Milès
notait qu'il « ne se contentait pas d'observer des choses dans l'espace d'un
paysage ; il les contemplait aussi dans le temps… », tandis que dans *Le
Mercure de France*, André Fontainas opposait les vues de la nature conventionnelles, « immobiles » des vacanciers, à l'expérience solitaire du paysagiste qui se prive volontairement des plaisirs — même intellectuels — de
la capitale pour s'exiler à la campagne, uniquement attentif « à ce qui passe,
pour un temps seulement et disparaît ». D'après lui, Monet voyait et exprimait « l'élément vivant d'un moment de nature », suggérant ainsi que
le moment n'était pas du tout isolé, mais possédait un élément vital qui le

propulsait dans le temps. Le dynamisme de l'œuvre était tel que Fontainas y percevait les particules « qui forment un impalpable atome » et donnent une image des « palpitations multiformes de l'atmosphère »[129].

Tous les critiques avaient remarqué la douceur éthérée des vingt-quatre vues de la côte et des douze peintures de la Seine, évoquant souvent la parenté de ces *Matinées* avec les paysages de Corot. Geffroy proclamait : « Le nouveau, c'est une sorte d'évaporation des choses, un évanouissement des contours, un contact délicieux des surfaces avec l'atmosphère. » « Les vibrations semblent atténuées ; le prisme pâlit ; à un éclat criard succède une coloration laiteuse, caressante », écrivait le critique de la *Chronique des arts*. Il fut le seul à émettre des réserves sur l'art de Monet, estimant que son caractère éminemment personnel était peut-être « la conséquence du mouvement de spiritualité qui agite la génération actuelle »[130].

 La fin de l'année 1898 et le début de 1899 furent marqués de noir. Mallarmé et Sisley disparurent, ainsi que Suzanne Hoschedé-Butler, ce qui causa à sa mère un chagrin profond et long à s'atténuer. À cette époque, Jean Monet et Jacques Hoschedé, le fils aîné d'Alice, avaient quitté la maison. Des quatre fils de cette double famille, seul Jean-Pierre Hoschedé semble avoir eu la possibilité de mener une vie normale, les autres étant sans doute affectés par l'autorité patriarcale de Monet. En revanche, certains enfants ne purent s'arracher à la cellule familiale, au sein de laquelle des relations extrêmement complexes s'étaient développées. Monet s'était montré furieux à la perspective du mariage de Suzanne avec Theodore Butler ; elle avait figuré en compagnie de son fils Jean sur les toiles des années 1880, mais c'est sa sœur Blanche qu'il épousa en 1897, tandis que Marthe, l'aînée des filles Hoschedé, prit la place de Suzanne après sa mort, en épousant son beau-frère Butler en 1900. Finalement, après la mort de sa mère puis de son mari, Blanche Hoschedé-Monet revint à Giverny en 1914 tenir la maison de son beau-père. L'intensité des émotions qui régnaient au sein de la maisonnée se reflète dans un des passages du journal d'Alice Monet, écrit quatre ans après la mort de Suzanne, en prenant connaissance d'un article de Mirbeau évoquant le portrait de *Suzanne aux soleils* :

> « Quel plus beau modèle pouvait-on avoir que toi, ma fille, ma perfection suprême […] "Elle est d'une beauté délicate (dit l'article de Mirbeau) et triste, triste infiniment — (Voyais-tu l'avenir, cette mort qui t'enleva à nous tous ?) — L'impression est saisissante. Involontairement l'on songe à quelque légère, fantomale, et réelle [sic] spectre d'âme !" N'est-ce pas une divination extraordinaire — Pauvre enfant ! »[131]

 Il y avait donc à cette époque, dans l'entourage de Monet, une personne — la plus proche de lui — qui était apparemment une adepte du spiritualisme. Durant le printemps et l'été 1899, Monet reprit le thème des nénuphars, liés sans doute au souvenir de Mallarmé et de Suzanne, dans deux séries représentant le bassin, à présent ombragé de saules et d'autres arbres touffus, entouré de bouquets d'iris et d'herbes, mais en fait, comme le montrent les photographies de l'époque, moins envahi de végétation que sur les toiles, et permettant d'apercevoir les prés et les collines des environs. Il peignit ces onze œuvres depuis l'est du petit bassin, exactement en face du pont japonais et de son écrin de feuillage, et de si près que rien, pas même le ciel, n'apparaît au-dessus de cet univers d'eau, de verdure et de fleurs. *Le Bassin aux nymphéas, harmonie verte* (ill.248) traduit la claustrophobie diffuse qui caractérise cette série : les longues verticales des frondaisons des saules et leurs reflets pénètrent la totalité de la surface et s'entrelacent autour des horizontales des nénuphars comme pour en immobiliser les moindres détails.

 Il s'agit d'une série plus descriptive que les précédentes, comme si Monet souhaitait faire l'inventaire des possibilités de son jardin avant de s'y consacrer avec sa minutie coutumière. Par son aspect plus littéral que

245. Gaston Bussière, *Iris*, in Armand Silvestre, *Le Nu au Salon de 1898*, 1898

246. Upiano Checa, *Nymphes*, in Armand Silvestre, *Le Nu au Salon de 1899*, 1899

les *Nymphéas* proprement dits, elle pourrait rappeler les bassins de Versailles peints par Helleu où les arbres et les buissons se reflètent sur une surface jonchée de feuilles (musée d'Orsay). Ainsi, lorsque Monet applique pour la première fois la fragmentation de la durée aux tableaux de son jardin, il s'agira de compositions extrêmement contrôlées d'où le spectateur est exclu. Cet univers clos, que l'on pourrait opposer à la liberté idéalisée de l'image de Suzanne se reflétant dans l'Epte, évoque les nombreuses toiles où Monet représentait sa famille au cœur du jardin protecteur. Le nénuphar rappelle le poème en prose de Mallarmé, qui n'est plus ; Suzanne et ses sœurs ne canotent plus sur l'Epte comme jadis, puisque la jeune femme est morte, et nous en retrouvons peut-être le souvenir devant le mutisme et le dépouillement des tableaux de 1899.

En 1898 et 1899, Mirbeau, également féru de jardinage, écrivit *Le Jardin des supplices*, évocation perverse d'un monstrueux enclos, fertilisé par la chair et le sang des condamnés de la prison qui l'entoure, rempli de fleurs aphrodisiaques et d'instruments de torture « si intimement mêlés aux splendeurs de cette orgie de fleurs […] qu'ils sont comme […] les fleurs miraculeuses de cette terre, de cette lumière ». Ce jardin imaginaire semble imité de celui de Monet car en son centre, que l'on atteint par une avenue bordée d'arbres aux troncs évidés pour accueillir les cadavres « soumis aux tortures obscènes et effroyables », se trouve « un vaste bassin » d'où partent des sentiers sinueux. Il est traversé « par l'arche d'un pont de bois d'un vert vif », et orné d'iris, d'arceaux couverts de glycines, et de nénuphars. Le narrateur, guidé par sa maîtresse, une voluptueuse orientale, considère les iris comme des « fleurs diaboliques » de la « couleur du sang », les nénuphars comme « des têtes décapitées et flottantes » et le jardin comme le symbole de « l'univers […] un immense et inexorable jardin de torture » :

> « Passions, appétits, intérêts, haines et mensonges ; lois, institutions sociales, justice, amour, gloire, héroïsme et religion sont les fleurs monstrueuses et les instruments redoutables de l'éternelle souffrance humaine […] Et l'individu, l'homme de la rue, les bêtes, les plantes, les éléments, toute la nature en fait, poussés par les forces cosmiques de l'amour, se jettent dans le meurtre, croyant y trouver ainsi la récompense des forces rageuses de la vie… »[132]

Il est possible que Mirbeau, profondément choqué par l'affaire Dreyfus, ait vu en ce jardin profané l'image de la corruption de la France, où la nature même était hideusement souillée. Il est cependant difficile de croire que Monet, si dévoué à son épouse et à sa famille, bon bourgeois amoureux de la nature, ait apprécié la façon dont son ami avait transformé un jardin paradisiaque si apparenté au sien, en théâtre d'une si abjecte cruauté ; difficile aussi d'imaginer comment il aurait pu continuer à le peindre. Il a dû lutter pour préserver le monde qu'il avait créé de la perversité morbide de cette fin de siècle, afin que son étang puisse demeurer un objet de désir. La perfection rigide du *Pont japonais* de 1899 traduit peut-être un écho de ce combat. Il lui fallait pour peindre, libérer son esprit de toute association littérale jouant sur l'absence et ne pouvant, évidemment, être l'objet d'une censure et, après avoir lu *Le Jardin des supplices*, il est presque impossible de voir les rouges inconcevables dans la nature et picturalement inquiétants qui entachent le second groupe de représentations du *Pont Japonais* exécutées en 1900 (W.1509-1520), sans se demander si la vision de Monet n'a pas inconsciemment été influencée par le sang qui imprègne le jardin de Mirbeau.

En 1899, Monet présenta ses œuvres dans deux importantes expositions de groupe, l'une chez Durand-Ruel, l'autre chez Petit, savamment orchestrées par une campagne de publicité. Chez Durand-Ruel, ses trente-six œuvres voisinaient avec celles de Corot et de ses camarades et amis, Renoir, Pissarro et Sisley, qui avaient chacun leur salle. Corot étant à l'époque considéré comme le plus grand paysagiste français du XIXe siècle, l'exposition tendait sans doute à inclure l'impressionnisme dans la tradition nationale. Natanson, reconnaissant que le spectateur était « invité » à la regarder sur un plan historique, se lança dans un torrent de lieux communs sur « l'esprit français » et conclut en affirmant que les impressionnistes avaient désormais leur place au Louvre. Leclercq était du même avis, et soutenait que l'impressionnisme était « un chapitre glorieux à ajouter à notre histoire de l'art français »[133]. Cette insertion dans la tradition , en cette dernière année du siècle, a un caractère irrévocable qu'on ne saurait ignorer.

Les marchands organisèrent peut-être ces manifestations pour s'assurer que leurs artistes figureraient en bonne place à l'Exposition centennale de la peinture de l'Exposition universelle célébrant la première année du siècle nouveau. Monet et ses amis refusèrent d'y participer jusqu'au moment où ils furent certains de se voir attribuer une salle réservée[134]. Alors que l'État s'était montré très réticent pour accueillir la donation Caillebotte quelques années auparavant, l'Exposition centennale marqua la reconnaissance officielle de l'impressionnisme, dont Monet était le principal représentant. Son directeur, Roger Marx, glorifia en lui l'égal de Corot et de Turner, et *Le Temps*, journal à grand tirage, décida que c'était « le moment » de le faire connaître à ses lecteurs. Son critique, Thiébault Sisson, reprit le mythe d'un Monet autodidacte, évoquant ses « années d'épreuves » et son triomphe final, concluant par une péroraison des plus élégantes : « Le plus pénétrant et le plus vrai, le plus poétique et le plus émouvant des décors. »[135]

En dépit de ces éloges extravagants, la peinture de Monet ne remporta pas tous les suffrages, et la volonté de l'inscrire dans le droit fil de la tradition française incita quelques critiques conservateurs à lui décocher leur dernière flèche à l'encontre de sa vision moderniste, dépourvue selon eux de tout humanisme. Michel affirmait que dans les œuvres moins récentes de Monet,

> « …il semble que le monde surgit dans sa fraîcheur originelle, palpitant encore de la parole divine : "Que la lumière soit !" Mais dans *Vétheuil l'été*, dans l'éclatement de ce village rose qui donne l'impression de se dissoudre, se désagréger, se pulvériser dans un frisson sauvage d'atomes, je redoute le cataclysme […]. J'aimerais aller apaiser mes yeux avec une nocturne, méditer devant un Cazin, me reposer devant un Corot […] ou même me rassurer sur la solidité du monde devant [un] Courbet… »

Quant à Robert de Sizeranne, chroniqueur de *La Revue des Deux Mondes*, dernier bastion de l'immobilisme, il soutenait que malgré :

> « …la théorie moderniste voulant que toute forme moderne soit esthétique, […] après avoir démontré, par de beaux syllogismes, qu'une gare de chemin de fer était aussi digne d'être représentée que les ruines de Tivoli ou que le temple de Vesta, les modernistes n'en ont pu faire un tableau qu'à la condition d'en brouiller toutes les lignes sous des flots d'une vapeur lumineuse, qui , elle, n'a rien de plus moderne que le soleil d'où elle reçoit toute sa beauté. »[136]

Sizeranne faisait allusion aux deux vues de la gare Saint-Lazare exposées (W.440, 442) présentées à l'exposition, mais son commentaire convient mieux à la série de vues de la Tamise que Monet avait entreprise l'automne précédent.

Son séjour à Londres en septembre et octobre 1899 lui permit de matérialiser un souhait déjà ancien, d'y peindre « quelques effets de brouillard sur la Tamise »[137]. Durant plus d'un mois, il peignit la Tamise depuis sa chambre de l'hôtel Savoy, observatoire beaucoup plus élevé que celui d'où, en 1870 et 1871, il avait représenté *La Tamise et le Parlement*. Il n'en rapporta à Giverny que de « vagues essais » dont onze furent cependant réservés par Durand-Ruel, qui en vendit un avant que Monet ne retourne à Londres, en février 1900, avec quelques-unes des toiles qu'il lui avait promises. Arrivé alors que la guerre des Boers faisait rage et que se manifestait quelque ressentiment à l'égard de la France, il se réinstalla au Savoy, mais à un étage moins élevé d'« où la vue [était] moins plongeante » et plaça ses chevalets devant les fenêtres de deux pièces, afin de pouvoir passer d'une toile à l'autre suivant les changements d'éclairage. Il y peignit deux motifs (qu'il reprit au cours de son troisième séjour, début 1901) ; l'un au sud-est de l'hôtel : Waterloo Bridge et la rive sud de la Tamise, et à l'ouest Charing Cross Bridge et le Parlement. Il travailla également sur une terrasse de l'hôpital Saint-Thomas, situé juste en face du Parlement de l'autre côté du fleuve, s'y rendant à quatre heures tous les après-midi pour peindre le soleil déclinant derrière l'immense bâtiment néo-gothique (ayant convaincu le trésorier de l'hôpital que son « ardeur du commencement » ne devait pas être interrompue par des tasses de thé )[138].

Monet était fasciné par les trouées de lumière à travers la fumée, la brume et le brouillard de l'atmosphère délétère de Londres, qu'il articulait, grâce à la charpente métallique du pont de chemin de fer, aux arches de pierre du pont routier, aux cheminées d'usines et aux tourelles et clochetons du Parlement. Lorsque la série fut exposée en 1904, les titres des œuvres comprenaient le nom du motif suivi de précisions météorologiques, comme *Londres, le Parlement, trouée de soleil dans le brouillard*, indiquant que Monet souhaitait que le public soit sensible aux effets atmosphériques autant qu'aux symboles stéréotypés de la ville. Ses lettres quotidiennes à Alice traduisent sa hantise des variations d'éclairage, si rapides qu'il fut contraint d'exécuter plus de cent toiles, qui marqueront la fin de ce procédé de sérialisation quasi obsessionnel. Un jour, il fut interrompu trois fois par des changements de lumière si radicaux qu'il ne put pas travailler ; il en profita pour lui écrire que, levé à six heures du matin, il avait trouvé « une netteté épouvantable » puis : « Le soleil s'[était] levé aveuglant [...]. La Tamise n'était que de l'or. Dieu que c'était beau, si bien que je me suis mis à l'œuvre avec frénésie suivant le soleil et ses miroitements sur l'eau. » Dès que les fourneaux furent allumés, leurs fumées engendrèrent le brouillard habituel, les nuages apparurent et à neuf heures, il avait déjà quatre œuvres en train. À deux heures et demie, nouvelle interruption dans cette « journée fantastique », avec des « choses merveilleuses, mais ne durant pas cinq minutes ». Il faisait si sombre qu'il dut allumer, mais cela ne dure pas et « revoilà la lumière naturelle, [il s']arrête ». Enfin, à cinq heures, sa journée terminée, il avait pu mener à bien « une pochade d'un effet étonnant »[139].

Lettre après lettre, Monet décrit ce même type d'incidents, alors que se succèdent le soleil, la neige, la brume, le brouillard, la pluie, la grêle et que, la saison avançant, le trajet du soleil se modifie. (Pour les vues du Parlement, quand le soleil brillera à nouveau après une très longue absence, il ne sera plus dans le champ du tableau !) Après avoir passé deux saisons à Londres, Monet estima qu'il ne pouvait y terminer les cent toiles entreprises, mais certaines avaient atteint un degré d'achèvement tel qu'il suffisait de leur apporter les touches finales en atelier[140]. Durant son séjour, Monet s'était trouvé devant une alternative : devait-il peindre une nouvelle toile chaque fois que la lumière changeait, quitte à la terminer chez lui ou à la laisser à l'état d'impression, ou bien fallait-il retrouver un effet représenté précédemment et, si cela s'avérait impossible, transformer le tableau ? Il devait déclarer par la suite qu'après une modification d'éclairage, il cherchait « fiévreusement » parmi les ébauches qu'il avait accumulées « une qui ne différait pas trop de ce qu'[il voyait] ; malgré tout, [il] la modifiait complètement. »[141] On peut suivre dans les lettres de Monet la multiplication des toiles : en moins d'une quinzaine, il en commence quarante-quatre ; trois jours plus tard, il en est à la cinquantième, quelque temps après il affirme en avoir tant qu'il ne peut espérer les terminer, et que, bien qu'il travaille onze heures par jour, il ne pourra consacrer qu'une ou deux séances à certaines d'entre elles. Le lendemain, il est fier d'avoir « hardiment transformé » plusieurs vues du Parlement ; deux jours se passent, et il écrit :

« Aujourd'hui, journée de lutte terrible, [...]. Les toiles seules m'ont fait défaut ; car c'est le seul moyen d'arriver à quelque chose, en mettre en train par tous les temps, toutes les harmonies, c'est le vrai moyen, et, au début, on croit toujours retrouver ses effets et les terminer : de là, ces malheureuses transformations qui ne servent à rien. »[142]

Il avait alors soixante toiles couvertes de couleurs ; deux jours plus tard, après une crise de rage, il faillit renoncer à son projet, puis décida tout simplement d'attendre son effet et « de [se] croiser les bras ». Juste avant son départ de Londres, il écrivit qu'il était parvenu à une meilleure compréhension du temps, ce qui l'avait conduit à « sabrer de grands coups de brosse des toiles qui [lui] avaient donné beaucoup de mal, à peu près achevées, mais qui n'étaient pas assez londoniennes ». Il annonça son retour avec quatre-vingts toiles « qui ne sont que des essais, des recherches, des préparations et, en somme, des recherches folles et inutiles ». Pourtant, durant ces deux mois, il avait « sans cesse » regardé « cette Tamise », avait vu des choses merveilleuses et avait résolu d'y revenir l'année suivante à la même époque[143].

Apparemment, il ne reprit pas ses toiles londoniennes à Giverny cette année-là, mais travailla, « aux prises avec la nature », à la seconde série du *Bassin aux nymphéas* (W.1509-1520) tout en consacrant un grand nombre de toiles à son jardin de fleurs et à son verger[144]. Lorsque Monet exposa quatorze vues de ces *Nymphéas* chez Durand-Ruel en décembre 1900, le poète symboliste Émile Verhaeren déclara qu'ils évoquaient :

« ...la nature toute entière. On devine la totalité du jardin dans la simple vue de l'eau et des plantes. On sent la vie sous-marine au fond du bassin ; la croissance épaisse des racines ; l'entrelacement des tiges dont les fleurs, amassées à la surface, ne sont que l'extrémité. Monet ne réussira jamais à se suffire du motif, car sa force le poussera toujours audelà. »

Selon lui, Monet était un « grand poète », l'un de ceux qui sont :

« ...condamnés à rester graves, sincères, angoissés devant la nature. Petit à petit, il y vient à la vie, à son tour, la nature s'éveille dans ces parties du cerveau qui l'observent, l'admirent et la reproduisent. En quelques heures, lorsque le travail est fécond, l'union est totale. La vie individuelle et la vie universelle fusionnent. Le poète devient l'univers qu'il traduit. »[145]

Quand Monet retourna à Londres en janvier 1901, il apporta un grand nombre des toiles précédemment peintes, ce qui signifiait qu'en dépit de ses résolutions, il voulait continuer à transformer ses tableaux au gré des effets de lumière[146]. Il fut heureux de constater que les draperies noires répandues à profusion pour marquer le deuil de la reine Victoria n'affectaient pas ses motifs, et regretta de ne pouvoir faire une « pochade » de son cortège funèbre (plus haut en couleur). Mais bientôt reparurent ses frustrations, son excitation et son désespoir habituels — accrus encore par les soucis que lui causait la dépression de sa femme — où l'on aperçoit clairement la frontière séparant sa peinture de ses émotions personnelles. Il éprouvait des remords, étant « occupé à chercher de jolis tons, à [s']extasier pendant qu'[elle] souffre et [se] désespère », et le lendemain évoquait son « amour [...] pour cette damnée peinture »[147].

Après avoir passé six semaines à peindre sans interruption, il jugeait Londres en ces termes :

« Ce n'est pas un pays où l'on peut terminer sur place ; les effets ne se retrouvent jamais et il m'avait fallu ne faire que des pochades, de vraies impressions. Avec cela et des dessins, j'aurais pu en tirer parti, tandis que j'ai travaillé jusqu'à vingt fois à des toiles que je dénaturais chaque fois pour, finalement, n'en faire qu'une pochade en quelques instants... »

247. J. Ambroise, *Nénuphars*, 1896, in *Catalogue illustré du Salon*, 1896

Épuisé, tendu à l'extrême, il tomba malade et fut incapable de travailler pendant un mois ; il revint à Giverny muni d'une « quantité d'études, pochades, essais de toute sorte[148] ».

Il attendit un certain temps avant de les reprendre, peignant son bassin, son jardin fleuri, puis revenant à ses « premières amours », réalisa quatorze vues de Vétheuil où le village, comme enchanté, se dissout en particules multicolores aussi fluides et intangibles que leurs reflet dans l'eau coulant à ses pieds[149]. Le format carré de ces peintures isole le motif à l'intérieur du paysage, effet provenant peut-être du fait que Monet s'y rendit en voiture, ce qui aurait pu entraîner une rupture dans ses souvenirs de la région. Il avait acheté une voiture en 1901, en partie pour distraire sa femme de son chagrin, et il apprécia avec joie la vitesse et la facilité de déplacement qu'elle lui procura durant les longues années où il se concentra exclusivement à son bassin de nymphéas[150].

C'est à cette époque qu'il entreprit d'agrandir son jardin d'eau, en étant sans cesse interrompu par les soucis que lui causait sa famille. Il écrivit à Geffroy à la fin de 1902 : « C'est dur d'avoir sans arrêt de pareilles émotions, et ici cela n'arrête pas. Allez donc rêver, peindre. » Il avait promis à Durand-Ruel de reprendre quelques toiles de Londres, mais ce n'est apparemment qu'en 1903 qu'il s'y attela, écrivant à son marchand :

> « Je ne peux pas vous envoyer une seule toile de Londres, parce que, pour le travail que je fais, il m'est indispensable de les avoir toutes sous les yeux […]. Je les mène toutes ensemble ou du moins un certain nombre […], ce que je fais là est du plus délicat. »[151]

Ce qui était « délicat », en effet, était de détruire quelques toiles dont la qualité ne le satisfaisait pas mais, écrivait-il à Geffroy, « il me faut aller jusqu'au bout, quitte à les détruire toutes » en lui expliquant qu'il ne pouvait montrer au public des œuvres incomplètes, qu'il avait « perdu une bonne impression » et les avait « touchées *toutes* ». En mai 1903, dans une crise de colère, il annula l'exposition, disant qu'il ne voulait plus jamais penser à ces tableaux. Il passa l'été et l'automne à peindre sur nature, revint à sa série en janvier et paracheva ses toiles jusqu'à ce qu'elles soient prêtes à être présentées sous le titre de « Trente-sept *Vues de la Tamise à*

*Londres* », au début de mai 1904. Ainsi qu'il l'écrivit à Durand-Ruel, cela faisait presque quatre ans qu'il travaillait à ses « Londres » ; il souhaitait que le marchand prenne la plupart de ses toiles, ajoutant qu'il était heureux que personne ne les ait aperçues, car « la vue de la série complète aura une bien plus grande importance[152]. »

Il est malaisé de savoir dans quelle mesure Monet reprit ses « Londres » à Giverny. Il y avait rapporté un certain nombre d'esquisses et d'études auxquelles il n'avait consacré qu'une ou deux séances, qu'il laissa en l'état. Il estimait que le *Charing Cross Bridge, fumée dans le brouillard, impression* (ill.256) donnait une image suffisamment vivace d'un moment passager pour être exposé tel quel, mais ne présenta pas *Le Parlement, reflets sur la Tamise* (ill.254), aux longues touches tentaculaires transperçant les balafres horizontales de l'eau comme pour y tisser un réseau d'ombres. Tel devait être le degré de finition de la plupart des œuvres que Monet rapporta de Londres, avant de décider si elles étaient ou non suffisamment « londoniennes ».

Certaines toiles furent intégralement exécutées en atelier, mais les termes de « retouches » et « du plus délicat » donnent à penser qu'il s'agissait plutôt d'intensifier des effets existants en les comparant au reste de la série que de bouleverser radicalement le motif. Dans trois vues de *Waterloo Bridge* (ill.250, 257 et 258), à l'aube, sous un soleil voilé de brume, ou noyé dans le brouillard mais illuminé par un soleil livide, les dernières touches de peinture, appliquées en minuscules mouchetures, en longs traits calligraphiques ou en nuages vaporeux, ont été choisies dans une gamme de teintes faisant ressortir, par répétition ou par contraste, les coloris préexistants. Les longues traînées articulant les arches, les hachures traduisant les reflets et les ombres sur l'eau ; les modulations de tonalités apparentées et les touches plus douces suggérant l'immensité et la complexité des bâtiments de la rive sud ; les points et les petites taches décrivant les personnes et les véhicules qui s'agglutinent sur le pont ; les variétés de mauve et de rose éclaboussant la fumée, tous participent de la même cohérence chromatique qui clarifie l'effet tout en renforçant l'unité décorative de ce groupe de motifs. Si le travail en atelier était si long, c'est qu'il ne s'agissait pas uniquement d'un exercice physique, mais bien mental, où chaque œuvre exigeait des souvenirs « londoniens » de plus en plus précis. C'est ainsi qu'il écrivit à Durand-Ruel en 1903 : « Non, je ne suis pas à Londres si ce n'est par la pensée. »[153]

Ces « Londres » se placent entre les séries touristiques des années 1880 et sa série de paysages familiers, car ils étaient marqués au sceau de la durée et de la mémoire. L'idée de les peindre naquit probablement du désir de Monet de reprendre d'anciens motifs afin de créer « une façon de synthèse » où il pourrait résumer ses « impressions et [ses] sensations d'autrefois » en « une toile, parfois deux ». Une ou deux toiles qui, évidemment, se multiplièrent immédiatement, mais en 1901, il déclara qu'il serait satisfait s'il produisait « quelques toiles », « cinq ou six » — fantastique résultat de plusieurs mois de « recherches »[154].

Les phases de concentration intense sur le motif entremêlées de longues pauses de réflexion et de longues périodes de peinture loin du motif engendrèrent un jeu complexe entre la mémoire et « le moment du motif ». Ainsi, les tableaux de Turner et de Whistler représentant la Tamise sont visiblement présents dans tous les « Londres » de Monet — non comme des archétypes extérieurs au peintre, mais comme éléments inhérents à son souvenir et à sa perception du motif. Geoffroy signala que : « Claude Monet, comme Whistler, a peint des harmonies, et comme lui, aurait pu donner pour titres à ses tableaux des dominantes de couleurs et de nuances. » Une œuvre comme *Le Parlement, trouée de soleil dans le brouillard* (ill.259), aurait pu s'intituler *Harmonie en rouge et violet*, mais — fait significatif — Monet préféra un titre plus descriptif[155]. La façon dont Whistler composait le fleuve en opposant sa fluidité à la tension des ponts, et la beauté de toutes les

248. *Le Bassin aux nymphéas, harmonie verte* (W.1515), 1899, 89 x 93

249. *Vétheuil, au soleil couchant* (W.1644), 1901, 90 x 93

250. *Waterloo Bridge* (W.1568), 1903, 65 x 92

touches allusives définissant les rameurs dans leurs bateaux obscurs étaient inscrites dans la mémoire visuelle de Monet, ce que Geffroy a si justement souligné. L'influence de Turner était plus ambivalente, peut-être parce que dans sa jeunesse Monet avait voulu s'en affranchir ; elle apparaît irrégulièrement dans des œuvres isolées, telles *Impression, soleil levant* et *Soleil couchant sur la Seine, effet d'hiver*. Les nuances brillantes et les transparences de Turner, ses évocations de l'orage, du soleil couchant et du feu (en particulier dans son *Incendie du Parlement*, Museum of Art, Philadelphie) auraient peut-être aidé Monet à représenter ces vastes espaces emplis de lumière, et contribué à donner à ses dernières descriptions de la vie contemporaine leur aspect à la fois authentique et irréel[156].

Néanmoins, le lien indéniable qui les unit montre à quel point ses vues de Londres plongent leurs racines dans l'œuvre du passé. Dans le thème de la Tamise et du Parlement apparaissent sans cesse en filigrane, non seulement *Impression, soleil levant*, avec son disque orangé émergeant du brouillard pour révéler les docks et les cheminées, mais également la Seine qui s'étire à Argenteuil. Son souvenir est présent, recréé à l'échelle d'une métropole, qu'animent le pont routier, celui du chemin de fer avec ses trains empanachés de fumée, les usines et le château fantomatique, tous ces motifs avaient leur pendant avec le pont de Waterloo, le pont de Charing Cross et le Parlement. Jamais Monet n'a mis tant d'ardeur à peindre ces motifs contemporains, même à l'époque où la modernité le passionnait. Peut-être pouvait-il le faire d'autant mieux qu'il peignait au cœur de sa maison, enclose dans ce jardin idéal qu'il avait lui-même imaginé, d'où il pouvait regarder la plus grande ville moderne comme un spectacle en soi, transformant son brouillard empoisonné et ses fumées délétères en vapeurs roses, dorées, bleues ou violettes, et ses foules immenses et anonymes en myriades de petits points aux couleurs gaies[157]. Cette concentration totale sur son motif aura permis à Monet d'incorporer inconsciemment l'expérience enrichissante du passé dans ses perceptions du moment. Il n'est que de comparer les effets superficiels des petites peintures de la Tamise des années 1870 et 1871 à celles du début du siècle pour prendre conscience de

251. *Matinée sur la Seine*
(W.1477), 1897, 81 x 92

252. *Au Val Saint-Nicolas, près Dieppe, matin*
(W.1466), 1897, 65 x 100

253. *Bras de Seine près de Giverny, brouillard*
(W.1474), 1897, 89 x 92

la vitalité et de la spécificité de ces dernières. Les tonalités brillantes et ir-réelles du fleuve n'ont aucun rapport avec les gris sordides du brouillard londonien, mais sont cependant parfaitement révélatrices des effets qui les ont inspirées.

Par comparaison avec les soixante-quatorze vues de ponts, les toiles du Parlement semblent presque visionnaires. Monet a peint ses hautes tours, éclairées par l'arrière, depuis la rive opposée, de sorte qu'elles apparais-sent comme des écrans qui captent les ombres, les reflets et la lumière mul-tipliés par la vaste nappe d'eau. Il a peint le soleil, invisible dans le brouillard dense, diffus dans les brumes du crépuscule ; ses rayons dorés transper-cent l'épaisseur du brouillard d'un éclat soudain, dramatique, et ses longues traînées paresseuses font danser des myriades de particules lumineuses, dissolvant les tours et les clochetons déjà atténués par la brume. Ces ta-bleaux évoquent les châteaux enchantés des rêves d'enfants, étincelant dans un flamboiement onirique, et pourtant foisonnant d'extraordinaires révé-lations perceptives : dans *Le Parlement, trouée de soleil dans le brouillard*, d'épaisses touches empâtées d'orange, de rouge et de jaune vifs représen-tent les rayons du soleil comme une soudaine turbulence dans un ciel vio-let et pourpre ; elles se reflètent sur l'eau dans un embrasement insolite et froid, et les hautes tours projettent leur ombre à travers le fleuve comme un voile immense emplissant l'espace de couches indescriptibles de ver-millon, de mauve et de violet.

L'ouverture de l'exposition de 1904 fut un événement mondain tout aussi couru que le Salon, et fut accueilli, comme de coutume, par un torrent d'éloges. Monet lui-même nota, avec quelque mauvaise grâce après l'adu-lation qui lui avait été prodiguée depuis dix ans : « Certes, la presse me comble cette fois avec exagération d'éloges. » Les tableaux se vendirent re-marquablement bien — Durand-Ruel acheta vingt-quatre « Londres » à des prix variant de huit à onze mille francs, pour un total de deux cent cinquante deux-mille francs[158]. Bien que les critiques aient manifesté un certain em-barras devant ce qui était manifestement une peinture d'atelier, ils établi-rent une relation entre la fidélité des effets de Monet, l'abstraction de ses co-loris, et le rôle joué par la série pour l'expression de cette vérité. Gustave Kahn a traduit avec verve le rapport entre « vérité » et « décoration » :

« Claude Monet a saisi les rares moments, peut-être uniques, si empreints de beauté, de diversité et de luxe qu'ils peuvent sembler un instant irréels [...] et que, devant ce feu d'artifice d'or, de rose rose, rose rouge, rose teinté de rouge, pourpre, vert pré, vert doré ti-rant sur le bleu foncé, on peut imaginer, un moment, que ces visions — obéissant à des prin-cipes d'ornementation polychrome, plutôt qu'à une fidélité absolue à la nature — sont les harmonies d'un thème donné au moment du croquis par la grâce de l'heure et de ses cou-leurs... »

Mais cela aurait été une erreur, selon lui, ces tableaux n'étant pas des « visions », mais des œuvres achevées « tirées d'observations exactes », in-carnant « une lutte [...] avec les multiples aspects du jour qui, à chaque ins-tant, dépose de nouveaux atours et des lambeaux d'images dans le puits du temps »[159].

La préface que Mirbeau rédigea pour le catalogue reflète l'embarras des fidèles de Monet, ne sachant pas bien comment apprécier le travail —

et singulièrement le travail en atelier — nécessaire pour rendre ces « moments ». Après avoir affirmé que « ces toiles sont l'aboutissement de quatre années d'une observation réfléchie, d'un effort délibéré et d'un travail prodigieux », Mirbeau déclarait brusquement que ce n'était « l'affaire de personne » et que seul comptait « le résultat final ». Geffroy, qui connaissait par le menu les difficultés de Monet dans son atelier, assurait que le peintre demeurait fidèle à sa méthode de « travail strictement accompli devant la nature » et se fiait au retour des moments fugitifs. Tout en admettant qu'il y avait d'autres façons de peindre des chefs-d'œuvre, Geffroy proclamait que tel était l'unique moyen pour exprimer « la poésie magnifique de l'instant qui passe, de la vie qui continue »[160].

Monet déclara d'ailleurs à un journaliste qu'après avoir perdu tant de toiles à cause de l'imprévisibilité du temps en Angleterre, après « quatre années de travail et de retouches sur place, j'ai dû me résigner à ne peindre

que des esquisses et à tout achever ici dans mon atelier ». Les inexactitudes de ce compte rendu tiennent peut-être à l'ignorance de ce journaliste, mais le fait important est que Monet reconnut pour la première fois en public qu'il travaillait en atelier. Bien qu'il ait par la suite réagi avec colère à l'évocation de ce problème : « Que mes *Cathédrales*, mes "Londres" et autres toiles soient faites d'après nature ou non, cela ne regarde personne et ça n'a aucune importance », cet aveu lui facilita sans doute la tâche et donna davantage de souplesse à cette pratique[161].

Mirbeau prit à partie les critiques symbolistes Mauclair et Morice qui demandaient que la nature soit « régénérée, intellectualisée, raffinée et domestiquée », afin de l'élever à « la dignité d'art ». Faisant fi des reproches de Mirbeau, Morice exprima d'abord son admiration pour « la précision miraculeuse de ces apparitions de choses » puis son sentiment qu'il manquait un élément à la facture de Monet : « Le maître de l'impressionnisme

Ci-contre :

254. *Le Parlement, reflets sur la Tamise*
(W.1606), vers 1900-1901, 81 x 92

255. *Charing Cross Bridge* (W.1530), 1899-1901,
66 x 91, esquisse

256. *Charing Cross Bridge, fumée
dans le brouillard, impression*
(W.1535), 1899-1901, 73 x 92

Ci-contre :

259. *Le Parlement, trouée de soleil dans le brouillard* (W.1610), 1904, 81 x 92

257. *Waterloo Bridge, effet de soleil avec fumées* (W.1566), 1899-1901, 65 x 100

258. *Waterloo Bridge, effet de soleil* (W.1588), 1899-1901, 65 x 100

ignore l'évolution de l'humanité, excepté dans ces formes qui le réduisent au statut des choses : des trains qui roulent, des bus qui passent. » Il est toutefois difficile de concevoir comment les dimensions d'une métropole moderne et l'anonymat de ses innombrables habitants auraient pu être évoqués sur une toile de petites dimensions autrement que comme un pur spectacle (problème que les futuristes et les simultanéistes résoudront huit ans plus tard par l'abstraction). En dépit de ses opinions politiques, Mirbeau rejeta la théorie donnant mission à la peinture de « résoudre les grands problèmes sociaux, moraux, internationaux, politiques, philosophiques, psychologiques, scientifiques, ésotériques et tétralogiques ». Il lui suffisait que la peinture de Monet exprimât « les lois inflexibles de l'univers ». Cependant Morice estimait qu'il s'agissait d'un « art parfait — dont il est impossible de ne pas sentir les limites » et se demandait, non sans emphase, où était « l'erreur » susceptible « d'ouvrir la porte à l'inconnu, cet inconnu qui nous attire »[162].

Monet allait passer les vingt-deux ans qui lui restaient à vivre à rechercher les effets des « lois inflexibles de l'univers » à la surface de son bassin aux nymphéas. C'est au cœur de ce paysage si familier, si aimé, qu'il découvrirait enfin « l'inconnu qui nous attire ».

# TROISIÈME PARTIE

Le Temps retrouvé

Giverny 1903-1926

260. *Nymphéas* (W.1664), 1903-1904, 90 x 93

# 6

# *Les Nymphéas*

« Je me suis remis au travail ; c'est encore le meilleur moyen de ne pas trop
penser aux tristesses actuelles, bien que j'aie un peu honte de penser à de petites
recherches de formes et de couleurs pendant que tant de gens souffrent
et meurent pour nous. »
MONET, 1914


« Il n'existe aucun témoignage de civilisation
qui ne soit en même temps un témoignage de barbarie. »
WALTER BENJAMIN, 1940[1]

## I   Les *Paysages d'eau*[2], 1903-1909

Les grands tableaux représentant le bassin aux nymphéas de la maison de Giverny occupèrent les dix dernières années de la vie de Monet ; leur apogée se traduisit par les deux cycles immenses du musée de l'Orangerie. Il ne s'agit plus, comme autrefois, de traduire un « moment du paysage », mais d'élaborer une forme de peinture dans laquelle les impressions fugitives que procurent la lumière pénétrant les profondeurs de l'eau, ou la brise légère ridant le miroir de la surface, sont saisies et immobilisées dans un espace de temps suspendu qui semble ne devoir jamais prendre fin. Ces immenses surfaces de toile portent toutes les marques de la lutte menée par le peintre pour créer un univers parfait, replié sur lui-même — une lutte engagée non seulement contre la cécité progressive et la mort, mais aussi contre la désintégration progressive du monde qu'il avait connu et aimé. Lorsqu'il les commença, Monet était extrêmement riche, et célèbre dans le monde entier. Il avait été et continuait d'être interviewé si fréquemment, que sa vie avait pris les allures d'une légende, entretenue avec soin : il était le génie, le maître, le créateur autodidacte qui avait triomphé de tous les obstacles pour devenir le plus grand artiste français de sa génération. Il avait trouvé son refuge dans l'ermitage de Giverny, mais fermait rarement sa porte à un journaliste et accueillait avec plaisir les visites de jeunes peintres, comme Vuillard, Bonnard ou Matisse. Il créa pourtant, dans cette retraite, une forme d'expression picturale qui allait transcender les valeurs monétaires (même si ces dernières avaient fructifié pour lui de manière si spectaculaire[3]).

Dans les années 1890, Monet chercha à résoudre la contradiction entre l'instant et la continuité temporelle qui caractérisent la nature de la conscience, en essayant de créer une œuvre « qui ne soit d'aucun temps, d'aucune saison », par l'utilisation du souvenir et par un rapprochement toujours plus étroit ente les différentes phases par lesquelles passe la lumière jouant sur un motif, comme s'il essayait de les fondre dans une durée ininterrompue. En voyant le peintre chercher « fiévreusement » dans des amoncellements de toiles pour trouver celle qui correspond à un effet particulier, on constate cependant que, plus il était sensible aux modifications infimes de l'éclairage, moins il se montrait capable de matérialiser l'absence de rupture qui est le propre de l'expérience. Les premiers tableaux de ce

bassin aux nymphéas représentaient des « moments » fragmentaires de lumière, mais le caractère indéterminé du sujet — étendue d'eau sans terre ni limites fixes — et la notion même de décoration conduisirent à une forme de peinture qui figurait la continuité : Monet multiplia les toiles et choisit des formats de plus en plus grands, comme pour atteindre à l'infini. Il en vint à représenter paradoxalement des phases de lumière d'une durée apparemment illimitée, et s'engagea dans un processus qui pouvait se prolonger indéfiniment : sa mort seule y mit effectivement un terme.

L'atelier et le bassin couvert de nymphéas étant tous les deux situés dans son jardin, à peu de distance l'un de l'autre, le peintre pouvait concilier le travail en intérieur et la recherche picturale sur sa perception du motif en plein air. Les souvenirs intériorisés jouèrent également un rôle : le thème des *Nymphéas* avait été présent dans les premières toiles de Monet — *Paysage à Rouelles*, vers la fin des années 1850, et *Cour de ferme en Normandie*, en 1864. Depuis lors, il s'était écoulé plus de quarante ans, durant lesquels il avait passé son temps à observer le reflet inversé du monde naturel à la surface des eaux tranquilles, changeant d'aspect de l'aube au crépuscule, ainsi que selon le temps et la saison.

Monet renonça à l'idée de retourner sur les lieux qui autrefois avaient constitué le décor de ses œuvres pour créer une synthèse des expériences présentes et passées, à partir du moment où il comprit qu'il n'avait pas besoin de dépasser les limites de son jardin. « J'avais toujours aimé le ciel et l'eau, la verdure et les fleurs », déclara-t-il un jour, « tous ces éléments se retrouvaient à foison dans mon petit étang ». Le jardin, sujet presque aussi important que l'eau pour lui, avait assumé une double fonction, à la fois thème et contexte de sa vie d'artiste. Il confia même à un journaliste, dans la dernière année de sa vie, que le jardinage était « un métier [qu'il avait] appris dans [sa] jeunesse […] lorsqu'[il était] malheureux » et que « c'est peut-être aux fleurs qu'[il] doit d'être devenu peintre. »[4] D'abord représenté à la fin des années 1860 comme un lieu clos et protecteur pour Camille aussi bien que pour son entourage, le jardin réapparut après les traumatismes de l'invasion et de la guerre civile, lorsque Monet commença de travailler en Argenteuil. Il l'immortalisa et en fit un lieu d'une beauté de légende, protégé par des haies fleuries, à l'instar de celui de Vétheuil, qui entourait sa nouvelle famille et comportait une échappée sur la Seine (W.693). Ce fut en métamorphosant les champs de Giverny, paysage agricole, en décor esthétique, qu'il exécuta les quelques tableaux représentant les membres de son nouveau foyer au milieu des fleurs (W.1207). L'intensité de ce besoin de transformation explique la fureur disproportionnée qu'il ressentait à l'égard des agriculteurs et des lavandières qui tiraient parti de la rivière du village et qui s'opposaient à ses projets de barrage[5]. Une fois que Monet eut intégré l'eau à la nature qu'il avait modelée selon ses désirs, il s'en servit pour édifier l'ultime barrière protectrice, permettant d'éviter toute intrusion intempestive, excluant tout ce qui était susceptible de venir troubler cette parfaite harmonie qu'il avait obstinément cherché à traduire dans sa peinture. Tout, à l'exception du temps.

Après avoir complété les toiles descriptives et fragmentaires de la série consacrée au pont japonais, Monet jugea sans doute que son bassin

ne lui offrait pas assez de motifs pour réaliser l'idéal d'une décoration continue dont il avait parlé en 1897, puisqu'il acheta une autre parcelle de terrain et passa outre l'opposition de ses voisins en faisant agrandir la pièce
d'eau, qui s'étendit de vingt à soixante mètres de longueur. On aménagea
également un îlot et une vasque de béton pour des nénuphars africains ;
des arceaux pour la glycine furent dressés au-dessus du pont ; bambous et
autres rhododendrons, pommiers et cerisiers du Japon furent plantés sur
les rives. Ces travaux occupèrent les années 1901 et 1902, tandis que Monet
travaillait sur la série rapportée de Londres ainsi que sur les tableaux du
jardin de fleurs. Dans ces derniers, les mauves et les verts des massifs d'iris,
le rouge orangé des sentiers, les verts et les roses de la maison, les verts et
les rouges des arbres contribuent à créer un effet de tapisserie, d'une densité presque étouffante. Mais il ne reprit pas le travail sur les *Nymphéas*
avant que l'aspect du bassin remodelé n'eût été tranformé par la croissance
de la végétation nouvelle[6].

Les écrivains du tournant du siècle soulignèrent l'interdépendance
entre le jardin et la peinture de Monet, plus fortement encore que ne l'avaient
fait ceux des années 1890 : Alexandre proclama que c'était bien celui-là qui
lui apprenait à « oser des effets qui sont si vrais qu'ils semblent irréels, mais
qui nous séduisent irrésistiblement comme toutes les vérités dont nous ne
sommes pas conscients. » Il soulignait ainsi l'aspect artificiel du bassin :

261. Monet au bord de l'étang aux nymphéas, vers 1904

« Damasquinée par les grandes feuilles rondes des nénuphars, incrustée de fleurs
semblables à des pierres précieuses, l'eau, quand le soleil joue à sa surface, devient le chef-
d'œuvre d'un artisan qui a créé des alliages à partir des métaux les plus magiques. »

Ce fut probablement à partir de ce genre de comptes rendus, tout autant qu'à la vue des tableaux du maître, que Proust imagina le jardin de
Monet, qu'il ne visita d'ailleurs jamais. Voici la description qu'il en fait :

« … un jardin de tons et de couleurs plus encore que de fleurs, un jardin qui doit être
moins l'ancien jardin-fleuriste qu'un jardin-coloriste, si l'on peut dire, des fleurs disposées
dans un ensemble qui n'est pas tout à fait celui de la nature, puisqu'elles ont été semées de
façon que ne fleurissent en même temps que celles dont les nuances s'assortissent, s'har-
monisent à l'infini en une étendue bleue ou rosée, et que cette intention de peintre puissamment manifestée a dématérialisées, en quelque sorte, de tout ce qui n'est pas la couleur.
Fleurs de la terre, et aussi fleurs de l'eau, ces tendres nymphéas que le maître a dépeints
dans des toiles sublimes dont ce jardin (vraie transposition d'art plus encore que modèle de
tableaux, tableau déjà exécuté à même la nature qui s'éclaire en dessous du regard d'un
grand peintre) est comme une première et vivante esquisse, tout au moins la palette est déjà
faite et délicieuse, où les tons harmonieux sont préparés. »[7]

Le jardin offrait une image de la nature telle que Monet la désirait et
telle qu'il l'avait déjà figurée dans ses tableaux ; cela est très révélateur de
la puissance de son réalisme et de la force de son besoin d'idéal : plutôt que
d'élaborer sur la toile des formes picturales idéalisées, il choisit de créer de
toutes pièces un jardin réel avant de se mettre à peindre. Il employait des
jardiniers pour disposer les plantes « comme des couleurs sur une palette »,
pour essuyer la poussière se déposant sur les feuilles de nénuphars et pour
ôter les fleurs fanées[8], mais il n'était pas soumis à pareilles contingences
dans l'exercice de son art : c'est ce qui apparaît dans certains tableaux
presque parfaits représentant le pont japonais ou le jardin fleuri et dans
certains des *Paysages d'eau*. Ce fut en fin de compte la recherche acharnée
pour transcrire la vérité de la sensation qui vint rompre la douceur presque
étouffante de ce coin de paradis.

Monet travailla aux *Paysages d'eaux. Nymphéas* six années durant, de 1903
à 1909, et il en exposa quarante-huit dans la galerie Durand-Ruel. Il avait
commencé à les peindre lorsqu'il avait ressenti le besoin de travailler au
sein de la nature, afin de ne pas songer à ce qu'il appelait ses « Londres » ;
il consacra alors l'été de 1903 à mener un « travail d'études et de recherches »[9].
Il n'abandonna pas pour autant la série des Tamise au cours des dix-huit
mois qui suivirent, mais s'occupa ensuite presque exclusivement de sa petite étendue d'eau, peignant directement sur le motif au printemps, en été
et en automne, tout en réservant le travail en atelier pour l'hiver. On pense
qu'il a commencé environ cent cinquante *Paysages d'eau*, et qu'il en a achevé
presque quatre-vingts. Il n'avait jamais travaillé avec une telle concentration et il eut de grandes difficultés à compléter la série, repoussant les expositions projetées d'une année sur l'autre et refusant de se séparer de l'un
de ses tableaux avant que la série complète ne fût digne d'être montrée au
public. Il en détruisit beaucoup, dans des accès de rage et de dépit[10].

Dans les *Nymphéas* des années 1890, Monet ne peignit qu'une petite
partie de la surface du bassin ; dans la série consacrée au pont japonais, il
adopte une perspective linéaire assez conventionnelle qui dirige le regard
vers les profondeurs du tableau. Mais le bassin remodelé était si étendu
que Monet dut ensuite changer constamment de point de vue afin d'embrasser ses nouvelles dimensions dans leur totalité. Il en résulte que, pour
les *Paysages d'eau*, il s'approcha très près du motif, de sorte qu'il put rendre
compte d'une expérience originale : surplombant la surface de l'étang, il y
observait les silhouettes du ciel et des arbres se trouvant au-dessus de lui
et dont l'image se reflétait verticalement, bien qu'ils fussent naturellement

262. *Nymphéas, paysage d'eau, les nuages* (W.1656), 1903, 73 x 100

dans le plan horizontal de l'eau qui s'étendait à ses pieds. Il inversait ainsi totalement l'organisation picturale traditionnelle du paysage occidental et détruisait du même coup la notion de « vue ». Non seulement il représenta de façon simultanée sa perception de la surface de l'eau et de ses profondeurs, de la lumière qui se reflète ou qui pénètre ces profondeurs, mais il choisit un motif plus changeant encore que tout ce qu'il avait tenté de faire jusque-là. Il aurait déclaré à ce propos :

> « L'essentiel du motif est le miroir d'eau dont l'aspect, à tout instant, se modifie grâce aux pans de ciel qui s'y reflètent, et qui y répandent la vie et le mouvement. Le nuage qui passe, la brise qui fraîchit, le grain qui menace et qui tombe, le vent qui souffle et s'abat brusquement, la lumière qui décroît et qui renaît, autant de causes, insaisissables pour l'œil des profanes, qui transforment la teinte et défigurent les plans d'eau. »[11]

L'une des plus anciennes toiles du groupe (W.1654) montre une vue qui embrasse l'ensemble du bassin, avec les reflets complets des arbres dont on ne voit qu'une partie ; sur la rive, deux femmes rappellent *L'Étang à*

*Montgeron* (ill.133) et le *Coin de jardin à Montgeron* (ill.134), décorations peintes pour la salle à manger de Hoschedé quelque trente ans auparavant. Sur ces deux tableaux, une femme — probablement Alice Hoschedé — est représentée à la fois sur la rive et dans l'image de son reflet sur l'eau[12]. *Les Nuages* de 1903, l'un des plus anciens *Paysages d'eau*, montrent le passage décisif de cette vision relativement conventionnelle à une nouvelle perception de l'espace, qui s'étend aux pieds du spectateur tout en paraissant s'éloigner de lui. Comme pour d'autres tableaux de la même série, une mince bande de terre se trouve au sommet de la toile ; elle dérive d'un motif qui a toujours fasciné Monet (la jonction entre la terre et l'eau), mais la rive est indiquée ici très sommairement, ce qui montre que son attention s'est déplacée, pour passer du point de contact entre l'élément solide et l'élément liquide à la surface de ce dernier. *Les Nuages* constituent un tableau descriptif par la technique, avec des touches de couleur localisées et des traits de brosse correspondant aux différentes substances, si bien que les arbres et les nuages existent plus en tant que tels qu'à travers leurs reflets, comme si Monet n'était pas encore en mesure de dissocier sa connaissance

263. *Nymphéas* (W.1671), 1905, 90 x 100

264. *Nymphéas* (W.1714),
1907, 100 x 73

265. Monet peignant à Giverny, vers 1915

de leur origine naturelle, de sa perception des couleurs « dématérialisées » que leurs images ont dans l'eau.

Chaque année, de 1904 à 1908, Monet commença un groupe de *Paysages d'eau* avec des points de vue et des formats différents, sur lequel il continua de travailler les années suivantes. En 1904, on le vit par exemple se consacrer simultanément à douze toiles, passant de l'une à l'autre en fonction des changements de lumière[13], adoptant pour cela une position oblique par rapport au bassin, afin de montrer une étendue d'eau plus vaste que dans *Les Nuages*. Certaines des toiles du groupe de 1904 gardent les techniques descriptives de la peinture de 1903 mais, dans les *Nymphéas* du Havre (ill.260), par exemple, Monet a accentué la substance picturale de chaque élément, traduisant les couleurs locales en gammes de verts, de bleus profonds et de violets qui se répondent entre elles et sont accentuées par le rose et le jaune des fleurs de nénuphars. Les arbres reflétés sont plus heureusement transposés dans la fluidité de l'eau, et la construction du tableau apparaît mieux maîtrisée ; loin d'offrir une référence directe à des formes conventionnelles, cela exige du spectateur une lecture plus active de l'organisation abstraite de la couleur. Ainsi, à la différence des *Nuages*, dans lesquels le reflet des arbres et du ciel est immédiatement identifiable, les touches de vert plus clair ne se révèlent que graduellement comme l'image transposée d'arbres situés hors du cadre de la toile ; les reflets et les ombres plus sombres des saules surplombants attirent l'œil toujours plus bas, jusqu'à ce qu'il reconnaisse avec un choc délicieux que les bandes bleu clair, à la base du tableau, indiquent en fait le ciel qui était au-dessus du peintre.

Les tableaux de la Seine prise par le gel à Vétheuil montrent de manière frappante que les compositions fondées sur une opposition entre les reflets verticaux et le plan horizontal de l'eau ont une longue histoire dans l'œuvre de Monet. Les premières toiles ainsi construites étaient encore des « vues », c'est-à-dire des toiles qui renferment un fragment de nature isolé et éloigné du spectateur. Ce rapport à la nature commença d'évoluer avec les « séries » de 1904, dans lesquelles on voit les feuilles coupées par le bord inférieur du cadre, ce qui suggère qu'elles se trouvent aux pieds du peintre. La relation a subi une transformation complète dans les séries commencées en 1905 (W.1671-1682), pour lesquelles Monet a éliminé la rive opposée.

Après la disparition de cet ultime vestige de terre ferme, les seules formes matérielles qui subsistent sont celles des nénuphars, dont les feuilles

apparaissent tantôt flottant à la surface de l'eau, reposant sur elle et lui conférant par-là même un certain relief, tantôt partiellement immergées. Lorsque le bord de l'étang est représenté, le spectateur parvient toujours à apprécier l'espace en instituant une relation avec le motif par un décryptage des procédés conventionnels tels que la perspective décroissante ; mais les *Nymphéas* de 1905 (ill.263) n'offrent aucun point de repère qui permette de mesurer la distance entre les nénuphars et les rives invisibles du bassin, donc pour déterminer si l'on est ou non en relation avec elle. Le monde matériel n'est plus perçu que par l'intermédiaire de son reflet et l'espace est illimité.

L'abstraction qui règne dans les harmonies colorées des *Nymphéas* du Havre a été développée de manière plus cohérente dans les tableaux de 1905, et la densité des repeints sur les premiers indique que leur structure n'a été vraiment achevée que lors des retouches, postérieures de plusieurs années. Les tableaux commencés en 1905 sont également peints en couches épaisses, qui contrastent entre elles avec la même puissance, mais Monet semble à présent exploiter consciemment les possibilités offertes par leur superposition, ce qui était jusque-là le résultat spontané de sa lutte pour rendre compte de son expérience. Dans ces tableaux, les premières couches sont posées dans des tons assez sombres, avec de fortes stries de brosse, tandis que les suivantes sont appliquées dans des tonalités mauves plus claires, des roses et des verts, en larges touches de peinture sèche ; ces dernières s'accrochent aux stries formées par les couches sous-jacentes, créant ainsi une surface au relief irrégulier, qui capte la lumière selon différents angles, de sorte que le tableau tout entier semble vibrer. Les applications successives de couleurs suggèrent les profondeurs présentes sous la surface de l'eau, effet souligné par les épaisses lignes pourpres peintes sous le lobe inférieur de certaines feuilles, qui indiquent les ombres portées de celles-ci *dans* l'élément liquide. Des tons denses de mauve et de lavande, posés sous de fines couches irrégulières de vert et de violet, figurent la profondeur de l'étang vu du dessus ; le blanc plus dense, teinté de lavande et de rose et appliqué sur les mauves foncés au milieu du bassin, représente non seulement le reflet d'un pan de ciel, mais aussi la manière dont sa lumière paraît se réfléchir sur la surface de l'eau au lieu d'en pénétrer les profondeurs.

En 1906, après avoir mis au point les moyens de restituer sur la toile ces expériences visuelles complexes, Monet fut en mesure de réaliser des effets semblables avec des surfaces moins chargées (W.1683-1691) ; ses lettres témoignent alors de sa joie au travail. Mais son humeur s'assombrit de nouveau, lorsqu'il s'aperçut qu'il ne pourrait pas terminer ses séries pour l'exposition du printemps à venir ; il passa alors deux mois à travailler sur deux natures mortes avec des œufs (W.1692 et 1693). Ces toiles renversent curieusement les structures des *Paysages d'eau*, comme si le peintre cherchait à se reposer un moment de ces années durant lesquelles il avait peint la fluidité et l'absence de formes définies[14]. En avril 1907, il annonça à Durand-Ruel qu'il se trouvait contraint de retarder une fois encore la date du vernissage, car il n'avait terminé que cinq ou six toiles sur la quarantaine de celles qu'il avait commencées ; les autres avaient besoin d'être retravaillées d'après nature. Comme quelques-unes seulement d'entre elles lui paraissaient dignes d'être menées à terme, il avait choisi d'en faire disparaître une trentaine. Selon son habitude, il insistait pour que les œuvres fussent présentées en groupe, et se refusait donc à les exposer isolément : il souhaitait comparer les toiles finies avec celles qu'il projetait de faire. Il regrettait d'en avoir vendu une, *Les Nuages*, dont il sentait qu'elle aurait dû être détruite[15]. La comparaison entre cette dernière (ill.262) et les toiles que Monet gardait par-devers lui à ce moment montre qu'il souhaitait occulter une forme de peinture dans laquelle le rectangle de toile pouvait être interprété comme une fenêtre ouverte sur une scène éloignée. Les reflets inversés des *Nuages* ne bouleversent pas fondamentalement les structures de la tradition paysagiste européenne : cela reste la vue fragmentaire d'un bassin dont l'existence se perpétuera une fois que la lumière aura changé et

266. *Nymphéas, étude* (W.1717),
1907, 105 x 73

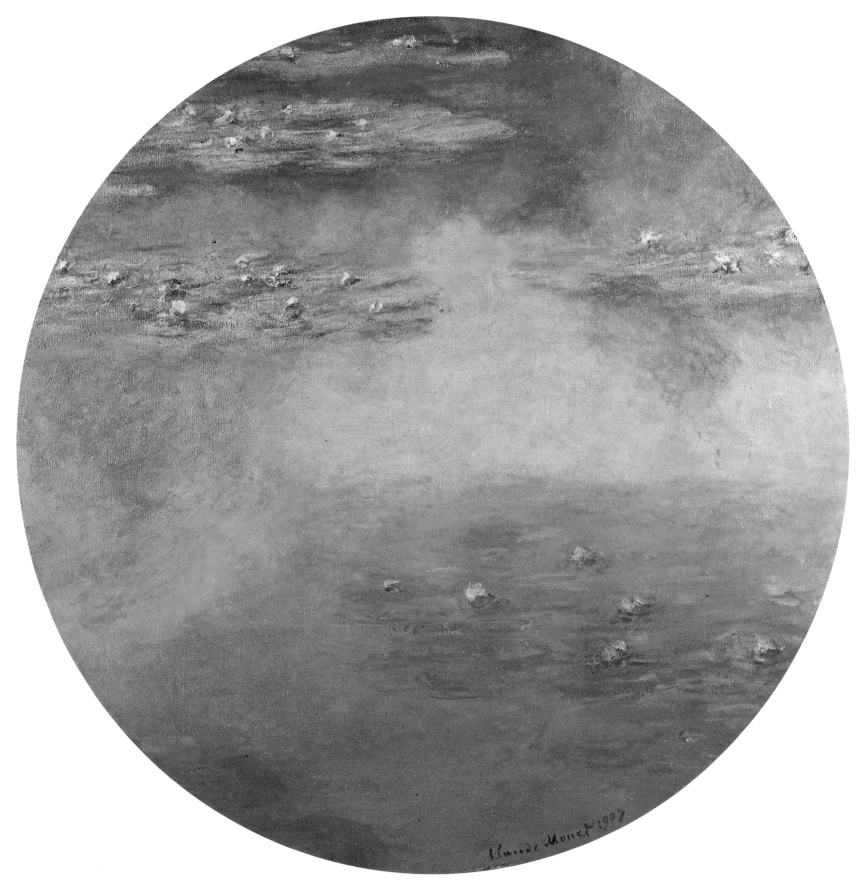

267. *Nymphéas* (W.1702), 1907, Ø 81

Ci-contre :

268. *Nymphéas* (W.1732), 1908, 100 x 81

269. Le *Palais da Mula* (W.1764), 1908, 62 x 81

que les nuages se seront déplacés. Le spectateur est à même de saisir instantanément le sens de cette vision, tandis que les *Paysages d'eau* de 1905-1906 et des années suivantes ne révèlent leur signification qu'avec le temps.

Dans les séries commencées en 1907 et 1908, Monet a représenté des effets de lumière plus violents, et employé des formats jusqu'alors inusités, tout en insistant sur les contrastes entre les différentes dimensions. Un tableau inachevé indique qu'il a dû commencer l'un des *Paysages d'eau* par des traits nets marquant la position et le contour des feuilles de nénuphars qui rapetissent au fur et à mesure de leur éloignement, ainsi que les silhouettes des arbres qui se mirent dans l'étang, avant de brosser sommairement des zones colorées pour les îlots de feuilles et les reflets de la végétation et du ciel ; rien, toutefois, n'indique la surface de l'eau. D'autres tableaux, plus achevés, montrent que les oppositions entre la verticalité des reflets et le plan horizontal dans lequel apparaissent les nymphéas éloignés n'ont été résolues qu'au prix d'un long travail pour restituer la continuité de l'étendue liquide. Le contraste entre le mince tapis formé par les feuilles

de nénuphars et la verticalité des reflets se révélait d'une importance capitale pour la création d'un nouvel espace à plusieurs dimensions : « l'herbe qui ondule dans le fond », représentée déjà dans *La Barque* de 1890 (ill.221), figure bien la profondeur de l'étang, mais rien ne suggère l'éloignement. Dans les *Nymphéas* de 1896-1897, l'impression de profondeur était suscitée par le dessin des racines de nénuphars et par les contours assombris tracés sous les feuilles ; la sensation d'éloignement provenait du rapetissement progressif de ces dernières. Mais le contraste qui confère sa structure au tableau et qui résulte d'un soin particulier apporté à la représentation des reflets était absent de cette œuvre.

Sur une toile achevée qui reproduit ce même motif dans un plan vertical, *Nymphéas, effet du soir*, on peut voir de quelle façon Monet s'y est pris pour obtenir un équilibre entre ces deux dimensions géométriques : il a appliqué des glacis de couleur transparente sur des zones sommairement brossées, afin d'établir la continuité de la surface de l'eau. Tout en développant des effets complexes de reflets lumineux, il a bien renforcé les contours des

nénuphars et des saules dont l'image se trouve réfléchie par le miroir liquide, comme pour accentuer l'opposition entre les différentes dimensions.
Il en résulte une étonnante visualisation des reflets de lumière, si vifs qu'ils
semblent embraser les arbres qui, eux aussi, se mirent dans le bassin, tandis que les îlots de feuilles, au centre de la peinture, paraissent sur le point
de se disloquer dans les profondeurs incandescentes de la pièce d'eau. L'intensité proprement hallucinante du phénomène en arrive presque à nier la
signification habituelle des stuctures spatiales et de la stabilité matérielle.

En 1907 et 1908, Monet commença quatre tableaux de nénuphars sur
des supports circulaires (W.1701-1702 et 1724-1729), qui affranchissent le
motif de sa dépendance vis-à-vis des dimensions concrètes du bassin. Plus
encore que toute autre œuvre de ces séries, ces toiles assouvissent le désir
du peintre de créer un monde parfait et refermé à jamais sur lui-même, bien
qu'il ne représente que l'image éphémère d'un fugitif instant de lumière.

C'est précisément en 1908, au moment où Monet luttait pour traduire
sur la toile ce genre d'effets passagers, qu'il prit conscience que sa vue déclinait : « J'y vois de moins [en moins] clair. Cela va mieux depuis deux
jours, mais j'ai vu le moment où j'allais être obligé de cesser tout travail. »
Sa femme attribua ces ennuis de santé aux inquiétudes qu'éveillait en lui
l'exposition prévue pour le printemps. Après avoir échoué à persuader
Durand-Ruel d'acheter seize Nymphéas pour des sommes variant entre treize
et quinze mille francs pièce, le peintre se résolut à renoncer « une fois pour
toutes » à ce projet, en avril 1908[16].

Peut-être percevait-il de façon de plus en plus aiguë que ses tentatives pour mettre en forme l'informel se révélaient comme une « tâche impossible » ; ce sentiment intime dut aussi être renforcé par les critiques de
plus en plus nombreuses dont son œuvre était la cible. À l'occasion de deux
expositions rétrospectives, au mois de mai de cette même année, il fit l'objet
d'une comparaison qui le dénigrait par rapport à Cézanne, et fut critiqué
pour « l'empirisme défectueux de sa méthode », pour être « trop passif [...]
intervenant rarement intellectuellement, sauf dans l'exécution même ».
Cézanne, qui venait de mourir, se trouvait élevé au rang d'artiste « intellectuel », ouvrant la voie du futur, tandis que l'on commençait à penser que
Monet avait une influence réactionnaire. Morice prétendait ainsi que « l'in-
commensurable stupidité de la majorité dresse cette œuvre délicieuse
comme un mur devant l'avenir. »[17] En dépit du désaveu dont on accabla
ses Nymphéas, Monet poursuivit son ouvrage. Il écrivait ainsi, en août :

« Ces paysages d'eau et de reflets sont devenus une obsession. C'est au-delà de mes
forces de vieillard, et je veux cependant arriver à rendre ce que je ressens. J'en ai détruit...
J'en recommence... »

Il continuait alors de travailler sur des œuvres qu'il avait commencées, parfois, jusqu'à cinq ans auparavant ; certaines d'entre elles, de son
propre aveu, étaient reprises avec « quatre ou cinq tableaux différents sur
chaque toile », mais sa détermination à restituer son expérience l'incitait à
persévérer[18]. Il commença par ailleurs à exécuter les créations les plus lyriques et les plus assurées de toute la série : un groupe de tableaux reprenant le motif qu'il avait peint en format vertical en 1907 (W.1703 à 1717),
c'est-à-dire une vue du bassin avec une échappée du regard dirigé vers
l'ouest, dans un chenal de lumière ménagé entre les reflets d'arbres. Pour
ce groupe (W.1721 à 1723, 1725 à 1726 et 1730 à 1732), Monet utilisa des dégradés de tons bleu nacré, de lavande, de rose et de jaune, appliqués en
glacis délicats pour suggérer la première chaleur du matin qui réchauffe la
brume et instille dans les reflets des arbres des nuances d'or vif. Ces harmonies de couleurs éloignées de la réalité traduisent des effets observés
avec acuité : de légères touches de violet autour de l'îlot de feuilles, qui
semble prendre naissance au sein d'un brouillard qui commence à se dissiper, indiquent les profondeurs translucides de l'eau, cependant que les

diverses intensités de coloris évoquent les différences de densité de la brume
à l'ombre, dans les reflets dorés ou sous le ciel dégagé. La gamme des tons
est moins étendue et l'unité de la surface plus marquée que dans les œuvres
antérieures, de sorte que les points de vue changeants se fondent l'un en
l'autre, au lieu de se déplacer les uns par rapport aux autres. Monet a réussi
à créer là un nouvel espace pictural à plusieurs dimensions, qui ne livre ses
secrets que progressivement, avec le temps. Il ne constitue plus une vue de
la nature tenue à distance, mais un équivalent de l'expérience visuelle des
oppositions qui animent l'élément liquide, recélant des images du monde
matériel invisible.

Monet fut pourtant si peu satisfait du résultat de son labeur qu'il in-
terrompit une retraite qui durait depuis cinq ans pour faire un rapide voyage
à Venise. Il avait l'intention de n'y peindre que quelques toiles « pour en
conserver le souvenir », mais il fut bientôt transporté « dans le ravissement »
par la ville, « pris par le travail » une nouvelle fois et véritablement fasciné
par « cette lumière unique » ; il regrettait de n'être pas venu là du temps
de sa jeunesse, lorsqu'il avait « toutes les audaces ». Contrairement à ce
qu'il avait prévu, il ne retourna pas à Venise, mais il travailla sur les tableaux vénitiens jusqu'au moment où il fut en mesure d'exposer vingt-neuf
d'entre eux, en 1912. Dans l'immédiat, toutefois, ces tableaux de façades se
reflétant sans fin dans les canaux de la cité des Doges lui permirent de revenir aux toiles représentant son bassin, pour les envisager « d'un meilleur
œil ». Il put y apporter les dernières touches avant d'ouvrir enfin en mai
1909, dans la galerie Durand-Ruel, l'exposition si longtemps ajournée :
Paysages d'eau. Nymphéas[19].

Cinq ans s'étaient écoulés depuis sa dernière exposition. Les nombreux ren-
vois et la masse des articles qui avaient été consacrés entre-temps au peintre
et à ses Paysages d'eau avaient suscité chez les amateurs un sentiment d'im-
patience. Il ne faut donc pas s'étonner si l'événement a vivement attiré l'attention de la critique. Aucun visiteur n'était cependant préparé au choc :
quarante-huit tableaux consacrés à un seul et même sujet ! La plupart des
commentateurs se délectèrent devant la grande variété des effets représentés : tranquillité brumeuse du matin ou coucher de soleil étincelant, ciel
clair ou temps menaçant précurseur de pluie, œuvres relativement descriptives ou raffinement d'harmonies plus abstraites. Henri Ghéon commenta en ces termes leur virtuosité :

« Et petit à petit, la matière de ces supéfiantes petites choses nous est révélée, toute
luisante de vernis, toute granuleuse et poreuse, toute morcelée par la pâte, et l'évocation
d'une fleur sur l'eau est suggérée par une touche assurée et épaisse, par un badigeon subtil, une tache incertaine ou par un trait nerveux étrangement expressif. »[20]

Le catalogue présentait les peintures selon l'année de leur commencement, chaque année étant caractérisée par un format et un point de vue
différents ; sans doute étaient-elles accrochées dans cet ordre. Les toiles
avaient rarement été achevées l'année même de leur mise en œuvre, et les
premières témoignent ainsi d'une expérience poursuivie sur une longue
période. Si les toiles étaient véritablement présentées selon un ordre chronologique, l'évolution de la complexité du nouvel espace pictural et la subtilité des effets de lumière obtenus devaient sauter aux yeux. Monet ajouta
aux Nymphéas une vue plus conventionnelle figurant le bassin et le pont japonais (W.1668), datée de 1905 et qualifiée par un critique de « lien entre
le passé et le présent » ; il est possible que le peintre ait voulu la présenter
comme clé pour déchiffrer les créations récentes, dépourvues de cadre de
référence et refusant de se plier aux conventions qui régissent la représentation de paysages[21]. Presque tous les critiques comprirent que, tout en s'attachant exclusivement au visuel, l'art de Monet faisait appel à d'autres domaines d'expérience ; seul Morice en resta à son analyse antérieure, selon

270. *Nymphéas* (W.1783), vers 1914, 130 x 150

laquelle les tableaux de Monet « ne s'adressent en aucun cas à notre esprit », mais « s'arrêtent à nos yeux[22]. » C'était là une opinion caduque, mais qui devait bientôtconnaître un certain regain : l'avant-garde allait en effet être dominée par le cubisme, qui fit sa première apparition en 1909.

Fourcaud étendit la notion de relation structurelle entre le jardin de l'artiste et sa peinture, en soulignant que Monet cherchait à se rendre maître « des forces de la nature » pour les faire évoluer de façon à ce qu'elles lui procurent des motifs picturaux, « avec une somptuosité particulière dans un cadre délicatement aménagé à leur intention ». De cette manière, le sujet était à la fois intériorisé en tant que désir et extérieur au peintre en tant que réalité, réalité destinée à le défier sans fin, à ne jamais lui livrer tous ses secrets. Dans un long article intitulé « L'épilogue de l'impressionnisme », Gillet commentait le paradoxe caractérisant ces tableaux « à l'envers », dans lesquels la lumière, traditionnellement placée en haut, se trouvait déplacée vers le bas : il établissait un lien entre cette inversion et le bouleversement de la notion occidentale d'anthropocentrisme, qui fait de l'homme le « centre des choses », et dont dépendait le système de la perspective linéaire ; cette conception avait été remplacée par « l'effacement, l'impersonnalité orientale ». Gillet renvoyait aux représentations par Monet des « larges lotus aux fleurs sacrées, le lotus bleu du Nil, le lotus jaune du Gange » ; il suggérait ainsi un éventuel intérêt du peintre pour les religions orientales, qui préoccupaient beaucoup de ses contemporains, en particulier Odilon Redon[23]. La relation de Monet avec la pensée orientale ne doit cependant pas être exagérée : il s'agissait probablement plus d'une sympathie d'ordre esthétique, à l'image de sa passion pour les jardins japonais. « L'effacement, l'impersonnalité » avaient été inhérents à son approche du motif dès le début de sa carrière, mais ils avaient coexisté avec un accent pour ainsi dire très occidental mis sur l'expression des sensations personnelles et sur les innovations artistiques modernes.

De plus, ce que Monet disait (ou semble avoir dit) vraiment sur la question était infiniment plus prosaïque : c'est dans une interview imaginaire que Roger Marx lui a fait déclarer qu'il approuvait l'esthétique japonaise, qui « évoque la présence par une ombre et le tout par la partie »[24]. Cette idée est en rapport évident avec l'utilisation des reflets par le peintre : saisis sur un fragment du bassin, ceux-là lui permettent de figurer la terre et la végétation, aussi bien que l'infini du ciel baigné de lumière. Selon son habitude, Monet ne sous-entendait pas davantage de choses qu'il n'en disait. Sa connaissance des estampes japonaises l'avait probablement aidé à concevoir des espaces à plusieurs dimensions, puisque ces peintures ne sont pas stucturées selon une perspective linéaire unique, mais selon une multitude de plans différents qui organisent l'espace autour d'eux-mêmes, à la manière des îlots de nénuphars des *Nymphéas*. Les commentaires de Gillet sur la destruction de l'espace pictural sont pertinents, dans la mesure où Monet compose ses œuvres de telle sorte qu'il est impossible pour le spectateur de déterminer de façon sûre et définitive sa position par rapport au tableau. De cette manière, il en arrive à perdre la notion de sa propre identité et se trouve comme absorbé dans l'altérité de la peinture, participant ainsi de l'expérience spirituelle évoquée par Gillet.

La peinture de Monet fit l'objet d'interprétations s'exprimant en termes panthéistes : Verhaeren a soutenu que, dans le *Pont japonais*, l'artiste « devient l'univers qu'il traduit. La force cosmique y est amenée au niveau de la conscience, et grâce à cette conscience s'entoure de beauté. » Dans le dialogue imaginaire de Roger Marx, « Monet » protestait contre une compréhension idéaliste de son œuvre, affirmant qu'il était simplement soumis à l'instinct et se donnait tout entier à sa création. La phrase ne fait pas de distinction entre « création » artistique et « création » naturelle, mais elle est complétée par cette déclaration : « Je n'ai d'autre désir que de me fondre plus intimement dans la nature. »[25] Ghéon écrivit que « les autres peintres peignaient en espace, lui… en temps », et bien des critiques soulignèrent la

continuité des séries, en relevant que ces toiles nombreuses formaient au fond « une seule œuvre », et en regrettant leur inévitable dispersion. Fourcaud écrivait : « Elles vont être éparpillées aux quatre coins du monde », « chacune ne révélant qu'une partie du secret de l'ensemble », et Gillet annonçait la perte de « l'effort le plus puissant qui ait été tenté pour donner au paysage intime, au tableau d'intérieur une valeur décorative et faire entrer dans la peinture le sens de la *continuité*. »[26]

Roger Marx et Alexandre suggéraient tous deux que Monet n'avait pas oublié son rêve de créer une forme de peinture qui environnerait complètement son spectateur. Alexandre écrivit notamment :

> « Le peintre aurait aimé avoir à décorer une pièce circulaire aux dimensions modestes mais bien proportionnée. Tout autour, à mi-hauteur, il y aurait eu un tableau d'eau et de fleurs passant par toutes les modulations possibles […]. Rien d'autre. Pas de meubles. Rien, sauf une table au centre de cette pièce qui serait une salle à manger, entourée de reflets mystérieusement séduisants. »

Reprenant les propos tenus par Clemenceau treize ans plus tôt, Alexandre se demandait pourquoi il ne se trouvait aucun millionnaire pour commanditer une telle œuvre. Avec des mots rappellant ceux de Matisse publiés en 1908, Roger Marx citait « Monet » :

> « Un moment, j'ai été tenté d'utiliser le thème des nymphéas pour la décoration d'un salon […] enveloppant tous les murs dans une unité, on aurait eu l'illusion de l'infini […], les nerfs contractés par le travail s'y seraient détendus, en accord avec l'influence apaisante de ces eaux dormantes. »

Comme les compositions n'avaient pas de limites, il n'était pas difficile d'imaginer comment elles pouvaient être étendues ; des photographies des toiles accrochées côte à côte dans l'atelier de Monet, en 1908, incitent à penser qu'il songeait aux moyens de transcrire, dans une frise placée « à mi-hauteur d'homme » les modulations et les variations de la lumière. Roger Marx et Alexandre ont toutefois parlé de ce projet comme s'il s'agissait d'un rêve auquel il avait fini par renoncer[27]. Peut-être avait-il trouvé la représentation des reflets jouant dans la lumière changeante si ardue qu'il était quelque peu troublé à l'idée de transcrire sur une grande surface des instantanés de perception d'une telle complexité ? Il cessa également de peindre sur des formats circulaires (dont Gillet disait qu'ils pourraient orner « le boudoir le plus parfait depuis Fragonard »), peut-être parce qu'ils étaient trop « décoratifs » pour permettre à l'artiste de transmettre toute la mesure de son expérience. Monet renonça aussi à son projet de pièce ronde, mais les *Nymphéas* peints dans la dernière décennie de son existence perdirent leur caractère de toile de fond pour existence bourgeoise ; ils se firent si austères, malgré leur sensualité, si intenses et si exigeants que l'idée d'en user comme décor de salle à manger devint proprement incongrue.

Gillet décrivit le bassin représenté dans les *Paysages d'eau* comme le lac « où devrait glisser la galère divine de *L'Embarquement pour Cythère* ». On a suggéré que le tableau de Watteau (ill.272) avait peut-être influencé les dernières toiles peintes par Monet à Argenteuil, ainsi que celles qui représentent Jean et Suzanne dans les champs, au crépuscule. La comparaison des *Paysages d'eau* avec ces œuvres antérieures montre l'importance de la présence humaine, qui se ressent justement... par son absence. Le bassin créé par Monet au cœur de son environnement familial a été imprégné par le souvenir d'autres paysages, et peut-être aussi par les réminiscences du tableau de Watteau ; les *Paysages d'eau* sont donc les peintures d'un lieu de désir sublimé, un lieu qui rend concret « quelque chose d'inattendu et de désiré, intimement poétique et totalement réel[28].

Les mois qui suivirent l'exposition furent improductifs. Monet se retrouva dans l'impossibilité de travailler aux tableaux de Venise qu'il avait promis à Georges et Joseph Bernheim-Jeune, devenus des acheteurs aussi importants que la galerie Durand-Ruel ; au début de janvier 1910, il disait de nouveau à Geffroy qu'il voyait « tout en noir »[29]. Puis, moins d'un an après l'exposition des tableaux consacrés à son paisible étang, ce dernier fut submergé à plusieurs reprises en l'espace de deux mois par la crue de la Seine, l'une des plus terribles jamais enregistrées. Alice Monet écrit alors à sa sœur Germaine que son mari « ne parle que pour gémir » ; comme les eaux sont montées du jardin d'eau au jardin floral, il s'élève parfois « de telles vagues qu'il est bien difficile de se diriger en bateau » et, ajoute-t-elle, « le découragement de Monet, comme l'Epte, ne veut pas diminuer ». Son pessimisme se faisait l'écho du commentaire ironique de Mirbeau sur la pluie ininterrompue : « Je commence à croire que c'est la fin du monde. » L'artiste se lamentait auprès de sa femme : « Tout est perdu, les affaires ne reprendront jamais, il faut vendre maison, auto… » On assiste à un extraordinaire retour du vieux cauchemar : se retrouver de nouveau « sans un sou ». À la mi-mars, la décrue découvrit l'étendue des dégâts et il se dégagea « une odeur de vase épouvantable » ; trois mois plus tard, Alice pouvait cependant écrire que « le jardin en ce moment, […] est un vrai paradis, tous les iris en fleurs, tous les pavots, les azalées, les roses », et son époux saisit cette occasion des dommages causés au bassin pour en faire remodeler les rives avec des courbes plus capricieuses, à la place de l'ancien tracé plutôt régulier. Comme il avait dit à Roger Marx, quelques mois plus tôt, qu'il rêvait de faire « une décoration avec ces mêmes nymphéas pour thème », on peut penser que ces changements étaient destinés à lui fournir une plus grande variété de motifs que par le passé[30].

Bien que la nature eût prouvé son pouvoir de régénération, l'inondation avait rendu manifeste que le sanctuaire de Monet n'était pas inviolable : cet avertissement se fit plus insistant au fur et à mesure des années. Alice Monet était tombée malade avant la décrue et, en avril 1910, son époux

271. Monet faisant des retouches sur *Les Arceaux fleuris*, 1913

272. Jean-Antoine Watteau, *L'Embarquement pour Cythère*, 1717, 129 x 194

Ci-contre :

273. *Les Arceaux fleuris, Giverny* (W.1779), 1912-1913, 81 x 92

dut admettre que ses jours étaient désormais comptés. Elle mourut en mai 1911, l'année même où elle faisait ses délices de la restauration du jardin qui prenait des allures de « vrai paradis ». Elle avait été la « compagne adorée » de Monet durant plus de trente ans et avait efficacement contribué à créer cet univers familial, sécurisant et protégé, dont le peintre constatait à présent qu'il était en ruine[31]. Il se sentait « terrassé, anéanti par cette cruelle séparation », « perdu, fini » ; il passa des mois entiers à lire les lettres de sa défunte épouse et à « revivre presque toute [leur] vie ». C'est alors qu'il écrivit à Rodin : « Il me faudrait pouvoir travailler pour vaincre ma douleur et je ne le puis. » Bien qu'il retournât à ses tableaux vénitiens vers la fin de l'année,

il proclama qu'il allait renoncer à la peinture, puisqu'il ne faisait que ravager des œuvres qu'il aurait dû laisser telles qu'elles, en mémoire « des si heureux jours passés avec [sa] chère Alice. »[32] Les tableaux de la cité des Doges, images superbement colorées de vues touristiques, restèrent des souvenirs, pareils à « des façades mortes ». Quoique leur exposition, en mai 1912, eût été accueillie avec enthousiasme, même par de jeunes critiques d'avant-garde comme Apollinaire, Monet fit savoir qu'il était désormais « indifférent aux éloges des imbéciles, des snobs et des trafiquants »[33].

Quelques semaines après l'inauguration, le peintre confia à Geffroy ses craintes : son fils aîné, Jean, longtemps malade, était sur le point de

274. Monet dans son salon-atelier, 1913-1914, in *Je sais tout*, 15 janvier 1914

perdre l'esprit. Une quinzaine de jours plus tard, Monet tomba sous le coup d'une autre menace, plus terrible encore, pour son existence même, que la désagrégation du noyau familial : la cécité. Il écrivit alors à Geffroy :

« Il y a trois jours, me mettant au travail, j'ai constaté avec terreur que je ne voyais plus rien de l'œil droit. [...] Un spécialiste [...] m'a déclaré que j'avais la cataracte et que l'autre œil était atteint aussi. On a beau me dire que ce n'est pas grave, que j'y verrai comme avant après l'opération, je suis très tourmenté et inquiet. »[34]

Alice Monet avait cru que les « étourdissements et les troubles de la vue » qu'il avait ressentis en 1908 avaient été provoqués par les soucis que suscitaient ses *Paysages d'eau* : pour un homme d'un tempérament aussi nerveux, le lien entre le physique et le mental, entre maladie des yeux et état d'esprit semble évident. En 1912, la situation s'apparentait au cauche-mar qui l'avait déjà hanté en 1867 : préoccupé par Camille et la naissance imminente de Jean, il avait été frappé de cécité temporaire et il avait craint de ne plus être à même de peindre en extérieur. Clemenceau, naguère mé-decin, tenta de rassurer Monet : « Vous n'êtes pas du tout menacé... Il faut croire que la cataracte du mauvais œil sera bientôt mûre et qu'on pourra l'opérer. Or cela n'est rien et la continuité de la vue est assurée. » Mais le peintre ne parvenait pas à se persuader que sa vue resterait intacte ; ap-prenant à l'un des Bernheim-Jeune la grave maladie de Jean, il ajoutait : « Je n'y vois plus que d'un œil. C'est la cataracte [...]. Bref, je suis un traitement pour retarder l'opération et l'éviter si possible. L'opération n'est rien, mais ma vue après serait totalement modifiée, ce qui pour moi est capital. [...] comble de mes ennuis, un cyclone épouvantable qui a fait des ravages dans mon jardin. Mes saules pleureurs dont j'étais si fier, saccagés, ébranchés [...] ça a été un vrai chagrin pour moi. Plus que jamais et malgré ma pauvre vue, j'ai besoin de peindre sans cesse. »[35]

Il réussit à la fois à continuer de peindre et à repousser l'intervention jusqu'en 1923 : il est manifeste qu'il préférait ce qu'il appelait « ma vue », même défectueuse, à quelque chose d'inconnu. Il faut également noter que, dans ses très nombreuses lettres, de la mi-février 1913 au début de 1919, Monet, qui n'avait jamais dissimulé ses propres souffrances, n'émit aucune plainte à ce sujet[36]. Il peignit au moins deux œuvres de plein air pendant l'été 1912 (W.1777 et 1778). Eu égard aux menaces continuelles qui pesaient sur sa famille et sur son jardin, ce n'est sans doute pas une coïncidence si ce furent les premiers tableaux de sa maison vue de près et entourée de fleurs. En juin 1913, il se résigna à l'opération de la cataracte : un mois plus tard, il dit à Geffroy qu'il ne « voyait pas très bien », mais que ses yeux pa-raissaient « aller mieux ». Ce fut peut-être à cette époque qu'il exécuta les trois tableaux paisibles des *Arceaux fleuris*[37]. L'un d'eux, peint dans les lueurs du crépuscule, avec les reflets de la tonnelle chargée de roses qui suggè-rent un chemin menant vers les profondeurs lumineuses du bassin, près des nénuphars blancs, rappelle Watteau par la délicatesse de son art et la douce mélancolie qui s'en dégage.

Jean Monet mourut quelques mois plus tard, en février 1914. Son père écrivit, en réponse à une lettre de condoléances : « Je serai toujours heureux de vous accueillir dans ce que vous appelez mon paradis. Hélas ! » Malgré sa douleur, ou peut-être à cause d'elle, il recommença de peindre son jardin, déclarant par exemple à Geffroy le 30 avril :

> « Quant à moi, je me porte à merveille et suis obsédé par le désir de peindre ; [...] je compte même entreprendre de grandes choses, dont vous verrez des tentatives anciennes que j'ai retrouvées dans un sous-sol. Clemenceau les a vues et en est épaté. »

En juin, il pouvait écrire à Paul Durand-Ruel : « Je me suis remis au travail [...] levé dès quatre heures du matin, je pioche toute la journée [...] ma vue est bonne enfin. Grâce au travail, la grande consolation, tout va bien. »[38] Il venait de redécouvrir les vestiges tangibles de son « vieux rêve », ces *Nymphéas* qu'il avait peints au cours des années 1896-1897 pour préparer un décor de salle à manger, et dont deux apparaissent sur une photographie de son atelier, publiée en janvier 1914. Monet avait décidé qu'il était maintenant trop vieux pour entreprendre un grand cycle décoratif — il était dans sa soixante-quinzième année — mais Clemenceau le persuada de relever cet ultime défi. À partir de cette époque, Blanche Hoschedé-Monet, la veuve de Jean, reprit le rôle jadis assumé par sa mère afin de subvenir aux besoins matériels du peintre. Après la mort de l'artiste, Clemenceau dit que Blanche « avait pris soin de lui, l'avait choyé [...] surveillé comme son propre enfant. Elle travaillait à ses toiles. Elle en peignait le fond pour lui. » Ce même Clemenceau remplaça Mirbeau dans la tâche consistant à procurer à Monet le soutien moral et les conseils de bon sens qui lui étaient indispensables pour exercer son art et qui devaient se révéler d'une importance capitale dans les années 1920, au moment où Monet luttait à la fois contre la cécité, les tracasseries administratives et son propre perfectionnisme pour achever ce qu'il appelait sa « Grande Décoration », ou simplement « mes Décorations »[39].

## II L'évolution des *Grandes Décorations* 1914-1926

On ne sait pas si Monet eu d'emblée l'idée de peindre sur de grandes surfaces de toiles dépassant la taille moyenne d'un homme, ou s'il a toujours songé à des lambris placés « à mi-hauteur ». Les termes qu'il emploie (« un grand travail » ou encore « de grandes choses ») laissent toutefois supposer qu'il a pensé dès le départ à un travail à grande échelle. La chose paraît sûre en 1915 :

> « ... Alors je poursuis mon idée de *Grande Décoration*. C'est une bien grosse chose que j'ai entreprise, surtout à mon âge, [...] il s'agit bien de ce projet que j'avais eu il y a longtemps déjà : de l'eau, des nymphéas, des plantes, mais sur une très grande surface. »[40]

Monet n'avait pas travaillé à cette échelle depuis son premier échec de jeunesse du *Déjeuner sur l'herbe* (1865-1866), dont un important fragment occupait une place de choix dans son second atelier. Depuis 1900, on l'avait, à maintes reprises, incité à se lancer dans la création de grands ensembles décoratifs. André Michel écrivait par exemple cette année-là : « Si j'étais millionnaire — ou ministre des Arts — je demanderais à M. Claude Monet de décorer pour moi quelqu'immense salle de cérémonie dans un palais du Peuple » ; en 1912, Gustave Kahn constatait que l'impressionnisme n'avait pas eu l'occasion « d'affirmer ses talents de composition et ses capacités décoratives sur les grands murs d'un palais national[41]. » L'éventualité d'un soutien de l'État joua probablement en faveur de la transformation des *Décorations*, conçues d'abord pour un cadre privé, en un ensemble plus vaste et moins intime.

Il est possible également que Monet ait eu connaissance d'autres grandes peintures décoratives, en particulier celles de Vuillard, de Bonnard (avec qui il était ami) et de Redon, qu'il ait vu de nombreux *fusamas* (ces écrans japonais peints) dans des collections et des demeures françaises, et qu'il ait été au fait de l'usage de ces œuvres comme cloisons et portes coulissantes dans les habitations japonaises[42]. Ces panneaux permettaient de contempler, dans une demeure, l'image grandeur nature d'un paysage et un tel exemple a peut-être influencé la composition et les dimensions de la *Grande Décoration* de Monet. Dans ce domaine, la composition du jardin a, semble-t-il, également joué un certain rôle : jusque-là, le peintre avait représenté la nature en réduction, sur des formats appropriés à un salon bourgeois, mais il se mit à faire intervenir une corrélation étroite entre la grandeur réelle des éléments du paysage et les proportions du tableau, afin de donner l'impression d'un espace immense, en représentant par exemple, dans l'étang, un ciel qui tend à envahir tout l'espace. Sa vue déclinante exigeait peut-être aussi qu'il travaillât sur de grandes surfaces. Son voyage à Venise a probablement eu plus d'importance que ne le laissent penser les œuvres un peu décevantes qu'il y a créées, car il y admira des reflets par milliers, de même que des peintures réalisées à une échelle qu'il pouvait à peine imaginer auparavant. Il rapporta par exemple à Giverny des photographies du *Paradis* du Tintoret, cet hymne immense à la lumière divine qui est exposé au palais des Doges[43].

Monet dit à Thiébault-Sisson qu'il « attendait que l'idée eût pris corps, que l'ordonnance et la composition des motifs se fussent peu à peu inscrites dans [son] cerveau d'elles-mêmes », avant de faire construire un vaste atelier dans lequel il pût travailler à son aise. Plusieurs études, exécutées très librement sur un carnet de croquis, représentent, par des lignes très souples et hardies, sans ombres, les premiers essais de composition, qui préfigurent plusieurs éléments des ensembles destinés à l'Orangerie (ill.276 et 277)[44]. Un certain nombre d'entre elles se développent sur deux pages en longues compositions horizontales : on y voit les rives du bassin parallèles

275. Kano Eitoku, *Les Quatres Saisons*, vers 1566, panneaux muraux, 175 m x 18 m

276. Étude pour la *Grande Décoration* (carnet de croquis, MM. 5129, 17 verso - 18 recto)

277. Étude pour la *Grande Décoration* (carnet de croquis, MM.5129, 12 verso - 13 recto)

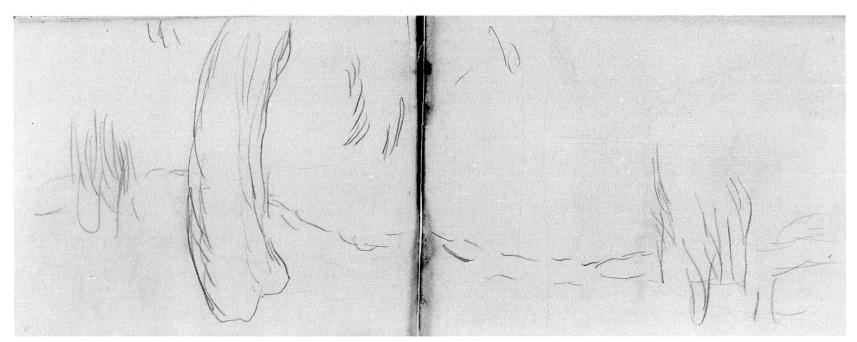

au sommet ou à la base des feuilles de papier, l'ensemble de l'image étant rythmé par les troncs, les feuillages des saules et par des touffes d'herbes. D'autres dessins portent des indications se limitant à la surface de l'eau, dont la présence n'est marquée que par des griffonnages ovales qui représentent les nénuphars. Plusieurs d'entre eux ont été exécutés par-dessus de ébauches de jeunes filles en bateau, réalisées entre 1887 et 1890.

En juillet 1914, Monet invita Geffroy à venir voir les débuts de son « grand travail », résultat de deux mois de labeur ininterrompu : on y voyait probablement des images de nymphéas, de reflets de nuages, de saules et de roseaux, peints dans des tons clairs et ressemblant aux *Nymphéas* de 1896-1897, qu'il venait de retrouver[45].

L'exaltation qu'éprouvait Monet à la pensée de pouvoir réaliser un « vieux rêve » se brisa, comme tant d'autres rêves, à la déclaration de guerre, le 1er

août 1914. La maison de Giverny se vida, les amis semblèrent disparaître et la dislocation de son univers parut s'accélérer avec l'exode des Parisiens le long de la vallée de la Seine et l'afflux des réfugiés fuyant les combats. Le peintre commença de se soucier de la sécurité de ses collections, mais il écrivit à Geffroy :

« Beaucoup des miens sont partis […] une panique folle s'est emparée dans [sic] toute notre contrée […]. Quant à moi, je reste ici quand même, et, si ces sauvages doivent me tuer, ce sera au milieu de mes toiles, devant l'œuvre de toute ma vie. »

Il avait récemment vu Mirbeau, « si isolé, en bonne santé, mais hélas ! si pessimiste », selon ses propres termes. Le cœur brisé par la destruction de tous ses rêves d'internationalisme et de progrès vers une société plus juste, Mirbeau avait résolu de ne plus écrire jusqu'à la fin de la tragédie : il devait mourir avant[46]. Clemenceau, en revanche, se jeta à corps perdu dans le soutien résolu à l'effort de guerre : il fut partisan convaincu de la « guerre à outrance », dans le même temps que Monet travaillait avec plus d'obstination que jamais à la création d'un univers idéal.

En octobre, Monet écrivit qu'il y avait des blessés « partout, même dans les plus petits villages ». Ses craintes pour Jean-Pierre Hoschedé, qui était au front, et pour son propre fils Michel, qui allait bientôt partir, ne laissant à Giverny que Blanche, la veuve de Jean, ne firent qu'augmenter à l'annonce de la blessure dont fut victime le fils de Renoir. La bataille de la Marne stabilisa le front et les armées s'installèrent bientôt dans le cauchemar sanglant et quotidien de la guerre de tranchées. En décembre, Monet écrivit à Geffroy :

« Je me suis remis au travail ; c'est encore le meilleur moyen de ne pas trop penser aux tristesses actuelles, bien que j'aie un peu honte de penser à de petites recherches de formes et de couleurs pendant que tant de gens souffrent et meurent pour nous. »[47]

Le besoin de créer un monde parfait se heurtait désormais à des réalités qu'il ne pouvait plus ignorer, maintenant qu'il travaillait sous le regard de la mort, non seulement des siens, mais aussi d'innombrables hommes. La guerre prenait l'aspect d'une lutte à mort entre les forces du Bien et celles du Mal, entre la lumière et l'ombre, entre la culture française et la barbarie allemande, entre la création et la destruction. Monet accepta ce dualisme manichéen et permit l'utilisation de son nom dans un livre de propagande intitulé *Les Allemands destructeurs des cathédrales et des trésors du passé* ; il pensait sincèrement que les offensives allemandes le menaçaient, lui et ses œuvres[48]. Monet, qui, en tant qu'artiste, avait toujours délibérément tourné le dos à tout trouble extérieur, fut contraint par les circonstances de modifier son attitude. Pendant presque deux décennies, son besoin d'arrêter le temps avait coexisté avec un impératif qui s'était imposé avec une force croissante : en exprimer la continuité. Les grands *Nymphéas* peints durant la guerre furent ainsi conçus comme un immense cycle dans lequel des instants de lumière en perpétuelle métamorphose étaient fondus au sein d'un ensemble infini. Toutefois, au moment où les *Grandes Décorations* furent achevées, les effets destructeurs du temps étaient devenus partie intégrante de leur structure : elles subissaient le contrecoup de déficiences physiques, telles que l'âge et la cécité intermittente du peintre, mais elles restèrent fondamentalement déterminées par son désir de s'absorber intensément dans la pratique de son art, « pour ne pas trop penser à cette terrible, épouvantable guerre[49]. »

La productivité de Monet durant ces années fut prodigieuse. En décembre 1920, il disait avoir peint entre quarante et cinquante panneaux décoratifs, dont la majeure partie pendant la guerre. Tous mesuraient deux mètres de hauteur sur quatre mètres vingt-cinq de longueur (à l'exception de six d'entre eux, longs de six mètres). Ils étaient regroupés en plusieurs ensembles. Il avait également exécuté au moins soixante études — sur des toiles carrées de deux mètres de côté, et un grand nombre de tableaux de chevalet. Certains des panneaux pour la *Grande Décoration* étaient en cours d'exécution au début de juin 1915, lorsque le déjeuner Goncourt eut lieu dans la maison de Monet (six semaines après la première utilisation des gaz de combat sur le front). Lucien Descaves rapporta avoir vu dans le second atelier de Monet « de vastes toiles d'environ deux mètres de haut sur trois à cinq mètres de long. Il en avait déjà recouvert quelques-unes et se faisait bâtir un atelier spécialement pour la série. » Malgré la pénurie de main-d'œuvre, les travaux pour l'immense atelier (vingt-trois mètres de long sur douze de large) étaient assez avancés en août pour que Monet se plaignît de sa laideur dans une lettre à Jean-Pierre Hoschedé. Il disait, dans la même lettre, qu'il travaillait « énormément », mais que le mauvais temps allait l'empêcher de réaliser ce qu'il aurait voulu faire cette année-là. Il ajoutait enfin : « Je parle là, comme si j'en [du temps] avais beaucoup devant

moi, ce qui est pure folie, comme d'avoir entrepris un pareil travail à mon âge… » En septembre, il était épuisé par des mois de travail ininterrompu ; dès la fin d'octobre, pourtant, il put prendre possession de son nouvel atelier et « juger enfin » ce qu'il avait peint[50]. Il pouvait désormais passer l'hiver à travailler sur les *Décorations*, réservant la belle saison au travail en plein air. Ses immenses panneaux étaient placés sur des châssis roulants, de sorte qu'il pouvait les disposer tout autour de lui en frises continues.

Quelques-unes des soixante toiles représentant le bassin et ses rives fleuries peuvent être qualifiées d'études. Monet s'en est servi pour explorer certains effets et pour examiner les possibilités de décoration offertes par un tel motif : nymphéas aperçus à travers un écran de feuilles de saules ; troncs d'arbres encadrant et rythmant la surface de l'eau ; petites anses arrondies couvertes de nénuphars, reflétant le ciel dégagé ou les ombres d'une végétation invisible et des herbes en surplomb ; silhouettes d'iris et de lys se détachant sur l'eau.

Les études pour les *Nymphéas* peuvent être distinguées des séries de 1903-1909, parce qu'elles se concentrent sur un secteur du bassin vu de très près, tandis que les œuvres plus anciennes le représentent comme s'il se trouvait à quelque distance, avec au premier plan des îlots de nénuphars qui paraissent très petits. Même dans les toutes premières études — comme les *Nymphéas* avec les saules — les nénuphars et les reflets de nuages semblent être au contraire aux pieds du spectateur, dans une désorganisation de la stucture spatiale du tableau qui rend *Les Nuages* de 1903 presque conventionnels.

L'impression de proximité du motif persiste même lorsqu'une plus grande étendue d'eau est visible : dans un groupe de tableaux figurant les nymphéas sur le grand bassin, les fleurs les plus proches du spectateur ne sont pas représentées en réduction comme dans les œuvres antérieures, de sorte qu'elles semblent à la fois vues du dessus et de tout près. Ce parti pris

278. Monet peignant près de l'étang aux nymphéas, 8 juillet 1915

279. *Nymphéas* (W.1852), vers 1916-1919, 150 x 197

a permis à Monet de plonger le regard dans les profondeurs de l'eau plutôt que de le laisser glisser sur le miroir de la surface, ce qui avait constitué son objectif principal dans les *Paysages d'eau*. La composition accentuait également l'absence de relief qui est de mise pour une peinture murale : l'espace n'est plus suggéré, comme dans les premières séries, par un rétrécissement brutal, ce qui auraient détruit l'impression que suscite la surface verticale du mur, mais par des transitions de dégradés qui préservent cette dernière. Tel est l'un des rares *Nymphéas* datés, peint en 1916, à un moment où Monet travaillait avec beaucoup d'ardeur, se félicitant que sa vue le lui permît encore. Bien qu'il fût plus que jamais conscient qu'il luttait contre le temps et qu'il n'avait pas « un moment à perdre », il réussit à conférer à la représentation de l'eau un aspect calme et miroitant[51].

Il n'existe aucune étude peinte de composition pour les *Décorations*. Cela indique que Monet les a élaborées à partir des petits secteurs travaillés dans les autres esquisses, en les incluant dans des étendues d'eau pour lesquelles il n'avait pas exécuté d'études préparatoires. Ce type de structure, influencé par l'art des écrans japonais et développé dans les premiers

*Nymphéas*, servit dès lors à animer de vastes étendues d'eau, sur lesquelles le peintre pouvait rendre compte des multiples phases de la lumière.

Les études ont été réalisées au moyen d'immenses griffonnages à la brosse, rythmés par le tracé des reflets. Les secteurs figurant l'eau sont traités à larges traits, qui ménagent des espaces libres dans lesquels se glissent les silhouettes des feuilles de saules ou des touffes de nénuphars, évoquées par des arabesques rapides. Monet n'a accordé que peu de soins à la surface de l'eau, concentrant son travail sur les profondeurs qui apparaissent sous les nénuphars, et sur les reflets des arbres, des herbes, des nuages ou des pans de ciel dégagé, qui se lisent comme des formes verticales. Dans les *Paysages d'eau*, il avait travaillé à l'élaboration de surfaces solides, réfléchissantes et continues ; dans les études, les plages libres n'apparaissent que ponctuellement, pour indiquer, par exemple, les endroits où les feuilles de saules rencontrent leur image réfléchie (ill.287), sans aucune impression de continuité sur l'ensemble du tableau. On le voit sur un autre panneau, dans lequel il n'y a aucune unité entre l'eau située au bas de la toile et celle du second plan, et où les reflets de nuages sont si brillants que l'eau paraît

280. *Les Agapanthes* (W.1820), 1914-1917, 200 x 150

Ci-dessus, à droite :

281. *Nymphéas jaunes et lilas* (W.1804), vers 1914-1917, 200 x 215

282. *Nymphéas* (W.1791), vers 1914-1917, 150 x 200

bouillonner. Les photographies de l'atelier suggèrent que Monet a utilisé ses grandes études comme des aide-mémoire[52] ; cependant, comme ces dernières ne rendaient compte que des profondeurs aquatiques, les reflets verticaux et le plan horizontal indiqué par les feuilles de nénuphars, ainsi que la représentation de la surface qui relie entre eux ces différents éléments de l'expérience visuelle n'ont pas manqué d'évoluer durant les longs mois que Monet consacra dans son atelier à ses *Décorations*. Depuis plus de vingt ans, Monet s'attachait à scruter et à contempler chaque jour son étang, et la connaissance qu'il avait de ses multiples aspects se trouvait à présent si intériorisée que la distinction entre observation et mémoire avait pour ainsi dire perdu toute signification. Il reste toutefois que l'extraordinaire fraîcheur d'observation dont il faisait preuve, aussi bien pour les ébauches que dans les grands panneaux, suggère que les études de plein air continuèrent de jouer leur rôle en l'aidant à voir ce qu'il n'avait pas encore remarqué. En ce sens, elles doivent être considérées comme des recherches exploitées par le peintre dans le processus incessant par lequel il remettait en question ses propres conceptions formelles. Elles l'aidèrent enfin à déterminer ce qu'il était encore en mesure de réaliser, à un moment où sa vue déclinait inexorablement.

Les tableaux « de deux mètres de hauteur sur trois à cinq mètres de largeur », commencés en juin 1915, devaient inclure les quatre panneaux d'une composition intitulée *Trois Saules*, reprise à l'Orangerie et photographiée en novembre 1917 (ill.295-297). Dans les études préliminaires (ill.276-277), les troncs de saules sont représentés par des tracés vigoureusement incurvés, qui se font plus légers pour le contour des feuilles ; ils ont pour contrepoints les boucles et les courbes continues figurant les nénuphars. La même impression de mobilité des lignes se retrouve, par exemple, dans une étude de saules (ill.279), où les feuilles et leurs reflets se faufilent entre les bleus violets de l'eau, modulant sur une gamme passant d'un vert foncé et brillant, pour les zones d'ombre, à un vert teinté d'or par l'éclat de la lumière. Monet n'a pas assigné de place fixe à ces feuillages, ni donné d'assise stable aux feuilles de nénuphars, dont certaines se détachent de la surface de l'eau et paraissent flotter devant les frondaisons des saules. C'est l'impression scintillante d'un instant, issue d'une sensation visuelle complexe, qu'il a transformée, durant de longs mois de travail sur les grands panneaux, en une représentation plus grave et plus distanciée.

Les deux toiles de quatre mètres de long des *Reflets verts*, exposées à l'Orangerie, sans doute complétées en 1918, ont été développées à partir d'un ensemble d'études probablement exécutées au cours de l'été 1915 (ill.278). Monet y a représenté les profondeurs de l'eau sous les îlots de nénuphars blancs et les feuillages reflétés d'un saule qui se trouve sur la rive opposée. Il a été photographié alors qu'il travaillait sur ce motif, au bord du bassin, en juillet 1915. Dans une variante aux fleurs blanches, les feuilles elliptiques gris-vert et bleu-vert se détachent des stries verticales sombres qui indiquent les reflets pénétrant toujours plus loin dans les profondeurs insondables du bassin[53]. L'année suivante, Monet étendit le motif pour y inclure une étendue d'eau plus vaste, sur une toile carrée de deux mètres de côté. Dans certaines parties du tableau, il a suggéré l'aspect tranquille et soyeux de la surface de l'eau, mais il n'a pas créé de continuité entre ces touches éparses, de sorte que les îlots de nymphéas semblent flotter, sans attaches, sur divers plans de représentation (ill.288). Dans les *Reflets verts*, le peintre a ouvert la composition de manière à suggérer un espace sans limite ; il a travaillé couche après couche, afin que la surface du bassin évoque une étendue lisse dont la largeur et la profondeur se confondent et se répondent sans cesse.

La guerre s'enlisait pendant ce temps dans l'horreur quotidienne, et Monet poursuivit « son immense travail », malgré de terribles crises de découragement et les craintes qu'il éprouvait pour son fils, qui avait survécu à « trois terribles semaines à Verdun ». Ce fut durant cette année-là qu'il peignit l'un de ses panneaux les plus sombres, *Les Nymphéas, reflets de saules*

(ill.305), dont une version a été exposée à l'Orangerie. Il est impossible de voir dans cette toile une réaction de Monet contre la guerre, car il cherchait à en oublier l'horreur. Dans une lettre aux Bernheim-Jeune qui venaient de le complimenter pour son soixante-dixième anniversaire, il put écrire : « Je suis de plus en plus ardent au travail, […] ma plus grande joie est de peindre et de jouir de la nature. » Non seulement il couvrait de peinture d'immenses

283. Monet sur le pont japonais recouvert de glycine, à Giverny, env. 1920

Ci-contre :

284. *La Passerelle sur le bassin aux nymphéas* (W.1916), 1919, 65 x 107

toiles nouvelles, mais il en retravaillait d'anciennes, parce qu'il avait « perdu des choses bien venues qu'[il avait] voulues meilleures et qu'il [lui fallait] à tout prix retrouver. »[54] La peinture autorisait ainsi des erreurs qui pouvaient être réparées. Au début de 1917, plus d'un million de Français étaient déjà morts dans les diverses « boucheries héroïques » d'une guerre qui s'éternisait. Monet connut une crise de dépression profonde :

> « … je n'ai plus de courage à rien, attristé par cette épouvantable guerre d'abord, par l'inquiétude où je suis de mon pauvre Michel qui risque sa vie à chaque moment, et enfin, et par suite, dégoûté de ce que je fais et dont je vois que je ne viendrais pas à bout. »

Trois semaines plus tard, Mirbeau mourait. Peu de temps auparavant, un journal de droite — *Le Petit Parisien* — avait publié de lui un prétendu « testament politique », répudiant les principes internationalistes et antimilitaristes qui avaient gouverné toute sa vie. Ses proches pensaient que c'était un faux et partageaient la position de Tailhade, selon qui l'œuvre entière de Mirbeau, « avec ses cris, ses larmes, ses grincements de dents, ses fureurs […] n'est qu'un appel à la Justice, un long cri de détresse demandant Compassion, Tendresse et Amour. » On était loin de tout cela en 1917. Monet assista aux funérailles et l'on vit alors, selon le récit de Lecomte, « cet homme rude [qui] sanglotait », les yeux « bouleversés par le chagrin »[55].

Deux événements, survenus au début de 1917, suggèrent que la confiance de Monet en son œuvre immense a pu être encouragée par une sorte d'engagement de l'État à se porter acquéreur de la *Grande Décoration*. Par l'intermédiaire de Geffroy, administrateur de la manufacture nationale des Gobelins, le peintre chercha à intéresser le ministère du Commerce et de l'Industrie au projet de tapisserie dont il avait fait le carton pour sa *Décoration*. Le ministre, Étienne Clémentel, et le sous-secrétaire du ministère des Beaux-Arts rendirent visite à Monet et lui proposèrent d'aller à

Reims pour peindre la cathédrale, sérieusement endommagée par les bombardements allemands. Le choix de l'artiste français le plus prestigieux, peintre de la cathédrale de Rouen, s'imposait pour ce travail : Monet accepta la commande et se rendit à Reims, mais il ne fit pas le tableau. Il réussit malgré tout à garder sa voiture, alors que beaucoup d'autres étaient réquisitionnées, et à avoir de l'essence[56].

En novembre, Clemenceau, qui avait combattu de façon virulente la conduite de la guerre et ceux qui recherchaient (ou étaient soupçonnés de rechercher) un accord de paix avec l'Allemagne, devint Premier ministre et ministre de la Guerre. L'armistice que les Allemands avaient signée avec le nouveau gouvernement soviétique en décembre leur avait permis de concentrer toutes leurs forces sur le front occidental. Dans ce moment très difficile pour le pays, Monet adressa au gouvernement des requêtes faisant preuve d'un égoïsme stupéfiant, même quand on connaît le personnage. En janvier 1918, au moment même où la France devait contrer de toute son énergie une furieuse offensive allemande, on le vit par exemple écrire au ministre Clémentel et lui demander que le ministère lui accordât « l'autorisation nécessaire » pour passer outre au refus de la compagnie de chemin de fer de transporter les châssis et les toiles qu'il avait commandés. L'affaire était, à l'en croire, « très pressée »[57].

Même si Monet avait reçu la promesse plus ou moins ferme que l'État accepterait sa *Grande Décoration*, il y avait quelque chose d'excessif dans ces réclamations, et dans le fait même qu'il continuait à créer de nouvelles œuvres, trop nombreuses pour un projet de décoration réalisable. En février 1918, il avait terminé huit des douze panneaux qui devaient constituer la *Grande Décoration* et il travaillait aux quatre derniers, pensant pouvoir les achever cette même année, si ses yeux « ne lui jouaient pas de nouveaux tours ». À la fin de la guerre, il en avait mené à terme un nombre quatre fois supérieur, dont probablement trois panneaux de six mètres de longueur chacun[58]. Cette fièvre de travail ne se limitait pas aux « grandes machines » : à la fin d'avril 1918, il commanda vingt châssis de deux mètres sur un, dont certains furent utilisés au printemps, au plus fort de l'offensive allemande. Il écrivait alors qu'il « [travaillait] toujours, toujours aux prises avec la nature ». Il redoutait une percée ennemie et l'éventualité de devoir « comme tant d'autres tout abandonner ». Toutefois, en réponse à Gaston Bernheim-Jeune qui lui avait proposé de mettre ses toiles en sécurité, il écrivit : « Je ne veux pas croire que je sois jamais obligé de quitter Giverny ; comme je l'ai écrit, j'aime encore mieux y périr au milieu de ce que j'ai fait. »[59] Les Allemands finirent par réussir une percée au sud d'Amiens, à soixante kilomètres de Giverny, mais les Alliés commencèrent alors la contre-offensive qui devait conduire à la victoire de novembre, dans une France dévastée et épuisée.

Le lendemain de l'Armistice, Monet écrivit à Clemenceau :

« Cher et grand ami. je suis sur le point de terminer deux panneaux décoratifs, que je veux signer du jour de la Victoire, et viens vous demander de les offrir à l'État. [...] C'est peu de chose, mais c'est la seule manière que j'aie de prendre part à la victoire. »[60]

Monet écrivit aux Bernheim-Jeune pour leur dire que sa soixante-dix-neuvième année s'ouvrait sous d'heureux auspices, « cette belle victoire d'abord, [...] et la visite du Gd [grand] Clemenceau [...] ; c'était son premier jour de congé et c'était pour me venir voir ». Il les informait de son offre à l'État, mais leur demandait de tenir l'affaire secrète. Il est possible qu'il ait projeté avec Clemenceau un plan plus ambitieux : le don de douze panneaux, à exposer dans un bâtiment spécialement prévu à cet effet. Clemenceau avait besoin pour cela du consentement du Parlement. La promotion des *Grandes Décorations* par « le Tigre » était intimement liée à sa foi en la France qui venait de racheter l'humiliation subie en 1870-1871, au prix de quatre ans de massacres et de destructions. Il considérait depuis longtemps l'art de Monet comme l'exemple de la suprématie morale de la culture française et souhaitait sans doute le présenter à la Nation sous cet angle. Toutefois, le don envisagé soulevait des problèmes d'argent et requérait un recours à l'administration et à la politique : cela entraîna des mois d'incertitude et de changements de programme, qui affectèrent l'aspect définitif des *Grandes Décorations*[61].

En 1919, Monet reprit un reste des *Décorations* et travailla en plein air avec grand enthousiasme, sur un groupe de tableaux de chevalet consacrés au pont japonais (W.1911-1933), avec des saules et d'autres vues du bassin. Il comptait revenir aux *Décorations* en hiver, mais l'état de sa vue empira brutalement. Durant les trois années qui suivirent, Monet lutta pour continuer à peindre, tandis que sa vision ne cessait de se dégrader ; il résistait avec entêtement à toute idée d'opération, préférant renoncer à travailler plutôt que de risquer de perdre la vue[62].

Clemenceau s'était sans doute engagé à accepter les *Grandes Décorations* au nom du gouvernement, pour lui fournir un lieu d'exposition convenable, tout en acquérant les *Femmes au jardin* pour une somme confortable, à titre de « dédommagement » pour le don. Cet engagement fut compromis par sa défaite aux élections présidentielles de janvier 1920 et par son retrait de la vie publique[63]. Mais il continua de jouer un rôle essentiel en persuadant le peintre de remplir son engagement « [envers] la France ». Monet luttait de son côté pour les voir exposées exactement comme il l'entendait ; mais, à l'évidence, il ne voulait pas laisser partir ses grandes toiles — du moins pas avant qu'elles ne fussent parfaites — c'est-à-dire, en fait, jamais.

La presse eut une influence capitale dans les négociations sur les *Grandes Décorations*. Quatre écrivains cherchèrent à jouer un rôle dans cette histoire, non seulement en se faisant les biographes de Monet, mais en assurant que l'offre des *Nymphéas* à la France deviendrait une réalité[64]. En avril, Elder publia un compte rendu sur les grands panneaux, qui acquirent ainsi une certaine popularité grâce à la presse, alors que Monet refusait obstinément de les dévoiler au public. Il décrivait un atelier tellement encombré de toiles immenses, disposées en ovale, que Monet devait les sortir et les remettre en place l'une après l'autre, afin de montrer au journaliste des évocations de « l'aube, couleur d'absinthe, confondant les nénuphars avec l'eau brumeuse ; ici le clair miroir de l'eau… et là, à quelque distance, un tapis de pierres précieuses. »[65] En juin 1920, Monet écrivit à Thiébault-Sisson, qui jouait pour lui le rôle d'intermédiaire auprès du nouveau Premier ministre, Millerand, et était chargé d'exposer les conditions de la donation. Ces dernières allaient élever des obstacles à la réalisation du projet. Monet stipulait qu'il garderait ses toiles « jusqu'à la fin » et qu'il ne s'en « [séparerait] que lorsqu'[il aurait] vu le lieu où elles [pourraient] être placées et cela, d'après [ses] instructions. » Cela était pour lui « une *décision absolue* ». Une quinzaine de jours plus tard, il priait le journaliste de « ne [donner] aucune suite à cette affaire ». Tous ces « tracas » compromettaient la création de son œuvre : « Je n'ai pas de temps à perdre à présent. » Une semaine après, nouvelle lettre, cette fois à Clémentel, pour lui demander la fourniture de charbon pour l'hiver : « … si l'État veut que je travaille pour lui, il faut qu'il m'en donne les moyens. »[66]

Bien que Monet ait dit à Geffroy en juin 1920 que sa vue lui interdisait de peindre en plein air, il revint « sur le motif » et continua de travailler sur le groupe des vingt-trois tableaux du *Pont japonais*, commencé probablement en 1919 ; il se consacra peut-être alors au groupe de *L'Allée de rosiers* (W.1934-1940). Il retournait à ces tableaux de chevalet au cours des mois d'été, « pour réserver [ses] forces pour toujours travailler à [ses]

*Décorations* quand la chaleur n'est pas trop forte dans [son] atelier[67]. »

Pendant ce temps, le gouvernement avait chargé Alexandre de mener les négociations, malgré les tentatives de Monet pour les ajourner et pour retarder la visite de Paul Léon, directeur du ministère des Beaux-Arts, sous prétexte qu'il était « aux prises avec la nature ». À la fin de septembre 1920, un accord de principe fut conclu, stipulant que le gouvernement construirait un pavillon pour la *Grande Décoration* sur le terrain de l'hôtel Biron, que Rodin, vieil ami de Monet, avait légué à l'État afin d'y exposer ses œuvres ; l'architecte officiel Louis Bonnier entreprit la réalisation des plans de l'ouvrage. Monet souhaitait une pièce elliptique, mais Bonnier, trouvant cela trop dispendieux et pensant que cela gênerait la vue des tableaux les plus allongés, proposa une pièce circulaire dans un édifice polygonal : les quatre panneaux des *Trois Saules* feraient pendant au diptyque des *Reflets verts*, et deux autres triptyques, *Les Nuages* et *Agapanthes*, se feraient face (ill.289)[68]. Les nouvelles de la donation furent ébruitées par Thiébault-Sisson, qui écrivit que les douze panneaux de la *Grande Décoration* «…seraient disposés bout à bout sur les murs de manière à donner au spectateur l'impression d'une seule toile composée de séries. Les séries seraient séparées, par intervalles,

285. La grande allée bordée de rosiers dans le jardin de Monet

Ci-contre :

286. *L'Allée de rosiers, Giverny* (W.1934), 1920-1922, 89 x 100

par des passages relativement étroits placés symétriquement. »Il rapportait aussi que Monet voulait avoir des tableaux de glycine au-dessus de chaque passage, et qu'il décorerait le vestibule d'une grande composition[69].

Entre tous les articles parus dans la presse une fois la nouvelle divulguée, Monet dit à Alexandre qu'il préférait les siens, parce qu'ils abordaient la « question d'art ». Alexandre donnait en outre un compte rendu des plus précis du programme original. Il décrivait l'agencement des compositions à plusieurs toiles — chacune d'elles caractérisée par une dominante de couleur différente — destinées à « former un spectacle ininterrompu d'eau, de reflets de soleil et de végétation ». Le diptyque « en bleu majeur » (probablement les *Reflets verts*, qui sont aussi bleus que verts), « offert spontanément pour commémorer la victoire », serait placé à l'extrémité d'une pièce elliptique, en regard d'un ensemble constitué de trois panneaux « dominés

par l'or fondu » (probablement les *Agapanthes*, W.1975-1977). Sur les longs côtés de l'ellipse, une composition avec les troncs puissants des saules — probablement celle des *Saules pleureurs*, à quatre panneaux, finalement réduits à deux — ferait face à une peinture « teintée d'argent et de rose, avec toute la fraîcheur la plus tendre du matin » (peut-être *Les Deux Saules*). Alexandre ajoutait :

> « Ces décorations, placées très bas donneront l'illusion de s'élever du sol et le spectateur sera […] non seulement placé au centre du bassin aux nénuphars, mais en même temps plongé dans la passion de la couleur et le rêve multiforme du grand artiste. »[70]

Les différents énoncés des titres et arrangements des *Décorations* indiquent que le peintre disposait de plus de compositions qu'il ne comptait en offrir, de sorte qu'il pouvait continuer à projeter de nouvelles combinaisons aussi librement que le permettait l'agencement des panneaux dans son atelier. Ces changements amenèrent Bonnier à déclarer : « Monet a chaque jour une idée nouvelle. […] Peut-être veut-il avoir fait le geste. » Il ajoutait : « L'État sera bien embarrassé pour refuser un cadeau qui peut lui coûter un million. »[71] Monet croyait que l'approbation du Parlement se réduirait à une simple formalité. Il était peut-être trop optimiste : une dépense de plus d'un million de francs-or, pour des œuvres inachevées, s'avéra difficile à faire admettre. En 1921 encore, on ne savait toujours pas si les crédits pour le projet seraient votés[72]. Mais les acheteurs américains et japonais — déjà — étaient très intéressés par la *Grande Décoration*. Le départ de ces œuvres pour l'étranger aurait été fort embarrassant pour le gouvernement : la presse présentait la peinture de Monet comme la quintessence

287. *Nymphéas* (W.1850), 1916-1919, 200 x 180

288. *Nymphéas* (W.1800), 1914-1917, 200 x 200

de l'art français et les autorités artistiques cherchaient à l'élever au rang d'institution[73]. Le duc de Trévise rendit visite à Monet pour son quatre-vingtième anniversaire, en novembre 1920 (ill.312), et vit « des études vastes et déconcertantes » peintes « sur le motif » pour la *Grande Décoration* « au cours des étés précédents. Confusion de couleurs étroitement liées, qu'aucun œil n'a démêlée, mixtures bizarres de laines immatérielles. » Peut-être fai-sait-il référence à des œuvres comme *Nymphéas, reflets de saules* (ill.305) — bien que cette dernière toile n'ait sans doute pas été peinte en plein air. Trévise raconte comment Monet a changé plusieurs fois « la fabuleuse par-tition dont il [l]'entourait. Ici le bronze crépusculaire d'un nuage a servi de thème, là le calme d'un azur nuageux. » L'artiste lui confia qu'il peignait même la nuit, car il rêvait de ses peintures. Alexandre rapporte des nota-tions semblables :

« Il est vrai, à la lettre, de dire que le peintre était entraîné par son entreprise… jusqu'à ne pouvoir s'arrêter. Il nous a, en effet, confié qu'à certains moments les plus intenses de son travail, son cerveau et sa main continuaient, la nuit, à étaler en rêve des couleurs sur les toiles en descendant plus bas, toujours plus bas. »[74]

« Jamais, écrit encore Alexandre, homme, peintre ou poète n'aura pu s'abandonner à son rêve avec une pareille liberté… Il y a dans cette exal-tation de couleur, une joie telle qu'il semble ne plus pouvoir s'arrêter. »

En février 1921, Monet finit par rejeter le plan de Bonnier pour une salle circulaire, objectant qu'elle serait « un véritable cirque », trop régu-lière ; il proposait également de réduire la donation de douze à dix ou huit panneaux, pour avoir la salle elliptique à moindres frais que les estimations de Bonnier. En mars, Clemenceau et Léon cherchèrent une solution moins dispendieuse, en proposant l'adaptation soit du Jeu de Paume, soit de l'Orangerie des Tuileries. Monet rejeta la première solution, puis décida que les salles de l'Orangerie étaient si étroites qu'il lui faudrait présenter ses panneaux « absolument droits », plutôt qu'incurvés : comme cela ris-quait de « dénaturer » ce qu'il « [avait] voulu faire », il menaçait une fois encore de reprendre l'ensemble de la donation. Cependant, les deux cent mille francs pour les *Femmes au jardin* lui avaient déjà été versés, de sorte que cette menace constituait probablement un ultime chantage pour s'as-surer qu'il obtiendrait ce qu'il voulait. Il se lança dans des calculs subtils sur la relation entre certains panneaux et la courbe des murs, sur l'angle et la distance de vision. En juin 1921, il considérait qu'il donnait suffisamment de toiles pour décorer deux salles[75].

Monet avait insisté pour que le *Grande Décoration* fût exposée au centre de Paris, ajoutant une curieuse alternative : « Sinon, pourquoi pas aux Abattoirs ? » Difficile d'imaginer, du reste, une situation plus appropriée que cette retraite en plein cœur de la ville. L'Orangerie était à l'opposé du site de l'ancien Salon, celui qui avait refusé les *Femmes au jardin*, comme le peintre ne manquait jamais de le rappeler au cours de ses interviews. L'édi-fice était bordé par la Seine, qu'il avait peinte toute sa vie, « à toute heure, en toute saison, depuis Paris jusqu'à la mer »[76]. Son orientation est-ouest rappelait l'axe du lever et du coucher du soleil, qui avait marqué son exis-tence d'artiste ; elle influença probablement la mise en place des panneaux accrochés selon l'axe principal de l'ellipse, avec le coucher de soleil sur le mur ouest et l'aube sur le mur est. L'orientation et la forme ovale des deux grandes salles rappelaient pour finir celles du grand bassin de Giverny.

Bien que sa vue ait eu tendance à s'affaiblir « durant la journée », Monet travailla dans le jardin pendant l'été et l'automne de 1921, comme en témoignent les lettres empreintes de joie qu'il faisait parvenir à ses amis. Le temps était beau, il sentait qu'il progressait et il espérait « être à l'an pro-chain pour continuer [ses] recherches malgré [sa] mauvaise vue ». Son bon-heur est compréhensible si l'on en juge d'après les effets de soleil couchant obtenus dans la série du *Pont japonais* ; elle est moins explicable dès que

l'on considère le chaos multicolore des coups de pinceau qui caractérisent l'ensemble consacré à *L'Allée de rosiers, Giverny* (W.1934-1940, ill.286). Certains de ces panneaux font néanmoins preuve d'une grande puissance d'observation : l'un d'eux suggère les taches de lumière qui éclairent le sen-tier et les différences entre les feuilles et les fleurs situées à l'ombre sous les arceaux, et le feuillage plus lumineux qui les recouvre. Les gammes de co-loris sont plus surprenantes que dans les œuvres antérieures, mais la com-paraison avec celles-ci montre que Monet avait gardé l'intensité de sa per-ception des relations tonales, de sorte que — comme il le disait aux journalistes — il pouvait se fier aux étiquettes de ses tubes de peinture et aux emplacements immuables des teintes sur sa palette, pour reproduire les effets de nature, même si ses capacités visuelles étaient très diminuées. Les coloris confus qui marquent l'ensemble du groupe incitent cependant à penser qu'il continua d'y travailler en 1922, alors que sa vue était au plus mal et qu'il percevait « tout dans un brouillard complet ». Les toiles qu'il laissa à l'état de brumes colorées éveillent comme l'écho désespéré d'un motif qui disparaît et d'une vue qui se meurt[77].

La médiation pleine de tact d'Alexandre et de Clemenceau permit à l'artiste de résoudre le problème que posait le site de l'Orangerie, en « conser-vant la forme ovale » qu'il avait toujours souhaitée. En novembre 1921, il annonça à Léon qu'il offrirait dix-huit panneaux formant huit compositions pour deux salles, au lieu de son offre initiale de douze panneaux pour une seule pièce. Le changement du nombre de panneaux signifiait que l'on pou-vait aménager des salles elliptiques dans l'espace relativement réduit de l'Orangerie. Deux diptyques, *Reflets verts* et *Agapanthes*, se feraient face aux deux extrémités de la première salle et seraient flanqués par deux trip-tyques, *Nuages* et *Matin*. Pour la seconde salle, les quatre peintures des *Trois Saules* seraient placés en regard du diptyque des *Reflets d'arbres*, et enca-drés par deux panneaux de six mètres de long chacun. C'étaient peut-être les « nouvelles toiles » que Bonnier vit dans l'atelier à cette époque. Pensant qu'il allait compléter tous les éléments du nouveau dispositif au printemps de 1922, Monet se remit au travail :

« Tout l'hiver j'ai fermé ma porte à tous. […] je voulais profiter du peu de ma vue pour mener à bien certaines de mes *Décorations*… finalement, il m'a bien fallu constater que je les abîmais, que je n'étais plus capable de rien faire de beau. Et j'ai détruit plusieurs de mes panneaux. »[78]

Il continua cependant de modifier ses projets sur le schéma d'en-semble : les plans soumis en janvier 1922 par un nouvel architecte, Lefèvre, indiquent une augmentation de dix-huit à vingt panneaux (incluant deux diptyques de douze mètres de longueur dans la seconde salle). Il y eut une autre version en mars, mais l'acte de donation final, en date du 22 avril 1922, reprenait le schéma de janvier (à cela près que le *Soleil couchant* de six mètres de longueur avait remplacé le diptyque *Agapanthes*, et que les dip-tyques de la seconde salle étaient divisés en quatre panneaux de six mètres). Monet ne se conforma pas exactement par la suite aux termes de l'acte légal : l'installation finale de l'Orangerie possède vingt-deux panneaux et l'ar-rangement de la seconde salle a été radicalement modifié. L'acte du 22 avril stipulait que l'État ne devait pas altérer l'installation des panneaux telle qu'elle avait été indiquée dans le plan final de Lefèvre ; aucune autre œuvre d'art ne serait placée dans les deux salles ; les panneaux ne seraient jamais vernis. Les modifications prévues à l'Orangerie devaient être menées à bien dans les deux ans. En raison de sa maladie oculaire, Monet ne garantissait pas la qualité de ses peintures. Sans que cela figurât au contrat, il avait été décidé qu'elles seraient fixées en permanence aux murs par marouflage, ce qui permettrait de faire des raccords presque invisibles d'une toile à l'autre si le peintre, comme il le projetait, souhaitait les retoucher une fois en place.[79]

En fait, Monet n'avait jamais donné une forme définitive à son « vieux

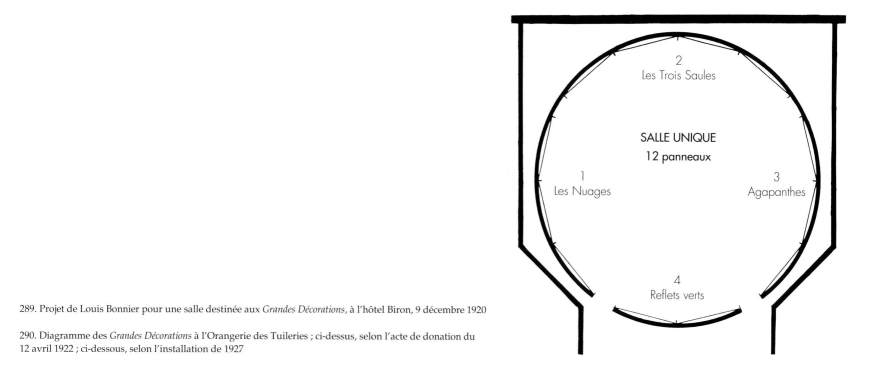

289. Projet de Louis Bonnier pour une salle destinée aux *Grandes Décorations*, à l'hôtel Biron, 9 décembre 1920

290. Diagramme des *Grandes Décorations* à l'Orangerie des Tuileries ; ci-dessus, selon l'acte de donation du 12 avril 1922 ; ci-dessous, selon l'installation de 1927

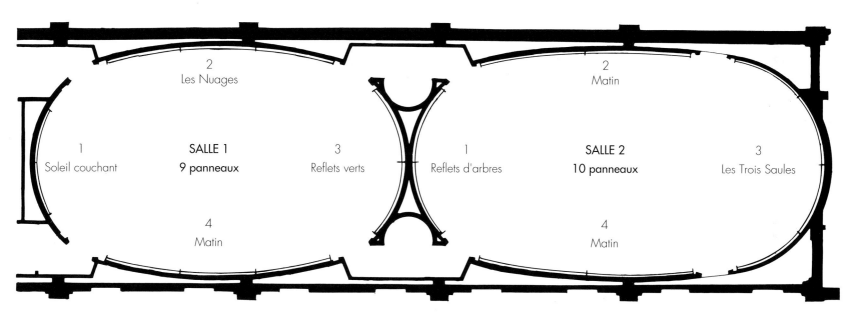

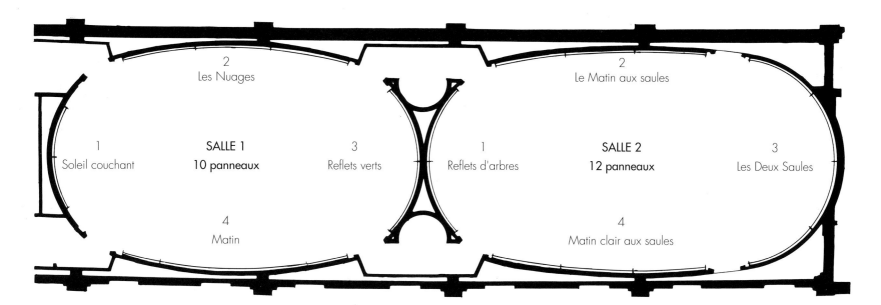

291. *Les Grandes Décorations. Soleil couchant*, 200 x 600, salle 1, mur 1, musée de l'Orangerie, Paris (voir détail, 286-287)

292. *Les Grandes Décorations. Matin*, 4 panneaux, 2 de 200 x 212, 2 de 200 x 425, salle 1, mur 4, musée de l'Orangerie, Paris (voir détails, 290, 291)

293. *Les Grandes décorations. Les Nuages*, 2 panneaux, chacun de 200 x 425, salle 1, mur 2, musée de l'Orangerie, Paris (voir détail, 292-293)

294. *Les Grandes décorations. Reflets verts*, 2 panneaux, chacun de 200 x 425, salle 1, mur 3, musée de l'Orangerie, Paris (voir détails, 294, 295)

rêve », mais il lui fallait à présent adapter ses œuvres à un cadre réel, où elles seraient fixées une fois pour toutes. Il garda pourtant ses grandes toiles dans son atelier, les disposant de mille et une façons au gré de sa fantaisie. Agathe Rouart-Valéry, qui visita Giverny alors qu'elle était petite fille, racontait comment Blanche Hoschedé-Monet « s'attèlerait aux pesants chevalets […] et les refermerait sur [nous]… D'une visite à l'autre, leur nombre, leur diversité nous fascinaient »[80]. L'atelier donnait au peintre la liberté de modeler son propre monde de rêve, et les *Grandes Décorations* ne le quittèrent pas jusqu'à sa mort. Quelques semaines après avoir signé l'acte de donation et le contrat, il écrivait qu'il était « presque aveugle » et qu'il allait devoir renoncer à tout travail : « C'est dur, et réellement triste, mais c'est ainsi. » Un mois plus tard, il pria Léon de presser les travaux à l'Orangerie, car il craignait que sa vue déclinante ne lui interdît de surveiller la mise en place de ses peintures[81].

Le vieux peintre ne pouvait plus désormais exercer son art qu'en se fiant aux étiquettes de ses tubes de gouache et à l'expérience de toute une vie sur l'effet des couleurs, mais il ne pouvait cesser de peindre ce qu'il appelait lui-même « une obsession ». Au début de 1922, il rêva un moment de produire quatre ou cinq toiles de six mètres de longueur, et il commença probablement *Soleil couchant*, extraordinaire explosion de coloris, d'une intensité qui annonçait l'expressionnisme[82]. Il passa l'été à œuvrer en plein air : « Je travaille à force et voudrais tout peindre avant de n'y plus voir du tout. » Il reprit probablement ses tableaux du *Pont japonais* et de *L'Allée de rosiers*, qu'il souhaitait « revoir d'après nature » ; c'est probablement ce dernier que Joseph Durand-Ruel décrivit comme « noir et triste ». Il revint également à un sujet ancien, sa « maison vue du jardin aux roses » (W.1944), peinte dans un assemblage confus d'oranges, de jaunes, de roses et de verts livides, dont les tons se heurtent avec les silhouettes de la maison et des arbres disparaissant presque sous les coups de pinceau rageurs. Le sujet avait pour lui une signification personnelle profonde et il y revint sans doute instinctivement, dans sa crainte d'être bientôt dépossédé de sa vue, c'est-à-dire de lui-même[83].

En septembre 1922, le Dr Coutela, ophtalmologue, conseilla une intervention sur l'œil droit, virtuellement aveugle, alors que l'autre n'avait plus que dix pour cent de vision. Un traitement temporaire lui permit de peindre « des choses possibles, au lieu de croûtes qu'[il s'est] acharné à faire sans y voir que du brouillard », et il demanda à son docteur s'il pouvait poursuivre le traitement, afin de faire ce qui était « le plus pressant »[84]. Deux opérations de la cataracte à l'œil droit, en janvier 1923, n'eurent qu'un succès limité, probablement à cause des réactions nerveuses du peintre et de sa colère de ne pas retrouver immédiatement toute son acuité visuelle. Une autre intervention en juillet, plus douloureuse encore, n'améliora pas immédiatement l'état de fait et la déception fut immense : « Tout est déformé, tout se dédouble et devient intolérable à regarder » ; « Je persiste à voir jaune ce qui est vert et le reste plus ou moins bleu » ; « La déformation et les couleurs exagérées que je constate m'affolent absolument. […] Si je devais toujours voir la nature comme je la vois actuellement, je préférerais être aveugle et conserver le souvenir des beautés que j'ai toujours vues. »[85]

En septembre 1923, le Dr Coutela constata que la vision de l'œil droit était redevenue presque parfaite pour les objets rapprochés ; pour la vision lointaine, il fallait des lunettes. Le peintre pouvait donc voir à l'œil nu sa palette et ses coups de pinceau, mais non juger de l'effet produit en se reculant de quatre ou cinq mètres, selon son habitude. Il ne voyait plus double et les autres déformations étaient minimes — mais il percevait « tout beaucoup plus jaune ». Eu égard à ces améliorations et pour rectifier la vision à distance, Coutela proposa d'opérer l'œil gauche ; Clemenceau était du même avis et pressait Monet de se décider, afin de pouvoir se charger des retouches à apporter aux *Décorations* pour avril. Pris de panique, Monet refusa jusqu'à ce qu'il pût trouver un peintre dont la vue avait survécu à l'expérience ; il

préférait continuer à utiliser les lunettes. En octobre, il trouva que de nouveaux verres avaient amélioré sa perception des couleurs : « Je revois le vert, le rouge et enfin le bleu atténué. » Il semble n'avoir pas travaillé jusqu'à la fin de l'automne, et écrivit en novembre à Clémentel : « Ce mot mal écrit vous prouvera que cela va mieux, et, plus encore, sachez que j'ai repris mes pinceaux […] et que je veux terminer mes *Décorations* pour la date fixée » ; et dix semaines après : « Je suis pris par le travail et aux prises à de grandes difficultés. […] La vision d'un peintre est difficile à retrouver… »[86]

Monet était déterminé à ce que les *Décorations* ne fussent exposées que sous la forme d'un cycle complet. Il insista pour que l'un des panneaux — *Reflets d'arbres*, le seul qu'il ait vendu de son vivant — fût retiré d'une grande rétrospective de ses œuvres, organisée en janvier 1924 pour venir en aide aux victimes d'un tremblement de terre catastrophique au Japon. L'achèvement du cycle était cependant toujours remis à plus tard : Clemenceau disait avec une aigreur mal dissimulée que Monet peignait « comme s'il avait l'éternité devant lui », et qu'il allait bientôt avoir avec lui une conversation sérieuse. De son côté, le peintre disait aux Bernheim-Jeune qu'il devait travailler d'arrache-pied, parce qu'il était presque temps de livrer ses panneaux, mais que le mauvais état de ses yeux lui faisait « souvent [abîmer] ce qui était à peu près bien »[87].

À dater de la signature du contrat, en 1922, Monet disposait de deux ans pour accomplir trois tâches difficilement compatibles : premièrement, compléter les tableaux suivant les indications stipulées dans l'acte officiel ; deuxièmement, faire en sorte que les panneaux des différentes compositions parussent unis une fois en place, et qu'il y eût une relation entre ces dernières ; troisièmement, restituer dans ces toiles une image fidèle à sa vision des jeux de lumière sur l'eau, travail dont l'exécution devenait délicate du fait de ses déficiences visuelles.

Le contrat spécifiait qu'il s'agissait de toiles longues de six mètres, mais l'installation finale n'en comporte qu'une, *Soleil couchant* ; c'est peut-être seulement cette œuvre tourbillonnante qui fut commencée après 1920[88]. Monet ne devait disposer ni du temps ni de la force nécessaire pour peindre la totalité des grands panneaux mentionnés dans le contrat ; en outre, il ne put apparemment pas faire en sorte que ses toiles de six mètres pussent se rattacher à un schéma qu'il semble avoir imaginé en fonction de la disposition de l'Orangerie, avec des compositions sur la lumière du matin à l'est et d'autres, évoquant plutôt l'obscurité vespérale, à l'ouest. De grands panneaux isolés, sur les murs des longs côtés, auraient focalisé toute l'attention au lieu de la disperser sur l'ensemble des vastes souhaités par le peintre.

Il ajouta donc deux panneaux aux *Trois Saules*, afin de constituer deux triptyques de près de treize mètres de long, pour les longs côtés de la seconde salle, chacun d'eux présentant un espace d'eau libre bordé de puissants troncs de saules, dont les feuilles forment un écran délicat devant l'eau lumineuse. Cette composition devait s'étendre jusqu'à l'extrémité orientale de l'ellipse, mais elle allait être remplacée sur le long côté par quatre panneaux juxtaposés, commencés probablement durant la guerre, et formant un ensemble de dix-sept mètres de longueur intitulé *Les Deux Saules*. Dans la première salle, le seul changement devait être celui du *Matin*, prévu au contrat comme un triptyque de toiles de quatre mètres vingt-cinq : le peintre flanqua deux panneaux de cette taille de deux autres moitié moins longs, traités de manière si différente qu'ils semblent avoir été exécutés spécialement pour l'Orangerie. Ils encerclent le plan d'eau largement ouvert de leurs rives courbes et de leurs herbes en surplomb. Il structura ainsi chaque composition — à l'exception de celles consacrées aux eaux sombres — de manière à ce que la partie la plus radieuse du bassin fût à la fois au centre de la composition et au milieu du mur concave.

Le peintre commença également à enrichir la gamme des relations existant entre les extrémités des compositions adjacentes : échelle, perspective, valeurs colorées de l'eau, des nymphéas et des herbes. Il ne put toutefois vraiment travailler à ces connexions avant d'être sûr des œuvres qu'il allait exposer et de l'ordre de leur présentation. Les troubles oculaires qui l'accablèrent en 1922 et 1923 lui interdirent par ailleurs de développer complètement ses compositions comme des cycles dans l'espace.

Il continua ce qu'il appelait ses « transformations », afin que ses tableaux puissent rendre compte de façon plus précise et plus subtile de sa perception de la lumière. Compte tenu de sa vue de plus en plus altérée, il peignit probablement des souvenirs de lumière, tirant parti de soixante ans d'expérience picturale ; il représenta sans doute aussi ses rêves de lumière, visions d'une perfection inaccessible. Si l'on songe à ces circonstances hors du commun, on ne peut qu'être frappé par la clarté de l'image à laquelle il a finalement donné naissance. Maurice Denis écrivit dans son journal, en février 1924 :

« Étonnante série des grands nymphéas. Ce petit homme de quatre-vingt quatre ans […] ne voit que d'un œil avec verre, l'autre obturé. Et ses tons sont plus justes et vrais que jamais. »

Clemenceau répondait de son côté aux inquiétudes constantes du peintre :

« Vous avez décidé que votre œuvre, interrompue quand vous avez été à bout de course, serait reprise avec une demi-vue. Et vous avez trouvé moyen de produire un chef-d'œuvre achevé (je parle du panneau du nuage) et de merveilleuses préparations […].
Dans vos derniers panneaux, j'ai trouvé la même puissance créatrice peut-être encore plus haut montée. »[89]

Clemenceau obtint un délai pour la remise des œuvres et conseilla Monet en ces termes : « Reprenez donc tranquillement possession de vous-même et consentez à n'être qu'un homme de faiblesse et de force mêlées. […] Vous n'êtes qu'un homme, mon ami, et j'en éprouve une grande joie car si vous étiez bon Dieu vous seriez bien embêtant. » La vue du peintre s'améliorait lentement, mais il changeait constamment de lunettes, sans laisser à ses yeux le temps de s'accoutumer, de sorte que sa vision se modifiait sans cesse. En mai, il se plaignit de « l'exaltation du bleu et du jaune » et dit un mois plus tard à un second spécialiste, le professeur Mawas :

« Je vois bleu, je ne vois plus le rouge, je ne vois plus le jaune […] je sais que sur ma palette il y a du rouge, du jaune ; il y a un vert spécial, il y a un certain violet ; je ne les vois plus comme je les voyais dans le temps, et pourtant je me rappelle très bien les couleurs que ça donnait. »

De nouvelles lunettes Zeiss se révélèrent d'abord « parfaites » et il put travailler à nouveau dans le jardin, mais la situation empira et les choses se mirent alors à aller très mal[90]. Louis Gillet écrivit à Monet en octobre :

« Je crois imprudent de revenir avec cet art fougueux [peut-être celui du Soleil couchant], sur des toiles déjà exécutées dans un autre système […]. J'ai grand-peur que vous ne brûliez ces belles choses grandioses, mystérieuses et sauvages que vous m'avez montrées ! »

Clemenceau fut scandalisé lorsque Monet lui dit qu'il pourrait rompre le contrat :

« Vous avez d'abord voulu finir des parties inachevées […]. Puis vous avez conçu l'idée absurde d'améliorer les autres. Qui est-ce qui sait mieux que vous, que les impressions du peintre changent à tout moment ? […]
Vous avez fait des toiles nouvelles dont la plupart étaient et sont encore des chefs-d'œuvre si vous ne les avez pas abîmées. Puis vous avez voulu faire des surchefs-d'œuvre, cela avec un instrument de vision que vous avez voulu vous-même imparfait. […] Sur votre

demande, un contrat est intervenu entre vous et la France, où l'État a tenu tous ses engagements. […] Il faut donc aboutir artistiquement et honorablement… »

Clemenceau reconnut toutefois qu'il y avait certains aspects positifs à l'entêtement du peintre : il l'avait, par exemple, supplié d'arrêter de retoucher une toile représentant des reflets de nuages, mais, entre deux visites, « des effets laborieux, où le pinceau s'obstinait, s'étaient merveilleusement aérés ». Il pourrait s'agir des Deux Saules ou des Nuages, dont le panneau central apparaît comme « aéré », tandis que le panneau de droite, lourd et sans vie, est l'un de ceux que Monet n'a pas réussi à métamorphoser. Clemenceau cite Monet :

« … Je savais bien que cette eau était pâteuse […]. Tout l'ensemble des lumières était à reprendre. Je n'osais pas […]. Vous aviez peur que je ne gâtasse ma toile. Et moi aussi. Mais je ne sais comment une confiance m'est venue dans mon malheur, et je voyais si bien, en dépit de mes voiles, ce qu'il fallait pour rester dans l'enchaînement des rapports, que la confiance m'a soutenu. »[92]

Un autre visiteur, qui avait admiré les toiles deux ans auparavant, déclara en les revoyant, en 1924 : « Loin d'avoir abîmé ces œuvres, le vieux maître […] a poussé encore plus avant. » La comparaison entre les photographies prises dans l'atelier et les panneaux achevés montrent que les modifications consistèrent pour une part en couches et en glacis de couleurs translucides, déterminant des relations plus subtiles entre la surface de l'eau, ses reflets et ses profondeurs. Par exemple, pour Le Matin clair aux saules pleureurs, le peintre créa, à la base des trois panneaux, des ombres étincelantes de lumière, aéra la texture de l'eau, atténua et diminua les silhouettes des nénuphars, de façon à suggérer l'éloignement ; il modifia subtilement les courbes des troncs pour encadrer l'espace lumineux, ajouta du flou sur les feuillages de manière à suggérer la brise, et pour finir de délicats accents de couleur claire de manière à ce que l'ensemble de la peinture parût vibrer de lumière[93].

À la fin de 1924, Monet travaillait au Soleil couchant, lorsqu'il informa soudain Léon qu'il n'honorerait pas le contrat. La longue patience de Clemenceau ne résista pas. « Aucun homme, écrit-il, si vieux, si entamé qu'il soit, un homme, artiste ou non, n'a pas le droit de manquer à sa parole d'honneur — surtout quand c'est à la France que cette parole fut donnée. » L'offre de compensation financière proposée par Monet à l'État était une « misère », et il continuait en ces termes :

« Si vous êtes diminué dans votre vision, c'est que vous l'avez voulu en laissant aggraver le mal de l'œil opéré et en refusant, comme un mauvais enfant, de laisser opérer l'autre. Cependant, il s'est produit un véritable miracle. Vous avez pu peindre et vous avez peint plus grand et plus beau que jamais […].
Et maintenant voici qu'un délire d'enfant gâté s'empare de vous. Vous avez décidé que votre peinture ne valait rien et bien que tous ceux qui ont vu les panneaux les déclarent d'incomparables chefs-d'œuvre, bien que vous fussiez très content d'eux à notre dernière entrevue, vous reprenez cyniquement votre parole […]. Si je vous aimais, c'est que je m'étais donné au vous que je vous voyais être. Si vous n'êtes plus ce vous, je resterai l'admirateur de votre peinture, mais mon amitié n'aura plus rien à faire avec ce nouveau vous. »

Monet se remit au travail et les deux vieux amis finirent par se réconcilier à Giverny, trois mois plus tard[94]. Avec de nouvelles lunettes (et un verre fumé pour l'œil non opéré), Monet travailla dans le jardin « avec une joie sans pareille » ; il ajoutait : « Je […] suis content de ce que je fais, et, si

Pages suivantes :

Détail des Grandes Décoration. Soleil couchant,
salle 1, musée de l'Orangerie, (ill. 191)

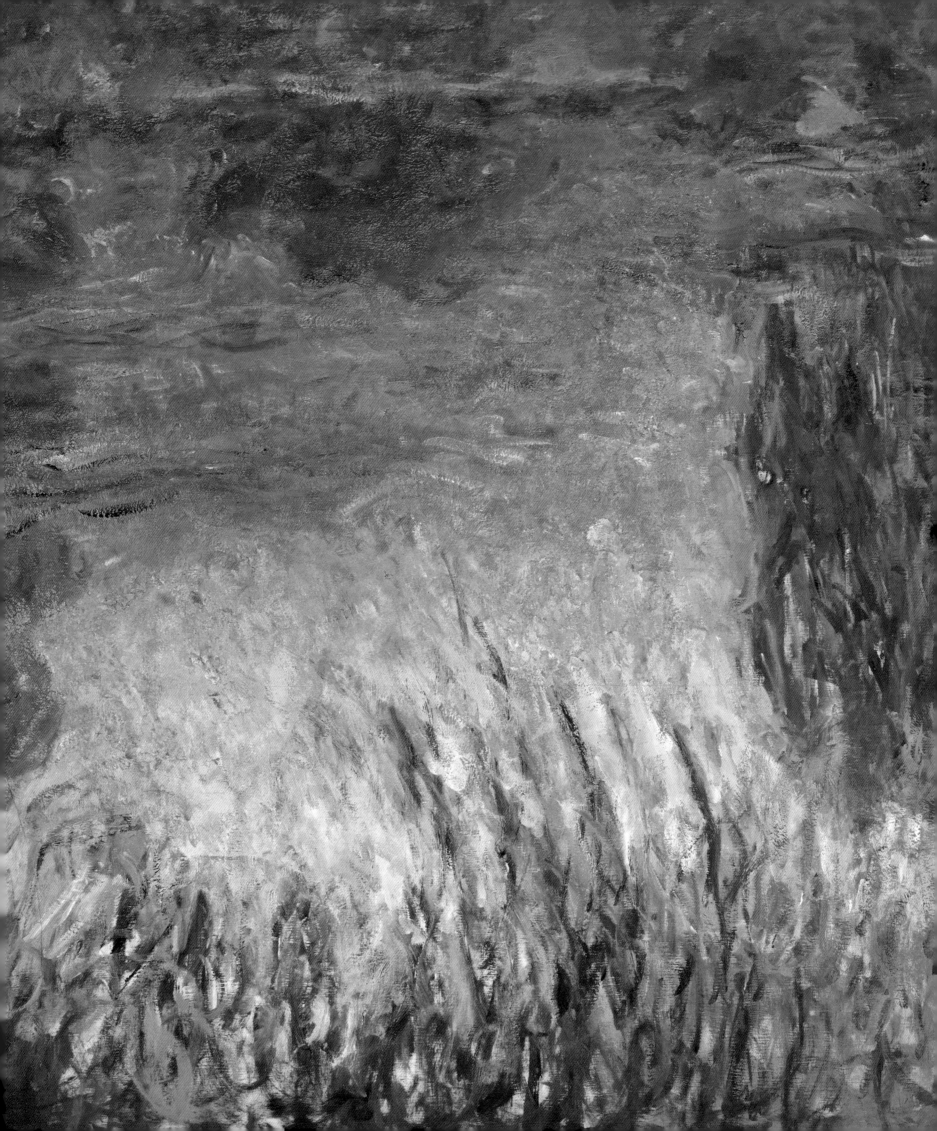

les nouveaux verres sont encore meilleurs, alors je ne demande qu'à vivre jusqu'à cent ans. » Enthousiasmé parce qu'il pouvait de nouveau affronter le plein air, il peignit les dernières représentations de sa maison, décrite par Paul Valéry, venu en visite durant l'été, comme « d'étranges touffes de roses saisies sous un ciel bleu. Une maison sombre. » Valéry remarqua les lunettes, « un verre noir, l'autre teinté »[95]. Les fenêtres de la maison, sur les photographies, leur font un étrange écho.

Ce même automne, Monet dit à Elder :

« Vous savez peut-être qu'enfin j'ai retrouvé ma vraie vue, que cela est pour moi comme une seconde jeunesse, qu'alors je me suis remis au travail dehors avec une joie sans pareille et qu'enfin je donne la dernière main à mes *Décorations*. [...] Je ne veux pas perdre un instant, tant que je n'aurai pas livré ces panneaux. »[96]

Ce fut peut-être dans la joie de cette vision retrouvée que Monet peignit les derniers effets de blancs teintés de rose et de bleu, qui contribuent à rendre plus immatériels les nuages chargés de pluie dans *Les Deux Saules* ; il retravailla le flou des bleus dans les feuilles du *Matin clair aux saules* ; il renforça les couches de peinture qui adoucissent les rives du *Matin* ; il brossa les stries de jaune et de vermillon qui incendient les reflets des saules dans *Soleil couchant*. En février 1926, Monet annonça à Clemenceau qu'il attendait que la peinture du premier jeu de panneaux séchât pour les expédier à Paris.

En avril, Clemenceau — qui était allé à Giverny pour lui annoncer la mort de Geffroy — écrivit : « Il est stoïque et même gai par moments. Ses panneaux sont finis et ne seront plus touchés. Mais il est au-dessus de ses forces de s'en séparer. »[97] En août, on diagnostiqua une « sclérose pulmonaire », qui expliquait la fatigue croissante qu'il ressentait, mais on ne lui en dit rien et il continua de lutter contre sa lassitude pour travailler sur les *Nymphéas*. Il écrivit à Clemenceau en septembre :

« Je pensais à préparer palette et pinceaux pour reprendre le travail, mais des rechutes et reprises de douleur m'en ont empêché. Je n'en perds pas courage pour cela et m'occupe de grands changements dans mes ateliers et de projets de perfectionnement du jardin.

[...] Sachez enfin que, si les forces ne me reviennent pas assez pour faire ce que je désire à mes panneaux, je suis décidé à les donner tels qu'ils sont ou tout au moins en partie. »

Trois semaines plus tard, au début d'octobre, il annonça à Léon qu'il avait été si malade durant l'été qu'il ne pouvait plus peindre, mais qu'il allait mieux maintenant : « Malgré ma faiblesse, je me suis remis au travail, mais à très petites doses. » Puis il cessa définitivement de peindre et ne parla plus que « de ses fleurs et de son jardin »[98].

Claude Monet mourut le 5 décembre 1926. Avant que le cortège funèbre ne se mît en route vers le cimetière du village, Clemenceau insista pour que le drap noir du cercueil fût remplacé par un tissu décoré de fleurs. Le monde

---

295. Le polyptyque des *Trois Saules* (trois panneaux et une partie d'un quatrième), dans le troisième atelier de Monet, novembre 1917

296. Deux panneaux du polyptyque des *Trois Saules*, novembre 1917

297. Monet devant les trois panneaux du polyptyque des *Trois Saules*, après 1923 (?)

Ci-contre :

Détail des *Grandes Décorations. Le Matin clair aux saules*, salle 2, musée de l'Orangerie (ill.299)

Pages suivantes :

Détails des *Grandes Décorations. Matin*, salle 1, musée de l'Orangerie (ill. 242)

Détail des *Grandes Décorations. Les Nuages,* salle 1, musée de l'Orangerie (ill.293)

Pages suivantes : Détails des *Grandes Décorations. Reflets verts,* salle 1, musée de l'Orangerie (ill.294)

298. *Les Grandes décorations. Reflets d'arbres*, 2 toiles, chacune de 200 x 425, salle 2, mur 1, musée de l'Orangerie, Paris (voir détail, 298-299)

299. *Les Grandes décorations. Le Matin clair aux saules*, 3 toiles, chacune de 200 x 425, salle 2, mur 4, musée de l'Orangerie, Paris (voir détails, 251, 289, 300, 301)

300. *Les Grandes décorations. Le Matin aux saules*, 3 toiles, chacune de 200 x 425, salle 2, mur 2, musée de l'Orangerie, Paris (voir détail, 304)

301. *Les Grandes décorations. Les Deux Saules*, 4 toiles, chacune de 200 x 425, salle 2, mur 3, musée de l'Orangerie, Paris (voir détail, 305)

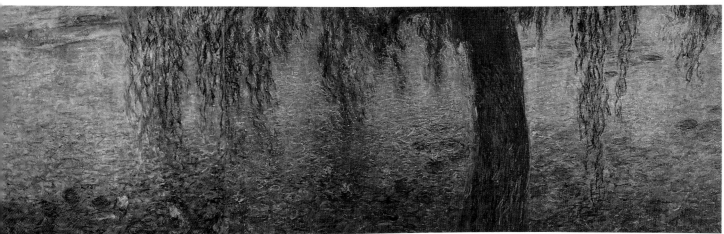

Détail des *Grandes Décorations. Reflets d'arbres,* salle 2, musée de l'Orangerie (ill.298)

Pages suivantes : Détails des *Grandes Décorations. Le Matin clair aux saules,* salle 2, musée de l'Orangerie (ill.299)

302. Photographie
des *Grandes
Décorations,
Les Deux Saules* et
*Le Matin clair
aux saules*, 1927,
salle 2, musée
de l'Orangerie

303. Photographie des
*Grandes Décorations, Le
Matin clair aux saules*
et *Reflets d'arbres*,
1927, salle 2, musée
de l'Orangerie

moderne fit une soudaine intrusion au moment où les assistants se rassemblèrent autour de la tombe et que les cinéastes apparurent « dans ce merveilleux silence qui nous étreignait et qu['allait] rompre le cliquetis des appareils. »[99]

C'est seulement après la mort de Monet que les *Nymphéas* furent enlevés de l'atelier pour être marouflés sur les murs de l'Orangerie. *Les Grandes Décorations*, que le vieil artiste avait peintes « comme s'il avait l'éternité devant lui », furent inaugurées le 16 mai 1927. Peut-être le peintre avait-il préféré mourir avant que ses œuvres, conçues initialement comme des éléments décoratifs pour sa demeure, ne fussent accessibles au public dans les conditions qu'il avait choisies, au cœur de la cité moderne ?

Les plus grands des paysages du XIXᵉ, conçus dans les années 1890, furent ainsi vus du public plus de vingt-cinq ans après le début du XXᵉ siècle. Les nombreux livres et articles qui sortirent ensuite des presses rendirent hommage à un monument culturel appartenant à une époque révolue, sans songer à l'impliquer dans les recherches récentes qui pouvaient susciter de nouvelles interrogations. En juin 1928, Clemenceau — celui grâce à qui cette réalisation avait été menée à terme — écrivait : « Je suis allé à l'Orangerie. Il n'y avait absolument personne. Dans toute la journée, il y eut à peu près quarante-six personnes, hommes et femmes, quarante-quatre étaient en fait des amoureux à la recherche d'un coin tranquille. »[100]

## III    Les *Grandes Décorations* à l'Orangerie

Monet avait eu le premier l'idée d'une sorte d'antichambre, qui aurait isolé les visiteurs des *Grandes Décorations* du trafic et du bruit du Paris moderne. De nos jours, la première salle de l'Orangerie remplit cette fonction : on pénètre dans un espace indéterminé, avant de se retrouver encercler par les *Reflets verts*, flanquée des courbes plus allongées des *Nuages* et du *Matin*; lorsque l'on se place au centre de la pièce, on découvre *Soleil couchant*, panneau de six mètres de long, et l'on est peu à peu comme absorbé par ces immenses étendues d'eau et de lumière.

Le caractère très différent des compositions concaves conduit le spectateur à chercher les interconnexions jusqu'à ce qu'il se sente littéralement encerclé. Les subtilités de l'observation entraînent à approcher et à saisir le moment où l'illusion devient peinture, et réciproquement. Ce faisant, les tableaux concaves paraissent reculer et s'enfoncer dans les profondeurs, où ils s'étirent au-delà des bornes du champ de vision, jusqu'à l'infini... L'image du monde extérieur se désintègre alors en griffonnages, taches, frottis et croûtes de peinture ; les nymphéas, les nuages et les saules, la surface lisse ou ridée de l'eau et ses profondeurs transparentes se dissolvent en un magma de couleurs sèches. Monet a cherché à préservé la sécheresse de sa peinture, en faisant stipuler sur un contrat que les panneaux ne seraient pas vernis, et en utilisant lors du travail d'immenses feuilles de papier-buvard pour absorber l'huile de la peinture[101]. Si l'on recule ensuite jusqu'à un certain point, l'illusion réapparaît et tout se passe comme si l'on regardait dans les profondeurs ou à la surface même du bassin ; pourtant la conscience de la peinture ne se dissipe point et les ressemblances avec le monde naturel hésitent devant le regard chargé de souvenirs.

Les tableaux sont ainsi la concrétisation d'une préférence qu'exprimait Baudelaire en 1859 — l'année de l'arrivée de Monet à Paris — pour les illusions que lui imposait « la magie brutale et énorme » de la mise en scène théâtrale et des « dioramas »[102]. En raison de la consubstantialité de l'artifice et de l'illusion, ni les compositions isolées ni le cycle entier ne se révèlent sur-le-champ. Ils n'existent qu'avec le temps et ne s'installent que graduellement dans la conscience du visiteur : celui-ci, oubliant tout, cesse alors d'être un visiteur, pour devenir un créateur de cet univers tourné sur lui-même.

On retrouve ce lent processus en observant les *Reflets verts* (ill.294), qui est vraisemblablement le diptyque offert à la France pour commémorer la victoire de 1918. Peint de verts sombres et brillants, de bleus et de violets profonds, le tableau suggère le calme miroitant de l'eau à l'ombre des saules, avant que la surface ne soit ridée par la brise du soir. Sur la gauche de la composition, rien ne masque les grands griffonnages de peinture qui prennent la forme des feuilles de saule qui se reflètent, mais le centre consiste en une surface texturée, à plusieurs couches, qui caractérise les œuvres avec lesquelles Monet eu le plus de difficultés. Cette surface est balafrée par l'une des estafilades que le peintre a faites lorsqu'il désespérait manifestement de pouvoir matérialiser sa vision. Pourtant, la plaie a été pansée et la densité des couches de peinture accumulées crée des surfaces sèches, heurtées, à partir desquelles les moments d'observation les plus subtils viennent à se concrétiser imperceptiblement : un entrelacs de verts plus clairs figure l'interaction entre un rayon fugitif de lumière directe et une lumière vague dans les profondeurs de l'eau. Les touches incurvées de bleu-violet clair sous les feuilles des nénuphars indiquent les ombres, cependant que des courbes similaires, traitées en vert clair ou en bleu foncé, relient les feuilles et les îlots entre eux, et permettent de distinguer d'un coup d'œil les feuilles qui se tiennent hors de l'eau, de celles qui flottent dessus et de celles qui sont partiellement immergées.

Les *Reflets verts* nous rappellent que, si les *Décorations* furent le fruit d'un rêve de créer une enceinte protectrice idéale, leur échelle a été rendue nécessaire par le besoin d'un espace suffisant pour matérialiser les diverses manières dont la vue prend possession du monde physique. Les contradictions apparentes entre l'échelle choisie et le raccourci que représente les îlots de nénuphars montrent bien qu'il ne s'agissait pas d'un monde borné par la perspective linéaire, mais d'un monde qui change selon la perception du temps et de l'espace. L'îlot qui occupe le centre du bassin, par exemple, est plus petit que l'on ne s'y attendrait d'après sa position dans l'espace, mais les traits y sont plus fermes et la couleur y est plus claire par rapport à ceux qui l'entourent. Lorsqu'on le fixe — comme Monet a dû le faire en peignant — les autres îlots de feuilles s'estompent et s'étendent à la limite du champ de vision ; si l'on embrasse du regard la surface de l'eau pour « concentrer son regard » sur d'autres îlots de feuilles, celui du centre garde sa puissance de rayonnement. Les *Reflets verts* constituent l'un des plus petits tableaux de l'ensemble des *Décorations*, mais la représentation des phases de lumière reflétées à la surface du bassin ou diffusées dans ses profondeurs y est infiniment complexe. Ces phases ne sont plus séparées l'une de l'autre, mais s'agglomèrent dans l'élément liquide de telle sorte que la conscience qu'on en a devient à la fois continue et cumulative.

Le rendu de la lumière est toutefois plus complexe encore dans *Nuages* et *Matin* (ill.292 et 293), les bandes de treize mètres qui flanquent les *Reflets verts*. L'insistance de Monet sur une disposition elliptique de ses *Décorations* impliquait que la distance de vision pouvait être plus courte pour les tableaux des longs côtés de la première salle que pour ceux des petits côtés, aux deux extrémités. Le spectateur se voit alors octroyé un rôle plus actif pour ressentir les effets de lumière à la fois dans l'espace et dans le temps : même depuis l'autre côté de la pièce, il est impossible à aucun moment d'embrasser de l'œil la totalité des phases de lumière qui se jouent sur l'étendue de la surface peinte. La composition du *Matin*, en quatre panneaux, doit beaucoup aux paravents japonais. L'abandon d'un système unifié de perspective libère le spectateur de son rôle d'observateur détaché, considérant le monde depuis un endroit fixe à un moment déterminé dans le

---

Pages suivantes :

Détails des *Grandes Décorations*. *Les Deux Saules* (à gauche) et *Le Matin clair aux saules*, salle 2, musée de l'Orangerie (ill.301 et 300)

temps. Le spectateur est en effet contraint à se déplacer le long de la peinture, en explorant ses multiples effets à la fois successivement et simultanément, tels qu'ils coexistent sur la toile et dans la pensée. Le regard peut plonger vers les nénuphars qui sont en bas, ou bien regarder « de l'autre côté » de l'étendue d'eau, là où la soudaine diminution de taille des îlots de nymphéas et la modulation du violet-bleu vers des teintes plus rosées suggèrent un espace lumineux et liquide qui tend à l'infini. On peut s'arrêter sur les reflets brillants du côté gauche, où les herbes sont saisies par les rayons obliques du premier soleil et où, dans les ombres transparentes, de petites lignes concentriques suggèrent « la semence qui tombe ». On peut également se déplacer le long de la peinture, au-delà de la zone centrale de bleus-violets lumineux, fortement accentuée par des bleus brillants, qui suggère la clarté de l'eau ridée par la brise, pour atteindre le secteur plus sombre, sur la droite, où les herbes sont rendues de manière floue, comme pour indiquer des restes de brouillard au travers desquels on ne distingue que faiblement le reflet d'un saule rendu translucide par la lumière située derrière lui.

Entre *Les Nuages* et *Matin* se trouve *Soleil couchant* (ill.291), un panneau de six mètres de long, dans lequel un flamboiement de lumière dorée illumine les ombres qui s'épaississent sur le bassin. La peinture réactive l'expérience que l'on fait lorsque les yeux, s'accommodant peu à peu à la lumière aveuglante, commencent à discerner des formes : les feuilles et les herbes fantomatiques semblent émerger de l'éblouissement, et le ciel étincelant qui incendie les feuilles des saules apparaît dans le « fond » ombreux du bassin. Pourtant, ces reconnaissances ne stabilisent rien : on lutte en effet pour s'assurer de la réalité de ce que l'on voit, tandis que l'immense flamboiement jaune attire irrésistiblement les yeux et semble creuser dans le bassin un abîme qui disloque toutes les autres relations ou dimensions.

Les toiles trahissent, là aussi, les difficultés éprouvées par Monet pour adapter son « rêve » à un cadre architectural défini. Dans le *Matin*, il n'a pas réussi à harmoniser les couleurs des panneaux de gauche ; les feuilles des nénuphars ont été sommairement esquissées et ne « glissent » pas de panneau en panneau ; les iris qui ont été repeints restent visibles. Dans *Les Nuages*, les reflets sombres n'ont pas trouvé de solution ; le *Soleil couchant* est si sommairement esquissé que l'on voit par endroits la toile à nu ; les surfaces des *Reflets verts* et de *Matin* sont endommagées, grattées et même lacérées par endroits. Pourtant, ces secteurs non résolus impliquent le spectateur dans le processus d'achèvement, et révèlent un peu les méthodes selon lesquelles les impressions et sensations ont été amenées à former des images.

Peut-être influencé par la manière dont les scènes peintes sur les murs-paravents japonais se poursuivaient parfois par-delà l'encadrement d'une porte, Monet semble avoir essayé de créer des continuités entre les toiles en utilisant les espaces qui les séparent comme des champs imaginaires d'activité : les ombres lumineuses, à la gauche des *Nuages,* pourraient ainsi s'articuler avec celles du *Soleil couchant* attenant, tout comme l'échelle, la perspective et la distribution des feuilles de nénuphars qui établissent des correspondances de part et d'autre du passage. Des connexions similaires sont suggérées entre les herbes de la rive, à droite du *Matin,* et celles du premier plan du *Soleil couchant.* Les différences entre les compositions étaient toutefois trop grandes pour que Monet pût les résoudre dans le temps qui lui était imparti, mais la puissance de suggestion de la grande ellipse est telle que le spectateur s'efforce toujours de rétablir une sorte de continuité à partir des éléments fragmentaires.

Parce qu'ils sont disposés en cercle les tableaux semblent reproduire le cycle conventionnel de la lumière, de l'aube au crépuscule. Pourtant lorsque Monet a peint les *Décorations,* il ne pouvait plus travailler en plein soleil, de sorte qu'à la continuité spatio-temporelle que devait apporter la disposition dans les salles, s'est substitué un système de dualité : les notions de lumière et d'obscurité, d'aube et de crépuscule, de jour et de nuit

alternent en permanence dans l'esprit. Le cycle se fragmente ainsi en de grands morceaux de temps et d'espace, unis — de manière précaire — par la seule conscience du spectateur qui se souvient.

Les tableaux ne sont pas des *vues* de quelque chose qui existerait en dehors d'eux-mêmes et dont on serait séparé. Ce n'est pas seulement parce que l'on fait véritablement partie de cet espace peint, mais aussi parce qu'à aucun moment l'illusion n'est intacte, le cycle de tableaux achevé ; à aucun moment, on ne se sent délivré du désir de les réunir et d'en faire l'enclos parfait que Monet a cherché. La salle absorbe graduellement le spectateur dans son présent éternisé, où s'efface les souvenirs du monde extérieur. Elle sert ainsi d'antichambre au second cycle, tout en préservant la dualité : lorsque l'on passe dans la seconde salle, l'illusion de la continuité que les tableaux invitaient à créer est brisée.

Dans la seconde salle, les phases complexes de la lumière sont distillées dans une seule essence de bleu, intense, lumineuse, surnaturelle. Ce n'est que lorsque l'on se retrouve encerclé par ce bleu omniprésent et lorsque l'on regarde en arrière les quatre panneaux des *Reflets d'arbres* (ill.298), que l'on voit le bleu aérien s'éteindre dans les bleus sombres et les violets.

L'étonnante clarté de vision manifestée dans les tableaux est impossible à concilier avec ce que l'on sait de la vue faiblissante de l'artiste, tout comme il est difficile de concevoir que leur calme pénétrant naisse d'un cycle où la notion même de « perte » fait partie intégrante de la structure. Plus fortement encore que celles de la première salle, les quatre grandes étendues d'eau imposent l'idée d'un cycle de la lumière qui va de l'aube du mur est, jusqu'à l'obscurité du mur ouest, mais, là encore, le cycle est faussé.

L'intensité presque visionnaire des *Deux Saules* étant peut-être difficile à contempler dès l'abord, la plupart des visiteurs, en entrant dans cette salle, se tournent vers les deux triptyques, *Le Matin aux saules* (ill.300) et *Le Matin clair aux saules* (ill.299). Dans ces deux ensembles, les troncs puissants des saules encadrent l'eau libre au centre du mur légèrement concave, avec leurs contrepoints de feuilles subtilement variées, leurs enchaînements d'îlots de nymphéas, leurs nuages qui se reflètent, et leurs saules peints d'harmonies toujours changeantes de bleu, de bleus-verts, de bleus-violets, de bleus teintés de mauve et de rose, de bleus saturés de blanc. Les longues sections de peinture résument les phases complexes de la lumière : *Le Matin clair aux saules* va des ombres bleu foncé, mais brillantes, près des *Reflets d'arbres,* jusqu'à une lumière plus chaude à l'autre extrémité. Cette surface unifiée, brossée de rose foncé, suggère un ciel couvert, alors que la surface étincelante du *Matin clair aux saules* indique plutôt une lumière brillante et aérée. Sur la droite, les feuillages tombants semblent agités par la brise, tandis que ceux de la gauche pendent lourdement ; les bleus et les verts profonds suggèrent toujours l'eau située à l'ombre. Cependant, les touches brisées de bleu plus clair auxquelles se mêlent des couleurs plus chaudes qui bordent les stries de teintes plus foncées, enregistrent les premiers frémissements de la brise ; un trait apparemment fortuit saisit le moment où une feuille de saule effleure l'eau et se fait reflet.

La beauté unique et aérienne des *Deux Saules* (ill.301) s'étale sur les dix-sept mètres de concavité profonde qui séparent les deux panneaux du *Matin aux saules.* À l'exception des signes extrêmement élégants qui marquent les saules (comme les arbres silhouettés de certains *fusamas*), on ne voit rien d'autre que l'eau. Celle-ci rend visible un ciel immense d'un bleu radieux, adouci par les mouvements lents des nuages de l'été, et rythmé par les constellations de feuilles de nénuphars d'un bleu-vert pâle et des fleurs blanches et roses qui se fondent dans un éloignement vaporeux. De délicates modulations de couleur indiquent la lumière qui se reflète dans l'eau ou que l'eau reflète, tandis que le flou des nymphéas évoque la vibration de la lumière aérienne suspendue dans l'air entre le spectateur et le bassin, l'eau et le ciel. La clarté de la vision est maintenue, de l'immensité de l'espace matérialisé jusqu'aux plus petits détails : ainsi dans les taches

304. Kaihô Yushô, *Pin et prunier au clair de lune*, seconde moitié du XVIᵉ siècle, 6 panneaux pour paravent, encre et lavis sur papier, 169 x 353

de peinture presque blanches, éclaircies par des grattages à la pointe du pinceau, qui saisissent la manière dont les ondulations, dans les profondeurs translucides, capturent la lumière comme le ferait du cristal liquide.

Et pourtant ces innombrables coups de pinceau, ces traits épais de peinture presque sèche, ces griffonnages et ces taches ; ces couches superposées de pâte colorée formant des surfaces puissamment striées et texturées, tout cela est et demeure de la peinture. Cette matérialité de la peinture représente l'immatérialité de la lumière ; cette opacité, les transparences de l'eau ; cette densité, la vibration de l'air. Les gestes créateurs sont ceux d'un vieil homme menacé de cécité, ce qui n'enlève rien à la fraîcheur de la vision du peintre, si bien que les propos de Baudelaire, selon qui l'artiste a quelque chose de l'enfant « qui voit tout en *nouveauté* », semblent parfaitement approprié[103].

Le brutal changement d'échelle, entre les nénuphars de la base des tableaux et ceux qui se situent au milieu ou plus loin, crée la sensation d'un espace sans fin. Lorsque l'on approche de la peinture, ses concavités profondes enferment entièrement le champ de vision et l'on est attiré à l'intérieur de la peinture elle-même. Les irisations bleues des saules se transforment alors à peine plus en images aux limites du regard ou de la mémoire, tandis que les formes que l'on cherche à saisir se dissolvent, voile après voile, dans l'épaisseur des couches de pâte colorée. Perdant toute notion de localisation dans l'espace, on perd aussi le sens de l'autonomie corporelle, et l'esprit semble se faire à l'idée d'une dissolution dans la lumière omniprésente, cette lumière qui se fait peinture sous les yeux du spectateur. Lorsque l'on se recule pour contempler la fragilité des fleurs et des feuilles flottant dans le ciel liquide, le souvenir de leur « non-forme » persiste et l'on ne peut s'empêcher de faire le rapprochement avec le symbolisme des nénuphars de Mallarmé, qui enferment « dans leur blancheur creuse un néant, fait de rêves intacts... ».

Quand on se détourne, ensuite, on est fortement surpris de voir l'extinction de la lumière dans les *Reflets d'arbres*, sur le mur opposé de l'ellipse. Jamais encore, Monet n'avait peint sérieusement l'obscurité : les

épaisses couches de peinture, tout comme les multiples études préparatoires, montrent qu'il a eu des difficultés à établir la surface plane de l'eau ou ses profondeurs inférieures. Essayer de peindre ce qui se cache dans l'obscurité était pour lui aussi malaisé qu'éloigné de tout ce qu'il avait recherché jusque-là dans sa peinture.

Tout comme les quatre panneaux de la première salle, ceux de la seconde invitent le spectateur à recréer un cycle achevé, en essayant de suivre les allusions suggérées par les relations entre les ombres adjacentes de *Matin aux saules* et de *Reflets d'arbres*, ou entre les luminosités voisines des deux *Matin aux saules*, qui sont les plus proches des *Deux saules*. Le sens de l'existence de ce type de relations est difficile à soutenir, car le temps n'est pas représenté comme une continuité diurne, mais comme une opposition entre lumière et obscurité, à laquelle les *Matin aux saules* servent de moyen terme. De plus, alors que chacune des multiples phases de la lumière est intensifiée par la conscience des autres, elle rend également ambiguë leur spécificité temporelle : l'un des deux *Matin aux saules* est-il plus ancien que l'autre, et lequel ? La lumière plus rose de l'un précède-t-elle la brise matinale de l'autre, ou s'agit-il simplement d'un effet différent ? Les éclats dans l'obscurité des *Reflets d'arbres* signifient-ils la dernière lumière d'un ciel vespéral, l'« obscure clarté » du ciel nocturne, ou la lumière naissante de l'aube ? Peut-on rattacher les phases de lumière au fait que — comme Monet le faisait remarquer à ses visiteurs — les fleurs de nénuphars s'ouvrent à l'aube et se ferment au crépuscule[104] ? À première vue, *Les Deux Saules* et les *Reflets d'arbres* ont une présence assez forte pour que chacun d'eux fasse provisoirement oublier l'autre, et pour suggérer que la dissolution finale du moi se trouve aussi bien dans l'essence lumineuse du premier que dans les eaux sombres du second. La présence de deux *Matin* disloque ce dualisme simple et insiste sur l'interprétation de chaque phase de lumière dans la conscience de chacun : l'obscurité est ainsi latente dans l'expérience de la lumière ineffable des *Deux Saules*, et cette lumière demeure comme un souvenir dans l'obscurité des *Reflets d'arbres*.

305. *Nymphéas, reflets de saule* (W.1862), 1916-1919, 200 x 200

Ci-contre :

306. *Camille Monet sur son lit de mort* (W.543), 1879, 90 x 68

Un visiteur de l'atelier de Monet notait en 1918 : « Nous semblons assister à une des premières heures de la naissance du monde. »[105] Le peintre a rejeté toute interprétation « métaphysique » de son œuvre, répétant à la fin de sa vie qu'il cherchait uniquement à être fidèle à son sentiment de la nature. Pourtant, son obsession des éléments naturels (eau et lumière) — si essentiels à la vie qu'ils sont au cœur du langage, de la mémoire et de la culture — suggère inévitablement des associations de cette nature. Elles naissent spontanément de l'expérience des *Grandes Décorations,* par la manière dont la forme émerge de la matière indifférenciée, pour se dissoudre à nouveau en elle. Cette double expérience de la forme indique un état de conscience qui perçoit le monde comme fluide, et non comme figé dans les formes statiques que l'expérience quotidienne et la pensée fonctionnelle lui assignent.

Le désir de Monet de peindre sans « connaître ce qu'il voyait » ne pouvait être pleinement exhaussé ; néanmoins, en peignant, il avait été capable de transcender le système pratique d'identification et de structurer son champ de vision en fonction des « sensations colorantes qui donnent la lumière ». Ce mode de vision débouchait sur des images composées d'assemblages de couleurs perpétuellement changeants, dont la stabilisation temporaire en formes identifiables ne dépend que du spectateur et de son désir de retrouver le connu[106]. Ce type d'images, comme Clemenceau le déclarait, avait des analogies significatives avec les hypothèses de la physique contemporaine, tout autant qu'avec les théories sur la nature de la conscience : les peintres des écoles « orphiste » et « futuriste » s'y intéressaient[107]. Pour Monet comme pour Cézanne, qui pensaient que la nature se suffisait à elle-même, la peinture suggérant la matière informe se développa à partir de leurs « recherches » vers leurs propres sensations du monde extérieur. D'autres artistes de la fin du XIXe siècle et du début du XXe utilisèrent par contre des sources littéraires pour exprimer leur préoccupation de l'informe. Redon exécuta de nombreuses représentations d'Oannès, dont l'une portait l'inscription : «Moi, la première conscience du chaos : je me suis élevé des profondeurs pour raffermir la matière et régir la forme. » Moreau consacra de nombreuses peintures à Narcisse, allant des allégories

308. Monet, Germaine Hoschedé-Salerou et Blanche Hoschedé-Monet, dans le troisième atelier de Monet, avec son autoportrait (aujourd'hui détruit), vers 1917

élaborées aux esquisses à l'huile, dans lesquelles le corps du jeune homme semble sur le point de se fondre dans le paysage liquide[108]. La signification de ces œuvres nous est accessible car leurs sources sont identifiables tandis que celle des tableaux de Monet reste dans le royaume de la sensation, antérieur à toute parole. Geffroy décrivait les décorations comme « un grand poème panthéiste », suggérant une aspiration du moi à se dissoudre dans la totalité de la nature. Dans les dernières années, quand sa vue continuait à décliner, Monet voyait parfois la nature comme un matériau indifférencié auquel il ne pouvait donner une forme que péniblement et au prix d'une certaine agitation : on le voit bien dans *Allée de rosiers* ou dans *Soleil couchant.* Même du temps où sa vue était bonne, et où il travaillait sur ses grands panneaux, il devait se tenir si près de ses œuvres que toute forme spécifique devait disparaître dans les entrelacs de peinture qu'il avait devant lui. Pourtant, le mouvement créateur de la forme avait été intériorisé depuis longtemps : en le déployant sur l'immensité de toile qui s'étendait bien au-delà de son regard affaibli, Monet a peut-être réussi à s'immerger « plus intimement dans la nature »[109].

307. Gustave Moreau, *Narcisse,* 1890, 53 x 61

309. Monet photographiant son ombre dans l'étang aux nymphéas

La vaine tentative de Narcisse pour saisir son reflet se trouve curieusement évoquée dans une photographie que le peintre a prise de son ombre, dans le bassin aux nymphéas. En 1917, il n'exécuta pas moins de quatre autoportraits (W.1843-1844), ses premières toiles consacrées au visage humain depuis les années 1890 ; l'une d'elles apparaît sur une photographie de son atelier, appuyée sur un tableau de la surface du bassin. Le fait que Monet ait détruit trois de ces autoportraits et n'ait sauvé que le quatrième en le donnant à Clemenceau semble significatif. En effet son examen du moi avait toujours été sublimé en examen du monde extérieur et l'accomplissement de son être propre ne pouvait s'accomplir que s'il essayait de saisir la réalité de ce monde, une réalité qui lui échappait de manière aussi torturante que le visage échappe à Narcisse dans le miroitement de l'eau. Même lorsque l'on ne retrouve pas l'image de l'artiste, celle de Narcisse vient immédiatement à l'esprit lorsque l'on évoque les efforts inlassables de Monet pour capturer les reflets sur sa pièce d'eau. Lorsque Gillet associe le bassin des *Paysages d'eau* au lac de l'*Embarquement pour Cythère,* de Watteau, il suggère que les premiers tableaux du bassin de nénuphars avaient conservé une

présence humaine, renvoyant peut-être à des images d'une femme — probablement Alice Hoschedé — sur l'eau du bassin de Montgeron, dans les toiles de 1876, ou les tableaux des filles en bateau, se reflétant elles aussi dans l'eau, comme on le voit dans une toile encore accrochée dans l'atelier du peintre en 1920, près de *La Barque*[110]. Les Grandes Décorations sont significativement différentes. La longue dévotion de Monet au réalisme avait toujours de l'effet, car elle continuait de le placer dans une relation précaire au monde qu'il représentait et dont il souhaitait faire partie. On le voit de manière plus manifeste dans le *Déjeuner* : bien que sa place y soit marquée, il en est absent en tant qu'observateur de la scène représentée, mais il est omniprésent en tant que créateur d'une réalité nouvelle qui n'existe que dans le tableau. Les *Grandes Décorations* étaient l'accomplissement des soixante années d'expérience picturale de Monet et exprimaient son désir intense de totalité et d'une totalité dans laquelle tout l'héritage de l'humanité a été rendu magnifiquement impersonnelles.

*Nymphéas, Reflets de saules* (ill.305), grande étude rattachée aux *Reflets d'arbres* et peinte en 1916, l'année de Verdun, révèle que la substructure de

310. Augustin Préault, *Ophélie,* relief en bronze d'après un moule au plâtre, présenté au Salon de 1876, 75 x 200

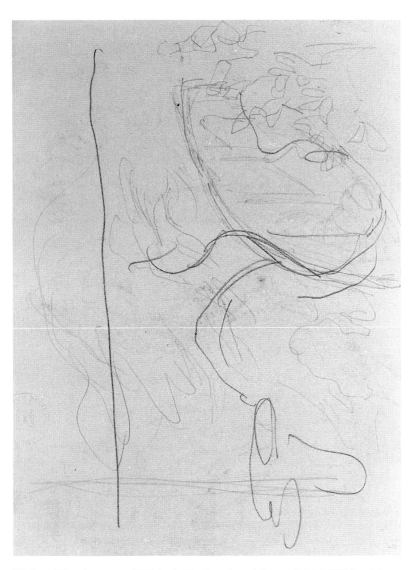

311. *Jeune Fille en barque,* vers 1887, dessin à la plume (carnet de croquis, MM. 5129, 9 recto)

*Reflets d'arbres* est composée d'une matière presque indifférenciée : de longues traînées de bleus et de violets dans lesquelles toutes les dimensions se confondent[111]. Ces traits englobent les feuilles de nénuphars, dont il avait fait des esquisses au préalable, et submergent même une des deux fleurs. Les feuilles ont été reprises ensuite et les violets des troncs d'arbre reflétés ont été renforcés, mais leur existence est fragile, éphémère, instable ; ils semblent être à la fois présents et absents, comme s'ils se fondaient dans les coups de pinceau. La structure peinte de cette œuvre est curieusement semblable à celle de la toile représentant *Camille Monet sur son lit de mort* (ill.306), où les longs traits de brosse hésitent sur les formes que l'on sait être solides, submergeant les fleurs qui recouvrent la poitrine de Camille (à l'instar des nénuphars peints dans les *Reflets d'arbres* ), comme si la mort représentait pour le peintre, un retour à l'informel.

La relation entre les deux tableaux évoque l'antique association entre l'eau et la mort, que Bachelard explique dans *L'Eau et les Rêves* comme expression du désir inconscient (ou de la crainte) de la réintégration au sein de l'élément premier, obsession si profondément ancrée qu'elle recourt constamment au mythe et à des formes culturelles plus conscientes[112]. L'une de ces images récurrentes est celle de la femme noyée flottant dans le courant, selon le type émouvant représenté par le personnage d'Ophélie. Il n'est pas plus vraisemblable que Monet ait représenté Ophélie, qu'il n'a voulu figurer Narcisse, mais il est possible que l'élément naturel qui a fasciné Monet toute sa vie ait été associé confusément dans sa pensée aux nombreux tableaux représentant Ophélie. Un relief de bronze de Préault, présenté à l'Exposition de 1900, montre les cheveux et les draperies de la morte « dissolvant » son corps dans les tourbillons de l'eau. On y sent comme une analogie avec le processus d'association utilisé par Monet dans une suite de dessins représentant une fille dans un bateau : les lignes qui indiquent sa présence s'effacent progressivement, de sorte que, dans le dernier dessin, son corps subsiste à l'état de trace, alors que toute l'attention est concentrée sur « les herbes ondulant dans le fond »[113]. Ce dessin n'est pas seulement une étude préparatoire pour *La Barque,* en bien des points similaires à *Reflets d'arbres,* mais curieusement, est aussi lié aux grands *Nymphéas,* en ce qu'un dessin préliminaire aux *Décorations* y avait été surimposé de manière à ce que les multiples ondulations suggèrent à la fois les rides de l'eau dans l'un des dessins et les reflets des feuilles de saules dans l'autre. On y retrouve ainsi le sens de l'absence-présence que l'on avait relevé dans les deux tableaux du bassin de Montgeron, sur lesquels le personnage reflété est fragmenté en plans mobiles de couleur et confondu avec les formes miroitantes des deux arbres reflétés, par ailleurs assez semblables à ceux des *Reflets d'arbres*.

Le peu que Monet ait dit de l'eau, pourtant l'un des éléments qui a occupé son travail toute sa vie durant, suggère que ses sentiments à son égard étaient complexes. Chaque fois qu'il retournait pour peindre la côte normande de son enfance, il disait qu'il se sentait « dans son élément » ; après 80 ans, il répétait souvent son souhait d'être enseveli au bord de la mer, et plus d'un de ses amis intimes a parlé de son amour passionné pour l'eau. On connaît aussi le curieux incident de 1868, lorsqu'il se jeta dans la Seine : il était bon nageur, de sorte qu'il ne risquait pas grand-chose, mais le caractère excessif de l'acte (si acte il y a eu) indique que cette impulsion

avait peu de choses à voir avec la réalité[114]. Cet incident se serait déroulé à Bennecourt, peu de temps après que Monet eut peint Camille sur la rive du fleuve, avec un bateau vide amarré à ses pieds, regardant le reflet du ciel et du paysage dans l'eau tranquille. C'était la première fois qu'il peignait ce type de motif, sorte d'anticipation des *Nymphéas*.

Les *Reflets d'arbres* constituent une peinture de l'obscurité ; celle de la cécité et de la mort n'était probablement pas très loin de l'esprit de l'artiste lorsqu'il peignit non seulement cette toile sombre, mais aussi la lumière brillante des *Trois Saules* ou des *Agapanthes*, durant les plus noires années de la guerre. La mort devait occuper son esprit — la sienne, comme celle de millions d'hommes. Lorsque Renoir mourut en décembre 1919, il écrivit à Fénéon :

« Vous devinez quelle peine c'est pour moi que la disparition de Renoir : il emporte avec lui une partie de ma vie. Depuis ces trois jours, je ne cesse de revivre nos jeunes années de luttes et d'espérances […]. C'est dur de rester le seul, pas pour longtemps certainement. »[115]

312. Monet en compagnie du duc de Trévise, dans son second atelier, 1920

Il avait survécu à tous les peintres avec lesquels il avait découvert les ressources de son art dans les années 1860. En évoquant Renoir, il pouvait songer à Manet, dont il avait appris la mort le jour de son arrivée à Giverny ; à Bazille, tué lors de la précédente invasion de la France ; à ceux qui l'avaient soutenu matériellement et moralement, les Caillebotte, Mirbeau et Durand-Ruel ; aux femmes, enfin, qui avaient joué un rôle primordial dans l'évolution de son art en l'encourageant, lui fournissant un cadre de travail ou lui servant de modèles : Louise, sa mère, Camille et Alice, ses femmes, et Suzanne, la fille d'Alice. Seule restait Blanche Hoschedé-Monet, veuve de son fils Jean. Les photographies nous montrent le peintre entouré de ses tableaux, images des instants de lumière, images de sa famille dans ses différents jardins, sur le fleuve ou dans les champs. Toutes ces images étaient importantes pour lui : lorsque les *Femmes au jardin* — avec Camille comme modèle — quittèrent son atelier, il ressentit un pincement au cœur, en raison des nombreux souvenirs que cette œuvre représentait pour lui. Dans sa chambre à coucher, à côté de toiles de Morisot, Cézanne, Renoir, Caillebotte, Pissarro, Degas, Manet, Boudin et Jongkind, on voyait trois portraits de Camille Monet par Renoir, dont celui qui la représente avec son fils Jean dans le jardin d'Argenteuil. « Je vous assure », disait Monet à Gimpel en 1920, « qu'il m'est agréable, quand je me couche, de voir ces tableaux de tous mes bons amis ! » Ailleurs dans la maison, on remarquait des tableaux de Suzanne et de Jean, dont la mort précéda de moins de deux mois la décision de Monet de se lancer dans la *Grande Décoration*. Le grand cycle des *Nymphéas* était aussi un monde dans lequel, selon les paroles de Gillet, «les choses de la vie n'existent plus qu'à l'état d'images, de souvenirs[116]. »

Ces morts avaient été naturelles : les millions de morts dues à la guerre ne l'étaient pas. Durant et après celle-ci, Monet répéta à plusieurs reprises qu'il avait « voulu [s']enfermer avec [lui]-même, avec le travail, pour ne plus penser à toutes les horreurs qui se commettaient sans répit ». Mais l'horreur ne pouvait être mise entre parenthèses : son fils était à Verdun et d'autres membres de la famille étaient au front ; la route qu'il traversait pour se rendre dans son jardin d'eau était parfois encombrée de convois de blessés ; le grondement des canons de la bataille d'Amiens s'entendait depuis son jardin, si paisible ; Giverny pouvait être balayé par la tourmente ; même les toiles avec lesquelles il avait essayé de bâtir son paradis domestique pouvaient être détruites dans l'aventure. Monet lisait tous les soirs les récits terrifiants des journaux : les milliers de morts dans la boue sanglante des tranchées, la destruction des villes et la dévastation du nord de la France, les menaces sur Paris, l'épouvante des armes nouvelles et surtout l'horreur absolue des gaz aveuglants et asphyxiants. Tout cela le confirmait dans l'idée que « travailler, c'était toujours défendre la France et défendre en même temps sa propre vie », selon les paroles que rapporte Alexandre. Monet parlait bien de mourir au milieu de ses œuvres, mais il semble plutôt qu'il fut persuadé (malgré un certain désespoir) de la valeur « réparatrice » de son travail : son rêve de créer un grand cycle de peintures « pour défendre la France » était bien l'affirmation du pouvoir de régénération de l'art et de la nature[117]. Seule une telle croyance peut expliquer ses demandes — exorbitantes en une telle période de crise — pour que l'on accordât une priorité au transport de ses toiles et de ses châssis.

Le besoin de réconfort et de « réparation » ne se termina pas avec la fin de la guerre, qui n'avait apporté la paix que dans un sens très limité, en détruisant l'ancien monde : elle avait décimé une génération entière de jeunes hommes et laissé l'Europe dévastée, avec des millions de personnes déplacées, à la merci de la famine et des épidémies ; l'économie des nations belligérantes était en ruine. En France, la révolution paraissait possible à certains, après celle de la Russie, et la situation évoquait les souvenirs de 1871[118]. Dans son œuvre, à l'exception du portrait de Camille morte, Monet ne s'était jamais attaqué à la violence, à la destruction, à la mort, ni même à la laideur ou à l'imperfection — pas plus qu'il ne pouvait supporter les

fleurs mortes dans son jardin. C'est peut-être la raison pour laquelle il n'exécuta pas la commande de la cathédrale de Reims, et pour laquelle il détruisit si impitoyablement certaines toiles, en les réduisant en lambeaux. À l'automne de 1925, il brûla par exemple « six toiles, en même temps que les feuilles mortes de [son] jardin »[119]. Il reste que la peinture le tenait en vie. Après avoir dit à Gimpel que la mort de Renoir ne lui laissait « plus longtemps à vivre », il ajoutait qu'il allait travailler à ses *Nymphéas* :

> « J'y travaillerai jusqu'à ma mort ; ça m'aidera à passer ma vie, le travail m'a déjà permis de passer les dures heures de la guerre. […] Cette vie m'a conservé. […] Je bois beaucoup et je fume du matin au soir. Ce travail sur ces grandes toiles me passionne. »[120]

Monet pouvait exclure les événements extérieurs du cercle enchanté de son jardin et de ses tableaux, mais ces évènements ne pouvaient rester sans effets : il avait souhaité créer un monde protégé des menaces du temps, de la vie moderne, mais l'effondrement de sa vue, coïncidant avec le cortège d'horreurs entraîné par la guerre, rendait ce désir encore plus inaccessible que jamais. La peur constante de la cécité totale introduisit l'obscurité dans son œuvre et lui interdit de créer un cercle parfait entièrement consacré à la lumière.

Monet avait longtemps soutenu qu'il n'y avait pas de noir dans la nature, mais lorsqu'il se révéla hors d'état de réaliser complètement son image de la nature, il dit souvent qu'il voyait « tout en noir » ou qu'il était « dans le noir » ; une fois au moins, il semble que les causes de sa crise de cécité furent émotionnelles. Celle-ci avait bien évidemment des causes physiologiques dans ses dernières années, mais les effets émotionnels étaient extrêmement complexes. Lorsque sa vue fut réellement menacée, il réalisa à quel point cette vue faisait partie intime de son être. Sa phrase curieusement détachée, par l'usage de la troisième personne, «Que sera Monet sans sa vue ? », est révélatrice de cette fusion de l'intime et de l'impersonnel, du subjectif et de l'objectif dans son processus de vision[121]. Le tableau du *Soleil couchant* peut être considéré comme une image emblématique de la vue du peintre, au moment où il se sentait menacé d'une existence sans lumière après une vie passée à en rechercher les équivalents, non seulement pour ce que le soleil révélait, mais aussi pour le processus même de la révélation. Le déclin de sa vue connut des rémissions et des aggravations ; mais même aux pires moments, il semble avoir su quels gestes faire pour que ses toiles fussent remplies de lumière. Les opérations, les gouttes et les lunettes lui donnèrent progressivement une vue « nouvelle » qu'il reconnut comme sienne, et il peignit la lumière jusqu'à la fin ; cependant, une fois qu'il eut admis l'obscurité dans sa peinture (pour les *Reflets d'arbres* ), il ne l'exclut plus de son cycle, comme il aurait pu le faire en n'utilisant que les toiles déjà existantes.

Il disait en 1925 : « Je souhaiterais ne pas mourir avant d'avoir dit tout ce que j'avais à dire ou au moins avoir essayé de le dire. » En tant que libre-penseur, il ne croyait pas en une autre vie après la mort et, si des toiles comme *Camille Monet sur son lit de mort* ou *Reflets d'arbres*, de même que son souhait d'être enterré au bord de la mer, suggèrent un retour à l'élément liquide, ils ne suggèrent rien de plus que cela[122]. Ce que Monet avait à dire concernait ce monde-ci. C'est en ce sens que l'on doit comprendre la continuité de sa lutte pour réaliser ses deux grands cycles dominés par la lumière, alors qu'il peignait non seulement dans la journée mais aussi la nuit, en rêve, dans les profondeurs de son être intime, un monde sans lumière. À cette époque, en 1924, les Surréalistes lançaient leur premier manifeste proclamant leur détermination de créer une « sur-réalité » dans laquelle « rêve et réalité ne font qu'un ». Si le Paris des surréalistes semble constituer un autre univers que celui de Monet, l'aspiration n'est guère différente. Les tableaux de cet « immense cercle de rêves » (comme Gillet l'appelait) ne sont pas des vues d'une réalité « au-delà », mais les expressions du désir

313. Monet dans son troisième atelier, devant *Matin*, vers 1924-1925

anxieux d'un monde idéal, où le réel pourrait être parfait et sûr. Elles sont intensément tournées vers elles-mêmes et modelées par une mémoire profondément intériorisée, mais aussi marquées et animées par le besoin insistant du créateur de fidélité à la réalité extérieure[123].

Monet avait commencé les *Paysages d'eau* en comprenant qu'il pouvait trouver les choses qu'il aimait — « le ciel et l'eau, la verdure et les fleurs » — dans le bassin de son jardin. Il les avait peintes toute sa vie, depuis son premier paysage où les arbres se reflètent, de la fin des années 1850 et les jardins des années 1860. Ce n'était plus pour lui des souvenirs ou des vestiges de moments révolus, mais des émotions si profondément intériorisées que les mouvements de son pinceau pouvaient toujours créer leur apparence, même quand la vue était sur le point de disparaître. C'est ainsi que le bassin de Giverny, « ce cristal », agit comme le « miroir intérieur » du peintre, au sens le plus profond. S'il déclarait préférer la cécité à la déformation de sa vision, car il pouvait vivre avec le souvenir de la

beauté, cela indique clairement qu'il était autant intéressé par le désir et par le souvenir que par l'expérience immédiate de la nature, si capitale que demeurât cette dernière[124].

Longtemps auparavant, Monet avait accepté le défi de la vie moderne, et la soumission aux « chocs » du temps réifié. Sa vue avait également pris cette forme, de sorte que lorsqu'elle abordait la nature, elle recevait les innombrables chocs de sensations fragmentées. Fort de cette acceptation, Monet chercha aussi à rétablir la continuité du souvenir et du désir dans sa conscience. Il reste qu'un engagement aussi prononcé à l'égard du réel le condamnait au monde gouverné par le temps — un monde résistant, contradictoire, engagé dans sa propre destruction au moment même où il se lançait dans la composition de ses grands cycles ; un monde qu'il a cherché à harmoniser jusqu'à l'extrême fin de sa vie.

Les derniers tableaux de chevalet de Monet furent ceux de sa « maison vue du jardin aux roses », représentée pour la première fois au cours

314. *La Maison à travers les roses* (W.1959), 1925-1926, 66 x 82

de l'été qui suivit la mort d'Alice Monet. Sur l'un d'eux, la maison apparaît comme une image de rêve, au milieu des roses du jardin qui tourbillonnent littéralement autour de la fenêtre de la chambre à coucher du peintre. Il s'agit peut-être d'un écho lointain de la maison dans le jardin familial, peinte à Vétheuil presque un demi-siècle plus tôt, et restée depuis dans l'atelier de Monet. Ou bien d'un souvenir encore plus lointain de l'un de ses tout premiers dessins, qui réunissait une maison avec une fenêtre aveugle et un bassin. Sur ce dernier tableau, l'unité idéale de la maison et du jardin est sur le point de se dissoudre en confusion de couleurs, et révèle la ténacité de ce que Geffroy avait appelé une fois son « rêve inquiet du bonheur »[125].

Si longtemps que l'on puisse rêver devant les bleus immatériels de la seconde salle de l'Orangerie, si longtemps que l'on puisse s'absorber dans son temps (qui est intemporalité parfaite), il faut bien partir. Au passage, on peut longer les sombres *Reflets d'arbres*, dont le panneau a été déchiré par un éclat d'obus de la « Grande Guerre » suivante, à l'endroit où la forme lutte pour émerger de l'obscurité[126]. Aujourd'hui, alors que la destruction de tout ce que Monet avait aimé — « le ciel et l'eau, la verdure et les fleurs » — est devenue possible, l'importance de ces deux cycles imparfaits est d'une urgence renouvelée.

Lorsque l'on quitte les *Grandes Décorations*, il faut regarder en dernier le tableau inachevé du *Soleil couchant*, dans lequel les traces des formes intimement connues se consument dans le dernier éclat de lumière, lui-même sur le point d'être évincé par les ombres du soir.

Puis ce sera, dans une lumière plus ténue, le grondement du trafic dans le Paris d'aujourd'hui...

NOTES

BIBLIOGRAPHIE

TABLE DES ILLUSTRATIONS

INDEX

# *Notes*

*Abréviations utilisées*

W = Daniel Wildenstein *et al.*, *Claude Monet. Biographie et catalogue raisonné*, 4 vol., (Lausanne/Paris, 1974-1985). Vol. I : 1840-81 (1974) ; vol. II : 1882-86 (1979) ; vol. III : 1887-98 (1979) ; vol. IV : 1899-1926 (1985). Les volumes I à IV contiennent un catalogue des tableaux de Monet, numérotés à la suite, un récit biographique et des documents couvrant les années indiquées ; un cinquième volume, en préparation, comprendra un catalogue des aquarelles, des pastels et des dessins.

Dans les notes qui suivent, la référence aux tableaux est donnée, comme dans le texte, par leur numéro au catalogue Wildenstein (par exemple : W.349). Les citations des lettres portent les mentions du destinataire et la date, suivies du numéro de volume et de lettre dans le catalogue Wildenstein (par exemple : W.IV, L. 1597, pour Wildenstein, vol. IV, lettre n° 1597). Les lettres et documents qui ne sont pas de Monet sont cités comme pièces justificatives (p.j.), avec leur numéro Wildenstein entre crochets, accompagné des références à la page et au volume (par exemple : p.j. [49], W.III, 454).

Les articles des journaux et des revues, de même que les contributions aux ouvrages collectifs modernes et aux catalogues d'exposition, sont cités dans leur intégralité à leur première apparition, sous la forme qu'ils ont reçue dans la bibliographie; les références sont ensuite abrégées, par une date d'identification, soit par la mention du volume dans lequel l'article apparaît. Le lieu de publication est Paris, sauf indication contraire.

*Introduction*

**1** Ambroise Vollard, *En écoutant Cézanne, Degas, Renoir* (1938), 55.
**2** Cité par Georges Clemenceau, *Claude Monet : les Nymphéas (1928)*, 21-22. Clemenceau a probablement arrangé les paroles de Monet plus "littérairement" qu'elles ne l'étaient sans doute au naturel : il en donne une version plus simple dans ses conversations avec Jean Martet (*M. Clemenceau peint par lui-même*, 1929, 273).
**3** Louis Gillet, « L'épilogue de l'impressionnisme. Les *Nymphéas* de M. Claude Monet », *La Revue hebdomadaire*, 21 août 1909, 403. L'expérience vécue du « choc » provoqué par la ville moderne est l'un des thèmes majeurs des écrits de Walter Benjamin sur Baudelaire et Paris : voir « Le Paris du Second Empire chez Baudelaire » (1938), ainsi que « Sur quelques thèmes baudelairiens » (1939), Benjamin, *Charles Baudelaire : un poète lyrique à l'apogée du capitalisme*.
**4** Monet à Bazille [Étretat, décembre 1868] (W.I, L. 44).
**5** Judith Wechsler, *A Human Comedy : Physiognomy and Caricature in 19th Century Paris* (Londres, 1982) ; T.J. Clark, *The Painting of Modern Life : Paris in the Art of Manet and His Followers* (Londres, 1984).
**6** Baudelaire, « Le peintre de la vie moderne », *Le Figaro*, 26, 20 novembre, 3 décembre 1863, repris dans *L'Art romantique* (1869), *Œuvres complètes*, Pléiade (1964), 1161.
**7** Zola, *L'Argent* (1890), *Les Rougon-Macquart. Histoire naturelle et sociale d'une famille sous le Second Empire*, Pléiade (1967), V, 398.
**8** Armand Silvestre, préface au *Recueil d'estampes gravées à l'eau forte*, Galerie Durant-Ruel, Paris (1873), dans Lionello Venturi, *Les Archives de l'impressionnisme* (Paris/New York, 1939), [cité ci-après comme *Archives*], II, 285-286.

**9** Zola, « Mon Salon : les actualistes », *L'Événement illustré*, 24 mai 1868, dans *Mon Salon. Manet. Écrits sur l'art*, éd. Antoinette Ehrard, 1970 (cité ci-après comme *Écrits sur l'art*), 152.
**10** Gillet, « L'épilogue de l'impressionnisme » (1909), 402.
**11** *Tintamarre Salon. Exposition des Beaux-Arts de 1868*, ill. Chassagnol-Neveu [Félix Regamey] (1868).
**12** Renoir à Monet, 23 août 1900, Gustave Geffroy, *Claude Monet, sa vie, son œuvre* (1922 ; éd. 1980), 286 ; Jean Renoir, *Pierre-Auguste Renoir, mon père* (1968 ; éd. 1981), 12 (le livre du cinéaste a été écrit quelque cinquante ans après l'entretien qu'il rapporte) ; John Rewald, *The History of Impressionism*, 4e éd. revue (New York, 1973), 226 ; A. André, *Renoir* (1928), 60.
**13** André Wormser, « Claude Monet et Georges Clemenceau : une singulière amitié », *Aspects of Monet : a Symposium on the Artist's Life and Times*, éd. John Rewald et Frances Weitzenhoffer (New York, 1984) (cité ci-après comme *Aspects*), 190-216. Voir aussi Octave Mirbeau, « Lettres à Claude Monet », *Cahiers d'aujourd'hui*, 29 novembre 1922.
**14** Claire Joyes *et al.*, *Monet at Giverny* (Londres, 1975), 22-23, 31-32. Maurice Kahn, « Le jardin de Claude Monet », *Le Temps*, 7 juin 1904 ; Monet à Alice Monet, 6 février 1901 (W.IV, L. 1597).
**15** Pissarro, *Correspondance*, éd. J. Bailly-Herzberg, (1980 *sqq.*).
**16** Clemenceau, qui adorait Monet, fut choqué par sa négligence à l'égard de Blanche Hoschedé-Monet (voir Martet, *M. Clemenceau peint par lui-même*, 52-53).
**17** Maurice Rollinat à Monet, 25 mai 1889 ; Rodin à Monet, 22 septembre 1897 (les deux dans Geffroy, *Claude Monet*, 207, 359).
**18** Gillet, « L'épilogue de l'impressionnisme » (1909), 406 : il parle peut-être du paysage, le passage étant ambigu. Charles Bigot, « Causerie artistique. L'exposition des "impressionnistes" », *La Revue politique et littéraire*, 28 avril 1877, 1047.
**19** Baudelaire, « L'Étranger », *Le Spleen de Paris (1869)*, *Œuvres complètes*, 231.
**20** John House (*Monet. Nature into Art*, New York/Londres, 1986) analyse les changements que Monet a apportés à beaucoup de ses sujets. Ce livre est capital pour la compréhension de la pratique picturale. J'aurais souhaité l'utiliser davantage.
**21** Maupassant, « Mouche. Souvenirs d'un canotier » (1890), *Contes et nouvelles*, éd. Louis Forestier, Pléiade (1979), II, 1169-1170.
**22** Gustave Geffroy, « Les Meules de Claude Monet », préface au catalogue de l'exposition, Paris (1891), *La Vie artistique*, 1re série (1892), 27. Geffroy avait l'habitude de réutiliser ses anciens articles : il a utilisé celui-ci trois fois.
**23** Walter Benjamin, « Thèses sur la philosophie de l'histoire », *Illuminations*, éd. Hannah Arendt, trad. Hary Zohn (Londres, 1973), 258.

*Chapitre 1*

**1** Monet, lettre à Bazille [décembre 1868], (W.I, L. 44) ; Zola, « Mon Salon. Les actualistes » (1868), *Écrits sur l'art*, 152. Monet a toujours souligné qu'il était « un Parisien de Paris » (F. Thiébault-Sisson, « Claude Monet : les années d'épreuves », *Le Temps*, 26 novembre 1900, 3). Thiébault-Sisson a interrogé Monet, qui lui a aussi envoyé quelques informations (lettre, 19 novembre 1900 [W.IV, L. 1577]).
**2** Théophile Béguin-Billecoq, journal non pub., cité dans Wildenstein I, 3. Le beau-fils de Monet, Jean-Pierre Hoschedé

— *Claude Monet, ce mal connu. Intimité familiale d'une demi-siècle à Giverny, de 1883 à 1926*, [1960], I, 75-80 — montre qu'il a apprécié toute sa vie ce genre de plaisirs domestiques.
**3** Hugues Le Roux, « Silhouettes parisiennes. L'exposition de Claude Monet », *Gil Blas*, 3 mars 1889.
**4** Thiébault-Sisson, « Claude Monet : les années d'épreuves », 1900.
**5** Duc de Persigny, extrait du *Moniteur* du 20 juillet 1852, repris dans *Catalogue du Salon des Beaux-Arts de 1853*, Paris, 1853, 8.
**6** Thiébault-Sisson, « Claude Monet : les années d'épreuves », 1900 ; René Gimpel, *Journal d'un collectionneur, marchand de tableaux*, 1963, 178 (9 octobre 1920).
**7** Marc Elder, *À Giverny, chez Claude Monet*, 1924, 55.
**8** Wildenstein (I, 5) date la rencontre avec Boudin de 1858 (tout comme G. Jean-Aubry, *Eugène Boudin d'après des documents inédits. L'homme et l'œuvre*, [1922 ; 2e éd. avec R. Schmidt, Neuchâtel, 1968], 27, en remarquant que, dans sa demande de bourse à la ville du Havre, le 21 mars 1859, le père de Monet a ajouté le nom de Boudin à ceux des deux autres professeurs — Ochard et Wissant — qu'il avait mentionnés dans une précédente demande. Aucune des deux demandes ne fut acceptée. (W.I, 6 et n. 28) ; lors de la session du conseil municipal du 16 mai 1859, on se demanda si les talents de caricaturiste de Claude n'allaient pas « tenir le jeune artiste en dehors des études plus sérieuses mais plus ingrates qui seules ont droit aux libéralités municipales ». John House (« The New Monet Catalogue », *Burlington Magazine*, octobre 1978, 678-679) suggère que Boudin et Monet ont pu se rencontrer dès 1856 (pour deux raisons : la mère de Monet, qui semble ne pas avoir apprécié Boudin, est morte en janvier 1857, et le *Paysage à Rouelles* (W.1), présenté en 1858, n'est pas l'œuvre d'un débutant. Dans une lettre à Geffroy (8 mai 1920 [W.IV, L. 2348]), Monet dit qu'il avait quinze ou seize ans lorsqu'il rencontra Boudin. Voir aussi Joël Isaacson, *Claude Monet : Observation and Reflection*, Oxford, 1978, fig. 4.
**9** Le premier récit de cet incident a été fait par Philippe Burty, « Les paysages de M. Claude Monet », *La République française*, 27 mars 1883. Voir Thiébault-Sisson, « Claude Monet : les années d'épreuves », (1900) ; André Arnyvelde, « Chez le peintre de la lumière », *Je sais tout*, 15 janvier 1914, 32 ; Monet, lettre à Boudin, 22 août 1892 (W.III, L. 1162).
**10** Duc de Trévise, « Le pélerinage à Giverny : I » [1920], *La Revue de l'art ancien et moderne*, janvier 1927, 48. Monet a dit à Thiébault-Sisson (« Claude Monet : les années d'épreuves », [1900]) que Boudin lui avait enseigné à comprendre la nature, et que, conformément à l'enseignement du vieux maître, il « l'analysait au crayon dans ses formes , [il] l'étudiait ses colorations ».
**11** Geffroy, *Claude Monet*, 13 ; Maxime du Camp, *Paris, ses organes, ses fonctions et sa vie dans la seconde moitié du XIXe siècle* (1869-1975), VI, 253, cité dans Benjamin, « Le Paris du Second Empire », *Charles Baudelaire*, 86.
**12** Zola, *L'Œuvre* (1886), *Les Rougon-Macquart*, IV, [1966], 72-5, 79. Monet et Zola ne se sont pas rencontrés avant 1866 (Zola, « Mon Salon : les Réalistes du Salon », *L'Événement illustré*, 11 mai 1866, *Écrits sur l'art*, 74).
**13** Édouard Gourdon, *Le Bois de Boulogne*, 1861 ; Edmond et Jules de Goncourt, *Journal : mémoires de la vie littéraire*, éd. Robert Ricatte (Monaco, 1956-59), I, 835 (18 novembre 1860).
**14** Benjamin, « Le Paris du Second Empire », *Charles Baudelaire*, 35-66 ; pour la critique de Benjamin par Adorno à propos du rôle de "physiologue" de la vue, voir Benjamin, *Charles Baudelaire*, éd. Jean Lacoste, 1982, 258.

**15** Jean Renoir, *Renoir, mon père*, 71-72 (voir aussi, 21, 53, 57). Voir en outre Zola, « Lettres parisiennes [Le nettoyage de Paris sous Haussmann] », *La Cloche*, 8 juin 1872, *Œuvres complètes*, 1969, XIV, 79-80.
**16** Remarquons au passage les remaniements du palais de Justice et du quai des Orfèvres, dans l'île de la Cité. Michel Foucault, « The Eye of Power », conversations avec Jean-Pierre Barrou et Michelle Perrot, Foucault, *Power/Knowledge : Selected Interviews and Others Writings, 1972-1977*, éd. Colin Gordon, New York, 1980, 146-65. Voir aussi Benjamin, « Le Paris du Second Empire », *Charles Baudelaire*, 47-48.
**17** Goncourt, *Journal*, I, 41 ; Benjamin, « Paris — capitale du XIXe siècle », *Charles Baudelaire*, 173-175.
**18** Zola, *L'Œuvre*, 62-4.
**19** Zola, *La Curée* (1871), *Les Rougon-Macquart* (1960), IV, 387-90. *La Curée* (l'un des deux romans du cycle qui commence sous le Second Empire) est parcouru de métaphores d'ombre et de lumière. Le faste ostentatoire du nouveau riche contraste par ex. avec la sobriété de l'ancienne noblesse de, l'île Saint-Louis.
**20** « L'Empire ressemblait encore à ces malheureuses qui portent une robe de soie et qui ont des jupons sales, des bas troués et une chemise en lambeaux. Il dorait la bouche des égouts. Son rêve était de badigeonner la ville, de l'aligner, de la mettre en toilette de gala, quitte à la laisser les pieds nus et à cacher chaque déchirure, chaque tache de graisse, sous un nœud de dentelle.[...] Pour nettoyer la ville, on a commencé par sabrer le vieux Paris, le Paris du peuple. » (Zola, « Lettres parisiennes », *Œuvres complètes*, XIV, 77-79.)
**21** Baudelaire, « Le peintre de la vie moderne » (1863), *Œuvres complètes*, 1177-1185.
**22** Geffroy, *Claude Monet*, 14.
**23** Lettre à Boudin, 3 juin 1859 (W.I, L. 2).
**24** Albert Boime, « The Second Empire's Official Realism », *The European Realist Tradition*, éd. G.P. Weisberg (Bloomington, Ind., 1982), 31-110, et *passim*, 96-101. Boime exagère la faveur accordée par l'administration impériale au réalisme, car la politique artistique du gouvernement était plus éclectique : voir Patricia Mainardi, « The Political Origins of Modernism », *Art Journal*, printemps 1985, 11-17.
**25** Willem Bürger [Théophile Thoré], « Salon des Réprouvés, 1863 », *Salons de W. Bürger : 1861 à 1868 (1870)*, I, 415.
**26** Lettres à Boudin, 19 mai et 3 juin 1859 (W.I, L. 1, 2). Corot exposait de nombreux paysages "historiques", mais aussi une *Étude à Ville-d'Avray*. Parmi les tableaux de Delacroix, l'œuvre la plus intéressante pour Monet était peut-être *Ovide en exil chez les Scythes*. Monet n'a mentionné ni le *Rappel des glaneurs*, de Breton (médaille de première classe et acquisition par l'administration impériale), ni la *Femme menant paître sa vache*, de Millet.
**27** Lettre à Boudin, 20 février 1860 (W.I, L. 3) : Monet y exprime son mépris pour Couture. Voir Thiébault-Sisson, « Claude Monet : les années d'épreuves » (1900).
**28** Albert Boime, *The Academy and French Painting in the Nineteenth Century*, Londres, 1971. Boime accentue à l'excès les relations entre les techniques impressionnistes et les méthodes officielles d'enseignement.
**29** Firmin Maillard, *Les derniers Bohèmes : Henri Mürger et son temps* (1874). Dans une lettre à Geffroy (21 février 1921 [W.IV, L. 2048]), Monet dit qu'il a « beaucoup connu jadis » Firmin Maillard ; Wildenstein (I, 11) suggère que le mal a été provoqué par « les belles filles », mais ne donne aucun témoignage à l'appui. Une lettre à Armand Gautier (11 août 1860 [W.I, L. 5]) montre que Monet a continué à faire des caricatures pour *Le Charivari*, *Le Gaulois* et *Diogène*.
**30** Jules Vallès, *Les Réfractaires* (1865), œuvre fondée sur une série d'articles de journal, repris dans *Le Bachelier*. Voir Benjamin, « La bohème : le Paris du Second Empire », *Charles Baudelaire*, 11-34 ; T.J. Clark, *The Image of the People : Gustave Courbet and the 1848 Revolution*, Londres, 1973, 33-34.
**31** W.I, 10-11 ; Marcel Crouzet, *Un méconnu du réalisme : Duranty (1833-1880)*, 1964, 475-492, 515-520.
**32** Baudelaire appréciait les aquarelles de Boudin : voir son « Salon de 1859 », *Revue française*, 10, 20 juin, 1er, 20 juillet 1859, repris dans *Curiosités esthétiques* (1868), *Œuvres complètes*, 1081-1083. *Le Courrier du dimanche*, 29 janvier 1861, cité dans Jack Lindsay, *Gustave Courbet, His Life and Art*, Bath, 1973, 171-172.
**33** Jacques Salomon, « Chez Monet, avec Vuillard et Roussel », *L'Œil*, mai 1971, 24.
**34** Lettre à Boudin, 20 février 1860 (W.I, L. 3).
**35** Le premier tableau de Boudin consacré à la vie moderne fut apparemment la petite *Cérémonie du 14 juillet. Port du Havre*, en 1858 (Robert Schmit, *Eugène Boudin, 1824-1898*, 1973-1974, I, n° de catal. 191).
**36** W.I, 12-21 ; Thiébault-Sisson, « Claude Monet : les années d'épreuves » (1900) ; lettre à Geffroy, 8 mai 1920 (W.IV, L. 2348). Monet dit un jour à Le Roux (« Silhouettes parisiennes », 1889) que l'Afrique du Nord « acheva son éducation de coloriste » et lui avait appris « à regarder dans les ombres ».
Wildenstein (I, 21-25) est très méfiant vis-à-vis des histoires relatives au refus immédiat par Monet de l'enseignement de Gleyre, mais le peintre a commencé très tôt à forger le mythe de l'autodidacte (comme on le voit dans les catalogues des Salons, par son refus de se reconnaître comme élève de Gleyre, selon l'habitude de l'époque). Le mythe devait à son tour modeler son image et son évolution. Monet partageait probablement la vision de Bazille (lettre à son père, n° 22 dans Patrice Marandel et François Daulte, *Frédéric Bazille and Early Impressionism*, catalogue de l'exposition à l'Art Institute de Chicago [1978, cité ci-après comme Marandel et Daulte]) : « Ce que M. Gleyre m'a enseigné — le métier de peintre — on peut l'apprendre n'importe où. Si jamais j'accomplis quelque chose, j'espère le faire sans avoir à copier qui que ce soit. » Mais cette vue était celle de Gleyre lui-même (Albert Boime, « The Instruction of Charles Gleyre and the Evolution of Painting in the Nineteenth Century », *Charles Gleyre, ou les illusions perdues*, éd. René Berger *et al.*, catalogue de l'exposition au musée cantonal des Beaux-Arts, Lausanne, 1974, 1902-1104). Résolu à rendre justice à Gleyre, Boime cède à une vision linéaire de l'évolution artistique.
**37** Jean Renoir, *Renoir, mon père*, 122 (Monet a porté des poignets de dentelle toute sa vie — voir Salomon, « Chez Monet », 1971, 21, et autres entretiens tardifs). Renoir dit à son fils que lorsque Monet et lui partageaient un atelier, rue Visconti, de juillet 1866 à décembre 1867, l'un des petits commerçants pour qui ils peignaient les payaient en sacs de haricots, et que tout leur argent passait en location d'atelier, en salaires de modèles et en charbon — pour que le modèle ne prenne pas froid, et pour cuire les haricots. « Je n'ai jamais été aussi heureux de ma vie », disait Renoir (*Renoir, mon père*, 124-125).
**38** Voir les lettres à ses parents dans Marandel et Daulte, *passim*. Beaucoup moins gêné que ses amis, Bazille dépensait beaucoup plus qu'eux en habillement et en nourriture, mais ses dépenses les plus importantes semblent avoir été en location d'atelier et en salaires « énormes » pour les modèles (voir ci-dessous, n. 121).
**39** Olivier Merson, *La Peinture en France* (1861), 190-191, cité dans Boime, « Second Empire's Official Realism », 1982, 89. Boime (« Instruction of Charles Gleyre », 1974, 104, 106) suggère que les toiles élégantes consacrées à la vie bourgeoise par les élèves à succès de Gleyre — Toulmouche, Heilbuth et Firmin-Girard — « ont rendu possible la candeur des impressionnistes ».
**40** Lettre de Bazille à son père, n° 6, [mars] 1863 (les dates attribuées à ces lettres sont peu satisfaisantes ; des alternatives sont suggérées entre crochets), Marandel et Daulte, 192 ; Jean Renoir, *Renoir, mon père*, 133 ; Ambroise Vollard, *Auguste Renoir*, 1920, 26.
**41** Thiébault-Sisson, « Claude Monet : les années d'épreuves », (1900), et autres entretiens, avec quelques variantes mineures. Boime (« The Instruction of Charles Gleyre », 1974, 102) rapporte que Gleyre encourageait ses étudiants à exprimer des attitudes naturelles ; cela n'apparaît pas dans ses propres dessins. Lettres de Bazille à ses parents, Marandel et Daulte, n° 10, 1863 (sur la peinture de « personnages au soleil ») ; n° 35, [juillet] 1864 (sur une étude de femme grandeur nature) ; n° 50 [fin 1865] (sur le « modèle vivant » dans l'atelier de Monet) ; n° 55 [fin 1865-début 1866] (sur le modèle nu). Gleyre insistait sur le fait qu'il était indispensable pour ses élèves de travailler dans leur propre atelier, autant que dans le sien (Boime, *Academy and the French painting*, 59).
**42** Courbet faisait une analogie entre la manière dont il travaillait — du ton le plus sombre au ton le plus clair — et la façon dont les objets « à peine perceptibles », « avant les premières lueurs de l'aube » sont progressivement révélés et portés à la plénitude de leur forme par le soleil levant : « Je procède dans mes tableaux, comme le soleil agit dans la nature » (cité dans Théophile Silvestre, *Histoire des artistes vivants*, 1856, 270).
**43** Plusieurs habitués du salon de Lejosne assistèrent à une représentation de *La Tour de Nesle* — à laquelle Bazille participait — dans l'atelier de Gleyre (*Le Boulevard*, 8 février 1863 [ill. W.I, 17]) ; Monet avait rencontré Benassit, caricaturiste pour *Le Boulevard*, à la brasserie des Martyrs. Lettre à Mme Lejosne, 2 avril 1924 (W.IV, L. 2556). Monet parlait du souvenir « précis » d'un souper chez les Lejosne, où « nous avons eu la joie de connaître Manet », mais il n'a pas dit quand exactement.
**44** Baudelaire, « Salon de 1859 », *Œuvres complètes*, 1085.
**45** Castagnary, « Salon de 1864 », *Courrier du dimanche*, 15 mai-3 juillet 1864, *Salons (1857-1879)*, 1892, I, 188.
**46** Boime, « Second Empire's Official Realism », 1982, 108-110 ; Lindsay, *Courbet*, 182-184, 227-228, 243-245.
**47** Baudelaire, « Le peintre de la vie moderne », 1863, *Œuvres complètes*, 1155, 1166-1167.
**48** Comte de Nieuwerkerke (1849-1870), « Discours au Salon de 1863 », *Catalogue du Salon des Beaux-Arts de 1864* (1864), XIII-XIV. Voir aussi Boime, « Second Empire's Official Realism », 1982, 45-46.
**49** Burty (« Les paysages de M. Claude Monet », 1883) a rapporté que cette « révélation » avait eu lieu dans l'atelier de Manet, où Monet n'a pu se rendre que plus tard (voir n. 43) ; le même commentaire a été repris quarante ans plus tard dans Elder, *À Giverny*, 37. Voir Baudelaire, « Le peintre de la vie moderne » (1863) *Œuvres complètes*, 1186. Renoir rappelait que lors de sa première rencontre avec Bazille (probablement vers la fin de 1862), il songeait à peindre l'animation des jardins du Luxembourg (*Renoir, mon père*, 115). Les toiles de Manet sur la vie moderne n'ont pas été visibles en public avant mars 1863, mais Bazille a pu voir des études du peintre dans son atelier. Monet a dit à Louis Vauxcelles (« Un après-midi chez Claude Monet », *L'Art et les artistes*, novembre 1905) qu'il allait au café Bode pour écouter Manet parler avec Baudelaire. Rappelons que ce dernier quitta la France en avril 1864.
**50** Castagnary, « Salon de 1859 », *Salons*, I, 159.
**51** Castagnary, « Salon des Refusés », *L'Artiste*, I, 15 août-7 septembre 1863, *Salons*, I, 167. Comparez en particulier la *Route sous les arbres* de Monet (W.58), de 1863, et *Ville-d'Avray, entrée d'un bois*, de Corot (National Galleries, Écosse).
**52** Lettre à Amand Gautier, 23 mai 1863 (W.I, L. 6). Je n'ai pas suffisamment reconnu l'influence de Millet sur Monet dans ses premières années (voir spécialement les *Faiseurs de fagots dans la forêt de Fontainebleau*, de Monet, W.18).
**53** De fréquents changements de logement et la saisie répétée de ses peintures pour dettes ont faussé les calculs : Monet a dit à Thiébault-Sisson qu'il avait perdu deux cents œuvres en six ans. Étant donné son activité et le grand nombre d'études parmi ses œuvres, ce chiffre est parfaitement possible.
**54** Monet peignit pour la première fois des stations balnéaires en 1867, six ans après la première toile de Boudin sur le même sujet, *Scène de plage à Trouville* (Schmidt, *Eugène Boudin*, I, n° de catal. 254). Ses sujets s'inspiraient étroitement de ceux de Boudin, mais ils étaient plus grands et traités avec plus de hardiesse : Boudin aurait pu se demander si Monet ne cherchait pas à démontrer sa supériorité dans ce domaine. Sa *Jetée du Havre* (refusée au Salon de 1868) était un sujet que Boudin avait exposé en 1866 et 1867 (Schmit, I, n° 407, 436) ; il peignit à Trouville, sur la plage favorite de Boudin, en 1870 ; au début de cette même année, il reprit deux toiles de celui-ci consacrées en 1866 à des personnages et des régates à Argenteuil (Schmit, I, n° 391-392). Monet eut les mêmes relations avec Jongkind et Daubigny, dont il imita plusieurs sujets et types de composition.
**55** Bazille à son père (lettre 20)et à sa mère (lettre 34), dans Marandel et Daulte ; Monet, lettre à Bazille, 26 août 1864 (W.I, L. 9).
**56** Lettre à Bazille, 15 juillet [1864] (W.I, L. 8). C'est nous qui soulignons.
**57** Arsène Alexandre, *Claude Monet* (1921), 33. La revendication par Monet de son entière acceptation du sujet concorde avec le mythe auto-créé de la pureté de son « pleinairisme ».

**58** Paul Mantz, « Salon de 1865 : II », *Gazette des Beaux-Arts*, juillet 1865, 26.
**59** La confusion entre Manet et Monet s'est peut-être produite non seulement au Salon de 1865, mais aussi à celui de 1866 : Elder (*À Giverny*, 38) situe l'incident au Salon de 1865. En 1900, Thiébault-Sisson (« Claude Monet : les années d'épreuves ») le situe en 1866, mais en 1926 (« Cl. Monet », *Le Temps*, 7 décembre), il le replace en 1865. Voir aussi n. 86.
**60** Elder, *À Giverny, chez Claude Monet*, 27 ; Monet apprécia les œuvres de Courbet à l'exposition de 1860 (lettre à Boudin, 20 février 1860 [W.I, L. 3]). Bazille annonça à ses parents le projet d'une visite en 1863, (*cf.* lettre 10 [automne] 1863, dans Marandel et Daulte) / Wildenstein date le *Pavé de Chailly* (W.19) de 1864, mais le tableau a été exposé pour la première fois au Salon de 1866 et peint probablement au cours de l'été 1865, avec d'autres tableaux moins hardis sur le même sujet.
**61** Elder, *À Giverny*, 64. Monet a dit qu'il avait seize ans lorsqu'il découvrit les estampes japonaises, au moment où elles ne coûtaient que « vingt sous pièce ». Cela situe l'événement vers 1856-1857, ce qui est fort improbable, puisque le premier traité commercial franco-japonais ne fut signé qu'en octobre 1858. Dans « L'Exposition universelle. Le Japon à Paris : I » (*Gazette des Beaux-Arts*, septembre 1878, 385-386), Ernest Chesneau notait qu'un peintre — Whistler ou Stevens — avait trouvé ce genre d'estampes à Paris en 1862, dans un envoi en provenance du Havre. Mon exposé sur les influences japonaises s'est inspiré d'une première version de l'article de David Bromfield, « Japanese Art, Monet, and the Formation of Impressionism », dans le recueil de communications du colloque « Europe and the Exotic », Canberra, 1987 (éd. C. Andrew Gerstle et Tony Milner). Bromfield a établi une chronologie des diverses acquisitions de Monet pour sa collection d'estampes (voir Geneviève Aitken et Marianne Delafond, *La Collection d'estampes japonaises de Claude Monet à Giverny*, 1983 — cité ci-après comme Aitken et Delafond). Bromfield suggère que les premières estampes arrivées en France après la signature du traité commercial franco-japonais étaient des œuvres contemporaines, alors que les plus anciennes — y compris celles de Hiroshige et de Hokusai — sont arrivées plus tard.
L'estampe de Shinsai illustrée dans le texte était dans la collection Wakai, de sorte que Monet n'a pu l'acquérir que plus tard (Aitken et Delafond, n° de catal. 81).
**62** Beatrice Farwell, *The Cult of Images*, catalogue de l'exposition, université de Californie, Santa Barbara Art Museum, 1977, ill. 39, 72-73 ; Anne Coffin Hanson, *Manet and the Modern Tradition*, New Haven/Londres, 1977, 94-95.
**63** Bazille à son frère, lettre 52 [fin 1865-début 1866], dans Marandel et Daulte. La figure massive d'un homme barbu, substituée finalement à celle de l'homme plus mince présente sur l'esquisse, est probablement Courbet. Vers le milieu de 1866, Monet avait des rapports de familiarité avec ce dernier (lettre à Amand Gautier, 3 juillet [1866], [W.I, L. 27]).
**64** Après la réforme des règlements du Salon en 1864, les trois quarts du jury étaient élus parmi les artistes qui étaient membres de l'Institut, ou qui avaient reçu la Légion d'honneur ou obtenu une médaille. Un quart restait nommé par le gouvernement. La libéralisation de ces règles en 1868 ne modifia pas substantiellement la composition du jury. Elizabeth Gilmore Holt, *The Art of All Nations, 1850-1873*, New York, 1981, 492, 545. Les *Femmes au jardin* (W.67) et *Le Port de Honfleur* (W.77) furent refusés en 1867 ; la *Jetée du Havre* (W.109), en 1868 ; la *Pie* (W.133) et les *Bateaux de pêche en mer* (W.126), en 1869 ; le *Déjeuner* (W.132) et peut-être *Les Bains à la Grenouillère* (W.136, aujourd'hui perdu), en 1870. Les récits de Monet sur les œuvres présentées dans les vitrines des marchands (et l'hostilité manifestée par Corot, Daumier ou Manet) varient : voir W.I, 36. Il présenta quatre tableaux (W.65, 77, 94, 109) à l'« Exposition maritime internationale du Havre » en 1868 (W.I, 40, n. 295).
**65** Jean Renoir, *Renoir, mon père*, 117.
**66** Clark, *Image of the People*, 133-154 ; *Painting of Modern Life*, ch. 2 ; « Le choix d'Olympia », 79-146.
**67** Joël Isaacson, *Monet : le "Déjeuner sur l'herbe"*, Londres, 1972, 39 et fig. 21.
**68** Baudelaire, « Le peintre de la vie moderne » (1863), *Œuvres complètes*, 1155.
**69** Wildenstein (I, 30, n. 204) ne pense pas que Monet ait peint Camille Doncieux dans le *Déjeuner sur l'herbe*, mais la figure féminine à l'extrême gauche a ses cheveux et son allure.
**70** Castagnary, « Salon de 1863 », *Salons*, I, 140.
**71** Monet a dit plus tard que c'était le tableau qu'il choisirait pour le Louvre (Clemenceau, *Claude Monet*, 92-93). Boudin a fait une copie de cette toile en 1853-1854, et peut-être l'a-t-il adaptée pour ses scènes de plage modernes (Schmit, *Eugène Boudin*, I, n° de catal. 279).
**72** Zola, « Aux champs » (première publication en russe, 1878), *Le Figaro*, 25 juillet 1881, et dans *Le Capitaine Burle* (1883), *Contes et nouvelles*, [1976], 665. Zola parle aussi des peintres de la banlieue parisienne, 668. Voir également les « Lettres parisiennes », *La Cloche*, 13 juin 1872, *Œuvres complètes*, XIV, 85. Le récit fait par Zola des occupations du petit bourgeois dans la campagne banlieusarde est assez loin du mépris affiché par la plupart des écrivains contemporains.
**73** Georges Riat, *Gustave Courbet, peintre* (1906), 150, 158 ; Castagnary, « Philosophie du Salon de 1857 » (1858), *Salons*, I, 29-30, disait que Courbet avait fait « déboucher une porte de derrière de Saint-Lazare jusque dans les prés fleuris de Mme Deshouillères ». Louis Etienne, *Le Jury et les exposants — Salon des Refusés* (1863), 30, et Ernest Chesneau, *L'Art et les artistes modernes en France et en Angleterre* (1864), 188-189, cités par Françoise Cachin, Charles S. Moffett *et al.*, *Manet, 1862-1883*, catalogue. de l'exposition du Grand Palais, Paris, 1983, 165-166.
**74** Isaacson, *Monet, "Le Déjeuner sur l'herbe"*, 45 *sqq.* (pour les références aux planches de mode) ; Edmond et Jules de Goncourt, *Gavarni. L'homme et l'œuvre (1822-1896)*, 1879, 262, cité dans Wechsler, *Human Comedy*, 107. Baudelaire a écrit dans « Le peintre de la vie moderne », (*Œuvres complètes*, 1164) : « J'ai dit que chaque époque avait son port, son regard et son geste. » Dans son pamphlet *La Nouvelle Peinture*, de 1876 (Charles S. Moffett *et al.*, *The New Painting : Impressionism, 1874-1886*, catalogue de l'exposition, Fine Arts Museum of San Francisco, 1986, 477-484), Duranty écrivit que la peinture devait exprimer « la note spéciale de l'individu moderne [...]. Avec un dos, nous voulons que se révèle un tempérament, un âge, un état social », etc.
**75** Jean Renoir, *Renoir, mon père*, 82.
**76** L'influence de Delacroix sur le traitement de la couleur par Monet a été plus profonde que je ne l'ai reconnu. Sur le *Journal* de Delacroix, lecture favorite de Monet, voir notre « Introduction », et n. 14.
**77** Paul Mantz, « Salon de 1863 », *Gazette des Beaux-Arts*, 1er avril 1863.
**78** Bromfield, « Japanese Art, Monet and Impressionism » ; comparez le portrait de Jacquemart par Monet (W.54) et *Angleterre*, de Yoshitomi (Aitken et Delafond, n° 176).
**79** Zola, *L'Œuvre*, 79 ; œuvre collective, *Rouchon. Un pionnier de l'affiche illustrée*, musée de l'Affiche et de la Publicité, Paris, 1983 ; Rouchon édita des affiches de 1846 à 1865. Les commentaires de Paul de Saint-Victor sur la peinture de Manet — qui « blesse les yeux, tout comme la musique du champ de foire brise les oreilles » (« Beaux-Arts », *La Presse*, 27 avril 1863) — illustre assez bien le genre d'"intérêt" soulevé par les formes d'art populaire.
**80** Thiébault-Sisson, « La vie artistique. Claude Monet », *Le Temps*, 6 avril 1920.
**81** Paul Mantz, « Le Salon de 1865 : I », *Gazette des Beaux-Arts*, juin 1865, 515-516.
**82** Thoré a décrit « le succès unanime » de Courbet, « accepté, médaillé, décoré, glorifié, embaumé » (« Salon de 1866 », *Salons de W. Bürger*, II, 275-276).
**83** Mainardi, « Political Origins of Modernism », 11-17. Castagnary a inclus Monet dans « le bataillon des recrues nouvelles, toutes plus ou moins inféodées aux doctrines naturalistes » (« Salon de 1866 », *Salons*, I, 224, 240). Voir aussi Thoré, « Salon de 1866 », *Salons de W. Bürger*, II, 286 ; Zola, « Mon Salon », *L'Événement*, 27 avril-20 mai 1866, *Écrits sur l'art*, 48-49 ; A. J. du Pays, « Salon de 1866 » (3e article), *L'Illustration*, 2 juin 1866, 342.
**84** Bazille à sa famille, [mai-juin 1866], p.j. [12], W.444 ; E. d'Hervilly, « Les poèmes du Salon : Camille », *L'Artiste*, 15 juin 1866, 207 ; Thoré, « Salon de 1866 », *Salons de W. Bürger*, II, 285-286 ; Charles Blanc, « Salon de 1866 », *Gazette des Beaux-Arts*, juin 1866, 519. Il est possible que « Camille » ait signifié « prostituée » (voir Léon Billot, « Exposition des Beaux-Arts », *Journal du Havre*, 9 octobre 1868, cité dans W.I, 40 : « À la démarche de Camille, à la façon provocante dont elle foule le trottoir, on devine sans peine que Camille n'est pas une femme du monde, mais une "Camille". »)
**85** Zola, « Mon Salon. Les réalistes au Salon » (1866), *Écrits sur l'art*, 75.
**86** André Gill, « Le Salon pour rire », *La Lune*, 13 mai 1866, Jacques Lethève, *Impressionnistes et symbolistes devant la presse*, 1959, 37. Pour la rencontre de Monet avec Manet en 1866, voir Elder, *À Giverny*, 37-39 ; Arnyvelde, « Chez le peintre de la lumière », 1914, 34. En 1900, Monet dit à Thiébault-Sisson qu'il avait rencontré Manet en 1869 (« Claude Monet : les années d'épreuves »). Cela est peu probable : Duranty écrivait encore en 1868 que Manet était « très tourmenté par son concurrent Monet. De sorte qu'on dit qu'après l'avoir *manétisé*, il voudrait bien le *démonétiser*. » (Crouzet, *Un Méconnu du réalisme*, 232).
**87** Thiébault-Sisson, « Claude Monet : les années d'épreuves », (1900).
**88** Lettre à Amand Gautier, 22 mai 1866 (W.I, L. 26). Comme les grands tableaux se contentaient de lui faire « manger de l'argent » (lettre à Gautier [avril 1866], W.I, L. 25), Monet avait décidé de « laisser de côté » ceux sur lesquels il travaillait. La restauration de sa pension semble avoir modifié cette décision. Zola, « Édouard Manet », *La Revue du XIXe siècle*, 1er janvier 1867, *Écrits sur l'art*, 107.
**89** Note des carnets de croquis de Boudin, citées par Rewald, *History of Impressionism*, 4. Le tableau fut achevé en atelier (lettre de Dubourg à Boudin, Honfleur, 2 février 1867, p.j. [13], W I, 444).
**90** Zola, « Mon Salon : les actualistes » (1868), *Écrits sur l'art*, 152.
**91** Dans *La Curée*, 412-413, Zola a évoqué le rôle de Worth dans la transformation des femmes en objets grâce à l'objet de leur désir : la mode. Voir Benjamin à propos du flâneur et de « l'intoxication due à l'excès de produits » : « Le Paris du Second Empire », *Charles Baudelaire*, 54-56.
**92** Kermit Champa, *Studies in Early Impressionism*, New Haven/Londres, 1973, 11 et fig. 14. L'utilisation de fonds teintés — voir Anthea Callen, *Techniques of the Impressionists*, Londres, 1982, 60-63 — accentuait la valeur de signe du coup de pinceau, qui tendait ainsi à devenir indépendant sur la surface du tableau plutôt qu'à adhérer à elle.
**93** Elder, *À Giverny*, 29 (la citation exacte des paroles de Breton par Monet est douteuse, mais il n'oublia jamais ce refus ; voir ci-dessous, chap. 6 et n° 76). Nieuwerkerke, « Discours au Salon de 1852 », repris dans *Catalogue du Salon des Beaux-Arts de 1853*, 12 ; Jules Breton, *Un Peintre paysan*, 1896, 111. L'opposition à la requête de Caillebotte montre que l'hostilité de certains traditionalistes à la peinture de Monet est restée implacable (voir ci-dessous, chap. 5 et n° 88).
**94** Baudelaire, « Salon de 1859 », *Œuvres complètes*, 1085.
**95** Bazille à sa mère, lettre 76 [avril 1867], dans Marandel et Daulte. Il pensait qu'ils seraient rejoints par Courbet, Corot, Diaz et Daubigny. Mais dans une lettre de mai 1867 (n° 77), il écrivit que les 2 500 francs collectés étaient insuffisants pour organiser une exposition.
**96** Le plus haut prix obtenu par Monet fut de 2 500 francs, pour ses *Femmes au jardin*, tableau pour lequel Bazille s'était engagé à payer 50 francs par mois. Le *Marché aux esclaves*, par Giraud (4 m de long) fut acquis pour 6 000 francs au Salon de 1867. Les toiles riches en détails atteignaient des prix particulièrement élevés : 4 000 francs pour *Romance à la mode*, par Worms, au Salon de 1868 ; 50 000 francs pour la *Bataille de Solférino*, par Meissonier, au Salon de 1864. L'achat officiel le plus coûteux fut celui des *Retardataires ; effet de neige*, par Chenu, au Salon de 1870 : 8 000 francs (détails empruntés à Geneviève Lacambre, *Le Musée du Luxembourg en 1874*, catalogue de l'exposition au Grand Palais, Paris, 1974). On sait que Monet vendit *Nature morte* (W.13, 1862-1863) ; *Bateaux de pêche* (W.74, 1866) ; *Mulet rouge* (W.140, 1869) — tous les trois à Edmond Maître, ami de Bazille ; *Chemin de ferme, Saint-Siméon* (W.30, 1864), à Gaudibert (?) ; *Ferme près de Honfleur* (W.36, 1864), à Louveau, ami de Boudin ; *Chêne au Bas-Bréau* (W.60, 1866-1867), saisi bien qu'il eût été lacéré par le peintre, puis vendu (?) au neveu de Martin ; *Femmes au jardin* (W.67, 1867), à Bazille (pour 2 500 francs) ; *Camille* (W.65, 1866),

à Houssaye, pour 800 francs ; *Camille* (réplique, W.66, 1866), à Cadart et Luquet ; *Le Port de Honfleur* (W.77, 1866), saisi par des créanciers, vendu aux enchères et acheté par Gaudibert — 84 francs, avec la *Jetée du Havre* (voir lettre de Boudin à Martin, 25 avril 1869, p.j. [25], W I, 445) ; *Saint-Germain-l'Auxerrois* (W.84, 1867), à Astruc, avant 1870 ? ; *Quai du Louvre* (W.83, 1867), à Latouche, vers le milieu de 1867 ; *Terrasse au bord de la mer, près du Havre* (W.95, 1867), à Frat, ami de Bazille, sans doute avant 1870 ; *Nature morte* (W.103, 1867), à Lejosne, au début de 1868, par l'intermédiaire de Bazille ; *Jetée du Havre* (W.109, 1868) — voir *Port de Honfleur*, ci-dessus ; portraits commandés par Gaudibert (W.120-123, 1868) ; *Bateau échoué* (W.117, 1869), à Manet, avant 1870 ? ; *Les bains de la Grenouillère* (W.134, 1869), à Manet ? ; *Route, effet d'hiver, coucher de soleil* (W.142, 1869), à Amand Gautier, avant 1870 ? ; *Soldats de garde sur les rives du fleuve* (W.149, 1869), à Lindner ; *Pont à Bougival* (W.152, 1870), à Martin, pour 50 francs, plus un petit Cézanne. Beaucoup de toiles ont aussi dû être vendues, puis perdues ; pour beaucoup d'autres, il n'existe aucune trace de vente.

Pour donner une idée de ce que ces prix représentaient, il faut savoir que la location annuelle de l'atelier de Monet à Pigalle, en 1866, était de 800 francs (W.I, 31). Le coût de *Jeune fille au piano* (2 x 1,3 m), par Bazille, se décompose comme suit : 60 francs pour deux semaines de modèle ; 70 francs de toile ; 150 francs de cadre pour le Salon ; montant non précisé pour la location de vêtements et de tapis (lettre 54 [début de 1866]). Alors qu'il travaillait sur cette toile, Bazille écrivit à ses parents que Monet avait vendu « pour des milliers de francs » de tableaux au cours des derniers jours (lettre 53), mais c'était apparemment pour susciter la générosité de ses bailleurs de fonds (!). Monet a prétendu lui-même qu'à la suite du succès de *Camille*, il avait vendu pour 800 francs de tableaux (lettre à Gautier, du 22 mai 1866 [W I, L. 25]).

**97** Lettre de décembre 1868 à Bazille (W I, L. 44), sur la clôture de son compte. Dans *Le Bachelier*, Vallès a évoqué l'incertitude du logement et la cherté des achats alimentaires à la pièce. Voir aussi Frédéric Le Play, *Les Ouvriers européens*, 1855, 274, cité dans Benjamin, « Le Paris du Second Empire », *Charles Baudelaire*, 20, n° 25.

**98** Voir n. 88.

**99** Thiébault-Sisson, *La vie artistique. Claude Monet*, 1920. Il concluait : « Et voilà comment j'ai raté ma carrière ! ». Maurice Kahn (*Le jardin de Claude Monet*, 1904) cite ces paroles du peintre : « Au début, je n'avais pas d'argent. Et les modèles, c'était cher. Je me suis donc mis à peindre des modèles qui ne coûtaient rien. ».

**100** Bromfield (*Japanese Art, Monet and Impressionism* ) relate les idées de plusieurs des premiers collectionneurs et exégètes des estampes japonaises, intéressés également par les problèmes du réalisme (par exemple, les Goncourt, Duret, Burty, Duranty, Zola, Chesneau, Manet, Tissot, Fantin-Latour, Bracquemond, Monet et Degas).

**101** Billot, « Exposition des Beaux-Arts » (1868), cité dans W.I, 38. Ce dernier date *Charroi, chemin sous la neige, près de Honfleur* (W.50) de 1865, mais il a probablement été peint au cours de l'hiver 1866-1867 (comme les W.879-882). Voir p.j. [13], W.I, 444.

**102** Victor Fournel, « Voyage à travers l'Exposition universelle. Notes d'un touriste : I », *Le Correspondant*, avril 1867, 971-986. Bazille a décrit le parc comme « effrayant... plein de constuctions en plâtre » (lettre 77, dans Marandel et daulte). Corot partageait le mépris des intellectuels et des artistes ; il aurait dit, lors d'une visite à l'Exposition : « Ce nouveau Paris m'ennuie. Ce luxe bien ordonné tuera tout, les peintres en premier » (Armand Silvestre, « Le salon de 1873 », *Corot raconté par lui-même et par ses amis*, éd. Pierre Cailler, Vézenat/Genève, 1946, 112-113).

**103** Monet critiqua les deux expositions (lettre à Bazille, juin 1867, W.I, L. 33).

**104** Boudin à Martin, 18 janvier 1869 (p.j. [23], W.I, 4454). Le souvenir de la critique de Daumier était toujours vivace dans la mémoire de Monet, un demi-siècle plus tard (Elder, *À Giverny*, 155-156) ; voir Rewald, *History of Impressionism*, 152 et n. 20.

**105** W.I, 37 et lettres à Bazille (W.I, L. 32-35).

**106** Lettre à Bazille (W.I, L. 45) ; House, « New Monet Catalogue », 681.

**107** Théodore Duret, *Les Peintres impressionnistes*, 1878, 13-14.

**108** Lettre à Bazille, 25 juin 1867 (W.I, L. 33). Voir aussi Wildenstein (I, 46) sur la dot de Camille en 1870, jamais versée entièrement. Voir aussi Theodore Zeldin sur le rôle de la dot comme moyen d'établissement social (*France, 1848-1945*, Oxford, 1973-1977, I, 287-291). Duranty, dans « L'atelier » et « La simple vie du peintre Louis Martin » (*Le Siècle*, 13-16 novembre 1872, repris dans *Le Pays des arts*, 1881), a situé la vie d'un artiste dans la société bourgeoise plutôt que dans la bohême marginalisée. Pour l'artiste Jourdain, dans « L'atelier », le mariage est « avant tout une bonne affaire » (Crouzet, *Un Méconnu du réalisme*, 514-515).

**109** Lettre à Bazille, 3 juillet 1867 (W.I, L. 34).

**110** Lettres à Bazille, 2 août 1867 (W.I, L. 37), janvier 1868 (W.I, L. 39). Bazille et Julie Vellay, la future épouse de Pissarro, devinrent les parrain et marraine du petit Jean en avril 1868.

**111** Voir n. 54. Le 3 septembre 1868, Boudin (c'est lui qui souligne) écrivit à son ami Martin : « Les paysans ont leurs peintres de prédilection... mais entre nous, ces bourgeois qui se promènent sur la jetée vers le coucher du soleil n'ont-ils aucun droit d'être fixés sur la toile, *d'être amenés à la lumière*. Entre nous, ils se reposent souvent d'un rude labeur, ces gens qui sortent de leurs bureaux et de leurs cabinets. S'il y a parmi eux quelques parasites, n'y a-t-il pas aussi des gens qui ont rempli leur tâche ? » (Jean Aubry, *Eugène Boudin*, 72).

**112** Boudin à F. Martin, 18 janvier 1869 (p.j. [23], W.I, 445) ; Holt, *Art of All Nations*, 460-461 ; Castagnary, « Salon de 1868 », *Salons*, I, 251-255.

**113** Zola, « Mon Salon : les actualistes » (1868), *Écrits sur l'art*, 153 ; Zacharie Astruc, « Salon de 1868 », *L'Étendard*, 27 juin 1868, cité dans *Archives*, II, 282.

**114** Baudelaire, « Le peintre de la vie moderne » (1863), *Œuvres complètes*, 1155 ; Zola, « Édouard Manet », *L'Événement illustré*, 10 mai 1868, *Écrits sur l'art*, 143 ; Ernest Chesneau (*Les nations rivales en art*, 1868, 220-221) écrivait que l'acheteur d'aujourd'hui « en veut pour son argent... et il estime d'autant plus le mérite de l'œuvre qu'il pourra compter d'infimes détails de plus près. »

**115** A. J. du Pays « Exposition : des ouvrages des artistes vivants, au palais des Champs-Elysées », *L'Illustration*, 16 avril 1859. Castagnary, de son côté (« Salon de 1863 », *Salons*, I, 100), constatait que le Salon était une foire « pour la diversité des produits ; non pour les résultats pécuniaires ; les grandes foires de France laissent plus d'argent dans le coffre d'un seul commerçant que souvent un Salon entier dans les poches réunies de tous les artistes. »

**116** Karl Marx, *Critique du programme de Gotha*, 1875 (éd., Londres, 1933, 21), cité par Benjamin, « Le Paris du Second Empire », *Charles Baudelaire*, 71.

**117** Lettre à Bazille, 25 juin 1867 (W.I, L. 33), dans laquelle Monet décrit le bateau comme « très curieux » : W.I, 38 ; *Entrée du port du Havre* (W.87) a pu être une étude préparatoire pour *Navires quittant les jetées du Havre*.

**118** Meyer Schapiro, « Courbet and Popular Imagery. An Essay on Realism and Naïveté », *Journal of the Warburg and Courtauld Institutes*, avril-juin 1941, repris dans Schapiro, *Modern Art : 19th and 20th Centuries* (*Selected Papers*, II), New York, 1978, 47-86.

**119** Gaudibert avait décidé d'acheter *La Jetée du Havre* à condition qu'elle fût exposée au Salon (Martin à Boudin, 4 mai 1868, p.j. [19], W.I, 444). Il l'acheta en fait un peu plus tard (Boudin à Martin, 25 avril 1869, p.j. [25], W.I, 445).

**120** Wildenstein I, 140 et II, 47. Le héros du roman de Zola a le même prénom que Monet, mais c'était aussi le nom de plume de Zola pour certaines de ses premières critiques d'art. Comme Christine et Claude dans *L'Œuvre*, mais à la différence de Zola et de sa maîtresse, Monet et Camille Doncieux étaient accompagnés de leur enfant. Dans le roman, ce dernier est perçu comme le rival de l'œuvre du peintre. Rodolphe Walter (« Critique d'art et vérité. Émile Zola en 1868 », *Gazette des Beaux-Arts*, avril 1969, 227-228) suggère que Zola était peut-être présent lorsque Monet a peint *Sur la rive du fleuve, Bennecourt*.

**121** Bazille fait de fréquentes allusions au prix des modèles (lettres à ses parents 47, 68, 71, 83, 85, dans Marandel et Daulte).

**122** Lettres à Bazille du 29 juin et de fin octobre 1868 (W I, L. 40 et 43) ; Martin à Boudin, 6 octobre 1868 (p.j. [22], W I, 445). W.I, 40-41.

**123** Lettre à Bazille, décembre 1868 (W I, L. 44). Monet devait utiliser toute sa vie le verbe « ressentir », qui implique que son expérience de la nature était autant subjective qu'objective. J'aurais dû exploiter davantage dans cette perspective l'article de Richard Shiff, « The End of Impressionism : A Study in Theories of Artistic Expression », *Art Quarterly*, automne 1978, repris dans *The New Painting*, 61-89.

**124** Lettre à Bazille, 15 juillet 1864 (W.I, L. 8).

**125** Manet, préface au catalogue de son exposition, place de l'Alma, 24 mai 1867, *Realism and Tradition Art*, éd. Nochlin, 81. Lettre à Bazille, du 20 mai 1867 (W.I, L. 32).

**126** Zola, « Mon Salon. Les réalistes du Salon » (1866), *Écrits sur l'art*, 77.

**127** Cité W.I, 42 et n. 320. Monet séjournait avec Bazille ; voir lettre 62, 5 avril 1869, dans Marandel et Daulte.

**128** Boudin à Martin, 25 avril 1869, (p.j. [25], W.I, 445).

**129** Bazille à son père, lettre 74, avril 1869, dans Marandel et Daulte. Le *Pêcheur* de Bazille fut refusé ; le jury du Salon de 1869 comprenait Gérôme, Cabanel, Gleyre, Stevens et Daubigny.

**130** Monet à Arsène Houssaye, 2 juin 1869 (W.I, L. 49) ; à Bazille, 9 août 1869 (W.I, L. 50) ; Renoir à Bazille, été 1869, cité dans Gaston Poulain, *Bazille et ses amis*, 1932, 155-156. L'isolement relatif de Monet à la campagne implique que ses relations avec ses mécènes parisiens ont été moins étroites que celles de Renoir (le prince Bibesco, que Renoir rencontra par l'intermédiaire de Bazille, devint un ami ; il disait : « Il arrive un moment où il faut se décrasser » : Jean Renoir, *Renoir, mon père*, 130). En 1870, Renoir obtint une commande de portrait du publiciste Georges Charpentier, dans le salon duquel il avait rencontré Arsène Houssaye et Théophile Gautier.

**131** Joël Isaacson, « Impressionism and Journalistic Illustration », *Arts Magazine*, juin 1982, 95-97, 100.

**132** Lettre à Bazille, 25 septembre 1869 (W.I, L. 53).

**133** Edmond Viellot, « L'île de la Grenouillère », *La Chronique illustrée*, 1er août 1869, Isaacson, « Impressionism and Journalistic Illustration », 102 et n. 40.

**134** Maupassant, « Yvette » (1884, *Contes et Nouvelles*, Pléiade, II, 264-265), « La Femme de Paul » (*Contes et Nouvelles*, Pléiade, I, 293). Mme Morisot, 19 août 1867, *Correspondance de Berthe Morisot avec sa famille et ses amis*, éd. Denis Rouart, 1950, 19-20. Bazille et Tiburce Morisot étaient typiques de ces bourgeois qui transportaient « les élégants de la haute société » sur les bords de l'eau : Bazille remporta le premier prix aux régates de Bougival en 1865.

**135** Wildenstein (I, 46) présume que Jean Ravenel (« Préface au Salon de 1870 », *Revue internationale de l'art et de la curiosité*, 15 avril 1870, 320-323) se réfère à un tableau de la Grenouillère (W.136, perdu), lorsqu'il commente le refus d'un "paysage" pour le Salon. Jules Claretie, « Léon Gambetta. Amateur d'art », *Gazette des Beaux-Arts*, février 1883, 124.

**136** La relation entre esquisse et tableau achevé est exposée de manière extensive dans House, *Monet. Nature into Art*. Ce livre a été publié après que la majorité de mon texte eut été écrite, et je n'ai pas été en mesure de profiter de ses analyses sur les processus de création chez Monet. Durant toute sa vie, Monet exécuta des esquisses pour ses œuvres peintes en atelier. Mais il a eu de plus en plus tendance à mettre sur une seule et même toile ces phases du travail que les peintres académiques avaient isolées dans des œuvres séparées (esquisses rapidement peintes, études de détail, études d'ensemble et tableaux achevés, c'est-à-dire : pochades, esquisses, études et tableaux). On peut parfois distinguer les études de Monet de ses œuvres achevées, mais celles-ci se distribuent le plus souvent selon différents degrés de finition, en fonction de l'expression recherchée des différents effets.

**137** Voir n. 96. La toile de Chenu est au musée d'Orsay.

**138** Boudin à Martin, 29 mai 1870 (p.j. [28], W.I, 445). Pour un récit de la controverse, voir W.I, 45-46, et Rewald, *History of Impressionism*, 239-240. Comme tous les artistes qui avaient exposé ne pouvaient pas voter, on tenta de mettre sur pied un jury de réforme avec Corot, Daubigny, Millet, Courbet, Daumier, Manet, Bonvin et Gautier : seuls Corot et Daubigny furent élus, mais ils figuraient aussi bien sur la liste officielle. Monet a reconnu le soutien de Daubigny dans une lettre du 15 janvier 1925 à Moreau-Nélaton (W.IV, L. 2587).

**139** Houssaye écrivit que *La Robe verte*, qu'il possédait, finirait au musée du Luxembourg : Karl Bertrand, « Le Salon de 1870 », *L'Artiste*, 1er juin 1870, *Archives*, II, 283 ; Castagnary (« Salon de 1870 », *Salons*, I, 390, 392) prétendit qu'il y avait eu peu d'exclusions, que le nombre croissant des artistes « coïncide avec les progrès de notre jeune démocratie », que « l'impartialité des juges [...] atteste l'expansion des doctrines de la liberté », mais que les artistes avaient choisi les « noms habituels », qui étaient toujours « des créatures de l'administration » et qui continuaient d'avoir leurs têtes de Turc, dont Monet.

**140** Comparons la toile mesurée et intime de Monet avec ce que Duranty décrit des intérieurs bourgeois, dans « Le salon bourgeois », *La Rue*, 13 juillet 1867. Voir Crouzet, *Un Méconnu du réalisme*, 490-491, n. 62.

La situation de la mère, de l'enfant et de la servante, ainsi que celle de la table dans un coin de fenêtre, ressemblent tellement à la composition du *Déjeuner* de Boucher (1739) qu'il paraît probable que Monet ait vu ce tableau, ou une reproduction de celui-ci (il était alors dans une collection privée). Lorsqu'il fut vendu à l'hôtel Drouot en 1878, on pensa qu'il s'agissait de la famille de Boucher (Alastair Laing *et al.*, *François Boucher*, catalogue de l'exposition, Metropolitan Museum of Art, New York, 1986, n° 33).

**141** Lettre 85 (du 26 mai 1870), mais qui renvoie à des événements de janvier (dans Marandel et Daulte). Rochefort était éditeur du journal radical *La Lanterne*, et député de Paris.

**142** W.I, 46.

**143** W.I, 51-52.

**144** Lettre à Pissarro, 27 mai 1871 (W.I, L. 56).

**145** Elder, *À Giverny*, 25.

**146** Alexandre, *Claude Monet*, 53 (La phrase d'Alexandre a le sens d'une autocritique).

**147** Bracquemond a exposé une eau-forte d'après *Pluie, vapeur et vitesse*, de Turner, à la première expo. impressionniste de 1874.

**148** Dans ses toiles de Hollande, Monet a de nouveau suivi Boudin, Jongkind et Daubigny, en peignant des motifs très semblables aux leurs, mais à une échelle beaucoup plus réduite que dans ses premières œuvres.

**149** Lettre à Pissarro, 17 juin 1871 (W.I, L. 59) ; W.I, 56-57.

## *Chapitre 2*

**1** Duret, *Les Peintres impressionnistes*, 16 ; Pissarro à Duret, 2 mai 1873, *Correspondance* I, L. 21, 79 ; Silvestre, préface au *Recueil d'estampes* (1873), in *Archives* II, 285-286.

**2** Charles Bigot, « Causerie artistique : l'Exposition des Mirlitons — l'exposition des "Intransigeants" », *La Revue politique et littéraire*, 8 avril 1876, 350-351.

**3** Ce chapitre doit beaucoup au *Monet at Argenteuil* (1982), de Tucker, qui a inauguré l'analyse détaillée du contexte social de l'impressionnisme, à partir de l'étude des archives municipales et autres sources contemporaines.

**4** Zola, « Mon Salon : les actualistes » (1868), *Écrits sur l'art*, 152.

**5** Paul Lidsky, *Les Écrivains contre la Commune* (1970) ; « Enquête des conseillers municipaux sur l'état de la main-d'œuvre de la capitale », octobre 1871 : voir Georges Soria, *Grande Histoire de la Commune* (1971), I, 47, *sqq*. La liste des quelque 40 000 emprisonnés incluait 48 « artistes-peintres » et 863 peintres en bâtiment : Soria, *Grande Histoire*, V, 167-175.

Théodore Duret (*Histoire des quatre ans 1870-1873*, 1876-1880, III : *La Commune* (1880), 254-255) : « L'expression de la plus légère pitié, un appel quelconque à la mansuétude, seraient tenus à crime, et mettraient en péril immédiat la vie de celui qui s'y serait abandonné. » Duret lui-même avait été emprisonné par les Versaillais (III, 252).

Paul Tucker, « The First Impressionist Exhibition in Context », *The New Painting*, 93-117. Mon chapitre a été achevé avant la lecture de cet article, qui met plus en avant les effets de la guerre de 1870 que le traumatisme de la Commune. Ce dernier contribua également à modeler la culture bourgeoise de la France : il posait des dilemmes insolubles dont on ne pouvait pas parler, alors que le pays était engagé dans des projets de revanche contre la Prusse. Voir aussi Stephen F. Eisenman, « The Intransigeant Artist or How the Impressionists got their Name », *The New Painting*, 31-59.

**6** Alexandre Dumas fils, *Une Lettre sur les choses du jour* (1871), 26-27. Paul de Saint-Victor affirmait que avec « l'éclat d'un Jugement dernier », les événements récents ont séparé « les élus de l'ordre, du devoir, de l'honnêteté, de la paix publique » des « réprouvés du brigandage et de l'anarchie » : « L'orgie rouge », 13 juin 1871, *Barbares et bandits — La Prusse et la Commune* (1872), 253.

**7** Zola, « Lettres de Paris », *Le Sémaphore de Marseille*, 3 juin 1871, cité dans Lidsky, *Les Écrivains contre la Commune*, 52. L'écrivain revint à cette horrible idée dans ses « Lettres parisiennes », *La Cloche*, 25 octobre 1872, in *Œuvres complètes*, XIV, 194-196. Les Goncourt affirmèrent de leur côté que « la force brute » allait donner à la société vingt ans de tranquillité.

**8** Zola, lettre à Cézanne, 4 juillet 1871, *Correspondance* (éd. Bakker, Montréal, 1978), II, 293-294. Duranty écrivait également : « Nous sommes les chercheurs en marche vers le futur, et donc nous devons être confiants car tout nous dit que l'heure de notre succès est proche », dans « La mer parisienne », *La Vie parisienne*, 9 mars 1872. En revanche, il semble avoir été affecté par « l'année terrible » au point d'envisager le suicide (Crouzet, *Un Méconnu du réalisme*, 307-309). Manet et Duret connurent une longue période de dépression.

**9** Théophile Gautier, *Tableaux de siège, Paris, 1870-1871* (1872), 352, cité dans Lidsky, *Les Écrivains contre la Commune*, 73.

**10** W.I, 57-58 ; Manet, lettre à Duret, dans Adolphe Tabarant, *Manet et ses œuvres* (1947), 191 ; Mme Morisot écrivit à Berthe (5 juin 1871, *Correspondance*, 58) que son fils avait rencontré « deux communaux au moment où on les fusille tous, Manet et Degas ! Encore à présent, ils blâment les moyens énergiques de la répression. Je les crois fous, et toi ? »

**11** Dumas fils, *Une Lettre sur les choses du jour*, 16 ; Leconte de Lisle à J.-M. de Hérédia, 22 juin, 29 mai 1871, cité dans Lidsky, *Les Écrivains contre la Commune*, 59. Les activités de Courbet sont évoquées dans les sept articles d'Alfred Darcel, « Les musées, les arts et les artistes pendant le siège et pendant la Commune », *La Gazette des Beaux-Arts*, septembre 1871-juin 1872 ; voir spécialement janvier 1872, 41-65 (sur la Fédération des Artistes), et février 1872, 146-150 (sur la colonne Vendôme).

**12** Parmi les élus de la Fédération des Artistes figuraient Manet, Daumier, Amand Gautier, Corot, Bonvin, Millet, Courbin, Pichio, Bracquemond et Ottin (ces deux derniers allaient exposer à la « Société Anonyme »), ainsi que Feyen-Perrin, membre non exposant. Tous les élus étaient des réalistes, mais tous n'avaient pas été consultés.

**13** Lidsky, *Les Écrivains contre la Commune*, 53-56, 83-85. Les opposants à la poursuite de la politique de répression du gouvernement provisoire se regroupaient autour de Victor Hugo et de son journal *Le Rappel*, qui militait pour une amnistie des Communards (Hugo, *Choses vues*, 1870-1885, éd. Juin [1972]). Manet, Duret, Duranty, Castagnary, Pissarro, Renoir et même Zola (épisodiquement) éprouvaient quelque sympathie à l'égard des Communards vaincus (voir pourtant Pissarro, *Correspondance*, I, L. 11 [dessin] et n. 11 ; II, L. 419 et n. 2).

**14** Ernest Feydeau, *Consolation* (1872), 112, cité dans Lidsky, *Les Écrivains contre la Commune*, 80.

**15** Daté de 1871 par Wildenstein (W.193). D'autres le datent de 1872, comme le tableau de Renoir sur le même sujet (par exemple, Theodore Reff, *Manet and Modern Paris*, catalogue de l'exposition à la National Gallery of Art, Washington DC, 1982, n° 6). *Cf.* l'interprétation de Tucker (« The First Impressionist Exhibition and Monet's *Impression, Sunrise* : A Tale of Timing, Commerce and patriotism », *Art History*, décembre 1984, 472), qui voit dans *Le Pont-Neuf* un hommage au passé et une expression de foi dans le futur.

**16** J.-B. Clément, *Chansons* (1887).

**17** Tucker, *Monet at Argenteuil*, 58-62, 71. Comme dans son article « The First Impressionist Exhibition in Context » (voir n. 5), Tucker interprète la participation de Monet à la "reconstruction" par des intentions conscientes, à la fois patriotiques et commerciales. Par exemple, il suggère que des œuvres comme *Le Train de marchandises* « révèlent la présence de l'industrie et du progrès dans le paysage, comme si Monet indiquait l'utopie d'un monde saint-simonien comme solution logique pour son pays vaincu ». L'utopie bourgeoise prônée par Monet relevait plus de l'intérêt personnel que des convictions politiques. Ce besoin était naturellement comblé par des tableaux qui se vendaient — mais l'acheteur était principalement un catholique fervent et légitimiste, Durand-Ruel.

**18** Eugène Spuller, cité dans Jean-Marie Mayeur, *Les débuts de la IIIe République, 1871-1898* (1973), 11. Spuller, ami de Gambetta, était député radical de Paris depuis 1876 ; son portrait par Renoir fut présenté à l'exposition impressionniste de 1876.

**19** A. de Pontmartin, « Salon de 1872 : I », *L'Univers illustré*, 11 mai 1872, 295. « Poètes » et « peintres » sont au pluriel, alors que « paysan » et « ouvrier » sont au singulier : la grammaire leur refuse ainsi toute signification de classe ou d'entité collective ; les nourrices remplacent les mendiantes de la réalité.

**20** Zola, « Lettres parisiennes », *La Cloche*, 12 mai 1872, *Écrits sur l'art*, 200.

**21** T. Gautier, « La sculpture au Salon », *L'Artiste*, juin 1872, 263 ; Paul de Saint-Victor, « Les tableaux de style au Salon », *L'Artiste*, juin 1872, 247-248 ; de Pontmartin, « Salon de 1872 : I », 294-295. Les deux derniers articles s'élevaient contre l'influence des marchands d'art sur l'art contemporain : à la vente Péreire, les *Glaneurs* de Breton avaient atteint 18 200 francs, et les *Rives de l'Oise* de Rousseau, 13 100 francs.

**22** Castagnary, « Salon de 1872 », *Le Siècle*, *Salons II*, 3-7.

**23** Cham [Amédée Noé], *Le Salon pour rire, 1872* (1872).

**24** Castagnary, « Salon de 1872 », *Salons*, II, 11-14. En 1875, Zola écrivait : « Courbet, qui a commis la sottise impardonnable de se compromettre lors de l'insurrection où il n'avait que faire, n'existe pour ainsi dire plus » (« Exposition de tableaux à Paris », *Le Messager de l'Europe*, juin 1875, *Écrits sur l'art*, 217) ; pour Manet, voir n. 10.

**25** Zola, « Lettres parisiennes » (12 mai 1872), *Écrits sur l'art*, 198. Edmond About (« Deux Refusés qui n'ont rien dit », *L'Artiste*, mai 1872, 220-221) écrivit que les tableaux de Detaille et Ulmann représentant les atrocités commises par les Prussiens avaient été exclus parce qu'ils pouvaient entraîner des manifestations et retarder l'évacuation du territoire par les ennemis. Le Salon présentait 38 tableaux directement liés à la guerre et au siège, 11 aquarelles ou estampes sur la Commune, 14 tableaux "alsaciens" et un bon nombre de références allégoriques plus ou moins indirectes, dont plusieurs *Jeanne d'Arc* et le *In hoc signo vinces* de Louis Janmot, ainsi décrit dans le catalogue : « France, Religion, Liberté et Justice. — Deux personnages, symbolisant la Démagogie et le Despotisme, noyés dans un fleuve de sang. Dieu bénisse la France et ceux qui sont morts pour elle. »

**26** Zola, « Causerie du dimanche », *Le Corsaire*, 3 décembre 1872.

**27** Henri Vigne, « Les bas-fonds parisiens », *L'Illustration*, 26 août 1871. Le 2 septembre 1871, un article de cette série, consacré à la faim et à la criminalité, évoquait un rapport du ministre de la Justice chiffrant « l'armée des révoltés contre la société » à « 200 000 ».

**28** Les tableaux à sujet de mendicité du Salon de 1872 incluait les *Mendiantes bretonnes* de Hublin et *La Favorite* de Firmin-Girard, tous deux reproduits dans *L'Univers illustré* du 13 juillet 1872, 441. Dans « Les bas-fonds parisiens » (*L'Illustration*, 11 novembre 1871) la mendicité était présentée comme une menace inquiétante. Duranty, *La Nouvelle peinture*, dans *New Painting*, 482.

**29** De Pontmartin, « Salon de 1872 : I », 295.

**30** Jules Claretie (« L'Art français en 1872. Revue du Salon », *Peintres et sculpteurs contemporains*, 1874, 314) décrivait la peinture ; repris dans la *Gazette des Beaux-Arts*, février 1872, en face de la page 467. Pour Feyen-Perin, voir n. 12.

**31** *L'Illustration*, 7 octobre 1871, bains de mer et recension des histoires de la Commune ; 18 novembre, critique de *L'Homme et la bête* de Mangin (« À relire l'histoire de ces neuf derniers mois, les lions ou les hyènes semblent des agneaux comparées aux hommes ») ; 25 novembre, courses à Longchamp ; 16 décembre, illustrations des « Prisonniers de la Commune à Versailles », modes d'hiver, et deux dessins de Bayard. Claretie (« Deux dessins de M. Bayard », *Peintres et Sculpteurs contemporains*, 362-365) notait que les dessins avaient été popularisés par des photographies.

**32** Monet à Bazille, décembre 1868, W.I, L. 44.

**33** Voir n. 21. En février 1873, Durand-Ruel paya 2 000 francs pour une toile sur La Grenouillère (probablement W.136, aujourd'hui perdue) ; W.I, 87, n. 612. Un livre de conseils pour les salaires d'employés (H. Leneveux, *Le Budget du foyer*, 1872) donne une moyenne de 2 339, 60 francs pour un travailleur d'atelier, complétés par le travail accompli à la maison par sa femme et ses filles.

**34** *La Cloche*, 14 avril 1871, cité dans Bernard Noël, *Dictionnaire de la Commune*, 1971, I, 76 ; Maxime du Camp, *Les Convulsions de Paris*, 1889 (7e édition), II, 61-62. Arsène Houssaye, possesseur de *La Robe verte* de Monet et spécialiste des romans érotiques, écrivit dans son roman *Le Chien pendu et la femme fusillée*, 1872, I, 239 : « Pas une de ces femmes n'avait une figure humaine : c'était l'image du crime ou du vice. C'était des corps sans âme qui avaient mérité mille fois la mort avant de toucher au pétrole » (cité dans Lidsky, *Les Écrivains contre la Commune*, 64, 115). La persistance de l'image bestiale des femmes de la classe ouvrière est évidente dans *Germinal* de Zola, écrit plus de dix ans après.

**35** Soria, *Grande Histoire*, V, 120-124 : [Louis] Uhlbach, « Justice », éditorial de *La Cloche*, 29 mai 1871 ; Lidsky, *Les Écrivains contre la Commune*, 127-132, citant Alphonse Daudet, « Monologue à bord », *Contes du lundi* (1876).

**36** Jules Janin, *Voyage de Paris à la mer* (1847) : vignette sur une carte de chemin de fer, en face de la page 18 ; illustrations 19, 21-22, 44, 89, 91, 94, face aux pages 98, 112, 152, 156. Les mêmes illustrations ont été reprises dans *La Normandie*, du même (1862, 3e édition), chap. XV-XVI (les deux ouvrages contiennent une gravure de la façade de la cathédrale de Rouen, que Monet devait peindre dans les années 1890). On peut imaginer que le guide de Janin — qui comportait un récit du voyage inaugural en 1843 — était en possession de la famille Monet au Havre, et qu'il berça les rêves du jeune garçon dans son enfance.

**37** Voir Tucker, *Monet at Argenteuil*, spécialement chap. 1.

**38** Malgré la rhétorique attachée au travail, on présentait plutôt ses résultats matériels que ses procédés dans les peintures de l'époque ; le Salon offrait peu de tableaux représentant le travail (à l'exception de celui des villages de pêcheurs et autres activités quasi intemporelles).

**39** Stéphane Mallarmé, « The Impressionists and Édouard Manet », *Art Monthly Review*, Londres, 30 septembre 1876 (non publié en français avant 1968) ; repris dans *New Painting*, 28-34.

**40** Tucker, *Monet at Argenteuil*, 67-68.

**41** Pissarro à Duret, 2 mai 1873 (voir épigraphe, et n. 1). Duret venait précisément de critiquer les paysages de Monet et de Sisley, « sans âme, sans sentiment » : Pissarro, *Correspondance*, I, L. 21 et n. 1, 79.

**42** Mayeur, *Les Débuts de la IIIe République*, 26.

**43** Duret, *Les Peintres impressionnistes*, 19.

**44** Silvestre, préface au *Recueil d'estampes*, 1873.

**45** Benjamin, « Paris au Second Empire », dans *Charles Baudelaire*, 37.

**46** Monet à Pissarro, 22 avril 1873 (W.I. L. 64). Pour l'évolution de l'exposition privée, voir W.I. 65-70 Tucker, « First Impressionist Exhibition in Context », *New Painting*, 93-94, 104-106.

**47** *Reproduction photographiques des principales œuvres*, Salon des Beaux-Arts, 1872-1877, Goupil : Cabinet des Estampes, Bibliothèque nationale, Paris.

**48** Paul Alexis, « Paris qui travaille. III : Aux peintres et sculpteurs », *L'Avenir national*, 5 mai 1873 ; « Aux peintres et aux sculpteurs. Une lettre de M. Claude Monet », 12 mai 1873 (pour la lettre, voir aussi W.I. L. 65). Les soupçons d'Alexis à l'encontre des marchands d'art, exprimés aussi par d'autres journalistes, reflétaient probablement leur influence croissante. Voir n. 21. Zola également avait plaidé pour que les artistes s'organisent pour « former une corporation comme de simples ouvriers » afin d'échapper à l'ingérence de l'État : « Lettres parisiennes », *La Cloche*, 13 juillet 1872, dans *Écrits sur l'art*, 203

**49** Silvestre, préface au *Recueil d'estampes*, 1873.

**50** Pissarro à Duret, 5 mai 1874 (*Correspondance* I, L. 36, 93). Duret avait conseillé à Pissarro de continuer à essayer de percer grâce au Salon (lettre du 15 février 1874, in Rewald, *Histoire de l'Impressionnisme*, 310).

**51** Excavations pour le Sacré-Cœur, illustr. de couverture dans *L'Univers illustré* du 9 mai 1874. H. Le Pène, éditorial de *Paris-Journal*, 7 mai 1874 ; Ernest Chesneau, « À côté du Salon : II — Le plein air. Exposition du boulevard des Capucines », *Paris-Journal* (et *Le Soir*), 7 mai 1874, in Hélène Adhémar *et al.*,

*Centenaire de l'Impressionnisme*, catalogue de l'exposition, Grand Palais, Paris, 1974 (cité dorénavant comme *Centenaire* ), 268-270.

**52** A. de Pontmartin, « Salon de 1874 », *L'Univers illustré*, 2, 16 mai 1874, 278, 310-311.

**53** Castagnary, « L'Exposition au boulevard des Capucines », *Le Siècle*, 29 avril 1874, in *Centenaire*, 265 (*Le Siècle* publia les rumeurs sur la présence du comte de Chambord à Versailles). Émile Blémont, éditorial de *La Renaissance littéraire et artistique*, 18 janvier 1874.

**54** Pierre Albert, *Histoire de la presse politique nationale au début de la Troisième République (1871-1879)*, 1980. Aucun journal catholique ou légitimiste ne rendit compte de l'exposition impressionniste en 1874, mais il y eut un article sur l'exposition dans *Paris-Journal*, organe qui soutenait le septennat (mandat présidentiel de sept ans), dans l'espoir que cela pourrait amener une solution politique bonapartiste ou monarchiste.

**55** Georges Rivière, « Aux femmes », *L'Impressionniste*, 21 avril 1877, in *Archives*, II, 322.

**56** Jean Renoir, *Renoir, mon père*, 270-271 ; Armand Silvestre, « Chronique des beaux-arts : physiologie du refusé » — L'exposition des révoltés », *L'Opinion nationale*, 22 avril 1874.

**57** Louis Leroy, « L'Exposition des impressionnistes », *Le Charivari*, 25 avril 1874 ; Émile Cardon, « L'Exposition des révoltés », *La Presse*, 29 avril 1874 ; Chesneau, « À côté du Salon », tous dans *Centenaire*, 259-261, 262-263 ; A. L. T. « Chronique », *La Patrie*, 16 mai 1874, cité in Jean Renoir, *Renoir, mon père*, 180. Sur Chesneau, voir Boime, « Second Empire's Official Realism », 47-49 et n. 51. Pour le septennat, voir ci-dessus n. 54.

**58** Philippe Burty, « Exposition de la Société Anonyme des Artistes », *La République française*, 25 avril 1874 ; Ernest d'Hervilly, « L'Exposition du boulevard des Capucines », *Le Rappel*, 17 avril 1874 (les deux dans *Centenaire*, 256-257, 261-262). Burty écrivait surtout dans la presse républicaine de gauche, mais contribuait parfois à des journaux conservateurs comme *La Presse* ; il avait assisté à la première réunion de la Fédération des Artistes de la Commune, en avril 1871 ; d'Hervilly était un habitué du salon gambettiste des Charpentier. L'engagement des journaux dans le débat politique par l'intermédiaire des beaux-arts avait été représenté dans *La Lecture du journal*, de Pabst, au Salon de 1872 : on y voyait une jeune Alsacienne lisant (selon de Pontmartin, « Salon de 1872 : II », *L'Univers illustré*, 18 mai 1872, 210) « *La République française*, journal de M. Gambetta ! » Le critique affirmait : « La profession de foi politique ne peut qu'affaiblir l'effet de sympathie. Ne sommes-nous pas suffisamment divisés ? »

**59** Dans son « Salon de 1872 » (*Salons* II, 7-8), Castagnary citait les « deux principes » de liberté et de protectionnisme. Les origines du second étaient autoritaires : il fixait l'attention de l'artiste sur le « pouvoir central » et il était régi par les académies, les réglements, les jurys, les prix. Les origines de la liberté étaient municipales : son idéal était « la glorification de l'humanité » et il prenait « l'opinion publique pour juge ». L'auteur anonyme d'*Aux artistes-peintres. À propos du Salon de 1872*, cherchait des solutions de remplacement à l'État et aux marchands d'art. Silvestre, « L'Exposition des révoltés » (1874). Duranty affirmait que « si vous voulez de l'ardeur dans la lutte, de l'élan chez les artistes, laissez faire, laissez passer, laissez-les combattre ensemble » (15 juin 1872 ; cité dans Crouzet, *Un Méconnu du réalisme*, 312). Pour Alexis, voir aussi n. 48.

**60** Cardon, « L'Exposition des révoltés », 1874 ; Philippe de Chennevières, *Souvenirs d'un directeur des Beaux-Arts*, 1879, IV, 91 (sa proposition échoua par suite de l'opposition des artistes, qui s'étaient habitués à la tutelle de l'État depuis 1791 (comme le soulignait l'auteur d'*Aux artistes-peintres*, 287).

**61** Ph. B. [Philippe Burty], « Chronique du jour », *La République française*, 16 avril 1874 ; Castagnary, « L'Exposition au boulevard des Capucines » ; Marc [Marie-Amélie Chartroule] de Montifaud, « L'Exposition du boulevard des Capucines », *L'Artiste*, 1er mai 1874 ; Chesneau, « À côté du Salon » — tous dans *Centenaire*, 256, 264-265, 266-268, 269.

**62** Mallarmé, « Impressionists and Édouard Manet », *New Painting*, 33. Feydeau, *Consolation*, 77, cité dans Lidsky, *Les Écrivains contre la Commune*, 84. *Le Siècle* s'opposait à la politique de répression de Versailles et soutenait l'idée d'une amnistie pour les Communards.

**63** De Pontmartin, « Salon de 1874 », *L'Univers illustré*, 2 mai 1874, 279 ; Francis Aubert, « Le Salon : IX », *La France*, 26 mai 1874. Lindsay, *Gustave Courbet*, 244.

**64** Mallarmé, « Impressionists and Édouard Manet », 1876, et « Le Jury de peinture pour 1874 », *La Renaissance littéraire et artistique*, 12 avril 1874, *Œuvres complètes*, Pléiade, 1945, 695-700. De Pontmartin, « Salon de 1874 », *L'Univers illustré*, 16 mai 1874, 310.

**65** *Journal Officiel*, 15 avril, 10 mai 1871, Darcel, « Les musées, les arts et les artistes [...] pendant la Commune », janvier 1872, 47-50, 59-60.

**66** Duranty, 3 juillet 1872, cité dans Crouzet, *Un Méconnu du réalisme*, 312.

**67** Monet à Duret, 8 mars 1880 (W.I, L. 173).

**68** Burty, « Exposition de la Société Anonyme des artistes », 1874, dans *Centenaire*, 261. Zola (« Lettre de Paris », *Le Sémaphore de Marseille*, 3-4 mai 1874, *Écrits sur l'art*, 206) remarquait que dans le Salon de 1874, les œuvres étaient accrochées sur deux niveaux seulement ; « un kilomètre de taches violentes, des bleus, des rouges, des jaunes, criant entre eux, hurlant la cacophonie la plus abominable du monde ».

**69** Benjamin, « Le Paris du Second Empire » et « Paris — capitale du XIXe siècle », *Charles Baudelaire*, 54-55, 165-166. Les Salons "ouverts" avaient précédé les "bazars" et les grands magasins (voir Bernard Marey, *Les Grands Magasins, des origines à 1939*, 1979), mais leur expansion spectaculaire durant le Second Empire coïncida avec le danger croissant de contamination du Salon par les principes commerciaux (voir ci-dessus, n. 115).

**70** Th. de Langeac, « Bulletin », *L'Univers illustré*, 9 mai 1874, 290 ; de Pontmartin, « Salon de 1872 : III », *L'Univers illustré*, 6 juillet 1872 (« l'austère leçon de l'adversité » avait été bien apprise par Tassaert, dont Langeac rapporte le suicide). Anonyme, *Aux artistes-peintres*, 26-27.

**71** Hélène Adhémar et Sylvie Gache, « L'Exposition de 1874 chez Nadar », dans *Centenaire*, 223-254. Cals présentait des sujets de pêcheurs, Brandon des tableaux sur la vie des Juifs, Ottin des sculptures de sujets classiques — et un buste d'Ingres ! ; Chesneau, « À côté du Salon : II », 1874, dans *Centenaire*, 268.

**72** De Montifaud, « L'Exposition du boulevard des Capucines » (1874), et Chesneau, « À côté du Salon » (1874), tous deux dans *Centenaire*, 266, 257. Tucker donne une excellente analyse de l'iconographie moderne d'*Impression, soleil levant* dans « The First Impressionist Exhibition and Monet's *Impression, sunrise* », 1984, 473-474. Il est surprenant, selon lui, que personne n'ait vu la peinture de Monet sous l'aspect de la "reconstruction" de l'après-guerre. Les coups de pinceau visibles s'opposaient sans doute d'eux-mêmes à une telle "lecture".

**73** Mallarmé, « Le jury de peinture pour 1874 et M. Manet », 1874, in *Œuvres complètes*, 696.

**74** Burty, « Exposition de la Société Anonyme », 1874, et Cardon, « L'Exposition des révoltés », 1874, tous deux dans *Centenaire*, 261, 263.

**75** Castagnary, « L'Exposition au boulevard des Capucines », 1874, *Centenaire*, 265.

**76** D'Hervilly, « L'Exposition du boulevard des Capucines », 1874, et Chesneau, « À côté du Salon : II », 1874, tous deux dans *Centenaire*, 257, 269. L'enthousiasme venant d'un bonapartiste peut s'expliquer par le fait que les membres libéraux de l'ancien *establishment* impérial croyaient plus fortement dans les progrès de la libre entreprise que beaucoup de républicains, au cours de ces années de malaise.

**77** Leroy, « L'Exposition des impressionnistes », 1874, et Cardon, « L'Exposition des révoltés », 1874, tous deux dans *Centenaire*, 260, 263.

**78** De Pontmartin, « Salon de 1874 : IX. La sculpture », *L'Univers illustré*, 27 juin 1874, 407. L'exposition du concours architectural pour le Sacré-Cœur ouvrit en juillet 1874.

**79** Castagnary, Chesneau, Burty (1874, tous dans *Centenaire*, 265, 270, 262). Durand-Ruel acheta *Le Champ de coquelicots* (W.274) en décembre 1873.

**80** Tucker, *Monet at Argenteuil*, 176-181.

**81** Jean-Baptiste Faure a peut-être acquis deux versions des voiliers et de la villa à Argenteuil, en 1876 (W.368-369). Ernest Hoschedé et Georges de Bellio ont acquis chacun trois des tableaux de la série des *Gare Saint-Lazare*, en 1877.

82 Gambetta, discours de Lille, août 1877, *Discours et plaidoyers choisis de Léon Gambetta*, 1909, 254.
83 Duret (*Les Peintres impressionnistes*, 9) donne une liste de quelques-uns des collectionneurs des œuvres de Monet ; voir aussi Merete Bodelsen, « Early Impressionist Sales, 1874-1894 », *Burlington Magazine*, juin 1968, 331-340. Parmi les autres acheteurs, on relève le comte Jean de Rasti (*La Japonaise*, 1877), ainsi que les marchands d'art et encadreurs Portier, Dubourg, Petit et Hagerman. Les artistes possesseurs d'œuvres de Monet ont été Manet, Michel Levy, Caillebotte, Gonzalès (?), Morisot (?), de Nittis, Duez, Meixmoron de Dombasle. Les écrivains Houssaye, Feydeau, Duret, Zola, Chesneau, Blémont en avaient également (certaines pouvant être des cadeaux, comme ceux que Monet fit quelques années plus tard aux critiques Burty et Mirbeau). Deux musiciens achetèrent aussi des tableaux : le chanteur Faure avait la collection la plus hardie et le compositeur Chabrier manifesta très tôt sa compréhension et son goût pour le travail de Monet (*Archives*, I, 39-44). Les tableaux représentant des personnages dans la campagne ou dans un jardin connurent le succès le plus constant ; parmi les 35 œuvres peintes entre 1872 et 1876, 21 au moins avaient été vendues à la fin de 1878. W.I, 62-64, 71, 74, 79. Lettre à Manet, 28 mai 1874 (W.I, L. 86).
84 Tucker, *Monet at Argenteuil*, chap. 3, « Bridges over the Seine », 57-87.
85 Un dessin pour le *Déjeuner sur l'herbe* de 1865-1866 suggère que Monet a ajouté un fleuve au premier cadre de forêt ; comme le dessin se trouve dans le même carnet que certains dessins d'Argenteuil (carnets de croquis du musée Marmottan, MM. 5130), il est possible qu'il ait essayé cette adjonction au moment du séjour d'Argenteuil.
86 Maupassant, « Mouche », in *Contes et Nouvelles*, II, 1669.
87 Aitken et Delafond, n° de catalogue 56-67, 114, 131, 138, 141, 155, 157-158. Bromfield (« Japanese Art, Monet and Impressionism ») indique les dates d'acquisition de ces estampes : n° 155, 157-158, avant 1867 ; n° 138-141 (avant 1873) ; n° 114, 131 avant 1878 ; n° 56-57, avant 1883.
88 Mallarmé, « Impressionists and Édouard Manet », *New Painting*, 31.
89 Les détails sont exposés dans Tucker, *Monet at Argenteuil*, 48-52.
90 Voir Theodore Reff, *Degas : The Artist's Mind*, New York, 1976, 164-169.
91 Geffroy (*Claude Monet*, 367) cite Georges Lafenestre, écrivant en 1899 : « Les silhouettes [...] prennent un aspect démoniaque et fantastique sur le fond triste du paysage traversé par une arche de fer comme par un pont infernal. »
92 *Les Casseurs de cailloux* de Courbet furent revendus à un collectionneur privé en 1871 ; le tableau fut exposé en avril-mai 1877. Bromfield (voir ci-dessus, n. 87) suggère que Monet a acheté l'estampe de Hiroshige (Aitken et Delafond, n° de catalogue 139) avant 1873.
93 Mallarmé, « Impressionists and Édouard Manet », *New Painting*, 33, 34.
94 Anonyme, « Faits. Paris. Ventes Morisot, Monet, Renoir et Sisley », *L'Écho universel*, 23 mars 1875 ; Anonyme [Léon Mancino], « Chronique de l'hôtel Drouot », *L'Art*, I, 1875, 336 , les deux dans *Archives*, II, 300-301 ; « Masque de fer » [Albert Wolff], *Le Figaro*, 24 mars 1875 (*Le Figaro* était « le franc-tireur de la presse conservatrice » : Albert, *Histoire de la presse politique nationale*, II, 916, *sqq.* ) ; [Burty], préface au catalogue, *Vente du 24 mars 1875. Tableaux et aquarelles par Cl. Monet, B. Morisot, A. Renoir, A. Sisley* dans *Archives*, II, 290 ; [Burty], « Chronique du jour », *La République française*, 23, 26 mars 1875 ; « Un passant » [d'Hervilly], « Les on-dit », *Le Rappel*, 20, 26 mars 1875. Les « vulgaires spéculateurs » comprenaient Hecht, Débrousse, Dollfuss et peut-être Dalloz (voir aussi n. 83).
95 Théodore Véron appréciait l'œuvre de Baader pour son élévation spirituelle (« De l'Art et des artistes de mon temps », 1876, 43) ; commentaire de Chennevières cité par Adrian Rifkin, « Cultural Movements and the Paris Commune », *Art History*, juin 1979, 207.
96 Lettres à Manet, 28 juin 1875, 8 juillet 1875 et sans date [1875] (W. I, L. 81-83). Manet proposa à Duret d'accepter secrètement l'offre de Monet de 10 à 20 toiles à 100 francs pièce, « pour faire, malgré la répugnance qu'on pourrait avoir, une excellente affaire et en même temps rendre service à un homme de talent » (cité par Geffroy, *Claude Monet*, 73). Le marché ne fut finalement pas conclu.
97 *Mémoire sur l'avant-projet de déviation des eaux d'égout de la ville de Paris*, Saint-Germain-en-Laye, 1876, 45 ; cité par Tucker, *Monet at Argenteuil*, 149-152.
98 Tucker, *Monet at Argenteuil*, chap. 5, « Monet and his Garden », 125-153. Zola, « Mon Salon : les actualistes », 1868, *Écrits sur l'art*, 152 ; Jean Prouvaire [Pierre Toloza], « L'Exposition du boulevard des Capucines », *Le Rappel*, 20 avril 1874, dans *Centenaire*, 258.
99 Comparez avec le tableau plus prosaïque de la famille de Monet par Manet (aujourd'hui au Metropolitan Museum de New York).
100 Lettre à Chocquet, 4 février 1876 (W.I, L. 86) ; W.I, 72.
101 Tucker, *Monet at Argenteuil*, 138-139 ; Isaacson, *Claude Monet*, 205-206.
102 Prouvaire, « L'Exposition du boulevard des Capucines », 1874, dans *Centenaire*, 259.
103 Dans les *Canotiers à Chatou* (W.324). Dans « Mouche », Maupassant évoque la sexualité vagabonde de ces milieux (*Contes et Nouvelles*, II, 1169-1176).
104 Voir n. 83.
105 Voir aussi Aitken et Delafond, n° 87-88. Bromfield, « Japanese Art, Monet and Impressionism ». Émile Blémont, (« Les impressionnistes », *Le Rappel*, 9 avril 1876, cité par Geffroy, *Claude Monet*, 81-83) et Alexandre Pothey (« Chronique », *La Presse*, 31 mars 1876, dans *Archives*, II, 302) furent les seuls critiques à relever la mascarade.
106 Armand Silvestre, « Exposition de la rue Le Peletier », *L'Opinion nationale*, 2 avril 1876 (cité par Steven Z. Levine, *Monet and his Critics*, New York, 1976, p.25) ; Simon Boubée, « Beaux-Arts. Exposition des impressionnistes », *Gazette de France*, 5 avril 1876, cité dans W.I, 80. Une insinuation similaire se retrouve chez Émile Porcheron (« Promenade d'un flâneur. Les impressionnistes », *Le Soleil*, 4 avril 1876, cité par Geffroy, *Claude Monet*, 94) : « Le peintre a peut-être trouvé de bon goût de la draper de telle sorte qu'une portion du vêtement, sur laquelle est brodée une tête de guerrier, vient s'appliquer justement sur la partie du corps confiée aux soins de M. Purgon. » Monet écrivit à Gustave Manet (7 mai 1876, W.I, L. 88) pour lui enjoindre le silence « au sujet de la japonaise ». Gimpel, *Journal d'un collectionneur*, 68 (19 août 1918).
107 Monet à Burty, 10 octobre 1875 (W.I, L. 84) ; Bigot, « Causerie artistique », 1876.
108 A. de L. [Alfred de Lostalot], « L'Exposition de la rue Le Peletier », *Chronique des arts et de la curiosité* (supplément hebdomadaire à la *Gazette des Beaux-Arts*, décrite par Burty en 1876 comme « l'organe des plus pures doctrines académiques »), 1er avril 1876, cité par Levine, *Monet and his Critics*, 25-26 ; Pierre Dax, « Chroniques », *L'Artiste*, 1er mai 1875, 347 (repr. de Georges Rivière, « Les intransigeants de la peinture », *L'Esprit moderne*, 13 avril 1876) ; Léon Mancino, « 2ème exposition de peintures, dessins, gravures, faite par un groupe d'artistes », *L'Art*, V, 1876, 36-37.
109 Bigot, « Causerie artistique », 1876 : Castagnary, « Salon de 1876 », in *Salons*, II, 213-214.
110 *Correspondance de Berthe Morisot*, 94.
111 Albert Wolff, « Le calendrier parisien », *Le Figaro*, 3 avril 1876, cité par Geffroy, *Claude Monet*, 86-88.
112 Georges Maillard, « Chronique : les impressionnalistes », *Le Pays*, 4 avril 1876, cité par Geffroy, *Claude Monet*, 88-89 ; [Marius Vachon], « Carnet de la journée », *La France*, 4 avril 1876 ; note dans *Le Figaro*, citée par Geffroy, *Claude Monet*, 86.
113 Bertall [Charles-Albert d'Arnoux], « Exposition des impressionnistes, rue Le Peletier », *Le Soir*, 15 avril 1876, cité par Geffroy, *Claude Monet*, 89-91 ; Émile Blavet, « Avant le Salon. L'exposition des réalistes », *Le Gaulois*, 31 mars 1876 ; Bigot, « Causerie artistique », 1876. À la base de l'accusation de « folie » se trouvait le soupçon d'un groupe étroitement soudé par l'esprit collectif, exprimé par Wolff (voir aussi n. 111), « la mutuelle admiration de leur égarement commun ».
114 Daniel Halévy, *La République des ducs*, 1937 (éd. 1972), 206 ; *Coubet raconté par lui-même et par ses amis*, éd. Pierre Cailler, Genève, 1951, II, 159.
115 Louis Enault, « Mouvement artistique : l'Exposition des intransigeants dans la galerie de Durand-Ruel », *Le Constitutionnel*, 10 avril 1876, cité par Geffroy, *Claude Monet*, 92. La lecture instinctivement "politique" des tableaux impressionnistes est visible dans le commentaire d'Enault sur *Mme Monet en costume japonais*, tableau dans lequel le peintre « à force d'habileté », aurait transformé la soie de la robe en laine ou en coton de paysanne ; Enault conseillait de ne pas les porter lorsque l'on va près des troupeaux parce que « ces animaux réactionnaires n'aiment pas tous les rouges ». Maillard écrivait que le groupe brandissait « une bannière révolutionnaire quelconque » ; deux autres critiques relevaient que *La Japonaise* portait un drapeau tricolore, ce qui était « flatteur pour la France » selon un chroniqueur de l'*Événement*, journal du centre gauche (Geffroy, *Claude Monet*, 83). Rappelons les passions déchaînées autour des trois couleurs entre 1870 et 1876 : en 1871, Falloux proclamait que le drapeau tricolore était devenu, « par opposition à l'étendard sanglant de l'anarchie, le drapeau de l'ordre social ». Cité par Mayeur, *Les débuts de la IIIe République*, 15-16. Voir aussi n. 51.
116 Éditorial, *Le Rappel*, 25 mars 1876 ; Hugo, *Choses vues*, 379-380 ; il parla aussi le 22 mai 1876 (*Choses vues*, 283).
117 Bigot, « Causerie artistique », 1876 ; il affirmait également que les artistes n'avaient pas créé « une révolution » et qu'ils produisaient simplement« des esquisses, des ébauches ». Le radical Alfred Naquet parla en faveur de l'amnistie à la Chambre des députés, en mai 1876.
118 Blémont, « Les impressionnistes », 1876. Il avait dîné avec Hugo en 1873, à un moment où l'écrivain lisait des passages de *L'Année terrible* à ses invités (*Choses vues*, 319).
119 Éditorial, *Le Soleil*, 4 avril 1876 ; Anonyme, « Revue des journaux. Revue littéraire et anecdotique », *Le Moniteur universel*, 11 avril 1876 (avec une repr. part. de Blémont, « Les impressionnistes », 1876).
120 Mancino, « 2ème exposition des peintures, dessins, gravures », 1876 ; Lidsky, *Les Écrivains contre la Commune*, 49, 59, 73, 92, 157. Un écrivain anonyme de *L'Illustration* (3 juin 1871) avait dit que Paris devait être sauvé de la « destruction totale par des bandits que l'on ne peut comparer qu'aux hordes d'Attila ».
121 Porcheron, « Promenades d'un flâneur », 1876 ; Geffroy, *Claude Monet*, 93 ; Bigot, « Causerie artistique », 1876. Les coloris mentionnés dans ces articles et dans d'autres ruinent la thèse d'Oscar Reuterswärd dans « The "Violettomania" of the Impressionists », *Journal of Aesthetics and Art Criticism*, décembre 1950, 106-110.
122 Silvestre, « Exposition de la rue Le Peletier » ; Blavet, « Avant le Salon. L'exposition des réalistes » ; Blémont, « Les impressionnistes » ; Enault, « Mouvement artistique » (tous en 1876).
123 Duranty, *La Nouvelle Peinture*, in *New Painting*, 481.
124 Pothey (« Chronique », 1876) disait que le groupement des œuvres par artiste permettait au spectateur « d'aller des détails à l'ensemble et de les juger avec une profonde connaissance en la matière ». Bigot, « Causerie artistique », 1876.
125 Mallarmé, « Impressionists and Édouard Manet », *New Painting*, 33.
126 Selon Georges Rivière (*Renoir et ses amis*, 1921, 89-90), lorsque Renoir demanda que *La République française* insérât un entrefilet favorable sur leur exposition de 1877, Gambetta rit et s'écria : « Vous êtes des révolutionnaires ? Eh bien ! et nous, qu'est-ce-que nous sommes ? » Monet, lettres à Charpentier, 2, 12 juillet 1876 (W.I, L. 91-92).
127 Parmi les expédients de Monet, on relève un prêt de 1 500 francs garanti par la vente fictive de 15 tableaux, évalués à 100 francs pièce ; voir W.I, 80. Le prix le plus élevé payé par de Bellio fut 400 francs pour *La Promenade* (W.381). *Correspondance de Berthe Morisot*, 94-95.
128 Le palais des Tuileries resta en ruine pendant douze ans, avant d'être entièrement rasé : Jacques Hillairet, *Le palais royal et impérial des Tuileries et ses jardins*, 1965.
129 Sur la maladie de Camille Monet, voir W.I, 88.
130 Lettre à de Bellio, 25 juillet 1876 (W.I, L. 95).
131 Wildenstein (I, 83) insinue que leur liaison commença à Montgeron.
132 La première *Gare Saint-Lazare* a été illustrée dans le *Voyage de Paris à la mer*, de Janin (1847) et dans *La Normandie*, du même (1862). Voir n. 36.

**133** Dessins pour la *Gare Saint-Lazare*, carnet de croquis du musée Marmottan MM. 5128. Frederick Chevalier, « Les Impressionnistes », *L'Artiste*, 1er mai 1877, 332.
**134** Lettre à Duret, mars 1877, W.I, L. 104.
**135** [Émile Zola], « Une exposition. Les peintres impressionnistes », *Le Sémaphore de Marseille*, 19 avril 1877, in *Écrits sur l'art*, 283 ; Georges Rivière, « À M. le rédacteur du *Figaro* », *L'Impressionniste*, 6 avril 1877, dans *Archives*, II, 306-308 ; Jacques [pseud.], « Menus propos. Salon impressionniste », *L'Homme libre*, 11 avril 1877 ; Bigot, « Causerie artistique. L'exposition des impressionnistes », 1877, 1045-1047.
**136** Alexandre Pothey, « Beaux-Arts », *Le Petit Parisien*, 7 avril 1877, cité par Levine, *Monet and his Critics*, 28 ; *Le Siècle* (5 avril 1877, cité par Lethève, *Impressionnistes et symbolistes*, 83) notait que « le nombre des visiteurs et des visiteuses en toilette élégante a été considérable ».
**137** Roger Ballu, « L'Exposition des impressionnistes», *La Chronique des arts et de la curiosité*, 14 avril 1877, 147-148 ; Baron Grimm [Albert Milhaud], « Lettres anecdotiques du Baron Grimm. Les impressionnistes », *Le Figaro*, 5 avril 1877 ; Georges Maillard, « Chronique : les impressionnistes », *Le Pays*, 9 avril 1877 ; Cham [Amédée Noé], caricature dans *Le Charivari*, 16 avril 1877.
**138** Chevalier, « Les impressionnistes », 1877, 332.
**139** Bigot, « Causerie artistique », 1877, 1045 ; Paul Mantz, « L'Exposition des peintres impressionnistes », *Le Temps*, 22 avril 1877.
**140** Ph. B. [Philippe Burty], « Exposition des impressionnistes », *La République française*, 25 avril 1877 ; Marc de Montifaud, « Salon de 1877 », *L'Artiste*, 1er mai 1877, 337. *L'Assommoir* fut publié en livre en février 1877, après être sorti en feuilleton en 1876 ; il y eut 38 tirages jusqu'à la fin de l'année : F. W. J. Hemmings, *Émile Zola*, Oxford, 1970, 120-121.
**141** Paul Sébillot (« Exposition des impressionnistes », *Le Bien public*, 7 avril 1877) dit que, selon lui, seul un art décoratif pouvait sortir de l'impressionnisme ; Mantz, « L'Exposition des peintres impressionnistes » et Bigot, « Causerie artistique » (tous les deux en 1877) ; Mallarmé, « Le jury de peinture pour 1874 et M. Manet », *Œuvres complètes*, 695-700 ; Georges Rivière, « L'Exposition des impressionnistes », *L'Impressionniste*, 14 avril 1877, in *Archives*, II, 308-309.
**142** « Un peintre » [Pierre-Auguste Renoir], « L'Art décoratif et contemporain », *L'Impressionniste*, 28 avril 1877, dans *Archives*, II, 327.
**143** Baron Schop [Théodore de Banville], « La Semaine parisienne. Les bons jeunes gens de la rue Le Peletier », *Le National*, 13 avril 1877, cité par Oscar Reuterswärd, « The Accentuated Brush Stroke of the Impressionnists », *Journal of Aesthetics and Art Criticism*, mars 1952.
**144** *Salon de 1877. Reproduction photographique des principales œuvres*, Goupil, 1977, contient des photographies de tableaux de croquets, de pique-nique, de baignade, de promenades, etc.
**145** Baron Grimm, « Lettres anecdotiques » ; Rivière, « L'Exposition des impressionnistes » ; Jacques [pseud.], « Menus propos. Salon impressionniste » (tous en 1877). [Zola], « Une exposition. Les peintres impressionnistes », 1877, in *Écrits sur l'art*, 282.
**146** Georges Rivière, « Les intransigeants et les impressionnistes. Souvenirs du Salon libre de 1877 », *L'Artiste*, 1er novembre 1877, 302 ; Arthur Baignières, « Exposition de peinture par un groupe d'artistes. Rue Le Peletier, 11 », *L'Écho universel*, 13 avril 1876, dans *Archives*, II, 305 ; Bigot, « Causerie artistique », 1877. Rivière exprimait sa compréhension du changement apporté par Monet d'une autre manière, disant que le peintre « donnait aux objets inanimés [...] la vie que d'autres donnent aux gens ».
**147** Mayeur, *Les débuts de la IIIe République*, 119-120.
**148** En novembre 1877, Rivière écrivit (« Les intransigeants et les impressionnistes ») que dans *La Danse* de Renoir, « on reconnaît quelque chose du *Voyage à Cythère*, avec un accent propre au XIXe siècle ».
**149** Lettre à Murer, 11 avril 1878 (W.I, L. 130).
**150** Lettre à Manet [probablement de 1877], W.I, L. 98 ; à de Bellio [juin 1877], W.I, L. 107 ; à Zola [juin 1877], W.I, L. 108. W.I, 87-88.
**151** W.I, 89, 91-92.
**152** Pissarro à Caillebotte [mars 1878], *Correspondance*, I, L. 53. Ronald Pickvance, « Contemporary Popularity and Posthumous Neglect », dans *The New Painting*, 243-246.
**153** Duret, *Les Peintres impressionnistes*, 17-18 ; Charles Ephrussi, « Bibliographies. *Les Peintres impressionnistes...* par Théodore Duret », *La Chronique des arts et de la curiosité*, 18 mai 1878, 158.
**154** Anonyme, « Chronique parisienne », *Le Figaro*, 30 juin 1878 ; « La Fête du 30 juin », *Le Figaro*, 1er juillet 1878.
**155** Duret, *Les Peintres impressionnistes*, 16.
**156** A. Picard, *L'Exposition universelle internationale de 1889, Paris. Rapport général*, 1891, I, 235 (extrait dans Yvonne Brunhammer *et al.*, *Le Livre des expositions universelles, 1851-1889*, musée des Arts décoratifs, Paris, 1983, 76). Auguste Vacquerie, éditorial, *Le Rappel*, 10 avril 1876.
**157** Halévy, *La République des ducs*, 323, citant Wolff. Un article dans *Le Rappel* (8 janvier 1878, cité par Halévy, 317) exposait des inventions récentes qui pouvaient confirmer les intuitions de Monet sur le monde matériel, notamment la liquéfaction de l'oxygène et de l'air.
**158** Hébrard (probablement Adrien Hébrard, directeur du *Temps*, ou son frère Jacques, éditeur du même journal), cité par Halévy, *La République des ducs*, 331. La mort de Courbet, dans les derniers jours de 1877, dut contribuer à dissiper ces mauvais rêves. Halévy (312-315) expose l'effacement du passé, observant que : « Il semble qu'à l'horizon de chacun des Français d'alors, il y ait le métier choisi par vocation, la maison possédée, la famille fondée. »
**159** Pissarro à Murer, [mi-1878], *Correspondance*, I, L. 70.
**160** Paul Mantz, « La Peinture française », dans *Exposition Universelle de 1878. Les Beaux-Arts et les arts décoratifs*, éd. Louis Gonse, 1879, I : *L'Art moderne*, 22.
**161** Rivière, « L'Exposition des impressionnistes », 1877.
**162** Pissarro à Murer, [mi-1878], *Correspondance*, I, L. 70.
**163** Silvestre, préface au *Recueil d'estampes*, 1873.

### *Chapitre 3*

**1** Lettre à Duret, 9 déc.1880 (W.I, L. 203 ; dans la même lettre, Monet évoque son projet de peindre à Londres) ; lettres à Durand-Ruel, 6, 7 mars 1883 ( W.II, L. 337-8).
**2** Gambetta, discours du 21 juin 1880, *Discours et plaidoyers choisis*, 320.
**3** W.I,.92-4 ; lettre à Duret, 8 fév. 1879 (W.I, L. 149) ; lettre à Durand-Ruel, 18 mai 1884 (W.II, L. 496).
**4** Voir Joël Isaacson, *The Crisis of Impressionism 1878 — 1882*. Catalogue de l'exposition au Museum of Art, University of Michigan (Ann Arbor, 1980).
**5** Voir ci-après n. 38. Monet a peint des portraits de ses fils (W.504, 632-633), et de Jean-Pierre et Blanche Hoschedé (W.503, 619) ; il eut également un nombre inhabituel de commandes de petits portraits.
**6** Lettre à Murer, 1er septembre 1879 (W. I, L. 13) ; W.I,92.
**7** On ne peut qu'émettre des suppositions sur les relations de Monet et d'Alice Hoschedé à cette période. S'ils avaient été conscients d'une attirance mutuelle, il est peu vraisemblable qu'ils aient choisi la vie de famille et la claustrophobie de l'installation de Vétheuil. Voir W. I,.100, 108, 119-20 ; et ci-après n. 30.
**8** Carnets de croquis, musée Marmottan, MM. 5130, MM. 5131.
**9** W.I,.93, 95-6 ;lettre à de Bellio, 10 mars1879 (W.I, L. 155) ; Monet demande à Duret de lui envoyer un tonnelet de cognac, le 8 février 1879 (W.I, L. 154), montrant ainsi son attachement aux traditions bourgeoises.
**10** Pissarro à Murer (mi-1878), *Correspondance*, I, L. 66 ; à Caillebotte (mai 1878), *Correspondance*, I, L. 53, 109-10 ; Monet à Murer, 25 mars 1879 (W.I, L. 156). Sur la quatrième exposition impressionniste, voir Pickvance, « Contemporary Popularity and Posthumous Neglect », *New Painting* , 243-65. Caillebotte à Monet, (fin mars 1879), Marie Berhaut, *Caillebotte, sa vie, son œuvre* (1978), L. 15.
**11** Georges Lafenestre, « Les expositions d'art : les indépendants et les aquarellistes », *Revue des Deux Mondes*, 15 mai 1879, 479-482. Il était communément admis que les "véritables" impressionnistes — généralement pleinairistes et coloristes — pouvaient être différenciés de Degas et de ses disciples, considérés comme des réalistes, peintres de figures et de sujets urbains.
**12** Bertall (Charles-Albert Arnoux), « Exposition des indépendants : ex-impressionnistes, demain intentionistes », *L'Artiste*, 1er juin 1879, 396-398 ; Armand Silvestre, « Le monde des arts. Les indépendants », *La Vie moderne*, 24 avril 1879, 38 ; Edmond Duranty, « La quatrième exposition faite par un groupe d'artistes indépendants », *La Chronique des arts et de la curiosité*, 19 avril 1879, 126-128 ; Charles Tardieu, « La Peinture au Salon de Paris 1879 », *L'Art*, II, (1879), 202.
**13** Lafenestre, « Les expositions d'art : les indépendants et les aquarellistes », *La Revue des Deux Mondes*, 15 mai 1879, 481 ; Ph. B. (Philippe Burty), « L'exposition des artistes indépendants », *La République française*, 16 avril 1879 ; Silvestre, « Le monde des arts. Les indépendants », (1879).
**14** Paul Sébillot, « Revue artistique », *La Plume*, 15 mai 1879 ; Albert Wolff,« Les indépendants ».*Le Figaro*, 11 avril 1879.
**15** Zola, « Nouvelles artistiques et littéraires » (traduit du russe), *La Revue politique et littéraire*, 28 juillet 1879, *Écrits sur l'art*, 320 ; Duret, « Les Peintres impressionnistes », 17-18 ; Ephrussi, « Bibliographies. *Les peintres impressionnistes* » (1878), 158 ; Monet à Ernest Hoschedé, 14 mai 1879 (W.I, L. 58).
**16** Lettre à de Bellio, 17 août 1879 (W.I, L. 161).
**17** Lettre à Hoschedé, 14 mai 1879 ( W.I, L. 158) ; Ernest Hoschedé à sa mère, 16 mai 1879,cité par Wildenstein, I,.97 ; Monet à de Bellio, 17 août 1879 (W.I, L. 161).
**18** De Bellio à Monet, 25 août 1879, cité par Wildenstein, I, 97, n. 725. L'apparente dureté du Dr de Bellio n'empêcha pas Monet de lui demander de l'argent pour racheter un médaillon de Camille qui avait été mis au Mont-de-Piété, avec lequel il souhaitait la voir inhumée (lettre à de Bellio, 5 septembre 1879 [W.I, L. 163]).
**19** Clemenceau, *Claude Monet*, 21-22. Voir Introduction, n. 2.
**20** Alice Hoschedé à Ernest Hoschedé, novembre et décembre 1879, cité par Wildenstein, I,.100, n. 761, 105, n. 765. Pour la dot de Mme Hoschedé, voir W.I, 81.
**21** Voir également Isaacson, *Crisis of Impressionism*, catalogue, n° 29 : *Nature morte au melon* (W.544). Il est évident que la plupart des natures mortes de Monet échappent à ces réminiscences.
**22** *Cf.* Wildenstein (I, 106-7) qui suggère que Monet ne disposa que de 4 à 5 jours après le dégel du 5 janvier 1880 pour peindre les glacons à la dérive.
**23** William C. Seitz, *Claude Monet*, New York, 1960, 29. Alice Hoschedé à Ernest Hoschedé, décembre 1879, cité par Wildenstein, I, 100, 105. Monet gagna la somme substantielle de 12 500 francs en 1879, mais ses revenus furent amputés par le remboursement de ses dettes ; Monet à de Bellio, 8 janvier 1880 (W.I, L. 170) ; W.I, 107.
**24** Wildenstein (W.511) date l'œuvre de l'hiver 1878-79 ; sa composition est très proche des toiles de cette période, mais la facture et le maniement des couleurs plus affirmés l'apparentent davantage aux paysages couverts de neige de l'hiver 1879-1880.
**25** Goncourt, *Journal*, 31 octobre, 6, 28 novembre 1878, 1267-1272. Cette même année, Chesneau cite Monet comme collectionneur d'art japonais en compagnie de Manet, Degas, Bracquemond, des Goncourt, Zola, Burty, Charpentier et Duret (« L'Exposition universelle. Le Japon à Paris :I », *Gazette des Beaux-Arts*, septembre 1878, 387 ; II, nov. 1878, 844-846).
Monet à Durand-Ruel, 8 mars 1883 (W.II, L. 339). Le catalogue de « L'Exposition rétrospective de l'Art japonais », organisée par Louis Gonse à la galerie Georges Petit en mars 1883, comprend plusieurs centaines d'œuvres prêtées par Bing, Gonse, Burty, Duret, Wakai et d'autres collectionneurs particuliers ; parmi lesquelles des peintures des plus grands artistes japonais du XVe au XIXe siècle, tels Sesshiu, Soami, Itshio, Josetsou, Gheami, Korin, Sotatsu, Sansetsu, Seisen, Okio, Sosen, Sessai, Tanyo, Hokusai ; un paysage de montagne de Sesshiu (appartenant à Bing) et un *kakemono* de Bountshio représentant des montagnes et une cascade au milieu des nuages et de la brume (collection Montefiore) étaient commentés. Monet possédait un *kakemono* (Joyes, *Monet at Giverny*, 36 ).
**26** Silvestre, « Le monde des arts. Les indépendants » (1879).
**27** Lettre à Duret, mars 1880 (W.I, L.173). Le jury du Salon de 1880 fut le premier, appliquant un nouveau règlement, à être choisi par les artistes et non plus contrôlé par le gouvernement.

**28** Dans le dernier quart du XIXe siècle, il y avait à Paris de nombreuses collections d'art japonais, mais, à moins de recherches très approfondies, il est difficile de les identifier ; les illustrations de cet ouvrage représentent donc des œuvres dont rien ne prouve que Monet les ait vues.

**29** Philippe de Chennevières, « Le Salon de 1880 », *Gazette des Beaux-Arts*, juillet 1880, 42. Zola fit la même remarque.

**30** Ph. B. (Philippe Burty), « Le Salon de 1880 », *La Republique française*, 19 juin 1880 ; Zola, « Le naturalisme au Salon », *Le Voltaire*, 18-22 juin 1880, *Écrits sur l'art*, 341 (En fait, Monet n'exposa jamais d'esquisses). Évoquant des « considérations d'un ordre personnel », Zola faisait sans doute allusion à un article désagréable du *Gaulois* (« Journée parisienne. Impression d'un impressionniste », 24 janvier 1880) annonçant, sous la forme d'une notice nécrologique, que Monet était « perdu » pour l'impressionnisme, avec des insinuations sur ses relations avec Mme Hoschedé (W.I, 107-108). La malveillance de cet article, si peu de temps après la mort de Camille, révèle la profondeur du ressentiment suscité par l'éventualité de son départ du groupe impressionniste.

**31** Bien que le libéralisme du gouvernement ait permis la réhabilitation posthume de Courbet, grâce à l'exposition de ses œuvres à l'École des Beaux-Arts en 1882, les esprits n'étaient pas apaisés (voir Chennevières, *Souvenirs d'un directeur des Beaux-Arts*, II, 51-52). Nombre d'ouvrages sur la Commune furent publiés en 1879-1880, y compris *Jacques Damour* de Zola (1880, paru en feuilleton dans *Le Figaro*, 27 avril-2 mai 1883 ; repris dans *Naïs Micoulin* (1884) : voir Zola, *Contes et Nouvelles*, Pléiade, 891-929 ; Maxime du Camp, *Les Convulsions*, 4 vol. (1878-80) ; Duret, *La Commune* (1880), 3e volume de son *Histoire des quatre ans 1870-1873* (publié par Charpentier).

**32** Lettres à Duret, 19 mai-4 juin 1880 (W.I, L. 179-184). Y figuraient *La Plage de Sainte-Adresse*, 1867 (appartenant à Duret ; W.94) ; *Régates à Argenteuil*, *La Gare Saint-Lazare* et *La Rue Montorgueil* (W.59). Si *Soleil couchant sur la Seine, effet d'hiver* fut exposé, il fut probablement catalogué *Après le dégel. Hiver 1879-80*; titre comparable à celui des *Glaçons. Hiver 1879-1880*, peints en atelier, et ces deux toiles importantes, formelles, ont fort bien pu être présentées ensemble. Joël Isaacson (« The Painters Called Impressionists », *The New Painting*, 385) estime que ce *Soleil couchant* n'a figuré qu'à la 6e exposition impressionniste, en 1882 ; mais le tableau qu'un critique anonyme admira comme « un tableau très important et on ne peut plus décoratif », *Le Dégel au soleil couchant*, est la seule œuvre dont le sujet ait pu être ainsi qualifié.

**33** Commentaire de Degas cité dans *Archives*, I. Émile Taboureux, « Claude Monet », *La Vie moderne*, 12 juin 1880, 380-382. Une notice anonyme, « Notre exposition, Claude Monet », *La Vie moderne*, 19 juin 1880, 400, assurait que l'exposition avait eu « un très grand succès auprès du public parisien amateur d'art et [que] la plupart des toiles ont été vendues dès le premier jour » (ce qui était faux, la plus grande partie des œuvres ayant été prêtée).

**34** Théodore Duret, *Le Peintre Claude Monet : notice sur son œuvre, suivie du catalogue de ses tableaux exposés dans la galerie du journal illustré, La Vie moderne* (1880). Taboureux, « Claude Monet » (1880).

**35** *Camille et Jean Monet dans la maison d'Argenteuil*, 1875, (ill.127) a été peint par Monet dans l'intérieur familial.

**36** [Burty], « Le Salon de 1880 » (1880) ; le critique de la bonne société, Alfred de Lostalot, écrivit cependant dans « Concours et expositions » (*La Chronique des arts et de la curiosité*, 12 juin 1880), que Monet avait « un rare talent de paysagiste ». Taboureux, « Claude Monet » (1880).

**37** Lettre à Mme Charpentier, 27 juin 1880 (W.I, L. 186) ; à Duret, 5 juillet 1880 (W.I, L. 191). Ephrussi acheta également un tableau de l'exposition (lettre, 30 juin [W.I, L. 188], peut-être le *Sentier, Ile Saint-Maurice* [W.592], pour 400 francs.)

**38** Wildenstein, et l'*Exposition Claude Monet-Auguste Rodin* (Galerie Georges Petit, Paris [1889]) datent *La Prairie* (W.535) de 1879, mais le style est plus proche d'œuvres datées de 1880 (par ex. W.592) ; le plus petit des enfants est sans doute Michel Monet, qui aurait eu à peine plus d'un an au début de l'été 1879, et semble plus âgé ici. Le tableau pourrait avoir été peint en mai 1880, juste avant l'exposition.

**39** Ernest Hoschedé, lettre à sa mère, 25 septembre 1878 (W.I, 92-3, n. 681).

**40** W.I,.108. Alice Hoschedé veilla à ce que Monet et Camille, qui n'avaient eu qu'un mariage civil, soient alors unis religieusement afin que Camille puisse recevoir les derniers sacrements. La position de Mme Hoschedé l'exposait à des ragots malveillants, voir ci-dessus n. 30.

**41** Lettre à Duret, 9 décembre 1880, (W.I, L. 203). Pour les ressources de Monet avant les achats de Durand-Ruel en 1881, voir W.I,.100, 105, 109, 112, 115-17.

**42** Lettres à Durand-Ruel, 23 mars,18 juin 1881 (W.I, L. 212, 221), exemple des transactions de Monet et de son marchand (les avances et l'aide de Durand-Ruel lui permettant de refuser les offres moins élevées). W.I,.117-18, 119-120 ; *Archives*, I,.56-58. Isaacson (« Painters Called Impressionnists », *New Painting*, 337 et n. 34) note que le marchand acheta au moins 30 œuvres de Monet en 1881, 40 en 1882, 30 en 1883.

**43** Une lettre écrite à Zola (24 mai 1881 [W.I, L. 218]) montre qu'au printemps 1881 Monet songeait à quitter Vétheuil ; le loyer de la maison n'avait pas été payé depuis janvier 1880 et le bail expirait en octobre. Dans une lettre à son mari (env. 1er juin 1881), Alice Hoschedé écrit : « Tu me reproches de n'être pas seule à Vétheuil ; la situation est toujours la même et tu l'acceptais autrefois ; tes absences se sont prolongées. À qui la faute ? » (W.I,119).

**44** *Capucines à Vétheuil* (W.693). Monet écrit à Durand-Ruel (lettre, 1er octobre 1881 [W.I, L. 223]) qu'il avait commencé un grand tableau et qu'il voulait peindre beaucoup de choses avant de quitter Vétheuil. Alice Hoschedé avait dit à son mari qu'elle reviendrait auprès de lui à Paris en octobre (lettre citée, n. 43). *Le Jardin de l'artiste à Vétheuil* demeura dans la collection de Monet jusqu'à sa mort, peut-être lié à des souvenirs personnels.

**45** W.I, 119-120, n. 909, 921.

**46** Lettre à Alice Hoschedé, 15 février 1882 (W.II, L. 242).

**47** Lettre à Durand-Ruel, 10 février 1882, W.II, L. 238. Mon compte rendu de cette exposition doit beaucoup à Isaacson, « Painters Called Impressionists », *New Painting*, 373-418.

**48** Lettres à Durand-Ruel, 23, 24 février 1882 (W.II, L. 249, 250). J.-K. Huysmans, « Appendice », *L'Art moderne*, (1883 ; éd. 1975), 259-260 ; *Correspondance de Berthe Morisot*, 110.

**49** Ph. B. (Philippe Burty), « Les aquarellistes, les indépendants et le Cercle des arts libéraux », *La République française*, 8 mars 1882 ; Jules Claretie, « Les indépendants », *Le Temps*, 3 mars 1882. *Le Jardin de l'artiste à Vétheuil* fut sans doute exposé sous le titre de *Coin d'un jardin à Vétheuil* (W.685).

**50** *Archives*, II, 119-122. Dans son brouillon, Renoir déclara : « Malheureusement j'ai un but dans la vie, c'est de faire monter mes toiles », et que ceux qui étaient liés à « la sociale » lui feraient perdre ce qu'il avait gagné au Salon. La lettre adressée à Durand-Ruel était plus mesurée. *Cf.* lettre de Pissarro à Monet (vers le 24 février 1882), *Correspondance*, I, 98.

**51** Charles Bigot, « Beaux-Arts. Les petits Salons. L'exposition des artistes indépendants », *La Revue politique et littéraire*, 4 mars 1882, 281 ; Albert Wolff, « Quelques expositions », *Le Figaro*, 2 mars 1882. Wolff soutenait que Degas avait quitté le groupe car ce n'était pas la place d'un artiste « de son rang » alors que Raffaelli l'avait fait après avoir été « la principale attraction » des intransigeants « pendant plusieurs années ».

**52** Lettre à Durand-Ruel, 23 février 1882 (W.II, L. 249 ).

**53** Armand Silvestre, « Le monde des arts. Expositions particulières. 7e exposition des artistes indépendants », *La Vie moderne*, 11 mars 1882, 150-1. Les *Saules* étaient peut-être W.611.

**54** Huysmans, « Appendice », *L'Art moderne*, 292 ; Ernest Chesneau, « Groupes sympathiques. Les peintres impressionnistes », *Paris-Journal*, 7 mars 1882 ; Fichtre (Gaston Vassy), « L'actualité. L'exposition des peintres indépendants », *Le Réveil*, 2 mars 1882 ; Anon., « L'exposition des impressionnistes », *La Patrie*, 2 mars 1882, cité par Wildenstein, II, 5.

**55** Huysmans « Appendice », *L'Art moderne* ; Alexandre Hepp, « Impressionnisme », *Le Voltaire*, 3 mars 1882 ; Chesneau, « Groupes sympathiques » (1882) ; Mallarmé avait, sur le mode ironique, fait la même remarque, évoquant la « réelle ou apparente promptitude d'exécution » des impressionnistes : « The Impressionists and Édouard Manet », *New Painting*, 32

**56** Jean de Nivelle [Charles Canivet], « Les peintres indépendants », *Le Soleil*, 4 mars 1882, cité par Isaacson, « Painters Called Impressionists », *New Painting*, 403 ; Huysmans, « Appendice », *L'Art moderne*, 268. Chesneau, « Groupes sympathiques » (1882).

**57** Émile Hennequin, « Beaux-Arts. Les expositions des arts libéraux et des artistes indépendants », *La Revue littéraire et artistique* (1882), 154-155. Fichtre, « L'actualité » (1882) cité par Isaacson, « Painters Called Impressionists », *New Painting*, 404.

**58** Lettre à Durand-Ruel,14 mars 1882 (W.II, L. 254). Chesneau, « Groupes sympathiques » (1882).

**59** Monet à Bazille, 15 juillet 1864, décembre 1868, W.I, L. 8, 44). Sur la subjectivité des impressionnistes, voir Shiff, « End of Impressionism », et Isaacson, l'un et l'autre dans *New Painting*, 61-89, 382-3, n. 61-64.

**60** La prépondérance de l'interprétation scientifique et positiviste apparaît clairement dans les textes cités par Levine dans *Monet and His Critics*, où il souligne l'importance de l'élément décoratif dans la critique de Monet, qui ne prendra tout son sens que dans les années 1890.

**61** Huysmans, « Appendice », *L'Art moderne*, 268 ; Monet à Alice Hoschedé, 17 mars 1882 (W.II, L. 255 bis) ; Hepp, « Impressionnisme » (1882).

**62** *Correspondance de Berthe Morisot*, 102 ; lettre à Durand-Ruel, 25 mars1882 (W.II, L. 260).

**63** Lettres à Alice Hoschedé, 11, 7 ,6 ,4 avril 1882 (W.II, L. 270, 266, 264, 263 bis). Pour simplifier, les références à la correspondance de Monet seront désormais regroupées ainsi.

**64** Carnets de croquis, musée Marmottan, MM. 5131 (12 recto, 14 verso), MM. 5134 (35 recto).

**65** W.II,.6.

**66** Monet peignit d'autres paysages qui se faisaient pendant, avec et sans figures, comme s'il spéculait sur l'absence ou la présence de spectateurs (W.757-758, W.777-778, W.781-782).

**67** Lettre à Durand-Ruel, 28 juin 1882 (W.II, L. 278) ; à Pissarro, 16 septembre 1882 (W.II, L. 287) ; à Durand-Ruel, 18, 26 septembre 1882 (W.II, L. 288, 290).

**68** W.II,9 et n. 101 (Monet reçut 31 241 francs dont une partie à titre d'avances, si bien qu'à la fin de 1882, il se trouva débiteur de son marchand et dut rétablir l'équilibre en lui fournissant d'autres tableaux) ; lettre à Durand-Ruel, 10 novembre 1882 (W.II, L. 300) ; Gauguin à Pissarro, cité par Wildenstein, II, 9, n. 102.

**69** Voir par exemple, House, *Monet, Nature into Art*, 24-25 et Tucker, *Monet at Argenteuil*, pour les guides et illustrations de journaux relatifs aux motifs des années 1870.

**70** Carnets de croquis musée Marmottan MM. 5131 (30 verso) ; MM. 5135 (5 verso, 22 recto, 24 recto, 25 recto, 28 verso). Lettre à Alice Hoschedé, 1er février [1882] (W.II, L. 312). L'exposition Courbet contenait au moins 7 tableaux d'Étretat ; les autres étant dans les collections de Durand-Ruel, Faure et Hecht.

**71** Lettres à Alice Hoschedé, 19 février [1883], (W.II, L. 334, 313).

**72** Lettres à Durand-Ruel, 27 juillet, 26 août, 6 novembre 1883 (W.II, L. 367, 371, 380) ; dans la dernière, il précise que les tableaux étaient encore « un peu frais ».

**73** Lettre à Alice Hoschedé, 3 février 1883 (W.II, L. 314).

**74** W.II, 13, n. 145 (certains prêteurs étaient apparemment des créanciers, ou avaient pris un pseudonyme, on ne peut donc affirmer que les 26 toiles de Pourville exposées avaient toutes été achetées) ; certaines œuvres étaient hors catalogue, comme *Marée basse à Varengeville* (W.722).

**75** Camille Pissarro à son fils Lucien [3 mars 1883] (il écrivit le 15 mars 1883 que l'exposition « ne fait pas un sou d'entrées », mais cependant le 15 avril il concluait que les expositions de Monet et de Renoir avaient toutes deux été réussies) : *Correspondance*, I, L. 122, 125, 138. Monet à Durand-Ruel, 5, 6, 7 mars 1883 (W.II, L. 336-338).

**76** Dargenty [Arthur d'Echerac] (« Exposition des œuvres de M. Monet », *Le Courrier de l'art*, 15 mars 1883, 126-7, cité par Levine, *Monet and His Critics*, 59-60), dénonçait le dessin défectueux de Monet, son « babillage » enfantin et ses « débauches » comme un danger pour la peinture française.

**77** Gustave Geffroy, « Claude Monet », *La Justice*, 15 mars 1883, largement reproduit dans Geffroy, *La Vie artistique*, 3e série (1894) ; ses articles sur Monet repris entièrement ou en partie dans ces 8 volumes (1892-1903) seront cités intégralement à la première mention, puis en abrégé avec la date de la publication originale et celle de la reproduction.

**78** Armand Silvestre, « Le Monde des arts. Exposition de M. Claude Monet, 9, boulevard de la Madeleine », *La Vie moderne*, 17 mars 1883, 177.

**79** [Burty] « Les Paysages de M. Claude Monet » (1883), *La République française* (reconnu comme le principal journal « opportuniste »), 27 mars 1883. Monet offrit un tableau au critique quelques jours avant la parution de l'article (lettre à Burty, 22 mars 1883 [W.II, L. 342]).

**80** Voir ci-après, chap. 4, n. 26.

**81** Alfred de Lostalot, « Exposition des œuvres de M. Claude Monet », *Gazette des Beaux-Arts*, avril 1883, 342-348. Lostalot amplifie la comparaison entre peinture et musique en suggérant que, si la peinture ne peut égaler l'éclat de la lumière naturelle, elle ne peut être qu'une transposition de la nature, telle une mélodie « qui ne change pas si on l'abaisse d'un ton. »

**82** Par ex. W.724, 734, 808. Monet exposa 2 autres tableaux récents avec des figures, *Pêcheurs à Poissy* (W.748), *Marée basse à Pourville* (W.776) et le portrait intitulé *Le Père Paul* (W.744).

**83** [Burty] « Les Paysages de M. Claude Monet » (1883) ; Geffroy, « Claude Monet » (1883/1894). Durand-Ruel pensait que le gouvernement républicain lui était opposé en raison de son catholicisme : *Archives*, II, 210.

## *Chapitre 4*

**1** Octave Mirbeau, « Claude Monet », *Exposition Claude Monet-Auguste Rodin*, catalogue de l'exposition, galerie Georges Petit, Paris (1889), 16. Lettre à Durand-Ruel, 27 avril 1884 (W.II, L. 489).

**2** Lettre à Durand-Ruel, 15 avril 1883 (W.II, L. 346).

**3** Pissarro mentionne les revenus d'Alice Hoschedé (lettre à Lucien, 13 avril 1891, *Correspondance*, III, L. 653) ; voir ci-après, n. 108. Sur les tensions au sein de la famille, voir ci-après, OOO. Dans une conversation avec Gimpel (*Journal d'un collectionneur*, 348), Charles Durand-Ruel estime que l'art de Monet a souffert parce qu'il a épousé une « femme du monde » ; Forain déclara à Gimpel (386) que la fortune d'Alice avait permis de vivre à la famille Monet-Hoschedé, ainsi qu'à Ernest Hoschedé lui-même, pendant les dix ans où Monet se livrait à ses « recherches les plus intéressantes » sur la couleur.

**4** Octave Mirbeau, *Contes de ma chaumière* (1886, éd. 1923), 5-6 (en 1885, en été et en automne, Mirbeau écrivit chaque semaine une « Lettre de ma chaumière » pour *La France* ; le passage cité ici a été ajouté à l'édition de 1923).

**5** Lettre à Alice Hoschedé [19 février 1888] (W.III, L. 840). Pissarro dit à Monet (12 juin 1883, *Correspondance*, I, L. 158) que certains marchands, collectionneurs et spéculateurs pensaient que la maison Durand-Ruel ne survivrait pas plus de 8 jours, mais qu'elle avait duré plusieurs mois.

**6** Jean Bouvier, *Les Deux Scandales de Panama* (1964), *passim*. Voir également ci-après, n. 107.

**7** Octave Mirbeau, « Prélude », *Le Figaro*, 14 juillet 1889, cité par Reg Carr, *Anarchism in France : The Case of Octave Mirbeau* (Manchester, 1977), 28.

**8** Gustave Geffroy, dédicace à Michelet, *La Vie artistique*, 4e série (1895), X-XVIII.

**9** Thadée Natanson, « Sur des traits d'Octave Mirbeau », *Les Cahiers d'aujourd'hui*, n° 9 (1922), 115-116.

**10** Sur les critiques adressées par Fénéon à Monet, voir ci-après, 000 et n. 53, 000 et n. 70.

**11** Lettre à Durand-Ruel, 27 avril 1884 (W.II, L. 489). Gillet, « L'épilogue de l'impressionnisme » (1909), 403-405. Gillet poursuit : « Trouve-t-on chez ce Havrais ce sens profond de la campagne, ce je ne sais quoi de Virgile qui fait le charme de Millet ? », assimilant l'attitude de Monet envers la nature à celle d'un jardinier. Jules Laforgue, « L'impressionnisme » (Berlin, 1883), *Mélanges posthumes* (1903 ; fac-similé, 1979), 143-144.

**12** Lettre à Duret, 13 août 1887 (W.III, L. 794).

**13** Lettre à Durand-Ruel, 1er décembre 1883 (W.II, L. 383).

**14** Lettre à Durand-Ruel, 3 juillet 1883 (W.II, L. 362).

**15** Lettre à Durand-Ruel, 12 janvier 1884 (W.II, L. 388).

**16** Lettre à Durand-Ruel, 23 janvier 1884 (W.II, L .391) ; à Alice Hoschedé, 6 février, 5 mars, 26 janvier, 11 février 1884 (W.II, L. 409, 438, 394, 415).

**17** Lettre à Alice Hoschedé, 29 janvier 1884 (W.II, L. 398) ; à Duret, 2 février 1884 ( W.II, L. 403) ; à Alice Hoschedé, 15, 22, 28 mars 1884 (W.II, L. 419, 454, 465). Monet reçut de Durand-Ruel, en 1883, 34 541 francs à titre de paiements et d'avances, et lui livra des tableaux pour une somme d'environ 29 000 francs (W.II, 21, n. 213).

**18** House, *Monet. Nature into Art*, 24-25.

**19** Gillet « L'épilogue de l'impressionnisme » (1909), 404.

**20** Lettre à Durand-Ruel, 27 avril 1884 (W.II, L. 489) ; voir W II, 30, 32.

**21** Lettre à Alice Hoschedé [10 mars 1884] (W.II, L. 441) :« J'ai bien fait des croûtes au début, mais maintenant je le tiens ce pays féerique et c'est justement ce côté merveilleux que je tiens tant à rendre. »

**22** Laforgue, « L'impressionnisme » (1883), *Mélanges posthumes*, 143-144. Lettre à Duret, 2 février 1884 (W.II, L. 403).

**23** W.II, 31-32 ; lettre à Alice Hoschedé, 13 février 1884 (W.II, L. 417) ; lettres à Durand-Ruel, 21 juillet, 18 mai, 2 octobre 1884 (W.II, L. 510, 496, 521). Pissarro à Monet, 13 mai (2e quinzaine mai 1884), *Correspondance*, I, L. 235, 238 (la première lettre évoque la façon dont Durand-Ruel paiera ses créanciers ; la seconde affirme que le marchand est « embarrassé »). Gauguin déclara à Pissarro (*Correspondance*, I, 302, n. 1) : « [Durand-Ruel] aurait dû vous en avertir afin que vous preniez vos précautions, c'était son devoir, mais ces gens-là ne sont que des spéculateurs et vous ont trompé indignement. »

**24** Lettre à Pissarro, [fin novembre] 1884 (W.II, L. 534) ; à Durand-Ruel, 24 octobre, 3 novembre 1884 (W.II, L. 526, 527). Pour maintenir les prix, il fallait sauvegarder les apparences : Monet écrivit à Durand-Ruel : « J'y ai vu Faure [...]. Je lui ai absolument dissimulé ma gêne ainsi que la vôtre. » (6 septembre 1884 [W.II, L. 518]). W.II,.30 et n. 311.

**25** Lettre à Durand-Ruel, 5 juin 1883 (W.II, L. 356).

**26** Lettre à Durand-Ruel, 23 décembre 1882 (W.II, L. 305) (il ajouta : « Nous sommes assez connus aujourd'hui, c'est le moment de porter un grand coup. Alors, tant qu'à faire, il faut faire les choses avec audace ») ; à Durand-Ruel, 30 mai 1885 (W.II, L. 567). Dans une lettre à Monet du 12 juin 1883, disant que Durand-Ruel agissait « un peu trop en marchand », Pissarro affirmait : « Ce que nous faisons n'étant pas compris par le public en général, devrait être montré, sinon avec pompe, du moins avec un certain goût particulier, un certain mystère, qui donnerait de l'attrait à la chose. » (*Correspondance*, I, L. 158.)

**27** Lettres à Pissarro, 11 novembre, [fin novembre] 1884 (W.II, L.531, 534) ; à Zola, 24 février 1885 (W.II, L. 552).W.II, 36-37, 39 et n. 398, 48 ; W.III, 19. Les dîners du café Riche remontent à 1877 (lettre à Zola [mars 1877] W.I, L. 105).

**28** Lettre à Pissarro [mi-décembre 1884] (W.II, L. 538) (voir la correspondance de Pissarro avec Huysmans sur *L'Art moderne*, *Correspondance*, I, 9 mai, 15 mai 1883, L. 144 et n. 1, L. 146) ; à Zola, 24 février, 28 février 1885 (W.II, L. 552, 553). Octave Mirbeau, « Émile Zola et le naturalisme », *La France*, 11 mars 1885, 2. Les tableaux nécessitant « une palette de diamants et de pierreries » (voir n. 22 ci-dessus) sont ceux de Bordighera, auxquels Monet travailla en 1884.

**29** Lettre à Durand-Ruel, 10 novembre 1884 (W.II, L. 529) ; Pissarro à Monet [fin novembre 1884], *Correspondance*, I, L. 258 ; lettre à Pissarro [fin novembre] 1884 (W.II, L. 534) ; de Bellio à Monet, 29 novembre 1884, cité dans W.II,.33-34 et n. 357. Carr, *Anarchism in France*, 3-6.

**30** Octave Mirbeau « Notes sur l'art. Claude Monet », *La France*, 21 novembre 1884. Le même numéro présentait des articles sur les guerres en Chine et en Inde, la conférence du Congo, les projets de Lesseps pour le canal de Panama, les plans de l'Exposition universelle de 1889, les grèves à Paris et l'invention du phonographe.

**31** Mirbeau à Monet, 30 décembre 1884 (p.j. [87], W.II, 293) (voir W 739).

**32** Octave Mirbeau, « Chroniques parisiennes », La France, 27 octobre 1885 ; Carr, *Anarchism in France*, 1-13.

**33** Parmi les 19 exposants français : Béraud*, Besnard, Bonnat*, M. Cazin*, Mme. Cazin, Gervex* (* indique ceux qui étaient décorés) ; les étrangers étant : Liebermann, Raffaelli, Sargent, Stevens. Alfred de Lostalot, « Exposition internationale de peinture (galerie Georges Petit ) », *Gazette des Beaux-Arts*, juin 1885, 529-532. Pour les œuvres présentées par Monet, voir W II,.38, n. 392.

**34** Les *Meules de foin dans un champ à Giverny* sont analysées par Robert L. Herbert, « Method and Meaning in Monet », *Art in America*, septembre 1979, 90-108. S'il a raison à propos de l'extrême complexité des structures picturales de Monet, je pense qu'Herbert exagère le rôle des décisions conscientes pendant l'exécution du tableau.

**35** Laforgue, « L'Impressionnisme » (1883), *Mélanges posthumes*, 137, 139-140.

**36** Carnets de croquis du musée Marmottan, MM. 5131.

**37** Lettre à Alice Hoschedé, [27 novembre] 1885 (W.II, L. 631).

**38** Guy de Maupassant, « La vie d'un paysagiste », *Gil Blas*, 28 septembre 1886.

**39** Lettres à Alice Hoschedé, 24, 31 octobre [1885] (W.II, L. 597, 604). Monet ajoute que Maupassant aimait son « effet de pluie », sans doute *Étretat, la pluie* (W.1044), qui selon l'écrivain est une réaction immédiate à un effet, mais peut-être en fait une réminiscence d'estampes japonaises. Octave Maus définit les raisons de la répétition des motifs : « La grandeur du dessin et de la composition, la forme de chaque toile, la douceur ou l'impétuosité [variaient] selon qu'il était question de représenter un effet de temps calme ou une tempête. » (« Les Impressionnistes », *La Vie moderne*, 15 mars 1885, 85.)

**40** Voir ci-après, n. 43.

**41** Lettre à Durand-Ruel [12 septembre 1886] (W.II, L. 684) ; voir aussi lettre à Charpentier, 27 octobre 1885 (W.II, L. 600).

**42** Lettre à Durand-Ruel, 27 mai 1885 (W.II, L. 566).

**43** Lettres à Alice Hoschedé [22, 24 février 1886] (W.II, L. 656, 658 ). W.II,.46. Dans ce contexte, le symbolisme personnel de ces deux tableaux, *L'Aiguille vue de la Porte d'Aval* (W.1049-1050), serait assez évident.

**44** Le portrait de Suzanne dans le verger (W.1065), fut offert à Durand-Ruel (11 août 1886 [W.II, L. 678]) pour 1 000 francs.

**45** Pissarro à Monet, 29 octobre 1885, *Correspondance*, I, L. 292, 353, n. 4 ; Monet à Alice Hoschedé, 30 octobre [1885] (W.II, L. 603) ; à Pissarro, 9 novembre 1885 (W.II, L. 616) ; à Durand-Ruel, 28 juillet, 10, 17 décembre 1885 (W.II, L. 578, 638, 642). W.II,.44.

**46** Lettre à Durand-Ruel, 7 avril 1886 (W.II, L. 665).

**47** Frances Weitzenhoffer, « The Earliest American Collectors of Monet », *Aspects*, 72-91.

**48** « The Impressionnists », *Art Age*, avril 1886, 166, cité par Weitzenhoffer, «The Earliest American Collectors », *Aspects*, 76.

**49** Lettre à Zola, 5 avril 1886 (W.II, L. 664) ; à Pissarro (W.II, L. 667) ; Pissarro à Monet [avril 1886] ; à Lucien [8 mai 1886], *Correspondance*, II, L. 326, 334. Le roman de Zola parut en feuilleton dans *Gil Blas*, 27 décembre 1885-27 mars 1886.

**50** Parmi les autres œuvres exposées :W.889 (?), 1044, 1067, 1070 ; voir W.II, 48, n. 502. Lettre à Duret, 30 avril 1886 (W.II, L. 671) ; à Durand-Ruel, 11 août 1886 (W.II, L. 678).

**51** M. Fouquier, « L'Exposition internationale », *Le XIXe siècle*, 17 juin 1886, cité dans W.II, 49. Albert Wolff, « Exposition internationale », *Le Figaro*, 19 juin 1886 (le tableau admiré était sans doute *Bateaux en mer près de l'Aiguille*, W.1032).

**52** Voir Martha Ward, « The Rhetoric of Independence and Innovation », *New Painting*, 421-422.

**53** Félix Fénéon, « VIIIe Exposition impressionniste, du 15 mai au 15 juin, rue Lafitte, 1 », *La Vogue*, 13-20 juin 1886 ; repris (avec « Ve Exposition internationale du 15 juin au 15 juillet, rue de Sèze, 8 », *La Vogue*, 28 juin-5 juillet 1886) sous forme de brochure, « Les impressionnistes en 1886 » (1886), Félix Fénéon, *Œuvres plus que complètes*, éd. Joan U. Halperin (Genève/Paris, 1970), I,.29-37.

**54** Lettres à B. Morisot et Duret [fin juillet/fin août 1886] (W.II, L. 676, 677). W.II, 47-48.

**55** Hoschedé, *Claude Monet, ce mal connu*, II, 126. Cette anecdote contredit les allusions de Wildenstein à une « négation » de Camille Monet par Alice Hoschedé (W.I, 99). La maison de Giverny était pleine de portraits de Camille, dont 3 de Renoir (Geffroy, *Claude Monet*, 448).

**56** Wildenstein date ce tableau (W.846) de 1883, sans donner de raison. Michel Monet, qui est assis à table est né en mars 1878, il paraît ici avoir plus de 5 ans et être plus proche de l'âge du petit garçon du *Paysage du soir avec figures*. La vigueur de la calligraphie du *Déjeuner sous l'auvent* le rattache aux *Essais de figure en plein air* de 1886. Rewald reproduit un tableau de Sargent sur le même thème (*History of Impressionism*, 552), mais l'attribution est contestée par Richard Ormond, *John Singer Sargent* (Londres, 1970), 41, n. 90.

**57** Willem G. L. Byvanck, *Un Hollandais à Paris en 1891. Sensations de littérature et d'art* (1892), 177. Dans son exposition rétrospective de 1889, Monet présenta 4 autres tableaux sous le titre d'*Essais de figures en plein air*.

**58** Plus tard, Monet demanda à Mallarmé un exemplaire du poème (que Manet avait illustré) (lettre, 5 juin 1889 (W.III, L. 894).

**59** B. Morisot, citée par Elizabeth Mongan *et al.*, *Berthe Morisot : Drawings, Pastels, Watercolours, Paintings*, catalogue de l'exposition, Museum of Fine Arts, Boston (1960-1961), 16.

**60** Lettres à B. Morisot, 30 mars, 8 août, [novembre] 1884 (W.II, L. 467, 515, 530) ; à Pissarro, 22 août 1885 (W.II, L. 581) ; Puvis de Chavannes à B. Morisot, 5 juin 1885, *Correspondance de Berthe Morisot*, 124 ; lettre à B. Morisot, 8 décembre 1886 (W.II, L. 761).

**61** Hoschedé, *Claude Monet, ce mal connu*, I, 100 ; lettre à Durand-Ruel, 13 mai 1887 (W.III, L. 788).

**62** Dans son roman, *Grave Imprudence* (1880), 135, Burty évoque le désir de son héros — ressemblant fort à Monet — de peindre un nu féminin en plein soleil, mais affirme que « cette vision du vrai est interdite à l'artiste moderne » (cité dans *Archives*, II, 296). Pour les études de nus de Monet dans les années 1860, voir chap. I et n. 41. Manet abandonna le sujet après le *Dejeuner sur l'herbe* ; Cézanne peignit des nus dans un paysage toute sa vie (Monet possédait une de ses *Baigneuses* : Geffroy, *Claude Monet*, 447) ; Berthe Morisot commença une série de dessins sur ce thème vers la fin des années 1880 ; Pissaro fit des gravures, des lithographies et des peintures de nus en 1894-1895. Ainsi, en dehors de Sisley, Monet fut le seul impressionniste à ne pas peindre de nus. Alexandre (*Claude Monet*, 44), assure que Monet, lorsqu'on lui avait demandé pourquoi il ne le faisait jamais, avait répondu « Je n'ai jamais osé. » Gimpel déclara que, vers 1899, Mme Hoschedé avait menacé de partir s'il introduisait un modèle chez eux (*Journal d'un collectionneur*, 348) ; cette anecdote, typique de Gimpel, est peu vraisemblable, car dans la maison de Monet, ses exigences d'artiste avaient force de loi.

**63** Monet dit avoir rencontré Sargent et Helleu vers 1876 (lettre à Charteris, Evan Charteris, *John Sargent* [Londres, 1927], 130) ; la première référence à l'amitié entre Monet et Helleu apparaît dans un compte rendu de la visite de ce dernier à Giverny en février 1885 (W.II, 37, n. 378). Sargent fut l'un des rares peintres, en dehors de Blanche Hoschedé, que Monet autorisa à travailler avec lui après 1875 ; ils peignirent sans doute ensemble en été 1887 (Warren Adelson *et al.*, *Sargent at Broadway. The Impressionist Years* [New York/Londres, 1986], 25-26 et n. 4). Sargent fit le portrait de Monet vers 1883-1884 (W.II, 31) et vers 1887 (Adelson, *Sargent at Broadway*, 60, n. 4) ; ils exposèrent tous deux à l'Exposition internationale de 1885.

**64** Clark, *Painting of Modern Life*, *passim* ; voir surtout 23-30.

**65** Lettre à Alice Hoschedé [5 octobre 1886] (W.II, L. 705).

**66** Steven Z. Levine, « Seascapes of the Sublime . Vernet, Monet, and the Oceanic Feeling », *New Literary History*, 16, n° 2 (hiver 1885), 377-378.

**67** Gauguin à Van Gogh (souligné par Gauguin) (25-27 septembre 1888), lettre 165, 230 ; à Schuffenecker (février ou mars 1888), lettre 141, 172, *Correspondance de Paul Gauguin 1873-1888. Documents et témoignages*, éd. établie par Victor Merlhes, Fondation Singer-Ploignac, 1984 et cité par Fred Orton et Griselda Pollock, « Les données bretonnantes : la prairie de représentation », *Art History*, septembre 1980, 320.

**68** Lettre à Caillebotte, 11 octobre 1886 (W.II, L. 709) ; à Durand-Ruel, 28 octobre 1886 (W.II, L. 727 ) ; à Alice Hoschedé, 23 octobre [1886] (W.II, L. 721).

**69** Lettre à Alice Hoschedé, 30 octobre [1886] (W.II, L. 730).

**70** Félix Fénéon, « L'impressionnisme aux Tuileries »[Le Salon des Indépendants], *L'Art moderne*, 19 septembre 1886, *Œuvres plus que complètes*, I, 54, 58.

**71** Lettres à Alice Hoschedé, 1er, 10, 14 novembre [1886] (W.II, L. 732, 742, 746 ).

**72** Lettre à Durand-Ruel, 17 octobre 1886 (W.II, L. 715) ; à Alice Hoschedé [17 octobre 1886] (W.II, L. 714) ; Levine, « Seascapes of the Sublime », 379-380, 390. Sur l'interprétation de Levine, voir chap. 6, n. 114.

**73** Geffroy, *Claude Monet*, 1-5, 184-185 (note faite à Belle-Ile, septembre 1886) ; Wildenstein (II,.57) cite un récit de l'époque, décrivant Monet peignant sous l'orage (*Le Phare de la Loire*, 6 novembre 1886), dont l'auteur pourrait être Geffroy car il en parle à Vernet (Levine, « Seascapes of the Sublime », 380-385) ; Monet envoya l'article à Alice Hoschedé, avec des récits de Tolstoï (9 novembre 1886 [W.II, L. 740]).

**74** Lettre à Alice Hoschedé, 19 novembre 1886 (W.II, L. 752).

**75** Mirbeau à Rodin, env. 20 novembre 1886, cité dans W.II,.57, n. 597.

**76** Lettres à Duret, 28 mars, 22 avril [1877] (W.III, L. 780, 783) ; à Rodin [mars 1887], (W.III, L. 774) ;à Durand-Ruel, 13 mai 1887 (W.III, L. 788). Monet a peut-être éprouvé le même mépris que Mirbeau à l'égard de quelques artistes et écrivains à la mode qu'il fréquentait (Mirbeau, « Lettres à Claude Monet » [1922], 161, 164) ; parmi les autres convives des Bons Cosaques se trouvaient Hervieu et Richepin, écrivains et plusieurs peintres du Salon (W.III, 1-3).

**77** John Rewald, « Theo Van Gogh, Goupil and the Impressionnists : I », *Gazette des Beaux-Arts*, janvier 1973, 1-64. W.III, 1-2 ; lettre à Pissarro, 3 mars 1887 (W.III, L. 775) ; à B. Morisot [début mars 1887] (W.III, L. 777) ; Pissarro à Monet, 7 mars 1887, *Correspondance*, II, L. 402 (*cf.* lettre à Lucien [10 janvier 1887], *Correspondance*, II, L. 375).

**78** Octave Mirbeau « Exposition internationale de la rue de Sèze : I », *Gil Blas*, 13 mai 1887.

**79** Pour les œuvres présentées à l'exposition de 1887, voir W.III, 2, n. 621. Gustave Geffroy, « Salon de 1887 — Hors du Salon : Cl. Monet », *La Justice*, 25 mai et 2 juin 1887, largement repris dans *La Vie artistique*, 3e série (1894).

**80** Pour Monet et Whistler, voir lettres à Duret, 12 mars, 9, 22 avril 1887 (W.III, L. 778, 781, 783) ; à Petit, 7, 13 mars 1887 (W.III, L. 776, 779). Alfred de Lostalot, « Exposition internationale de peinture et de sculpture (galerie Georges Petit) », *Gazette des Beaux-Arts*, juin 1887, 523-524.

**81** J.-K. Huysmans, « Le Salon de 1887 — L'Exposition internationale de la rue de Sèze », *La Revue indépendante*, juin 1887, 352.

**82** Pissarro à Lucien (10 janvier, 14 mai 1887), *Correspondance* II, L. 375, 422. Mirbeau (« Exposition internationale de la rue de Sèze », [1887]) fit une remarque similaire : Monet pouvait trouver dans la nature « des formes élégantes » qui étaient les seules « les vraies », malgré les dires des « théoriciens naturalistes ».

**83** Lettre à Durand-Ruel, 13 mai 1887 (W.III, L. 788).John Rewald, « Theo Van Gogh : I » (1973), 10, 26 ; «Theo Van Gogh : II » *Gazette des Beaux-Arts*, février 1973, 74-75. Pissarro à Lucien, 8 mai [15, 16 mai] 1887, *Correspondance*, II, L. 421, 423-424. Voir W.II, historique des œuvres.

**84** Pissarro à Lucien, 13 janvier, 4 février, 30 avril 1887, *Correspondance*, II, L. 379, 394, 418.

**85** *Le Correspondant*, 25 juillet 1887, cité par Mayeur, *Les Débuts de la IIIe République*, 171.

**86** Lettres à Duret, 25 octobre, 13 août 1887 (W.III, L. 797, 794) ; à Helleu (19 août 1887 [W.III, L. 795]) : « J'ai entrepris des figures en plein air que je voudrais finir à ma manière, comme je finis le paysage… »

**87** Mirbeau, « Claude Monet », catalogue de l'exposition (1889).

**88** Wildenstein date W.1330 de 1892 et identifie le peintre à l'arrière-plan : l'Américain Theodore Butler, que Suzanne Hoschedé rencontra en 1892 et épousa en 1893. Aucune preuve n'est donnée, et comme l'œuvre est très voisine, par le style et le sujet, de celles des alentours de 1887, il est plus vraisemblable qu'elle date de la fin des années 1880 ; voir également John House (« Monet in 1890 », *Aspects*, 125 et n. 5), à propos de cette œuvre et du *Jardin de l'artiste à Giverny* (W.1420). Comparez la figure de l'arrière-plan avec la fig. 6, dans Ormond, *John Singer Sargent*. Monet encouragea Blanche Hoschedé à peindre sérieusement (lettre à Alice Hoschedé [22 avril 1888], [W.III, L. 877]) ; voir également L. 808, 811, 849-850, etc.

**89** Seule une des scènes de canotage (W.1150-1154, 1249-1250), la vaste *Jeunes filles en barque* (W.1152) est datée : 1887. Étant voisine dans sa conception et son atmosphère d'*En norvégienne* (W.1151) et de *La Barque bleue* (W.1153), elles peuvent dater de la même année. Ces 3 œuvres se distinguent de *La Barque rose* et d'*En canot sur l'Epte* (W.1249-1250) car la surface de l'eau y forme un miroir, tandis que les 2 dernières montrent les profondeurs de la rivière ; Wildenstein date W.1249-1250 de 1890 parce que Monet avait dit avoir repris « de l'eau avec de l'herbe qui ondule dans le fond » (lettre, 22 juin 1890 [W.III, L. 1060]) ; cependant, répondant en 1920-1921 à Geffroy, Monet avait affirmé qu'*En canot sur l'Epte* avait été peint « en 87 ou 88 » (W.IV, 105, n. 950).

**90** Mirbeau à Monet [janvier-février 1888], « Lettres à Claude Monet » (1922), 164.

**91** Lettre à Duret, 13 août 1887 (W.III, L. 794). Théodore Duret, « Whistler et son œuvre », *Les Lettres et les Arts*, I (1888), 215-26 (réédité en brochure, 1888) ; Stéphane Mallarmé, *Correspondance*, éd.Henri Mondor et Lloyd James Austin (1959-85), III (1969), 174 ; lettres à Mallarmé [8 janvier], 5 juin 1888 (W.III, L. 803, 894). James MacNeill Whistler, « Le Ten O'Clock », trad. S. Mallarmé, *La Revue indépendante*, mai 1888, *Œuvres complètes*, 569-583.

**92** Mallarmé à Verhaeren, 15 janvier 1888, *Correspondance*, III, 161-163. En décembre 1887, B. Morisot invita Mallarmé à dîner chez elle avec Renoir, qui furent tous deux « très ahuris » par ce projet (*Correspondance de Berthe Morisot*, 133). Monet, lettre à Mallarmé, 12 octobre 1889 (W.III, L. 1007) ; peut-être ont-ils discuté de cette invitation lors d'une réunion avec Whistler en janvier 1888. Mallarmé à B. Morisot, 17 février 1889, *Correspondance*, III, DGCLI, 290 (« Monet que le Nénuphar blanc, aux fameux trois crayons, a charmé »).

**93** Stéphane Mallarmé, « Le Nénuphar blanc », *L'Art et la Mode*, 22 août 1855, Œuvres complètes (1945), 283-286.

**94** M. L. Bataille et G. Wildenstein, *Berthe Morisot. Catalogue des peintures, pastels et aquarelles* (1961), n° 146-147 (1884), 185 (1885), 754 (1887), etc.

**95** Illustration du « Nénuphar blanc » de Mallarmé, *L'Art et la Mode*, 2 août 1885. Je remercie Christopher Yetton qui a attiré mon attention à ce sujet.

**96** La princesse Edmond de Polignac (née Winnaretta Singer) acheta *En norvégienne* ; les marchands Boussod et Valadon achetèrent *Paysage avec figures* (W.1204) en décembre 1888 et le vendirent à Sargent en 1889 ; Durand-Ruel acheta *Promenade, temps gris* (W.1203) en 1891.

**97** Lettre à Duret, 7 novembre 1887 (W.III, L. 799).

**98** Information provenant d'une conférence prononcée à The Auckland City Art Gallery, mai 1985, par Richard R. Brettell.

**99** Lettre à Duret,10 mars 1888 (W.III, L. 855) ; Baudelaire, « L'Invitation au voyage », *Les Fleurs du mal*, *Œuvres complètes*, 51-52 ; Les soleils couchants/Revêtent les champs, /Les canaux, la ville entière/D'hyacinthe et d'or ;/Le monde s'endort/Dans une chaude lumière/Là, tout n'est qu'ordre et beauté/Luxe, calme et volupté.

**100** Lettre à Alice Hoschedé [3 février 1888] (W.III, L. 827) ; à Geffroy, 12 février 1888 (W.III, L. 836) ; à Alice Hoschedé [1er février 1888] (W.III, L. 824) ; à Helleu [10 mars 1888] (W.III, L. 854) ; à Alice Hoschedé [13, 16 avril 1888] (W.III, L. 871, 873).

**101** Pour le projet d'exposition chez Petit, voir surtout lettres à Alice Hoschedé [7 avril], [11 avril 1888] (W.III, L. 865, 869 ; à Durand-Ruel [env.11 avril 1888] (W.III, L. 868). Pour les rapports de Monet avec la politique contemporaine, lettre à Alice Hoschedé [23 avril 1888] (W.III, L. 878) ; Mallarmé vota pour Boulanger ; lettre à B. Morisot, 17 février 1889, *Correspondance*, III, DGCLI, 291.

**102** Gustave Geffroy, « Chronique : Dix tableaux de Cl. Monet », *La Justice*, 17 juin 1888 (repris dans *L'Art moderne*, 24 juin 1888), largement repris dans *La Vie artistique*, 3e série (1894), 81, 78.

**103** G. J. (Georges Jeanniot), « Notes sur l'art. Claude Monet », *La Cravache parisienne*, 23 juin 1888 ; Félix Fénéon, « Dix marines d'Antibes, de M. Claude Monet », *La Revue indépendante de littérature et d'art*, juillet 1888, *Œuvres plus que complètes*, I, 113.

**104** B. Morisot à Monet [après le 15 juin 1888], *Correspondance de Berthe Morisot*, 136 ; Mallarmé à Monet [18 juin 1888], *Correspondance*, III, 212 (adressée à :« M. Monet que l'hiver ni/L'été sa vision ne leurre/Habite en peignant Giverny/Sis auprès de Vernon dans l'Eure »). Pissarro à Lucien, 10, 8 juillet 1888, *Correspondance*, II, 495, 492.

**105** Jeanniot, « Notes sur l'art » (1888) ; Geffroy, *Claude Monet*, 445-448 (la mention de « Mme Monet » et de ses « beaux-enfants » est prématurée — Monet et Mme Hoschedé ne pouvant pas, à l'époque, se marier). Monet se fit construire un second atelier dans un bâtiment séparé en 1899 (W.IV, 9 ; lettre à Deconchy, 5 août 1899 [W.IV, L. 2632]). Il est peu vraisemblable qu'une « grange » au sol de terre battue ait été le « salon-atelier » ; Michel Hoog (*Les Nymphéas de Claude Monet au musée de l'Orangerie* [1984], 11) note que lorsque Monet acquit la propriété de Giverny en novembre 1890, elle avait « quatre pièces au rez-de-chaussée, autant à l'étage, une cave et un grenier. À l'ouest, attenante, une sorte de grange dont Monet fait son atelier. » Julie Manet, *Journal 1893-1899*, introduction par Rosalind de B. Roberts et Jane Roberts, Paris (1987), écrit (le 30 octobre 1893) que Monet vient de se faire faire une chambre au-dessus de l'atelier ; son atelier a donc pu être réaménagé lorsque la maison a été retapissée au début des années 1890 ; Geffroy a pu faire une confusion en évoquant le salon-atelier dès 1886.
**106** Lettre à Jeanniot, 1er octobre 1888 [W.III, L.905].
**107** Sur les 36 toiles d'Antibes, Monet jugea que 28 étaient dignes d'être vendues (chiffre approximatif en raison des problèmes d'identification). Boussod et Valadon en achetèrent 10 en juin 1888 pour 11 900 francs, et 6 les mois suivants ; 7 furent vendues en 1888 (3 à Durand-Ruel et Petit).Petit en acheta 4 en 1888-1889, dont 3 ont été revendues en 1890. Durand-Ruel dont les finances s'étaient améliorées, essaya de surclasser ses concurrents : il acheta 7 tableaux d'Antibes et en vendit au moins 4 entre 1890 et 1892. À la fin de 1891, il s'en trouvait au moins 7 dans des collections américaines. *Le Cap d'Antibes* (W.1193) changea de mains 4 fois de mi-1888 à fin 1891 (Boussod et Valadon, Petit, Boussod et Valadon, La Rochefoucauld). Seules 2 œuvres ne furent pas achetées par l'intermédiaire des marchands (voir W.III, 9 et n. 704) : Rewald, « Théo Van Gogh : I » (1973), 23. Bouvier (*Les Deux Scandales de Panama*, 110-112) mentionne P. Aubry, Ernest May et Ephrussi & Cie comme ayant bénéficié de profits illicites, de même que deux Ellissen, sans doute des acheteurs de l'exposition de 1888.
**108** Voir le commentaire de Degas (env. 1856-1857, cité par Rewald, *History of Impressionism*, 27-28) selon qui, à Paris « on dirait que les tableaux se font comme les prix de bourse par le frottement des gens avides de gagner ; on a autant besoin pour ainsi dire de l'esprit et des idées de son voisin pour faire quoi que ce soit que les gens d'affaires ont besoin des capitaux des autres pour gagner au jeu. » Monet parla de ses actions à Alice Hoschedé [27 février 1888] (W.III, L. 844), lui demandant s'il fallait les vendre pour soutenir les prix dans une vente forcée de la collection Leroux. Gauguin à Schuffenecker (début juin 1888), lettre 147, 181, *Correspondance de Paul Gauguin*, et cité par Rewald, « Theo Van Gogh : I », (1973), 2 ; Pissarro à Lucien,12 juillet, 26 avril 1888, *Correspondance*, II,.L. 496, 479 (voir aussi [10 janvier 1887]), II. L375). Plus tard, Pissarro dit à Lucien (13 avril 1891, *Correspondance*, III, L. 653) que Sisley prétendait que Monet avait réussi à faire monter ses prix, malgré l'opposition de Durand-Ruel, grâce aux achats que Théo Van Gogh avait faits pour le compte de Boussod et Valadon, ainsi qu'à la fortune de Mme Hoschedé. Selon Pissarro, Durand-Ruel ayant alors un stock de tableaux impressionnistes, avait tout intérêt à maintenir leurs prix bas. Étant prêt « à laisser nos toiles pour ses enfants », le marchand agissait « en spéculateur moderne, avec cette douceur angélique ».
**109** Lettre à Alice Hoschedé [28 janvier 1888] (W.III, L. 820) ; à Geffroy [20 juin 1888] (W.III, L. 1425) ; à Mallarmé, 5 juin 1888 (W.III, L. 894) (voir n. 58).
**110** Gustave Geffroy, « Paysages et figures », *La Justice*, 28 février 1889, repris en partie, *La Vie artistique*, 3e série (1894), 81-87.
**111** L'indifférence de Monet à la présence humaine dans ses tableaux est implicite dans de nombreuses critiques, mais parfois explicite, *cf.* Bigot : « Causerie artistique. L'Exposition des "impressionnistes" » (1877) et 30 ans plus tard, dans « L'épilogue de l'impressionnisme » de Gillet (1909), 402-403. Lilla Cabot Perry, « Reminiscences of Claude Monet from 1889 to 1909 », *American Magazine of Art*, mars 1927, 123, repris dans *Impressionism in Perspective*, éd. Barbara Ehrlich White (Englewood Cliffs, NJ, 1978), 14.
**112** Wildenstein (III,.12-13) et Herbert (« Method and Meaning in Monet »[1979], 106), signalent tous deux que Monet ne peignait pas de meules de foin, comme il l'avait fait plus tôt, dans les années 1880, mais des meules plus structurées, de gerbes de blé empilées pour l'hiver. Il ne s'agit donc ni de foin, ni de grain comme l'indique à tort Herbert.
**113** Lettre à B. Morisot, 8 avril 1889 (W.III, L. 942) ; à Alice Hoschedé, 4, 7 avril 1889 (W III, L. 937, 940).
**114** Lettres à Alice Hoschedé, 8, 12 avril, 8, 9 mai 1889 (W.III, L. 942, 947, 975, 976) ; voir W.1229-1232.
**115** Il n'y eut pas de catalogue pour l'exposition de février-mars 1889, l'article de Geffroy « Paysages et figures » nous donne une idée de son contenu. Certains ont soutenu que Monet y présenta quelques scènes de canotage à Giverny, rien ne l'atteste ; il semble qu'il n'y ait exposé que 2 tableaux des enfants dans la prairie. Pour le public de l'exposition, voir lettre à Alice Hoschedé [18 mars 1889] (W.III, L. 919).
**116** Lettre à Boudin, 28 mars 1889 (W.III, L. 931) ; Geffroy, « Paysages et figures » (1889/1894).
**117** Octave Mirbeau, « Claude Monet », *Le Figaro*, 10 mars 1889, repris dans *Des Artistes*, 2 vol. (1922/1924 ; éd. 1986, 1 vol.), 88-96.
**118** Le Roux, « Silhouettes parisiennes. L'exposition de Claude Monet », 1889. Pour *Vétheuil dans le brouillard*, voir House, « Monet in 1890 », *Aspects*, 130-132.
**119** Lettre à B. Morisot, 15 février 1889 (W.III, L. 910) ; Octave Mirbeau, « L'Avenir », *Le Figaro*, 5 février 1889.
**120** Pour l'organisation de l'exposition Petit, voir W.III, 19, 21-23, et surtout lettres à Rodin, 28 février, 12 avril 1889 (W.III, L. 912, 949). L'exposition de Monet de mars avait été transférée à la galerie Goupil à Londres ; ses 3 tableaux de l'Exposition centennale de l'art français (pl. 000) étaient : *Vétheuil* (W.539), *Aux Tuileries* (W.401) et l'*Église de Vernon* (W.843).
**121** *La Prairie de Giverny, temps brumeux*, non identifiée, présentée à l'exposition est peut-être une des vues de peupliers dans le brouillard de 1888 (W.1194-1199). *Cf.* W.III, 21, n. 825.
**122** J. Le Fustec, « Au jour le jour », *La République française*, 28 juin 1889 ; A. de Calonne, « L'Art contre nature », *Le Soleil*, 23 juin 1889 : tous deux cités dans W.III, 22. Une lettre de Mirbeau à Rodin [env. 29 juin 1889] suggère que Petit avait payé des critiques pour faire des articles élogieux (Mirbeau assura qu'il ferait un article pour *Le Figaro*, mais refuserait s'il était payé par Petit : « Je ne veux pas mêler mon nom à une affaire commerciale » [W.III, 22, n. 836]) ; l'interview de Le Roux avait été « passée » en publicité de lancement. Pissarro (21 janvier 1887, *Correspondance*, II, L. 385) parle d'un peintre payant pour avoir de bons articles.
**123** Monet fut déçu par l'exposition qui n'attira guère le public (voir Mirbeau, lettre à Monet, env. 6 juillet 1889, citée par Wildenstein, III, 23). 40 œuvres, de toutes périodes, changèrent de mains au cours des 4 années suivantes, souvent de marchand à marchand, ou de marchand à collectionneur avec parfois retour au marchand d'origine. Pissarro dit à Lucien le 13 septembre 1889 que Théo Van Gogh avait vendu une œuvre de Monet à un Américain pour 9 000 francs : *Correspondance*, II, L. 541, n. 1 ; il s'agit des *Meules de foin, effet de givre* (W.1215) : voir Rewald, « Theo Van Gogh : I » (1973, 42). Acheté par Van Gogh pour 6 000 francs, il fut vendu à Stany Oppenheim, racheté par Van Gogh et vendu à Alfred Atmore Pope, U.S.A., pour 10 350 francs, entre juin et octobre 1889 (p.j. [117], 28 novembre 1889, W.III, 299).
**124** *Exposition Claude Monet-Auguste Rodin, galerie Georges Petit*, Paris (1889). Monet à Durand-Ruel, 1er mai 1889 (W.III, L. 969).
**125** Mirbeau, « Claude Monet », *Exposition* (1889), 7-8, 21-22, 10.
**126** *Id.*, 12-13.
**127** *Id.*, 14-16, 26. Il y a une concordance remarquable entre les compte rendus de la technique de Monet par Duret et Taboureux (1880), Geffroy (1887), Jeanniot (1888), Mirbeau (1889) et Guillemot (1898). Mirbeau confirma l'étude de Duret. Ces compte rendus firent jurisprudence jusqu'aux années 1970. Perry (« Reminiscences of Claude Monet ») estime à 15 minutes le temps de travail.
**128** Mirbeau, « Claude Monet », *Exposition* (1889), 16-18, 25 ; la « vie des météores » signifie sans doute l'influence du soleil et de la lune sur la terre.
**129** Les lettres de Monet, lors d'expositions ultérieures, montrent que les imprimeurs étaient alors capables de publier les catalogues dans de courts délais.
**130** Mirbeau, « Claude Monet », *Exposition* (1889), 23-25, 14-15.
**131** Mirbeau, « Émile Zola et le naturalisme » (1885) ; Geffroy, dédicace de *La Vie artistique*, 4e série (1895), XVIII.

## *Chapitre 5*

**1** Cité par Byvanck, *Un Hollandais à Paris*, 177 ; lettre à un peintre, novembre 1891 (W.III, L. 1124). Bien que j'aie vu la magnifique exposition de Paul Hayes Tucker, « Monet dans les années 1890. Les séries », il était trop tard pour ce chapitre ; le catalogue (Museum of Fine Arts, Boston [1989], Royal Academy, Londres [révisé en 1990], m'a aidée *in extremis* à éclaircir certains détails.
**2** Raymond Bouyer, « Le Paysage contemporain : III — Claude Monet et le paysage impressionniste », *La Revue d'histoire contemporaine*, 2 mai 1891, dans *Monet and his Critics*, Levine, 166 ; Clemenceau, *Claude Monet*, 146. Et voir ci-après, n. 102.
**3** W.III, 42, n. 1042 ; W.IV, 40-41, n. 274 ; Vauxcelles, « Un après-midi chez Cl. Monet » (1905), 90 ; Joyes, *Monet at Giverny*, *passim* ; Hoschedé, *Claude Monet, ce mal connu*, I, 88.
**4** Geffroy déplorait les intérêts personnels dissimulés derrière de « graves déclarations patriotiques » sur « l'action civilisatrice » de la France révélée par les querelles des artistes contestant les prix décernés à l'Exposition centennale ; cela témoignait selon lui d'un « agaçant chauvinisme, plus hors de propos que jamais » (« Salon de 1890 au Champ-de-Mars : VI — 2e vernissage », *La Justice*, 14 mai 1890, *La Vie artistique*, 1e série [1892]). Pour leurs théories sur le rôle social de l'art, voir : Octave Mirbeau, « Ravachol ! », *L'Endehors*, 1er mai 1892 ; Gustave Geffroy, « Le Musée du soir », *La Vie artistique*, 4e série (1895), XI-XVIII (bien que Monet ait écrit à Alice Monet le 8 mars 1896 [W.III, L. 1331] : « J'ai peur que Geffroy ne s'alourdisse un peu et ne retrouve sa bonne plume que lorsqu'il est question d'un artiste se rattachant au peuple. »)
**5** Félix Fénéon, « Certains », *Art et Critique*, 14 décembre 1889, *Œuvres plus que complètes* , I, 171.
**6** Julien Leclercq, « *Le Bassin aux Nymphéas* de Claude Monet », *La Chronique des arts et de la curiosité*, 1er décembre 1900, 363.
**7** W.III, 23-24, 27-33 ; lettres, 22 juin 1889-23 mai 1890 (W.III, L. 1000-1058) ; voir surtout lettre à Armand Fallières, 7 février 1890 (W.1032) ; Zola à Monet, 23 juillet 1889, *Correspondance*, *Œuvres complètes*, XIV, 1472.Geffroy, *Claude Monet*, 222-258.
**8** Geffroy, « Claude Monet » (1883/1894), 64-65 ; Félix Fénéon, « Exposition de M. Claude Monet », *La Vogue*, septembre 1889, *Œuvres plus que complètes*, I,.162-163
**9** Gustave Geffroy, « Salon de 1890 aux Champs-Elysées et au Champ-de-Mars : VIII — Les Paysagistes », *La Justice*, 21 mai 1890, *La Vie artistique*, 1e série (1892), 185-190.
**10** Lettre à Geffroy, 22 juin 1890 (W.III, L. 1060).
**11** Pour les dates des scènes de canotage, voir chap. 4, n. 89. Lettre à Alice Hoschedé, 13 avril 1889 (W.III, L. 950) ; House, « Monet in 1890 », *Aspects*, 125-126 ; Mirbeau (« Lettres à Claude Monet » [1922], 167-168).
**12** Octave Mirbeau, « Claude Monet », *L'Art dans les deux mondes*, 7 mars 1891, 184-185.
**13** Roger Marx, « Les *Nymphéas* de M. Claude Monet », *Gazette des Beaux-Arts*, juin 1909, 528.
**14** Voir chap. 4 et n. 92-93. Monet assista à la conférence de Mallarmé sur Villiers de l'Isle-Adam chez les Manet-Morisot, le 27 février 1890 (*Correspondance de Berthe Morisot*, 151) ; le 13 juillet 1890, B. Morisot et Mallarmé lui rendirent visite afin que le poète puisse choisir une pochade en compensation pour le dessin que Monet n'avait pas fait ; Mallarmé choisit un tableau achevé (W.912) : Mallarmé, *Correspondance*, III, 363 ; IV, 123-124. Voir les 2 poèmes de Mallarmé, sur un éventail, publiés en 1886 et 1891, *Œuvres complètes*, 57-8.
**15** Geffroy, « Les *Meules* de Claude Monet » (1891/1892), 27.
**16** Lettre à B. Morisot, 11 juillet 1890 (W.III, L. 1064) ; à Geffroy, 21 juillet 1890 (W.III, L. 1066). Voir n. 11.
**17** Georges Clemenceau, « La révolution des *Cathédrales* », *La Justice*, 20 mai 1895, largement repris dans *Claude Monet*, 114-127.

**18** Lettre à de Bellio, 24 août 1890 (W.III, L. 1069).
**19** Herbert, « Method and Meaning in Monet » (1979), 106. Voir chap. 4, n. 112. Bromfield (« Japanese Art, Monet and Impressionism ») évoque l'influence des *Trente-Six Vues du mont Fuji* d'Hokusai — dont Monet possédait 9 estampes — sur la profondeur croissante des *Meules*. Selon Edmond de Goncourt, cet album, cherchant à « approcher les couleurs de la nature sous chaque effet de lumière », avait inspiré les paysagistes impressionnistes : *Hokusai* (1896), cité par Aitken et Delafond, 70-71. En 1900, Leclercq (« Le Bassin aux Nymphéas », 364) mentionne les changements de point de vue d'Hokusai pour un même motif.
**20** Mirbeau écrivit à Monet vers 1894-1895 (« Lettres à Claude Monet » [1922], 172), comme pour prolonger une discussion, que Gauguin « s'inquiétait de savoir ce que vous pensiez de cette évolution qui mène à la complication de l'idée par la simplification de la forme ». Mirbeau dit à Gauguin que Monet admirait sa *Vision après le Sermon*. Dans ses interviews des années 1900, Monet se montra toujours très critique envers Gauguin, mais s'intéressa peut-être à sa tendance réductrice, que prônaient également les nabis et les synthétistes de 1887 à 1893.
**21** Lettre à B. Morisot, 22 septembre 1890 (W.III, L. 1074). Pour les dates des séries : House, « Monet in 1890 », et Charles S. Moffett, « Monet's Haystacks », l'un et l'autre dans *Aspects*, 128, 142 ; W.III, 37-38, 40. Lettre à Geffroy, 7 octobre 1890 (W.III, L. 1076). George Heard Hamilton, *Claude Monet's Paintings of Rouen Cathedral* (Londres, 1960), 18.
**22** Geffroy, « Salon de 1890 » (1890/1892), 186. En 1889 (« Silhouettes parisiennes. L'exposition de Claude Monet »), Le Roux écrivit : « Ce que l'on appelle, en argot d'atelier, l'atmosphère, l'enveloppe. »
**23** Chesneau, « À côté du Salon » (1874) ; Levine, *Monet and his Critics*, 464-465 ; Fénéon : « v^e^ Exposition internationale » (1886) et « Exposition de M. Claude Monet » (1889), *Œuvres plus que complètes*, I, 41, 51, 162-3.
**24** Mirbeau, « Claude Monet », *Exposition* ( 1889 ), 24, 17 (souligné par lui).
**25** Ces 8 tableaux sont W.1266-1273. House, « Monet in 1890 », *Aspects*, 128 et n. 8, 20. Le duc de Trévise («Le pèlerinage à Giverny : II », *La Revue de l'art ancien et moderne*, février 1927, 126), affirme que Monet avait dit en 1920 qu'il avait à l'origne prévu 2 toiles pour représenter les meules, « une pour temps gris, l'autre pour soleil », mais que, la lumière se modifiant, il avait dû demander plusieurs fois à Blanche Hoschedé de lui apporter de nouvelles toiles. Si cela est vrai, ce fut probablement pour les *Meules* de 1888-1889, car il avait peint 9 versions d'un même motif dans la Creuse avant de commencer la série de meules en 1890-1891.
**26** Mirbeau, « Claude Monet », *Exposition* (1889), 15.
**27** *Id.*, Mirbeau assurait que Monet pouvait consacrer jusqu'à 60 séances à une seule œuvre. Si une « séance » se bornait parfois à quelques coups de pinceau, les *Meules* les plus denses en pâte ont fort bien pu en exiger 60.
**28** Byvanck *Un Hollandais à Paris*, 177
**29** Lettre à Durand-Ruel, 27 octobre 1890 (W.III, L. 1079).
**30** Lettre à Durand-Ruel, 23 mars 1891 (W.III, L. 1102). Selon le souhait de ses enfants, Hoschedé fut enterré ade Giverny.
**31** Wildenstein date le portrait de Suzanne (W.1261) de 1890 ; Lilla Cabot Perry (« Reminiscences of Claude Monet » [1927], 123) le vit exécuter, sans doute après sa première visite à Giverny en 1889, quand elle habitait à coté de chez Monet. Mirbeau, « Claude Monet » (1891), 185 (évoquant Suzanne dans les *Essais de figure* en plein air, il dit « elle a dans sa modernité, la grâce distante d'un rêve... »). Vincent Van Gogh à Théo, (août 1888), *Complete Letters of Vincent Van Gogh* (Londres, 1958), III, L. 526 ; un tournesol fané figura sur la couverture du catalogue de l'exposition Van Gogh organisée à Amsterdam en 1894. Jean Paris,« Le Soleil de Van Gogh », *Miroir, sommeil, soleil, espaces* (1973), 125.
**32** Mirbeau, « Claude Monet » (1891), 183.
**33** Lettre à Mallarmé, 28 juillet 1891 (W.III, L. 1121).
**34** Pour la date du *Jardin de l'artiste à Giverny* (W.1420), voir chap. 4, n. 88.
**35** W.III, 38 ; lettres à Durand-Ruel, 3, 14 décembre 1890, 4, 21 janvier 1891 (W.III, L. 1082, 1085, 1093, 1096).
**36** Mirbeau, « Claude Monet », *Exposition* (1889), 23.
**37** Un dessin de ce style est reproduit dans Mirbeau, « Claude Monet » (1891), 183.
**38** Pissarro à Lucien, 9, 3 avril 1891, *Correspondance*, III, L. 652, 650. En juillet 1891, Monet avait vendu 8 *Meules* à Boussod et Valadon, 12 à Durand-Ruel ; au moins 7 se trouvaient aux U.S.A. avant la fin de l'année ; Paul Gallimard était l'un des 4 acheteurs français (voir W., historique des œuvres).
**39** Moffett (« Monet's Haystacks », *Aspects*, 152-153) essaie de construire une séquence chronologique, mais outre les changements d'heures, il y a ceux du temps, de la saison, les divers angles de vision, la proximité du motif, le nombre de meules, etc. Roger Marx (« Les *Meules* de M. Claude Monet », *Le Voltaire*, 7 mai 1892) attribue à la frénésie d'achats des collectionneurs américains le « fossé » dans la séquence temporelle.
**40** Mirbeau, « Claude Monet » (1891), 184 ; Geffroy, « Les *Meules* de Claude Monet » (1891/1892), 24 (il semble avoir confondu les soleils couchants sur la neige avec ceux de l'automne) ; dans « L'Exposition Claude Monet - Durand-Ruel », *La Revue indépendante*, mai 1891, 268, Camille Mauclair reprend ce que dit Geffroy sur les différentes phases des 15 *Meules*.
**41** Byvanck, *Un Hollandais à Paris*,I 76-78.
**42** Fénéon, « Œuvres récentes de Claude Monet », *Le Chat Noir*, 16 mai 1891, *Œuvres plus que complètes*, I, 191 ; Pissarro à Lucien, 5 mai 1891, *Correspondance* III, L. 658.
**43** Mirbeau, « Lettres à Claude Monet » (1922), 169 ; « Claude Monet » (1891), 183-4 ; Geffroy, « Les *Meules* de Claude Monet » (1891/1892), 29.
**44** Byvanck, *Un Hollandais à Paris*, 177. Pissarro à Lucien, 13 mai 1891, *Correspondance*, III, L. 661 ; une autre lettre (5 mai 1891, L. 658) offre un contraste avec l'attitude de Monet, qui s'accommode sans problème du système capitaliste des marchands. Pissarro et le peintre Maximilien Luce y discutent du« sens du travail des artistes avec la liberté absolue sans les entraves épouvantables de messieurs les capitalistes — amateurs — spéculateurs et marchands » ; ils envisageaient de faire écrire par Lecomte un article sur le rôle de l'artiste dans une société anarchiste. C'est dans cette lettre que Pissarro fit l'éloge des *Meules*.
**45** *Cf.* Herbert (« Method and Meaning in Monet » (1979), 106), pour qui les meules ne révèlent pas seulement « la richesse de leurs possesseurs », mais sont « un simulacre de la demeure ». En 1921, Alexandre (*Claude Monet*, 94-95) note que Poussin et Millet ont représenté le blé comme « l'évocation suprême des bienfaits de la terre », tandis que Monet a peint « ce même édifice du laboureur, tout seul, comme un monument, presque comme un être ». La position de Monet était sans doute plus proche de la philosophie de Mirbeau, opposée à l'anthropomorphisme. Cela n'implique pas que les tableaux sont des exercices picturaux autonomes, ce que laisse entendre House lorsqu'il dit : « Regarder une peinture constitue aujourd'hui une expérience radicalement différente de celle qui consiste à contempler la nature », « Monet in 1890 », *Aspects*, 135 ; Byvanck, *Un Hollandais à Paris*, 177 ; Marx, « Les *Meules* de M. Claude Monet » (1892) ; Mirbeau, « Un Tableau par la fenêtre ! », *Le Gaulois*, 22 septembre 1896, *Des Artistes*, 232-233.
**46** Geffroy, « Les *Meules* » (1891/1892), 26 ; lettre à Geffroy, 7 octobre 1890, W.III, L. 1076. Voir Hoschedé (*Claude Monet, ce mal connu*, I, 45-50) à propos des tensions entre Monet, le « horzin », l'étranger, et les « cultivants », les fermiers de Giverny.
**47** Geffroy, « Les *Meules* » (1891/1892), 26 ; Monet, cité par Byvanck, *Un Hollandais à Paris*, 177.
**48** Geffroy, « Les *Meules* » (1891/1892), 28.
**49** Mallarmé, « Autobiographie », lettre à Verlaine, 16 novembre 1885, *Œuvres complètes*, 663 ; Cézanne à Joachim Gasquet et à un jeune ami, , fragments de lettres, 1896, CXXIX bis, 227, *Paul Cézanne, Correspondance*, recueillie, annotée et préfacée par John Rewald, Grasset, 1937
**50** Lettre à Charles Durand-Ruel, 30 juin 1891 (W.III, L. 1116). D'après Wildenstein (III, n. 1042 ) les carnets de comptes de Monet de 1889 à 1897 ont disparu, mais Durand-Ruel lui donna 77 000 francs en 1891 (presque le double des 40 000 francs de 1890) ; Boussod et Valadon, 20 000 francs (de qui il reçut 28 962 francs en 1887, et 44 500 francs en 1888, W.IV.10, n. 70). Maurice Joyant remplaça Théo Van Gogh chez Boussod et Valadon en 1891 (Rewald, « Theo Van Gogh, Goupil and the Impressionnists : II », 72-3, assure que Van Gogh avait acheté 73 Monet ; que Joyant en vendit 16 sur les 24 disponibles en 1891, mais en racheta 16 de plus ; il vendit 9 toiles avant l'exposition et 25 au cours de l'année). Dans plusieurs interviews, Monet affirma que la richesse créait une situation où « il pensait plus, peignait moins » (voir par ex. Arnyvelde, « Chez le peintre de la lumière » (1914), 36-37).
**51** Pissarro à Lucien, 5 mai 1891, *Correspondance*, III, L. 658.
**52** Cézanne à Émile Bernard, 23 octobre 1905, lettre CLXXXIV, 276-277, *Paul Cézanne, Correspondance*, recueillie, annotée et préfacée par John Rewald, Grasset, 1937. Monet dit que Cézanne était un « véritable artiste » (lettre à Geffroy, 23 novembre 1894, W.III, L. 1256). En novembre 1894, Cézanne rendit visite à Monet à Giverny et lui dit par la suite (6 juillet 1895, *Correspondance*, 220-221) que son « appui moral » lui était un « stimulant » pour la peinture. Maurice Denis écrivit en 1906 (*Journal*, 1884-1943 [1957-1959], II [1957], 46), « Monet travaille en désespéré [...]. Sa femme a grand soin de voiler les Cézanne, parce qu'alors il ne peindrait plus s'il les voyait dans ces moments-là... »
**53** Lettre à un peintre, novembre 1891 (W.III, L. 1124), (c'est moi qui souligne).
**54** Geffroy, préface, « Série des *Peupliers* des bords de l'Epte, galeries Paul Durand-Ruel », catalogue de l'exposition mars 1892, repris *La Vie artistique*, 3^e^ série (1894) sous le titre « Les *Peupliers* », 90-91, 93 ; Mirbeau, « Lettres à Claude Monet » (1922), [15 février 1892], 170.
**55** Anonyme, « Chez les peintres », *Le Temps*, 1^er^ mars 1892 ; G.-Albert Aurier, « Claude Monet », *Mercure de France*, avril 1892, 302-305.
**56** Geffroy, « Les *Peupliers* » (1892/1894), 94 ; Clément Janin, « Claude Monet », *L'Estafette*, 10 mars 1892, 1-2.
**57** Georges Lecomte, « L'Art contemporain », *La Revue indépendante*, avril 1892, 10 (c'est moi qui souligne) ; (larges extraits en français dans Robert L. Herbert, « The Decorative and the Natural in Monet's Cathedrals » *Aspects*, 176-177).
**58** Le « décoratif » est étudié par Levine, *Monet and his Critics*, 463, et par Herbert, « Decorative and Natural in Monet's Cathedrals », *Aspects*, 162-174. Pissarro, 8 avril, 23 mai 1895, *Lettres à son fils Lucien*, éd. John Rewald (1950), 375, 381. Lecomte, « L'Art contemporain » (1892), 4-5 (c'est lui qui souligne). Voir aussi Silvestre, « Exposition de la rue Le Peletier » (1876), *Archives*, II, 286 ; et chap. 2.
**59** Georges Lecomte, « L'Art contemporain » (1892), 22, 25, 28-29 ; *L'Art impressionniste d'après la collection privée de M. Durand-Ruel* (1892), 260 (Lecomte emploie aussi la phrase commençant par « Par leur [chaudes] harmonies, la pensée se trouve libérée... » dans « L'Art contemporain », 12-13, où elle ne s'applique qu'aux néo-impressionnistes).
**60** Lettre à Helleu, 9 juin 1891 (W.III, L. 1111 bis). Rendant compte de sa visite à Giverny avec sa mère, le 30 octobre 1893, Julie Manet (*Journal*) signale que depuis leur dernière visite les chambres ont été peintes en jaune, en violet et en bleu ; elle évoque aussi le pont « à l'air japonais ». D'où l'on peut déduire que la décoration de la maison et l'aménagement du jardin d'eau ont eu lieu l'un et l'autre entre 1891 et 1893. Louis Gonse, « L'Art japonais et son influence sur le goût européen », *Revue des arts décoratifs*, VIII (1898), 97-116 ; Gonse — propriétaire de la *Baie d'Antibes* (W.1161) — disait du Japon : « La nature devient le facteur principal dans cette tendance à considérer l'objet de l'art en fonction de son caractère décoratif » et décrivait l'art japonais comme « un décor permanent » (100-101).
**61** W.857, W.919-954, W.1041, 1043a. Les paysages destinés à la décoration étaient généralement des toiles de grandes dimensions exécutées en atelier d'après des études plus petites faites en plein air, en leur conservant leur relief ; lettres à B. Morisot, 30 mars, env. 10 novembre 1884 (W.II, L. 467, 530).
**62** Aurier, « Claude Monet » (1892), 304-305. L'aphorisme de Victor Hugo est cité par Maurice Guillemot, à propos des *Peupliers*, dans « Claude Monet », *La Revue illustrée*, 15 mars 1898 (n.p.).
**63** Camille M[auclair], « Exposition Claude Monet », *La Revue indépendante*, avril 1892, 418 (c'est moi qui souligne).
**64** Thadée Natanson, « Exposition I : M. Claude Monet », *La Revue Blanche*, 1^er^ juin 1895, 522.

65 Lettre à Alice Monet, 15 mars [1893] (W.III, L. 1188). Theodore Robinson, journal non publié, 3 juin 1892 (MS Frick Art Reference Library, New York) cité par House, « Monet in 1890 », *Aspects*, 133 et n. 30 ; Lecomte, « L'Art contemporain » (1892), 10.
66 Une gravure sur bois de la cathédrale de Rouen, vue sous l'angle peint par Monet, se trouve dans *Voyage de Paris à la mer*, de Janin (1847) et dans sa *Normandie* (1862, 3e éd.). Pour le rôle qu'auraient pu jouer ces livres dans l'exploration de la vallée de la Seine par Monet, voir, 000 et n. 36, et 000, n. 132. Théophile Gautier décrivait les gares de chemin de fer comme « les cathédrales d'une nouvelle humanité », cité dans *All Stations*, éd. Jean Dethier (Londres, 1981), 6.
67 André Michel, *Notes sur l'art moderne (peinture)*, (1896), 290 ; sur ses commentaires, voir Levine, *Monet and his Critics*, 195-199.
68 Voir ci-après, n. 74.
69 Aurier, « Claude Monet » (1892), 302-303 ; voir aussi « l'étreinte de l'âme » éprouvée par Léon Maillard devant les « lumineuses recherches » de l'ami de Monet, Helleu, dont les tableaux de Chartres exprimaient, selon lui, « le mysticisme des cathédrales chrétiennes » (« Salon de la Société nationale des Beaux-Arts », *La Plume*, 1er juillet 1892, 311).
70 Natanson, « Expositions I » ( 1895 ), 522 ; Geffroy, « Les *Meules* de Claude Monet » (1891/1892), 21. Monet utilisa un carnet de croquis de Varengeville pour les dessins préparatoires de la cathédrale de Rouen (carnets de croquis du musée Marmottan, MM. 5134).
71 Pissarro, 8 avril 1895, *Lettres à Lucien*, 375 ; Geffroy, « Claude Monet », *Le Journal*, 7 juin 1898, repris dans *La Vie artistique*, 6e série (1900), 168 ; lettre à Alice Monet [5 avril 1893] (W.III, L. 1208).
72 Hamilton, *Claude Monet's Paintings of Rouen Cathedral*, 19 ; Herbert, « Decorative and Natural in Monet's Cathedrals », *Aspects*, I, 168-171.
73 Carnet de croquis du musée Marmottan, MM. 5134.
74 Hamilton, *Claude Monet's Paintings of Rouen Cathedral*, 22-23, fig. 4, 9 ; W.III,.50, 52, 55.
75 Lettre à Alice Hoschedé [9 avril 1892] (W.III, L. 1151).
76 Lettres à Alice Hoschedé [12 février,10 mars 1892] (W.III, L. 1132, 1139 ).
77 Lettres à Alice Hoschedé [8], 31, [18], 30 mars 1892 (W.III, L. 1137, 1144, 1140, 1143) ; 2, [3] avril 1892 (W.III, L. 1145-1146).
78 Lettre à Durand-Ruel, 13 avril 1892 (W.III, L. 1153. Aucune mention de « retouche » de ses *Cathédrales* n'apparaît dans la correspondance de Monet entre son retour à Giverny, en avril 1892, et son 2e séjour à Rouen, en février 1893.
79 Lettre à Alice Monet [9 mars 1893] (W.III, L. 1186).
80 Lettre à Durand-Ruel, 13 avril 1892 (W.III, L. 1153).
81 Lettres à Alice Monet, 23, 24, 29 mars 1893 (W.III, L. 1196, 1198, 1203) 15 mars, [20 mars] (W.III, L. 1188, 1193).
82 Lettres à Alice Monet, 29 mars, [4 avril] 1893 (W.III, L. 1203, 1207).
83 Lettres au préfet de l'Eure, 17 mars, 17 juillet 1893 (W.III, L. 1191, 1219) ; à Alice Monet [20, 21 mars 1893] (W.III, L. 1193, 1195). Monet gagna 113 1OO francs en 1892. Voir W.1392.
84 W.1406-1418 ; W.1397-1399. Lettre à Blanche Hoschedé, 1er mars [1895] (W.III, L. 1276) ; à Geffroy, 26 février 1895 (W.III, L. 1274) ; à Alice Monet, 23 [mars 1895] (W.III, L. 1287).
85 Lettre à Durand-Ruel, 12 avril 1894 (W.III, L.1236) ; voir aussi 20 février, 20, 26 avril 1894 (W.III, L. 1232, 1237, 1239).
86 Michel, *Notes sur l'art moderne (peinture)*, 290-291 ;A. R. [Ary Renan], « Cinquante tableaux de M. Claude Monet », *La Chronique des arts et de la curiosité*, 18 mai 1895, 186. La structure temporelle des tableaux était interprétée en termes musicaux, comme un thème avec ses variations, ou en termes poétiques par Renan, et par Louis Lumet, « Sensations d'art (Claude Monet) », *L'Enclos*, mai 1895, 44.
87 Mirbeau, « Ravachol ! » (1892). Tailhade explique sa réflexion, abondamment commentée, dans une lettre au *Temps* du 16 décembre 1893 : ignorant la nature de l'attaque, il avait voulu signifier « que, pour nous qui sommes des contemplatifs, les désastres de cette sorte ne présentent aucun intérêt, si ce n'est la beauté qui parfois en découle » ; cependant, blessé accidentellement l'année suivante au cours d'un autre attentat, il avait déclaré être prêt à mourir si cela pouvait aider à la réalisation de l'idéal anarchiste (lettres reprises par Mme Laurent Tailhade, *Laurent Tailhade intime* [1924]), 172-173. Pissarro à Lucien : 28 avril 1894 (l'arrestation de Fénéon ; les *Cathédrales*) ; 29 avril (article de Mirbeau soutenant Fénéon) ; 15 juillet (arrestation de Luce ; marasme à cause de la crise) ; 30 juillet (Mirbeau a fui hors de France ; Pissarro en visite en Belgique estime préférable d'y rester) ; 9 août (Durand-Ruel à propos de la crise économique), *Correspondance*, III, L. 1002, 1003, 1022, 1024, 1028.
88 Léon Gérôme dans *Le Journal des Artistes*, 8, 15 avril 1894, cité dans W.III, 57, n. 1183 ; Lethève, *Impressionnistes et symbolistes devant la presse*, 148 ; Pissarro à Lucien, 29 avril 1894, *Correspondance*, III, L. 1003. Voir ci-après n. 109.
89 Pissarro à Lucien, 21 et 14 octobre 1894, *Correspondance*, III, L. 1059, 1056. Sur les négociations de Monet avec Durand-Ruel et Joyant, avril-octobre 1894, voir W.III, 58-59.
90 Anonyme, « Exposition Claude Monet », L'Art moderne, 26 mai 1895, 164, cité par Levine, *Monet and his Critics*, 182 (dans la livraison de *L'Enclos* de mai, avec la critique de l'exposition de Monet, on disait que *Tannhauser* était acclamé par ces « abominables brutes » qui l'avaient conspué 34 ans auparavant).
91 Michel, *Notes sur l'art moderne (peinture)*, 260-262, 290-293.
92 Clemenceau, « La révolution des *Cathédrales* » (1895). Pour d'autres allusions aux variations lumineuses sur la façade par Michel, Éon, Thiébault-Sisson, voir Levine, *Monet and his Critics*, 198, 202, 215.
93 Pissarro, 26 mai, 1er juin 1895, *Lettres à Lucien*, 381, 382.
94 Georges Lecomte, « Les *Cathédrales* de M. Claude Monet », *La Nouvelle Revue*, 1er juin 1895, 672 ; Geffroy, « Claude Monet » (1895/1900), 167.
95 Lettre à Alice Monet [5 avril 1893] (W.III, L.1208). Hamilton (*Claude Monet's Paintings of Rouen Cathedral*, 18-19), écrit : « l'instant en est arrivé à compter moins comme un moment chronologique que comme une expérience de perception enrichie qui parvient, avec le temps, à atteindre plus largement et plus profondément la structure psychologique de la vie. » Nul n'a mieux analysé sa description (dans une conférence de 1959) de la perception de Monet, mais il a peut-être sous-estimé les ruptures chronologiques, les « chocs » participant également de cette expérience.
96 Dans « Sensations d'art » (1895), Lumet affirme cependant que Monet évoque la lumière plutôt qu'il ne la représente.
97 [Renan], « Cinquante tableaux de M. Claude Monet » (1895) ; Henry Éon, « Les *Cathédrales* de Claude Monet », *La Plume*, 1er juin 1895, 259 ; Georges Denoinville, « Les Salons. Les *Cathédrales* », *Le Journal des artistes*, 19 mai 1895, cité dans W.III, 68 ; Lumet, « Sensations d'art » (1895).
98 Camille Mauclair, « Choses d'art », *Mercure de France*, juin 1895, 357. Depuis ses éloges sans réserve de Monet en 1892 (voir n. 63), Mauclair se préoccupait de la disparition des éléments intellectuels dans un art décadent recherchant les plaisirs immédiats (voir ses « Destinées de la peinture francaise 1865-1895 », *La Nouvelle Revue*, 15 mars 1895, 376 : « Un art qui se limite à la virtuosité de la représentation est essentiellement corrompu… Monet, Turner et Monticelli ont une âme ; mais ils n'ont en aucun cas l'âme d'un Corot ou d'un Puvis de Chavannes. »)
99 Clemenceau omit ce passage et incorpora presque tout le reste de cet article dans son livre sur Monet ; extrait dans Herbert, « Decorative and Natural in Monet's *Cathedrals* », *Aspects*, 170 et n. 28. Herbert discute (168-171, n. 24-25) les idées de Léon Bazalgette, qui affirme dans « Les deux *Cathédrales*. Claude Monet et J.-K. Huysmans » de son livre *L'Esprit nouveau* (1898) que le dogme chrétien isolait l'individu de la nature, mais que le laïque moderne sentait qu'il « n'y avait pas antagonisme entre son être propre et l'être du monde » et « qu'il y avait dès lors nécessité absolue pour lui de se plonger, à âme perdue, dans cette fontaine de vie, dans cet océan de nature » ; Balzagette évoquait « un panthéisme nouveau, tout imprégné de réalité et de science… dont le peintre des *Cathédrales* a jailli. »
100 Voir le roman de Mirbeau, *L'Abbé Jules* (1888).
101 Clemenceau (*Claude Monet*, 145-146) cite Monet : « Tandis que vous cherchez philosophiquement le monde en soi, disait-il avec son beau sourire, j'exerce simplement mon effort sur un maximum d'apparences, en étroites corrélations avec les réalités inconnues […]. Votre faute est de vouloir réduire le monde à votre mesure, tandis que, croissant votre connaissance des choses, accrue se trouvera votre connaissance de vous-même. » Si Monet a dit quelque chose d'approchant, la transcription est probablement de Clemenceau.
102 Natanson, « Exposition I » (1895), 522-523.
103 Lettre, 20 novembre 1895 (W.III, L. 1319) ; W.III, 69-70. (Monet donna à la commune 5 500 francs pour la sauvegarde du marais de Limetz à Giverny).
104 Georges Truffaut, « Le Jardin de Claude Monet », *Jardinage*, novembre 1924 ; Vauxcelles, « Un après-midi chez Claude Monet » (1905), 86 ; Joyes, *Monet at Giverny*, 33-35, 37-38. Gonse, « L'art japonais et son influence sur le goût européen » (1898), 101. Voir n. 60.
105 Gustave Geffroy, « Les Paysagistes japonais », *Le Japon artistique*, éd. S. Bing (1888-91), IV,.92. Aitken et Delafond (16-24) décrivent en détail les rapports de Monet avec Gonse, Bing et Hayashi, et énumèrent ses livres sur l'art japonais, de Duret, Goncourt, Migeon, etc. Voir n. 60.
106 John House, « Monet : le jardin d'eau et la 2e série des *Nymphéas* (1903-9) » ; Jacqueline et Maurice Guillaud, *Claude Monet au temps de Giverny*, catalogue de l'exposition, Centre culturel du Marais, Paris (1983) ; cité ci-après comme Guillaud, 152.
107 Hoschedé, *Claude Monet, ce mal connu*, I, 125-127 ; (François) Thiébault-Sisson, « Un nouveau musée parisien. Les *Nymphéas* de Claude Monet à l'Orangerie des Tuileries », *La Revue de l'art ancien et moderne*, juin 1927, 48 (fondé sur des interviews de 1918 et 1920, mais non publié du vivant de Monet, sans doute parce que l'artiste se méfiait du chroniqueur). Natanson (« Exposition I » [1895], 521) déclare qu'à son exposition de 1895, Monet avait présenté un tableau précédent de l'église de Vernon dont la « naïveté » contrastait avec les versions plus savantes de 1894.
108 Voir surtout Henri Bergson, *Matière et mémoire* (1896).Mirbeau, dans ses 2 articles de 1899 sur Monet, utilise ces termes mais de façon contradictoire : dans « Claude Monet » (*Le Figaro*, 10 mars 1889),il déclare que Monet essaie de se débarrasser de ses « souvenirs extérieurs » de tableaux précédents, mais dans « Claude Monet », dans le catalogue de juin (*Exposition*, 9), il remplace l'expression par « souvenirs involontaires ».
109 Pour l'exposition de la donation Caillebotte de 1897, voir W.III, 77-78 ; pour un compte rendu amusant de l'accrochage de l'exposition Berthe Morisot par Monet, Renoir, Degas et Mallarmé, voir Julie Manet, *Journal*, 2, 3, 4 mars 1896.
110 Pissarro (21 novembre 1895, *Lettres à Lucien*, 388-390) dit que Monet avait acheté des « choses épatantes » de Cézanne et évoquait « le charme de cette nature de sauvage raffiné ».
111 Carnets de croquis du musée Marmottan, MM. 5134, 41 recto (dessin pour *Le Val Saint-Nicolas*, W.1466) ; 28 verso, dessin des falaises de Pourville en 1882 ; MM. 5131 contient d'autres dessins du début des années 1880.
112 Lettre à Joseph Durand-Ruel, 25 février 1896 (W.III, L. 1324) ; lettre à Geffroy, 28 février 1896 (W.III, L. 1327) (souligné par Monet).
113. Lettres à Alice Monet, [8, 14, 18 mars 1896] (W.III,.L. 1331, 1336, 1337).
114 Pour les tableaux du poste de douane de 1882, W.730-743 ; pour ceux de 1896-1897, W.1447-1458. Lettres à Alice, [18,11, 19 mars], 25 mars 1896 (W.III, L. 1337, 1332, 1338,1340).
115 Guillemot, « Claude Monet » (1898).
116 Lettres à Alice Monet [18 janvier, 6, 21 février 1897] (W.III, L. 1358, 1367, 1373).
117 Lettres à Alice Monet [4, 29, 30 mars 1897] (W.III, L. 1377, 1386, 1387).
118 Geffroy, « Claude Monet », *Le Journal*, 7 juin 1898, repris dans *Le Gaulois*, 16 juin 1898 (supplément), *La Vie Artistique*, 6e série (1900), 168-174.
119 Guillemot, « Claude Monet » (1898) ; Mirbeau, « Claude Monet », *Exposition* (1889), 18, 25.
120 Lettres à Zola, 3 [décembre] 1897, 14 janvier, 24 février 1898 (W.III, L. 1397, 1399, 1402). Lettres à Geffroy, 15, 25 février 1898 (W.III, L. 1401, 1403) ; lettre à anonyme, 3 mars 1898 (W.III, L. 1404). Monet donna *Le Bloc* (W.1228) à Clemenceau en hommage à son rôle dans « L'Affaire » (lettre à Geffroy, 15 décembre 1899 [W.IV, L. 1482]) ; Clemenceau, lettre à Monet, 23 décembre 1899 (p.j. [133], W.III, 300-301).

**121** L'identification de ce groupe (W.1501-1508) par Wildenstein est convaincante, car les œuvres correspondent parfaitement à la description de Guillemot (bien que W.1503 paraisse plus apparenté aux *Nymphéas* de 1914-1917 ; (voir W.1785-1806).
**122** Guillemot (« Claude Monet » [1898] dit que le jardin « était composé comme une palette » ; Truffaut, « Le jardin de Claude Monet » (1924) ; Joyes, *Monet at Giverny*, 33-35 (plan du jardin).
**123** Les *Nénuphars* de 1897 avaient le même format que les quatre *Chrysanthèmes* (W.1495-1498) qui absorbaient « tout » le temps de Monet en novembre 1896 (lettre à Paul Durand-Ruel [W.III, L. 1354]), et Monet envisagea peut-être de faire une « décoration » avec des panneaux de diverses fleurs. Les estampes de fleurs d'Hokusai auraient pu l'influencer : voir lettre à Joyant, 8 février 1896 (W.III, L. 1322), et Hokusai, *Chrysanthèmes et abeille*, de la série des *Grandes Fleurs*, Aitken et Delafond, n° 69. Il s'est peut-être inspiré plus directement des orchidées et des chrysanthèmes peints par Caillebotte pour des panneaux de portes : Berhaut, *Caillebotte, sa vie, son œuvre*, n° 464-474. Alex Charpentier et Adrien Besnard, salle à manger de la villa Champrosay, vers 1900-1901, musée d'Orsay ; ses panneaux sont ornés de branches de glycine, de roses, de ronces, de volubilis, d'iris et de fleurs de la passion entrelacées, de sorte qu'elle est entièrement sertie dans leurs courbes. Voir Pissarro (3 janvier 1896, *Lettres à Lucien*, 394) pour ses commentaires sur les décorations d'intérieurs à la galerie Bing.
**124** Pissarro à Lucien, 2 octobre 1892, *Correspondance*, III, L. 819 ; 26 mai, 1er juin 1895, *Lettres à Lucien*, 294, 381, 382 ; Clemenceau, « La révolution des *Cathédrales* » (1895), *Claude Monet*, 127.
**125** Les *Nymphes* de Checa étaient reproduites dans *Le Nu au Salon* d'Armand Silvestre (1899) ; les illustrations étaient accompagnées de textes en prose ou en vers d'une pruderie révoltante. Le recueil de 1898 comprenait des œuvres de Foubert, Brillaud, Buissière, Alleaume du même genre. Le volume de 1899 illustrait des œuvres similaires de Triquet et Hodebert. Les *Roseaux*, de Le Quesne étaient accompagnés des lignes suivantes : « Et tandis que des reflets roses/Glissent sur la nacre de leurs flancs,/L'œil doré des nénuphars moroses/S'abaisse à la vue de leurs corps blancs. » Le *Salon Illustré* reproduisait de nombreux paysages d'étangs et de rivières avec des iris sauvages, des nénuphars et des figures contemporaines, d'Allouard, Matthieu, Son, Sain, etc. Voir également le poème de Camille Mauclair, « La Baigneuse aux cygnes », dédié à Besnard, *La Revue independante*, avril 1892, 308-311.
**126** Mallarmé, « Le Nénuphar blanc » (voir chap. 4 et n. 94); lettre à Mallarmé, 27 janvier 1897 (W.III, L. 1364 bis) ; remarque attribuée à Monet par Roger Marx, « Les *Nymphéas* de M. Claude Monet » (1909), 528.
**127** Dans ses *Promenades japonaises* (1878), Raymond Régamey évoque le lotus zen et décrit une maison de thé au bord d'un étang orné d'un pont et de nénuphars. L'une des analyses les plus fines des rapports entre le Zen et le paysage est due à Émile Hovelacque (« Les Arts à l'Exposition universelle de 1900. L'Exposition rétrospective du Japon : III », *Gazette des Beaux-Arts*, février 1901, 110-112). Selon Hovelacque, dans le bouddhisme zen, « la parallélisme entre l'homme et la nature est parfait », et « l'art devient la religion du paysage ». Degas assista à des conférences sur ce sujet au musée Guimet dans les années 1880 (information du Dr David Bromfield). L'article de Mirbeau, « Les lys,les lys ! » (*Le Journal*, 7 avril 1895), fut admiré par Pissarro (8 avril 1895, *Lettres à Lucien*, 375).
**128** Petit aurait pu « passer » l'article de Guillemot comme il avait essayé de le faire pour l'exposition de Monet en juin 1899 (voir chap. 4, n. 122), à laquelle la presse fit largement écho dès 1898, *Le Gaulois* du 16 juin 1898 lui consacrant un supplément réalisé à l'imprimerie Georges Petit.
**129** Geffroy, « Claude Monet » (1898/1900) ; L. Roger-Milès, « Claude Monet », *L'Éclair*, juin 1898, repris dans *Le Gaulois*, 16 juin 1898 (supplément) ; André Fontainas : « Claude Monet », *Mercure de France*, juillet 1898, 160, 164-165 ; « Galerie Georges Petit : Exposition Claude Monet — Galerie Durand-Ruel : Exposition d'œuvres de MM. Claude Monet, Renoir, Degas, Pissarro, Sisley, Puvis de Chavannes », *Mercure de France*, juillet 1898, 279.
**130** Anonyme, « Exposition d'œuvres de M. Claude Monet », *La Chronique des arts et de la curiosité*, 15 juin 1898, 212.
**131** Monet dit à Durand-Ruel que la douleur d'Alice serait longue à s'apaiser (17 mars 1889 [W.IV, L. 1445]) et en vérité elle dura des années (voir lettres à Alice Monet, 17 février 1901, et à Germaine Hoschedé, 3 juillet 1901 [W.IV, L. 1608a, 1638]). Alice Monet, journal, 9 janvier 1903 (p.j. [142], W.III, 301). Mirbeau, « Claude Monet » (1891) voir n. 31. Monet contribua à l'organisation d'une vente au profit des enfants Sisley (W.IV,.2-3).
**132** Octave Mirbeau, *Le Jardin des supplices* (1899, éd. 1986), 192, 187-188, 254-257, 262-263. Carr, *Anarchism in France*, 104-107.
**133** Thadée Natanson, « Spéculations sur la peinture, à propos de Corot et des impressionnistes », *La Revue blanche*, 15 mai 1899, 123-133 ; Julien Leclercq, « Galerie Durand-Ruel », *La Chronique des arts et de la curiosité*, 15 avril 1899, 130-131. L'exposition Petit présentait des œuvres de Cazin, Besnard, Thaulow et Sisley ; W.IV, 3-6. Les Français considéraient souvent Turner comme l'égal de Corot.
**134** Lettres à Roger Marx, 9 janvier (« nous avons trop vécu en dehors de toute officialité pour nous prêter à cela, ce n'est pas notre place »), 22 janvier, 21 avril 1900 (W.IV, L. 1491, 1496, 1552) ; lettres à Paul Durand-Ruel, 15, 16 janvier 1900 (W.IV, L. 1492-1493). W.IV, 11, 19-21.
**135** Roger Marx, « Un Siècle d'art » (1900), *Maîtres d'hier et d'aujourd'hui* (1914), cité par Levine, *Monet and his Critics*, 252 ; Thiébault-Sisson, « Claude Monet : les années d'épreuves » (1900).
**136** André Michel, « Les Arts à l'Exposition universelle de 1900 ». « L'Exposition centennale. La peinture française : V », *Gazette des Beaux-Arts*, novembre 1900, 478 (*cf.* W.534, 1879) ; Robert de Sizeranne, « L'Art à l'Exposition de 1900 : II — Le Bilan de l'impressionnisme », *Revue des Deux Mondes*,1er juin 1900, 633, 634.
**137** W.IV, 10 ; lettre à Duret, 25 octobre 1887 (W.III, L. 797).
**138** Lettres à Alice Monet [11, 10 février 1900], 14, 16 février 1900 (W.IV, 1504, 1503, 1507-1508).
**139** Lettre à Alice Monet, 3 février 1901 (W.IV, L. 1593).
**140** Lettres à Alice Monet, 7, 9 mars 1900, 10 mars 1901 (W.IV, L. 1525, 1527, 1616).
**141** Cité par Trévise, « Le pèlerinage à Giverny : II » (1927), 126.
**142** Lettre à Alice Monet, 1er mars 1900 (W.IV, L. 1521) ; à Blanche Hoschedé-Monet, 4 mars 1900 (W.IV, L. 1522) ; à Alice Monet, 14, 16, 18 mars 1900 (W.IV, L. 1529-1530, 1532).
**143** Lettres à Alice Monet, 20, 25, 28 mars 1900 (W.IV, L. 1534, 1539, 1543) ; à Durand-Ruel, 10 avril 1900 (W.IV, L. 1549).
**144** Lettre à Geffroy, 25 mai 1900 (W.IV, L. 1557) ; à Julie Manet, 29 mai 1900 (W.IV, L. 1560).
**145** Émile Verhaeren, « L'Art moderne », *Mercure de France*,février 1901, 544-6.
**146** Sa caisse contenant ses toiles étant retardée, il fit des pastels — « qui [lui] font voir comment il faut faire » — et il se mit « à lire [son] Delacroix » ; lettres à Alice Monet [26 janvier 1901], 1er février [1901] (W.IV, L. 1588, 1591).
**147** Lettres à Alice Monet [25 janvier], 2, 6, 7 mars 1901 (W.IV, L. 1587, 1592, 1613, 1614).
**148** W.IV,.25, lettre à Alice Monet, 1O mars 1901 (W.IV, L. 1616) ; à Geffroy, 15 avril 1901 (W.IV, L. 1632).
**149** Lettre à Durand-Ruel, 19 octobre 1901 (W.IV, L. 1644).André Fontainas écrit dans « Claude Monet et Pissarro », *Mercure de France*, avril 1902, 247) que les nouvelles toiles de Vétheuil exprimaient « une sensibilité chaude, pénétrante, dont la contagion m'enivre et me ravit ».
**150** Pour Monet et les automobiles, voir lettre à Alice Monet [18 février 1901] (W.IV, L. 1607) ; Hoschedé, *Claude Monet, ce mal connu*, I,.84-86 : Joyes, *Monet at Giverny*, 31-32 (Monet avait un chauffeur).
**151** W.IV,.26, 29 ; lettre à Geffroy, 6 décembre 1902 (W.IV, L. 1676) ; à Durand-Ruel, 23 mars 1903 (W.IV, L. 1690).
**152** Lettres à Geffroy, 10, 15 avril 1903 (W.IV, L. 1691-1692) ; à Durand-Ruel, 10 mai 1903, 2 mars 1904 (W.IV, L. 1693, 1712).
**153** Lettre à Durand-Ruel, 23 mars 1903 (W.IV, L. 1690).
**154** Thiébault-Sisson, « Un nouveau musée parisien. Les *Nymphéas* de Claude Monet » (1927), 48 ; lettre à Alice Monet, 17 février 1901 (W.IV, L. 1606a). En 1903, Monet souhaita n'exposer que 15 œuvres (lettre à Durand-Ruel, 23 mars 1903 [W.IV, L. 1690].
**155** Gustave Geffroy, « La Tamise » (1904), repris dans Geffroy, « Claude Monet », *L'Art et les artistes*, novembre 1920 et dans Geffroy, *Claude Monet*, 390.
**156** À la fin des années 1890 et 1900, de nombreux critiques évoquaient un lien entre Turner et Monet ; voir surtout Gustave Kahn, « L'exposition Claude Monet », *Gazette des Beaux-Arts*, juillet 1904, 82, 84.
**157** Il avait fait quelque chose de semblable dans la *Terrasse à Sainte-Adresse* ; voir chap. 1 Octave Mirbeau, « Claude Monet. Série de vues de la Tamise à Londres », préface du catalogue de l'exposition, galeries Durand-Ruel, Paris (1904), repris dans *L'Humanité*, 8 mai 1904 (extrait dans Geffroy, *Claude Monet*, 395-396).
**158** Lettre à Geffroy, 4 juin 1904 (W.IV, L. 1732). W.IV , 39-42. L'exposition de Paris fut suivie de celles, très réussies, de Londres, Boston et Berlin.
**159** Kahn, « L'exposition Claude Monet » (1904), 83-84 (il y fit également une analyse singulièrement détaillée des relations entre les groupes de motifs, et entre les effets identiques dans les différents motifs, 85-88).
**160** Mirbeau, « Claude Monet. Série de vues de la Tamise » (1904) ; Geffroy, *Claude Monet*, 389-390.
**161** Maurice Kahn, « Le jardin de Claude Monet » (1904) ; lettre à Durand-Ruel, 12 février 1905 (W.IV, L. 1764) (certains artistes à Londres avaient accusé Monet d'utiliser des photographies pour sa série de vues de la Tamise).
**162** Charles Morice, « Vues de la Tamise à Londres, par Claude Monet », *Mercure de France*, juin 1904, 795-797.

## *Chapitre 6*

**1** Lettre à Geffroy, 1er décembre 1914 (W.IV, L. 2135) ; Walter Benjamin, « Thèses sur la philosophie de l'histoire », dans *Illuminations*, 258
**2** « Les *Nymphéas*. Série de paysages d'eau » était l'intitulé de l'exposition de Monet à la galerie Durand-Ruel en 1909 ; il utilisa le nom de « Grande décoration » ou de « Décorations » pour son grand programme de 1914-1926. Dans cet ouvrage, nous avons employé « Nymphéas » comme titre général ; « Paysages d'eau » pour les œuvres peintes entre 1903 et 1909 ; « Grande décoration » pour le schéma élaboré de 1914-1915 à 1921 ; « Grandes décorations » pour les 2 salles de l'Orangerie conçues entre 1921 et 1926. « Décorations » est utilisé comme terme générique, selon l'usage du peintre.
**3** En 1899, Monet gagna 227 400 francs avec ses toiles ; en 1901, la vente de 17 tableaux lui rapporta 127 500 francs ; en 1902, ses gains furent de 105 000 francs. Il jouissait aussi des revenus de nombreux placements, de sorte qu'il put ne rien vendre en 1903. En 1912, ses tableaux lui rapportèrent 369 000 francs. À la fin de la Première Guerre mondiale, il était assuré d'une fortune de 1 million de francs, qui lui rapportait annuellement 40 000 francs d'intérêts (W.IV, 10, 25, 34, 77, 90).
**4** Pour les *Nymphéas* de 1904, voir W.1662-1667 ; Thiébault-Sisson, « Un nouveau musée parisien. Les *Nymphéas* de Claude Monet », 1927, 48 ; René Delange, « Claude Monet », *L'Illustration*, 15 janvier 1927, 54.
**5** Lettres à Alice Monet, 20 mars 1893 (W.III, L. 1193) ; au préfet de l'Eure, 17 juillet 1893 (W.III, L. 1219) ; Guillemot, « Claude Monet », 1898.
**6** W.1624-1626. W.IV, 26, 29.
**7** Arsène Alexandre, « Le jardin de Monet », *Le Figaro*, 9 août 1901 ; Marcel Proust, « *Les Éblouissements*, par la comtesse de Noailles », *Le Figaro*, 15 juin 1907, in *Contre Sainte-Beuve*, précédé de *Pastiches et Mélanges*, suivi de *Essais et Articles*, éd. Pierre Clarac et Yves Sandre, Pléiade, 1971, 539-540.
**8** Guillemot, « Claude Monet », (1898). Elder, *À Giverny*, 35 ; de Trévise, « Le pèlerinage à Giverny : I », (1927), 47.
**9** Lettre à P. Durand-Ruel, 5 novembre 1903 (W.IV, L. 1699).
**10** House, « Monet : le jardin d'eau », dans Guillaud, 152-154.
**11** Thiébault-Sisson, « Un nouveau musée parisien », (1927), 44.
**12** Morosov acheta *Le Bassin à Montgeron* chez Ambroise Vollard en 1907.
**13** M. Kahn, « Le jardin de Claude Monet », (1904).

**14** Lettres à P. Durand-Ruel, 28 septembre, 28 décembre 1906, 21 février 1907 (W.IV, L. 1811, 1818, 1826).

**15** Lettres à P. Durand-Ruel, 8, 27 avril 1907 (W.IV, L. 1831, 1832) ; House, « Monet : le jardin d'eau », Guillaud, 154, 158, citant un article de *The Standard* de Londres, 20 mai 1908.

**16** Lettre à P. Durand-Ruel, 7 avril (W.IV, L. 1848). Alice Monet à Germaine Salerou (née Hoschedé), 30 mars 1908, Guillaud, 270. Lettres à Durand-Ruel, 20, 24, 30 mars ; 3, 7, 23, 29 avril 1908 (W.IV, L. 1848, 1844-1850).

**17** Pierre Hepp, « Fleurs et natures mortes (galeries Durand-Ruel) » et « Exposition de paysages par Claude Monet et Renoir », *La Chronique des arts et de la curiosité*, 9, 30 mai 1908, 183, 214-215 ; Charles Morice, « Exposition Monet et Renoir », *Mercure de France*, 16 juin 1908, 734.

**18** Lettre à Geffroy, 11 août 1908 (W.IV, L. 1854). House, « Monet : le jardin d'eau », Guillaud, 154, 158.

**19** Lettres à P. Durand-Ruel, 19 octobre 1908 (W.IV, L. 1861) ; à Clemenceau, 25 octobre 1908 (W.IV, L. 1863) ; à Geffroy, 7 décembre 1908 (W.IV, L. 1869) ; à P. Durand-Ruel, 28 janvier 1909 (W.IV, L. 1875).

**20** H. G. [Henri Ghéon], « Les *Paysages d'eau* de Claude Monet », *La Nouvelle Revue Française*, 1er juillet 1909, 347.

**21** Marx, « Les *Nymphéas* de M. Claude Monet », (1909), 524-5.

**22** Charles Morice « L'exposition d'œuvres de M. Claude Monet », *Mercure de France*, 16 juillet 1909, 347.

**23** [Louis] de Fourcaud, « M. Claude Monet et le lac du Jardin des Fées », *Le Gaulois*, 22 mai 1909 ; Gillet, « L'épilogue de l'impressionnisme », 1909, 412, 413.

**24** Marx, « Les *Nymphéas* de M. Claude Monet », 1909, 524-528. La version donnée par Marx des propos de Monet est plus "littéraire" que tout ce que le peintre a jamais écrit — voir lettre à Marx, 1er juin 1909 (W.IV, L. 1893).

**25** Verhaeren, « L'Art moderne », (1901), 544-545 ; Marx, « Les *Nymphéas* de M. Claude Monet », (1909), 529.

**26** H. G., « Les *Paysages d'eau* de Claude Monet », 534 ; Fourcaud, « M. Claude Monet et le lac du Jardin des Fées » ; Gillet, « L'épilogue de l'impressionnisme », 414 (tous en 1909).

**27** Arsène Alexandre, « Un paysagiste d'aujourd'hui », *Comœdia*, 8 mai 1909 ; Marx, « Les *Nymphéas* de M. Claude Monet », 1909, 529 ; *cf.* le commentaire de Henri Matisse : cet art « pourrait être pour tout travailleur spirituel [...] comme [...] un sédatif mental » (« Notes d'un peintre », *La Grande Revue*, 25 décembre 1908), dans Alfred Barr, *Matisse : his Art and Public*, New York, 1951, 122. Marx et Gillet se réfèrent tous deux à des Esseintes, le héros d'*À rebours*, de Huysmans, et à sa création d'un environnement idéal et autonome. Pour les photographies de l'atelier de Monet en 1908 : W.IV, 51 et L. 1659, 1663, 1677.

**28** Gillet, « L'épilogue de l'impressionnisme », (1909), 413 ; Clemenceau, *Claude Monet*, 68. Fourcaud, « M. Claude Monet et le lac du Jardin des Fées », (1909).

**29** Lettres à P. Durand-Ruel, 29 décembre 1908 (W.IV, L. 1872) ; à Geffroy, 7 décembre 1909, 4 janvier 1910 (W.IV, L. 1908, 1911).

**30** Alice Monet à Germaine Salerou, 28 janvier, 2, 3 février, 12, 14 mars, 2 juin 1910, Guillaud, 275-276 ; Mirbeau à Monet, 14 février-5 mars 1910, cité dans W.IV, 70 ; lettre à Roger Marx, 1er juin 1909 (W.IV, L. 1893).

**31** Sur la maladie et la mort d'Alice Monet, voir W.IV, 72-74 ; lettre à Julie Manet-Rouart, 19 avril 1910 (W.IV, L. 1919) ; à Geffroy, 19 mai 1911 (W.IV, L. 1966).

**32** Lettres à Geffroy, 29 mai, 11 juillet, 7 septembre 1911 (W.IV, L. 1968, 1971, 1977) ; à Rodin, 16 juillet 1911 (W.IV, L. 1972) ; à Germaine Salerou, 19 novembre 1911 (W.IV, L. 1986) ; à Blanche Hoschedé-Monet, 4 décembre 1911 (W.IV, L. 1989). Seul Michel Monet continua de vivre à la maison, mais Marthe Hoschedé-Monet, son mari Theodore Butler et les enfants de celui-ci vécurent à Giverny jusqu'à la guerre.

**33** Geffroy, *Claude Monet*, 419 ; Monet considérait ces tableaux comme des souvenirs : voir la lettre à G. ou J. Bernheim-Jeune, 1er avril 1912 (W.IV, L. 2001b). Guillaume Apollinaire, « Claude Monet », *L'Intransigeant*, 31 mai 1912, dans Apollinaire, *Chroniques d'art 1902-1918*, éd. L.-C. Breunig (1960), 250 ; lettre à Signac, 5 juin 1912 (W.IV, L. 2014). Les futuristes italiens — qui demandaient le nettoyage « des canaux de Venise » — avaient exposé à la galerie Bernheim-Jeune en février.

**34** Lettres à Geffroy, 6, 26 juillet 1912 (W.IV, L. 2019, 2023). Lorsque la maladie de Jean Monet s'aggrava, il déménagea à GIverny avec son épouse Blanche (lettre à P. Durand-Ruel, 10 avril 1913 [W.IV, L. 2062]). Jean souffrait d'une maladie vénérienne.

**35** Voir chap. 1 et n. 109. Lettre à P. Durand-Ruel, 7 avril 1908 (W.IV, L. 1848) ; 000 et n. 16. Clemenceau à Monet, 28 juillet 1912, (c'est lui qui souligne), W.IV, 77, n. 701 ; lettre à G. ou J. Bernheim-Jeune, 5 août 1912 (W.IV, L. 2024a).

**36** Lettres à Koechlin, 1er mai 1916 (W.IV, L. 2180) (sa vue est assez bonne pour qu'il travaille bien) ; à J. Bernheim-Jeune, 5 mars 1919 (W.IV, L. 2306). Thiébault-Sisson (« Un nouveau musée parisien », [1927], 45-46, 48) rapporte une conversation avec Monet sur sa cécité intermittente et sur la manière dont il essayait d'adapter ses techniques picturales à ces crises. L'article n'est pas entièrement convaincant, peut-être parce qu'il prétend relater une visite de 1918, alors qu'il incorpore d'autres souvenirs de visites faites jusqu'à l'automne de 1920. Le journaliste fait référence à 25 ou 30 œuvres dans lesquelles « les notations de couleurs étaient odieusement fausses », mais ces œuvres ont probablement été peintes après 1918 (W.IV, 94, n. 866). Thiébault-Sisson publia en 1920, dans *Le Temps*, un article intitulé « La vie artistique. Claude Monet » qui paraît plus spécifique à cette année ; il y constate simplement que la vue de Monet était affaiblie pour la perception des détails éloignés, mais sans affecter celle des valeurs tonales. Dans un récit détaillé de 2 visites à Giverny en 1918, Gimpel ne mentionne pas les problèmes de vue du peintre, bien qu'il évoque au passage la cécité de Cassatt (voir *Journal d'un collectionneur*, 65-69, 87-90).

**37** Lettres à Geffroy, 30 avril ; à Koechlin, 1er juin ; aux Bernheim-Jeune, 5 juin ; à Geffroy, 18 juillet — toutes de 1913 (W.IV, L. 2066, 2069, 2072, 2074).

**38** Lettres à Thérèse Janin, 24 février 1914 (W.IV, L. 2109) ; à Geffroy, 30 avril 1914 (W.IV, L. 2116) ; à P. Durand-Ruel, 29 juin 1914 (W.IV, L. 2123).

**39** Martet, *M. Clemenceau peint par lui-même*, 52-53. Le rôle de Clemenceau dans la genèse de la *Grande décoration* de Monet a peut-être été exagéré par les allégeances politiques de l'après-guerre (voir plus loin n. 61 et n. 72), mais la lettre à Geffroy du 30 avril (voir n. 38, ci-dessus) suggère néanmoins une influence importante.

**40** Lettre à Koechlin, 15 janvier 1915 (W.IV, L. 2142).

**41** Michel, « Les arts à l'Exposition universelle de 1900 », 479-480 ; Gustave Kahn, « Les impressionnistes et la composition picturale », *Le Mercure de France*, 16 septembre 1912, 430. Les pensées de Monet sur la fragmentation inhérente aux *Paysages d'eau* ont peut-être été influencées par un commentaire de Fénéon en 1889, pour qui un paysage de Monet « ne développe jamais intégralement un thème de nature et semble l'un quelconque des 20 rectangles que l'on taillerait dans une toile panoramique de 100 mètres carrés » (« Certains », *Art et critique*, 14 décembre 1889, dans *Œuvres plus que complètes*, I, 172). Fénéon était alors directeur artistique chez Bernheim-Jeune.

**42** Par exemple, *Nuit* et *Jour* de Redon, 2 compositions de 4 panneaux chacune, longues de 6, 5 mètres, peintes en 1910-1911 pour l'abbaye de Fontfroide (Roselyne Bacou, *Odilon Redon*, [Genève, 1956], I, 213, 215) ; le même Redon peignit aussi 18 panneaux de 2, 5 x 1, 6 mètres pour le château Domecq en 1900-1903. Les *fusamas* ou *kakemonos* les plus significatifs étaient ceux de l'école de Kano, avec leur répertoire iconographique typique : saules, pins et iris, encadrant fréquemment une surface centrale d'eau qui descend jusqu'à la base du tableau. La section japonaise de l'Exposition de 1900, organisée par Hayashi, un ami de Monet, contenait de nombreux *kakemonos* (apparemment non répertoriés sur le catalogue) provenant des collections de ce pays, et offrait, selon Émile Hovelacque, « une occasion unique » d'étudier la peinture japonaise « depuis ses origines » (« Les arts à l'Exposition universelle. L'exposition rétrospective du Japon : II, III », *Gazette des Beaux-Arts*, janvier et février 1901, 110-112). Voir aussi chap. 3, n. 25.

**43** Charles F. Stuckey, « Monet's Art and the Art of Vision », in *Aspects*, 118. Louis Gillet (« Après l'exposition Claude Monet. Le testament de l'impressionnisme », *Revue des Deux Mondes*, 1er février 1924, 673) rapproche les *Nymphéas* des peintures du palais des Doges.

**44** Thiébault-Sisson, « Un nouveau musée parisien », (1927), 48 ; carnets de croquis du musée Marmottan, MM. 5128, 5129. Les dessins préfigurent certaines des *Grandes décorations* : *Matin avec saules*, *Reflets d'arbres*, *Matin* et *Reflets verts*.

**45** Lettre à Geffroy, 6 juillet 1914 (W.IV, L. 2124). Wildenstein date W.1852 et les œuvres apparentées de 1916-1919, mais les similitudes avec W.1783 laissent plutôt supposer une date vers 1914.

**46** Lettre à Geffroy, 1er septembre 1914 (W.IV, L. 2128) ; Mirbeau, « À nos soldats », *Le Petit Parisien*, 28 juillet 1915 ; Carr, « The Pity of War (1914-1917) », *Anarchism in France*, 156-163.

**47** Lettre à J. Durand-Ruel, 9 octobre 1914 (W.IV, L. 2129) ; Alexandre, *Claude Monet*, 118 ; lettre à Geffroy, 1er décembre 1914 (W.IV, L. 2135).

**48** Lettre à un comité, 16 janvier 1915 (W.IV, L. 2143). Le nom de Monet apparut (avec ceux de Matisse, Bonnard, etc.) sur la liste des bienfaiteurs lorsque l'ouvrage intitulé *Les Allemands, destructeurs des cathédrales et des trésors du passé* fut publié à Paris en 1915. Monet partageait la germanophobie de l'époque et écrivit qu'il avait eu le bonheur de ne pas tomber dans les mains d'un « certain docteur boche » qui aurait pu le rendre aveugle (lettre à Koechlin, 1er mai 1916 [W.IV, L. 2180]).

**49** Lettre à G. ou J. Bernheim-Jeune, 10 février 1915 (W.IV, L. 2145).

**50** Lucien Descaves, « Chez Claude Monet », *Paris-Magazine*, 25 août 1920 ; lettre à J.-P. Hoschedé, 19 août 1915 (W.IV, L. 2155) ; à Geffroy, 24 octobre 1915 (W.IV, L. 2160).

**51** Lettre à G. ou J. Bernheim-Jeune, 16 juin 1916 (W.IV, L. 2188).

**52** Voir la photographie de Clemenceau et de Monet dans le troisième atelier (W.IV, 95, en haut à hauche) ; le panneau sur la droite est W.1811.

**53** La photographie montre W.1795.

**54** Lettres à Geffroy, 11 septembre 1916, 25 janvier 1917 (W.IV, L. 2193 et 2210) ; à G. et J. Bernheim-Jeune, 15 novembre 1916 (W.IV, L. 2201) ; à Sacha Guitry, 14 décembre [1916] (W.IV, L. 2208).

**55** Georges Lecomte, « Claude Monet ou le vieux chêne de Giverny », *La Renaissance de l'Art français et des industries de luxe*, octobre 1920, 408, cité dans W.IV, 86 ; Carr, *Anarchism in France*, 161-162 ; Laurent Tailhade, *Les Livres et les Hommes*, 1916-1917, (1917), 273, cité par Carr, 163.

**56** Lettres à Geffroy, 26 avril, 1er mai 1917 (W.IV, L. 2228, 2230) ; à Clémentel, 23 juillet 1917 (W.IV, L. 2235a) ; à J. Durand-Ruel, 14 octobre 1917 (W.IV, L. 2243) ; à Albert Dalimier, 1er novembre 1917 (W.IV, L. 2249). Michel Hoog, « La cathédrale de Reims, de Claude Monet, ou le tableau impossible », *Revue du Louvre*, février 1981, 22-24.

**57** Lettres à Clémentel, 21 mai 1917, 26 janvier 1918 (W.IV, L. 2232a, 2260).

**58** Thiébault-Sisson, « Un nouveau musée parisien », (192, 41, 49 ; dans une lettre du 6 décembre 1920 à Alexandre (W.IV, L. 2391), Monet disait qu'il avait achevé de 48 à 50 panneaux, dont certains de 3 à 6 mètres de longueur. Wildenstein en catalogue 42 de 2 mètres de hauteur ; 27 ou 28 de 4, 25 mètres de longueur ; 7 de 3 mètres de longueur ; 2 de 2, 25 mètres de longueur ; 5 de 6 mètres de longueur. La plupart avaient été peints durant la guerre, puisque Monet avait fait des peintures de chevalet en 1919 et 1920, et que sa vue se détériora gravement fin 1919.

**59** Lettre à Mme Barillon, 30 avril 1918 (W.IV, L. 2271) ; à J. Durand-Ruel, 25 mai et 15 juin 1918 (W.IV, L. 2273, 2275) ; à G. Bernheim-Jeune, 21 juin 1918 (W.IV, L. 2277). Les œuvres du musée de Rouen avaient été mises en sécurité.

**60** Lettre à Clemenceau, 12 novembre 1918 (W.IV, L. 2287). Monet espérait à cette époque que les peintures iraient au musée des Arts décoratifs. Les termes de son offre semblent contredire mes suggestions selon lesquelles le gouvernement avait pris quelque engagement pour mettre à l'abri les *Décorations*, mais cela pouvait constituer un moyen d'entreprendre des négociations officielles, s'opposant aux engagements officieux pris par Clemenceau et ses ministres.

**61** Lettre aux Bernheim-Jeune, 24 novembre 1918 (W.IV, L. 2290). Monet disait qu'il offrait un panneau décoratif et un *Saule pleureur* de sa dernière série (W.1868, 1877). Geffroy (« Claude Monet », *L'Art et les artistes*, 1920, 80-81) suggéra un engagement pour un programme plus vaste. Thiébault-Sisson (« Un don de M. Claude Monet à l'État », *Le Temps*, 14 octobre 1920) affirmait que le projet était de Clemenceau et qu'il ne requérait plus que la signature du gouvernement pour être réalisé. Marcel Pays (« Un grand maître de l'impressionnisme — Une visite à M. Claude Monet dans son ermitage à Giverny », *L'Excelsior*, 26 janvier 1921) rapportait les propos de Monet : Clemenceau l'avait vivement incité à donner 12 œuvres à l'État. En 1895, dans « La révolution des *Cathédrales* », le même Clemenceau avait instamment demandé au président Faure de considérer qu'il représentait la France et qu'il se devait de faire don à son pays des 20 *Cathédrales* de Rouen, qui, réunies, constituent un moment dans l'art, qui est un moment de l'homme lui-même, une révolution menée sans armes.

**62** Lettre à G. et J. Bernheim-Jeune, 25 août 1919 (W.IV, L. 2319). Wildenstein suggère que les tableaux de 1 x 2 mètres du *Pont japonais* (W.1911-1933) datent de 1918, peut-être parce que Monet avait commandé des toiles de ce format en avril 1918. Toutefois, la clarté de vision que révèlent les représentations d'eau libre de cette période (vues par Gimpel vers le milieu de l'année 1918 ; voir ci-dessous, n. 105), comparée avec les surfaces heurtées des tableaux du pont, suggère plutôt que ces derniers ont été abordés vers 1919, au moment où Monet commença de se plaindre de sa vue. Sur ce point, en 1919-1920, voir W.IV, 90 ; lettre à Clemenceau, 10 novembre 1919 (W.IV, L. 2324).

**63** Gimpel, *Journal d'un collectionneur*, 179 (octobre 1920). Voir ci-dessous, n. 76.

**64** Les écrivains étaient Geffroy, Thiébault-Sisson, Alexandre et Elder. Monet aida surtout Alexandre, mais traita de façon mesquine son vieil ami Geffroy, peut-être parce qu'il n'appréciait pas la façon dont ce dernier composait ses livres à partir d'articles précédemment publiés. Après des relations initialement cordiales avec Thiébault-Sisson, Monet le considéra de plus en plus mal et refusa même de le voir après l'automne de 1920 ; le journaliste ne publia donc son récit qu'après la mort du peintre.

**65** Marc Elder, « Une visite à Giverny chez Claude Monet », *L'Excelsior*, janvier 1921 ; les toiles « couleur d'absinthe » de l'aube sont peut-être les panneaux des *Agapanthes*, un triptyque (W.1975-1977) peut-être rattaché au W.1958 (aujourd'hui à la National Gallery de Londres), dont le côté droit se relie au côté gauche de W.1975 (à Cleveland).

**66** Lettres à Thiébault-Sisson, 4 avril, [env. 27 juin] (c'est Monet qui souligne), [8 juillet 1920], (W.IV, L. 2342, 2358, 2359) ; à Clémentel, 12 juillet 1920 (W.IV, L. 2362). Monet craignait que Thiébault-Sisson ne révélât que Clemenceau avait engagé le gouvernement dans cette affaire.

**67** Lettre à Geffroy, 11 juin 1920 (W.IV, L. 2355). Monet travailla sur les tableaux du *Pont japonais* (W.1911-1933) avant et après son opération de la cataracte, en 1923 (W.IV, 296). Voir ci-dessus, n. 62.

**68** Lettres à Alexandre, 31 août, 10 septembre 1920 (W.IV, L. 2366, 2367) ; W.IV, 94-99. Monet et Rodin, qui avaient exposé ensemble en 1889, avaient fini par être considérés respectivement comme le plus grand peintre et le plus grand sculpteur de leur génération ; ils étaient nés tous les deux le même jour. W.IV, 94, 96-97, 318-319. Bonnier à Monet, 5 octobre 1920, p.j. [297a], W.IV, 431 (comportant un dessin pour un aménagement elliptique).

**69** Thiébault-Sisson, (« Un don de M. Claude Monet à l'État », *Le Temps* ) et *Le Petit Parisien* laissèrent filtrer des nouvelles sur la donation le 14 octobre 1920, au grand dam du *Bulletin de la vie artistique* des Bernheim-Jeune, où un article anonyme (« Le précieux don de Claude Monet ») parut le 15 octobre. Il y eut aussi des articles de Georges Grappe (« Chez Claude Monet », *L'Opinion*, 16 octobre), que le peintre remercia ironiquement pour avoir annoncé le don de « 163 mètres de peinture » ; d'Arsène Alexandre (« L'épopée des *Nymphéas* », *Le Figaro*, 21 octobre) ; enfin de Geffroy, dans le numéro spécial de *L'Art et les artistes* consacré au 80e anniversaire de Monet en novembre 1920.

**70** Lettre à Alexandre, 22 octobre 1920 (W.IV, L. 2378). Monet critiqua les autres articles parce qu'ils étaient « choquants par leurs racontars inutiles et déplacés ». Wildenstein (IV, 96, n. 885) qualifie l'article d'Alexandre de « plus poétique qu'exact », partiellement parce qu'il pense que le journaliste se trompait à propos du diptyque offert. Monet lui avait probablement montré, comme à d'autres visiteurs, diverses combinaisons de panneaux dans l'atelier. Voir ci-dessous, n. 88.

**71** Louis Bonnier, notes non pub., 10 octobre 1920 (W.IV, 97, n. 887). Wildenstein interprète l'attitude de Monet vis-à-vis de Bonnier (IV, 98-100) comme pure mesquinerie. Mais le peintre était résolu à s'assurer que les compositions fussent vues selon des angles variables soigneusement calculés, alors que l'architecte insistait peut-être trop sur la régularité de la présentation (W.IV, 431-432).

**72** La première estimation de Bonnier pour une salle ovale avait été de 790 000 francs, réduite à 626 000 en décembre 1920, en cas de forme circulaire (W.IV, 98, n. 902, 99, n. 912) ; 200 000 francs devaient être versés au peintre pour *Femmes au jardin*. Durand-Ruel (lettre, 10 novembre 1920, citée par Charles F. Stuckey et Robert Gordon, « Blossoms and Blunders : Monet and the State : I », *Art in America*, janvier-février 1979, 112-113) avertit Monet qu'il était important d'avoir des alliés comme Thiébault-Sisson, qui écrivait dans *Le Temps*, « journal sérieux et semi-officiel », au moment des débats parlementaires sur les crédits. Pays (« Un grand maître de l'impressionnisme ») affirma que le projet était trop coûteux, alors que des économies étaient partout nécessaires dans le budget de l'État. Même en mars 1922, Monet dit à Clemenceau (W.IV, L. 2487) que le ministère des Beaux-Arts ne pouvait pas fournir les fonds — cela après que les crédits avaient été apparemment "gelés" (Clemenceau à Monet, 14 décembre 1921, in Hoog, *Les Nymphéas*, 108).

**73** Sur les intérêts américains et japonais, voir Pays, « Un grand maître de l'impressionnisme » ; lettre de J. Durand-Ruel à Monet, 2 juin 1920, dans Stuckey et Gordon, « Blossoms and Blunders : I », 110, n. 32. Citons, comme exemple d'institutionnalisation : la commande pour la cathédrale de Reims ; la proposition de visite du président du Conseil, Georges Leygues, pour le 80e anniversaire du peintre ; l'offre d'un "fauteuil" à l'Institut de France, en décembre 1920 (qu'il déclina, à l'indignation généralisée des patriotes ; voir W.IV, 97, n. 897). Thiébault-Sisson écrivit dans *Le Temps* (« La vie artistique », [1920]) que l'installation des *Nymphéas* au Grand Palais « accroîtrait dans le monde le prestige de la France ».

**74** De Trévise, « Le pèlerinage à Giverny : II », (1927), 130 ; Alexandre, *Claude Monet*, 120.

**75** W.IV, 98-100. Le Conseil des bâtiments civils rejeta le pavillon proposé par Bonnier parce qu'il n'était pas « suffisamment Louis XV » pour l'hôtel Biron : Bonnier, notes, citées dans W.IV, 98, n. 905. Anonyme, « Le musée des *Nymphéas* », *Bulletin de la vie artistique*, 15 avril 1921 ; lettres à Léon, 11 février, 17, 25 avril 1921 (W.IV, L. 2406, 2422 et 2426) ; à Alexandre, 1er juin 1921 (W.IV, L. 2437). Malgré les spéculations de Stuckey et Gordon (« Blossoms and Blunders : I », [1979], 114-115), Monet semble avoir toujours préféré un espace d'exposition de plan elliptique. Il songea un moment à faire de sa maison et de son atelier le lieu d'exposition de la donation (Anonyme, « Échos et nouvelles : la donation Cl. Monet », *Bulletin de l'art ancien et moderne*, 25 octobre 1920). Clemenceau résolut la question des passages en suggérant l'usage de l'ascenseur (Descaves, « Chez Claude Monet », [1920]).

**76** De Trévise, « Le pèlerinage à Giverny : II », (1927), 131-2 ; Elder, *À Giverny*, 35. Monet ressentit l'achat de *Femmes au jardin* comme une compensation pour le refus catastrophique de naguère au Salon ; pourtant, ce fut « un peu crève-cœur » lorsqu'il vit le tableau quitter son atelier. Lettres à Alexandre, 28 janvier, 2 février 1921 (W.IV, L. 2400, 2402) ; à Léon, 2 février 1921 (W.IV, L. 2403)

**77** Lettres aux Bernheim-Jeune, 17 septembre 1921 (W.IV, L. 2448a) ; à Alexandre, 24 mai, 19 juin, 6 juillet 1921 (W. IV, L. 2435, 2442, 2446) ; à Clemenceau, 6 septembre 1921 (W.IV, L. 2447) ; à G. ou J. Bernheim-Jeune, 11 août 1922 (W.IV, L. 2504a).

**78** Lettre à Clemenceau, 31 octobre 1921 (W.IV, L. 2458) ; à Léon, 9 novembre 1921 (W.IV, L. 2463) ; Bonnier, notes, 8 novembre 1921, W.IV, 100, n. 929 ; lettre à Elder, 8 mai 1922 (W.IV, L. 2494).

**79** Le contrat d'avril 1922 et les documents annexes sont reproduits dans Hoog, *Les Nymphéas*, 113-115 ; Hoog reproduit les plans alternatifs exécutés en janvier et mars (42-43) ; lettre à Léon, 23 mars 1922 (W.IV, L. 2490).

**80** Agathe Rouart-Valéry, citée dans Guillaud, 244.

**81** Lettre à Elder, 8 mai 1922 (W.IV, L. 2494) ; à Léon, 27 juin 1922 (W.IV, L. 2501).

**82** *Soleil couchant* — la plus incomplète des *Décorations* — ne fut pas mentionnée avant avril 1922. On peut apercevoir le panneau sur une photographie de l'atelier prise en juillet 1922 (W.IV, 95). Monet exécuta 5 toiles de 6 mètres de longueur (*Le Soleil couchant* et les W.1980-1983) ; en 1920, dans une lettre à Alexandre (W.IV, L. 2391), il disait en avoir fait 3. Comme *Le Bassin des nymphéas avec des iris* (W.1980) est essentiellement une immense esquisse, il se peut qu'il s'agisse de l'une des deux toiles commencées après cette date ; dans une lettre de novembre 1921 à Léon (W.IV, L. 2463) il mentionne 2 tableaux de ce type. Le plan de janvier 1922 comprenait 2 diptyques sans titre, composé chacun de 2 panneaux de 6 mètres, pour la salle 2 , mais puisque sur les 5 toiles longues de 6 mètres, 4 ont le même motif central, il est peu probable que Monet les ait agencés en diptyques. Il s'est même probablement rendu compte qu'il ne pouvait se lancer dans les 4 nouveaux panneaux de 6 mètres qu'exigeaient de tels diptyques, et c'est pourquoi il a décidé d'utiliser séparément ceux qu'il avait déjà peints, comme c'est indiqué dans le plan de mars (avec 4 toiles de 6 mètres indépendantes parmi les 7 compositions de la salle 1), ainsi que dans le contrat d'avril, qui plaçait *Le Soleil couchant* dans la salle 1 et 4 toiles de 6 mètres séparées, toutes intitulées *Matin*, dans la salle 2 (comparer avec W.IV, 327, où l'on suggère que ces panneaux formaient des diptyques).

**83** Lettre à J. Durand-Ruel, 7 juillet 1922 (W.IV, L. 2503) ; J. Durand-Ruel à son fils, 19 octobre 1922 (W.IV, 108, n. 1002).

**84** Pour les opérations et traitements divers du Dr Charles Coutela, voir W.IV, 106-116, 118-119 ; lettre au Dr Coutela, 13 septembre 1922 (W.IV, L. *2649) ; autres lettres au Dr Coutela (W.IV, *addenda*, 13 septembre 1922-4 janvier 1926).

**85** Lettres au Dr. Coutela, 27 août, 14 septembre 1923 (W.IV, L. *2659, *2662) ; à Clemenceau, 30 août 1923 (W.IV, L. 2529). Clemenceau à Monet, 1er septembre 1923, citée dans W.IV, 114. George H. Hamilton, « The Dying of the Light : The Late Works of Degas, Monet and Cézanne », dans *Aspects*, 227-229.

**86** Voir W.IV, 114-155 (citant plus particulièrement des lettres de Coutela à Clemenceau, 6, 13 septembre 1923, et de Clemenceau à Monet, 17 septembre 1923) ; Monet à Clemenceau, 22 septembre 1923 (W.IV, L. 2535) ; à Besnard, 20 septembre 1923 (W.IV, L. 2534) ; à Coutela, 21 octobre 1923 (W.IV, L. *2664) ; à Clémentel, 7 novembre 1923, 26 janvier 1924 (W.IV, L. 2541, 2547). Clemenceau a toujours supposé le pire, relayant en cela l'opinion de Coutela sur l'état de Monet et mêlant le tout à ses propres préoccupations sur les *Décorations*.

**87** La rétrospective tenue dans la galerie Georges Petit (4-18 janvier 1924) incluait 20 œuvres de la collection Matzukata, dont l'un des grands panneaux liés aux *Grandes décorations* (W.1971) (W.IV, 116-117). L'exposition, qui montrait bien tout ce que Monet devait à l'art japonais, peut être considérée aussi comme un bon exemple de la nature réparatrice de son art. Clemenceau à Blanche Hoschedé-Monet, 19, 20 janvier 1924, cité dans W.IV, 118, n. 1106 ; Monet à G. ou J. Bernheim-Jeune, 2 mars 1924 (W.IV, L. 2553) ; à Elder, 6 octobre 1924 (W.IV, L. 2678).

**88** Monet exécuta quelques nouveaux panneaux pour l'Orangerie (Clemenceau, lettre à Monet, 8 octobre 1924 ; voir n. 91), mais il est difficile de savoir exactement combien, d'autant plus qu'il semble en avoir commencé un certain nombre qu'il n'utilisa pas ensuite. Monet dit en décembre 1920 qu'il avait peint de 48 à 50 panneaux ; 42 existent aujourd'hui et les témoignages suggèrent que la plupart de ceux qui ont été utilisés dans l'Orangerie ont été complétés pour l'essentiel avant qu'il ne commençât ses plans pour 1921. Seul peut-être *Soleil couchant* (voir n. 82 ci-dessus) et les panneaux latéraux du *Matin* ont été commencés spécifiquement pour la circonstance (les 2 apparaissent sur une photographie de l'atelier en été 1922 : W.IV, 95). Il n'existe pas de photographies clairement identifiables avec *Les Deux Saules* avant 1927, mais la composition paraît avoir été décrite par Alexandre en 1920 (« L'épopée des *Nymphéas* », voir, n. 70) ; 2 de ces panneaux (ceux qui n'ont pas d'arbres) ont peut-être été photographiés en février 1921 (W.IV, 318-319, B-J 1), avant d'être transformés par les repeints. Monet travaillait probablement sur les panneaux de centre et de droite du *Matin avec saules*, qui apparaissent sur une photographie prise après l'opération de Monet en 1923 (voir les verres médicaux sur la table : W.IV, 95). Sur la destruction des toiles, voir Monet à Elder, 8 mai

1922 (voir n. 78) ; Elder (*À Giverny*, 81-82) a décrit les lambeaux de toile encore accrochés aux châssis.

**89** Maurice Denis, *Journal*, III, 17 février 1924, 40 ; Clemenceau à Monet, 1er mars 1924, in Hoog, *Les Nymphéas*, 109-110. Voir ci-dessous, n. 93.

**90** Lettre au Dr Coutela, 9 mai 1924 (W.IV, L. *2674) ; souvenirs du Dr Jacques Mawas, juin (?) 1924, cité dans W.IV, 120 ; lettres à André Barbier, 5 août, 5 octobre 1924 (W.IV, L. 2572, 2577).

**91** Gillet à Monet, 2 octobre 1924, cité dans W.IV, 123 ; Clemenceau à Monet, 8 octobre 1924, in Hoog, *Les Nymphéas*, 110.

**92** Clemenceau, *Claude Monet*, 41-42 (le récit qu'il a fait à Martet [*M. Clemenceau peint par lui-même*, 30] était beaucoup plus simple). Il est étonnant que le triptyque intitulé *Le Bassin des nymphéas, reflets de nuages* (W.1972-1974, aujourd'hui au musée d'Art moderne de New York) n'ait pas été installé à l'Orangerie. Il est mieux résolu et achevé que le triptyque de même taille et de même thème utilisé.

**93** H. S. Ciowalski, 24 octobre 1924, cité dans W.IV, 124. Photographies prises pour Durand-Ruel en 1971 et pour Bernheim-Jeune en février 1921, illustr. W.IV, 317-319.

**94** Clemenceau à Monet, 7 janvier 1925, in Hoog, *Les Nymphéas*, 111 ; Joyes, *Monet à Giverny*, 36, 40, n. 59 ; Hoschedé, *Claude Monet, ce mal connu*, II, 14.

**95** Lettre à Barbier, 17 juillet 1925 (W.IV, L. 2609) ; à Geffroy, 11 septembre 1925 (W.IV, L. 2611). Paul Valéry, *Cahiers*, 1974, II, 7 septembre 1925.

**96** Lettre à Elder, 16 octobre 1925 (W.IV, L. *2683) ; voir aussi lettres au Dr Coutela, 27 juillet 1925 (W.IV, L. *2682) ; à G. Bernheim-Jeune, 6 octobre 1925 (W.IV, L. 2612).

**97** Clemenceau à Monet, 8 février 1926, in Hoog, *Les Nymphéas*, 112 ; lettre à Barbier, 28 février 1926 (W.IV, L. 2619) ; Clemenceau à Mme Baldensperger [5 avril 1926], *Lettres à une amie*, 1923-1929, éd. Pierre Brive, 1970, 266.

**98** Lettre à Clemenceau, 18 septembre 1926 (W.IV, L. *2685) ; à Léon, 4 octobre 1926 (W.IV, L. 2630). W.IV, 138-140.

**99** W.IV, 143-144 ; Salomon, « Chez Monet, avec Vuillard et Roussel », 1971, 24. Monet partage un caveau avec Alice et son premier époux, Ernest Hoschedé, Jean Monet, Suzanne et Marthe Hoschedé-Butler.

**100** Clemenceau, dans Martet, *M. Clemenceau peint par lui-même*, 89-90 ; Levine, *Monet and his Critics*, 393-417. Après les nombreux livres et articles publiés à la suite de la mort de Monet (W.IV, 334), le silence retomba sur les *Nymphéas*, qui ne furent mentionnés que de loin en loin, jusqu'à leur "redécouverte" par les expressionnistes abstraits dans les années 1950 (voir Clement Greenberg, « The Later Monet », *Art News Annual*, 1957). Au cours de la même décennie, on vit paraître de brefs articles signés de Bachelard et de Masson. De courts essais de Butor et de Seitz furent les seules contributions importantes dans les années 1960. Au cours des années 1970 et 1980, les *Décorations* ont été présentées dans les monographies ou les livres sur le jardin de Giverny. Rouart et Rey ont fait paraître en 1972 un catalogue

peu utilisable, avant les héroïques efforts de Stuckey et Gordon pour débrouiller cette affaire extrêmement complexe. En 1985, Wildenstein a publié la somme magistrale que l'on sait.

**101** Hoschedé, *Claude Monet, ce mal connu*, II, 25-26 ; Salomon, « Chez Monet, avec Vuillard et Roussel », 1971.

**102** Baudelaire, « Salon de 1859 », *Œuvres complètes*, 1085.

**103** Baudelaire, « Le peintre de la vie moderne », 1863, *Œuvres complètes*, 1159.

**104** Vauxcelles, « Un après-midi chez Claude Monet », 1905, 86 ; Elder, *À Giverny*, 9.

**105** Gimpel, *Journal d'un collectionneur*, 68 (19 août 1918). Gimpel affirme que les toiles mesuraient 1 mètre de hauteur sur 2 mètres de largeur : il a pu se tromper, mais Monet a peint effectivement au moins 14 toiles de cette taille après avril 1918 (W.1886-1887, 1890-1901). Aucun témoignage n'établit en revanche avec certitude qu'il les ait présentées en cercle ; cela est même assez invraisemblable, puisque toutes étaient sur le même motif de reflets de ciel et de saules, à l'ouest du bassin.

**106** Perry, « Reminiscences of Monet », (1927), *Impressionism in Perspective*, éd. White, 14 ; Cézanne à Émile Bernard, 23 octobre 1905, lettre CI.XXXIV, 276-277, *Paul Cézanne, Correspondance*, recueillie, annotée et préfacée par John Rewald, Grasset, 1937.

**107** Clemenceau (*Claude Monet*, 154) a déclaré que la peinture de Monet « a fait faire un grand pas vers la représentation émotive du monde et de ses éléments par des distributions de lumières correspondant aux ondes vibratoires que la science nous découvre. » Ses commentaires ont été compris comme une réfutation de la "métaphysique" de Louis Gillet, dans *Trois Variations sur Claude Monet*, 1927 ; voir aussi Levine, *Monet and his Critics*, 396-398.

**108** Klaus Berger, *Odilon Redon, Fantasy and Colour*, Londres, 1965, n° 587 du catalogue, vers 1905-1906, La Haye (voir aussi n° 76-78).

**109** Geffroy, « Claude Monet », *L'Art et les artistes*, 1920, 81 ; Roger Marx, « Les *Nymphéas* de M. Claude Monet », 1909, 529. Voir aussi Gillet, « Après l'exposition Claude Monet », 1924, 673.

**110** Mallarmé, « Le Nénuphar blanc », voir chap. 4 ; Gillet, « L'épilogue de l'impressionnisme », (1909), 413. Le commentaire de Clemenceau selon lequel 44 des 46 visiteurs quotidiens de l'Orangerie seraient des amoureux en quête de tranquillité (voir n. 100) suggérait de manière amusante une nouvelle Cythère.

**111** Gillet (« Après l'exposition Claude Monet », [1924], 671) faisait remarquer que les *Reflets d'arbres* (W.1971) — le seul panneau lié aux *Grande décorations* à être daté — « porte la date de l'année de Verdun ». Les carnets de croquis du musée Marmottan (MM. 5129) contiennent 2 dessins rattachés à cette œuvre.

**112** Gaston Bachelard, *L'Eau et les Rêves. Essai sur l'imagination de la matière*, 1942, spécialement les chap. 2 et 3.

**113** *Les Nymphes accueillant Ophélie*, de Delebarre (*Salon illustré*, 1899, n° 349) montre également les cheveux flottants de la morte épousant le rythme du courant et des plantes aquatiques ; dans *Le Panorama. Salon de 1899*, l'illustration de A. C.-E. His, *Ophélie*, était semblable.

**114** Lettre à Geffroy, 28 février 1896 (W.III, L. 1327) ; Elder, *À Giverny*, 9 ; Marthe de Fels, *La Vie de Claude Monet*, 1929, 15 ; Levine (« Seascapes of the Sublime », [1985], 390) suggère que Monet parlait de la mer « dans un langage émotionnel d'amour et de violence qui semble souvent dépasser les strictes limites posées par une signfication sans continuité ». Le langage de Monet ne confirme certes pas cette interprétation, mais l'eau avait certainement pour lui une signification émotionnelle profonde.

**115** Lettre à Fénéon, mi-décembre 1919 (W.IV, L. 2329).

**116** Voir n. 76. Geffroy, *Claude Monet*, 447-448 (il enregistre plus de 50 œuvres dans la chambre à coucher du peintre) ; Gimpel, *Journal d'un collectionneur*, 55 (1er février 1920). Gillet, « Après l'exposition Claude Monet », 1924, 671-672.

**117** Elder, *À Giverny*, 79 ; lettre à J.-P. Hoschedé, 8 février 1916 (W.IV, L. 2170) ; Alexandre, « L'épopée des *Nymphéas* », (1920).

**118** Mirbeau a exprimé sa foi en un monde meilleur après la guerre : « J'ai la ferme conviction que [...] une fois la paix reconquise, les hommes seront plus justes et plus sages. Je crois que, après la guerre, les idées de liberté et de justice se répandront partout. », *Le Petit Parisien*, 28 juillet 1915, cité par Carr, *Anarchism in France*, 159.

**119** Delange, « Claude Monet », (1927), 54. Monet détruisit également des toiles parce qu'il souhaitait rester maître de la qualité des œuvres qu'il allait laisser après sa mort (de Fels, *La Vie de Claude Monet*, 199).

**120** Gimpel, *Journal d'un collectionneur*, 154 (1er février 1920).

**121** Entre autre exemples, Monet à Bazille, [1868] (W.I, L. 43) ; à Geffroy, 21 juillet 1890 (W.III, L. 1066), 28 juin 1917 (W.IV, L. 2235). Voir aussi n. 35, à propos de crises émotionnelles à l'origine d'attaques de cécité. On pourrait comparer les *Reflets d'arbres* de Monet avec un autre tableau exécuté durant la guerre par un autre peintre de la lumière, Matisse, la *Fenêtre*, de 1914, dans lequel le peintre l'a occultée.

**122** Cité par Delange, « Claude Monet », (1927), 54. Voir le récit fait par Jacques-Emile Blanche des funérailles du peintre, « sans cloches, ni prières ; lugubre fin du solitaire incroyant » (W.IV, 144, n. 1346). La remarque de Clemenceau sur la peur de la mort et du « néant » chez Monet (Martet, *M. Clemenceau peint par lui-même*, 53) rend plus poignante encore l'évolution des *Grandes décorations* : Monet ne pouvait pas mourir avant d'avoir réalisé son rêve de lumière, mais la fin du cycle ne pouvait signifier que sa propre mort.

**123** Alexandre, *Claude Monet*, 120 ; Gillet, « Après l'exposition Claude Monet », (1924), 671-672.

**124** Thiébault-Sisson, « Un nouveau musée parisien », (1927), 48 ; lettre à Clemenceau, 30 août 1923 (W.IV, L. 2529).

**125** Geffroy, « Les *Meules* de Claude Monet », 1891/1892, 27.

**126** Hoog, *Les Nymphéas*, 61 : « En août 1944, lors des combats de la Libération de Paris, cinq obus tombèrent dans les salles des *Nymphéas*… »

# Bibliographie

Cette bibliographie doit beaucoup au travail de défrichement réalisé par Steve Z. Levine dans « Monet and his Critics » (New York, 1976), et à l'inventaire des critiques des expositions impressionnistes effectué par Charles S. Moffett *et al.*, dans « La nouvelle peinture. L'impressionnisme 1874-1886 », catalogue de l'exposition, Fine Arts Museum of San Francisco ; National Gallery of Art, Washington, D. C. (1986).

Le lieu de publication est Paris, sauf indication contraire.

Les photographies d'œuvres choisies tirées du Salon des Beaux-Arts, des années 1860 et des années 1870, dans des recueils publiés par Goupil et C$^{ie}$ et par E. Boetzel sont conservées au Cabinet des Estampes, Bibliothèque nationale, Paris.

About, Edmond, « Deux refusés qui n'ont rien dit », *L'Artiste*, mai 1872

Adhémar, Hélène *et al.*, *Hommage à Claude Monet (1840-1926)*, catalogue de l'exposition, Grand Palais, Paris (1980)

Aitken, Geneviève et Marianne Delafond, *La Collection d'estampes japonaises de Claude Monet à Giverny* (1983)

Albert, Pierre, *Histoire de la presse nationale au début de la troisième république (1871-1879)* (thèse, université Paris-IV, 1977[1980])

Alexandre, Arsène, « Paysages de M. Claude Monet », *Le Figaro*, 3 juin 1898

— « Le jardin de Monet », *Le Figaro*, 9 août 1901

— « Les *Nymphéas* de Claude Monet », *Le Figaro*, 7 mai 1909

— « Un paysagiste d'aujourd'hui », *Comœdia*, 8 mai 1909

— « L'épopée des *Nymphéas* », *Le Figaro*, 21 octobre 1920

— *Claude Monet* (1921)

Alexis, Paul, « Paris qui travaille : III — Aux peintres et sculpteurs », *L'Avenir national*, 5 mai 1873

— « Aux peintres et sculpteurs : une lettre de M. Claude Monet », *L'Avenir national*, 12 mai 1873

Allem, Maurice, *La vie quotidienne sous le Second Empire* (1968)

A. L. T., « Chronique », *La Patrie*, 16 mai 1874

André, A., *Renoir* (1928)

Anonyme, *Aux artistes-peintres. À propos du Salon de 1872* (1872)

— « Notre exposition. Claude Monet », *La Vie moderne*, 19 juin 1880

— « L'exposition des impressionnistes », *La Patrie*, 2 mars 1882

— [Gustave Geoffroy ?], « Morbihan », *Le Phare de la Loire*, 6 novembre 1886

— « Chez les peintres : Claude Monet — Albert Besnard », *Le Temps*, 1$^{er}$ mars 1892

— « Exposition Claude Monet », *L'Art moderne*, 26 mai 1895

— « Le legs Caillebotte », *La Chronique des arts et de la curiosité*, 25 juin

— « Exposition d'œuvres de M. Claude Monet », *La Chronique des arts et de la curiosité*, 15 juin 1898

— « La *Venise* de Claude Monet (galerie Bernheim) », *La Chronique des arts et de la curiosité*, 15 juin 1912

— « Le précieux don de Claude Monet », *Bulletin de la vie artistique*, 15 octobre 1920

— « Échos et nouvelles. La donation Claude Monet », *Bulletin de l'art ancien et moderne*, 25 octobre 1920

— « Le musée des *Nymphéas* », *Bulletin de la vie artistique*, 15 avril 1921

— *Rouchon. Un pionnier de l'affiche illustrée*, musée de l'Affiche et de la Publicité (1983)

Apollinaire, Guillaume, « Claude Monet », *L'Intransigeant*, 31 mai 1912 in *Chroniques d'art 1902-1918*, éd. L.-C. Breunig (1960)

Arnyvelde, André, « Chez le peintre de la lumière », *Je sais tout*, 15 janvier 1914

Astruc, Zacharie, « Salon de 1868 », *L'Étendard*, 27 juin 1868

Aubert, Francis, « Le Salon : IX », *La France*, 26 mai 1874

Aurier, G.-Albert, « Claude Monet », *Mercure de France*, avril 1892

Bachelard, Gaston, *L'Eau et les rêves. Essais sur l'imagination de la matière* (1942)

— « Les *Nymphéas* ou les surprises d'une aube d'été », *Verve* n$^{os}$ 26-27 (1952)

Bacou, Roseline, *Odilon Redon*, 2 vol. (Genève 1956)

Baignières, Arthur, « Exposition de peinture par un groupe d'artistes, rue Le Peletier », *L'Écho universel*, 13 avril 1876

— « 5$^e$ exposition de peinture par MM. Bracquemond, Caillebotte, Degas, etc. », *La Chronique des arts et de la curiosité*, 10 avril 1880

Banville, Théodore de, voir Schop, baron

Ballu, Roger, « L'exposition des peintres impressionnistes », *La Chronique des arts et de la curiosité*, 14 avril 1877

Bataille, M.-L. et Georges Wildenstein, *Berthe Morisot, catalogue des peintures, pastels et aquarelles* (1961)

Baudelaire, Charles, *Œuvres complètes*, éd. Y.-G. Le Dantec et Claude Le Pichois (1964)

Bénédite, Léonce, « La collection Caillebotte au musée du Luxembourg », *Gazette des Beaux-Arts*, mars 1897

Benjamin, Walter, *Charles Baudelaire : un poète lyrique à l'apogée du capitalisme*, traduction et édition Jean Lacoste (1982)

— *Thèses sur la philosophie de l'histoire* (1940)

Berger, René, *et al.*, *Charles Gleyre ou les Illusions perdues*, catalogue de l'exposition, musée cantonal des Beaux-Arts, Lausanne (1974)

Bergson, Henri, *Matière et mémoire* (1896)

Berhaut, Marie, *Caillebotte, sa vie, son œuvre. Catalogue raisonné des peintures et pastels* (1978)

Bertall [Charles-Albert d'Arnoux], « Exposition des impressionnalistes, rue Le Peletier », *Paris-Journal*, 15 avril 1876 (repris dans *Le Soir*, même date)

— « Expositions des impressionnistes », *Paris-Journal*, 9 avril 1877

— « Exposition des indépendants », *Paris-Journal*, 14 mai 1879 (repris comme « Exposition des indépendants : ex-impressionnistes, demain intentionnistes », *l'Artiste*, 1$^{er}$ juin 1879)

Bertrand, Karl, « Le Salon de 1870 », *L'Artiste*, 1$^{er}$ juin 1870

Bigot, Charles, « Causerie artistique. L'exposition des Mirlitons — L'exposition des "intransigeants" », *La Revue politique et littéraire*, 8 avril 1877

— « Causerie artistique. L'exposition des "impressionnistes" », *La Revue politique et littéraire*, 28 avril 1877

— « Beaux-arts. Les petits Salons : l'exposition des artistes indépendants », *La Revue politique et littéraire*, 4 mars 1882

Billot, Léon, « Exposition des Beaux-Arts », *Journal du Havre*, 9 octobre 1868

Bing, Samuel, éd., *Le Japon artistique*, 3 vol. (1888-1891)

Blanc, Charles, « Salon de 1866 », *Gazette des Beaux-Arts*, juin 1866

Blanche, Jacques-Émile, *Propos de peintre, de Gauguin à la Revue nègre* (1928)

Blavet, Émile, « Avant le Salon : l'exposition des réalistes », *Le Gaulois*, 31 mars 1876

Blémont, Émile [Émile Petitdidier], « Les impressionnistes », *Le Rappel*, 9 avril 1876

— éditorial, *La Renaissance littéraire et artistique*, 18 janvier 1874

Boubée, Simon, « Beaux-Arts : exposition des impressionnistes chez Durand-Ruel », *La Gazette de France*, 5 avril 1876

Boussel, Patrice, *Histoire des vacances* (1961)

Bouvier, Jean, *Les deux scandales de Panama* (1964)

Bouyer, Raymond, « Le paysage contemporain : III — Claude Monet et le paysage impressionniste », *La Revue d'histoire contemporaine*, 2 mai 1891

Braudel, Fernand et Ernest La Brousse, *Histoire économique et sociale de la France. III : L'avènement de l'ère industrielle (1789-années 1880)*, 2 vol. (1977)

Breton, Jules, *Un peintre paysan* (1896)

Brunhammer, Yvonne, *et al.*, *Le livre des Expositions universelles 1851-1889*, musée des Arts décoratifs, Paris (1983)

[Bürger, Wilhelm], voir Thoré, Théophile

[Burty, Philippe], « Chronique du jour », *La République française*, 16 avril 1874

— « Exposition de la société anonyme des artistes », *La République française*, 25 avril 1874

— (« Ph. B. »), « Chronique du jour », *La République française*, 26 mars 1875

— (« Ph. B. »), « Chronique du jour », *La République française*, 1$^{er}$ avril 1876

— (« Ph. B. »), « Exposition des impressionnistes », *La République française*, 25 avril 1877

— (« Ph. B. »), « L'exposition des artistes indépendants », *La République française*, 16 avril 1879

— « Le Salon de 1880 », *La République française*, 19 juin 1880

— *Grave imprudence* (1880)

— « Les aquarellistes, les indépendants et le cercle des Arts libéraux », *La République française*, 8 mars 1882

— « Les paysages de M. Claude Monet », *La République française*, 27 mars 1883

Butor, Michel, « Claude Monet ou le monde renversé », *L'Art de France I* (1963)

Byvanck, Willem G. C., *Un Hollandais à Paris en 1891 : Sensations de littérature et d'art* (1892)

Cachin, Françoise, Charles S. Moffett *et al.*, *Manet 1832-1883*, catalogue de l'exposition, Grand Palais (1983)

Calonne, A. de, « L'art contre nature », *Le Soleil*, 23 juin 1889

Cardon, Émile, « L'exposition des révoltés », *La Presse*, 29 avril 1874

Castagnary, Jules-Antoine, « L'exposition du boulevard des Capucines : les impressionnistes », *Le Siècle*, 29 avril 1874

— *Salons (1857-1879)*, 2 vol. (1892)

*Catalogue du Salon*, Salon des artistes français, Paris 1667-1880, 60 vol. [vol. consultés : 1889-1904]

*Catalogue illustré du Salon des Beaux-Arts*, Salon de la Société nationale des Beaux-Arts, Champs-Élysées, Paris (vol. consultés : 1889-1904)

*Catalogue illustré du Salon*, Salon du Champ-de-Mars, Paris (vol. consultés : 1889-1904)

Catinat, Maurice, *Les bords de la Seine avec Renoir et Maupassant : l'école de Chatou* (Chatou, 1952)

Cézanne, Paul, *Correspondance*, recueillie, annotée et préfacée par John Rewald (1937)

Cham [Amédée Noël], *Le Salon pour rire 1872* (1872)

Champfleury [Jules Husson ou Fleury], *Le Réalisme*, éd. Geneviève et Jean Lacambre (1973)

Chennevières, Philippe de, « Le Salon de 1880 », *Gazette des Beaux-Arts*, juillet 1880

— *Souvenirs d'un directeur des Beaux-Arts (1883-1889)*

Chesneau, Ernest, *Salon de 1859* (1859)

— *L'Art et les artistes modernes en France et en Angleterre* (1864)

— *Les nations rivales dans l'art* (1868)

— « À côté du Salon : II — Le plein air : exposition du boulevard des Capucines », *Paris-Journal*, 7 mai 1874 (repris dans *Le Soir*, même date)

— « Exposition universelle : le Japon à Paris », *Gazette des Beaux-Arts*, septembre-novembre 1878

— « Groupes sympathiques : Les peintres impressionnistes », *Paris-Journal*, 7 mars 1882

Chevalier, Frédéric, « Les impressionnistes », *L'Artiste*, 1er mai 1877

Claretie, Jules, *Peintres et sculpteurs contemporains* (1874)

— *La Vie à Paris*, III (1882)

— « Léon Gambetta : amateur d'art », *Gazette des Beaux-Arts*, février 1883

Clemenceau, Georges, « La révolution des *Cathédrales* », *La Justice*, 20 mai 1895

— *Claude Monet : Les Nymphéas* (1928 ; éd. 1965 : *Claude Monet. Cinquante ans d'amitié* [Paris/Genève])

— *Lettres à une amie 1923-1929*, éd. Pierre Brive (1970)

Clément, Charles, *Gleyre, Étude biographique et critique* (1866)

Clément, J.-B., *Chansons* (1887)

Corot, Jean-Baptiste Camille, *Corot raconté par lui-même et par ses amis*, éd. Pierre Cailler, 2 vol. (Vesenay, Genève, 1946)

Courbet, Gustave, *Courbet raconté par lui-même et par ses amis*, éd. Pierre Cailler, 2 vol. (Genève, 1951)

Crespelle, Jean-Paul, *La vie quotidienne des impressionnistes* (1981)

Crouzet, Marcel, *Un méconnu du réalisme : Duranty (1833-1880)* (1964)

Darcel, Alfred, « Les musées, les arts et les artistes pendant le siège et pendant la Commune », *Gazette des Beaux-Arts*, septembre 1871-juin 1872

Dargenty [Arthur d'Ercherac], « Exposition des œuvres de M. Monet », *Le Courrier de l'art*, 15 mars 1883

Daudet, Alphonse, « Monologue à bord », *Contes du lundi* (1873)

Daulte, François, *Frédéric Bazille et son temps* (Genève, 1952)

— *Alfred Sisley, catalogue raisonné de l'œuvre peint* (Lausanne, 1959)

— *Auguste Renoir, catalogue raisonné de l'œuvre peint, I : Figures 1860-1890* (Lausanne, 1971)

Daumard, Adeline, *Les Bourgeois de Paris au XIXe siècle* (1970)

Dax, Pierre, « Chroniques », *L'Artiste*, 1er mai 1876 (reproduction de Georges Rivière, « Les intransigeants de la peinture », *L'Esprit moderne*, 13 avril 1876)

Delacroix, Eugène, *Journal*, éd. André Joubin, 3 vol. (1957-1959)

Denoinville, Georges, « Les Salons : les cathédrales », *Le Journal des artistes*, 19 mai 1895

Descaves, Lucien, « Chez Claude Monet », *Paris-Magazine*, 25 août 1920

Du Camp, Maxime, *Paris : ses organes, ses fonctions et sa vie dans la seconde moitié du XIXe siècle*, 6 vol. (1869-1876)

— *Les convulsions de Paris*, 4 vol. (1878-1880 ; 7e éd., 1889)

Dumas fils, Alexandre, *Une lettre sur les choses du jour* (1871)

Du Pays, A. J., « Exposition : des ouvrages des artistes vivants, au palais des Champs-Élysées », *L'Illustration*, 16 avril 1859

— « Salon de 1866 : III », *L'Illustration*, 2 juin 1866

Duranty, Edmond, « Le Salon bourgeois », *La Rue*, 13 juillet 1867

— « La mer parisienne », *La Vie parisienne*, 9 mars 1872

— *La Nouvelle peinture. À propos du groupe d'artistes qui expose dans les galeries Durand-Ruel* (1876)

— « La quatrième exposition faite par un groupe d'artistes indépendants », *La Chronique des arts et de la curiosité*, 19 avril 1879

— *Le pays des arts* (1881)

Duret, Théodore, *Histoire de quatre ans 1870-1873*, 3 vols. (1876, 1880)

— *Les peintres impressionnistes. Claude Monet, Sisley, C. Pissarro, Renoir, Berthe Morisot* (1878) ; repris dans *Critique d'avant-garde* (1885)

— *Le Peintre Claude Monet. Notice sur son œuvre, suivie du catalogue de ses tableaux exposés dans la galerie du journal illustré, « La Vie moderne »* (1880)

— *Critique d'avant-garde* (1885)

— *Whistler et son œuvre* (1888)

— *Histoire des peintres, Pissarro, Claude Monet, Sisley, Renoir, Berthe Morisot, Cézanne, Guillaumin* (1906)

« E. d'H. », voir Hervilly, Ernest d'

Elder, Marc, « L'Exposition universelle : le Japon à Paris », *Gazette des Beaux-Arts*, septembre 1878

— « Une visite à Giverny chez Claude Monet », *Exelsior*, janvier 1921

— *À Giverny, chez Claude Monet* (1924)

Enault, Louis, « Mouvement artistique : l'exposition des intransigeants dans la galerie Durand-Ruelle » [*sic*], *Le Constitutionnel*, 10 avril 1876

Éon, Henry, « Les *Cathédrales* de Claude Monet », *La Plume*, 1er juillet 1895

Ephrussi, Charles, « Bibliographies. Les peintres impressionnistes… par Théodore Duret », *La Chronique des arts et de la curiosité*, mai 1878

Étienne, Louis, *Le jury et les exposants. Salon des refusés* (1863)

Fels, Marthe de, *La Vie de Claude Monet* (1929)

Fénéon, Félix, *Œuvres plus que complètes*, éd. Joan U. Halperin (Genève/Paris, 1970)

Feydeau, Ernest, *Consolation* (1872)

Fichtre [Gaston Vassy], « l'actualité : L'exposition des peintres indépendants », *Le Réveil*, 2 mars 1872

Fontainas, André, « Galerie Georges Petit : Exposition Claude Monet. Galerie Durand-Ruel : Exposition des œuvres de MM. Claude Monet, Renoir, Degas, Pissarro, Sisley, Puvis de Chavannes », *Mercure de France*, juillet 1898

— « Claude Monet », *Mercure de France*, juillet 1898

Fouquier, M., « L'Exposition internationale », *Le XIXe siècle*, 17 juin 1886

Fourcaud, Louis de, « L'Exposition universelle : la peinture I— L'école française », *La Revue de l'art*, septembre 1900

— « M. Claude Monet et le lac du Jardin des Fées », *Le Gaulois*, 22 mai 1909

Fournel, Victor, « Voyage à travers l'Exposition universelle : notes d'un touriste. I », *Le Correspondant*, avril 1867

Francastel, Pierre, *L'Impressionnisme : les origines de la peinture moderne de Monet à Gauguin* (1937)

Fustec, J. le, « Au jour le jour », *La République française*, 28 juin 1889

Gambetta, Léon, *Discours et plaidoyers choisis de Léon Gambetta* (1909)

Gastineau, Benjamin, *Histoire des chemins de fer* (1963)

Gauguin, Paul, *Correspondance 1873-1888. Documents — Témoignages*, éd. établie par Victor Merlhes (1984)

Gautier, Théophile, « La sculpture au Salon », *L'Artiste*, juin 1872

— *Tableaux du siège de Paris 1870-1871* (1872)

Geffroy, Gustave, « Claude Monet », *La Justice*, 15 mars 1883; largement repris dans « Histoire de l'impressionnisme », *La Vie artistique*, 3e série (1894)

— « Salon de 1887 — Hors du Salon : Claude Monet », *La Justice*, 25 mai, 2 juin 1887 ; repris dans Geffroy, « Histoire de l'impressionnisme : II. Claude Monet », *La Vie artistique*, 3e série (1894)

— « Chronique : Dix tableaux de Cl. Monet », *La Justice*, 17 juin 1888 ; largement repris in Geffroy, « Histoire de l'impressionnisme : II. Claude Monet », *La Vie artistique*, 3e série (1894)

— « Paysages et figures », *La Justice*, 21 juin 1889 ; largement repris in Geffroy, « Histoire de l'impressionnisme : II. Claude Monet », *La Vie artistique*, 3e série (1894)

— « Chronique : l'exposition Monet-Rodin », *La Justice*, 21 juin

1889 ; largement repris in Geffroy, « Histoire de l'impressionnisme : II. Claude Monet », *La Vie artistique*, 3e série (1894)

— « Salon de 1890 aux Champs-Élysées et au Champ-de-Mars », *La Justice*, 7 avril, 7, 11, 13-14, 20-21 mai 1890 ; repris dans Geffroy, *La Vie artistique*, 1e série (1892)

— *Exposition d'œuvres récentes de Claude Monet dans les galeries Durand-Ruel*, catalogue de l'exposition, mai 1891 ; repris sous « Les *Meules* de Claude Monet » in Geffroy, *La Vie artistique*, 1e série (1892)

— *Série des peupliers au bord de L'Epte*, catalogue de l'exposition, galeries Paul Durand-Ruel, mars 1892 ; repris sous « Les *Peupliers* » in Geffroy, « Histoire de l'impressionnisme : II. Claude Monet », *La Vie artistique*, 3e série (1894)

— « Claude Monet », *Le Journal*, 10 mai 1895, repris in Geffroy, *La Vie artistique*, 6e série (1900)

— « Claude Monet », *Le Journal*, 7 juin 1898, repris in *Le Gaulois*, 16 juin 1898 (supplément) et in Geffroy, *La Vie artistique*, 6e série (1900)

— *La Vie artistique*, 8 vol. [« séries »] (1892-1903)

— « La Tamise » (1904) ; repris in « Claude Monet », *L'Art et les artistes*, novembre 1920 (n° spécial)

— *Claude Monet, sa vie, son œuvre* (1924, éd. 1980)

Georgel, Pierre, « Monet, Bruyas, Vacquerie et le Panthéon Nadar », *Gazette des Beaux-Arts*, décembre 1968

[Ghéon, Henri] (« G. H. »), « Les *Paysages d'eau* de Claude Monet », *La Nouvelle Revue française*, 1er juillet 1909

Gill, André, « Le Salon pour rire », *La Lune*, 13 mai 1866

Gillet, Louis, « L'épilogue de l'impressionnisme : les *Nymphéas* de M. Claude Monet », *La Revue hebdomadaire*, 21 août 1909

— « Après l'exposition Claude Monet : le testament de l'impressionnisme », *Revue des Deux Mondes*, 1er février 1924

— *Trois variations sur Claude Monet* (1927)

Gimpel, René, *Journal d'un collectionneur, marchand de tableaux* (1963)

Goncourt, Edmond et Jules de, *Manette Salomon* (1867)

— *Gavarni : l'homme et l'œuvre (1822-96)* (1879)

— *Journal : Mémoires de la vie littéraire*, éd. Robert Ricatte, 4 vol. (Monaco, 1956-1959)

Goncourt, Edmond de, *L'Art japonais au XVIIIe siècle : Outamaro* (1891)

— *Hokusai* (1896)

Gonse, Louis, *L'art japonais* (1883)

— *Catalogue de l'exposition rétrospective de l'art japonais organisée par Louis Gonse*, galerie Georges Petit, Paris (1883)

— « L'Art japonais et son influence sur le goût européen », *Revue des arts décoratifs*, avril 1898

Gourmont, Rémy de, « Notes sur Claude Monet », *L'Art moderne*, 28 juillet 1901

Grappe, Georges, « Chez Cl. Monet », *L'Opinion*, 16 octobre 1920

Grimm, baron [Albert Millaud], « Lettres anecdotiques du baron Grimm : Les impressionnistes », *Le Figaro*, 5 avril 1877

Guillaud, Jacqueline et Maurice, *Claude Monet au temps de Giverny*, catalogue de l'exposition, Centre culturel du Marais, Paris (1983)

Guillemot, Maurice, « Claude Monet », *La Revue illustrée*, 15 mars 1898

Halévy, Daniel, *La République des ducs* (1937 ; éd. 1972)

Hefting, Victorine, *Jongkind, sa vie, son œuvre, son époque* (1975)

Hennequin, Émile, « Beaux-arts : les expositions des arts libéraux et des artistes indépendants », *La Revue littéraire et artistique*, 1882

Hepp, Alexandre, « Impressionnisme », *Le Voltaire*, 3 mars 1882

Hepp, Pierre, « Fleurs et natures mortes (galeries Durand-Ruel) », *La Chronique des arts et de la curiosité*, 30 mai 1908

Hervilly, Ernest d', « Les poèmes du Salon. Camille », *L'Artiste*, 15 juin 1866

— (« E. d'H. »), « L'exposition du boulevard des Capucines », *Le Rappel*, 17 avril 1874

— (« Un Passant »), « Les on-dit », *Le Rappel*, 20, 26 mars 1875

— (« Un Passant »), « Les on-dit », *Le Rappel*, 2 avril 1876

— « Exposition des impressionnistes », *Le Rappel*, 11 avril 1879
Hillairet, Jacques, *Le palais royal et impérial des Tuileries et ses jardins* (1965)
Hoog, Michel, « La cathédrale de Reims de Claude Monet ou le tableau impossible », *Revue du Louvre*, février 1981
— *Les Nymphéas de Claude Monet au musée de l'Orangerie* (1984)
Hoschedé, Jean-Pierre, *Claude Monet, ce mal connu. Intimité familiale d'un demi-siècle à Giverny de 1883 à 1926*, 2 vol. (Genève, 1960)
House, John et Virginia Spate, *Claude Monet — Painter of light*, catalogue de l'exposition, City Art Gallery, Auckland ; Art Gallery of New South Wales, Sydney ; National Gallery of Victoria, Melbourne (1986-1986)
Houssaye, Arsène, *Le chien pendu et la femme fusillée* (1872)
— *Confessions ; souvenirs d'un demi-siècle (1830-1880)*, 4 vol. (1885)
— *Souvenirs de jeunesse 1850-1870* (1890)
Hovelacque, Émile, « Les arts à l'Exposition universelle de 1900. L'Exposition rétrospective du Japon », *Gazette des Beaux-Arts*, octobre 1900, janvier, février 1901
Hugo, Victor, *Choses vues 1870-1885*, éd. Hubert Juin (1972)
Huysmans, Joris-Karl, *L'Art moderne* (1883 ; éd. 1975 : *L'Art moderne/Certains*)
— *À Rebours* (1884)
— « Le Salon de 1887. L'exposition internationale de la rue de Sèze », *La Revue indépendante*, juin 1887
— *Certains* (1889)
— *La Cathédrale* (1898)
Isaacson, Joël, *Claude Monet, observation et réflexion* (Neuchâtel, 1978)
Jacques [pseud.], « Menus propos. Salon impressionniste », *L'Homme libre*, 11 avril 1877
Janin, Clément, « Claude Monet », *L'Estafette*, 10 mars 1892
Janin, Jules, *Voyage de Paris à la mer*, 1847
— *La Normandie* (1981, fac-simile de la 3ᵉ édition, 1862)
Jean-Aubry, G., *Eugène Boudin, d'après des documents inédits* (Neuchâtel, 1968)
Jeanniot, Georges (« J. G. »), « Notes sur l'art : Claude Monet », *La Cravache parisienne*, 23 juin 1888
Joanne, Adolphe, *Les environs de Paris illustrés* (1868)
— *Rouen* (Guides-Joanne), 1887, 1891
Kahn, Gustave, « L'exposition Claude Monet », *Gazette des Beaux-Arts*, juillet 1904
— « Les impressionnistes et la composition picturale », *Mercure de France*, 16 septembre 1912
Kahn, Maurice, « Le jardin de Claude Monet », *le Temps*, 7 juin 1904
Karr, Alphonse, *Le canotage en France* (1858)
Lacambre, Geneviève, *Le musée du Luxembourg en 1874*, catalogue de l'exposition, Grand Palais, Paris (1874)
— *et al.*, *Le Japonisme*, catalogue de l'exposition, Grand Palais ; National Museum of Western Art, Tokyo (1988)
Lafenestre, Georges, « Les expositions d'art : les indépendants et les aquarellistes », *Revue des Deux Mondes*, 15 mai 1879
Laforgue, Jules, *Mélanges posthumes* (1903 ; fac-similé 1979)
Langeac, Th. de, « Bulletin », *L'Univers illustré*, 9 mai 1874
Leclercq, Julien, « Galerie Georges Petit », *La Chronique des arts et de la curiosité*, 25 février 1899
— « Galerie Durand-Ruel », *La Chronique des arts et de la curiosité*, 15 avril 1899
— « Le Bassin aux Nymphéas de Claude Monet », *La Chronique des arts et de la curiosité*, 1ᵉʳ décembre 1900
Lecomte, Georges, « L'art contemporain », *La Revue indépendante de littérature et d'art*, avril 1892
— *L'art impressionniste, d'après la collection privée de M. Durand-Ruel* (1892)
— « Les *Cathédrales* de M. Claude Monet », *La Nouvelle Revue*, 1ᵉʳ juin 1895
— « Claude Monet ou le vieux chêne de Giverny », *La Renaissance de l'art français et des industries de luxe*, octobre 1920
Leneveux, H., *Le budget du foyer*
Le Play, Frédéric, *Les ouvriers européens* (1855)
Le Roux, Hugues, « Sihouettes parisiennes. L'Exposition de Claude Monet », *Gil Blas*, 3 mars 1889

Leroy, Louis, « L'exposition des impressionnistes », *Le Charivari*, 25 avril 1874
Lethève, Jacques, *Impressionnistes et symbolistes devant la presse* (1959)
Lidsky, Paul, *Les écrivains contre la Commune* (1970)
Lora, Léon de [Félix Pothey], « Petites nouvelles artistiques : exposition libre des peintres », *Le Gaulois*, 18 avril 1874
[Lostalot, Alfred de] (« A. de L. »), « L'exposition de la rue Le Peletier », *La Chronique des arts et de la curiosité*, 1ᵉʳ avril 1876
— « Concours et expositions », *La Chronique des arts et de la curiosité*, 12 juin 1880
— « Exposition des œuvres de M. Claude Monet », *Gazette des Beaux-Arts*, avril 1883
— « Exposition internationale de peinture (galerie Georges Petit) », *Gazette des Beaux-Arts*, juin 1885
— « Exposition internationale de peinture et de sculpture (galerie Geoges Petit) », *Gazette des Beaux-Arts*, juin 1887
Lumet, Louis, « Sensations de l'art (Claude Monet) », *l'Enclos*, mai 1895
Maillard, Firmin, *Les derniers Bohèmes : Henri Mürger et son temps* (1874)
Maillard, Georges, « Chronique : les impressionnalistes », *Le Pays*, 4 avril 1876
Maillard, Léon, « Salon de la Société nationale des Beaux-Arts », *La Plume*, 1ᵉʳ juillet 1892
Mallarmé, Stéphane, « Le Jury de peinture pour 1874 et M. Manet », *La Renaissance littéraire et artistique*, 12 avril 1874
— *Œuvres complètes*, éd. Henri Mondor et G. Jean-Aubry (1945)
— *Correspondance*, éd. Henri Mondor et Lloyd James Austin (1959-1985)
Mancino, Léon, « 2ᵉ exposition de peintures, dessins, gravures, faite par un groupe d'artistes », *L'Art* (1876)
Mantz, Paul, « Salon de 1863 », *Gazette des Beaux-Arts*, 1ᵉʳ avril 1863
— « Salon de 1865 », *Gazette des Beaux-Arts*, juin, juillet 1865
— « L'exposition des peintres impressionnistes », *Le Temps*, 22 avril 1877
— « La peinture française », in *Exposition universelle de 1878. Les Beaux-arts décoratifs*, éd. Louis Gonse, vol. I : *L'Art moderne* (1879)
Marey, Bernard, *Les grands magasins des origines à 1939* (1979)
Martet, Jean, *M. Clemenceau peint par lui-même* (1929)
Marx, Roger, « Les *Meules* de M. Claude Monet », *le Voltaire*, 7 mai 1891
— « Les *Nymphéas* de M. Claude Monet », *Gazette des Beaux-Arts*, juin 1909
— *Maîtres d'hier et d'aujourd'hui* (1914)
Masson, André, « Monet le fondateur », *Verve*, nᵒˢ 27-28 (1952)
Matsugata, M., éd., *Le Japon à l'Exposition universelle de 1878*, vol. II (Commission impériale japonaise, 1878)
Mauclair, Camille, « L'exposition Claude Monet — Durand-Ruel », *La Revue indépendante de littérature et d'art*, avril 1892
— (« Camille M. »), « Exposition Claude Monet », *La Revue indépendante de littérature et d'art*, avril 1892
— « La Baigneuse aux cygnes » (dédié à Besnard), *La Revue indépendante de littérature et d'art*, avril 1892
— « Destinées de la peinture française 1865-1895 », *La Nouvelle Revue*, 15 mars 1895
— « Choses d'art », *Mercure de France*, juin 1895
— « Critique de la peinture », *La Nouvelle Revue*, 15 septembre 1895
— « La réforme de l'art décoratif en France », *la Nouvelle Revue*, 15 février 1896
Maupassant, Guy de, « La vie d'un paysagiste », *Gil Blas*, 28 septembre 1886
— *Contes et nouvelles*, 2 vols., éd. Louis Forestier, 1979
Maus, Octave, « Les impressionnistes », *La Vie moderne*, 15 mars 1885
— « Claude Monet-Auguste Rodin », *L'Art moderne*, 7 juillet 1889
Mayeur, Jean-Marie, *Les débuts de la IIIᵉ République 1871-1898* (1973)

Mellerio, André, *L'Exposition de 1900 et l'impressionnisme* (1900)
Merson, Olivier, *La peinture en France* (1861)
Michel, André, *Notes sur l'art moderne (peinture)* (1896)
— « Les Arts à l'Exposition universelle de 1900. L'Exposition centennale. La peinture française : V », *Gazette des Beaux-Arts*, novembre 1900
Millaud, Albert, voir Grimm, baron
Mirbeau, Octave, « Notes sur l'art. Claude Monet », *la France*, 21 novembre 1884
— « Émile Zola et le naturalisme », *La France*, 11 mars 1885
— « Chroniques parisiennes », *La France*, 27 octobre 1885
— *Contes de la chaumière* (1886 ; éd. 1923)
— « Exposition internationale de la rue de Sèze », *Gil Blas*, 13, 14 mai 1887
— *L'Abbé Jules* (1888)
— « L'Avenir », *Le Figaro*, 10 mars 1889, repris in Mirbeau, *Des Artistes* (1922/1986)
— « Prélude », *Le Figaro*, 14 juillet 1889
— « Claude Monet », dans *Exposition Claude Monet-Auguste Rodin*, galerie Georges Petit, Paris (1889) ; repris in Jacques Villain et al., *Claude Monet-Auguste Rodin. Centenaire de l'exposition de 1889* (1989-90)
— « Claude Monet », *L'Art dans les deux mondes*, 7 mars 1891
— « Ravachol ! », *L'Endehors*, 1ᵉʳ mai 1892
— « Des lys ! Des lys ! », *Le Journal*, 7 avril 1895 ; repris in Mirbeau, *Des Artistes* (1924/1986)
— « Un tableau par la fenêtre ! », *Le Gaulois*, 22 septembre 1896 ; repris in Mirbeau, *Des Artistes* (1924/1986)
— *Le Jardin des Supplices* (1899)
— *Claude Monet. Série de vues de la Tamise à Londres*, préface au catalogue de l'exposition, galeries Durand-Ruel, Paris (1904) ; repris dans *L'Humanité*, 8 mai 1904
— *Claude Monet. Venise*, préface du catalogue de l'exposition, galerie Bernheim-Jeune, Paris (1912)
— « À nos soldats », *Le Petit Parisien*, 28 juillet 1915
— « Lettres à Claude Monet », *Cahiers d'aujourd'hui*, 29 novembre 1922
— *Des artistes*, 2 vol. (1922, 1924 ; éd. 1986)
Mondor, Henri, *Vie de Mallarmé* (1941)
Montifaud, Marc de [Marie-Amélie Chartroule de Montifaud], « Exposition du boulevard des Capucines », *L'Artiste*, 1ᵉʳ mai 1874
— Morice, Charles, « Vues de la Tamise à Londres, par Claude Monet », *Mercure de France*, juin 1904
— « Exposition Monet et Renoir », *Mercure de France*, 16 juin 1908
— « L'exposition d'œuvres de M. Claude Monet », *Mercure de France*, 16 juillet 1909
Morisot, Berthe, *Correspondance de Berthe Morisot avec sa famille et ses amis* (1950), éd. Denis Rouart
Natanson, Thadée, « M. Claude Monet », *La Revue blanche*, 1ᵉʳ juin 1895
— « Spéculations sur la peinture, à propos de Corot et des impressionnistes », *La Revue blanche*, 15 mai 1899
— « Sur des traits d'Octave Mirbeau », *Les Cahiers d'aujourd'hui* nᵒ9 (1922)
— *Peints à leur tour* (1948)
Nivelle, Jean de [Charles Canivet], « Les peintres indépendants », *Le Soleil*, 4 mars 1882
Noël, Bernard, *Dictionnaire de la Commune* (1971)
Paris, Jean, « Le soleil de Van Gogh », dans *Miroirs, sommeil, soleil, espaces* (1973)
Pays, Marcel, « Un grand maître de l'impressionnisme. Une visite à M. Claude Monet dans son ermitage à Giverny », *L'Excelsior*, 26 janvier 1921
Perrot, M., *Le mode de vie des familles bourgeoises* (1961)
Picard, A., *L'Exposition universelle internationale de 1880-1889, Paris. Rapport général* (1891)
Piguet, Philippe, *Monet et Venise* (1986)
Pissarro, Camille, *Lettres à son fils Lucien*, éd. John Rewald (1950)
— *Correspondance*, éd. J. Bailly-Herzberg, 3 vol. (jusqu'à 1894)
Plessis, Alain, *De la fête impériale au mur des fédérés 1852-1871*, (1973)

Pontmartin, A. de, « Salon de 1872. I-IX », *L'Univers illustré*, 11 mai-6 juillet 1872

— « Salon de 1874. I-X », *L'Univers illustré*, 2 mai-4 juillet 1874

Porcheron, Émile, « Promenades d'un flâneur : les impressionnistes », *Le Soleil*, 4 avril 1876

Pothey, Alexandre, « Chronique », *La Presse*, 31 mars 1876

— « Beaux-Arts », Le Petit Parisien, 7 avril 1877

Poulain, Gaston, *Bazille et ses amis* (1932)

Poulet, Georges, *Études sur le temps humain* (1976)

Proudhon, Pierre-Joseph, *Du principe de l'art et de sa destination sociale* (1865)

Proust, Marcel, « Les *Éblouissements*, par la comtesse de Noailles », *Le Figaro*, 15 juin 1907 ; repr. in *Contre Sainte-Beuve*, précédé de *Pastiches et mélanges* et suivi de *Essais et articles*, éd. Pierre Clarac et Yves Sandre (1971)

Prouvaire, Jean [Pierre Toloza], « L'exposition du boulevard des Capucines », *Le Rappel*, 20 avril 1874

Ravenel, Jean, « Préface au Salon de 1870 », *Revue internationale de l'art et de la curiosité*, 15 avril 1879

Rébérioux, Madeleine, *La République radicale ? 1898-1914* (1975)

[Renan, Ary] (R. A.), « Cinquante tableaux de M. Claude Monet », *La Chronique des arts et de la curiosité*, 18 mai 1895

Renoir, Jean, *Pierre-Auguste Renoir, mon père*, (éd. 1981)

[Renoir, Pierre-Auguste] (« Un peintre »), « L'Art décoratif et contemporain », *L'Impressionniste*, 21 avril 1877

Rewald, John, *Histoire de l'impressionnisme* (1955)

Rey, Jean-Dominique, *Berthe Morisot* (1982)

Riat, Georges, *Gustave Courbet, peintre* (1906)

Richardson, Joanna, *La Vie parisienne* (Londres, 1971)

Rivière, Georges, « Les intransigeants de la peinture », *L'Esprit moderne*, 13 avril 1876, repr. *in* Pierre Dax, « Chroniques », *L'Artiste*, 1er mai 1876

— « À M. le rédacteur du *Figaro* », *L'Impressionniste*, 6 avril 1877

— « L'exposition des impressionnistes », *L'Impressionniste*, 6, 14 avril 1877

— « Aux femmes », *L'Impressionniste*, 21 avril 1877

— « Les intransigeants et les impressionnistes, souvenirs du Salon libre de 1877 », *L'Artiste*, 1er novembre 1877

— Renoir et ses amis (1921)

Robida, Michel, *Le Salon Charpentier et les impressionnistes* (1958)

Roger-Milès, Léon, « Claude Monet », *L'Éclair*, juin 1898

Rouart, Denis et Jean-Dominique Rey, *Monet, Nymphéas ou le miroir du temps* (avec un catalogue raisonné par Robert Maillard) (1972)

R. Y., « Notes d'art », *La Plume*, 15 novembre 1891

Saint-Victor, Paul de, « Beaux-Arts », *La Presse*, 27 avril 1863

— « Salon de 1872. I », *L'Univers illustré*, 11 mai 1872

— « Les tableaux de style au Salon », *L'Artiste*, juin 1872

— *Barbares et bandits — la Prusse et la Commune* (1872)

Salomon, Jacques, « Chez Monet, avec Vuillard et Roussel », *L'Œil*, mai 1971

Saunier, Charles, « L'art impressionniste », *La Plume*,

août 1892

Schmit, Robert, *Eugène Boudin. 1824-1898* (catalogue raisonné), 4 vol. (1973-84)

Shop, baron [Théodore de Banville], « La semaine parisienne : les bons jeunes gens de la rue Le Peletier. Taches et couleurs. Le brouillard lumineux. Manet condamné par Manet », *Le National*, 13 avril 1877

Sébillot, Paul « Exposition des impressionnistes », *Le Bien public*, 7 avril 1877

— « Revue artistique », *La Plume*, 15 mai 1879

Seitz, William C., *Claude Monet* (1966)

Silvestre, Armand, préface au *Recueil d'estampes gravées à l'eau-forte. Galerie Durand-Ruel* (1873)

— « Chronique des beaux-arts : physiologie du refusé. L'exposition des révoltés », *L'Opinion nationale*, 22 avril 1874

— « Exposition de la rue Le Peletier », *L'Opinion nationale*, 2 avril 1876

— « Le monde des arts : les indépendants. Les aquarellistes », *La Vie moderne*, 24 avril 1879

— « Le monde des arts : expositions particulières. Septième exposition des artistes indépendants », *La Vie moderne*, 11 mars 1882

— « Exposition de M. Claude Monet, 9, boulevard de la Madeleine », *La Vie moderne*, 17 mars 1883

— *Le Nu au Salon*, chaque année de 1889 à 1899

Silvestre, Théophile, *Histoire des artistes vivants* (1856)

Singer-Kérel, Jeanne, *Le coût de la vie à Paris de 1870 à 1954* (1961)

Sizeranne, Robert de, « L'art à l'exposition de 1900. II. Le bilan de l'impressionnisme », *La Revue des Deux Mondes*, 1er juin 1900

Soria, Georges, *Grande Histoire de la Commune* (1971)

Spate, Virginia, « Arcady or Utopia ? Figures in the Landscape in Late Nineteenth Century French Painting », in *Utopias*, actes du colloque annuel de l'Académie australienne des Humanités, éd. Eugene Kamenka (Melbourne, 1987)

Tabarant, Adolphe, *Manet et ses œuvres* (1947)

Taboureux, Émile, « Claude Monet », *La Vie moderne*, 12 juin 1880

Tailhade, Laurent, *Les livres et les hommes 1916-1917* (1917)

Tardieu, Charles, « La peinture au Salon de Paris de 1879 », *L'Art*, vol. II (1879)

Thiébault-Sisson, [François], « Claude Monet : Les années d'épreuves », *Le Temps*, 26 novembre 1900

— « Choses d'art : Claude Monet et ses vues de Londres », *Le Temps*, 19 mai 1904

— « Claude Monet », *Le Temps*, 6 avril 1920

— « Un don de M. Claude Monet à l'État », *Le Temps*, 14 octobre 1920

— « Cl. Monet », *Le Temps*, 7 décembre 1926

— « Un nouveau musée parisien. Les *Nymphéas* de Claude Monet à l'Orangerie des Tuileries », *La Revue de l'art ancien et moderne*, juin 1927

[Thoré, Théophile], *Salons de W. Bürger. 1861 à 1868*, préface de

T. Thoré, 2 vol. (1870)

*Tintamarre Salon, Exposition des beaux-arts de 1868* (1868)

Trévise, duc de, « Le pèlerinage à Giverny », [1920], *La Revue de l'art ancien et moderne*, janvier, février 1927

Truffaut, Georges, « Le jardin de Claude Monet », *Jardinage*, novembre 1924

Tucker, Paul Hayes, *Monet at Argenteuil*

Uhlbach, [Louis], « Justice », *La Cloche*, 29 mai 1871

[Vachon, Marius], « Carnet de la journée », *La France*, 4 avril 1876

Vacquerie, [Auguste], éditorial, *Le Rappel*, 10 avril 1876

Valéry, Paul, *Cahiers*, vol. XI, 1925 (1974)

Vallès, Jules, *Les Réfractaires* (1865)

— *L'Enfant* (1879)

— *Le Bachelier* (1881 ; éd. Jean-Louis Lalanne, 1974)

— *L'Insurgé* (1886)

Van Gogh, Vincent, *Correspondance complète*, 3 vol. (1960)

Vauxcelles, Louis, « Un après-midi chez Claude Monet », *L'Art et les artistes*, novembre 1905

Venturi, Lionello, *Les Archives de l'impressionnisme*, 2 vol. (1939)

Verhaeren, Émile, « L'art moderne », *Mercure de France*, février 1901

Véron, Théodore, *Mémorial de l'art et des artistes de mon temps*, 2e annuaire (1876)

Viellot, Edmond, « L'île de la Grenouillère », *La Chronique illustrée*, 1er août 1869

Vigne, Henri, « Les bas-fonds parisiens », *L'Illustration*, 26 août 1871

Villain, Jacques et al., *Claude Monet-Auguste Rodin. Centenaire de l'exposition de 1889*, catalogue de l'exposition, musée Rodin, Paris (1989-1990)

Vollard, Ambroise, *Auguste Renoir* (1920)

— *En écoutant Cézanne, Degas, Renoir* (1938)

— Walter, Rodolphe, « Critique d'art et vérité. Émile Zola en 1868 », *Gazette des Beaux-Arts*, avril 1969

— Whistler, James Abbott MacNeill, « Le "Ten O'Clock" de M. Whistler », trad. de Stéphane Mallarmé, *La Revue Indépendante*, mai 1888

Wildenstein, Daniel et al., *Biographie et catalogue raisonné*, 5 vol. (1974-1992)

Wolff, Albert, « le calendrier parisien », *Le Figaro*, 3 avril 1876

— « Les indépendants », *Le Figaro*, 11 avril 1879

— « Quelques expositions », *Le Figaro*, 2 mars 1882

— « Exposition internationale », *Le Figaro*, 19 juin 1886

Zola, Émile, *Les Rougon-Macquart, Histoire naturelle et sociale d'une famille sous le Second Empire*, éd. Henri Mitterand, 5 vol. (1960-1968)

— *Œuvres complètes*, éd. Henri Mitterand, 15 vol. (1966-1970)

— *Mon Salon. Manet, Écrits sur l'art*, éd. Antoinette Ehrard (1970)

— *Contes et Nouvelles*, éd. Roger Ripoll (1976)

— *Correspondance*, éd. B. H. Bakker, 6 vol. jusqu'à 1880 (Montréal, 1978)

# Table des illustrations

# *Index*

### *Index des œuvres de Monet*